A ARTE PERDIDA DAS ESCRITURAS

OBRAS DE KAREN ARMSTRONG PUBLICADAS PELA COMPANHIA DAS LETRAS

A arte perdida das escrituras: Resgatando os textos sagrados
Breve história do mito
Campos de sangue: Religião e a história da violência
Doze passos para uma vida de compaixão
Em defesa de Deus: O que a religião realmente significa
Em nome de Deus: O fundamentalismo no judaísmo, no cristianismo e no islamismo
A escada espiral: Memórias
A grande transformação: O mundo na época de Buda, Confúcio e Jeremias
Uma história de Deus: Quatro milênios de busca do judaísmo, cristianismo e islamismo
Jerusalém: Uma cidade, três religiões
Maomé: Uma biografia do Profeta

KAREN ARMSTRONG

A arte perdida das escrituras

Resgatando os textos sagrados

Tradução
Berilo Vargas

Companhia Das Letras

Grafia atualizada segundo o Acordo Ortográfico da Língua Portuguesa de 1990, que entrou em vigor no Brasil em 2009.

Título original
The Lost Art of Scripture: Rescuing the Sacred Texts

Capa
Victor Burton

Imagens de capa e quarta capa
The Metropolitan Museum of Art e British Library

Preparação
Richard Sanches

Índice remissivo
Luciano Marchiori

Revisão
Carmen T. S. Costa
Luís Eduardo Gonçalves
Clara Diament

Dados Internacionais de Catalogação na Publicação (CIP)
(Câmara Brasileira do Livro, SP, Brasil)

Armstrong, Karen
A arte perdida das escrituras : Resgatando os textos sagrados / Karen Armstrong ; tradução Berilo Vargas. — 1ª ed. — São Paulo : Companhia das Letras, 2024.

Título original: The Lost Art of Scripture : Rescuing the Sacred Texts.
Bibliografia
ISBN 978-85-359-3468-7

1. Livros sagrados – História e crítica 2. Religião e cultura 3. Religiões I. Título.

23-170513 CDD-208.2

Índice para catálogo sistemático:
1. Livros sagrados e escrituras 208.2

Cibele Maria Dias – Bibliotecária – CRB-8/9427

EDITORA SCHWARCZ S.A.
Rua Bandeira Paulista, 702, cj. 32
04532-002 — São Paulo — SP
Telefone: (11) 3707-3500
www.companhiadasletras.com.br
www.blogdacompanhia.com.br
facebook.com/companhiadasletras
instagram.com/companhiadasletras
twitter.com/cialetras

Para Felicity Bryan

Desceu Sansão com seu pai e com sua mãe a Timna, a cujas vinhas chegaram; eis que lhe saiu ao encontro, rugindo, um leão novo. O Espírito de Jeová apoderou-se de Sansão, que despedaçou o leão como quem despedaça um cabrito, sem ter coisa alguma na mão; porém, nem a seu pai nem a sua mãe disse o que tinha feito [...]. *Passado algum tempo, voltou* [...] *e apartou-se do caminho para ver o cadáver do leão; eis que havia no corpo do leão um enxame de abelhas, com mel. Tomando-o nas mãos, foi comendo pelo caminho; e, chegando aonde estavam seu pai e sua mãe, deu-lhes o mel, e eles comeram. Porém, não lhes disse que do cadáver do leão havia ele tirado o mel.*

Juízes 14,5-9

Ver um Mundo num Grão de Areia
E um Céu numa Flor do Campo,
Capturar o Infinito na palma da mão
E a Eternidade numa hora.

William Blake, "Augúrios da inocência" (1803)

Conclusão: Não fosse o Caráter Poético ou Profético, o Filosófico e o Experimental logo seriam o Fundamento de todas as coisas, e permaneceriam imóveis, incapazes de fazer outra coisa que não repetir sem parar o mesmo enfado.
Aplicação: Aquele que vê o Infinito em todas as coisas vê Deus. Aquele que vê a Razão vê apenas a si mesmo.
Portanto: Deus se torna o que somos, para que possamos ser o que ele é.

William Blake, *Não existe religião natural* (1788)

Sumário

Introdução 11

PARTE UM: COSMO E SOCIEDADE 25

1. Israel: Lembrar para pertencer 27
2. Índia: Som e silêncio 58
3. China: A primazia do ritual 79

PARTE DOIS: MITO 103

4. Nova história; novo eu 105
5. Empatia 133
6. Desconhecer 168
7. Cânone 195
8. *Midrash* 218
9. Encarnação 243
10. Recitação e *intentio* 267
11. Inefabilidade 311

PARTE TRÊS: LOGOS 341
12. *Sola scriptura* 343
13. *Sola ratio* 389

Post-escritura 461

Agradecimentos 493
Notas 495
Bibliografia selecionada 561
Glossário 589
Índice remissivo 619

Introdução

Uma estatueta de marfim que se encontra no Museu Ulm talvez seja a mais antiga evidência de atividade religiosa da humanidade. O Homem-Leão tem 40 mil anos. Seu corpo é parcialmente humano, com cabeça de leão das cavernas; em posição ereta, e com 31 centímetros de altura, ele, com um olhar sereno e compenetrado, encara o espectador. Fragmentos dessa peça, cuidadosamente guardados numa câmara recôndita, foram descobertos na caverna de Stadel, no sul da Alemanha, poucos dias antes do início da Segunda Guerra Mundial. Sabemos que grupos de *Homo sapiens* caçavam mamutes, renas, bisões, cavalos selvagens e outros animais na região, mas aparentemente não viviam naquela caverna. Como no caso das cavernas de Lascaux, no sul da França, a de Stadel pode ter sido reservada para ritos comunais, quando as pessoas se reuniam para celebrar os mitos que davam sentido e propósito à sua vida dura e, não raro, assustadora: o corpo do Homem-Leão está gasto, como se tivesse sido esfregado e acariciado repetidamente enquanto os adoradores narravam sua história. A estatueta também demonstra que, àquela altura, os seres humanos já eram capazes de pensar em algo que não existe. A pessoa que o esculpiu se tornara de todo humana, uma vez que o *Homo sapiens* é o único animal capaz de visualizar uma coisa que não é imediatamente visível ou que ainda não surgiu. O Homem-Leão é, portanto, produto da imaginação, aquilo que Jean-Paul Sartre definiu como *a capacidade de pensar o que não é.*[1] Naquela época, homens e mulheres viviam uma realidade que transcendia o empírico e o factual e, ao longo de sua história, os seres humanos viriam a investir muita energia nisso.

A imaginação tem sido a causa de nossas maiores conquistas na ciência e na tecnologia, bem como na arte e na religião. De um ponto de vista estritamente racional, o Homem-Leão poderia ser ignorado por se tratar de mera ilusão. Mas os neurologistas nos dizem que na verdade não temos nenhum contato direto com o mundo que habitamos. O que temos são apenas perspectivas que chegam até nós pelos intricados circuitos de nosso sistema nervoso, de modo que todos nós — tanto cientistas como os místicos — conhecemos apenas representações da realidade, e não a realidade em si. Lidamos com o mundo tal como ele nos aparece, e não como intrinsecamente é; assim, algumas de nossas interpretações podem ser mais precisas do que outras. Esse fato um tanto perturbador significa que as "verdades objetivas" nas quais tanto confiamos são inerentemente ilusórias.[2] O mundo está *aí*; sua energia e sua forma existem. Mas nossa apreensão dele é apenas uma projeção mental. O mundo se encontra fora de nosso corpo, mas não de nossa mente. "Nós *somos* este pequeno universo", explica o místico beneditino Bede Griffiths (1906-93), "um microcosmo no qual o macrocosmo está presente como holograma."[3] Estamos cercados por uma realidade que transcende nosso alcance conceitual, ou que vai além dele.

Portanto, aquilo que consideramos verdade inevitavelmente se vincula a um mundo que construímos para nós mesmos. Tão logo aprenderam a manipular ferramentas, os primeiros humanos criaram obras de arte para dar sentido ao terror, à maravilha e ao mistério de sua existência. Desde o início, a arte esteve inextricavelmente ligada ao que chamamos "religião", em si mesma uma forma de arte. As cavernas de Lascaux, lugar de cultos religiosos desde 17000 a.C., são decoradas por pinturas numinosas que retratam a vida selvagem local e, perto dali, no labirinto subterrâneo de Trois Frères, em Ariège, há representações espetaculares de mamutes, bisões, carcajus e bois-almiscarados. Domina a cena uma figura imensa, metade homem, metade fera, que fixa os olhos, enormes e penetrantes, nos visitantes que irrompem pelo túnel que é a única via de acesso para esse templo pré-histórico. Como o Homem-Leão, essa criatura híbrida transcende tudo que integra nossa experiência empírica, mas parece refletir um senso da união subjacente que há entre animal, humano e divino.

O Homem-Leão nos apresenta vários temas que serão importantes em nossa discussão da escritura. Mostra que desde o início homens e mulheres deliberadamente cultivaram uma percepção da existência que diferia do empírico e sentiam um apetite instintivo por um estado de ser mais intenso, por vezes chamado de "sagrado". Naquilo que tem sido descrito como "filosofia perene" — pois, até o período moderno, se encontrava presente em todas as culturas —, partia-se do pressuposto de que o mundo não apenas era permeado por uma realidade que estava além do alcance do intelecto, mas também era explicado por ela. Não há, nisso, nada de surpreendente, uma vez que, como vimos, estamos de fato cercados pela transcendência — uma realidade que não podemos conhecer objetivamente. No mundo moderno, talvez não cultivemos esse senso do transcendente com a mesma diligência de nossos antepassados, mas todos nós passamos por momentos em que somos tocados no âmago de nosso ser, em que parece que, por um momento, somos içados para além de nosso eu rotineiro e habitamos nossa humanidade mais plenamente do que de costume — na dança, na música, na poesia, na natureza, no amor, no sexo ou no esporte, bem como no que chamamos de "religião".

Não há no cérebro humano um local específico "de Deus" que produza um senso do sagrado. Mas nas últimas décadas os neurologistas descobriram que o hemisfério direito do cérebro é essencial para a criação da poesia, da música e da religião. Essa região participa na formação de nosso senso de nós mesmos e tem um modo de atenção mais amplo, mais disperso, do que o hemisfério esquerdo, que é mais pragmático e seletivo. Acima de tudo, ele se vê como ligado ao mundo externo, enquanto o hemisfério esquerdo se mantém indiferente a ele. Especializado em linguagem, análise e resolução de problemas, o lado esquerdo do nosso cérebro suprime informações que não consegue apreender conceitualmente. O hemisfério direito, porém, cujas funções tendiam, no passado, a ser desdenhadas pelos cientistas, tem uma visão holística, e não analítica; vê cada coisa em relação ao todo e percebe a interconectividade da realidade. Sente-se, portanto, à vontade com a metáfora, na qual entidades díspares se tornam uma só, ao passo que a tendência do hemisfério esquerdo é ser literal e tirar as coisas do contexto para poder classificá-las e utilizá-las. A novidade chega primeiro ao hemisfério direito, onde aparece como parte de uma unidade interligada; depois, passa para o esquerdo, onde é definida, analisada e tem seu uso aferido. Mas o esquerdo só é capaz de produzir uma versão reducionista da realidade complexa e, depois de processada, essa informação é devolvida ao hemisfério direito, onde a vemos — na medida de nossa capacidade — no contexto do todo.[4]

Não há dúvida de que a atenção moderna dispensada aos insights empíricos e objetivos fornecidos pelo hemisfério esquerdo tem sido imensamente benéfica para a humanidade. Ampliou nossos horizontes mentais e físicos, aprofundando drasticamente nossa compreensão do mundo, reduzindo sobremaneira o sofrimento humano e permitindo que mais pessoas sentissem bem-estar físico e emocional. Em consequência, a educação moderna tende, cada vez mais, a privilegiar o esforço científico e a marginalizar o que chamamos de humanidades. Isso, porém, é lastimável, pois significa que corremos o risco de cultivar de fato apenas metade de nossa capacidade mental. Assim como seria insano ignorar a lógica, a análise e a racionalidade produzidas pelo hemisfério esquerdo, psicólogos e neurologistas nos dizem que, para funcionar no mundo de modo criativo e seguro, as atividades desse hemisfério precisam estar integradas às do lado direito.

O cérebro esquerdo é competitivo por natureza; ignorando, em larga medida, o trabalho do direito, ele tende a ser excessivamente confiante. O hemisfério direito, porém, tem uma visão mais abrangente da realidade, a qual, como se viu, jamais conseguimos apreender por completo; em comparação com o esquerdo, ele se sente mais à vontade com o tangível e o físico. O cérebro esquerdo é essencial para nossa sobrevivência e nos torna capazes de investigar e dominar nosso ambiente, mas só pode nos oferecer uma representação abstrata das informações complexas que recebe do cérebro direito. Por ser menos centrado em si mesmo, o hemisfério direito é mais realista. Sua visão abrangente lhe permite ter diferentes e simultâneos pontos de vista sobre a realidade e, diferentemente do esquerdo, não forma certezas com base em abstrações. Profundamente afinado com o Outro — tudo que não seja nós mesmos —, o hemisfério direito está sempre atento às relações. É a sede da empatia, da comiseração, do nosso senso de justiça. Por ser capaz de enxergar pelo ponto de vista de um outro, inibe nosso egoísmo natural.[5]

Os dois lados do nosso cérebro normalmente trabalham em conjunto, e suas funções estão estreitamente interligadas, mas, em alguns períodos da história, as pessoas tendem a cultivar mais um lado que o outro. Até pouco tempo atrás, por exemplo, os neurocientistas se referiam ao hemisfério direito como o hemisfério "menor", deixando clara nossa preferência moderna pelo pensamento analítico e propositivo. Ao longo da história, porém, artistas, poetas e místicos cultivaram com diligência os insights do hemisfério direito. Bem antes de as atividades dos dois lados do cérebro serem plenamente exploradas, o filósofo norte-americano William James (1842-1910) afirmou que a consciência racional de que nos valíamos era apenas um tipo de consciência. Haveria outros modos de percepção, separados dela pela mais tênue das telas, nos quais as leis que governam nossos hábitos de pensamento mais triviais pareceriam suspensas. James estava convencido de que para nos conhecermos plenamente seria necessário estimular as experiências de "pico" que ocorrem quando a consciência comum — ou, em nosso linguajar atual, o cérebro esquerdo — se encontra temporariamente inativa.[6] Veremos que, desde épocas muito remotas, certos indivíduos especiais cultivaram deliberadamente o que hoje chamaríamos de consciência do hemisfério direito e experimentaram apreensões da inefável unidade da realidade. Alguns desses profetas, poetas e videntes expressaram seus insights nas escrituras; outros se inspiraram nas escrituras para cultivar essa consciência. Mas no geral tiveram o cuidado de integrar essas intuições do cérebro direito aos imperativos práticos do cérebro esquerdo. Essas pessoas não eram aberrações, nem estavam iludidas. Exercitavam uma faculdade natural que lhes trouxe importantes insights, os quais, como veremos, são essenciais para a humanidade.

Foi o lado direito do cérebro que inspirou o escultor a criar o Homem-Leão, pois a visão, própria desse hemisfério, da unidade subjacente de tudo lhe oferecia indicações da misteriosa conexão que de alguma forma fundia o feroz leão-das-cavernas com o vulnerável *Homo sapiens*. Nas sociedades de caçadores ao longo da história humana, as pessoas não viam as espécies como categorias distintas e permanentes: os homens, pensava-se, podem se converter em animais, os animais podem assumir a forma humana, e feras são reverenciadas por xamãs como mensageiras de poderes mais elevados.[7] Esculpido na presa de marfim de um mamute, o maior animal da região, o Homem-Leão exibe um olhar atento e auscultador sugerindo que, de alguma maneira, ele era aparentado com seus adoradores humanos. Na caverna de Stadel, a comunidade via duas espécies, em tese inimigas, mescladas criativa e afetuosamente, e reverenciava essa confluência como divina. Não era uma divindade "sobrenatural" o que aqueles caçadores adoravam. Na verdade, no Homem-Leão — tal como na misteriosa figura do labirinto de Trois Frères — duas criaturas terrenas e mortais eram reverenciadas como misteriosamente unas e divinas.

O Homem-Leão desafia algumas de nossas noções modernas do sagrado, que costuma ser encarado como um Deus Criador distante, distinto e todo-poderoso. Mas, se o transcendente fosse simplesmente uma realidade remota — que "está lá fora" e que não se pode entrever senão por breves momentos e, ainda assim, apenas de longe —, a "religião" nunca teria se popularizado. Veremos que quase todas as escrituras que examinaremos repetem que homens e mulheres devem descobrir o divino dentro de si e no mundo em que vivem; elas afirmam que cada um de nós participa da verdade final e definitiva e que, portanto, temos um potencial ilimitado. Ao longo dos séculos, as pessoas têm falado em tornar-se "divinizadas", "iluminadas" ou "realizadas em Deus" — um insight nascido da visão holística do hemisfério direito de nosso cérebro, na qual o sacro e o profano se interpenetram. Isso não significa, porém, que o que chamamos de Sagrado ou de Deus seja simplesmente uma experiência mental ou uma "ilusão". Veremos que os profetas, os místicos e os videntes que deliberadamente cultivaram essas experiências insistiam em afirmar que elas não passavam de indícios de uma Realidade incognoscível situada mais além. Mas, sem o diligente cultivo da visão holística do cérebro direito, esse insight transcendente teria sido impossível.

O Homem-Leão, portanto, expressa também um anseio humano, profundamente arraigado, de transformação. As pessoas não buscavam uma mera experiência de transcendência; na verdade, queriam corporificar essa experiência e, de alguma forma, combinar-se com ela harmoniosamente. Não queriam uma divindade distante, mas buscavam uma humanidade mais elevada. Isso, como veremos, é um dos grandes temas das escrituras: pessoas que querem "ir além" do sofrimento e da mortalidade e inventam maneiras de consegui-lo. Hoje somos menos ambiciosos; queremos ser mais esbeltos, mais saudáveis, mais jovens e mais atraentes do que de fato somos. Sentimos que um "eu melhor" espreita por trás do nosso eu lamentavelmente imperfeito: queremos ser mais bondosos, mais corajosos, mais brilhantes e carismáticos. Mas as escrituras vão mais longe, afirmando que cada um de nós pode se tornar um Buda, um sábio, um Cristo ou até um deus. O erudito norte-americano Frederick Streng apresenta esta definição de religião:

> A religião é uma *forma de transformação definitiva* [...]. Uma transformação definitiva é uma mudança fundamental, é nos desenredarmos dos problemas da existência comum (pecado, ignorância) para vivermos de uma maneira que nos permita lidar, no nível mais profundo, com esses problemas. Essa capacidade de viver nos permite experimentar a realidade mais autêntica e profunda — a definitiva.[8]

Os mitos, os rituais, os textos sagrados e as práticas éticas de uma religião desenvolvem um plano de ação "pelo qual as pessoas vão além de si mesmas para se ligarem à realidade verdadeira e última que as salvará das forças destrutivas da existência cotidiana".[9] Vivendo com o que é definitivamente real e verdadeiro, as pessoas descobriram não só que conseguem suportar melhor essas tensões destruidoras, mas também que a própria vida ganha uma nova profundidade, um novo propósito.

Mas o que é essa "realidade definitiva e verdadeira"? Veremos que as escrituras lhe deram nomes diversos — *rta*, Brâman, Tao, Eloim ou Deus —, mas no Ocidente moderno desenvolvemos uma ideia inadequada e, em última análise, impraticável acerca do divino, que gerações anteriores teriam achado ingênua e imatura. Quando criança, aprendi no catecismo católico esta resposta à pergunta "O que é Deus?": "Deus é o Espírito Supremo, que sozinho existe em si mesmo e é infinito em todas as perfeições". Essa resposta não é apenas maçante e pouco inspiradora, mas fundamentalmente incorreta, pois tenta *definir* — verbo cujo sentido literal é o de "estabelecer limites" — uma realidade, em essência, ilimitável. Veremos que, quando se cultivava o hemisfério esquerdo menos do que hoje, o que chamamos "Deus" não era nem *um* "espírito" nem *um* "ser". Deus era, a rigor, a própria Realidade. Deus não somente não tinha gênero como também, segundo afirmaram importantes teólogos e místicos, não "existia" de uma forma que podemos compreender. Antes do período moderno, a "realidade definitiva" estava mais perto daquilo que o filósofo alemão Martin Heidegger (1899-1976) chamava de "Ser-Sendo", uma energia fundamental que sustenta e permeia tudo que existe. Não pode ser vista, tocada, escutada, apenas observada enquanto age misteriosamente nas pessoas, nos objetos e nas forças naturais que impregna. É sobretudo indefinível, pois é impossível sair dela e enxergá-la com objetividade.

Tradicionalmente, o sagrado era vivido como uma presença que permeia a realidade como um todo — humanos, animais, plantas, estrelas, vento e chuva. O poeta romântico William Wordsworth (1770-1850) diligentemente se referiu a ele como "algo", porque era indefinível e, portanto, transcendia o pensamento propositivo. Ele experimentara

um senso sublime
De algo muito mais profundamente entremeado
Cuja morada é a luz de sóis poentes
E o oceano circular e o ar vivo
E o céu azul e na mente do homem.[10]

Wordsworth disse ter "aprendido" a adquirir esse insight.[11] É possível dizer que o poeta o adquiriu ao cultivar deliberadamente uma consciência própria do hemisfério direito com a supressão — por tempo limitado — das atividades analíticas do esquerdo. Quando buscavam acessar a "verdade definitiva", portanto, as pessoas não estavam se submetendo a um "ser" exótico, onipotente e distante, mas, sim, tentando alcançar um modo mais autêntico de existência. Veremos que, até o começo do período moderno, sábios, poetas e teólogos insistiam em dizer que o que chamamos "Deus", "Brâman" ou "Tao" era inefável, indescritível e incognoscível — e apesar disso estava dentro deles: uma fonte constante de vida, energia e inspiração. Religiões — assim como as escrituras — eram, portanto, formas de arte que os ajudavam a viver em relação com essa realidade transcendente e, de certa forma, a corporificá-la.

O Homem-Leão foi, claro, esculpido bem antes da invenção das escrituras, que surgiram quando os seres humanos começaram a viver em sociedades maiores e mais complexas e precisavam de um éthos que os mantivesse unidos. As primeiras civilizações se estabeleceram no Oriente Médio em meados do quarto milênio a.C. Antes do desenvolvimento de nossa moderna economia industrializada, todos os Estados e impérios tinham como base econômica a agricultura e eram mantidos pela exploração implacável. Veremos que, em toda sociedade agrária, uma pequena aristocracia, juntamente com seu séquito, se apossava do excedente produzido pelos camponeses e o usava para financiar projetos culturais, obrigando 99% da população a viver em estado de subsistência. Nenhuma civilização pré-moderna encontrou uma alternativa para esse modelo. Apesar disso, dizem-nos os historiadores, sem esse sistema iníquo provavelmente jamais teríamos transposto um estágio primitivo, pois ele gerava uma classe privilegiada que dispunha de lazer para criar as artes e as ciências das quais dependia o nosso progresso.[12]

Uma dessas *artes* civilizadas era a escritura, que dependia da civilizada *ciência* do ritual. No mundo pré-moderno, "ciência" era um conjunto de conhecimentos que exigiam habilidades e treinamento especializados. Veremos que as disciplinas físicas do ritual, elaboradas com diligência, ajudavam os participantes a cultivarem a visão holística do hemisfério direito, que está em sintonia com a corporificação. Quase todos os sábios, profetas e filósofos que vamos examinar pertenciam a classes de elite, as únicas que dispunham de tempo para se dedicar à contemplação intensiva e à prática ritualizada. É verdade que as escrituras de Israel foram, de início, desenvolvidas e transmitidas por grupos periféricos, mas seus descendentes acabaram desenvolvendo Estados agrários normais. Jesus e seus discípulos vinham de classes camponesas, mas os textos do Novo Testamento foram redigidos por membros da elite judaica instruída depois de Jesus já ter morrido. Apesar disso, quase todas essas escrituras expressam uma insatisfação divina com a iniquidade de suas sociedades e afirmam que mesmo o ser humano mais humilde era não apenas digno de respeito, mas também potencialmente divino.

A escritura, portanto, surgiu como forma de arte aristocrática. "Escritura" pode ser definida como um texto considerado sagrado, com frequência — mas nem sempre — por ter sido revelado de forma divina, e faz parte de um cânone respeitado e obedecido. A palavra "escritura" implica um texto escrito, mas a maioria das escrituras começou com textos compostos e transmitidos oralmente. Na verdade, em algumas tradições o som das palavras inspiradas é sempre mais importante do que seu significado semântico. A escritura costumava ser entoada, cantada ou declamada de uma forma que a distinguia do discurso tradicional, com as palavras — produto do hemisfério esquerdo do cérebro — se fundindo às emoções mais indefiníveis do lado direito. A música, nascida do hemisfério direito, não "significa" nada, sendo, de resto, o próprio significado. Mesmo depois de se tornar texto escrito, a escritura ainda era vista como inerte até que uma voz viva a acendesse, como uma partitura que só ganha vida quando interpretada por um instrumento. Era, portanto, uma arte sobretudo performática e, até o período moderno, quase sempre representada no drama do ritual e pertencente ao reino do mito.

Hoje, na linguagem popular, "mito" é algo que não é verdade. Se for acusado de ter cometido um pecadilho em sua vida pregressa, o político pode afirmar que se trata de um mito — que aquilo jamais ocorreu. Tradicionalmente, porém, o mito expressava uma verdade eterna *que, em determinado sentido, aconteceu certa vez, mas que também acontece o tempo todo*. Ajudava a dar sentido à vida, situando os dilemas pessoais num contexto atemporal. O mito já foi chamado de forma inicial da psicologia: as histórias de heróis que, ao lutarem em labirintos ou combaterem monstros, traziam à luz impulsos de regiões obscuras da psique, de difícil acesso à investigação racional. O mito é, em essência, um programa de ação: seu significado permanece obscuro até que seja representado, ritual ou eticamente. Tudo que a narrativa mítica faz é nos colocar na atitude espiritual ou psicológica correta; o passo seguinte é por nossa conta. Os mitos das escrituras não se destinam a confirmar nossas crenças ou a endossar nosso estilo de vida; em vez disso, exigem uma transformação radical da mente e do coração. O mito não podia ser demonstrado por provas lógicas, uma vez que seus insights, como os da arte, dependiam do hemisfério direito do cérebro. Era uma maneira de encarar a misteriosa realidade do mundo que não conseguimos compreender conceitualmente; só ganhava vida ao ser celebrado num ritual, sem o qual poderia parecer abstrato ou mesmo exótico. Mito e ritual estão de tal maneira interligados que há debates acadêmicos sobre o que teria surgido primeiro: a narrativa mítica ou os rituais a ela associados.

No Ocidente protestante, o ritual é quase sempre visto como menos importante do que a escritura, quando não é descartado de antemão como mera superstição "papista". Contudo, antes do início do período moderno, ler a escritura fora do contexto ritualizado seria tão insatisfatório e antinatural quanto ler o libreto de uma ópera. Por vezes, como veremos, o ritual era considerado muito mais importante do que a escritura. Alguns ensinamentos essenciais, como a crença cristã de que Jesus era o Filho de Deus encarnado, estão radicados na prática ritual e não têm o mesmo peso nas escrituras. Outras tradições, como o budismo Chan (ou Zen), consideram a escritura de todo dispensável. Mas o ritual raramente era descartado: no passado, os reformadores que rejeitavam os rituais cerimoniais da época quase sempre os substituíam por novos ritos. O Buda, por exemplo, não dava valor aos elaborados sacrifícios védicos dos Brâmanes, mas exigia que os monges ritualizassem a tal ponto as ações físicas diárias que a maneira como andavam, falavam e se lavavam expressava a beleza e a graça do nirvana. O ritual era importante porque envolvia o corpo. Hoje os neurofísicos nos dizem que recebemos uma quantidade considerável de informações por meio dos sentidos e gestos físicos.[13]

Nossa sociedade moderna, no entanto, está radicada no "logos" ou na "razão", que tem de corresponder com precisão à realidade factual, objetiva e empírica, se quiser funcionar de maneira eficiente no mundo: logos é o modo de pensamento característico do hemisfério esquerdo do cérebro. Contudo, assim como os dois hemisférios são necessários para o nosso pleno funcionamento, também o mito e o logos são essenciais para os seres humanos — e ambos têm limitações. O mito, diferentemente do logos, não pode trazer ao mundo uma coisa inteiramente nova. Um cientista pode curar doenças até então incuráveis, mas isso não o impede de sucumbir, vez ou outra, ao desespero quando confrontado com a mortalidade, a tragédia ou a aparente falta de sentido da existência.[14]

O predomínio do logos na sociedade e na educação modernas tornou a escritura problemática. Nos primórdios da modernidade ocidental, as pessoas passaram a ler as narrativas da Bíblia como se fossem logos, relatos factuais dos acontecimentos. Mas veremos que as narrativas das escrituras jamais tiveram a pretensão de ser descrições exatas da criação do mundo ou da evolução das espécies. Tampouco buscaram apresentar biografias historicamente exatas dos sábios, profetas e patriarcas da Antiguidade. Os escritos históricos precisos são fenômeno recente. Só se tornaram possíveis quando a metodologia arqueológica e o conhecimento das línguas antigas expandiram drasticamente nosso entendimento do passado. Como a escritura não se ajusta às normas científicas e históricas modernas, muita gente a descarta como inconcebível e notadamente "falsa", mas não emprega os mesmos critérios para julgar um romance, que oferece insights profundos e preciosos por meio da ficção. Nem descarta o gênio poético do *Paraíso perdido* de Milton só porque seu relato da criação de Adão não está de acordo com a hipótese evolutiva. Uma obra de arte, seja ela um romance, um poema ou uma escritura, precisa ser interpretada segundo as leis que regem seu gênero, e a escritura, como qualquer obra de arte, requer o cultivo disciplinado de um modo adequado de consciência. Veremos que ao ler uma escritura as pessoas costumam sentar-se, mover-se ou respirar de um jeito que lhes permita corporificá-la fisicamente.

Não podemos examinar neste livro cada uma das escrituras que há no mundo; alguns cânones escriturais são tão imensos que nem mesmo os fiéis se arriscam a ler todos os textos neles contidos. Mas traçaremos o desenvolvimento cronológico dos grandes cânones escriturais da Índia e da China, bem como das tradições monoteístas do judaísmo, do cristianismo e do islamismo, para jogar luz no gênero escritural. Essas escrituras prescrevem diferentes maneiras de viver em harmonia com o transcendente, mas num ponto estão todas de acordo. Para viver em genuína relação com o que Streng chamou de incognoscível "definitivo", homens e mulheres precisam se despir do egoísmo. O que os gregos chamavam de *kenosis* (o "esvaziamento" do eu) é um tema central das escrituras. Além disso, todas as escrituras afirmam que a melhor maneira de alcançar essa transcendência do eu é cultivar hábitos de empatia e compaixão, que são produtos do hemisfério direito. Hoje se fala muito na violência e no ódio que as escrituras supostamente inspiram, e examinaremos algumas dessas passagens intransigentes. Contudo, as escrituras — cada uma à sua maneira — coincidem em afirmar que não podemos limitar a bondade à nossa gente, mas que, antes, devemos honrar o estrangeiro e até o inimigo. É difícil pensar numa ética de que o nosso mundo perigosamente dividido necessite com mais urgência.

Kenosis exige uma transcendência do eu que é extremamente difícil de atingir. É por isso que algumas tradições afirmam que não se pode ler uma escritura sem ajuda. É necessário um mestre que instrua os discípulos a adotarem um estilo de vida que sistematicamente "vá além" do ego, desmontando nossa tendência instintiva a nos colocar no centro do mundo. Sem esse professor, dizia um sábio chinês, as escrituras serão sempre impenetráveis. Mas quase todas as escrituras nos apresentam o produto — o ser humano que conseguiu passar por essa transformação e se tornou divino. Essas pessoas não foram possuídas por uma força alienígena; o que elas fizeram foi harmonizar plenamente sua vida com a "coisa" definitiva que permeia tudo, alcançando um modo de ser que é mais autêntico. As escrituras sustentam que não se trata de uma realização restrita a uns poucos indivíduos excepcionais, mas, sim, que está ao alcance de qualquer pessoa, mesmo do homem da rua, pois não se pode pensar em "humano" sem pensar também em "divino". Em algumas tradições, a divindade é apresentada como uma terceira dimensão da humanidade, esse elemento misterioso que encontramos dentro de nós e dos outros e que constantemente escapa à nossa apreensão.

Há, porém, diferenças de ênfase. Em algumas tradições, o foco é o cosmo; em outras, a sociedade. As escrituras da Índia e da China afirmavam desde os primórdios que os seres humanos precisam se alinhar aos ritmos da natureza. Na Índia, particularmente, o universo era apresentado como cronicamente débil, de modo que era essencial dar algo em retribuição para apoiar nosso frágil mundo. É bom insistir: numa época em que os cientistas nos dizem que as mudanças climáticas estão a ponto de se tornarem irreversíveis, é difícil imaginar mensagem mais relevante. Mas as tradições monoteístas, que enfatizam a importância da justiça e da equidade, também falam diretamente a nossas dificuldades atuais. Apesar da ênfase moderna na igualdade e nos direitos humanos, essas asserções proféticas são necessárias. No momento em que escrevo, um número inaceitável de pessoas na Grã-Bretanha, um dos países mais ricos do mundo, dorme nas ruas numa noite particularmente fria. Nós, humanos, fomos "construídos" para a transcendência, e nas últimas décadas houve um retorno à religião — mesmo na antiga União Soviética e na China, onde a religião foi suprimida por décadas. O agressivo ceticismo da Europa Setentrional começa a parecer ternamente ultrapassado. Contudo, para ser autêntico, esse renascimento religioso não pode se limitar à busca individual; precisa voltar-se para essas escrituras e fazê-las falar diretamente ao sofrimento, à raiva e ao ódio que abundam hoje no mundo e que representam um perigo para todos nós.

Antes do começo do período moderno, quando os humanistas do Renascimento e os reformadores protestantes procuravam voltar "às fontes originais" (*ad fontes*) do cristianismo, as escrituras eram rotineiramente revisadas e atualizadas, e sua mensagem, drasticamente reinterpretada para atender as demandas do presente. A arte da escritura não significava um retorno a uma suposta perfeição do passado, pois o texto sagrado sempre foi um projeto em andamento. A arte da exegese escritural era, portanto, inventiva, imaginativa e criativa. Assim, para ler as escrituras correta e autenticamente, precisamos fazê-las falar de forma direta às nossas dificuldades modernas. Em vez disso, alguns fundamentalistas cristãos de hoje pretendem reviver a legislação da

Idade do Bronze da Bíblia hebraica, enquanto reformadores muçulmanos tentam, servilmente, retomar os costumes dos *mouros* da Arábia do século VII.

Em vista dos nossos problemas atuais, a fé das escrituras no potencial divino de todos os seres humanos é particularmente relevante. Talvez seja significativo que o Homem-Leão tenha sido encontrado na caverna de Stadel às vésperas da Segunda Guerra Mundial, quando descobrimos o que pode acontecer quando se perde o senso da sacralidade de cada ser humano.

PARTE UM
COSMO E SOCIEDADE

1. Israel: Lembrar para pertencer

A Queda de Adão e Eva é uma das histórias mais famosas da Bíblia hebraica. Jeová, ou Javé [Yahweh], o divino criador, instalou os primeiros seres humanos no Éden, onde havia "todas as espécies de árvores formosas de ver e boas de comer. Além disso, colocou a árvore da vida no meio do jardim, e a árvore do conhecimento do bem e do mal".[1] Mas Jeová fez uma séria advertência: Adão poderia comer os frutos de todas as árvores, à exceção daqueles da árvore do conhecimento, "porque, no dia em que dela comer, com certeza você morrerá".[2] Mas, infelizmente, Eva sucumbiu à tentação da serpente e ela e Adão foram condenados a uma vida de trabalho duro e de sofrimentos que só terminariam com a morte.

Essa história está tão arraigada na consciência judaico-cristã que talvez surpreenda a constatação de que ela, na verdade, está impregnada das tradições da Sabedoria Mesopotâmica que expressavam os ideais éticos responsáveis por manter unida a aristocracia dirigente.[3] A civilização começou na Suméria, onde hoje se localiza o Irã, mais ou menos no ano 3500 a.C. Os sumérios foram os primeiros a confiscar o superávit agrícola produzido pela comunidade, na fértil planície situada entre os rios Tigre e Eufrates, e a criar uma classe dominante privilegiada. Por volta de 3000 a.C., havia doze cidades na planície mesopotâmica, cada qual sustentada pelos produtos cultivados por agricultores dos campos circundantes. Os aristocratas sumérios e seus séquitos — burocratas, soldados, escribas, mercadores e servos domésticos — apropriavam-se de metade a dois terços da safra dos camponeses, que eram relegados à servidão.[4] Estes deixaram registros fragmentários acerca de sua miséria: "Para o pobre, é melhor estar morto do que vivo", lamentava-se um deles.[5] A Suméria estabeleceu um sistema de inequidade estrutural que prevaleceria em todos os Estados até o período moderno, quando a agricultura deixou de ser a base econômica da civilização.[6]

Adão e Eva, porém, viveram no começo dos tempos, antes de a terra dar amoras e cardos e de os humanos terem de arrancar seu alimento do solo recalcitrante com o suor do rosto. Sua vida no Éden foi idílica até Eva encontrar a serpente, que é descrita como *arum*, o mais "sutil", "astuto" e sábio dos animais. "Deus disse mesmo para vocês não comerem de nenhuma das árvores do jardim?", perguntou-lhe a serpente. Eva respondeu que só a árvore do conhecimento era proibida, sob pena de dor e morte instantânea. A previsão da serpente *arum* quanto ao que aconteceria a Adão e Eva deve muito à terminologia da Sabedoria Sumeriana: "Não! Vocês não vão morrer! Deus sabe que, no dia em que comerem dela, seus olhos se abrirão e vocês serão como deuses, conhecedores do bem e do mal". É claro que Eva sucumbiu: ela queria transcender sua humanidade e tornar-se divina. O casal de fato não morreu ao comer o fruto proibido, como Jeová havia ameaçado. Em vez disso, tal como a serpente prometera, "os olhos de ambos se abriram"[7] — palavras que lembram a exclamação de um aluno mesopotâmico ao professor:

Mestre-deus, que [*dá forma à*] *humanidade: és o meu deus!*
Abriste meus olhos como se eu fosse um cãozinho;
Formaste humanidade dentro de mim![8]

Para esse estudante, a "divindade" não era "sobrenatural", apenas um aperfeiçoamento de sua natureza bárbara e, portanto, subumana. Mas o conhecimento do bem e do mal fez Adão e Eva se envergonharem de sua própria humanidade nua e crua, por isso "Javé Deus fez túnicas de pele para o homem e sua mulher, e os vestiu"[9] — o reverso de um incidente narrado na mesopotâmica *Epopeia de Gilgámesh*, quando Enkídu, homem primitivo, só atinge a plena humanidade ao vestir as roupas exigidas pela vida civilizada.

O autor bíblico utilizou-se desses temas mesopotâmicos de uma forma distinta, talvez irônica, mas essa narrativa, que vem no início da Bíblia, deixa claro que a escritura não cai diretamente do céu, mas, antes, que é um artefato humano, radicado nos pressupostos de uma cultura partilhada com gente não abençoada pela revelação divina. Essa história enigmática também mostra que a escritura nem sempre fornece ensinamentos claros, inequívocos, mas com frequência nos deixa intrigados e desorientados. No primeiro capítulo da Bíblia, Deus tinha proclamado toda a criação "boa", mas somos especificamente informados de que a serpente, que insta Eva a desobedecer, é parte da criação de Deus.[10] Será que o potencial para a iniquidade e a rebelião está na raiz do ser — e que, portanto, esse potencial é "bom"? E por que Jeová foi econômico com a verdade, dizendo a Adão que quem comesse do fruto proibido morreria no mesmo dia? O autor bíblico não responde a essas perguntas, e veremos que judeus e cristãos interpretariam essa intrigante narrativa de formas notavelmente diversas.

Esse não é um caso isolado no que diz respeito à influência mesopotâmica na escritura hebraica. Há, por exemplo, claros paralelos entre as tradições mesopotâmica e israelita de leis e tratados.[11] A literatura épica dos dois povos se refere a um Grande Dilúvio que inundou o mundo inteiro nos tempos primitivos; e a história de Moisés, cuja mãe o escondeu dos funcionários do faraó nos juncais, é muito parecida com a lenda de Sargão, que, no terceiro milênio a.C., governou o primeiro império agrário, onde hoje se localizam Iraque, Irã, Síria e Líbano. Mais importante, a preocupação com justiça social e igualdade, que seria essencial para as escrituras monoteístas do judaísmo, do cristianismo e do islamismo, não era peculiar a Israel, nem resultou de uma revelação divina especial. Embora a economia agrária dependesse da subjugação de 90% da população, a proteção dos mais frágeis e vulneráveis era uma preocupação comum no antigo Oriente Médio.[12] Os reis sumérios afirmavam que a justiça para o pobre, o órfão e a viúva era um dever sagrado decretado por Samas, o deus sol que ouvia atentamente os gritos de socorro daqueles desamparados. Posteriormente, o Código do rei Hamurabi (r. 1728-1686 a.C.), que fundou o império babilônico na Mesopotâmia, decretou que o sol só brilharia sobre o povo se o rei e a aristocracia não oprimissem os súditos; no Egito, o faraó precisava ser justo com os súditos porque Rá, o deus sol, era o "vizir dos pobres".[13] Isso refletia um contínuo desconforto com a injustiça inerente ao Estado agrário e talvez fosse também uma tentativa de distinguir o rei "misericordioso" dos funcionários que a perpetravam. Parecia não haver solução para o dilema moral da civilização. Na *Epopeia de Gilgámesh*, a gente comum se queixa da crueldade do rei, mas quando os deuses levam suas reivindicações a Ánu, o deus superior, ele balança a cabeça em pesar, ainda assim, não consegue mudar esse sistema cronicamente injusto.

Adão e Eva tinham violado um acordo formal com Jeová; isso também era expressão de um temor generalizado no Oriente Médio: o de desrespeitar um contrato sagrado. Era o "pecado original". O tema de uma aliança divina que dominaria a Bíblia hebraica impregnou o antigo Oriente Médio a partir da segunda metade do segundo milênio a.C.[14] Os escribas do Egito também tinham criado um currículo para inculcar na juventude da elite a ideologia que manteria unida sua sociedade e lhe conferiria um éthos distinto. Os egípcios lhe deram o nome de "Maat", que significa "verdade, equidade, justiça". Ela exigia do indivíduo que pensasse nos outros e observasse o que se costuma chamar de Regra de Ouro, que requer que tratemos os outros como gostaríamos de ser tratados — muito embora, é claro, isso não se aplicasse aos camponeses que labutavam nos campos.

Maat, contudo, não era inerente aos seres humanos. Precisava ser cultivada pelo que tem sido chamado de "memória cultural", um conjunto de recordações, histórias do passado e visões do futuro que criava uma consciência comunal. Para formar uma sociedade coesa, os indivíduos cultivavam deliberadamente essa memória, concebendo rituais que lhes permitissem mantê-la constantemente na cabeça.[15] No mundo antigo, normas ideais geralmente remontavam ao passado distante e eram encarnadas em indivíduos extraordinários como Gilgámesh, o antigo rei sumério cujos feitos foram celebrados no grande épico mesopotâmico. Não se tratava de um exercício de nostalgia, mas de um chamado à ação: um ideal que já tinha sido conquistado e que poderia ser alcançado de novo. O passado era, portanto, um "presente" concretizável, um projeto para cada geração.[16] Na Mesopotâmia, na Fenícia e no Egito, jovens aristocratas eram enculturados num processo de educação que lhes incutia, na mente e no coração, textos essenciais, como a *Epopeia de Gilgámesh*, juntamente com provérbios, hinos, importantes tratados históricos e narrativas sobre o princípio dos tempos.

Embora esses textos essenciais estivessem registrados por escrito, primeiro haviam sido gravados na psique da classe governante, que era responsável por gerir a instável economia agrária. Nossa palavra "escritura" implica um texto escrito e, a partir do surgimento da imprensa, a alfabetização se generalizou, tornando-se mesmo comum, e a leitura passou a ser uma atividade silenciosa e solitária. No mundo antigo, porém, os manuscritos costumavam ser pesados, volumosos e quase ilegíveis; os manuscritos gregos mais antigos, por exemplo, eram todos escritos em letras maiúsculas, sem espaço entre as palavras.[17] Na Mesopotâmia, tabuletas de argila cuneiformes eram tão pequenas que foram extremamente difíceis de decifrar. Não se destinavam a uma leitura introdutória ao tema; em vez disso, funcionavam tal qual uma partitura para um músico que já conhece a peça. Pressupunha-se que um leitor do texto da *Epopeia de Gilgámesh* ou da *Ilíada* de Homero já o soubesse de cor. A versão escrita servia apenas como permanente ponto de referência para a memorização e a transmissão dos textos que eram parte integrante da sociedade.[18] Portanto, os estudantes não memorizavam textos a partir dos manuscritos; na verdade, as peças lhes eram declamadas, entoadas ou cantadas até que eles conseguissem recitá-las palavra por palavra.

Na Mesopotâmia e no Egito, a tradição cultural era preservada na mente e no coração dos escribas que mantinham a sociedade unida e levavam "bibliotecas dentro da cabeça". Exigia-se dos estudantes que recitassem esses textos essenciais com impecável exatidão, a fim de os transmitirem com a maior precisão possível à geração seguinte: "Você é, obviamente, um escriba habilidoso no comando de seus colegas", lemos numa sátira egípcia antiga, "e os ensinamentos de todos os livros estão gravados em sua cabeça".[19] As escolas de escribas eram, em geral, pequenas e estabelecidas em linhagens de famílias. O pai instruía os filhos nas tradições da Sabedoria, mas, em decorrência da alta taxa de mortalidade da época, também aceitava outros alunos. O objetivo não era comunicar fatos, mas, sim, incutir os valores da classe governante na mente do estudante até que ele incorporasse o éthos que permeava a sociedade. Só então ele se tornava um ser humano "civilizado". Um enigma mesopotâmico descreve a função da escola de escribas:

Você entra de olhos fechados,
E sai de olhos abertos.[20]

Os alunos, como mostramos, viam os professores como "deuses", que os habilitavam a adquirir "humanidade". Isso não queria dizer que a educação os tornasse compassivos e humanos. Diferentemente das massas camponesas, vistas como uma espécie inferior, os estudantes que tinham sido plenamente cultivados no éthos aristocrático sumeriano eram considerados os únicos indivíduos de todo humanos. Estudantes não iam à escola para aprender a pensar por conta própria; a sobrevivência da precária civilização suméria exigia uma conformidade total e inquestionável aos costumes da classe dominante, a ponto de se tornarem uma segunda natureza para cada jovem aristocrata e escriba do séquito. A chamada "humanidade" se encarnava por completo na pessoa do rei, reverenciado como um preeminente sábio.

O ato de escrever estava, portanto, associado a poder e coação. A escrita cuneiforme foi desenvolvida inicialmente para registrar os impostos extorquidos do campesinato. Ajudou a promover o projeto de subjugação e centralização política. A escrita permitia ao governo comunicar-se à distância; era útil no comércio, nas transações de Estado e nas questões jurídicas. Mas nenhum Estado tinha os recursos — ou, na verdade, o estímulo — para alfabetizar o público. Durante séculos, até bem depois da invenção da escrita, a transmissão oral das tradições foi a norma.[21] Exigia-se dos escribas que transformassem o estudante inculto num "iniciado" a partir de uma doutrinação maçante que fazia dele um súdito dócil e obediente.[22] A aprendizagem costumava ser imposta por meio de castigos corporais, e a mente dos estudantes era domesticada pela experiência estupidificante de memorizar textos com informações obsoletas, tediosas e aparentemente irrelevantes, em sumeriano antigo, língua que, com o tempo, se tornou tão obscura que era quase incompreensível.[23]

Esse regime exaustivo, no entanto, nem sempre inibia a criatividade. Às vezes se exigia de um escriba especialmente talentoso que respondesse a preocupações do momento por meio da transformação e da adaptação de tradições antigas. Ele tinha, inclusive, permissão para inserir material inédito nas narrativas e na literatura de Sabedoria do passado. Isso nos conduz a um tema importante na história da escritura. Hoje tendemos a tomar um cânone escritural como irrevogavelmente encerrado, e seus textos, como sacrossantos, mas veremos que em todas as culturas a escritura era, em essência, uma obra inacabada, constantemente alterada para atender a novas condições. Decerto, foi esse o caso da Mesopotâmia antiga. Permitia-se — na verdade, esperava-se — que um escriba já bem desenvolvido improvisasse, o que deu à cultura mesopotâmica força para sobreviver ao desaparecimento das dinastias sumérias originais e influenciar os posteriores regimes acádio e babilônio, apenas pelo enxerto do novo no velho. O *Enuma Elis*, antigo hino sumério sobre a criação, foi adaptado para incluir a fundação da Babilônia por Hamurabi. Mais tarde, escribas redigiram uma versão do hino que culminava na Acádia, capital de Sargão. Além disso, acrescentaram material que transformava a *Epopeia de Gilgámesh* num texto acádio, enquanto o épico acádio que celebrava os feitos de Sargão bebia livremente em antigas histórias sumérias. Os escribas não se limitavam a "citar" obras anteriores, e tampouco se tratava de uma operação de "recortar e colar". Eles tinham memorizado tão meticulosamente esses textos que estes se tornaram blocos a serem empregados na construção de seu pensamento; como um jazzista, os escribas improvisavam a partir de um material que se tornara parte integrante de sua existência e criavam novos textos que falavam diretamente ao momento presente.[24]

O Egito tinha uma tendência a especializar-se em textos de Sabedoria que promoviam a Maat. Também nesse caso o objetivo era criar uma sociedade coesa, evitando que a classe governante perseguisse seus próprios interesses à custa de outros. A Sabedoria egípcia vinculava o sucesso à conduta virtuosa e o castigo à transgressão. Como na Mesopotâmia, a educação da elite envolvia a memorização e a recitação de textos, que aparentemente foram musicados e eram entoados ou cantados. O escriba com frequência insistia para que os alunos "ouvissem" essas máximas lindamente compostas, as acolhessem "no coração" e as vivenciassem em seu âmago. As "Instruções de Amenemope", que foram reproduzidas na Bíblia hebraica, nos permitem saborear um pouco esses ensinamentos orais, que promoviam insistentemente a Maat:

Escuta minhas palavras
e aplica o teu coração no conhecimento delas;
Pois será para ti um deleite guardá-las em teu íntimo
para tê-las sempre presentes nos lábios.
Para que confies em Jeová,
hoje me proponho a ensinar-te o teu caminho [...].

Não roubes um homem só porque ele é pobre,
nem no portão da cidade oprimas quem esteja em aflição;
Pois Jeová toma para si a causa deles,
e confisca a vida dos achacadores.
Não faças amizade com um homem que se entregue à ira,
não confraternizes com um homem genioso.[25]

Durante o século XVI a.C., homens da tribo dos beduínos, que os egípcios chamavam de hicsos ("chefes guerreiros de terras estrangeiras"), conseguiram estabelecer sua própria dinastia na região do delta. Os egípcios acabaram expulsando-os, mas, depois dessa experiência, o Egito, até então um Estado agrário relativamente pacífico, tornou-se mais militarista. A conquista imperial parecia a melhor forma de defesa, por isso o Egito conservou sua fronteira ao subjugar a Núbia no sul e a costeira Canaã, que viria a ser a terra de Israel, no norte. Os governantes das cidades-Estados do sul de Canaã eram, portanto, governados por funcionários egípcios, que talvez tenham chegado a enculturar a classe dominante cananeia, instruindo-a de acordo com o currículo educacional egípcio. Mas em meados do segundo milênio a.C. o Oriente Próximo foi dominado por invasores estrangeiros. Tribos cassitas do Cáucaso tomaram o império babilônio (*c.* 1600-1155 a.C.); uma aristocracia indo-europeia criou o império hitita na Anatólia (1420 a.C.); e os mitanianos, outra tribo ariana, controlaram a Grande Mesopotâmia de cerca de 1500 a.C. até serem, por sua vez, conquistados pelos hititas da área ao leste do Tigre. Finalmente, os assírios, emergindo da mesma região, tomaram os velhos territórios mitanianos dos hititas e se tornaram a potência militar e econômica mais formidável do Oriente Próximo.

Então, por volta de 1200 a.C., as civilizações do Oriente Próximo sucumbiram a uma Idade das Trevas durante a qual o povoado conhecido como Israel emergiu em Canaã. Não se sabe ao certo o que aconteceu — uma repentina mudança climática pode ter arruinado as economias agrárias locais —, mas, qualquer que tenha sido a causa, os portos cananeus de Ugarite e as cidades de Magedo e Hazor foram destruídos, e o Egito se viu forçado a abrir mão do controle das cidades-Estados da planície costeira de Canaã. Após a saída dos governadores egípcios, as cidades cananeias entraram em colapso, uma depois da outra, e pessoas desalojadas e desesperadas andavam a esmo pela região.[26] Enquanto as cidades-Estados se desintegravam, é possível que tenha havido conflitos entre os aristocratas e os camponeses cujas colheitas eram a base da economia, e as aristocracias locais podem ter guerreado entre si para preencher o vácuo de poder deixado pelos egípcios.

É significativo, porém, que durante essa reviravolta novos assentamentos tenham aparecido nos planaltos cananeus. Até então, aquele terreno árido tinha sido impróprio para a agricultura, mas avanços tecnológicos da época viabilizaram a colonização e a armazenagem de água. Não há provas de que esses colonos do planalto fossem estrangeiros: a cultura material daquelas aldeias é, em essência, a mesma da planície costeira, e os arqueólogos concluíram que elas, provavelmente, foram estabelecidas por cananeus que abandonaram as cidades arruinadas.[27] Para os camponeses, uma das poucas maneiras de melhorar suas condições de vida era levantarem acampamento quando a situação ficasse insuportável e se tornarem expatriados econômicos.[28] O caos político da Idade das Trevas pode ter oferecido aos camponeses cananeus a possibilidade de efetuarem um êxodo das cidades em desintegração e estabelecerem uma sociedade independente, sem o temor de uma retaliação aristocrática. Já em 1201 a.C., quando os governantes egípcios das cidades-Estados cananeias foram obrigados a pedir reforços militares do Egito, o planalto abrigava cerca de 80 mil pessoas, e uma estela egípcia menciona "Israel" como um dos povos rebeldes ali derrotados pelo faraó Merneptá. Os textos bíblicos indicam que "Israel" era formado por muitos grupos locais, que se uniram com vistas à autodefesa.[29] Os que vieram das regiões meridionais de Canaã traziam consigo seu deus Jeová e suas tradições, que acabariam predominando em Israel.[30] Mas, como ocorrera com os camponeses cananeus que tinham fugido das cidades-Estados governadas pelos egípcios na costa do Mediterrâneo, os povos de Israel também sentiam de forma bem real que haviam "deixado o Egito".

A Bíblia sugere que Israel não dava muito valor à cidade-Estado agrária. Depois que Adão e Eva foram expulsos do Jardim do Éden, o filho Caim se tornou o primeiro agricultor, erigiu a primeira cidade-Estado e foi o primeiro assassino.[31] O Pentateuco, os cinco primeiros livros da Bíblia hebraica, só seria concluído no segundo século a.C. Em sua forma acabada, porém, a história de Israel começa aproximadamente em 1750 a.C., quando, segundo consta, Jeová ordenou a Abraão, ancestral de Israel, que deixasse a cidade-Estado de Ur, na

Mesopotâmia, para se estabelecer em Canaã, onde ele, o filho Isaac e o neto Jacó (também chamado "Israel") poderiam viver livres do imperialismo agrário. Jeová prometeu que seus descendentes um dia seriam donos da terra de Canaã, mas Jacó e os doze filhos, fundadores das doze tribos de Israel, se viram obrigados, em decorrência da fome generalizada, a migrar para o Egito, onde foram escravizados. Finalmente, por volta de 1250 a.C., Jeová os tirou do Egito sob a liderança de Moisés. O faraó e seu exército perseguiram os israelitas que partiam e, quando estes chegaram ao mar dos Juncos, as águas milagrosamente se abriram e eles o atravessaram sem molhar os pés, mas todos os perseguidores egípcios se afogaram. Durante quarenta anos, os israelitas vagaram pelo deserto, e no monte Sinai Jeová lhes deu a Torá, a lei que deveria reger sua vida. Moisés morreu antes que seu povo entrasse em Canaã, mas seu lugar-tenente, Josué, conduziu os israelitas à vitória, destruindo todas as cidades cananeias e trucidando seus habitantes.

Os registros arqueológicos, entretanto, não confirmam essa história. Não há nenhuma prova da destruição em massa descrita no livro de Josué, nem qualquer sinal de uma grande invasão estrangeira.[32] Mas a narrativa escritural não pretende ser um registro exato do passado. Os israelitas claramente viam uma força divina operando em sua história. Ao se declararem independentes, eles haviam feito uma coisa extraordinária. Os camponeses, não raro, estavam condenados a uma vida de servidão, mas Israel desafiara as leis da probabilidade e, contrariamente a toda e qualquer expectativa, não apenas sobrevivera como ainda prosperara. A conclusão a que chegaram deve ter sido a de que tal sucesso só poderia ser atribuído a um poder sobre-humano — *algo* os havia escolhido para um destino excepcional.

Os israelitas personificaram essa força sagrada que havia impulsionado sua estupenda diligência para alcançar a liberdade. Ainda não eram monoteístas, mas compartilhavam muitas tradições dos vizinhos, vendo Jeová como um dos "santos" ou "filhos" de El, o Altíssimo Deus de Canaã, e membro da divina assembleia de El. Num dos primeiros textos da Bíblia hebraica, lemos que no começo dos tempos El havia destinado um "santo" para cada uma das setenta nações do mundo e nomeado Jeová o "santo" de Israel.

Quando o Altíssimo deu às nações sua herança,
Estabeleceu suas fronteiras de acordo com os filhos de Deus;

Mas a porção de Jeová foi seu povo,
Jacó [ou seja, Israel] sua parte da herança.[33]

A ideia de um conselho celestial de deuses em pé de igualdade fazia sentido depois do colapso dos impérios do Oriente Próximo, pois eles refletiam os pequenos reinos — Israel, Edom, Moab, Aram e Amom — que haviam surgido em sua esteira, todos semelhantes entre si e disputando territórios aráveis. O termo hebraico *Eloim*, geralmente traduzido como "Deus", expressava tudo que o divino pode significar para os seres humanos. Os "santos" do Oriente Próximo refletiam a luminosidade e o brilho de um poder — no qual também tomavam parte — que transcendia os "deuses" e não poderia se ater a uma forma única e distinta.[34] Tratava-se de uma intuição do hemisfério direito acerca das forças numinosas que permeavam a realidade por inteiro: uma percepção da relação que há entre todas as coisas e que inspirava a empática paixão por justiça que Israel partilhava com outras sociedades da região. Mais tarde, Jeová se fundiria com El, mas no Salmo 82 ele ainda é um dos "filhos" de El. Aqui, ele já começa a se rebelar, pois, diferentemente de outros "filhos de El" que serviam a Estados mais ricos e poderosos, Jeová é retratado como o defensor dos camponeses oprimidos e que denuncia os demais deuses, seus colegas no conselho:

Até quando vocês julgarão injustamente,
sustentando a causa dos injustos?
Protejam o fraco e o órfão,
façam justiça ao pobre e ao necessitado,
libertem o fraco e o indigente,
e os livrem da mão dos injustos![35]

Desde o início, a religião de Israel dava especial atenção às condições da sociedade, comprometendo-se em zelar pelos fracos e necessitados.

Como consequência, Israel e as tradições monoteístas que ele trouxe ao mundo dariam ênfase à justiça social; porém, diferentemente das tradições de Sabedoria do Egito e da Mesopotâmia, as escrituras dos hebreus originalmente se opunham à economia agrária. Alguns dos mais antigos regramentos presentes na Bíblia hebraica parecem ter vislumbrado outro tipo de sociedade. Em vez de ser apropriada pela aristocracia, a terra deveria permanecer na posse das famílias em sua forma mais ampla, para além da célula nuclear; eram obrigatórios os empréstimos sem juros a israelitas necessitados; as remunerações teriam de ser pagas de imediato, o contrato de servidão, restringido, e deveria haver provisões especiais para os socialmente vulneráveis — órfãos, viúvas e estrangeiros.[36]

No planalto de Canaã, o *am Yahweh* ("o povo de Jeová") parece ter formado uma confederação, unida por um acordo de aliança. Quando arrefeceu a crise da Idade das Trevas, eles foram obrigados a competir com os vizinhos pela terra arável, então Jeová compartiu das mesmas qualidades marciais de outros deuses da região que representavam forças naturais, como Baal, deus-tempestade que era a fonte da chuva e, consequentemente, da fertilidade; Mot, deus da morte, da esterilidade e da seca; e Yam-Nahar, representante do mar primitivo que ameaçava inundar as terras colonizadas.[37] Mas, diferentemente de Baal, Jeová também intervinha diretamente nos assuntos humanos. Alguns dos primeiros textos da Bíblia o descrevem deixando seu santuário na região do Sinai e marchando pelo sul de Canaã para socorrer seu povo no planalto:

Javé veio do Sinai,
amanheceu para eles de Seir,
resplandeceu do monte Parã.
Veio a eles da assembleia de Cades,
desde o sul até as encostas.[38]

É possível que esses poemas, recitados durantes os festivais do *am Yahweh*, descrevam a primeira experiência de Israel de ser impelido por uma força providencial mais que humana enquanto, contra todas as probabilidades, lutava pela independência.[39]

Um antigo hino de batalha descreve Jeová afogando os perseguidores egípcios no mar dos Juncos. O inimigo os perseguia, fingindo trucidar seus escravos fugitivos, mas Jeová apenas estendera a mão e salvara seu povo.

Ao sopro de tuas narinas
as águas se amontoam,
e as ondas se levantam como represa;
as vagas se congelam no meio do mar [...].

Teu vento soprou, e o mar os cobriu:
caíram como chumbo
nas águas profundas.[40]

Jeová, prossegue o hino, conduziu, então, Israel à segurança, enquanto os povos vizinhos, estupefatos, tiveram de assistir a sua retirada:

Tu o conduzes e o plantas
sobre o monte da tua herança,
no lugar em que fizeste teu trono, ó Javé,
no santuário que tuas mãos prepararam.
Javé reina sempre e eternamente.[41]

Ao escaparem do domínio imperial do Egito faraônico e adotarem Jeová como rei, os israelitas tinham desmantelado as estruturas políticas que alicerçavam a era agrária. Não admira que os vizinhos vivessem temendo Israel: o fato de multidões de servos fugitivos terem conseguido estabelecer uma comunidade independente no planalto, ao mesmo tempo que poderosos impérios do Oriente Próximo desmoronavam, virou seu mundo conceitual de ponta-cabeça. No entanto, os amedrontados povos locais, descritos no hino como "emasculados", "desalentados" e "tremebundos", não são egípcios. São os vizinhos de Israel em Canaã: Filisteia, Edom e Moab.[42]

Contudo, nessa história de êxodo de uma parte de Canaã para outra, temos o germe de um poderoso mito que acabaria enredando toda a Bíblia hebraica. Naqueles dias primevos, porém, o Êxodo ainda não havia se transformado no mito nacional de Israel, por isso o Cântico do Mar provavelmente só era entoado nos santuários do norte do planalto, onde Moisés era reverenciado como o grande herói de Israel.[43] Mas o *am Yahweh*, um agrupamento de povos díspares, precisou se tornar uma nação para lutar pelos recursos da região, daí a necessidade de uma história comum que mantivesse essas sociedades unidas. Originalmente, cada um desses povos desarticulados celebrava as histórias dos próprios ancestrais, que mais tarde acabariam sendo louvados por todo o povo de Israel. Contudo, não se tratava de uma história tal como a compreendemos. Até a invenção dos métodos modernos e científicos de datação e de pesquisa arqueológica e linguística, era impossível registrar acontecimentos passados com a exatidão que hoje consideramos natural, e não havia sentido em tentar fazê-lo. Em vez de buscar um relato factual do passado, a "história" descrevia o significado dos acontecimentos.

O povo de Jeová — este último, agora, já fundido com El — celebrava acontecimentos decisivos e determinantes, que se deram em várias partes do planalto cananeu, em rituais que o vinculavam à sua nova terra e a sacralizavam. El parece ter sido uma força sagrada que se manifestava em várias formas, em diferentes ocasiões. Algumas tribos do norte do planalto veneravam Jacó. Dizia-se que, em Betel, Jacó teve um sonho numinoso com uma escada que unia a terra e o céu e, ao acordar, declarou: "Na verdade, Jeová está neste lugar e eu não sabia! Este lugar não é outro senão 'a casa de Deus' (*beth-el*), esta é a porta do céu".[44] Nessa altura, El às vezes se manifestava em forma humana. Em Peniel, ao lado do vau de Jaboque, Jacó tinha lutado a noite inteira com um estranho misterioso e só mais tarde percebeu que, de alguma forma, tinha visto "a face de Deus" (*peni-el*). Foi nessa ocasião que Jacó recebeu o título de *Isra-el* ("aquele que combate com Deus"), que viria a ser adotado por todas as tribos da Canaã setentrional.[45] O filho favorito de Jacó, José, cujo túmulo ficava em Siquém, era outro herói do norte. Mas as tribos que se estabeleceram no planalto meridional, perto da cidade-Estado de Jerusalém, controlada pelos hititas, reverenciavam Abraão, que tinha vivido em Moré e fora enterrado em Hebron. Não se tratava de cultos rivais; como veremos, eles se fundiriam numa história comum que mantinha a liga unida.

Porém, já perto do fim do século XI a.C., a liga foi incapaz de proteger suas colônias contra os poderosos exércitos dos filisteus, um povo indo-europeu — provavelmente do Egeu — que se estabelecera no sul de Canaã durante a crise da Idade do Bronze, em aproximadamente 1175 a.C. Ali, eles governavam cinco cidades-Estados — Gaza, Ascalão, Asdode, Ecron e Gath —, e se empenhavam num projeto de expansão. Diante dessa ameaça militar, os israelitas, mesmo relutando, abandonaram o status excepcional de que gozavam e estabeleceram um reino. Davi — que, segundo a tradição, tinha decapitado o gigante filisteu Golias — seria sempre lembrado como o rei ideal de Israel, sobretudo por ter capturado dos jebuseus hititas a antiga cidade-Estado de Jerusalém, tornando-a capital de um reino que unia as tribos do norte e do sul numa única sociedade organizada.[46] Mas consta que seu filho Salomão criou um império típico: tinha um exército de bigas, envolveu-se em lucrativos negócios de armas com reis vizinhos, e não só cobrava impostos dos súditos israelitas como os forçava a uma corveia para seu colossal programa de edificações. Seu projeto mais famoso foi o templo que construiu em Jerusalém segundo o modelo regional, com rituais profundamente influenciados pelo culto de Baal na vizinha Ugarite.[47]

Numa estranha reviravolta, Jeová, outrora o grande defensor dos camponeses desamparados e desprezados, tornou-se o patrono de mais um agressivo Estado agrário. Alguns estudiosos afirmam que, por não ter deixado traços arqueológicos, o império de Salomão jamais existiu, mas hoje há um consenso de que, mais ou menos em 1000 a.C., a cultura aldeã do planalto estava rapidamente se tornando uma sociedade "protourbana" que era mais centralizada, que ampliava suas fronteiras e que se lançava ao comércio internacional.[48] Como outras nações, a nova aristocracia de Israel desenvolvera uma classe de escribas e um programa educacional com vistas a iniciar jovens israelenses de elite em seu éthos distinto. Esses escribas criariam o primeiro cânone oficial de Israel, mas esse cânone era muito diferente da Bíblia hebraica que temos hoje.

Sabemos muito pouco sobre as escolas de escribas dos reinados de Davi e Salomão, mas a tardia cultura de escribas em Israel — preservada nos livros sapienciais da Bíblia — mostra uma nítida similaridade com outros sistemas imperiais da região. O séquito de Davi incluía o "escriba do rei".[49] Esse cargo parece ter sido hereditário, uma vez que seus filhos vieram a ser escribas de Salomão.[50] Como os reis sumérios e egípcios, Salomão era visto como o sábio por excelência, e os provérbios incluídos no programa de estudos eram atribuídos a ele:

Que teus ouvidos escutem minhas palavras.
E empenha teu coração [leb] *em conhecê-las;*
Pois será uma delícia guardá-las em tua barriga
Para tê-las sempre prontas nos lábios.
Para que confies em Jeová
Hoje proponho ensinar-te o caminho.[51]

A instrução ainda era oral — o estudante tinha de "escutar" — e, como sempre no mundo antigo, essa sabedoria devia ser incutida nas profundezas do *leb* do estudante, sendo que *leb* significava ao mesmo tempo "coração" e "mente", pela repetição constante. Como um aide-mémoire, essas máximas podem ter sido postas em música, a mais física das artes; cantadas, as palavras sagradas reverberavam no corpo e na mente dos estudantes até serem assimiladas visceralmente — na barriga. Em outros provérbios, o aluno é instruído a ter um "coração ouvinte" e um "ouvido aberto" e a inscrever as palavras de sabedoria de Salomão "na tabuleta do coração".[52] Os aforismos concisos, ritmados, do livro dos Provérbios, na Bíblia hebraica, parecem projetados para ajudar a memorização. Como na Mesopotâmia e no Egito, as surras faziam parte do processo de educação.[53] Um aluno lamentava ter sido humilhado diante de toda a comunidade de escribas:

Ai de mim, que odiava disciplina,
Meu coração rejeitava qualquer correção;
Eu não queria ouvir a voz dos mestres,
Não ouvia os que tentavam me ensinar.
Agora estou reduzido às profundezas da miséria
Na presença de toda a comunidade.[54]

O uso constante dos termos "pai" e "filho" nos Provérbios sugere que em Israel também essas escolas eram desenvolvidas em família. O professor empenhava-se em reproduzir-se no aluno, a fim de que o aluno também adquirisse as distintas virtudes de um escriba ou de um aristocrata confiável: o temor a Jeová, uma língua disciplinada e respeito pelos poderosos.[55]

É quase certo que partes do livro dos Provérbios eram incluídas no currículo. Hinos e canções eram rotineiramente usados em antigas escolas de escribas, e vários salmos hebraicos também se valem de acrósticos ou de um sistema alfabético como aide-mémoire. Os salmos reais da monarquia davídica, por exemplo, incutiam a reverência ao rei. Em sua coroação, dizia-se que Jeová tornava o novo rei membro do Conselho Divino, colocando-o num assento de honra e prometendo subjugar seus inimigos:

Jeová disse ao meu senhor:

"Senta-te à minha direita
E eu farei dos teus inimigos estrado para os teus pés!"[56]

Monarcas do Oriente Próximo eram elevados a um status divino, e esse salmo mostra Jeová adotando formalmente o rei: "És meu filho, hoje. Eu me tornei teu pai".[57] O Cântico do Mar, que descrevia a triunfante travessia do rio Jordão por Israel, pode ter sido incluído no currículo, bem como o antigo poema, já citado, que mostra El designando Jeová o deus patrono de Israel. A palavra "*torah*", que costuma ser traduzida como "lei", significa "ensinar" — instrução que deve ser guardada no coração, recitada como "memorial" ou "lembrete" (*zikkaron*) e despejada "nos ouvidos" de cada geração.[58]

Só nos resta conjeturar sobre os primeiros currículos preparados para os jovens da elite, mas todos os israelitas sabiam que, no monte Sinai, Jeová tinha comunicado uma torá a seu povo por escrito. Primeiro, instruíra Moisés oralmente e, "quando terminou de falar com Moisés na montanha, Jeová lhe deu as duas tábuas do Testamento, inscritas com o dedo de Eloim", que as imbuiu de poder divino, a fim de que se tornassem garantia permanente de uma presença sacra.[59] Para os sem instrução, o ato de escrever tinha um poder numinoso, e a frase "está escrito" tornava um pronunciamento divinamente poderoso.[60] Como vimos, é provável que a escrita tenha sido inventada para fins contábeis e, segundo a crença popular, Jeová mantinha um "livro" (*sefer*) — ou, mais precisamente, um "pergaminho" — no céu, no qual anotava o destino de cada pessoa e mantinha um registro de suas ações, exatamente como um dos escribas.[61]

Havia ocorrido, porém, uma estranha reviravolta. Israel tinha sido convocado "para fora" do Egito por Jeová porque este era um defensor da classe camponesa oprimida. Contudo, essas escrituras se destinavam a criar séquitos de escribas e uma aristocracia inteiramente subservientes à tirania real da qual Israel tentara escapar. Enquanto as primeiras canções e os primeiros poemas celebravam o êxodo de *am Yahweh* da opressão, os provérbios de Sabedoria pressupunham uma classe dominante hereditária. Mas a intensidade desse método de ensino revela um ponto que se tornaria essencial a todas as escrituras: elas não podiam ser lidas superficialmente, passando-se os olhos com rapidez pela página escrita. Sua mensagem, de alguma forma, tinha de ser ingerida, inscrita no coração e na mente e fundida com as profundezas do ser.

Após a morte do rei Salomão, em 928 a.C., as tribos do sul e do norte de Israel se separaram e estabeleceram reinos distintos. Como outros pequenos Estados do Oriente Próximo, elas puderam se desenvolver de forma independente enquanto não havia um poder imperial na região. Porém, pouco tempo depois, os assírios mais uma vez tornaram a ascender e, com seu colossal poderio militar, forçaram reis mais fracos a aceitarem a condição de vassalagem. Isso poderia ser vantajoso: quando o rei Jeroboão II, de Israel (r. 786-746 a.C.), se tornou um aliado de confiança dos assírios, seu reino desfrutou de um grande crescimento econômico. De qualquer maneira, o reino setentrional de Israel, próximo às grandes rotas comerciais, era maior e mais rico do que o isolado reino de Judá, no sul, que consistia em uma estepe quase totalmente improdutiva, de terreno montanhoso, e que não dispunha de recursos. A vantagem era que, por quase um século, as grandes potências deixaram Judá em paz.

Como vimos, algumas tribos do norte sempre tinham visto o Êxodo do "Egito" como o momento decisivo da história de Israel; porém, depois da criação da monarquia davídica, as tribos sulistas, cujo herói anteriormente havia sido Abraão, deram mais atenção à aliança que Jeová firmara com o rei Davi, e seu lugar sagrado passou a ser a cidade ex-hitita de Jerusalém:

> Eu te darei fama tão grande quanto a dos maiores da terra. Providenciarei um lugar para o meu povo Israel; e o instalarei ali e ele habitará naquele lugar e jamais voltará a ser perturbado; nem os perversos continuarão a oprimi-lo [...]. Tua casa e tua soberania estarão sempre seguras diante de mim e teu trono será estabelecido para sempre.[62]

No Oriente Médio, um templo era lugar de sacralidade, e o culto de Jeová, em Jerusalém, adotou aspectos da adoração a Baal, que o precedera. Depois de Baal ter matado seus inimigos cósmicos, Mot e Yam-Nahar, El lhe permitira construir um esplêndido palácio perto do monte Zafon, no reino de Ugarite. Baal chamava Zafon de "o lugar sagrado, a montanha dos meus ancestrais [...], o local escolhido [...], o morro da vitória".[63] Zafon seria um paraíso terrestre de paz, fertilidade e harmonia.[64] Quando a gente de Ugarite entrava nesse templo, sentia-se outra vez em comunhão com os ritmos sagrados da vida, obscurecidos no mundo cotidiano. Durante o festival de outono que assinalava o início do Ano-Novo, as vitórias de Baal eram ritualisticamente representadas para garantir que viesse a chuva, responsável pela vida, e que Baal salvasse a cidade das forças imprevisíveis da destruição. O culto de Jeová no templo de Salomão, em Jerusalém, era muito semelhante ao de Ugarite, com salmos celebrando a entronização de Jeová no monte Sião.[65] Jeová também tinha feito de Jerusalém uma cidade de paz, ou *shalom*, palavra que significa, ainda, integridade, harmonia e segurança.[66] Alguns salmos chegam inclusive a afirmar que Jerusalém jamais tombaria porque Jeová, o guerreiro divino, era a cidadela do seu povo; instruíam peregrinos a admirar as invencíveis fortificações de Jerusalém, que comprovavam que "Deus está aqui".[67] Mas como se sairia Jeová na disputa contra Assur, o deus padroeiro da Assíria?

A política imperial assíria visava unir povos de "falas diferentes" numa nação de "uma só língua". Como anunciou o rei Sargão (r. 722-705 a.C.):

> Pessoas dos quatro cantos do mundo, de línguas estrangeiras e falas divergentes, habitantes da montanha e da planície, eram todas governadas pela luz dos deuses, o senhor de tudo, eu o executei por ordem do meu senhor Assur, pelo poder do meu cetro. Eu lhes dei uma única boca, e os assentei ali.[68]

A escrita adquiriu nova importância na administração assíria: escribas e capatazes eram despachados para administrar os Estados vassalos, mas, em vez de usarem o próprio idioma acadiano como língua imperial, escolheram o aramaico, pois a escrita alfabética era mais fácil de dominar do que seu próprio sistema cuneiforme, bastante complexo. Como resultado, a arte de escrever difundiu-se da burocracia assíria para outros grupos sociais.[69] Mas seria um erro supor que a arte de ler e escrever se espalhou pela população em geral, ou que a chegada da escrita substituiu os hábitos da oralidade. Não há prova de que, como alguns afirmam, os reis de Israel e de Judá tenham estabelecido arquivos e bibliotecas reais, embora seja possível que pergaminhos individuais, contendo alguma narrativa, uma lei antiga ou um salmo, tenham existido no palácio. As velhas tradições ainda eram decoradas e apresentadas oralmente, como antes.[70] Os levitas, sacerdotes auxiliares, eram especificamente designados guardiães desses textos e professores de Israel.[71] Além disso, eram músicos e cantores, então é provável que esses textos também tenham sido cantados e recitados, como aide-mémoire.[72] Como sugere um dos salmos, um sábio era alguém que "sente prazer na torá [no "instruir"] de Jeová e a murmura dia e noite", internalizando-a pela constante repetição, de tal maneira que ela nunca deixa seus lábios ou seu coração.[73]

Contudo, um currículo inteiramente novo tinha sido desenvolvido em Israel. Durante o século IX a.C., começamos a ouvir falar de "profetas" e de "filhos de profetas" no reino setentrional — embora, no momento, saibamos pouco a seu respeito.[74] A profecia era uma instituição estabelecida no Oriente Médio. De Canaã a Mari, no médio Eufrates, profetas "falavam por" seus deuses e, em Israel e Judá, geralmente estavam associados à corte. Mas, no século VIII a.C., profetas começaram a criar "escolas" em Judá, que formavam alunos utilizando um "contracurrículo" altamente crítico das tradições oficiais de Sabedoria. Isaías, por exemplo, declarou que poemas e provérbios de origem estrangeira eram simplesmente um "mandamento humano, uma lição memorizada".[75] Os profetas judaítas afirmavam que, por conta de seus contemporâneos não lhes darem ouvidos, Jeová ordenara que registrassem seus ensinamentos por escrito, em benefício das futuras gerações.[76] Parece que os oráculos dos profetas eram de fato preservados por seus discípulos, e que alguns desses textos proféticos acabaram sendo incluídos no currículo aristocrático regular, encontrando, assim, um lugar para si na Bíblia hebraica. Foi um acontecimento bastante inusitado o que se deu no Oriente Médio: parece que as advertências dos profetas eram usadas para ensinar os estudantes a compreenderem as lições da história. Evitando os erros do passado, poderiam planejar um futuro mais bem-sucedido.[77]

O primeiro profeta cujas palavras foram preservadas dessa maneira, porém, nunca frequentou escola profética. "Eu não era profeta, nem pertencia a qualquer guilda profética", afirmava ele.[78] Amós era um pastor de Tecoa, no reino de Judá, que por volta de 780 a.C. tinha recebido ordem de Jeová para deixar seu rebanho e profetizar no reino de Israel, onde o rei Jeroboão II, o vassalo favorito da Assíria, governava um próspero — e consequentemente injusto — Estado agrário. Jeroboão tinha acabado de conquistar novo território na Transjordânia, de lançar grandes projetos de construção, à custa de trabalho escravo, em Magedo, Hazor e Gezer, e de formar uma burocracia sofisticada e um exército profissional.[79] Como vimos, Jeová, bem no início da história de Israel, defendia as vítimas da opressão agrária. Agora, por intermédio de Amós, Jeová tornava a convocar seu povo à sua missão original, de promover justiça. Castigaria a nobreza de Samaria, que vivia em esplêndidas casas de ébano, dormia em divãs de marfim e desprezava os pobres,

Porque venderam o homem virtuoso por prata
e o pobre por um par de sandálias,
porque pisam sobre a cabeça da gente comum
e tiram os pobres do seu caminho.[80]

Amós não tinha tempo a perder com rituais: Jeová estava farto de ouvir o ruidoso canto dos sacerdotes e o devoto dedilhar de harpas. O objetivo da verdadeira religião não era satisfazer os apetites estéticos da classe dominante, mas convocar à prática da compaixão. Jeová queria que a justiça fluísse "como água, e a integridade, como um riacho perene".[81] Logo, advertiu Amós aos samaritanos, um inimigo invadiria o país e saquearia seus palácios, e esse inimigo não seria outro senão sua boa amiga Assíria. Jeová, o guerreiro divino que resgatara o *am Yahweh* do "Egito", estava de novo pronto para a guerra. Dessa vez, destruiria os reinos de Damasco, Filisteia, Tiro, Moab e Amom — todos eles culpados de abominável injustiça e horrendos crimes de guerra — e não estaria do lado de Israel. Pelo contrário, travava uma guerra santa *contra* Israel e Judá, valendo-se da Assíria como instrumento.[82] Jeroboão, que ignorara seu sagrado dever com os necessitados, seria morto; seu reino, destruído; e o povo, "levado para o exílio, muito longe da própria terra".[83]

Essa profecia foi preservada por escrito e gerações posteriores a ouviriam com medo e tremor, porque, cerca de sessenta anos depois de Amós fazer sua previsão, o reino de Israel — àquela época tão bem-sucedido — seria, de fato, destruído pela Assíria. A rigor, Amós não precisava de inspiração divina para elaborar esse prognóstico. Os profetas eram muito similares aos comentaristas políticos de hoje. Havia já algum tempo que a Assíria, localizada na região do atual norte do Iraque, vinha conquistando reinos a oeste e assumindo o controle das planícies que ficavam entre ela e o Mediterrâneo e das lucrativas rotas comerciais. O reino de Israel, com suas amplas fronteiras, atrapalhava os planos assírios. O poderio militar da Assíria era ímpar, e seus governantes tinham cultivado com ardor a temerosa reputação de infligir castigos brutais.[84] Jeroboão só precisava dar um passo em falso para que Jeová usasse a Assíria para punir Israel por sua inegável crueldade com a gente comum. Mais tarde, quando consultavam os oráculos proféticos do passado para prever o futuro, gerações de israelitas criaram uma ciência política capaz de evitar calamidades desnecessárias. As previsões de Amós lembrariam a Israel que a busca do sucesso material à custa da moralidade poderia ter consequências terríveis.

Amós, contudo, não confiava exclusivamente em seus instintos políticos comuns. Sentia-se impelido pelo divino, uma força irresistível em seu íntimo: "O leão ruge: quem não tem medo?", perguntava ele. "O Senhor Jeová fala: quem se recusa a profetizar?"[85] Era Jeová quem o conduzira, contra sua vontade, de Tecoa até o reino de Israel, ao norte, onde era um estrangeiro indesejado.[86] Ele dizia ter tido uma visão de Jeová "em pé ao lado do altar", mas o divino era também uma força que ele sentia dentro de si.[87] Este será um tema importante na história das escrituras: Jeová não era sentido apenas como *um* "Ser" externo ao eu; era sobretudo uma realidade onipresente, imanente não só na psique humana, mas também no mundo natural e nos acontecimentos históricos. Os israelitas não eram um povo introspectivo, mas Jeremias, que profetizou em Jerusalém no século VI a.C., descreveu com eloquência a natureza aparentemente involuntária das revelações proféticas. Jeová, afirmava ele, colocava-lhe na boca essas palavras divinas, de modo que elas se tornavam suas.[88] Ele vivia essas revelações como uma sedução, uma força irresistível que o compelia a falar, querendo ou não:

Eu dizia, "Não vou mais pensar nele,
não vou mais dizer seu nome".
Então era como se um fogo ardesse em meu coração,
dentro dos meus ossos.
O esforço para contê-lo me exauria,
eu não conseguia suportar.[89]

Oseias, contemporâneo de Amós e único profeta nortista, parecia ter sido obrigado por Jeová a cometer atos perversos e anormais. "Jeová lhe disse: 'Vai, casa com uma prostituta e tem filhos da prostituição, pois a nação, ao abandonar Jeová, nada mais faz que se prostituir'."[90] Com isso, ele se tornou a personificação do que entendia ser a infidelidade de Israel para com Jeová. Já vimos que o povo de Judá e de Israel ainda não era monoteísta. Jeová era um deus da guerra, mas não sabia coisa nenhuma sobre agricultura, que era a base da economia. Como outros povos, os israelitas vivenciavam as forças da natureza como sagradas e, portanto, lhes parecia natural celebrar a união de Baal e Anat.

A relação sexual dessas duas divindades não tornara a terra fértil depois que Mot, o deus da esterilidade, a reduzira a um deserto árido? Ignorar esse recurso testado e praticado teria parecido não apenas antinatural, mas insensatamente criminoso, uma vez que uma safra ruim podia acarretar desastres terríveis. O culto a Baal incluía sexo ritualizado e, quando a esposa de Oseias, Gomer, se tornou prostituta sagrada nesse culto, ele passou a achar que o ciúme que sentia era igual ao de Jeová quando seu povo se prostituiu aos deuses estrangeiros. Ele sentia desejo de reconquistar Gomer, da mesma forma que Jeová ansiava pela fidelidade do desleal Israel.[91] Mas a maioria dos contemporâneos de Oseias teria achado excêntrica, perversa e até blasfematória essa condenação do culto de Baal.

Oseias falava de uma época em que o povo de Israel cultuava apenas Jeová, embora seja muito improvável que isso tenha ocorrido algum dia. Mas não pregou o monoteísmo, apenas a monolatria, que afirmava que, apesar de talvez existirem outros deuses, só um deus — Jeová — deveria ser adorado em Israel. Oseias descrevia Jeová como um monarca implacável que, à maneira dos reis assírios, esmagaria sem misericórdia um aliado desobediente:

Samaria será punida por rebelar-se contra seu Deus,
Eles serão mortos à espada: seus filhos pequenos, despedaçados,
e suas mulheres grávidas, estripadas.[92]

Mais uma vez, quando gerações posteriores liam esses oráculos e lembravam que a Assíria de fato destruíra o reino de Israel, algumas pessoas passaram a acreditar que sua infidelidade ritual a Jeová poderia ser tão politicamente arriscada quanto o fora a associação com aquela nação vizinha.

Oseias pintou um quadro assustador do divino. As escrituras costumam refletir a violência e a brutalidade do momento em que são produzidas: a Assíria mantinha seu poder na região cometendo exatamente aquelas atrocidades que Oseias agora atribuía a Jeová como uma consequência esperada. Um Estado vassalo rebelde invariavelmente sofria um brutal contra-ataque militar, era obrigado a pagar pesados tributos e — numa cerimônia de solene aliança — jurar fidelidade à Assíria. Os assírios faziam questão de que todos — aristocratas e plebeus — demonstrassem "lealdade" (*hesed*) ao rei assírio. "Hesed" costuma ser traduzido como "amor", mas "lealdade" é uma tradução mais precisa. Não se exigia dos vassalos uma terna afeição por seu cruel senhor, mas, sim, que rejeitassem qualquer aliança com uma potência estrangeira rival.[93] As profecias de Oseias só viriam a ser editadas muito tempo depois de Israel ter sido de fato aniquilado pela Assíria em 722 a.C. A essa altura, os editores sabiam que o reino tinha participado de coalizões rebeldes contra a Assíria, e que os exércitos assírios se vingaram trucidando homens, mulheres e crianças. Essas gerações posteriores concluíram que talvez também elas tivessem de pagar um alto preço caso se aliassem a outras divindades, uma vez que Jeová avisara a Oseias que de nada adiantaria tentar apaziguá-lo com velhos rituais de sacrifício, porque "o que eu quero é lealdade [*hesed*], e não sacrifício".[94] É possível que tenha sido Oseias o responsável por introduzir ali a ideia de uma aliança entre Jeová e Israel; embora o conceito esteja expresso em histórias que se passam num período bem anterior à época de Oseias, não sabemos ao certo quando, nem como, essas narrativas adquiriram sua forma final.[95]

Veremos que os profetas de Judá responderão ao perigo político de forma totalmente diversa. Quando ameaçados por uma grande potência, jamais mencionavam o Êxodo de Israel do "Egito". Em vez disso, recorriam à aliança de Deus com Davi. Mas Oseias se baseava na história de Jacó, o herói nortista epônimo de Israel, que disse ter "lutado com Deus" em Betel. Jacó tinha traído o irmão Esaú — como Israel naquele momento traía Jeová —, portanto, para recuperar as boas graças de Jeová, Israel, como Jacó, teria de lutar com Jeová e consigo mesmo:

Ainda no ventre [Jacó] suplantou o irmão,
e na maturidade lutou com Deus.
Lutou com o anjo e venceu,
chorou e lhe fez um apelo.
Encontrou-o em Betel,
e ali Deus lhe falou.[96]

Oseias também recorreu à memória do Êxodo, quando Jeová levara Israel para "fora do Egito" e vivera com a nação infante no deserto — uma época de intimidade e inocência.[97] São essas as primeiras referências bíblicas explícitas aos "anos no deserto" que se seguiram ao Êxodo, quando Israel escapara do poder imperial e, guiado por Jeová, vivera fora dos limites da civilização:

Eu os conduzi com laços de bondade,
com rédeas de amor.
Eu era como alguém que aperta uma criança contra o peito.[98]

Porém, por ter feito sacrifícios a Baal, Israel voltaria a ser presa de um poder imperial: "voltarão para o Egito, e a Assíria será o seu rei".[99]

Em 745 a.C., Tiglate-Pileser III aboliu o sistema de vassalagem e incorporou todos os povos subjugados diretamente ao Estado assírio. À mais leve insinuação de dissidência, toda a classe dirigente de um povo rebelde era deportada e substituída por gente de outras partes do império. Era esse o contexto político da visão do profeta sulista Isaías.[100] Isaías era membro da família real e provavelmente sacerdote. Nem ele nem Miqueias, outro profeta sulista contemporâneo dele, mencionam o Êxodo; em vez disso, o que inspirava Isaías era o culto de Jerusalém, a Cidade de Davi. Isaías sonhava com o dia em que "todas as nações" fariam fila para cultuar Jeová em seu templo no monte Sião, réplica do Jardim do Éden. Seria um retorno ao paraíso primordial, quando todas as criaturas viveriam em harmonia; o lobo com o leão, a pantera com o cabrito.[101]

Até aquele momento, o reino de Judá não tinha sido afetado pela ameaça assíria, mas foi arrastado para a batalha quando o rei judaíta Acaz (r. 736-716 a.C.) se recusou a participar da coalizão antiassíria de Damasco e Israel, cujos exércitos marchavam prontamente para sitiar Jerusalém ao sul. Convencido de que Jerusalém, a Cidade de Jeová, era inexpugnável, Isaías tentou convencer Acaz a resistir. O próprio Jeová tinha dado um sinal a Acaz. Sua rainha estava grávida, e o filho que ela trazia no ventre restauraria a glória da Casa de Davi: "A jovem [*alma*] está com uma criança e logo dará à luz um filho, a quem chamará Emanu-El [Deus conosco]".[102] Mas antes que a criança atingisse a idade da razão, os reinos de Israel e Damasco seriam arrasados, por isso Acaz depositou toda sua confiança em Jeová. Mas, para desgosto de Isaías, Acaz se submeteu ao rei assírio, que de pronto invadiu os territórios de Israel e Damasco, deportando grandes contingentes de habitantes. Em 733 a.C., o outrora próspero reino de Israel havia sido reduzido a uma simples cidade-Estado, com um rei fantoche no trono. Num gesto de subserviência, Acaz ergueu um altar em estilo assírio para substituir o Altar do Sacrifício que ficava no pátio do templo de Salomão.

Isaías lamentou essa falta de fé na segurança concedida por Deus a Jerusalém. Embora a queda do reino de Israel fosse um revés temporário, Jeová estava prestes a fazer valer sua aliança com Davi, afirmava ele; e o nascimento do bebê real, Ezequias, a quem Isaías honrara com o título de Emanuel, era um sinal de que Deus estava de fato com seu povo. Era também um raio de esperança para o derrotado vizinho de Judá: "O povo que andava nas trevas viu uma grande luz; sobre aqueles que habitam uma terra de trevas uma luz brilhou!".[103] Isaías imaginava um Conselho Divino explodindo em cânticos para celebrar o nascimento real:

Pois nasceu para nós um menino,
um filho, que nos foi dado,
e a soberania repousa em seus ombros.[104]

No dia da coroação, Ezequias se tornaria membro desse Conselho Celestial, recebendo os títulos tradicionais dos reis de Judá: "Conselheiro Admirável, Deus Poderoso, Pai Eterno, Príncipe da Paz".[105] Desafortunadamente, quando enfim se tornou rei de Judá, em 716 a.C., o Príncipe da Paz levou seu país à beira da ruína. Em 722 a.C., depois de uma rebelião baldada, Samaria, o último reduto que restara do reino de Israel, drasticamente exaurido, foi destruída pelo monarca assírio Salmanaser v. Mais de 27 mil israelitas foram deportados para a Assíria e nunca mais se teve notícia deles. Foram substituídos por colonos vindos de todo o império assírio, que adoravam Jeová, o deus local, juntamente com suas próprias divindades. Alguns dos israelitas não deportados tentaram reconstruir seu país em ruínas, enquanto outros migraram para Judá, levando consigo suas tradições nortistas.

De início, Ezequias tentou se distanciar das políticas sincretizadoras do pai e, talvez motivado pela convicção de Isaías quanto à inexpugnabilidade de Jerusalém, juntou-se a uma coalizão de reis durante os tumultos que se seguiram à morte de Salmanaser, em 705 a.C. Porém, após sufocar essas revoltas, Senaqueribe, o novo rei assírio, voltou-se contra Judá. Isaías insistia em afirmar que Jeová fulminaria Senaqueribe e daria início a um reinado de paz. Contra todas as expectativas, e por razões que não conhecemos, Senaqueribe desfez o cerco de Jerusalém — mas não sem antes saquear 46 aldeias e devastar os campos, reduzindo Judá a uma pequena cidade-Estado. Quando subiu ao trono em 698 a.C., o filho de Ezequias, Manassés, adotou sabiamente uma política de integração, erguendo altares a Baal, restabelecendo os santuários rurais a várias divindades, instalando uma efígie da Deusa-Mãe Aserá no templo e construindo uma casa para prostitutas sagradas no pátio do templo.[106] Mais tarde, autores bíblicos condenariam essas políticas, mas o longo reinado de Manassés propiciou a Judá tempo para se recuperar e, quando de sua morte, em 642 a.C., ele conseguira recuperar parte do território que Judá havia perdido. Poucos súditos teriam se incomodado com suas inovações rituais, uma vez que arqueólogos descobriram que muitos desses súditos tinham "imagens esculpidas" similares nas próprias casas.[107] Mas havia um fermento de insatisfação nas áreas rurais que mais tinham sofrido com a invasão assíria, e, após a morte de Manassés, essa insatisfação aflorou num golpe palaciano que depôs Amom, filho de Manassés, e colocou no trono o filho dele, Josias, de oito anos.

A essa altura, as tradições nortistas levadas para Judá pelos refugiados de 722 a.C. tinham tido tempo de se embrenhar nas tradições do sul. Alguns estudiosos acreditam que, quando a alfabetização se espalhou pelo Oriente Próximo, no século VIII a.C., dois documentos tinham sido redigidos — um em Judá, conhecido por especialistas modernos como "J" (porque seus autores chamavam o deus de Israel "Jahwe" ou "Yahweh"); e uma escritura nortista conhecida como "E", porque os autores preferiam o título Eloim. Acreditam, ainda, que durante o século VII a.C. os manuscritos foram fundidos num trabalho de edição do tipo "copia e cola".[108] Essa teoria, entretanto, reflete métodos editoriais modernos que, dada a dificuldade de manejo dos pergaminhos, teriam sido impossíveis na época. Os refugiados nortistas certamente teriam compartilhado essas histórias com judaítas, que, assombrados com a queda de Israel, e tendo escapado por tão pouco a um destino parecido, estavam dispostos a ouvir. Houve, portanto, uma forte contribuição nortista no estágio seguinte do desenvolvimento escritural.

Naquela época, a Assíria estava em declínio, e o Egito, em ascensão. Em 633 a.C., o faraó havia forçado tropas assírias a se retirarem do Levante, e, enquanto as grandes potências competiam entre si, Judá foi deixado em paz. Houve uma nova onda de sentimento nacional e, talvez, de injustificada confiança. Em 622 a.C., Josias começou a restaurar o templo de Salomão, símbolo da antiga grandeza de Judá, e no decorrer das obras o sumo sacerdote Hilquias disse ter achado o "pergaminho da torá" (*Sefer Torah*) que Jeová tinha dado a Moisés no monte Sinai.[109] Não sabemos o que era esse pergaminho. Poderia ser uma versão anterior do livro de Deuteronômio, que descreve Moisés ditando, pouco antes de morrer, uma "segunda lei" (*deuteronomion* em grego) para o povo; ou talvez o texto resumido de uma lei nortista, que determinava que todo culto israelita fosse centralizado num santuário, no monte Gerizim ou no monte Ebal.[110] E não fazemos ideia do que "torá" significa nesse contexto. Seria um conjunto específico de leis, como os Dez Mandamentos (que aparecem pela primeira vez em Deuteronômio), ou, alternativamente, uma lei que prescrevia os deveres de um monarca israelita?[111]

Ao que tudo indica, o pergaminho foi difícil de decifrar, por isso Josias pediu à profetisa Hulda que o interpretasse. Ela recebeu um oráculo de Jeová declarando que o rolo tinha apenas uma mensagem: "Farei cair uma calamidade sobre este lugar e os que nele vivem, cumprindo tudo o que diz o escrito que o rei de Judá leu, pois eles me abandonaram e ofereceram sacrifícios a outros deuses".[112] Então Josias leu o pergaminho em voz alta para todo o povo e deu início às reformas. O relato bíblico dessa reforma no livro dos Reis indica forte influência nortista: endossa claramente a monolatria de Oseias e baseia-se no Êxodo, e não na tradição davídica. Josias erradicou as inovações rituais de Manassés, queimando efígies de Baal e Aserá, aboliu os santuários rurais e, por fim, invadiu os territórios do antigo reino de Israel, demolindo antigos templos de Jeová em Betel e Samaria e trucidando os sacerdotes dos santuários rurais.[113]

A história do "livro perdido", factualmente verdadeira ou não, foi claramente inspirada pelo terror da extinção. A velha piedade desapontara os israelitas e não poderia ajudar os judaítas nas novas condições do fim do século VII a.C. A escritura, como vimos, nos diz o que precisa ser lembrado — e nos diz o que precisa ser esquecido. O expurgo dos lugares sagrados do norte foi uma violenta tentativa de esquecimento, erradicando adoradas santidades que haviam fracassado e extirpando brutalmente lembranças outrora acalentadas, empurrando algumas tradições do passado para segundo plano e concentrando-se naquelas que talvez pudessem servir melhor a Judá naquele momento temerário.[114] A versão final do livro de Deuteronômio, organizada pelos reformadores, era uma convocação. Primeiro, ela tornou ilegais todos os símbolos canaanitas, como o poste sagrado (*asherah*) e as "pedras eretas" (*masseboth*), até então perfeitamente aceitáveis e expostos com proeminência no templo de Salomão.[115] Para garantir sua pureza, o culto era rigorosamente centralizado: sacrifícios só podiam ser realizados num santuário — o lugar "onde Jeová tinha estabelecido seu nome".[116] Este deveria ser, agora, o templo de Jerusalém, o último santuário ainda em pé. Por fim, num surpreendente abandono da tradição do Oriente Próximo, o rei deixava de ser uma figura sagrada, com prerrogativas divinas; em vez disso, como seu povo, estava sujeito à lei — sua missão era simplesmente estudar e observar com diligência a torá.[117]

Entre os defensores da reforma incluíam-se homens poderosos, como o profeta Jeremias, mas os acontecimentos logo a tornariam obsoleta. Não obstante, as escrituras deuteronômicas teriam lugar de destaque na Bíblia hebraica, exercendo, portanto, profunda influência em futuras gerações. Essas escrituras ainda não prescreviam o "monoteísmo". O primeiro dos Dez Mandamentos — "Não terás outros deuses diante de mim" — refere-se claramente à introdução por Manassés de "deuses estrangeiros" no templo, onde a "Presença" (Shechiná) de Jeová estava consagrada, mas ainda não se negava a existência desses outros deuses. Trinta anos depois, os israelitas ainda cultuavam a deusa mesopotâmica Istar e o templo de Jeová continuava repleto de ídolos estrangeiros.[118]

Sua teologia iconoclasta era uma novidade tão grande que os deuteronomistas precisaram reescrever a história de Israel e de Judá para encaixá-la, elaborando uma narrativa sobre os dois reinos que viria a constituir os livros de Josué, Juízes, Samuel e Reis. Essa história "provava" que a destruição do reino setentrional decorrera de sua idolatria. Os deuteronomistas descreveram Josué trucidando os habitantes canaanitas da Terra Prometida e destruindo suas cidades como um general assírio. Um povo, quando ameaçado por um inimigo externo, geralmente ataca um inimigo interno: os reformadores passaram a ver os cultos canaanitas como "detestáveis" e "repulsivos" e determinaram que qualquer israelita que deles participasse fosse impiedosamente acossado.[119]

Nesses tempos turbulentos, o velho e sereno currículo de Sabedoria parecia obsoleto, então os deuteronomistas elaboraram um novo.[120] Os jovens teriam de estudar as tradições nortistas do Êxodo e da torá mosaica, e a educação já não ficaria confinada a uma elite, sendo obrigatória para todos os israelitas do sexo masculino.[121] O objetivo ainda era inscrever o "ensinamento" (a torá) nas tabuletas do coração, por isso a *hesed* — "amor", ou melhor, "lealdade pactual" — de Oseias seria instilada pela recitação e pela repetição constantes.[122]

> Ouve, Israel. Jeová, nosso Eloim, é o único Jeová. Amarás Jeová, teu Eloim, de todo o teu coração, de toda a tua alma, de toda a tua força. Que estas palavras que hoje te ordeno estejam inscritas em teu coração. Ensina-as a teus filhos e conversa sobre elas enquanto descansas em casa ou quando caminhas lá fora, ao te deitares ou ao te levantares; amarra-as na mão como um sinal e na testa como um círculo; escreve-as nos umbrais da tua casa e nas tuas portas.[123]

Durante esse período de incerteza política, o povo de Judá deveria se tornar "israelita" — era o que exigiam os deuteronomistas. Judá deveria "esquecer" a glorificação do imperialismo agrário e o culto da Sabedoria Salomônica e, em vez disso, "recordar" o tempo em que era destituído de Estado, quando era formado por forasteiros que Jeová havia conduzido para "fora do Egito". Tinha de estudar a torá dia e noite,[124] guiando-se apenas pelas palavras da escritura, sem o apoio ritualizado de "imagens esculpidas".[125] No livro de Deuteronômio, Moisés faz um último discurso ao povo pouco antes de entrar na Terra Prometida. Suplica-lhe que se lembre da época de marginalidade e falta de moradia no deserto. Jeová os mantivera quarenta anos no deserto "para vos tornar humildes [...], para vos fazer compreender que o homem não vive apenas de pão".[126] Que eles não se deixassem seduzir pelo leite e pelo mel da civilização canaanita, e que continuassem espiritualmente apartados da segurança e do comodismo de uma vida agrária que não era obra sua:

> Quando Jeová vos trouxer para a terra que jurou aos vossos pais Abraão, Isaac e Jacó que vos daria, com grandes e prósperas cidades não construídas por vós, casas repletas de coisas que vós não produzistes, poços que não cavastes, vinhas e oliveiras que não plantastes, quando comerdes e vos satisfizerdes, então tende cuidado para não esquecerdes que Jeová vos tirou da terra do Egito, da casa da escravidão.[127]

Como povo oprimido e marginalizado, ele precisava cultivar a lembrança dos anos no deserto como forma de resistência.[128] Por trás da temerosa intransigência de Deuteronômio espreitam as horripilantes memórias da aniquilação do reino de Israel, do morticínio, da deportação atroz.

A tentativa de independência nacional comandada por Josias teve um fim trágico em 609 a.C., quando ele foi morto numa escaramuça militar com o faraó Neco. A essa altura, o novo império babilônio tinha substituído a Assíria e disputava com o Egito o controle da região. Durante alguns anos, Judá conseguiu sobreviver driblando as grandes potências, apesar de Jeremias ter advertido que se tratava de algo ineficaz e arriscado. Jeová ordenou a Jeremias que preparasse um texto escrito com todos os seus oráculos, para que as futuras gerações lembrassem que ele havia reiteradamente insistido para que Israel se submetesse à Babilônia.[129] Jeremias ditou suas palavras para o escriba Baruque. Mas o rei Joaquim, filho de Josias, mandou queimar o manuscrito. Jeremias ditou uma segunda cópia, mas o pergaminho queimado se tornaria um sinal profético do destino de Jerusalém.[130] Em 597 a.C., Nabucodonosor II, rei da Babilônia, puniu um levante em Judá com a deportação de 8 mil aristocratas, soldados e artesãos judaítas. Em 586 a.C., depois de outra rebelião infrutífera, Nabucodonosor destruiu o templo de Salomão, não deixando pedra sobre pedra. Mas alguns dos deportados prestaram atenção no que diziam os deuteronomistas e usaram suas lembranças para resistir à extinção nacional. No exílio, encontraram um substituto para os rituais do templo perdido numa nova escritura, que transformaria as variadas tradições orais do seu povo no Pentateuco, os primeiros cinco livros da Bíblia hebraica. Agora, no entanto, deixamos Israel, nessa época de calamidade nacional que iniciaria uma revolução escritural.

2. Índia: Som e silêncio

Por volta de 1500 a.C., pequenos bandos de pastores partiram das estepes caucasianas e começaram a viajar pelo Afeganistão, rumo ao sul, estabelecendo--se, por fim, no Punjab, onde hoje fica o Paquistão. Essa migração não foi nem um movimento de massa nem uma invasão militar, mas provavelmente uma contínua infiltração de vários grupos arianos ao longo dos séculos.[1] Outros arianos já tinham ido mais longe — até a Grécia, a Itália, a Escandinávia e a Alemanha — levando com eles sua língua e sua mitologia. Os arianos não constituíam um grupo étnico distinto, mas, antes, uma confederação de tribos, vagamente interligadas, que compartilhavam da mesma cultura e da mesma língua, hoje conhecida como "indo-europeia", porque veio a ser a base de várias línguas europeias e asiáticas. Os colonos arianos no Punjab já falavam uma forma arcaica do sânscrito, a língua sagrada de uma das mais antigas escrituras do mundo.

Cerca de trezentos anos depois, uma elite sacerdotal começou a compilar a colossal antologia de hinos sânscritos que se tornaria o Rig Veda ("Conhecimento em Versos"), o mais prestigioso texto da vasta coleção de escrituras indianas conhecida como Veda ("conhecimento"). Os mais antigos desses hinos tinham sido revelados para sete grandes rishis ("videntes") num passado remoto e transmitidos com impecável exatidão para seus descendentes. Em sete famílias sacerdotais, cada geração tinha memorizado os hinos dos inspirados ancestrais e transmitido oralmente para os filhos.[2] Ainda hoje, mesmo que o sânscrito antigo seja praticamente incompreensível, esses hinos são recitados com os precisos acentos tonais e as inflexões do original e acompanhados por gestos rituais dos braços e dos dedos.[3] O som sempre foi sagrado para os arianos — para eles, bem mais importante do que o significado desses hinos — e, quando os entoavam e os memorizavam, os sacerdotes se sentiam possuídos por uma presença sagrada.

A ideia de que o som de um texto sagrado podia ser mais importante do que as verdades que ele transmite contesta de imediato nossa moderna noção de "escritura", que, é claro, implica um texto escrito. Mas a escrita era uma prática desconhecida na Índia e, quando enfim lá chegou, por volta de 700 a.C., foi vista como corrupta e maculadora. Um texto védico mais tardio decretava: "Um discípulo não deve recitar o Veda depois de comer carne, ver sangue, fazer sexo ou escrever".[4] Como as "imagens esculpidas" no Israel de Josias, a escrita era vista como um degradante e perigoso veículo para o divino. Por consequência, mesmo após o advento da escrita, hinos védicos continuavam a ser memorizados e transmitidos oralmente. Os europeus, ao chegarem à Índia nos séculos XVIII e XIX, se indagavam se o Veda de fato existia, pois ninguém era capaz de produzir uma cópia. Os Brâmanes lhes diziam com firmeza: "Veda é o que pertence à religião; não está nos livros".[5]

Tendemos hoje, no Ocidente, a tomar a escritura como a Última Palavra, um cânone fechado para todo o sempre, sagrado, imutável e inviolável. Mas, como já vimos, no mundo pré-moderno a escritura era sempre uma obra inacabada. Escritos antigos eram reverenciados, mas não fossilizados; as escrituras tinham de responder a circunstâncias em constante mudança e, durante esse processo, costumavam ser radicalmente transformadas. Isso decerto ocorreu com o Rig Veda. As primeiras coleções, conhecidas como os "Livros de Família", estão nos livros de Dois a Sete no Rig Veda existente; os livros Oito e Nove foram compostos por outra geração de sacerdotes-poetas e adquiriram o mesmo status dos hinos dos sete rishis originais, enquanto os hinos dos livros Um e Dez, criados por rishis com uma visão bem diferente, foram acrescentados ainda mais tarde.[6] O erudito norte-americano Brian K. Smith descreveu o

Veda como "uma espécie peculiar de cânone — interminavelmente reconcebido e eternamente inalterado".[7]

Parecia improvável que os arianos tivessem produzido uma escritura sagrada, uma vez que dificilmente se poderia chamar de devota a vida que levavam. Viviam de roubar o gado de tribos arianas rivais e de saquear os assentamentos de povos nativos, a quem chamavam com desprezo de *dasas* ("bárbaros"). Não viam nisso nada de repreensível; a seus olhos, era a única maneira aceitável de um homem "nobre" (*arya*) conseguir bens — atitude que partilhavam com os aristocratas de civilizações agrárias que tomavam à força a produção agrícola dos camponeses.[8] Os arianos só se sentiam verdadeiramente vivos quando saqueavam e lutavam. Não eram iogues amantes da paz, mas vaqueiros rudes e beberrões, avançando implacavelmente para o leste, em busca de mais gado e de novas pastagens.[9]

O Rig Veda celebra essa mentalidade. O herói de seus primeiros hinos era Indra, deus da guerra e inimigo jurado do monstruoso dragão Vritra, que simbolizava tudo aquilo que atrapalhava a migração ariana: seu nome derivava do prefixo indo-europeu "VR", que significava "obstruir, enclausurar, confinar". Os arianos imaginavam Vritra como uma imensa serpente que, no princípio dos tempos, se enrolava na montanha cósmica com tanta força que as águas tonificantes não conseguiam escapar das profundezas e a terra era ressequida pela aridez. Indra tornou o mundo habitável ao atirar seu raio fulgurante contra Vritra e, em seguida, decapitá-lo. Esse mito violento falava diretamente à difícil situação dos arianos. Eles também se sentiam obrigados a abrir caminho lutando numa arena de inimigos hostis que os confinavam, bloqueando seu avanço e impedindo-os de capturar o gado, os cavalos e os alimentos de que precisavam para sobreviver. Toda tradição escritural tem um tema ou motivo central que reflete sua visão única da condição humana. Veremos que um anseio por libertação (*moksha*) impregnou a imaginação indiana: mesmo quando Vritra já estava praticamente esquecido, o povo da Índia continuava se sentindo rijamente preso ao perverso dilema de sua condição mortal. O oposto de *moksha* era *amhas* ("cativeiro"), termo indo-europeu que tem a mesma raiz da palavra inglesa "anxiety" e da palavra alemã "Angst", que evoca uma inquietação profunda, um incômodo claustrofóbico. Gerações posteriores desenvolveram disciplinas meditativas e éticas para ajudá-las a transcender os fatais arrochos da vida; aos primeiros arianos só restava abrir caminho lutando.

Os rishis participavam das pilhagens e, com entusiasmo, ajudavam em cada batalha; não devemos imaginá-los piedosos, à margem dos acontecimentos.[10] Em seus hinos, esses sacerdotes-poetas descrevem a si mesmos montando cavalos e, ao lado de Indra,[11] tomando parte nos combates. Afirmavam que foi o próprio canto ritualizado que entoavam o que deu a Indra força para arrebentar a caverna da montanha onde Vala, outro demônio, aprisionara o sol e o gado, privando a terra de luz, calor e alimento.[12] Outros hinos descrevem o entourage de Indra, os marutas, fortificando-o, na batalha, com o som dos cânticos que entoavam,[13] os quais não apenas davam sustentação a ele como eram capazes, ainda, de dirimir todos os demais obstáculos.[14] Esses poemas eram, portanto, considerados essenciais à tecnologia da guerra, à economia pastoril, ao bem-estar dos guerreiros e à sobrevivência do povo ariano. Mais tarde, as escrituras indianas desenvolveriam uma doutrina de *ahimsa* ("não violência"), mas naquela altura as inspiradas palavras dos rishis, quando corretamente entoadas, tinham um potencial mortífero para os inimigos dos arianos.

Caso perguntássemos aos arianos se essas acirradas batalhas cósmicas de fato ocorreram, ou que provas havia da existência de Indra ou Vritra, eles teriam tido dificuldade para entender a pergunta. Indra, Vritra e Vala pertencem ao reino dos mitos — a língua da escritura —, que dirige o olhar para os tempos primordiais na tentativa de descobrir o que há de constante e essencial na vida humana. Para os arianos sitiados, Vritra e Vala não eram figuras fantásticas nem históricas, porque encarnavam a realidade sempre atual — o conflito mortal e impiedoso que está no âmago da existência. Eles viam Vritra e Vala nos *dasas* que rodeavam seus acampamentos. Sabiam que os animais caçavam e matavam continuamente uns aos outros, numa luta incessante pela sobrevivência. Tempestades, terremotos e secas assombrosos punham em perigo todos os viventes. À noite, o sol era apagado pelas forças das trevas, mas de alguma forma — maravilhosamente — sempre conseguia reerguer-se na manhã seguinte.

Essa comunidade sentia-se em perigo a todo momento.[15] Até mesmo os nomes dos deuses arianos mais pacíficos — Mitra ("convênio", "aliança") e Varuna ("cobrir", "unir") — não só sacralizavam a lealdade que mantinha as tribos unidas, mas também pressupunham um inimigo onipresente.[16] Sob ameaça ininterrupta, os arianos projetavam no cosmo sua situação de cerco — lá onde seus próprios deuses, os devas, travavam uma perpétua batalha com os *asuras*, divindades mais velhas, primordiais, que se haviam tornado demoníacas. Alguns hinos descrevem espíritos malignos caminhando à noite ao redor dos acampamentos.[17] Outros lidam com os fantasmas da fome e da doença, sempre presentes.[18] À medida que o pensamento védico avançava, a impressão que se tinha era a de que não poderia existir transformação duradoura sem que antes houvesse perigo e desintegração — que antes Vritra deveria prevalecer para que só então Varuna trouxesse a paz e a ordem.[19] A mitologia védica falava de uma unidade primordial rompida em múltiplos pedaços: de um cosmo formado pelo corpo desmembrado de um deus; e do Verbo divino caindo do céu e fragmentando-se em várias sílabas, que os rishis se esforçavam para juntar outra vez.[20]

Diferentemente de outros animais, os seres humanos não podem simplesmente aceitar o mundo. Os arianos recorriam a mitos para dar sentido à vida, mas também se valiam do logos prático para aprimorar suas condições de vida. Os saques tinham de ser planejados; habilidades na luta, aperfeiçoadas; e a economia pastoril, administrada com destreza para garantir o bem-estar do grupo. Porém, como todos os guerreiros, eles diziam a si mesmos que suas expedições buscavam consertar os erros do mundo. A mitologia ariana não entrava em conflito com essas atividades impulsionadas pelo logos; na verdade, ela as abrangia e engrandecia. Antes de uma incursão, sacerdotes cantavam um hino que celebrava as vitórias de Indra, e, como este fizera em suas batalhas, os saqueadores bebiam um trago da droga alucinógena *soma* enquanto atrelavam os cavalos às bigas. O canto numinoso do Rig Veda dava dignidade e significado a um modo de vida que, sem ele, pareceria brutal, sem sentido e assustador.

E deu certo. Pelo século x a.C., os arianos avançavam incisivamente para leste e tinham se estabelecido no Doab, entre os rios Yamuna e Ganges — região que passaria a ser conhecida como Arya Varta ("Terra dos Árias"). Todo ano, durante a estação fria, grupos de guerreiros eram despachados para subjugar os moradores locais e criar um novo assentamento um pouco mais a leste, e novos rituais eram criados para santificar esse progresso gradual.[21] Outro deva, Agni, deus do fogo, tornou-se então o herói dos arianos, porque os pioneiros tinham de limpar a terra para seus acampamentos, ateando fogo nas densas florestas. Para os arianos, os devas não eram "outros" seres, mas uma sagrada dimensão deles próprios. Agni não simbolizava apenas a capacidade dos colonos de conquistar e controlar seu novo ambiente, mas também seu alter ego, seu "eu" (atmã) melhor e mais profundo, que era também sagrado e divino.[22]

Não se deve confundir deva com nossa moderna noção ocidental de "Deus". "Deva" significa "reluzente", "elevado": qualidades que podiam ser aplicadas a qualquer coisa — um hino, uma emoção, um rio, uma tempestade ou uma montanha — na qual os arianos vislumbrassem uma potência transcendente.[23] Longe de estar encerrado numa esfera metafísica própria, o divino impregnava toda a realidade, e os devas representavam as forças naturais e também as paixões humanas, como o amor ou o êxtase da batalha, que por um momento parecem nos elevar até um modo mais intenso de existir. A ciência ocidental moderna separou o material do psicológico e do espiritual, mas para os Vedas, inspirados pela visão holística do hemisfério direito do cérebro, nada era jamais apenas material, uma vez que tudo estava imbuído de potencial transcendente.[24]

Assim, Agni era idêntico ao fogo sagrado, essencial para o culto sacrificial dos arianos: dizia-se que o sol, o fogo que sustenta a vida, tinha descido ao nosso mundo e estava enterrado sob a crosta da terra. Mas quando estacas ou pedras eram esfregadas umas nas outras, Agni voltava a resplandecer e transportava para o mundo celeste aquelas dádivas lançadas no fogo sagrado. Agni era também o "fogo" da mente, que emerge das misteriosas profundezas do nosso ser e se manifesta no pensamento. Soma, a planta alucinógena, era também um deva que aumentava a coragem do guerreiro; e era ainda uma fonte de revelação que aguçava os poderes intuitivos de um rishi de tal maneira que ele mesmo se tornava, por um instante, divino.[25] Um rishi descreveu esse senso de irrestrita expansão e libertação das limitações da existência mundana:

> Bebemos o Soma; tornamo-nos imortais; fomos para a luz; encontramos os deuses. O que podem o ódio e a maldade de um mortal contra nós agora, ó imortal?...
>
> A fraqueza e as doenças desapareceram: as forças das trevas fugiram aterrorizadas. Soma subiu dentro de nós. Chegamos ao lugar onde eles alongam a vida.[26]

Tudo que ampliava a visão dos arianos e lhes dava sinais do sagrado era um deva: ajudava-os a se sentirem à vontade no mundo. No Rig Veda, tanto Agni como Soma eram chamados de "amigo compassivo" dos arianos; Mitra, que governava o dia, acordava os arianos ao amanhecer; seu nome também significa "amigo".[27] O rishi imaginava-se sentado na arena sacrificial com Varuna, senhor da noite, ao lado dos arianos, como companheiros queridos.[28]

Os arianos não tinham um panteão organizado e não havia uma divindade suprema, ou "Deus Altíssimo", porque todos os devas eram parte de um poder último, impessoal, que a tudo impregnava. "Eles o chamam Indra, Varuna, Agni", explicou um rishi. "O sábio fala de muitas maneiras a respeito do que é Uno."[29] Cada deva é louvado como criador e sustentáculo do cosmo, pois cada um é uma lente pela qual toda a realidade pode ser vislumbrada e oferece uma perspectiva diferente do Absoluto. Mas essa realidade não é um ser supremo, que existe em si mesmo e que é onipotente: não "existe" da mesma maneira que existem quase todas as coisas que conhecemos, que são falíveis, frágeis e mortais. Essa realidade abrangente e, em última instância, misteriosa era, na verdade, o próprio Ser.

Ao examinar o intricado funcionamento do cosmo, os arianos ficavam maravilhados com sua coerência. O nascer do sol todas as manhãs parecia um milagre diário: por que o sol, a lua e as estrelas não caem do céu? Os rios correm continuamente para o oceano, então por que não inundam a terra? Como é que uma estação vem depois da outra com tanta regularidade? A ciência moderna respondeu a essas perguntas, mas os arianos cultivavam mitos sagrados, e não o logos. Ao contemplar o funcionamento do cosmo, davam-se conta de uma força que de alguma maneira mantinha unidos elementos potencialmente incompatíveis do universo. Esse poder não era nem um deva, nem um Deus Criador moderno. Era, na verdade, uma força transcendente impessoal, que os arianos chamavam de *rta*, o ritmo do universo. Eles percebiam que os elementos do cosmo sempre pareciam retornar à fonte, uma dinâmica que tentavam imitar em seu culto quando Agni devolvia ao céu as oferendas sacrificiais. Qualquer ação divisionista com vistas à apropriação de algo por alguém era "falsa" — uma traição à *rta*. Era essa a mentalidade de Vritra e Vala, que tinham constringido a beleza expansiva da ordem natural e quebrado a integridade do cosmo, criando um mundo de trevas, esterilidade e morte.[30]

Ainda que declarassem enfaticamente que a realidade última é inefável, os rishis de alguma forma a "enxergavam" na forma verbal. Num dos últimos hinos do Rig Veda, Discurso (Vac) se identifica como a realidade transcendente que abrange os devas e todas as coisas terrenas:

> Eu me movimento com os Rudras, com os Vasus, com os Adityas e todos os deuses. Levo tanto Mitra como Varuna, tanto Indra como Agni, e ambos os Ashvins [...].
>
> Dei à luz o pai na cabeça deste mundo. Meu ventre está nas águas, no interior do oceano. De lá eu me espalho sobre todas as criaturas e toco no próprio céu com o topo da minha cabeça.
>
> Sou aquele que sopra como o vento, abraçando todas as criaturas. Além do céu, além da terra, tanta coisa transformei em minha grandeza.[31]

Na Bíblia hebraica e no Novo Testamento, o "Verbo" de Deus é uma força criativa: "Por intermédio dele todas as coisas passaram a existir".[32] A metáfora quase ubíqua do Verbo expressa a verdade da condição humana. Criamos o mundo para nós mesmos por meio da fala. Uma criança tem fome de linguagem e cria um "cosmo" — um mundo com ordem — para si mesma ao brincar com as palavras; a compreensão que tem do seu ambiente se desenvolve juntamente com o domínio da fala.[33] Dessa maneira, a linguagem torna a realidade significativa para nós — mas tropeça quando tenta exprimir o que está fora do seu alcance.

Dizia-se que o Veda vinha ressoando por toda a eternidade, mas que os rishis foram os primeiros seres humanos capazes de ouvi-lo.[34] Com ajuda de soma e, talvez, de formas iniciais de ioga, eles sentiram a força misteriosa que dava coesão ao cosmo. Não deixaram relato do processo, mas provavelmente tinham cultivado esse insight deliberadamente. A palavra "misticismo" vem do verbo grego *muo* ("fechar"). Mais tarde, contemplativos explicaram que iriam "fechar" ou "desligar" a atividade analítica e proposicional que hoje sabemos que é característica do hemisfério esquerdo do cérebro. O místico flamengo Johannes Ruysbroek (1293-1381) descreveu essa prática usando terminologia cristã:

> A revelação do Pai, na verdade, *eleva a alma acima da razão*, até uma nudez sem imagens. A alma ali é simples, pura e imaculada, vazia de todas as coisas, e é nesse estado de *absoluto vazio* que o Pai mostra seu brilho divino. *A esse brilho nem*

a razão, nem o sentido, nem o comentário, nem a distinção podem servir; tudo isso deve permanecer embaixo.[35]

Quando a mente é "esvaziada" dessa maneira, a visão holística do hemisfério direito se liberta de restrições. Ruysbroek acha que essa atividade é orquestrada pelo que ele chama de "o Pai": na Índia, os místicos a viam como de iniciativa humana. Descobriu-se também que o controle da respiração, que, como veremos, é crucial na ioga, provoca "estados internamente focalizados".[36] Os hinos do Rig Veda parecem refletir uma visão, própria do cérebro direito, da numinosa interligação de diferentes partes do cosmo. Já a partir desses primórdios, as verdades comunicadas pela escritura diferiam do conhecimento factual que derivamos de nossa avaliação normal do mundo, feita com o cérebro esquerdo, que é apenas a representação de uma realidade muito mais complexa.

Os hinos do Rig Veda dizem que eles "escutavam" Vac, um som sagrado sem qualquer relação com a fala humana, porque também o "enxergavam" com *dhi* (a "visão interior", o "insight"). Falavam de um "olho interior" que de alguma forma "visualizava" um "conhecimento" (*veda*) que está além da competência da linguagem ordinária e que tem pouca relação com nossos métodos regulares de absorver e processar informações.[37] O que os rishis "viam"? Parece que tinham vislumbres relâmpagos da *rta*, encarnada nas formas luminosas dos devas correndo em bigas e sentados em tronos de ouro nos céus. Com certa hesitação, tentavam expressar essas "visões", que lhes ocorriam numa série de imagens estáticas, desconexas, numa vacilante linguagem humana: "Então, vimos verdadeiramente com nosso poder de visão [*dhi*], em vossos assentos, uma coisa dourada, com nossa mente, através dos nossos olhos, através dos olhos próprios a Soma".[38] Era "uma *coisa* dourada" sem muita relação com qualquer objeto mundano. Não se tentava descrever as atividades dos devas numa narrativa clara, linear. Em vez disso, o Verbo irrompia na mente de um rishi, numa rápida sucessão de "instantâneos" sem coerência lógica ou temporal. O que ele via transcendia o tempo e poderia referir-se igualmente ao passado, ao presente ou ao futuro — ou a todas essas instâncias ao mesmo tempo.[39] Por isso, os hinos do Rig Veda avançam em flashes de visão interior, geralmente expressos em adivinhações, paradoxos e enigmas sem mensagem clara.[40] O povo indiano ainda acredita que o verdadeiro conhecimento não pode ser alcançado exclusivamente por meio da razão, pois o divino transcende o intelecto, o dogma e a experiência.

Não se tratava, porém, de uma revelação íntima e particular, mas, sim, de uma que era concedida ao rishi em nome de sua comunidade. Na Índia, diz-se que um visionário deve sempre "regressar à feira". Ele ou ela precisa retornar à normalidade e transmitir essas visões místicas de uma forma que a gente comum possa compreender. O rishi ou "vidente", portanto, tinha de se tornar *kavi* ("poeta"). Ele, de alguma forma, precisava alcançar uma "fórmula verbal" (*brahman*) que expressasse o inefável em linguagem mundana. Às vezes ele pedia ajuda a um deva.[41] A raiz da qual deriva a palavra "brâman" tem o sentido de "inchar" ou "crescer". Os poetas aparentemente sentiam algo muito poderoso emergindo de seu interior. Descreviam-se a si mesmos confeccionando seus hinos como um alfaiate criava uma "túnica ajustada e bem-feita [...], como um hábil artesão constrói uma biga",[42] encaixando diferentes peças provenientes de coisas que já existiam para assim produzir algo novo.[43]

Um rishi só era capaz de transmitir essa visão indescritível porque de alguma forma a encarnava:[44] era chamado de "vipra" porque "tremia" ou "vibrava" com os ritmos da *rta*.[45] Sua visão transcendente não era simplesmente um encontro com outra forma de existência: de alguma maneira, ele mesmo se divinizara. O objetivo de obter a visão transcendente era alcançar essa transformação pessoal. O hemisfério direito revela a profunda interligação de todas as coisas — portanto, não há um abismo separando o sagrado do profano, a divindade da humanidade. Trata-se de um mundo de metáforas, que junta coisas aparentemente díspares, para que possamos ver cada uma de modo diferente; dizer que um ser humano é um deus significa que tanto nossa compreensão da humanidade quanto nossa visão da divindade foram alteradas. Na Índia, a verdade ainda é vivenciada, em especial, num homem ou numa mulher que de alguma forma encarna a sabedoria divina.[46]

Os arianos, ao recitarem os hinos dos rishis em rituais de sacrifício, os devolviam, no espírito da *rta*, aos devas que ajudaram a criá-los. Os que de fato ouvem a escritura devem sempre dar alguma coisa em troca. De suas visões dos devas trabalhando nos céus, os rishis concluíam que todos eles tinham feito o solene juramento (*vrata*) de manter a ordem cósmica. Todas as manhãs Mitra e Varuna erguiam o sol para os céus,[47] enquanto Varuna segurava o céu acima da terra, possibilitando à chuva cair e fertilizar o solo.[48] Enquanto os devas praticavam uma liturgia cósmica para que o mundo continuasse a existir, as oferendas de alimento e soma dos arianos, que Agni levava para o mundo celestial, lhes davam sustento e forças para suas tarefas.[49] Os mitos e os correspondentes rituais ajudavam os arianos a cultivarem uma atitude de reverência e gratidão, uma recusa a aceitar o planeta como coisa certa e previsível. Em vez de explorar o mundo natural em proveito próprio, eles tinham um darma, uma "responsabilidade moral" de ajudar a sustentar o cosmo. Ao personalizar as forças invisíveis da natureza e associar devas específicos ao vento, ao sol, ao mar e às estrelas, eles expressavam sua percepção de afinidade com o mistério cósmico.[50]

Desde o início, portanto, o ritual indiano foi inseparável da experiência da escritura. Nosso conhecimento do ritual védico nessa fase inicial é limitado, mas temos algumas informações sobre o festival realizado na virada para o Ano-Novo, quando se pensava que o cosmo corria o risco de retroceder ao caos primitivo.[51] Para fortalecer a *rta* em sua batalha contra as forças das trevas, os arianos competiam ferozmente entre si em corridas rituais de bigas, disputas de tiro ao alvo e cabo de guerra, jogos de dados e batalhas simuladas.[52] Um desses desafios era uma competição de poesia, na qual os rishis compunham de improviso, recorrendo à inspiração de seus devas padroeiros, numa disputa tão agressiva que um poeta comparou a luta à batalha de Indra contra Vritra.[53] A morte do ano velho trazia o fantasma da mortalidade humana, que enchia os arianos da mais profunda ansiedade, por isso a tarefa dos poetas era produzir um Brâman, uma "fórmula verbal" que expressasse uma visão interior capaz de aplacar esse terror da extinção.[54]

Num desses hinos, um poeta jovem e inexperiente, em pé, ao lado de seus oponentes, na plataforma, admite que está com medo. Ele tem a visão interior exigida: sabia que, no momento decisivo da virada do ano, Agni, "tal qual um rei, usaria sua luz para forçar a escuridão a retroceder".[55] Mas teria esse jovem a habilidade necessária para criar um Brâman que amenizasse os temores da plateia? Além disso, receava brilhar mais do que seus superiores; porém, ao chegar à terceira estrofe do hino, percebeu, de repente, que quem iria compor e proferir o Brâman não era ele, mas Agni, pois no momento de revelação ele e Agni eram uma coisa só:

Ele sabe como esticar o fio e tecer o pano;
Ele pronunciará belas palavras corretamente.

Quem entende isso [a sabedoria] é o protetor da imortalidade,
embora se movimente abaixo, ainda assim vê mais alto do que qualquer
[outro.[56]

Agni não era uma divindade distante, na qual esse jovem tivesse de acreditar: Agni era a experiência da transcendência que inundava seu coração e sua mente com a luz de uma visão que se encontrava fora do alcance do discurso normal. "Que devo dizer?", bradava ele. "Que devo pensar?"[57]

A sociedade védica era profundamente competitiva. Esse jovem poeta — tão receoso de humilhar os mais velhos — sabia que o certame de poesia geralmente resultava numa catastrófica perda de prestígio: parecer *amati* ("estúpido") nesse momento crucial poderia acarretar a perda da condição sacerdotal.[58] Mas outro hino afirma que, em vez de dividir, a poesia deveria unir a comunidade. Essa tinha sido a maior proeza dos sete primeiros rishis:

> Quando eles puseram em movimento o primeiro princípio da fala, dando nomes, seu segredo mais puro e perfeitamente guardado foi revelado através do amor.
>
> Quando os sábios elaboraram discurso com seu pensamento, joeirando-o como o grão que é passado pela peneira, então os amigos reconheceram a amizade entre eles. Um sinal positivo se inseriu na fala deles.[59]

A elaboração de um poema é comparada à filtragem cerimonial da planta da soma que permite que a sagrada substância líquida seja vertida. Era extremamente difícil coar o Verbo divino através da mente limitada do poeta, e este, se fosse motivado apenas por interesse egoísta, estaria fadado ao fracasso, pois a inspiração nascia do amor. O Discurso Sagrado (Vac) "revela-se para alguém tal qual uma esposa amorosa, lindamente vestida, revela o corpo para o marido".[60] Por isso, a revelação deveria unir pessoas. O rishi reprova o poeta que "se tornou inconveniente e pesado em sua amizade", pois a verdadeira iluminação é incompatível com a animosidade:[61] "O homem, ao abandonar um amigo que com ele aprendeu, deixa de ter sua cota no Discurso".[62]

Ao longo do século x a.C., os arianos refinaram sua ideia da realidade suprema, a qual agora chamavam Brâman. Como vimos, essa palavra originariamente se referia a uma fórmula poética, mas passou a ser aplicada à energia que permeia o universo: o Brâman permitia que todas as coisas germinassem, crescessem e prosperassem, pois era a própria vida.[63] Como a *rta*, o Brâman não era um deva, mas uma força mais elevada, mais profunda e mais fundamental do que os deuses.[64] Jamais poderia ser definido, ou descrito, pois a tudo abrangia: seres humanos não tinham como sair dele e enxergá-lo de fora, em sua totalidade. Mas ele poderia ser vivenciado intuitivamente, no drama do ritual. O rito sacrificial geralmente terminava com uma competição ritualizada conhecida como *brahmodya*, na qual sacerdotes-poetas desafiavam uns aos outros a encontrar a "fórmula verbal" (*brahman*) que definisse o Brâman inefável. O desafiante fazia uma pergunta difícil e seu oponente respondia com uma questão igualmente obscura. A disputa continuava até que um dos participantes fizesse uma pergunta que reduzisse todo o grupo ao silêncio. Ele, então, seria o vitorioso, mas não por brilhantismo, erudição e sagacidade. Na verdade, ele havia conduzido os participantes a uma apreensão do inefável. O silêncio que se seguia talvez não fosse diferente do irromper do silêncio na sala de concertos, quando as últimas notas da sinfonia se extinguem. Era repleto, prenhe e numinoso porque o Brâman estava presente. Os pensamentos inteligentes e os aforismos eruditos dos sacerdotes desapareciam, suas mentes agitadas sossegavam, e por alguns momentos eles se sentiam unidos à força misteriosa que sustentava toda a realidade. Transcendendo todas as categorias humanas, o Brâman só poderia ser sentido na estupenda percepção da impotência da fala.[65]

Um dos últimos hinos do Rig Veda é uma *brahmodya*. Começa sugerindo que no início não havia nada — nem existência, nem não existência. Como, então, pergunta o rishi numa série de questões desconcertantes, desse vazio abissal surgiu um cosmo ordenado e viável?

> Quem é que sabe de fato? Quem o proclamaria aqui? De onde foi produzido? De onde vem essa criação? Os deuses vieram depois, com a criação do universo. Quem é que sabe, então, de onde surgiu? — talvez tenha se formado a si mesmo, talvez não — aquele que olha para ele de cima para baixo, do mais alto dos céus, só ele sabe — ou talvez não saiba.[66]

Finalmente, o rishi se cala e admite que deparou com o inefável. Nem mesmo os devas poderiam responder a essa pergunta. Os competitivos e volúveis arianos tinham aprendido uma verdade importante sobre a escritura. Nem mesmo um texto revelado contém todas as respostas; toda linguagem religiosa — até mesmo as inspiradas palavras da escritura — acaba tendo de se converter ao silêncio, que é uma expressão de reverência, admiração e desconhecimento.

No século IX a.C., os arianos tinham avançado mais para leste e estabelecido dois pequenos reinos entre os rios Ganges e Yamuna: um deles fundado por uma confederação dos clãs dos kurus e dos panchalas; o outro, pelos yadavas. Agora os arianos governavam Estados agrários comuns. Até então, a sociedade ariana não era rigidamente estratificada, mas a agricultura exigia especialização social. Precisava incorporar os *dasas*, os povos autóctones que tinham expertise agrícola, por isso a velha mitologia que demonizava os *dasas* ficou obsoleta. Só guerreiros de elite eram despachados, agora, em incursões anuais, enquanto o restante ficava em casa. Alguns desses antigos guerreiros trabalhavam nos campos, ao lado dos *dasas*; outros se tornaram oleiros, curtidores, metalúrgicos e tecelões. Havia agora quatro classes na sociedade ariana. No topo da hierarquia estavam os Brâmanes, os sacerdotes que presidiam os rituais; logo abaixo vinham os guerreiros (*rajanya* — mais tarde chamados de xátrias, "os que detinham poder"); então os membros de clã (vaixás); e finalmente os *dasas* que se haviam tornado sudras ("servos").

Os sacerdotes dispunham agora de mais tempo livre para refinar seu conceito de divindade e desenvolveram uma ciência ritual mais concentrada nos ritos do que nos devas. Registraram suas visões interiores nos Brâmanas, novo conjunto de textos cuja codificação completa foi concluída por volta de 600 a.C., e deixaram claro que essa escritura estava subordinada ao ritual.[67] O objetivo dos textos era simplesmente instruir os sacerdotes sobre as tecnicalidades do *vajna*, o sacrifício.[68] O Veda agora era composto de quatro conjuntos de textos. O primeiro era o Rig Veda; os outros eram o Sama Veda, uma coleção de cânticos (*samen*) com instruções para recitação durante o sacrifício; o Yajur Veda, uma compilação de breves fórmulas, em prosa, usadas no *vajna*; e o Atharva Veda, antologia de hinos e fórmulas mágicas. Cada uma das quatro escolas sacerdotais era responsável por memorizar e transmitir um desses Vedas, além de fornecer um oficiante para o rito.[69] O sacerdote *hotr*, especializado no Rig Veda, encarregava-se da recitação principal, assistido pelo *udgatr*, que "entoava em voz alta" cânticos do Sama Veda, enquanto o sacerdote *advaryu*, que realizava as ações sacrificiais, se concentrava no Yajur Veda. O quarto sacerdote, o Brâmane, permanecia em silêncio durante todo o rito, mas sua presença era essencial. Ele precisava assistir à ação, para garantir que os ritos fossem apresentados corretamente e, em caso de erro, curava em sua mente o rito fraturado.[70] Dizia-se que seu silêncio era "metade do sacrifício".[71] Apesar da ênfase dos Brâmanas na palavra falada, o silêncio, que aludia ao inefável, ainda persistia no coração de cada pronunciamento ritualizado.[72]

Os novos ritos eram motivados por um anseio de transformação pessoal. Os antigos e turbulentos torneios ritualizados tinham sido substituídos por uma simbólica jornada celestial em que o "sacrificador" ou "patrono" — um xátria ou vaixá — que financiava o ritual era conduzido através da cerimônia por quatro sacerdotes oficiantes e alcançava uma condição divina temporária.[73] Primeiro, ele era banhado, untado com manteiga fresca e conduzido à Cabana dos Consagrados, ao lado da fogueira sacrificial. Ali, aquecido por *tapas*, um calor criativo que enchia seu corpo de poder sagrado, era simbolicamente renascido no mundo dos deuses.[74] O novo ritual se baseava em *bandhus*, "conexões" entre fenômenos celestiais e terrenos. Cada ação, cada utensílio, cada hino no rito estava ligado a uma realidade cósmica. Era uma tentativa de encarnar a visão holística do universo dos rishis. Quando celebrada com plena consciência dessas "conexões", a liturgia superava o abismo entre céu e terra, jungindo os deuses aos homens, os humanos aos animais, o visível ao invisível, e o transcendente ao vulgar.[75]

Os dois hemisférios do cérebro frontal trabalham juntos. A ciência ritual dos Brâmanas, que explicava, sistematizava e analisava a apreensão intuitiva, pelo hemisfério direito, da inter-relação de todas as coisas, era um projeto do cérebro esquerdo. Mas o drama e a experiência sensorial do ritual, reforçada por um trago de soma, devolviam esse relato analítico dos *bandhus* para o cérebro direito, a fim de que o patrono experimentasse essas "conexões" física e emocionalmente. Ele então sentia pontadas do Brâman transcendente que moldava os elementos díspares do universo e os juntava numa unidade sagrada. Ao participar do rito, o patrono tinha de se conscientizar de que cada instrumento — como um pauzinho de acender fogo — estava ligado aos utensílios usados no sacrifício primordial que fizera o cosmo surgir. Precisava imaginar-se inseparável da manteiga ghee com que alimentava a fogueira sacrificial, de modo que ele realmente se oferecesse aos deuses e flutuasse com a fumaça até o mundo celestial. Tinha de se identificar estreitamente com a vítima animal, ao ponto de a morte dela se tornar a sua própria morte, até que ele — pelo menos durante o rito — deixasse de se afligir com o medo da mortalidade:[76] "Tornando-se o sacrifício, o sacrificador liberta-se da morte".[77]

O patrono também lembrava a si mesmo que estava andando no rastro dos devas, que em tempos primitivos adquiriram status divino e imortalidade por meio desses rituais. "Isto era feito pelos deuses. Assim, agora é feito por homens."[78] Os deuses, porém, podiam executar os rituais perfeitamente, façanha quase impossível para meros mortais. O procedimento ritual era tão complexo, e tantas coisas podiam dar errado, que ritualistas duvidavam que algum ser humano já tivesse feito essa viagem celestial — e, mesmo que tivesse, não teria conseguido permanecer no mundo dos deuses enquanto habitasse o próprio corpo. O rito era capaz apenas de levar o sacrificador até lá pelo tempo suficiente para reservar seu lugar no céu depois da morte.[79] E, para garantir a imortalidade póstuma, o sacrificador precisava submeter-se repetidamente ao rito. Acreditava-se que uma série de "ações" rituais (*karma*), corretamente realizadas e repetidas ao longo da vida, resultaria em residência permanente no mundo dos deuses.[80]

Alguns poetas vinham refinando sua concepção dos devas e expressando essas visões interiores em novos hinos, que foram acrescentados ao Rig Veda no século x a.C. e se tornaram os grandes mitos da nova ciência ritual. O primeiro tomou a forma de uma *brahmodya*, formulando uma série de perguntas irrespondíveis que se converteram numa apreensão silenciosa do mistério para além do coração da existência. "Quem [*Ka*] é o deus que devemos cultuar com esta oblação?", indagava o rishi — uma pergunta que era repetida como refrão ao longo do hino todo. Nenhum dos devas parecia estar à altura. Quem era o verdadeiro senhor de homens e gado? Quem era o dono das montanhas cobertas de neve e do oceano? Algum deva era capaz de sustentar os céus? Por fim, o poeta viu emergir do caos primitivo um deva que personificava o definitivo Brâman. Seu nome era Prajapati, "o Tudo", porque era idêntico ao universo, a força que sustentava o universo e a semente de consciência na mente humana. Mas personificar essa realidade última não diminui sua inefabilidade; por ser a mente humana incapaz de compreender "o Tudo", havia pouca coisa que alguém pudesse dizer sobre Prajapati.[81] De fato, afirmava-se que seu verdadeiro nome era a pergunta feita no início do hino: "*Ka?*" ("Quem?").

No começo do século XX, acreditava-se que, depois de resolver alguns poucos problemas pendentes no sistema newtoniano, nossa compreensão do cosmo logo seria completa. Então Albert Einstein (1879-1955) desenvolveu a física quântica, que contradizia quase todos os grandes postulados da ciência newtoniana e desvelava um universo incompreensível. Isso, porém, não incomodava Einstein. Como os rishis, ele estava feliz de poder maravilhar-se — na verdade, ele afirmava que qualquer pessoa "para quem essa emoção fosse estranha [...] é como se estivesse morta":

> Saber que aquilo que para nós é impenetrável existe mesmo, manifestando-se para nós como a mais alta sabedoria e a mais radiante beleza, que nossas embotadas faculdades só compreendem em suas formas mais primitivas — esse conhecimento, esse sentimento está no centro de toda verdadeira religiosidade.[82]

A *brahmodya* dos rishis não era nem um delírio nem um obscurantismo deliberado, mas, antes, uma avaliação realista de nossa capacidade de compreender o cosmo. Na verdade, a física moderna sugere que alguns problemas continuarão insolúveis. "A estrutura da natureza talvez seja de uma tal espécie que nossos processos de pensamento não correspondam a ela o suficiente para nos permitir pensar sobre ela", escreveu o físico norte-americano Percy Bridgman (1882-1961). "O mundo se dissolve e nos escapa [...]. Estamos diante de uma coisa verdadeiramente inefável."[83]

O segundo hino acrescentado ao Rig Veda baseava-se num antigo mito ariano que alegava que o sacrifício voluntário de si mesmo pelo Primeiro Homem — um ato de *kenosis* divina — fizera o mundo existir. O rishi descreveu a "Pessoa" primordial (Purusha) caminhando por livre e espontânea vontade até a área sacrificial, deitando-se na grama recém-cortada e permitindo que os deuses a matassem. Seu corpo foi mutilado, e as partes desmembradas transformaram-se no cosmo e tudo que nele existe, incluindo os devas e as classes da sociedade ariana:

> A boca ficou sendo o Brahmin; os braços tornaram-se o Guerreiro [Xátria], as coxas o Povo [Vaixá] e dos pés nasceram os Servos [Sudra]. A Lua nasceu da sua

mente; dos olhos, nasceu o Sol. Indra e Agni vieram da boca, e do alento vital o Vento nasceu. Do umbigo surgiu o reino do meio do espaço; da sua cabeça desenvolveu-se o céu. Dos dois pés veio a terra, e os quadrantes do céu vieram da sua orelha.[84]

Até mesmo os Quatro Vedas emergiram do cadáver da Purusha: "Desse sacrifício, no qual tudo foi oferecido, os versos e os cânticos e a métrica nasceram dele, e dele nasceram as fórmulas".[85] Esse hino celebrava a interdependência e a sacralidade inerente a todas as coisas, uma vez que todas as coisas e todas as pessoas vieram de um único corpo que era ao mesmo tempo humano e divino. É um dos primeiros exemplos de um tema escritural comum, que vê o ser humano como a realidade suprema, em quem todo o universo converge. Os primeiros cristãos veriam assim o Jesus glorificado, que também morreu de maneira kenótica.[86] É também estranhamente parecido com a percepção moderna do ser humano como um microcosmo no qual o macrocosmo está presente como holograma.

No século IX a.C., Purusha e Prajapati se fundiram na imaginação védica, mas sua história se tornou mais sombria. Os Brâmanas descrevem Prajapati, "o Tudo", tirando três mundos — terra, espaço intermediário e céu — de dentro de si por meio de *tapas* ritualizadas;[87] ele então "volta a entrar" em tudo que tinha feito, de modo que se tornou seu alento, seu corpo e seu eu mais íntimo, ou atmã.[88] Tudo isso confirma a visão dos hinos originais. Mas em outras passagens Prajapati já não é sereno e confiante; é solitário e vulnerável. Cria porque deseja companhia, e sua criação é uma bagunça. Suas criaturas são fracas e doentias: algumas não conseguem respirar, outras são atormentadas por demônios;[89] lutam entre si e devoram umas às outras; e algumas fogem de Prajapati, tão debilitado por essa descarga criativa que precisa ser reanimado pelos deuses que ele mesmo havia criado.[90] "Recomponham-me", suplica, e Agni o constrói, pedaço a pedaço, mais ou menos como os Brâmanes construíam ritualmente o Altar do Fogo: "Quando [o sacerdote] constrói as cinco camadas, é também com estas cinco partes do corpo que ele constrói Prajapati".[91]

Um mito jamais tem apenas uma versão. As escrituras costumam justapor relatos diferentes de um único acontecimento mítico, cada qual contendo importantes insights. Essas novas histórias enfatizam a vulnerabilidade de Prajapati e a fragilidade do cosmo, mas outros Brâmanas apresentam um argumento diferente e dão aos seres humanos uma missão cósmica. Alegam que Prajapati criou os três mundos ao proferir três sons sagrados — *bhu*, *bhuvah* e *svah* — que não tinham qualquer significado semântico, mas que representavam a essência mística dos Vedas.[92] Apresentam Prajapati como o primeiro rishi a "ver" os hinos, as métricas e os rituais védicos[93] e então os representam — entoando os hinos védicos como o sacerdote *hotr*, cantando as canções como o *udgatr* e pronunciando as fórmulas sagradas como o *advaryu* —[94] de tal maneira que, quando cantam esses mantras, os sacerdotes sustentam o mundo partido de Prajapati e o mantêm existindo.[95]

Por volta do século IX a.C., a "palavra perceptiva" (*manisa*), que tinha aplacado a ansiedade dos arianos no Festival de Ano-Novo, adquirira um poder criativo que — como os três sons proferidos por Prajapati — estava totalmente desassociado de seu significado. Simplesmente tinha de ser dita em voz alta por um rishi e pronunciada corretamente. A fonte desse poder era a *rta*, a força sagrada que estabilizava o universo.[96] É difícil definir mantra. Para o erudito holandês Jan Gonda, é um nome genérico para sequências de palavras que, "segundo se acredita, têm eficácia mágica, religiosa ou espiritual [e] são recitadas, murmuradas ou cantadas em ritual védico".[97] O mantra não tem qualquer relação com a prece, que usa linguagem humana para trazer o transcendente para o alcance do nosso entendimento conceitual, e nada tem em comum com a narrativa escritural, que personaliza o divino. O mantra é impessoal, prático e — para a mente moderna — irremediavelmente irracional.[98] O indólogo Fritz Staal afirma que mantras são essencialmente sem sentido, como os sons *bhu*, *bhuvah* e *svah* de Prajapati. Como o transe, o êxtase e o balbuciar de bebês, são apenas simples regressões a um estado pré-linguístico.[99]

No Ocidente moderno, as palavras têm uma ligação individual com realidades objetivas, mas na Índia a linguagem é sentida como um acontecimento. Seu objetivo não é nomear alguma coisa, mas fazer alguma coisa — ou seja, nos transformar.[100] Se não tentarmos entender e aceitar isso, nossa noção de escritura ficará incompleta.[101] O erudito alemão Jan Assmann cita o filósofo sírio Jâmblico (*c.* 250-338 d.C.), que explicou que as palavras mágicas usadas por sacerdotes egípcios só nos parecem disparatadas porque esquecemos seu significado; os deuses, porém, ainda as compreendem — por isso, quando fala a linguagem deles, o sacerdote é elevado ao nível divino. O discurso sagrado, portanto, tem um poder transformador independente de seu sentido, e, quando o proferimos ou o escutamos, somos transformados.[102]

Na Índia, utiliza-se a recitação de um mantra para realizar a transição do hemisfério esquerdo do cérebro, palavroso, analítico, para uma forma mais profunda e intuitiva de consciência. O meditador se senta numa posição confortável, as costas eretas, os olhos fechados, e repete o mantra que um professor lhe entrega. O significado das palavras não tem importância, pois o mantra é simbólico, e aponta para outra coisa, não para si mesmo. Antes, são as vibrações físicas da recitação que, com o tempo, acalmam a atividade racional do cérebro pela simples monotonia do exercício. Se o praticante se interessar demais pelo significado do mantra, pode acabar permanecendo no mundo discursivo do cérebro esquerdo, mas, se a monotonia predomina, a mudança para um modo de percepção mais intuitivo no hemisfério direito pode levar a uma compreensão mais profunda.[103]

Gonda assinala que na Índia não existe, em princípio, diferença nenhuma entre a experiência dos primeiros grandes rishis, que "ouviam" e "viam" o Discurso sagrado, e a do ouvinte e recitador contemporâneo, uma vez que as fórmulas verbais, pronunciadas ritmicamente, são por si sós "portadoras de poder", que não nos dão informações sobre os devas, mas, sim, que são "a essência dos deuses".[104] Correspondem ao que os cristãos chamam de sacramento, que encarna a fisicalidade e a materialidade sagradas.[105] Talvez ajude um pouco se compreendermos o mantra como um templo sonoro.[106] Um lugar sagrado, isolado de outros lugares, é uma zona de contato com o divino, que nos cerca e envolve em santidade. Um som poderoso pode, da mesma forma, nos engolfar, reverberando dentro de nós, visceralmente. No som abrangente de um concerto de orquestra, sentimos indícios de transcendência que nos afetam física e emocionalmente, alçando-nos, por alguns instantes, acima de nós mesmos.

Mas a contemplação e a obtenção de visão interior transcendente devem sempre conduzir a uma atividade específica. Na Índia antiga, isso significava a encenação de um ritual. Na história mítica de Prajapati, o Brâman — tudo que é — tinha de ser reconstruído pelos deuses.[107] Nosso mundo, portanto, precisava ser curado diariamente no sacrifício ritual védico que reencenava sua história:

> O mesmo Prajapati que se quebrou é esta fogueira que agora acendemos [no altar]. Aquela panela ali que, antes de ser retirada, está vazia é exatamente como

> Prajapati depois de sofrer um colapso [...]. Ele [o sacerdote] aquece [a panela vazia] no fogo, exatamente como os deuses certa vez aqueceram [Prajapati].[108]

A arena sacrificial replicava seu corpo: "[O altar] deve ter a mesma medida dos braços estendidos [...], pois esse é o tamanho de um homem, e ele deve ter o tamanho de um homem".[109] Duas vasilhas ofertórias representam as mãos; duas leiteiras, as orelhas; duas moedas de ouro, os olhos. Outros implementos rituais representavam os flancos, os intestinos, as nádegas, as coxas e o pênis.[110] De manhã e de noite, o sacerdote acendia gravetos para abastecer Prajapati de alimento: "Esses mesmos atos devem ser realizados o ano inteiro [...] a não ser que ele queira ver nosso pai Prajapati dilacerado".[111] Os arianos cultivavam deliberadamente um senso da fragilidade e da sacralidade do cosmo. Era algo que homens e mulheres não podiam tratar com impunidade, mas que tinha de ser reverenciado e resgatado diariamente.[112]

Porém, quando encenado ritualisticamente, o mito de Prajapati reforçava na mente dos participantes o reconhecimento da interconexão — na verdade, da profunda identidade — dos mundos divino, humano e natural:

> Qualquer fogo que existe neste mundo é o ar que ele aspira; a atmosfera é seu corpo; os ventos que existem são o alento vital do seu corpo. O céu é sua cabeça, o sol e a lua são seus olhos [...]. Aquele firme alicerce que os deuses construíram está aqui ainda hoje, e aqui estará de hoje em diante.[113]

O altar tinha forma de um pássaro capaz de voar para as esferas celestes, juntando diferentes partes do universo, assim como os cânticos humanos da liturgia se elevavam para as regiões celestes. Mas os Brâmanas iam longe demais quando diziam que uma pessoa, se realizasse suficientes "ações" rituais (*karma*), poderia conquistar um lugar no mundo dos deuses depois da morte, e com o passar dos anos essas dúvidas se tornaram mais agudas. Para tratar desses temores, os ritualistas puseram-se a explorar seu mundo interior e a produzir novos conjuntos de escrituras.

3. China: A primazia do ritual

Ao fim do terceiro milênio a.C., uma civilização havia se desenvolvido no baixo vale do rio Yangtze. Não deixou traços arqueológicos, mas a tradição sustenta que era governada pela dinastia Xia (*c.* 2207-1600 a.C.). O primeiro regime chinês histórico foi fundado pelos Shang, um povo nômade de caçadores, proveniente do norte do Irã, que tomou o controle da Grande Planície entre o Vale do Huai e a moderna Shantung em aproximadamente 1600 a.C.[1] Os Shang estabeleceram uma economia agrária típica, subsidiada pela pilhagem e pela caça. Seu reino consistia numa série de cidades pequenas, cada qual governada por alguém da família real e projetada para replicar o cosmo, com quatro muralhas cuidadosamente orientadas de acordo com os pontos cardeais. Como na Índia, também encontramos aqui, embora expressa de modo diferente, uma preocupação em ajustar a vida humana à ordem cósmica. O rei era reverenciado como filho do deus Di Shang Di ("Deus Altíssimo"), enquanto os príncipes, que governavam as cidades em seu nome, representavam os vassalos celestes de Di — os "deuses" do vento, das nuvens, do sol, da lua e das estrelas no céu, e os "espíritos" dos rios e das montanhas na terra. Só ao rei era permitido abordar Di, que não tinha outro contato com seres humanos e administrava os assuntos terrenos por intermédio dos "deuses", dos "espíritos" e dos reis Shang mortos. Para cortejar a boa vontade dos antepassados e garantir o apoio destes, os Shang realizavam imensas cerimônias de "hospedagem" (*bin*), sacrificando grandes quantidades de animais e cozinhando a carne em vasilhas de bronze magnificamente trabalhadas.[2] Então, os "deuses", os "espíritos", os ancestrais dos Shang e seus descendentes vivos compartilhavam um banquete.[3]

Como a maioria dos aristocratas pré-modernos, os Shang consideravam seus camponeses uma espécie inferior e os chamavam de *min* ("arraia-miúda"). Os camponeses jamais punham os pés nas cidades e viviam bem separados da nobreza, em habitações subterrâneas, escavadas na zona rural. Tinham seus próprios cultos e rituais, dos quais não sabemos quase nada. Os *min* cultivavam a terra, e os Shang se apropriavam dos excedentes para financiar suas atividades culturais. Ainda que fosse bastante comum a exploração dos camponeses em qualquer economia agrária, os maus-tratos que os Shang dispensavam à "arraia-miúda" se tornariam proverbiais nas escrituras chinesas.

Diferentemente dos arianos, os chineses não tinham aversão à escrita, que desempenhava função crucial em sua vida política e religiosa, e talvez a China seja o lugar onde encontramos as primeiras "escrituras" no sentido moderno de textos sagrados. Os Shang recorriam a Di para que provesse as safras, essenciais para a economia; porém, Di, impiedoso, costumava mandar secas, enchentes e outros desastres, e tampouco os ancestrais eram dignos de confiança. Na verdade, os Shang acreditavam que os espíritos dos mortos mais recentes eram potencialmente perigosos, por isso foram criados ritos especiais para transformar um fantasma incômodo em um aliado útil. Assim, para avaliar a probabilidade do apoio de Di a um projeto, os Shang, antes de iniciar os trabalhos, recorriam à prática divinatória, empregada no norte da Ásia havia muito tempo. O rei, ou seu adivinho, usando um atiçador quente, enviava a um deus ou a um espírito alguma demanda num casco de tartaruga ou num osso bovino especialmente preparados. "Hoje não vai chover", poderia ser a mensagem da demanda; ou "Hoje não chegarão más notícias das regiões de fronteira".[4] Às vezes, a demanda era endereçada a um ancestral que parecia ser a causa do problema: "Há um dente dolorido: não é o Pai Yi [o vigésimo rei Shang] que o está maltratando".[5] Então o rei analisava as rachaduras produzidas no casco ou no osso, as quais portavam a críptica resposta divina; a tarefa dele era interpretá-las e anunciar se o oráculo era ou não era auspicioso. Depois, os gravadores reais esculpiam o recado do rei numa concha; às vezes, registravam também o prognóstico do deus; e — só de vez em quando — documentavam o resultado.

Cerca de 150 mil desses ossos oraculares foram desenterrados em Yin (moderna Anyang), a capital dos Shang. Por mais irracional que pareça, tratava-se de uma séria tentativa de criar uma ciência de precedentes, para ver se surgia um padrão subjacente que pudesse ajudar o rei a prever o comportamento de Di. A legitimidade da dinastia dependia em grande parte da capacidade régia de definir e controlar a realidade, por isso essa coleção era como um arquivo, compilado por agremiações de adivinhos e escribas, para tornar seus prognósticos mais precisos e exercer algum controle sobre o futuro.[6] O fato de que pouquíssimos registros das previsões equivocadas do rei sobreviveram, enquanto suas previsões acertadas eram inscritas com uma caligrafia especialmente ornamentada, sugere que o arquivo servia também para demonstrar a eficácia do rei como ponte com o mundo divino. Alguns dos cascos, porém, mostram um comprometimento com a manutenção rigorosa dos registros — por exemplo, a previsão de que a rainha teria um filho, quando na verdade deu à luz uma menina e o deus ainda errou a data.[7]

Essas inscrições oraculares são os primeiros exemplos, na China, do uso de símbolos visuais interligados representando partes do discurso num texto escrito. Na verdade, a própria escrita teve como modelo as rachaduras que apareciam nos cascos de tartaruga. Na medida em que expressavam o Verbo divino por escrito, esses ossos oraculares podem muito bem ter sido os primeiros textos "escriturais" do mundo. Certamente, seu uso na adivinhação deu aos grafismos uma aura numinosa, e seu vínculo com o poder real colocaria a escrita no coração da civilização chinesa.[8] Mas tratava-se de algo muito diferente da recepção de conhecimento sagrado pelos rishis. Essas comunicações humano-divinas parecem grosseiramente pragmáticas, descaradamente relacionadas a um objetivo e deslavadamente interesseiras. Revelam uma mentalidade burocrática do logos e do hemisfério frontal esquerdo do cérebro — são contratuais, racionais, rotinizadas, matemáticas e compartimentalizadas.[9] Mais tarde, como veremos, os chineses desenvolveriam uma espiritualidade holística que representava o divino, o mundo natural e a humanidade como uma tríade sagrada em que os três elementos dependiam uns dos outros, uma visão que seria essencial para o cânone escritural.[10] Mas a relação dos Shang com o mundo divino era mais caracterizada pela hostilidade do que pela intimidade e pelo amor. É verdade que Di às vezes cooperava, mandando chuvas bem oportunas, mas um dos oráculos reclama: "É Di quem está prejudicando nossas colheitas".[11] Di chegava mesmo a ajudar os inimigos dos Shang. "Os Fang nos lesam e nos atacam", lamentava outro oráculo; "é Di que lhes ordena para que nos causem desastres".[12] Sem dúvida, é difícil ver em Di uma força para o bem moral. Ele era desconcertante, inescrutável e não inspirava fé nem confiança. A sociedade Shang era uma estranha mistura de refinamento e barbárie. Quando um rei Shang morria, centenas de servos e sequazes eram sepultados com ele. Suas requintadas vasilhas de bronze revelam uma terna apreciação do mundo animal; apesar disso, os Shang, em suas expedições de caça, abatiam animais com uma voracidade tão imprudente que acabaram dizimando a rica fauna da região.

Os últimos anos do período Shang seriam lembrados pelos chineses como um desastroso declínio. Por volta de 1050 a.C., enquanto o último rei Shang combatia contra os bárbaros na região do Huai, os Zhou, um clã guerreiro e menos sofisticado que governava um principado no vale ocidental do Wei, invadiram as terras dos Shang. Tragicamente, o monarca Zhou, o rei Wen, foi morto durante a campanha, e seu filho Wu, que o sucedeu, derrotou os Shang, executando o último rei dessa dinastia em Muye, no norte do rio Amarelo — uma batalha celebrada na tradição Zhou como o triunfo do bem contra o mal. Depois dessa vitória, o rei Wu dividiu os espólios: ele ficou na velha capital Zhou, a oeste; Cheng, filho de Wu, foi governar Yin; e outras cidades dos Shang foram confiadas a Wugeng, filho do falecido rei Shang. Quando o rei Wu morreu, logo depois da campanha, foi sucedido por Cheng, que ainda não havia atingido a maioridade. Wugeng ensaiou uma revolta, que foi esmagada pelo irmão do rei Wen, Dan, mais conhecido como duque de Zhou. Os Shang perderam então o controle da Grande Planície, mas mantiveram uma base na cidade de Song.[13]

Após a vitória, o duque de Zhou, atuando como regente do jovem rei, criou um sistema quase feudal. Príncipes e aliados dos Zhou receberam, cada um, uma cidade dos Shang como feudo pessoal, e os Zhou construíram uma nova capital chamada Chengzhou, para se manterem presentes em seus novos territórios orientais. O próprio duque governava a cidade de Lu, em Shantung, a nordeste dos domínios de Zhou. No mundo antigo, a continuidade era essencial a uma transferência de poder bem-sucedida — portanto, de início, o novo regime provavelmente quase não diferia do antigo. Como os Shang, os Zhou gostavam de caça, arco e flecha, bigas e festas suntuosas; as cidades dos Zhou eram organizadas segundo o modelo dos Shang; e os Zhou cultuavam os ancestrais Shang e continuaram a reverenciar Di, afirmando que ele era idêntico ao seu próprio Deus Altíssimo, a quem chamavam de Céu (Tian).

Os Zhou também adaptaram uma forma de adivinhação provavelmente desenvolvida durante os últimos anos dos Shang. De acordo com esse novo procedimento, oráculos ósseos foram substituídos por gravetos de milefólio, que eram jogados e manipulados. Números pares ou ímpares dessas hastes possibilitavam a construção de 64 figuras compostas de seis linhas contínuas ou intermitentes; esses hexagramas viriam a simbolizar todas as forças possíveis do cosmo, e acreditava-se que tinham poder dinâmico.[14] Essa foi a origem de um de seus "Clássicos" chineses, uma coleção de textos antigos cuja autoridade era tão inatacável quanto qualquer escritura. Cada uma das cidades dos Zhou tinha sua própria versão da adivinhação com milefólios, mas o sistema desenvolvido na capital da dinastia foi o único a sobreviver; durante séculos, foi conhecido como *Zhouyi* ("Mutações de Zhou"), porque se supunha que a mestria nos hexagramas dava aos adeptos certo controle sobre a dinâmica das mudanças. Com o tempo, os ritualistas Zhou compuseram breves e crípticas elucidações de cada hexagrama, que atribuíam ao duque de Zhou. Hoje, é quase impossível decifrar o significado original dessas "linhas-declarações", mas, como veremos, elas mais tarde inspirariam dez comentários complexos que apresentavam a ordem cósmica como uma totalidade de forças opostas e complementares. Esses ensaios foram acrescentados como "asas" às declarações originais, e esse livro colossalmente ampliado tornou-se o *Yijing* (*I Ching*), o "Clássico das Mutações".

A palavra "clássico" requer alguma explicação. Quando chegaram à China no século XVII d.C., missionários jesuítas da Europa foram apresentados à palavra chinesa *jing*, que atribuía status e valor transcendente a um livro. Os europeus se contentaram em traduzir *jing* como "escritura" em obras budistas ou taoistas, mas, como os textos que formavam o cânone confucionista não correspondiam à noção europeia de "religião", eles os consideraram "clássicos" seculares, como as epopeias homéricas. Contudo, ao longo dos últimos 3 mil anos os chineses têm tratado seus Clássicos como escritura, experimentando a transcendência no *jing* e descobrindo que esses escritos tornavam o sagrado acessível e os ajudavam a alimentá-lo em sua própria vida.[15]

Não sabemos como o *Zhouyi* era usado no começo do período Zhou, mas já se sugeriu que era originariamente formado pelos oráculos que haviam persuadido os Zhou a empreender sua memorável campanha contra os Shang. Foram cuidadosamente preservados e podem ter sido recitados durante a reconstituição ritualizada da conquista. Dizia-se que o sistema dos hexagramas tinha sido revelado ao rei Wen durante o breve período em que ele foi prisioneiro do rei Shang. Mais tarde, quando Wen pediu conselho sobre a viabilidade da guerra contra os Shang, as linhas-declarações dos primeiros hexagramas recomendaram cautela — "Não aja", "Repouse na impassibilidade" — e aconselharam Wen a primeiro formar alianças e conquistar aliados. Mas, no Hexagrama Cinco, ouvimos que "Tudo é auspicioso" e, no Hexagrama Seis, que "O exército parte de forma ordeira". A frase "atravessar o rio [Amarelo]" aparece sete vezes no *Yijing*. O rio Amarelo era uma barreira ao mesmo tempo física e mental, e atravessá-lo representava o momento decisivo. O senso de crescente expectativa atinge o clímax no Hexagrama Trinta ("Discernimento"), que encerra a primeira seção do *Yijing*: "O rei vai para a guerra. Há uma celebração. Cabeças são cortadas, tropas são capturadas. Nenhum dano".[16]

Consta que, depois da vitória, os Zhou estabeleceram um sistema oficial de educação (*guan xue*) para prover o Estado com burocratas capacitados e uma ideologia embasada em suas realizações. Essa ação costuma ser creditada ao duque de Zhou, que, de fato, pode ter dado ao sistema ritual dos Shang uma orientação política e moral mais clara.[17] Mas na verdade o novo currículo levou tempo para se desenvolver. A certa altura, escribas e arquivistas (*shi*) da corte se puseram a coletar discursos e proclamações que expressavam os ideais e princípios de governo atribuídos aos fundadores da dinastia Zhou. Esses discursos, originariamente inscritos em vasos sacrificiais e em "livros" feitos de filetes de bambu e madeira unidos com amarração, viriam a ser coligidos no *Shujing* ("Clássico de Documentos"), também conhecido como *Shangshu* ("Livro Venerabilíssimo"). É quase certo que esses discursos não foram proferidos pelos fundadores, mas, sim, redigidos muito tempo depois; mais tarde ainda, durante os séculos IV e III a.C., foram acrescentados outros textos num dialeto diferente. Estes têm sido denunciados como "falsificações", mas já vimos que era comum que se atualizassem as escrituras antigas para que dialogassem com preocupações de tempos posteriores.

Os chineses viriam a lembrar-se dos primeiros anos dos Zhou como uma era dourada, mas a verdade é que não sabemos muita coisa a respeito do primeiro século do domínio Zhou, senão que mais territórios "bárbaros" foram conquistados e mais terras cultivadas. É difícil imaginar que houvesse uma diferença marcante entre os Zhou e seus antecessores, e é improvável que tenham conseguido superar a injustiça inerente ao Estado agrário. Mas uma de suas inovações deixou indelével impressão na cultura chinesa e recebeu destaque nos *Documentos*. O Mandato do Céu é um dos primeiros exemplos de escritura que insiste num programa de ação prático e político. Contudo, encontra-se expresso de maneira mais completa na "Proclamação de Shao", um discurso que teria sido proferido pelo duque de Zhou enquanto exercia a função de regente do jovem rei Cheng, durante a consagração da nova capital.

O duque explicou que os reis Shang tinham governado por centenas de anos com a bênção do Céu (Tian), mas que, no fim de seu reinado, eles tinham se tornado tirânicos e corruptos. A gente comum tinha sofrido tanto que, em sua angústia, gritara ao Céu, e o Céu, "de todo compadecido ante o que sucedia ao povo de todas as terras", revogara o mandato dos Shang e decidira outorgá-lo aos Zhou, pois estes eram profundamente comprometidos com a justiça. O rei Cheng agora se tornara o "Filho do Céu". Para um jovem, tratava-se de uma responsabilidade colossal. O mandato exigia que ele fosse "solenemente cuidadoso", e era particularmente importante que estivesse "em harmonia com os *min*" — a "arraia-miúda" —, pois o Céu tomaria do governante opressor seu mandato e o entregaria a uma dinastia mais merecedora. Cheng, portanto, não podia se dar ao luxo de ser complacente:

> Habitando nesta nova cidade, que o rei zele com solenidade pela própria virtude. Se é da virtude que se vale o rei, ele pode clamar ao Céu por um mandato duradouro. Agindo como rei, ainda que o povo se desvie e cometa grandes violações, não tente reprimi-lo com a pena capital ou com castigos demasiado rigorosos. Então conseguirá muita coisa. Por ser rei, que assuma sua posição na primazia da virtude. A arraia-miúda então se espelhará nele por toda parte. Assim, o rei será ilustre.[18]

Os Zhou introduziram um ideal ético na religião chinesa, que até então não dava importância à moralidade. Diferentemente das visões dos rishis arianos, esse importante entendimento não foi uma revelação divina proveniente das alturas, mas resultado do estudo da história chinesa empreendido pelos Zhou. Meditando sobre a queda dos Shang e sua própria vitória sobre estes, os Zhou concluíram que o Céu não se deixava impressionar pela matança de porcos e bois, mas que, em vez disso, exigia compaixão e justiça. O Mandato do Céu viria a ser um ideal importante na escritura chinesa. Era potencialmente subversivo, pois, em tese, o povo poderia exigir a deposição de qualquer governante que não correspondesse a esse ideal. Além disso, o Mandato deixava implícito que, sendo o rei sábio, humano e verdadeiramente preocupado com o bem-estar dos súditos, notícias de sua virtude (*de*) se espalhariam e pessoas de todas as partes do mundo viriam correndo para o seu reino.

Nunca se questionou se a escritura chinesa deveria separar a religião da política, porque o sofrimento, a injustiça, a crueldade e o bem-estar da sociedade eram questões de sagrada importância. A busca da sabedoria, da iluminação e da transformação seria, quase sempre, inseparável de uma preocupação com os problemas políticos inerentes à sociedade. A escritura chinesa fazia questão de que as políticas de um governante estivessem de acordo com a "Maneira [*Dao*] do Céu" — ou seja, com os ritmos fundamentais da vida. Uma vez adquirida essa harmonia com a realidade última e onipresente do Céu, não havia nada que ele não pudesse fazer, pois estaria alinhado com a Maneira como as coisas devem ser. Na verdade, sua simples presença era capaz de purificar corações e mentes. Essa virtude era dotada de uma eficácia quase mágica, pois permitia ao rei subjugar seus inimigos, atrair seguidores leais e, sem esforço, impor sua autoridade. Hoje, isso pode nos parecer uma ingenuidade sem tamanho, mas no passado não muito distante vimos o poder do carisma moral exercido por Mahatma Gandhi, Martin Luther King e Nelson Mandela.

Esse ideal levou tempo para se desenvolver. Nos primeiros textos dos *Documentos*, a maior preocupação ainda era estabelecer um procedimento ritual que por si garantisse o correto equilíbrio entre o Céu e a Terra:

> O Céu decretou para nós os cinco deveres de obrigação e hierarquia, com as responsabilidades correspondentes. O Céu designou os cinco níveis do universo e estes deram origem aos cinco ritos, que precisamos realizar adequadamente. Se estes forem devidamente observados, então toda a vida se une em harmonia.[19]

Aqui Céu é apenas uma força de ordem cósmica e que, salvo seu aparente desinteresse pela moralidade humana, não difere da *rta*. Mas, com a ideia do Mandato, o Céu adquiriu características humanas, e sua Maneira sempre incluiria a justiça e a compaixão, especialmente para com os *min*. Contudo, o Céu jamais se tornou um "deus" totalmente personalizado e sempre reteve sua condição de potência cósmica onipresente — tanto assim que alguns tradutores preferem verter Tian como "Natureza".[20] Devido à dinâmica do sistema agrário, talvez fosse impossível implementar o Mandato por completo, mas ele capturou a imaginação dos chineses. Assim, ao enfatizar o Mandato, os *Documentos* obrigavam os chineses a atentar para o abismo existente entre a ordem humana ideal e a sombria realidade, ajudando-os a cultivar uma atitude crítica para com sua própria civilização.[21] Trata-se de uma escritura que alimentava um descontentamento divino e exigia uma resposta prática.

Os *Documentos* não constituem um texto sagrado, como o Rig Veda, no qual o divino se revela diretamente; em vez disso, trata-se do que certos eruditos rotularam de "texto cultural", que enaltece as tradições responsáveis por unir as pessoas e criar uma identidade comunal. O antropólogo Claude Lévi-Strauss fazia distinção entre sociedades "frias", que deliberadamente ocultam o passado, e sociedades "quentes", que internalizaram sua história e a transformaram em força motriz do desenvolvimento.[22] Nossa tendência natural talvez seja a de esquecer o passado, mas a escritura nos diz o que precisamos lembrar: evoca o passado para dar sentido ao presente e, nesse processo, apaga certas coisas e dá destaque a outras.[23] Essas primeiras escrituras chinesas, portanto, não almejavam o realismo histórico moderno. Sem dúvida, durante a conquista dos Zhou, celebrada como acontecimento sagrado, houve episódios infames e horripilantes que foram deliberadamente "esquecidos". Mas o mito da conquista dos Zhou desafiava cada geração a pensar nas implicações do Mandato. Contudo, os discursos dos *Documentos* não teriam se tornado essenciais para a identidade e a imaginação da China antiga se tivessem ficado registrados apenas em tiras de bambu e vasos sacrificiais. Um texto sagrado está sempre incrustado em ritual. Numa época em que poucas pessoas sabiam ler, a escritura só se tornava uma força convincente se fosse recitada e representada.[24]

Os acontecimentos da conquista foram internalizados — primeiro pela nobreza Zhou e depois por um segmento mais amplo da população — por meio de gestos, músicas e danças ritualizados. A conquista era encenada anualmente no Templo dos Ancestrais, acompanhada por cânticos de uma escritura chinesa anterior, o *Shijing* ("Clássico das Odes") durante o ritual de "hospedagem" (*bin*) dos ancestrais. Depois do banquete, 64 dançarinas, dispostas em oito filas e trajando túnicas com dragões bordados, dançavam com o rei, que assumia o papel de seu ancestral rei Wu. Primeiro, eles representavam a partida do exército da antiga capital dos Zhou, enquanto um coro de cantores cegos[25] entoava uma ode relembrando a recepção do mandato pelos reis Zhou.

O Céu tinha uma firme incumbência
Dois monarcas a receberam.
O rei Cheng não se deu por indolente [...]
Ah! O Intenso Esplendor
Tonificou sua vontade.[26]

Cenas posteriores representavam a derrota dos Shang, com as dançarinas pulando e espetando a terra com lanças, e a marcha vitoriosa dos Zhou ao retornarem para seu território. O estabelecimento do governo dos Zhou era celebrado, com o coro aplaudindo as conquistas do rei Wen e incentivando o público a reproduzi-las: "Que seus descendentes as preservem com firmeza!".[27] O rito terminava com a grande Dança da Paz, enquanto o coro cantava uma ode intitulada "Marcial", que lembrava a plateia de suas responsabilidades políticas:[28]

Oh, grande foste tu, rei Wu!
Ninguém tão audaz em feitos gloriosos.
Forte labutador foi o rei Wen;
Desbravou o Caminho para os que o seguiam.
De alicerce firme eram suas obras.[29]

Séculos após a conquista, essa ode ainda era capaz de comover o público, como explica um texto escrito no século IV a.C.:

Já a "Marcial" consiste em reprimir o ganancioso, depor as armas, proteger os grandes, estabilizar a obra, trazer a paz para o povo, trazer harmonia para as massas e tornar abundantes os recursos, e por causa disso os descendentes não esqueciam seus versos.[30]

Durante séculos, o rito instava os participantes a não esquecerem a inconveniente verdade de que a justiça e a paz, por mais difíceis que fossem de alcançar, eram exigências do Céu, a força última e onipresente da vida.

No século x a.C., a poesia não era lida solitariamente; na verdade, tratava-se de um empreendimento coletivo que expressava os valores da comunidade e era encenado em ritual público. O caractere chinês *shi* ("ode") surgiu como uma combinação de grafismos para pé e mão, simbolizando os gestos dos dançarinos. Mais tarde, quando as palavras ganharam mais importância, os grafismos para boca (*kuo*) e fala (*van*) foram acrescentados.[31] As primeiras odes, provavelmente compostas no primeiro século de governo dos Zhou, costumavam usar o pronome pessoal "nós", sugerindo que eram cantadas em uníssono por participantes numa "concelebração".

Como ocorre com quase todas as escrituras, era essencial para a experiência das *Odes* o fato de esses poemas não serem meramente recitados, mas, sim, cantados. Nos lugares onde a linguagem é um avanço evolucionário recente, a música é muito mais fundamental para os seres humanos; supõe-se que, antes de aprenderem a falar, os proto-humanos se comunicavam cantando.[32] Produto do hemisfério direito do cérebro, e profundamente enraizada no corpo, a música provoca respostas físicas em diferentes indivíduos ao mesmo tempo e, por isso, pode congregar pessoas num nível mais profundo do que o puramente racional. Como explica o psicólogo Anthony Storr, a música "tem o efeito de intensificar e sublinhar as emoções que um determinado acontecimento provoca, coordenando simultaneamente as emoções de um grupo de pessoas".[33] Ela decerto unia a nobreza Zhou durante o *bin*. A música cria um estado de consciência aguçada, que é perseguido com entusiasmo, e é quase universalmente sentida como algo que aprimora a vida. Na música, assim como na poesia, o ritmo evoca um senso de imediatismo, de "aprontar-se", que está ausente na prosa. Como explica o crítico literário I. A. Richards, ela cria "uma textura de expectativas, satisfações, desapontamentos, surpresas".[34] Tudo isso deveria aumentar o senso de urgência e o engajamento que as *Odes* tentavam transmitir.

As *Odes* não eram a única escritura a ser executada dessa maneira. Os "Gu ming", dois capítulos dos *Documentos*, oferecem um relato minucioso da posse do rei Kung (que sucedeu a Cheng em aproximadamente 1005 a.C.) e talvez descrevam o rito de coroação dos Zhou.[35] Quando soube que ia suceder ao pai, Kung fez duas reverências e declarou: "Não sou ninguém, apenas uma criança.

Como posso mandar nos quatro cantos da terra e assegurar a veneração à glória do Céu?".[36] O coro responde com uma ode:

Tende piedade de mim, teu filho,
Herdeiro de uma Casa inacabada
Ó augustos anciãos,
Todos os meus dias serei piedoso [...]
Ó reis augustos,
A sucessão não vai parar.[37]

O príncipe então lembra a Kung que ele agora deve respeitar o mandato, momento em que o coro rebenta em outra ode:

Respeita-o! Respeita-o!
Pelo Céu tudo é visto;
Sua incumbência não é fácil de cumprir.[38]

E, quando o rei respondia que de fato teria de se esforçar sobremaneira para "manifestar o brilho" dos ilustres antepassados, o coro cantava as palavras finais da ode: "Aprendo com aqueles que demonstram intenso esplendor,/ Ó claridade,/ Ó luz,/ Ajudai-me nestes meus esforços".[39]

Os neurofísicos nos dizem que o movimento corporal é um dos meios mais importantes de autodescoberta e aprendizagem do mundo.[40] Se um ritual traz ao presente o passado diligentemente relembrado, as ações físicas dos participantes inscrevem-no no corpo, que se torna, em certo sentido, entextualizado. Um rito criado com perícia pode também render uma experiência transcendente, na qual o participante vai além de si mesmo, num *ekstasis*, e experimenta uma profunda transformação. O ritual *hin*, que "hospedava" os ancestrais, criava uma réplica terrena da Corte Celestial. No começo do rito, os membros mais jovens da realeza, cada um deles representando um antepassado, eram conduzidos por um sacerdote até o pátio, onde eram saudados com reverência e, ao som de uma bela música, escoltados até seus assentos para assistir à dança. Era uma santa comunhão com os antepassados falecidos. Ao assumirem as personas dos ancestrais divinizados, os jovens da família real aprendiam a cultivar o próprio *shen*, o núcleo sagrado dentro deles. Ao representarmos um papel, nós nos tornamos algo que não nós mesmos; ao assumir uma persona diferente, deixamos o eu momentaneamente para trás. Ao nos ajustarmos à tradição no âmbito físico, aprendemos a incorporá-la num nível mais profundo do que o racional.[41]

As *Odes* ressaltavam o significado do gesto mais ínfimo: "Cada costume e cada rito é observado, cada sorriso, cada palavra em seu lugar".[42]

Esforçamo-nos muito.
Que não haja erro nos ritos [...]
Os espíritos desfrutaram sua bebida e sua comida
Eles vos atribuem uma centena de bênçãos.
De acordo com suas esperanças, com suas regras,
Tudo foi bem organizado e rápido.
Tudo foi direto e assegurado.
Para sempre vos concederão bom suprimento.[43]

Em conformidade com o mundo ideal do rito, os participantes deixavam de lado as confusões, as inconsistências e as perplexidades do mundo terreno e se sentiam arrebatados por uma coisa maior, mais importante e mais perfeita. Os ritos eram uma teofania, uma visão da sagrada harmonia alcançada na terra. O *Clássico dos Ritos*, um documento do século III ou II a.C., explicava que, enquanto os Shang tinham posto os espíritos em primeiro lugar e os ritos em segundo, os Zhou inverteram a ordem.[44] Os Shang haviam tentado manipular os espíritos, mas os Zhou descobriram que o efeito transformativo do ritual era mais importante, porque motivava uma forma de *kenosis* que permitia aos participantes terem consciência do próprio potencial sagrado. Mas essa resposta ritual era "muito difícil": a internalização de um imperativo escritural exigia um esforço renitente, além de precisão e disciplina.

Em meados do século X a.C., parece ter havido uma reforma ritual. Até então, os ritos reais ficavam confinados à classe dominante — à casa real e aos príncipes que governavam as cidades da Grande Planície. Mas depois de 950 a.C., em vez de uma "concelebração", os ritos passaram a ser realizados por especialistas diante de uma grande plateia. As *Odes* compostas nesse período também mudaram: em vez das preces na primeira pessoa do plural, endereçadas diretamente aos antepassados, agora os especialistas em ritual descreviam aos espectadores o que se passava, explicando o significado de tudo.[45]

Há bateristas cegos
Siringes e flautas estão prontas, e começam.
Docemente os tons se misturam
Solene a melodia da sua música de pássaros.
Os ancestrais escutam;
Como nossos convidados, vieram
Contemplar suas vitórias.[46]

Antes, não havia necessidade dessas explicações. Em outra ode, o *shi* anuncia a chegada do rei:

Ele vem em disposição solene,
Chega, de todo circunspecto,
Assistido por governantes e senhores
O Filho do Céu, misterioso.[47]

E quando a família real se aproxima do rei, representando seus ancestrais, o *shi* lembra a plateia de quão importante é a presença de seus falecidos antepassados:

Que nos assegurem vida longa,
E nos concedam múltiplas seguranças;
Que nos ajudem os gloriosos ancestrais.[48]

A essa altura, a dinastia Zhou começara um longo e lento declínio. Alguns príncipes, juntamente com seus séquitos, já não compreendendo os ritos reais, foram se distanciando do rei, e é possível que uma plateia mais socialmente variada tenha sido convidada para reforçar a popularidade da monarquia. Uma hora ou outra, todo império de base agrária extrapola seus recursos econômicos, que só podem ser expandidos até certo ponto; os Zhou, contudo, tinham um problema especial. De início, os príncipes se mantiveram leais à dinastia, mas no século x a.C. alguns passaram a se declarar independentes. As colônias orientais eram agora governadas por primos do rei, em segundo ou terceiro graus, que se mostravam inquietos. Incapaz de se amparar no carisma pessoal do rei, o poder real era mediado por uma burocracia anônima. No fim do século IX a.C., novas odes lamentavam:

O grande Mandato está quase no fim,
Nada a esperar, nada em que confiar.
A legião de duques e ex-governantes
Não nos ajuda.
Quanto aos pais e mães ancestrais,
Por que nos tratam assim?[49]

A memória dos anos dourados dos Zhou, contudo, não morreu; antes, estabeleceu um padrão que durante muito tempo serviria de referência para se julgar questões contemporâneas. Os *shi* consultavam as *Odes* e os *Documentos* para descobrir o que dera errado, acrescentando-lhes mais discursos e relatos que expressavam os velhos ideais numa nova forma, e reinterpretavam as *Odes* de modo que estas pudessem ter utilidade no conturbado presente e manter vivo o ideal do Mandato: se esse ideal tinha se materializado uma vez, poderia ser restaurado.

Em 771 a.C., os bárbaros Qong Rang, de Shensi, atacaram a capital ocidental Zhou e mataram o rei Yon. Os demais soberanos da dinastia conseguiram se reagrupar na capital oriental sob o comando do rei Ping, provável herdeiro, mas aquele já era o começo do fim. Embora o rei preservasse uma aura simbólica, eram os senhores das cidades, inquietos havia muito tempo, que agora detinham o poder de fato e progressivamente ampliavam seus territórios. Cerca de doze principados — pequenos, mas poderosos — se desenvolveram na Grande Planície, como os de Song, Wei e Zai, além de muitas cidades praticamente autônomas. Os Zhou continuariam a ser governantes nominais até o fim do século III a.C., mas a derrota de 771 a.C. assinalou o início de um longo período de fragmentação. A China parecia drasticamente fragmentada, mas hoje é possível ver que, sem uma ruptura fundamental em sua continuidade, ela passava pelo complexo e penoso processo de evolução de uma monarquia arcaica para um Estado unificado e centralizado.[50]

Assim teve início o período conhecido como Primavera e Outono (*Chunqiu*). Foi esse também o nome dado aos Anais do Templo do principado de Lu, que mais tarde se tornariam um dos Clássicos chineses. Desde o século IX a.C., especialistas em ritual (*shi*) nas cidades e nos principados tinham registrado acontecimentos importantes por escrito e os recitavam cerimonialmente, dia a dia, para os ancestrais no templo. Tal qual os oráculos ósseos, esses anais foram outra tentativa de formar um arquivo que pudesse guiar a política, na diplomacia e na guerra, e a interpretação de desastres naturais. E, assim como os oráculos ósseos, as anotações eram secas e lacônicas — material pouco promissor para escritura. Desses registros, os *Anais de Primavera e Outono* foram o único que sobreviveu. Eles apresentam acontecimentos de 722 a.C. a 481 a.C. e devem seu nome às estações citadas no cabeçalho de cada seção. Junto com o *Comentário de Zuo*, do fim do século IV a.C., que transformaria esses arquivos numa poderosa escritura, os *Anais de Primavera e Outono* são nossa única fonte histórica relativa a esse período.[51]

Agora que o rei era pouco mais que um símbolo de união, as cidades e os principados, espalhados pela Grande Planície, criavam uma identidade comunal a partir de um código de práticas rituais (*li*) que governava cada aspecto da vida, pública e privada. A função do *li* era muito parecida com a do direito internacional, controlando a conduta nas guerras, nas vendetas e nos tratados e supervisionando o intercâmbio de bens e serviços. Numa época em que a sociedade chinesa parecia fragmentar-se, o ritual surgia como a única maneira de preservar sua unidade. Por volta do século VIII a.C., os chineses já não recorriam a deuses e ancestrais para evitar desastres. Na verdade, havia uma convicção generalizada de que ações moralmente corretas eram, em si, a chave da sobrevivência e do êxito. Supunha-se que o Céu, ou a Natureza (Tian), operava automaticamente, quase como uma lei natural, e que, portanto, a conduta virtuosa, adequadamente alinhada com o Céu, deveria resultar em boa sorte no dia a dia.[52] No começo do período Zhou, a nobreza desenvolvera um conjunto de costumes para promover a harmonia social, mas é mais provável que esses costumes tenham evoluído à base de tentativa e erro do que em decorrência de um projeto consciente. Havia coisas que um aristocrata (*junzi*) fazia e outras coisas que não fazia. Agora, no período de Primavera e Outono, as escolas de especialistas em rituais transformavam essa massa de leis consuetudinárias num sistema coerente.[53]

Esses especialistas pertenciam aos *shi*, funcionários menores oriundos dos níveis mais baixos da aristocracia. Originariamente, eles administravam as propriedades da nobreza, supervisionavam os sacrifícios e as danças rituais e atuavam como adivinhos. Durante o século VIII a.C., tornaram-se mais especializados, e os *shi* que se dedicavam ao ritual cerimonial, conhecidos como *ru* ("ritualistas" ou "literatos"), começaram a codificar os princípios da vida aristocrática. Os *li*, que podem também ser traduzidos como "princípios de comportamento apropriado", agora eram obrigatórios e, como insistiam os *ru*, sua não observância poderia ser desastrosa para as relações entre os Estados. Todo nobre precisava de um mestre de cerimônias competente, que conhecesse os intricados detalhes dos *li*, bem como o espírito geral subjacente ao sistema como um todo.[54] O treinamento de um especialista em ritual começava com ele ainda em tenra idade, sob a tutela de um mestre. Detalhes dos ritos tradicionais eram transmitidos oralmente, de geração para geração, juntamente com comentários que explicavam seu significado transcendente. Os *ru* também mantinham viva a lembrança de sangrentas disputas entre os grandes senhores feudais, pois essas batalhas mostravam o que acontecia quando as pessoas abandonavam as regras de "comportamento apropriado". Com o passar dos anos, a escola de Lu se tornou famosa por seus ritualistas. Como um Estado pequeno e militarmente fraco, localizado em Shantung, tinha até então desempenhado papel secundário na Grande Planície, mas por volta do século VIII a.C., graças à ligação com o duque de Zhou, seus literatos se haviam tornado respeitados guardiães do augusto passado. Compilaram uma antologia de práticas rituais que se tornou outro Clássico chinês, juntamente com os *Documentos* e as *Odes*. O *Liji*, "Clássico dos Ritos", sintetizava o vínculo indissolúvel que havia na China entre escritura e ritual.

Os Shang e os primeiros Zhou viviam de modo extravagante, ostentando riqueza e poder. Mas os ritos recém-codificados insistiam na moderação e na contenção, pois o antigo e faustoso estilo de vida já não era "apropriado". O século VIII a.C. tinha assistido a uma crise ambiental. Os Zhou haviam feito grande progresso na limpeza da terra para o cultivo, mas o intenso desmatamento destruíra o habitat natural de muitas espécies; séculos de extravagantes caçadas tinham dizimado a fauna da região, e havia menos terras para a criação de ovelhas e gado. Abater centenas de animais para os banquetes sacrificiais já não era aceitável, pois o choque dessa nova escassez despertara o receio dos chineses com tal ostentação. Os ritualistas agora controlavam com rigidez o número de vítimas sacrificiais e limitavam as caçadas a uma estação cuidadosamente definida. A economia dependia mais da agricultura do que dos saques. As guerras se tornaram mais cerimoniais e menos violentas. Com reduzidas expedições militares e de caça, os *junzi* passavam mais tempo na corte, cada vez mais preocupados com o protocolo e a etiqueta.[55] Para uma sensibilidade moderna, esses rituais parecem arbitrários, sem sentido e até absurdos. Mas a crise ambiental fizera os chineses reconhecerem sua insensatez ao explorarem o mundo natural, e eles se sentiram obrigados a reparar os danos. Moderação e autocontrole entraram na ordem do dia.

Contudo, isso não poderia ser conseguido apenas com instrução verbal. Um *junzi* tinha de incorporar as regras de "comportamento apropriado" fisicamente, num nível mais profundo do que o racional, porque, como vimos, nós aprendemos muito através do movimento corporal. A vida cortesã era agora rigorosamente regulada, em cada detalhe; ela se tornara uma performance estilizada, que transformava a bagunça da vida cotidiana numa forma de arte.[56] Todo *junzi* devia saber exatamente onde se postar numa reunião real, o que dizer e como dizê-lo, pois o mais leve desvio de costume, conduta ou tom de voz tinha o potencial de ser desastroso. A corte agora girava em torno do príncipe local, que representava o rei Zhou. Dele emanava uma força ou virtude mística, mas ela precisava ser protegida de contaminação. Assim, ele levava uma vida isolada, com os vassalos formando uma barreira de proteção entre ele e o resto do mundo. Ninguém tinha permissão de falar-lhe diretamente — a rigor, ninguém deveria sequer falar em sua presença. Se ele precisasse de conselho, esse conselho devia ser dado obliquamente, "de forma indireta".[57] Regras estritas governavam a maneira de o vassalo encarar o príncipe. "Olhar fixamente acima da cabeça é arrogante; olhar abaixo da cintura é demonstrar vexação; olhar para o lado é manifestar sentimento maligno"; os olhos deviam fixar-se num ponto "acima da extremidade do queixo".[58]

A vida cortesã tornara-se um ritual elaborado. Na presença do príncipe, um funcionário devia "permanecer em pé, com o corpo curvado, as pontas de sua faixa pendendo para o chão, os pés parecendo pisar na bainha de sua vestimenta. O queixo deve ser estendido para a frente, como as gárgulas de um telhado".[59] Antes de chegar à sua presença, os vassalos precisavam purificar-se, abster-se de sexo e lavar as mãos cinco vezes por dia.[60] De sua parte, o príncipe era proibido de fazer brincadeiras ou contar piadas. Só lhe era permitido ouvir música estritamente regulada, comer refeições cuidadosamente prescritas, sentar-se em esteira corretamente disposta e andar num passo que não excedesse quinze centímetros.[61] Os vassalos, por sua vez, animados pela potência do carisma moral do príncipe, deveriam andar depressa, "com os cotovelos para fora, como as asas de um pássaro", enquanto o soberano, oprimido pela gravidade da posição que ocupava, permanecia imóvel e calado.[62]

Foram provavelmente os ritualistas de Lu que acrescentaram "Os cânones de Yao e Shun" aos *Documentos*.[63] Consta que esses dois reis, fundadores da dinastia Xia, governaram a Grande Planície no século XXIII a.C. e, diferentemente de outros heróis chineses do passado remoto, não travaram batalhas nem mataram monstros, tendo reinado apenas por força de sua "virtude" e de seu "carisma". Os cânones começam com uma descrição de Yao:

> Era reverente, inteligente, educado, sincero e suave. Era sinceramente respeitoso e capaz de modéstia. Sua luz cobria as quatro extremidades do império e estendia-se céu acima e terra abaixo.[64]

A partir de então, o sábio chinês colocava-se deliberadamente em relação com o mundo político terreno, em primeiro lugar, e depois com o Céu-e-Terra. Mais uma vez, a política e a reverência para com o cosmo eram essenciais à busca da perfeição humana. Num padrão com o qual nos familiarizaremos, dizia-se que a suave "virtude" de Yao irradiava em círculos concêntricos, na medida em que ele estendia sua afeição primeiro para a família, depois para o clã e finalmente para Estados estrangeiros, fazendo da humanidade uma família unida e amorosa. Yao incumbiu funcionários de estudar os movimentos dos corpos celestes e as quatro estações, para que a vida do povo pudesse afinar-se com esses ritmos cósmicos. Como resultado, "O mundo inteiro vivia em equilíbrio e harmonia. Isso significava que todos viviam num estado de iluminação, e até os Estados e tribos vizinhos conviviam em paz".[65] Em vez de criar um governo egoísta e explorador, Yao tinha estabelecido a Grande Paz (Dai Ping).

A transcendência do interesse pessoal ficou especialmente clara quando Yao se recusou a permitir que o próprio filho, que era ardiloso e briguento, o sucedesse, passando a sucessão para Shun, homem de origem humilde, conhecido pela paciência e pelo autocontrole. Ainda que seu pai o maltratasse, e até tentasse matá-lo, Shun não quis retaliar e, assim, como relataram ministros de Yao, "conseguiu criar tal harmonia dentro de casa que todos acabaram se tornando pessoas melhores".[66] Como rei, Shun "se empenhava apaixonadamente em assegurar harmonia e equilíbrio". Observava todas as minúcias dos rituais que honravam a ordem natural e com grande diligência supervisionava os funcionários, punindo aqueles que abusavam do poder, mas sempre temperando a severidade com a compaixão.[67]

Os ritualistas de Lu estavam convencidos de que o *li* poderia transformar a nobreza chinesa em homens como Yao e Shun. O *junzi* ideal era "sério, imponente, distinto [...], sua face [...], doce e calma".[68] A moderação, o autocontrole e a generosidade refreariam a violência, a arrogância e o chauvinismo, porque "ritos previnem desordens, como diques previnem inundações".[69] Mas o *li* deveria ser realizado com "sinceridade" e observado com tal precisão que acabasse se tornando parte integrante da personalidade do *junzi*, que por sua vez deveria se entregar a esses ritos sem reservas, da mesma forma que os participantes dos grandes dramas rituais renunciavam à própria individualidade ao representar o papel de seus antepassados. Dessa maneira, seu corpo se tornava um ícone ambulante e natural da harmonia e da ordem que ele observava no cosmo.[70]

No mundo moderno, tendemos a achar que a transformação moral começa em nossa mente e em nosso coração para em seguida se refletir em nosso comportamento físico. No entanto, os neurofísicos afirmam que os movimentos corporais criam nossas ideias e nossos sentimentos: "Gestos não se limitam a refletir o pensamento, mas ajudam a constituir o pensamento", explica um psicólogo; "sem eles, o mundo seria diferente e incompleto".[71] Outros sustentam que corpo e mente são inseparáveis e que muitos de nossos conceitos fundamentais nascem de experiências corporais. Uma hora depois de nascer, o bebê já é capaz de imitar gestos adultos e claramente sente prazer nas respostas que provoca; portanto, deve haver uma conexão íntima entre os atos corporais dos outros e os nossos próprios estados interiores. Não se trata de um processo que superamos com o tempo, mas, sim, que nos serve de alicerce ao longo da vida.[72]

Durante o período de Primavera e Outono, quando o declínio dos Zhou ameaçava a base ideológica da sociedade, as disciplinas físicas do *li* se empenhavam em recriar o mundo. A tentativa de comportar-se de maneira cortês e altruísta mantinha vivo o ideal de ordem social e, ao mesmo tempo, tornava os chineses conscientes de quão longe estavam desse ideal. Os gestos do *li* destinavam-se a desenvolver uma atitude de docilidade (*rang*). Em vez de competirem agressivamente por status e de se gabarem de suas conquistas, esperava-se dos conselheiros do príncipe que cedessem a vez uns aos outros. A vida familiar era regulada no mesmo espírito. O filho mais velho deveria servir e reverenciar o pai como um futuro ancestral; de fato, sua meticulosa performance de piedade filial, de acordo com o *li*, criaria no interior do progenitor a qualidade numinosa, sagrada (*shen*), necessária para torná-lo um ancestral divino. O filho, portanto, cuidava do pai, preparando seu alimento, remendando suas roupas e falando com ele sempre num tom de voz baixo, humilde. Se o pai fosse irritadiço, o filho deveria controlar a própria raiva, como Shun, e tentar colocar-se no lugar do progenitor, alegrando-se com a felicidade dele, entristecendo-se com seu pesar e jejuando quando ele estivesse doente.[73]

Esse comportamento pode parecer repugnante à nossa sensibilidade moderna, mas o *li* também fazia ressalvas à autoridade do pai, exigindo que ele fosse justo, bondoso e cortês com os filhos. Na realidade, jamais se esperava que um filho se submetesse a uma maldade do pai. O sistema era projetado de tal maneira que a cada membro da família cabia uma cota de reverência e respeito. O principal dever de um filho mais novo não era servir o pai, mas apoiar o irmão mais velho. O primogênito também se tornaria pai e receberia homenagens dos filhos ao mesmo tempo que servia o próprio pai; quando este morria, o filho mais velho o representava no ritual *bin*, pois tinha ajudado a criar o *shen* que fizera do pai um ancestral. Talvez subjazesse aos rituais de família a verdade psicológica de que, se tratadas com absoluto respeito, as pessoas adquirem um senso do valor intrínseco que possuem.[74]

Não sabemos com que meticulosidade os chineses observavam o *li*, mas já no século VII a improvidência dos Zhou parece ter sido substituída por um novo éthos de moderação e autocontrole.[75] O *li* também deteve a total desintegração do império Zhou. Em sua distante capital do leste, os reis Zhou já não conseguiam unir politicamente a Grande Planície, mas, como seus principados reproduziam as grandes cerimônias litúrgicas da corte imperial, os reis eram representados ritualmente. Ao mesmo tempo, seus discursos eram preservados e transmitidos nos *Documentos*, seus hinos, nas *Odes*, e seus rituais, nos *Ritos*. Esses Clássicos, juntamente com as artes marciais e o estudo da música Zhou, criaram um currículo voltado para a formação de uma elite aristocrática com identidade distintamente chinesa.

Isso não quer dizer, claro, que todos os aristocratas chineses ficaram parecidos com Yao e Shun. A "complacência" não é fácil para seres humanos, e parece que o domínio do *li* às vezes constituía uma espécie de autopromoção — uma competição para ver quem conseguia ser mais condescendente. O *li* da batalha exigia uma atitude externa de submissão ao inimigo, mas os ritos costumavam ser executados com uma aura de orgulho e bravata, com o objetivo de valer-se dos atos de bondade para irritar os oponentes. Antes de uma batalha, os guerreiros, em voz alta, louvavam a valentia dos inimigos, lançando jarros de vinho sobre os muros da cidade como oferenda aos adversários, e se avistassem o príncipe inimigo, mesmo que a uma grande distância, tiravam com afetação os próprios elmos.[76] Ocorria o mesmo ao final das grandes disputas de arco e flecha, quando ambos os arqueiros choravam: o vencedor, de piedade pelo rival derrotado, e este, de tristeza pelo vitorioso — que era o real perdedor, pois o verdadeiro *junzi* sempre atirava para errar.

Contudo, enquanto os pequenos principados no centro da Grande Planície cultivavam o *li*, três reinos periféricos se infiltravam nas terras bárbaras vizinhas, adquirindo vastos e ricos territórios: Jin, no montanhoso norte; Qi, um estado marítimo no noroeste; e Chu, um imenso estado do sul, no médio Yangtze. Os novos súditos nativos não queriam saber de ritos e, aos poucos, seus governantes também vinham abandonando as regras de "comportamento apropriado". Por volta do século VII a.C., enquanto tribos bárbaras do norte invadiam mais agressivamente o território chinês, Chu, empenhado em sua própria expansão, se tornava uma grande ameaça a alguns dos principados vulneráveis. Cercados por esses poderosos estados comandados por governantes dispostos a não ceder, os principados da Grande Planície se agarravam com toda a força a seus costumes e, como não podiam se defender militarmente, recorriam cada vez mais à diplomacia em sua luta para sobreviver.

As *Odes* tinham papel significativo nessa estratégia diplomática. Nossa única fonte sobre esse período é o *Comentário de Zuo*, redigido no século IV a.C., mas cujos relatos especialistas consideram substancialmente confiáveis.[77] Alguns dos *ru* nas cortes principescas haviam se especializado nas *Odes*, memorizando-as, transmitindo-as e compondo novos poemas.[78] Por serem as

Odes elemento importante no currículo que introduzia jovens adultos na nobreza, a hábil citação de uma ode em assembleias públicas e em debates na corte mostrava que o orador era um verdadeiro *junzi*. Além disso, o recurso às odes não só o ajudava a envolver-se emocionalmente com sua plateia como também lhe dava oportunidade de competir com outros aristocratas por primazia e prestígio.[79] Assim, as *Odes* adquiriram uma função secular, tornando-se uma ferramenta mais de autopromoção do que de "submissão".

A nova maneira de apresentar odes (*fu shi*) dependia de uma estratégia conhecida como "quebrar o verso para extrair o significado" (*duan zhang qu yi*), que demolia o sentido original do poema e lhe dava um inteiramente novo.[80] Isso não preocupava os chineses, que, como a maioria dos povos pré-modernos, davam valor a um texto que pudesse ser transformado para tratar de um novo problema. Eles partiam do princípio de que o significado original mudaria com o tempo, e o uso do *fu shi* abria caminho para comentários inovadores sobre as *Odes*. O poder emocional das *Odes* revelou-se extraordinariamente eficaz na diplomacia.[81] Quando o dinâmico diplomata Mu Shu tentava convencer Jin a proteger Lu de incursões ameaçadoras de Qi, sua descrição seca, factual, da vulnerabilidade estratégica de Lu caiu em ouvidos moucos. Mas quando, mais tarde, recitou para os mesmos embaixadores uma ode que criticava um funcionário por impiedosamente abandonar a população aflita, e outra ode que comparava a desolação da guerra ao grasnar lamentoso dos gansos, a pungência desses versos produziu sua mágica e ele conseguiu a ajuda militar de que Lu precisava.[82] Ao mesmo tempo, embora a incapacidade de identificar uma citação de uma ode pudesse trazer danos políticos, em outras situações responder incorretamente a uma ode era considerado um sinal de virtude.[83] As questões eram tão complexas que até mesmo os autores do *Comentário de Zuo* se debatiam para compreender sua base lógica. Mas em nenhum desses relatos as *Odes* são usadas para ensinar reverência ou submissão.

No entanto, as *Zhouyi* ("Mutações de Zhou"), o texto antigo baseado nas adivinhações com gravetos de milefólio, que já mencionamos aqui, ocasionalmente inspiravam interpretações éticas. Diferentemente dos *Documentos* e das *Odes*, não há nas crípticas "linhas-declarações" de *Mutações* discursos edificantes, contos de proezas heroicas, ou poemas evocativos, mas ao fim do período Primavera e Outono as pessoas começavam a dar à adivinhação uma dimensão moral. No *Comentário de Zuo*, há duas dúzias de referências à interpretação de *Mutações* datadas do início do século v a.C. em diante. Parece que a adivinhação, a essa altura, já não era uma prática restrita a especialistas treinados, mas empregada também por aristocratas propensos à política. Em várias histórias do *Comentário de Zuo*, um *junzi* cujas previsões são baseadas em considerações morais, bem como no jogo de gravetos, é apresentado como o adivinho mais certeiro. Num exemplo, uma mulher em prisão domiciliar contradiz os astrólogos reais que previram sua iminente libertação. A linha-declaração diz: "Eminente, penetrante, bem-sucedida, beneficente, pura. Sem culpa". Mas a senhora respondeu: "Sou mulher e participei numa rebelião [...]. Tendo escolhido o mal, como posso ser '*sem culpa*'?".[84] O duque Hui, de Jin, ao ser preso por deixar de cumprir suas obrigações, queixou-se de que, se tivesse seguido as premonições de seus astrólogos, não estaria em apuros. Mas seu companheiro discordou: "As *Odes* dizem, 'As calamidades dos homens não são enviadas pelo Céu. Quer se apresentem na fala dos cidadãos, quer surjam do ódio de outrem, elas são de responsabilidade dos homens'".[85] Parece que a moralidade se tornava mais essencial para a religião chinesa e logo acrescentaria nova dimensão ao culto aristocrático do *li*.

Por volta do século vi a.C., as três regiões que examinamos aqui passaram por importantes transformações sociais, políticas e econômicas. Na China, os governantes dos três grandes estados periféricos se livravam das restrições de ritual e "submissão", com o objetivo final de destronar os cada vez mais impotentes reis Zhou. A Planície do Ganges, na Índia, estava à beira de uma revolução econômica que tornaria irrelevantes muitos dos antigos ideais arianos. E em 597 a.C., o povo de Israel perdeu sua terra depois de uma rebelião contra o rei Nabucodonosor ii, e a aristocracia foi deportada para a Babilônia com seus sequazes. Dez anos mais tarde, depois de mais uma irrefletida rebelião dos judeus, os babilônios destruíram a cidade de Jerusalém, reduzindo seu templo a cinzas. Enquanto lutavam para se adaptar a suas circunstâncias drasticamente alteradas, os israelitas se voltaram para a escritura.

PARTE DOIS
MITO

4. Nova história; novo eu

O sacerdote Ezequiel fez parte da primeira leva de deportados israelitas que chegou à Babilônia em 597 a.C.: cinco anos depois, ele teve uma visão aterradora que dilacerou a imagem relativamente confortável que os israelitas faziam de seu Deus. Até então, Jeová sempre fora amigo de Israel, mas agora estava irreconhecível, amedrontador e impossível de definir. O Sagrado, assustadoramente, se tornara outro. Ezequiel fitou a lúgubre escuridão — nuvens densas, ventos violentos, clarões de relâmpago — em que tudo era desconcertantemente inusitado, mas só conseguiu divisar o que lhe pareceu uma biga. Nela havia algo que lembrava um trono e, sentado nele, um ser que reluzia como bronze, embora, por estranho que pareça, se assemelhasse a um homem:

> E no que aparentava ser a parte da cintura para baixo vi algo que podia ser fogo, e uma luz ao redor, como o arco que se forma nas nuvens em dias de chuva; era o que parecia a luz em torno dele. Tinha a aparência da glória de Jeová.[1]

Então, surgiu uma mão segurando um pergaminho, no qual estavam escritas "lamentações, lamúrias e queixas", e uma voz ordenou a Ezequiel que comesse o manuscrito. A voz lhe disse para ingerir a mensagem de tristeza e devastação e depois regurgitá-la, recitando-a para seus companheiros exilados.

Quando Ezequiel engoliu o pergaminho, notou que o sabor era doce como mel; porém, ao afastar-se da presença divina, recordava Ezequiel, "meu coração [...] transbordava de amargura e raiva, e a mão do senhor pesava sobre mim".[2] O teólogo alemão Rudolf Otto descreveu o sagrado como *mysterium terribile et fascinans* — terrível, mas fascinante: pode parecer "um objeto de horror e apreensão, mas ao mesmo tempo não deixa de ser algo que atrai com poderoso charme":

> A criatura que treme diante dele, completamente acovardada e desmoralizada, tem sempre, ao mesmo tempo, um impulso de voltar-se para ele, ou melhor, de convertê-lo em coisa sua. O "mistério" é para ele não apenas algo a ser admirado, mas algo que o arrebata.[3]

Essa visão mística não tinha sido produzida por disciplinas mentais elaboradas com diligência; na verdade, havia desabado sobre Ezequiel sem que ele a buscasse, e o brutal desarranjo de categorias normais que ela apresentava refletia o choque do exílio, devastador. Jeová tinha aparecido como completo alienígena: espantosamente apartado de Ezequiel. Mas, antes que pudesse profetizar, Ezequiel teve de internalizar essa revelação atroz, transformando-a numa força interior e descobrindo sua doçura.

Os exilados israelitas não foram excessivamente maltratados na Babilônia. Seu rei preservou o título real e vivia na corte imperial,[4] e a maioria dos deportados foi instalada em atraentes subúrbios perto do canal de Chebar. O próprio Ezequiel vivia num distrito que os exilados chamavam de Tel Aviv ("Morro da Primavera"). Mas o exílio é um trauma espiritual e físico. Uma vez que o ponto fixo do "lar" desaparece, uma falta basilar de orientação faz tudo parecer alienígena e estranhamente irrelevante. Isolados das raízes de sua cultura e de sua identidade, os exilados podem sentir que estão se desintegrando e que se tornaram imateriais.[5] O trauma foi definido como "uma explosão da psique, tão catastrófica que não há um 'eu' que a possa vivenciar [...]. Os moldes da psique são incapazes de compreendê-la".[6] É "o confronto com um acontecimento que, em sua imprevisibilidade ou horror, não pode ser inserido nos esquemas do conhecimento anterior". É "terror sem fala [...], história sem lugar".[7] É significativo que os israelitas, que até então sempre haviam registrado sua história, nunca tenham descrevido a vida que levaram na Babilônia.

Contudo, como o erudito norte-americano David Carr descobriu por conta própria depois de um horrível acidente, o choque desse tipo de sofrimento pode "ensinar formas de sabedoria que transcendem seus contextos originais", precisamente porque destrói ilusões e nos empurra para um modo diferente de consciência.[8] Um século depois que os israelitas foram para o exílio, veremos que o tragediógrafo grego Ésquilo defenderia o mesmo argumento: "Precisamos sofrer, sofrer para chegar à verdade [...] e resistimos, mas a maturidade vem também".[9] Os exilados israelitas expressavam essa "maturidade" em suas escrituras. Ainda que a Bíblia hebraica não registre os acontecimentos do exílio, quase todos os seus livros sofrem o impacto dessa experiência destrutiva.[10] A perturbação pessoal de Ezequiel é clara nas ações anormais que, por ordem de Jeová, ele passou a praticar para fazer os deportados entenderem a natureza de sua situação. Ficou deitado por 390 dias sobre o mesmo lado do corpo, de frente para Jerusalém, sem se virar uma única vez;[11] raspou a cabeça e queimou os cabelos, como sinal do que logo aconteceria a Jerusalém; e, quando morreu sua esposa, recusou-se a pranteá-la, porque, segundo explicou aos companheiros de exílio, logo seus filhos seriam passados ao fio da espada e, quando isso acontecesse, descobririam que o choque os deixara entorpecidos.[12]

Vimos que o ritual pode oferecer cura simbólica, mas, sem o templo, os exilados só podiam buscar conforto nas tradições orais. No entanto, os textos do currículo tradicional, como o Cântico do Mar e os Salmos Reais, eram celebrações triunfantes, e a plácida confiança da sabedoria de Salomão não tinha o que lhes dizer naquela situação de extrema adversidade. As predições dos profetas da desgraça, no entanto, eram todas muito relevantes e ajudaram os exilados a encarar firmemente erros passados e refletir sobre os motivos daquela catástrofe, na esperança de descobrirem um estratagema melhor para o futuro.[13] Nos escritos dos deuteronomistas, os exilados aprenderam que tinham estado mais perto de Jeová quando eram refugiados sem-terra do que em qualquer outra época de sua história, até então triunfante. Acima de tudo, Moisés insistira com eles para que *lembrassem*. E agora tudo que restava aos deportados era "lembrar-se de Sião": a memória se tornaria seu principal recurso.[14]

Alguns eruditos modernos imaginaram editores exilados peneirando manuscritos dos documentos que conhecemos como "J" e "E", que os judeus teriam levado consigo para a Babilônia; porém, seria impossível para os deportados arrastar rolos pesados e volumosos em sua marcha forçada de Judá para a Babilônia — uma viagem de cerca de oitocentos quilômetros. Mas de alguma maneira eles conseguiram juntar as histórias, os hinos, as leis e as genealogias que tinham memorizado, de uma forma que lhes conferiu um novo significado. Não sabemos se se tratava de um único autor ou um grupo de editores. Tudo que temos é o produto: a Bíblia hebraica. É composta de três grandes unidades: uma longa seção narrativa, que traça a história de Israel, da criação ao exílio, e inclui alguma legislação sacerdotal; a coleção de oráculos dos profetas; e uma seção variada de salmos e outros escritos de Sabedoria. A joia da coroa, da qual tudo o mais depende, é a narrativa histórica, que tem o livro de Deuteronômio como "coluna vertebral", com o tetrateuco (Gênesis, Êxodo, Levítico e Números) de um lado e, do outro, os livros históricos de Josué até Reis.[15] Vimos que, ao longo de séculos, essas histórias vinham circulando, com ênfases variáveis, entre as pessoas. Tradições nortistas e sulistas haviam começado a se fundir depois da queda do reino de Israel, em 722 a.C. Contudo, durante o exílio, os editores as rearranjaram de um jeito que refletia suas próprias e trágicas circunstâncias, mas que demonstravam também, apesar de tudo, heroica criatividade.

Esse projeto foi um exemplo típico da dinâmica que empurra a escritura sempre para a frente, sem escrúpulo em abandonar a visão "original", mas que arrebata o passado para encontrar sentido no presente. Os editores queriam descobrir por que as coisas tinham dado tão tragicamente errado, mas sua grande preocupação era o futuro. A comunidade de exilados (*golá*) sobreviveria como povo, ou simplesmente desapareceria, como os deportados em 722 a.C.? Como poderia Judá manter viva sua cultura nacional numa terra alheia e hostil? E, se os exilados se permitissem ter esperança, como haveriam de preparar o retorno? Mais ou menos em 550 a.C., os textos que eles tinham preservado e rearranjado se haviam tornado repositório dos seus mais profundos medos e aspirações.[16]

A história recém-editada, agora dominada pelo tema do exílio e do retorno, refletia claramente o trauma e os anseios da *golá*, dando à narrativa bíblica — provavelmente pela primeira vez — uma sólida coerência interna.[17] Adão e Eva foram expulsos do Jardim do Éden. A Torre de Babel — um zigurate babilônico, agora uma visão horrivelmente familiar — foi destruída e seu povo dispersado. Jeová ordenou a Abraão que migrasse de sua casa na civilizada Babilônia e passasse a viver como estrangeiro em Canaã. A fome obrigou cada um dos patriarcas — Abraão, Isaac e Jacó — a deixar a Terra Prometida e buscar grãos no Egito. José, o filho preferido de Jacó, foi vendido como escravo no Egito pelos irmãos invejosos; poucos anos depois a fome obrigou toda a família a estabelecer-se no Egito, onde foram detidos à força. Ali seus descendentes padeceram em escravidão durante quinhentos anos, antes que Moisés os libertasse. Depois de quarenta anos no deserto, finalmente retornaram à sua terra, levando os ossos de Jacó e José de volta para casa. Mas a história terminou em tragédia, registrando que o reino setentrional de Israel tinha sido destruído pelos assírios em 722 a.C., e os israelitas deportados haviam desaparecido para sempre no interior do império assírio, enquanto em 597 a.C. a aristocracia do reino meridional fora deportada para a Babilônia.

Ao coligir essa nova história, os editores concentraram-se nos heróis do passado distante que não chegaram a conhecer Jerusalém. Talvez as lembranças da cidade fossem dolorosas demais, sendo mais fácil concentrar-se nos patriarcas e em Moisés, que jamais pôs os pés na Terra Prometida.[18] Mas, no começo do exílio, Ezequiel tinha advertido à *golá* que não perdesse tempo demais com a história de Abraão. Parece que aqueles israelitas que não tinham sido deportados em 597 a.C. alegavam que agora poderiam governar a nação, dizendo: "Abraão estava sozinho quando recebeu a posse da Terra. Agora, somos muitos, e o país é de nossa propriedade".[19] Mas o exílio deu aos editores uma visão muito diferente da história de Abraão, e eles não tiveram escrúpulos em dar a essas velhas histórias um novo toque.[20]

Qualquer que tenha sido a história original de Abraão, os editores agora se concentravam no fato de que, tendo recebido ordem de Deus para sair de casa na Mesopotâmia, ele seguira de boa vontade para um autoexílio — e por isso Jeová o escolhera.[21] A *golá*, com muito pesar, tinha consciência de que os descendentes de Abraão eram vistos universalmente como "motivo de piada".[22] Mas os editores insistiram na promessa de Jeová, a qual não se cansavam de repetir, de que no fim das contas Abraão seria universalmente reverenciado: "Todas as tribos da Terra serão abençoadas por ti".[23] Logo que Abraão chegou a Canaã, os editores fizeram Jeová prometer que daria toda a terra para seus descendentes — e que suas fronteiras se estenderiam até a própria Babilônia![24] Como eles, Abraão tinha sido exilado, mas, aonde quer que fosse, Deus o protegera e o fizera prosperar, ainda que Abraão, com frequência, expressasse sérias dúvidas sobre como aquelas belas promessas poderiam ser cumpridas — exatamente as mesmas dúvidas cultivadas pelos exilados.[25]

A história sobre a disposição de Abraão para sacrificar o filho Isaac dialogava diretamente com o extremo desespero dos exilados. Com o tempo passando, e mais e mais exilados morrendo na Babilônia, deve ter sido cada vez mais difícil para a *golá* manter a fé nas promessas de Jeová. Por isso, quando Deus mandou Abraão matar o filho — "teu único filho, Isaac, a quem amas"[26] —, a crueldade dessa ordem decerto calava fundo entre os deportados. Deus parecia estar conduzindo Abraão à beira do absurdo. Se Isaac tivesse de fato morrido, a promessa de Deus não poderia ser cumprida e a vida inteira de Abraão, voltada para a devoção e a obediência a Jeová, teria sido de todo em vão. Ainda assim, Abraão, que não somente costumava contestar Jeová, mas chegava mesmo a discutir com ele, obedeceu à cruel determinação sem objetar, até que, no último minuto, Jeová interveio e repetiu os termos de sua promessa com mais ênfase do que nunca:

> Eu te cobrirei de bênçãos, farei teus descendentes tão numerosos como as estrelas do céu e os grãos de areia na praia. Teus descendentes tomarão os portões de seus inimigos. Todas as nações da terra serão abençoadas por teus descendentes, como prêmio por tua obediência.[27]

Essa história perturbadora reflete as dúvidas de um povo traumatizado, cuja fé estava profundamente abalada. Mas também lhes dizia para jamais perder a esperança, uma vez que um alívio inesperado poderia vir na undécima hora. A história de Abraão agora juntava toda a história. De início um herói sulista, Abraão parece ter desempenhado apenas uma função secundária nas tradições nortistas. Contudo, a nova história deixava claro que a solicitude de Jeová com Isaac, Jacó e a geração do Êxodo decorria da promessa original feita a Abraão.[28]

Essa é uma escritura que não oferece resposta clara à pergunta sobre quem ou o que é Deus. Na verdade, todo o livro do Gênesis poderia ser lido como uma desconstrução sistemática da descrição convencional e tranquilizadora do Criador no capítulo 1 — uma divindade apresentada como onipotente, onipresente e de todo benigna; que abençoa cada criatura sua e considera todas elas, até mesmo o velho inimigo Leviatã, "boas"; e que comanda o mundo sem esforço. Mas, no fim do capítulo 3, Jeová perdeu totalmente o controle de sua criação, e o Deus justo e imparcial é culpado de monstruoso favoritismo. Chegamos a sentir a dor daqueles a quem ele rejeita arbitrária e cruelmente — Caim, Esaú, Agar e Ismael. O bondoso Deus Criador torna-se um destruidor cruel durante o Dilúvio, quando, num acesso de irritação, elimina a espécie humana quase por inteiro. Por fim, o Deus onipresente dos primeiros capítulos desaparece e — como os exilados — José e seus irmãos têm de confiar nos próprios sonhos e visões interiores.

No Pentateuco, quase todos os encontros de Jeová com seu povo são perturbadores e ambíguos. Por que Jeová rejeita sumariamente o sacrifício de Caim? E por que encontra Moisés na estrada certa noite e tenta matá-lo?[29] E quem era, afinal, o estranho enigmático que, sem qualquer provocação, lutou a noite inteira com Jacó, ao lado do rio Jaboque, num lugar que passaria a se chamar Peniel ("Face de Deus")? No dia seguinte, Jacó se reencontraria com o irmão gêmeo Esaú, com quem fora muito incorreto, e, incomodado com a perspectiva, já tinha mandado para Esaú como presente uma grande quantidade de gado:

Pois [Jacó] disse a si mesmo;
Limparei [a raiva de] sua face
com o presente que segue antes de minha face;
depois, quando eu vir a face dele, talvez ele alegre a minha face.[30]

Essas urgentes repetições permitem ao leitor vincular a face de Esaú ao encontro numinoso de Jacó em Peniel. Talvez, ao dormir naquela noite, enquanto se preparava para o importante encontro, Jacó, acessando algum profundo recanto de sua memória, se lembrasse de que havia lutado com Esaú ainda no útero materno.[31] Naquela noite, voltou a lutar, dessa vez com o estranho, que o feriu, se recusou a revelar o nome, mas o abençoou e fortaleceu. "Por isso Jacó chamou o lugar de Peniel, dizendo: 'Pois vi Deus face a face, e apesar disso minha vida foi preservada'."[32] O texto sutilmente sugere que a "face" de Deus e as "faces" de Jacó e Esaú são de alguma forma a mesma, o divino e o humano inseparáveis. Ao reconciliar-se com o irmão, Jacó teria um vislumbre da dimensão sagrada que impregna toda a realidade. Quando finalmente se encontram no dia seguinte, Jacó diz a Esaú: "Na verdade, ver tua face é como ver a face de Deus".

Na Bíblia hebraica, Jeová é quase sempre esquivo, desconcertante e incompreensível, como na visão de Ezequiel. Quando Jeová apareceu na Sarça Ardente e Moisés quis saber seu nome e suas credenciais, o que recebeu foi apenas uma resposta agressivamente críptica: "Sou quem sou!" (*Ehyeh asher ehyeh*), uma locução hebraica que expressa deliberada imprecisão.[33] No mundo antigo, saber o nome de alguém nos dava certo poder sobre ele, mas Jeová na verdade respondera: "Não importa quem sou!" ou mesmo: "Cuide da sua vida!". Além disso, aprendemos que em Moisés Jeová tinha escolhido um homem com dificuldade de fala: "Não sou homem de palavras", suplica Moisés, "não de ontem, nem de anteontem, nem [mesmo] desde que tens falado ao teu servo, pois sou pesado de boca e pesado de língua!".[34] Um profeta é alguém que fala em nome do seu Deus, mas Jeová escolheu um gago como seu porta-voz, porque o divino está fora do alcance da linguagem. A teologia ("discurso sobre Deus") é, portanto, sempre potencialmente idólatra. Assim, é significativo que seja o irmão de Moisés, Aarão, um bom orador, quem será o "profeta" de Moisés, falando *por ele* para o povo.[35] E é o fluente e volúvel Aarão que comete o ato arquetípico de idolatria ao incentivar as pessoas a adorarem o bezerro de ouro.[36]

As histórias de Moisés já estavam bem desenvolvidas no século VI a.C., mas parece que os editores introduziram novos elementos durante o exílio. Até então, as tradições orais davam atenção especial à travessia do mar dos Juncos, à revelação no Sinai e aos anos no deserto. Porém, aparentemente os judaítas exilados acrescentaram novos detalhes sobre a escravização dos israelitas no Egito, que refletiam bem sua própria experiência na Babilônia. Nessa versão final, "Egito" de fato *quer dizer* Egito, não as cidades-Estados no sul de Canaã, controladas por egípcios. Como os exilados, os escravos israelitas sofrem numa terra estrangeira, sob um poder imperial cruel, e, como os judaítas, que tinham sido recrutados para os grupos de trabalho forçado de Nabucodonosor, eles são submetidos à corveia do faraó. A política dos egípcios de matar todo os bebês israelitas do sexo masculino reflete bem o medo que os exilados tinham acerca da extinção de sua nação, e Moisés, salvo da morte por uma princesa egípcia, representa o destino de todo o povo. Especialmente relevante é o fato de os israelitas escravizados terem de esperar tanto tempo por sua libertação. Moisés é forçado a ir e voltar a todo momento para suplicar ao faraó, que, por sua vez, sempre quebra a promessa feita. Tudo isso deve ter calado fundo no espírito dos exilados ao verem persistir, ano após ano, sua estada na Babilônia.[37]

As Dez Pragas enviadas por Jeová contra os egípcios não parecem ter figurado na história original, e a última praga — quando o Anjo da Morte sobrevoa as casas dos israelitas, mas abate todas as crianças primogênitas egípcias — talvez reflita uma forma de "remorso de sobrevivente": por que os judaítas exilados deveriam sonhar com a libertação quando os israelitas deportados em 722 a.C. não tinham sobrevivido como povo? Em sua origem, o festival de primavera de Pessach celebrava a colheita da cevada,[38] mas o trauma do exílio deu à Páscoa dos judeus um significado mais sombrio. Moisés disse aos israelitas que precisavam esquecer aquela última noite no cativeiro, quando o anjo de Jeová "poupou nossos lares", mas matou as infelizes crianças egípcias.[39] Quando ficou claro que havia uma possibilidade de irem para casa, os exilados judaítas podem muito bem ter perguntado por que Jeová lhes era benevolente. Decerto, não era por causa de sua virtude superior. Onde Oseias tinha descrito os anos no deserto como uma época de amorosa intimidade com seu deus, os editores do exílio apresentaram seus ancestrais como "arrogantes e teimosos", ingratos, que viviam a se queixar e almejavam a opulência do Egito.[40]

A história chama Israel de "sagrado" (*qaddosh*), mas isso não implica virtude. *Qaddosh* significa "separado", "outro": assim como Jeová era "sagrado", ou seja, radicalmente separado de todos os seres contingentes, os israelitas exilados tinham de compartilhar essa alteridade, vivendo apartados dos vizinhos babilônios, para que pudessem sobreviver como nação. Essa "sacralidade" é refletida na legislação clerical do Levítico e do livro dos Números. Os exilados aprenderam a observar os rituais de pureza anteriormente observados apenas por sacerdotes que serviam à Presença (Shechiná) no templo. De fato, sem esses ritos, as percepções da nova história talvez tivessem permanecido puramente nocionais. O ritual transforma uma lembrança histórica em mito, o que acontece *o tempo todo*, libertando-a do passado e trazendo-a para o presente. Enquanto existiu, o templo dava aos judaítas acesso ao sagrado. Agora, observando esses ritos sacerdotais, *como se* ainda estivessem servindo à Shechiná naquela terra estrangeira, os exilados podiam ter consciência, dentro de si, da intimidade de que Adão e Eva desfrutaram no Éden, quando Jeová caminhava entre eles. Nas tradições clericais do Levítico e de Números, conhecidas como "P", Jeová não está confinado no templo: é, antes, um deus em movimento; sua "glória" vem e vai, e seu "lugar" é na comunidade. Para P, o Tabernáculo portátil, de cuja construção ele incumbira Moisés, garantia aos exilados que Jeová acompanharia sua gente onde quer que ela estivesse:[41] "Construirei meu Tabernáculo no meio de vós e andarei no meio de vós".[42] Na tradição clerical, essa Presença que acompanha o povo é tão importante quanto a torá.[43] Apesar disso, as minuciosas práticas corporais e proibições da torá criavam nos exilados um sentimento tão forte da presença divina que, quando chegasse a hora, muitos achariam desnecessário retornar a Jerusalém.[44]

A santidade sacerdotal também tinha uma dimensão fortemente ética. O objetivo da escritura não é simplesmente confortar ou salvar o indivíduo: ela sempre exige ação ética e empática. Para P, a santidade de Deus não está circunscrita a uma divindade distante e personalizada, mas é imanente a toda a criação. Isso exigia uma reverência absoluta, e que deveria ser expressa na prática, à "sacralidade" de cada criatura. P rogava aos exilados que se lembrassem do igualitarismo radical que, nos primórdios de Israel — antes da conquista da condição de Estado —, os inspirara a conceber práticas como o Ano do Jubileu, quando todos os escravos eram libertos, e todas as dívidas, canceladas, e afirmava que coisa nenhuma podia ser escravizada ou possuída — nem mesmo a terra.[45] A vida "santa" dos israelitas não deveria incentivar o exclusivismo tribal; os exilados não poderiam jamais esquecer a experiência de viver como minoria proscrita numa terra estrangeira:

> Se um estrangeiro vive convosco em vossa terra, não o aborreçais. Devei tratá-lo como um do vosso povo, e amá-lo como a vós mesmos. Pois fostes estrangeiros no Egito.[46]

Esse mandamento era muito diferente do "amor" (*hesed*) exigido pelos reis assírios, ou pela lealdade de culto de Oseias.

Em 530 a.C., Ciro II, rei da Pérsia, conquistou o império babilônico e baixou um decreto que permitia aos povos deportados retornarem à sua terra e reconstruírem seus santuários nacionais. Um profeta conhecido como "Segundo Isaías"[47] saudou Ciro como um messias, um homem especialmente "ungido" por Jeová para pôr fim ao longo exílio de Israel.[48] Chamou a atenção dos companheiros de exílio para o "servo", figura, ao que tudo indica, conhecida da *golá*, que parecia personificar a dor da comunidade exilada:

> Sem beleza, sem majestade (nós o vimos), sem nada em sua aparência que atraísse nossos olhos; uma coisa desprezada e rejeitada pelos homens, um homem de tristezas e familiarizado com o sofrimento, um homem capaz de fazer as pessoas esconderem o rosto.[49]

Jeová, porém, exclama: "Meu servo prosperará!". Alguns haviam insultado o servo, pois achavam que ele estava sendo castigado pelos próprios pecados: agora compreendiam que ele vinha sofrendo por eles: "Em si ele carrega o castigo que nos dá paz e pelas feridas dele nós nos curamos".[50]

O Segundo Isaías acreditava que o triunfal retorno dos exilados seria o começo de uma nova era, quando "a glória de Jeová será revelada para que toda a humanidade a veja".[51] Mas, depois do esplendor e da sofisticação da Babilônia, Judá, para muitos dos que regressaram, parecia um lugar desolado e estrangeiro. As safras eram ruins e, quando as modestas fundações do novo templo de Jeová foram finalmente lançadas, muitos ficaram tão desapontados que verteram lágrimas na cerimônia de inauguração. O "povo da terra" (*am ha-aretz*) — os israelitas que não tinham sido deportados e cuja perspectiva religiosa, agora, era diferente daquela da *golá* — ressentia-se amargamente dos recém-chegados. Jerusalém continuava arruinada, e sua população, reduzida em níveis temerários, era assediada por vizinhos agressivos. Quando essa notícia chegou aos ouvidos dos judaítas que tinham preferido permanecer no que então era o império persa, eles ficaram extremamente perturbados e solicitaram ao rei Xerxes que incumbisse Neemias, um de seus líderes comunitários, de levar estabilidade à província de Jeúde. Assim, Neemias viajou da Babilônia a Jeúde como emissário do governo persa. Quando chegou a Jerusalém, em 445 a.C., ficou estupefato com a falta de entusiasmo e de segurança que encontrou ali, então elaborou um projeto grandioso para fortalecer as muralhas da cidade. Mas um renascimento espiritual também se fazia necessário.

Nos primeiríssimos anos do século IV a.C., o rei persa incumbiu Esdras, sacerdote e escriba, de ir a Jerusalém para impor a torá de Moisés como a lei vigente.[52] É possível que o governo persa estivesse revisando os sistemas jurídicos de seus súditos, para ter certeza de que os códigos eram compatíveis com a segurança imperial, e que Esdras tenha concebido um modus vivendi satisfatório, encontrando um equilíbrio entre a lei mosaica e a jurisprudência persa. Esdras, tal como, antes dele, Neemias, ficou horrorizado com a falta de motivação com que deparou em Judá e, para consternação dos hierosolimitanos, rasgou as próprias vestes e sentou-se na rua, em atitude de profundo pesar, até que chegasse a hora do sacrifício vespertino. Então convocou toda a população para uma assembleia no dia de Ano-Novo. O comparecimento era obrigatório para todos — homens, mulheres, crianças e idosos —, sob pena de confisco de propriedade ou expulsão da comunidade.

Quando a congregação se reuniu, Esdras subiu num púlpito de madeira, especialmente construído para que o orador ficasse em posição elevada em relação ao povo, e leu em voz alta a nova legislação. Não sabemos que texto era esse, mas no relato bíblico encontramos um verbo antigo com um sentido inteiramente novo: Esdras tinha "decidido investigar [*li-drosh*]" a torá de Jeová, praticá-la e ensinar suas leis e costumes a Israel.[53] *Li-drosh*, originariamente, era um termo usado na adivinhação: sacerdotes "consultavam" Jeová tirando a sorte.[54] Mas agora Esdras estava "investigando" a torá, ou seja, indo em busca de alguma coisa que não era óbvia. De *li-drosh* vem o substantivo *midrash* ("exegese"), disciplina que, como veremos, estaria sempre carregada de um senso de expectante indagação — seu objetivo era descobrir uma coisa nova. Somos informados duas vezes de que "a mão de Jeová" pousava sobre Esdras, frase que indica inspiração divina.[55] De modo que, quando subiu à tribuna para ler a torá, Esdras não estava recitando um ensinamento tradicional, familiar. Na verdade, estava "investigando" as escrituras com o povo para descobrir, assim, uma mensagem diferente, que falasse diretamente àquele dilema. Além disso, Esdras não era apenas um exegeta; seu *midrash* — seu comentário sobre a escritura — tinha inspiração divina.

Esdras não se limitou a "recitar a Lei de Deus"; ele a interpretou em comentários, "traduzindo e explicando o sentido para que o povo compreendesse a leitura".[56] Ao mesmo tempo, os sacerdotes levitas, os professores de Israel, circulavam na multidão e "explicavam a torá para o povo enquanto o povo permanecia em pé".[57] A tarefa do exegeta não era recuperar o que tinha sido escrito no passado, mas encontrar novos ensinamentos nesses escritos antigos. Estava claro que o povo jamais tinha ouvido aquela torá, e toda a gente ficou consternada: "todos choravam ao ouvir", chocados, talvez, com o desafio do novo. "Não fiquem tristes", Esdras os consolava: estavam no festival do Sukot e deviam banquetear-se, beber vinho doce e fazer doações generosas aos que não tinham nada.[58]

No dia seguinte, os chefes de clã, sacerdotes e levitas se reuniram diante de Esdras para mais *midrash*. Dessa vez, souberam que Jeová instruíra Moisés de que, durante o sétimo mês, os israelitas deveriam viver em abrigos de palha, ou tabernáculos (*sukot*), em memória dos anos que os antepassados viveram no deserto. Tratava-se de uma inovação absoluta: "os israelitas não tinham feito tal coisa desde os dias de Josué, filho de Nun, até o presente".[59] Ao que parece, até então o Sukot era celebrado de forma bem diferente, no templo. Mas o povo adorou. As pessoas se apressaram em "buscar ramos para construir cabanas, uns no terraço de suas casas, outros no pátio, no átrio do Templo de Deus [...] e houve grande festa".[60] Mais uma vez, o ritual transformou uma vaga lembrança histórica em mito, libertando-a do passado e convertendo-a, no presente, em uma realidade vibrante e, nesse caso, alegre. O novo rito ajudou a *golá* a identificar-se com os antepassados, que tinham feito sua própria e penosa transição para um futuro desconhecido e assustador. Além disso, ofereceu um contexto ritualizado para o *midrash* de Esdras sobre a torá, que ele proferiu da manhã à noite nos sete dias seguintes. Na realidade, a história sugere que, sem o acompanhamento de um ritual que unisse a comunidade, a escritura poderia ser inquietante e até alienante.

No período pós-exílio, antigos textos culturais foram reescritos para que pudessem abordar a situação contemporânea.[61] As cartas de Jeremias foram alteradas para refletir a destruição de Jerusalém e o exílio subsequente. Os dois livros de Crônicas, compostos por autores clericais, parafrasearam passagens do Gênesis, de Samuel e dos Reis, dando-lhes novo sentido. Na Septuaginta, a tradução grega da Bíblia hebraica, esses livros foram chamados de paralipômenos ("coisas omitidas"); os autores liam nas entrelinhas dos textos antigos e lhes acrescentavam novas reflexões que tornavam os escritos ao mesmo tempo mais complexos e mais plausíveis. Esdras seria lembrado como criador de escritura e como exegeta. Dizia-se que quando os babilônios reduziram o templo a cinzas, em 586 a.C., todos os textos sagrados de Israel foram destruídos. Contudo, escrevendo sob inspiração divina, Esdras os restaurou, levando quarenta dias para ditar 94 livros aos escribas. E ainda reteve setenta textos importantes, a serem comunicados, em data futura, apenas aos israelitas mais sábios.[62] Esses textos jamais foram revelados. Era um mito que expressava uma verdade fundamental: na escritura, sempre fica algo por dizer.

Deixamos os chineses às vésperas de uma grande mudança. Os governantes dos estados da periferia da Grande Planície — Qi, Chu e Jin — empenhavam-se em ampliar seus territórios, uma vez que, numa economia agrária, a única maneira de um Estado ficar mais rico e poderoso era adquirindo mais terras aráveis. Além de estender seu domínio a territórios "bárbaros", esses ambiciosos governantes queriam também conquistar os pequenos principados no centro da Grande Planície. Sentiam que não havia lealdade aos decadentes monarcas Zhou — alguns até se apresentavam como "rei", e não demonstravam interesse em tomar por modelo Yao e Shun, os "Reis Sábios" que, nos tempos primevos, haviam trazido paz ao mundo ao sintonizarem seu governo com o Caminho do Céu. Os novos monarcas já não reverenciavam os reis Wen e Wu, ou o duque de Zhou, e não queriam saber do *li*, os ritos que promoviam a mentalidade de "submissão" (*rang*), *kenosis* e contenção que tinha mantido unido o império Zhou.

Nos pequenos estados da Grande Planície, portanto, as pessoas viviam em constante temor de aniquilação. Nos velhos tempos, a guerra tinha sido cerimonialmente ritualizada, mas a violência militar se tornara tão extrema que, durante um cerco prolongado, o povo de Song se viu obrigado a comer os próprios filhos. Em alguns principados, a aristocracia desenvolvia um apetite pelo luxo que fatalmente debilitava a economia. Como resultado, parte da baixa nobreza foi reduzida à condição plebeia, e um número alarmante de sequazes da aristocracia empobreceu tanto que precisou abandonar o enclave privilegiado da cidade para ir viver com a "arraia-miúda" no interior.

Para os letrados conservadores, claro, não se tratava apenas de uma crise política e econômica, porque o egoísmo desenfreado era uma violação do Caminho do Céu ou da Natureza que governava o cosmo. Um dos *ru* ficou tão apavorado que resolveu retirar-se da vida pública. Kong Qiu (551-479 a.C.) foi um desses sequazes pauperizados. Seus pais tinham pertencido à casa ducal de Song, mas foram obrigados a emigrar para Lu, onde Kong foi criado num ambiente de decorosa pobreza. Ele tinha esperança de conseguir um alto cargo, mas provavelmente era honesto demais para ser bem-sucedido na corte, e só alcançou postos subalternos em vários principados. Após retirar-se da política, aos 68 anos, dedicou o resto da vida ao ensino, tendo fundado uma das primeiras escolas filosóficas que surgiram nesse tempo de crise. Essas escolas mantinham distância dos desregrados Estados principescos e desenvolviam modelos alternativos de sociedade e conduta pessoal. Ali o mestre se tornava "regente" dos discípulos, transmitindo oralmente seus ensinamentos, enquanto os discípulos lançavam tudo por escrito na esperança de alcançar um público mais amplo e as gerações futuras.[63]

Os discípulos de Kong Qiu o chamavam de "Kong fuzi" ("nosso Mestre Kong"), por isso, no Ocidente, nós o chamamos de Confúcio. Seus discípulos não eram jovens — alguns ocupavam cargos no governo —, e foram eles que começaram a compilar a antologia de aforismos curtos atribuídos a Confúcio e que compõem o *Lun yu* (ou *Analectos*), uma das escrituras mais importantes da China. Já se chegou a pensar que esses escritos tinham sido reunidos logo após a morte de Kong Qiu, mas parece que o texto levou séculos para ser elaborado, passando por muitas transformações antes de alcançar a forma final. A tradição confucionista, portanto, não se apegava servilmente ao *ipsissima verba* do mestre, mas desenvolvia suas ideias para que pudessem ser aplicadas aos desafios da época. Os *Analectos* não eram o que chamaríamos de "livro". Os textos chineses ainda eram gravados em tiras de seda ou de bambu, que funcionavam mais ou menos como uma pasta de folhas soltas, o que facilitava a inserção de novo material. O texto dos *Analectos* passou por muitas mãos ao longo de gerações, enquanto variadas escolas confucionistas preservavam e desenvolviam máximas diferentes com vistas a corroborar o próprio éthos. No que sobreviveu do Clássico, podemos observar esses grupos competindo entre si. Algumas passagens descrevem o Mestre classificando certos discípulos como especialmente perspicazes.[64] Outros apresentam vários estudantes fazendo a Confúcio a mesma pergunta — sobre o significado da reverência filial, por exemplo — e ouvindo respostas bem diferentes.[65] Não havia, portanto, uma ortodoxia confucionista geral; na verdade, encontramos ali várias perspectivas coexistindo democraticamente.

De fato, o Mestre não foi o autor. O verdadeiro autor, o silencioso anotador das conversas de Confúcio, permanece desconhecido e invisível: Confúcio foi "redigido", tal qual um personagem de romance, conhecido por nós apenas pelas palavras que lhe atribuíram seus discípulos, os quais claramente tinham ideias próprias. Mais de um século se passaria até que um mestre anotasse os próprios pensamentos; antes disso, as pessoas escreviam sobre ele, e ele se tornava o solo onde os seguidores semeavam suas próprias teorias. Como Confúcio não tem uma voz consistente, veremos que ele próprio acabou se tornando o definitivo objeto de investigação, uma vez que os leitores se dedicavam a buscar sólidos princípios "confucionistas" subjacentes a essas diferenças aparentemente inconciliáveis.[66] Pouco conceituado em sua época, Confúcio tornou-se figura misteriosa, numinosa, com ele e suas ideias escapando de definições claras ou de doutrinas oficiais, de um modo que contesta nossa noção moderna de tradição religiosa.

Os *Analectos* começam com Confúcio perguntando aos discípulos:

> Aprender algo e colocá-lo em prática em momento oportuno — não é satisfatório? Ter amigos que chegam de longe — não é uma alegria? Ser paciente mesmo quando os outros não entendem, não é isso que distingue o homem bem-educado?[67]

Tratava-se de uma comunidade de amigos: aprender (*xue*) era uma atividade comunal, e não solitária, e certamente não consistia numa busca abstrata da verdade. O objetivo era "praticar" o que tinha sido aprendido; portanto, a aquisição de conhecimento confuciano era inseparável de uma profunda transformação pessoal. O discípulo favorito de Confúcio era Yan Hui, homem de origens humildes e inclinações místicas. Confúcio disse certa vez que, de sua escola, Yan Hui era o único membro que de fato gostava de "aprender" — não porque dominasse um conjunto de doutrinas, mas porque seu comportamento para com os demais havia mudado. Ele tomava nota dos próprios defeitos, corrigia sua conduta e progredia continuadamente: "Não descontava sua raiva numa pessoa inocente, nem cometia um erro duas vezes".[68] Confúcio disse certa vez a seu vibrante discípulo Zigong que aprender significava agir de tal maneira que nunca precisássemos nos arrepender de nada que fizemos.[69] Como explicou Zengzi, outro discípulo, a aprendizagem era acompanhada de uma avaliação constante e rigorosa não do nosso estado de espírito, mas do nosso trato com os demais:[70]

> Todos os dias eu me examino em três aspectos: no que empreendi em nome de outro, deixei de fazer o melhor que podia? No trato com meus amigos, deixei de ser fiel às minhas palavras? Ensinei aos outros algo que eu mesmo não tenha tentado?[71]

Os discípulos de Confúcio estudavam os Clássicos — *Documentos, Odes, Ritos* e *Música* —,[72] mas esse estudo textual era inseparável da constante prática da bondade e da consideração. E, como bondade e consideração tinham de ser praticadas com outras pessoas, o processo não podia ser solitário. "Quem quer se estabelecer deve tentar estabelecer os outros", explicava Confúcio. "Quem quer se expandir deve tentar expandir os outros."[73] Essa criativa parceria se mostrava essencial porque o objetivo era transcender o ego. Era um *ekstasis*, um "passo para fora" do eu — mas na forma de cortesia e compaixão, e não numa visão dramaticamente estática como a de Ezequiel. A não ser que respondesse com sinceridade às necessidades dos companheiros, o *junzi* continuaria centrado em si mesmo, num mundo fechado e escuro.[74]

O estudo das escrituras, portanto, dizia respeito ao *ren*, palavra que Confúcio se recusava a definir porque seu verdadeiro significado não poderia ser contido nas categorias comuns em sua época.[75] A única maneira de compreendê-la era praticá-la com perfeição, como Yao e Shun. Os Zhou tinham usado *ren* ("nobre") para distinguir os *junzi* dos plebeus, mas Confúcio deu ao conceito um sentido moral: o Mestre acreditava que *ren* fosse o "poder do Caminho" (*Daode*) que permitira aos Reis Sábios governar sem força, pois agiam de acordo com as leis do Céu ou da Natureza. Como adquirir *ren*?, perguntou Yan Hui. "*Keji fuli*", respondeu Confúcio: "Contenha seu ego e entregue-se ao *li*".[76]

Ceder aos outros não é uma postura que surge naturalmente; como tampouco o é a atitude de reverência e constante consideração às necessidades dos demais seres humanos. Confúcio compreendeu que, para conter o impulso egoísta, não bastaria apenas meditar sobre a importância da *kenosis*, da reverência e da consideração; tal qual os neurofísicos de hoje, ele sabia que aprendemos muito com gestos e disciplina corporais. Os gestos estilizados do *li* possibilitariam ao *junzi* cultivar o hábito de "ceder" aos outros. Em vez da postura agressiva e da autopromoção, a disciplina física do *li*, de respeito exterior, lhe permitiria desenvolver uma atitude interior de reverência para com os demais. Os ritos elevavam ações biológicas triviais a um plano diferente. Ao garantir que não tratássemos os demais superficialmente, imbuíam as questões mundanas de uma dignidade cerimonial que tornava as pessoas conscientes da sacralidade da vida. Um ritualismo reformado, que suprimisse a obsessão de status e de proeminência, restituiria dignidade e graça às relações humanas. Os ritos também conferiam santidade aos outros. Confúcio entendeu a verdade psicológica que havia por trás da crença antiga de que os ritos de reverência filial criavam uma *shen* divina que habilitava um homem mortal a tornar-se ancestral.

O *li* também ensinava as pessoas a lidarem umas com as outras como iguais, parceiras na mesma cerimônia na qual até a pessoa que desempenha papel secundário contribui para a beleza do todo. Daí o ritual não ser um simples meio de desenvolvimento pessoal, mas, sim, algo politicamente relevante. Quando um dos discípulos perguntou de que maneira o *ren* se aplicava à vida política, Confúcio respondeu:

> Quando no estrangeiro, comporte-se como se recebesse um convidado importante. Quando se valer dos serviços da gente comum, comporte-se como se celebrasse um importante sacrifício. Não imponha aos outros o que você não quer para si. Desse modo, você estará livre de maus sentimentos, seja no âmbito do Estado ou de uma família nobre.[77]

Para os confucionistas, o aperfeiçoamento pessoal sempre envolvia o corretivo da sociedade. O *li*, acreditava Confúcio, tornaria a China humana novamente. "Se um governante puder conter seu ego e submeter-se ao *li* por um único dia que seja", afirmava, "todas as pessoas debaixo do céu responderão à sua bondade."[78]

Confúcio pode ter sido o primeiro a enunciar a Regra de Ouro numa fórmula concisa, memorizável: "Não imponha aos outros aquilo que não deseja para si". Quando Zigong lhe perguntou: "Há uma palavra que possa servir de guia para a vida inteira?", Confúcio respondeu que a palavra era "reciprocidade" (*shu*):[79] "O Caminho do Mestre consiste em fazer o que é melhor para os outros", explicou Zengzi, "e em usar a si próprio como medida da necessidade dos outros".[80] Em vez de colocar-se a si mesmo numa categoria especial, privilegiada, deve-se olhar para dentro, descobrir o que nos aflige e evitar infligir essa dor a qualquer outra pessoa. Para ser verdadeiramente transformador, esse altruísmo precisa tornar-se habitual, exercido não apenas quando for conveniente, mas "o dia todo, todo dia".[81] Parecia fácil, mas apaziguar o ruidoso ego era uma batalha para a vida inteira. Yan Hui admitia:

> Quanto mais ergo os olhos para vê-lo, mais alto me parece; quanto mais mergulho nele, mais difícil se torna. Eu o vislumbro em minha frente; de repente, está

> atrás de mim. O mestre tem a habilidade de me conduzir passo a passo. Ele me alarga com a cultura e me refreia com os ritos, de modo que, até quando penso em desistir, não consigo. Mesmo tendo exaurido toda a minha força, é como se ainda restasse algo que assoma diante de mim. Embora eu queira segui-lo, parece não haver meio de fazê-lo![82]

Yan Hui descrevia aqui uma experiência transcendente: *ren* não era algo que se pudesse "conseguir", mas que se dava "o dia todo, todo dia". *Ren* era, em si, a própria transcendência perseguida, porque viver uma vida empática nos levava além de nós mesmos, numa *kenosis* que deixava o eu de lado. Empatia e compaixão, como vimos, nascem do hemisfério direito do cérebro, que vê a profunda interconexão de todas as coisas. Quando tentava pôr em prática esse ideal, "o dia todo, todo dia", Yan Hui tinha breves vislumbres de uma realidade sagrada, que era imanente e transcendente, que surgia de dentro, mas que era também uma presença exigente, "que assoma diante de mim". Não poderia haver confucionistas "convertidos". O próprio Mestre dizia ter levado cinquenta anos para o *li* e as virtudes de *shu* e *ren* se tornarem para ele uma segunda natureza.[83]

Aos quinze anos, Confúcio tinha começado sua educação com o estudo das *Odes*, dos *Documentos*, dos *Ritos* e da *Música*. Ele sempre afirmava que não era um pensador original, mas que se amparava inteiramente nos ensinamentos do passado: "Transmito em vez de inovar; confio nos caminhos antigos e os amo".[84] Na juventude, seu estudo dos *Documentos*, suplementado pela prática dos *Ritos*, convencera-o de que Yao e Shun haviam criado uma ordem ético-política perfeita. E, se a Grande Paz de Yao já tinha sido alcançada antes, poderia ser alcançada de novo. A história, portanto, não era um exercício de antiquário, mas um chamado à ação política convicta no atribulado presente. Quando Confúcio, desgostoso com a violência egoísta que havia tomado conta dos principados da Grande Planície, se retirou da vida pública, estava convencido de que a reforma da China só poderia ser levada a cabo por uma elite instruída que tornasse esses textos antigos diretamente aplicáveis à vida pública. No passado, os aristocratas chineses costumavam citar as *Odes* em defesa dos próprios interesses, mas nos *Analectos* vemos Confúcio e seus discípulos imbuindo as *Odes* de um ensinamento ético que não estava presente no original: eles acreditavam que as escrituras precisavam falar diretamente às questões morais de seu tempo.[85] Confúcio tinha fundado sua escola para estabelecer um pequeno grupo de eruditos disciplinados, capazes de instruir os príncipes sobre o Caminho de Yao e Shun, a fim de que estes implementassem o Mandato do Céu.[86] Mas eles só poderiam atingir tal objetivo se, antes, conseguissem transformar a si mesmos, num longo e disciplinado processo de autoeducação.

Não havia um jeito simples de responder às dificuldades da China de então. Na verdade, os *Analectos* incutiram nos chineses uma salutar desconfiança quanto a definições, verdades absolutas e regras imutáveis.[87] É raro Confúcio dar uma resposta direta. Quando lhe perguntam sobre *ren*, ele dá duas respostas distintas — uma para Yan Hui, outra para Xhongyong — e em seguida remata com uma terceira definição para Sima Niu.[88] A cada vez que lhe pedem que distinga o *junzi* da "pessoa sem importância" (*xiao ren*), Confúcio apresenta uma definição diferente.[89] Quando lhe indagam sobre o que torna um filho bom, ele não oferece princípios gerais, mas fornece variados exemplos de comportamento filial que não têm conexão entre si.[90] Essa aversão a generalizações e definições viria a ser a marca registrada da escritura chinesa. Leitores ocidentais costumam achá-la exasperante, mas a mensagem geral dos *Analectos* é que falas afetadas e definições eruditas são irrelevantes. O mundo precisa de pessoas que tenham cultivado plenamente a humanidade, e não de oradores frívolos.

É famosa a afirmação de Confúcio: "Penso em desistir da fala". Quando Zigong fez uma objeção, "Se o senhor não falar nada, o que haverá para nós, seus discípulos, transmitirmos?", Confúcio respondeu simplesmente que o Céu não fala — mas veja como a Natureza é eficaz: "O que o Céu já disse? No entanto, há quatro estações que se sucedem e centenas de coisas que passam a existir. O que o Céu já disse?".[91] Yao, acreditava Confúcio, tinha governado como o faz o Céu, sem palavras, e transformado seu povo apenas pela força do exemplo, fazendo sua virtude atingir, com eficácia, o mundo inteiro.[92] *Ren* não era só uma questão de se comportar enfaticamente diante do próprio povo. Isso estava claro nos círculos concêntricos de compaixão de Yao. A família é a escola da empatia, que aprendemos a praticar habitualmente, cuidando de pais e irmãos de acordo com o *li*. Mas não deve parar aí. A escritura chinesa insiste para abandonarmos nossos instintos tribais e pensarmos globalmente. Cuidar da família expande o coração do *junzi*, e ele sente empatia com mais e mais gente — com sua comunidade imediata, depois com o Estado e, por fim, com o mundo inteiro.[93]

* * *

De início, os arianos tinham projetado seus rituais para dar apoio aos deuses na tarefa de manter a ordem cósmica (*rta*). No século IX a.C., os especialistas em ritual desenvolveram o conceito de Brâman, a realidade definitiva e inefável que combinava todas as diversas forças do universo. No entanto, seus ritos se destinavam cada vez mais não só a impedir a desintegração do cosmo, mas também a dar aos participantes uma vida póstuma. Acreditava-se que uma vida inteira de ações rituais (*karma*) perfeitamente executadas resultaria, depois da morte, em renascimento no mundo dos deuses. Contudo, as pessoas começaram a ter dúvidas sobre a eficácia desse *karma* ritualizado, e durante o século VI a.C. um novo conjunto de escrituras tratou desses problemas.

Essas escrituras eram conhecidas coletivamente como Vedanta, o "fim dos Vedas", por dois motivos. Primeiro, marcavam o encerramento da revelação (*shruti*: "o que se ouve"), que tinha sido recebida pelos rishis e foi registrada e ampliada nos Vedas. Depois do Vedanta, o processo de revelação podia apenas ser recordado (*smrti*). Mas esse "fim" só chegaria depois de muito tempo. Há quase 250 Upanixades, como eram chamadas essas escrituras. Os doze Upanixades clássicos foram compostos entre os séculos VI e I a.C., mas novos Upanixades continuaram e continuam a surgir. Portanto, ao que parece, um cânone escritural nem sempre logra uma conclusão absoluta. Segundo, se definirmos "fim" como "meta", então os Upanixades de fato representavam o "fim" da *shruti* védica, porque eles nos dizem de que tratavam as visões dos primeiros rishis e as especulações rituais dos Brâmanas. "Estas, claramente, são as essências das essências", explica um dos primeiros Upanixades, "pois as essências são os Vedas, e elas são a essência destes."[94] Por ser inefável, o "fim" dos Vedas não pode ser expressado nem concluído em definitivo.

Vez ou outra, os Upanixades foram vistos no Ocidente quase como uma rejeição protestante do ritualismo védico original. É verdade que com frequência desdenham as primeiras práticas cerimoniais, mas na realidade os Upanixades são uma continuação e um aprofundamento da mais antiga ciência ritual. É provável que os dois primeiros Upanixades tenham aparecido no século VI a.C., período de intensas transformações sociais e econômicas na região do Ganges. O *Upanixade Chandogya* surgiu na região de Kuru-Panchala, enquanto o *Upanixade Brhadaranyaka* foi composto no reino de Videha, Estado fronteiriço na ponta mais oriental da expansão ariana. Ali, seus autores conheceram povos com tradições muito diferentes: colonos arianos das primeiras levas de migração; tribos iranianas conhecidas como malla, vajji e sakya; assim como os povos nativos da Índia. Era também uma época de rápida urbanização: o *Brhadaranyaka* e o *Chandogya* raramente mencionam a agricultura, mas costumam citar ofícios urbanos. O aperfeiçoamento dos transportes permitiu às pessoas percorrer longas distâncias para consultar os novos sábios. As velhas divisões de classe começaram a ser corroídas: muitos debates registrados nesses primeiros Upanixades são realizados na corte de um rajá, o que sugere certa contribuição dos xátrias.[95]

Esses dois primeiros Upanixades são antologias de escritos anteriores compilados por editores e apresentados como instruções formais de mestres famosos: Yajnavalkya, no caso de *Brhadaranyaka*, e Uddalaka Aruni, no de *Chandogya*. Ambos eram chefes de família Brâmanes, mas outros mestres, como o rei Ajatashastra, eram membros da classe guerreira xátria, o que levou alguns especialistas a sugerir que esses Upanixades foram desenvolvidos pelos xátrias. É mais provável, porém, que a urbanização tenha simplesmente produzido uma interação social maior. Esses ensinamentos ainda estão profundamente incrustados nos pressupostos clericais dos Brâmanas.[96] A palavra *upanishad* costuma ser traduzida como "ensinamento esotérico", com a etimologia *upa-ni-shad* ("sentar perto de") sugerindo que esse avançado conhecimento era difundido por sábios de inclinação mística para uns poucos alunos talentosos que se sentavam a seus pés. Mas essa opinião, hoje, é considerada insustentável, uma vez que o primeiro uso do termo *upanishad* foi como "equivalência", "semelhança" ou "correspondência".[97] Isso sugere que as novas escrituras desenvolviam a ciência das "conexões" (*bandhus*) elaborada pelos especialistas em ritual, que tinham cultivado um senso da profunda unidade da realidade, juntando as realidades terrena e celestial.

Isso está claro no *Brhadaranyaka*, o Upanixade dos sacerdotes *advaryu* que realizavam as ações sacrificiais e que, em consequência, tem início com uma meditação sobre o famoso Sacrifício do Cavalo, um rito de fertilidade que celebrava a autoridade do rajá. Numa série de *bandhus* sacerdotais, o cavalo é identificado com a totalidade do cosmo: seus membros são as estações; a carne, as nuvens; os quartos dianteiros, o sol nascente; e o relincho é Vac ("Discurso"), a própria divindade suprema.[98] O *Chandogya*, por outro lado, é o Upanixade dos sacerdotes *udgatr* e, por isso, começa contemplando o mantra sagrado AUM [OM], com o qual o *udgatr* iniciava cada cântico. AUM representa a quintessência da realidade — da terra, das águas, das plantas e dos seres humanos, cuja essência mais profunda é Vac.[99] Sacerdotes védicos tinham sido instruídos havia tempos a meditar sobre o significado de seus rituais, e a tarefa do sacerdote Brâmane tinha sido realizar toda a liturgia mentalmente. Agora, os sábios Upanixades estendiam essa contemplação clerical do cosmo para nela incluir a exploração do eu interior, usando textos védicos mais antigos para dar sustentação a suas descobertas.[100]

O projeto dos Upanixades é, portanto, uma longa meditação sobre a escritura védica: aqueles sábios buscavam experimentar as visões desfrutadas pelos primeiros rishis, que tinham tentado descrever uma realidade além do alcance da linguagem. Para esses novos sábios, portanto, as palavras inspiradas do Rig Veda eram "sementes" das quais novas ideias e experiências poderiam germinar.[101] Os primeiros rishis diziam ter visto e ouvido essas verdades, por isso descreveram Brâman com imagens sensuais, chamando-o de "germe do mundo"[102] ou de "Senhor da criação".[103] Os sábios upanixádicos, porém, acreditavam que revelação envolvia mais a mente do que os sentidos e, por isso, referiam-se a ela mais abstratamente, como o atmã, essência indescritível da realidade que impregna todas as coisas.[104] Nosso conhecimento do atmã, portanto, nada tem em comum com o conhecimento empírico que obtemos pela percepção dos sentidos e transcende todas as categorias mundanas. O atmã é ao mesmo tempo imanente e transcendente, apesar de não ser nem uma coisa nem outra — nem uma combinação das duas. Só seria possível compreender essa sutil visão interior após uma vida inteira de intenso treinamento, sob a orientação de um professor habilidoso, que sistematicamente empurrasse a percepção do estudante para além do pensamento conceitual habitual, até que ele ou ela adquirisse um modo de consciência distinto, mais dependente do hemisfério direito, que vislumbra a unidade transcendente da realidade.[105]

Esses novos rishis desenvolviam uma noção diferente de individualidade, afirmando que — uma vez que todas as coisas são Uma — o atmã, o núcleo sagrado de todos e de tudo, era inseparável do Brâman imortal que sustentava o cosmo inteiro. Relembraram o mito nos Brâmanas, no qual Prajapati ("o Tudo") tinha unido o frágil mundo que ele criara ao projetar o próprio atmã, seu "eu" ou sua "essência interior", em todas as criaturas, tornando, dessa forma, todo o cosmo essencialmente divino. Se pudéssemos penetrar nas profundezas do nosso ser, portanto, entraríamos no "lugar" onde Brâman, a realidade definitiva, e o atmã, a essência individual do ser humano, se fundiam numa coisa só. Isso exigia do sábio que fosse além do corpo, além do pensamento conceitual e além da emoção para descobrir o "eu" sagrado fundido com o Brâman no núcleo do seu ser. Os primeiros rishis encarnaram o Verbo sagrado que tinham "ouvido" e "visto", mas agora os sábios upanixádicos iriam mais longe, afirmando "*Ayam atma Brahman*": "Este eu é Brâman".[106]

Mas como acessar esse núcleo do eu, que, explicava Yajnavalkya, era inacessível à consciência normal?

> Não se pode ver o Vedor responsável pelo ver. Não se pode ouvir o Escutador responsável pelo ouvir; não se pode pensar junto com o Pensador responsável pelo pensar; e não se pode perceber o Percebedor responsável pelo perceber. O eu dentro do Tudo [Brâman] é este atmã de vocês.[107]

O místico precisava se engajar num longo período de treinamento, como diríamos, sistematicamente negando a categorização e as definições analíticas de pensamento mundano. "Sobre esse atmã, tudo que se pode dizer é 'não... não' [*neti... neti*]", insistia Yajnavalkya. "É incompreensível, pois não pode ser compreendido. É indeteriorável, pois não está sujeito à deterioração [...]. Não está conectado; mas nem treme de medo, nem sofre dano."[108] No fim, ele ou ela terá um vislumbre da profunda unicidade de todas as coisas e perceberá que o eu humano e o divino são, consequentemente, inseparáveis. Isso era inacessível à lógica comum, daí os Upanixades nos fornecerem — em vez de argumentos racionais — relatos de experiências e visões, aforismos e adivinhas deliberadamente difíceis de penetrar. Com frequência, apresentam um debate que termina com um dos participantes sem ter o que dizer — submergindo no silêncio da *brahmodya*.

A mensagem essencial dos Upanixades, portanto, é que o eu humano é em si divino, totalmente inseparável da realidade definitiva.[109] Os monoteístas por vezes rejeitam essa afirmação, classificando como atitude "meramente panteísta", mas seus próprios místicos também vivenciaram essa identidade. O místico alemão Meister Eckhart (*c.* 1260-1327) disse: "Há alguma coisa na alma de tão estreitamente parecido com Deus que ela já está em harmonia com

Ele e jamais precisa ser unida a Ele". Se esse estado pudesse ser plenamente alcançado, afirmava ele, um cristão "seria ao mesmo tempo não criado e diferente de qualquer outra criatura".[110] Yajnavalkya também acreditava que as disciplinas upanixádicas poderiam divinizar totalmente o praticante humano. E este poderia se tornar a realidade sagrada que perseguiam.

Os antigos rituais védicos buscaram construir um "eu" que sobrevivesse no mundo celeste graças a ações rituais (*karma*) repetidas com frequência e, portanto, que resultasse de um estoque de sacrifícios executados com perfeição. Mas Yajnavalkya achava que o "eu" era produto de *todas* as nossas ações — não apenas do *karma* ritual; isso incluía nossas atividades mentais, nossos impulsos e desejos, e nossos sentimentos de atração ou ódio. Uma pessoa cujos desejos ainda estivessem presos a este mundo, quando morresse, renasceria na terra depois de uma breve estada no céu. Mas uma pessoa que sistematicamente buscasse apenas seu "eu" imortal, seu atmã, já estava em harmonia com Brâman — "Brâman ele é, e Brâman se vai" — e jamais voltaria a este mundo de dor, tristeza e mortalidade.[111] É a primeira vez que ouvimos a doutrina de *karma* na qual o termo se refere a atividades mentais e físicas, e não a performances rituais. Isso seria crucial para a espiritualidade indiana. Todo desejo pelas coisas do mundo precisava ser eliminado da psique, o que só poderia ser alcançado alterando-se completamente a existência cotidiana e recebendo instrução de um guru durante a vida inteira.

Na Índia, o estudo da escritura exigia sempre a presença de um professor que pudesse apresentar seus discípulos a um modo de vida inteiramente diferente, que lhes permitiria cultivar um nível refinado de consciência, sem relação alguma com a percepção comum dos sentidos. Um guru não poderia ensinar ao discípulo o que era atmã; poderia apenas mostrar-lhe como obter esse "conhecimento" por conta própria, numa forma de parto que trazia à vida um novo nascimento.[112] Para isso, o estudante precisava sair de casa e viver na casa do mestre, alimentar seu fogo sagrado de combustível e cuidar dele, viver em castidade e não cometer atos de violência. Além disso, esse conhecimento não era obtido apenas pelo pensamento, mas pela execução de coisas físicas: entoar mantras, fazer trabalho braçal e participar de exercícios ascéticos sob direção do guru. Como o guru "conhecia" seu atmã, era a encarnação viva do Brâman, e, imitando seu modo de vida — sua castidade, sua *ahimsa* ("não violência") e sua benigna reverência por todas as criaturas (que também encarnavam o Brâman) —, o discípulo acabaria percebendo que Brâman era, na verdade, inseparável do próprio eu mais profundo.[113]

O ensinamento dos Upanixades, portanto, só faz sentido no contexto dessa intensa transmissão. A partir de então, textos sagrados na Índia com frequência tomariam a forma de sutras — aforismos curtos, concisos, a serem usados por um guru numa instrução oral de indivíduo para indivíduo, mas que era incompreensível para quem está fora.[114] O ensino costumava se dar por meio de perguntas e respostas, modelo destinado a remover sistematicamente todas as obstruções racionais e lógicas da cabeça do estudante, até que ele alcançasse um momento de iluminação. Mas não era para qualquer um. O estudante precisava ter um caráter tranquilo e estar preparado para uma longa e árdua aprendizagem, e para a realização diária de tarefas aborrecidas, servis. O fato de tantos jovens do sexo masculino — e, durante o primeiro período dos Upanixades, mesmo algumas mulheres — estarem dispostos a submeter-se a esse regime fatigante é testemunha do desejo profundamente arraigado de transformação — de fato, o anseio por divinização — que está no coração da busca religiosa.

Juntos, guru e estudantes cultivavam um estado psicológico que é natural à humanidade, mas extremamente difícil de alcançar. A aparição dos Upanixades na Índia coincidiu com o desenvolvimento das disciplinas corporais e psicológicas da ioga, que possibilitariam aos praticantes tirar o "eu" do pensamento e, dessa maneira, trazer à mente Brâman. Atmã costuma ser traduzido como "alma", mas o atmã era concebido de maneira física, e o corpo desempenhava função crucial no processo transformador. Os Upanixades viam o corpo humano como a "cidade de Brâman",[115] por isso as árduas disciplinas de respirar e sentar eram tão importantes quanto os exercícios meditativos. Os gurus usavam diferentes métodos para iniciar os estudantes. Yajnavalkya dizia aos discípulos que refletissem sobre seus sonhos, o que os conscientizava quanto à mente inconsciente. Num estado onírico, em geral nos sentimos mais livres e percebemos sinais de um eu mais alto, mas também temos pesadelos quando nos damos conta da dor e do medo que suprimimos em nossa vida consciente. Mas em sono profundo, explicava Yajnavalkya, alcançamos uma consciência unificada que é uma amostra da libertação final do iniciado, que se tornará "calmo, sereno, paciente e relaxado", porque está em harmonia com o Brâman e "livre de maldade, livre de mácula e livre de dúvidas".[116]

No *Upanixade Changogya*, Uddalaka tinha uma abordagem diferente. Para iniciar o filho, ele o fez jejuar por quinze dias até Shvetaketu ficar tão fraco que já não era capaz de recitar textos védicos de cor, como antes. Dessa maneira, Shvetaketu aprendeu que o atmã era uma unidade física e espiritual e que sua mente consistia "em alimento, respiração, água, fala e dentes".[117] Uddalaka então lhe mostrou que a identidade de qualquer objeto era inseparável do material de que era composto, como barro, cobre ou ferro. O mesmo se aplicava a tudo que existe, uma vez que Brâman era o verdadeiro eu de cada criatura. "A melhor essência aqui — O Isto constitui o eu deste mundo todo", explicava incansavelmente Uddalaka. "O Isto é a verdade; o Isto é o atmã; e você é esse Isto, Shvetaketu."[118] Essas frases ocorrem como um refrão em todo o *Upanixade*, sublinhando o fato de que Shvetaketu, como tudo o mais e todos os demais, era Brâman, "o Tudo". O Brâman era a essência sutil da semente de *banyan*, da qual cresce uma árvore gigantesca — apesar de ser praticamente invisível — assim como o atmã de cada ser humano individual.

As disciplinas upanixádicas tornavam os iniciados conscientes de que todas as criaturas, por compartilharem o mesmo núcleo sagrado, estavam profundamente interligadas. Isso é que tornava a prática da não violência essencial. Mas quase todas as pessoas, explicava Uddalaka a Shvetaketu, eram cegas para essa realidade. Julgavam-se únicas e se apegavam às particularidades que as tornavam tão preciosas e interessantes. Mas essas características, insistia Uddalaka, não eram mais duráveis ou significativas do que os rios que correm para o mar. Quando os rios se fundem, passam a ser "apenas o oceano" e já não gritam: "Sou este rio!" ou "Sou aquele rio!". Independentemente do que somos — tigres, lobos, pessoas ou mosquitos —, todos nos fundimos *nisto*, porque *isto* é tudo que afinal podemos ser. Temos que abrir mão do nosso eu em *kenosis*, pois nos apegarmos com tenacidade a esse eu fictício é uma ilusão que resulta em dor e confusão, as quais só podemos evitar adquirindo o "conhecimento" profundo, libertador de que o Brâman é o nosso atmã, a coisa verdadeira que somos.[119]

O método mais comum de adquirir esse "conhecimento", porém, era recitar as palavras da escritura como um mantra. Os Upanixades raramente tentam interpretar essas palavras sagradas, porque a percepção libertadora não é adquirida pela análise verbal. A rigor, a monotonia do exercício paralisa essa atividade analítica, e a prática física de cantar, bem como o controle da respiração que ela exige, introduzia o estudante num modo diferente de consciência.[120] Quatro grandes mantras resumiam o ensinamento upanixádico: "Quem souber portanto 'Eu sou Brâman' [*aham Brahmasmi*] se torna esse Tudo";[121] "*Tat tvam Asi* [Você é Isto]"; "*Ayam atma Brahman*: 'Este eu é Brâman'";[122] e "*Prajnanam Brahman*: 'Sabedoria é Brâman!'".[123] Quando o estudante se tornava visceralmente consciente do som que ressoava por seu corpo, a declaração mântrica se encarnava dentro dele, e estava presente em sua respiração, fala, audição, visão e mente. Conscientizando-se de todas essas "conexões" (*bandhus*), ele sentia o Brâman torná-lo divino, imortal e livre do medo. O sagrado já não era uma realidade distante, porque o absoluto se tornara imanente:

É grande, celestial, e tem forma inconcebível;
Mas parece mais diminuto do que o minuto;
É mais longe do que o mais longe.
Mas está aqui, à mão;
Está bem aqui, dentro desses que veem,
Escondido na cova dos seus corações.[124]

O rishi já não procurava o divino fora de si, mas se voltava para dentro, "pois na realidade cada um desses deuses é criação dele, pois ele é todos esses deuses".[125]

5. Empatia

Em 453 a.C., três famílias chinesas na região de Jin rebelaram-se contra o príncipe local e criaram três estados dissidentes naquele território: Han, Wei e Zhao. Foi o começo de uma era longa e tenebrosa conhecida na China como o período dos Estados Combatentes. Os poderosos estados da periferia da Grande Planície — Chu no sul, Qin no oeste, Qi no norte e os novos "Três Jin" — se digladiavam numa luta renhida pela hegemonia. Durante o processo, foram eliminados um estado depois do outro. Mas foi também um período criativo, porque o horror dessas guerras, travadas agora com mortífera eficácia e respaldadas por recursos abundantes, intensificou a busca de visão religiosa. Novos textos importantes foram produzidos, dos quais alguns se tornariam eminentes escrituras.

Como vimos, os governantes dos grandes "estados combatentes" periféricos não ligavam a mínima para a moderação, o ritual ou o autocontrole. O duque de Wen (446-395 a.C.), governante do novo estado de Wei, era um patrono do conhecimento e apoiou uma escola de literatos para aconselhá-lo em questões de protocolo: Zixia, discípulo de Confúcio, foi um de seus protegidos. Mas os outros governantes "combatentes" achavam o confucionismo ridiculamente idealista e preferiam se aconselhar com novos teóricos militares (*xie*), que percorriam o interior, dispostos a trabalhar para qualquer um em troca de um bom salário. Milhares de camponeses foram recrutados para a infantaria, agora incumbida da pior parte da luta. Nos velhos tempos, quando da guerra ritualizada, matar mulheres, crianças e velhos era considerado pouco cavalheiresco, mas agora numerosíssimas baixas civis eram rotina.

No começo do século IV a.C., porém, um desses *xie* peripatéticos começou a pregar uma mensagem radical de não violência. Chamava-se Mozi, "Mestre Mo" (*c.* 480-390 a.C.).[1] Não sabemos quase nada a seu respeito. Parece ter sido o líder de uma confraria disciplinada de 180 homens, que intervinha em campanhas militares para defender as cidades mais vulneráveis. Na realidade, Mozi dedicou nove capítulos de seu livro a estratégias de defesa e à construção de armas de cerco para proteger as muralhas das cidades. Como os *Analectos*, o *Mozi* era uma obra compostas de várias partes, desenvolvida ao longo do tempo; suas seções sobre lógica e ciência militar provavelmente foram compostas bem mais tarde.[2] Não se tornaria um dos Clássicos chineses, mas durante o período dos Estados Combatentes o moísmo e o confucionismo foram as escolas filosóficas de maior destaque, guardando distância do Estado enquanto assistiam àquele mundo marchar rumo à catástrofe. O *Mozi* mostra ainda que os ideais de empatia e compaixão não se limitavam aos literatos confucionistas, mas que também eram pregados, embora com uma diferença de ênfase, por seus principais detratores, os *xie*.

Nos principais capítulos de seu livro, Mozi desenvolve um ataque obstinado contra os confucionistas, os "literatos" ou *ru*; ele repudiava o duque de Zhou e se irritava terrivelmente com os elaborados rituais da nobreza, sobretudo os dispendiosos funerais e o luto de três anos. Os aristocratas tinham condições de bancar esse tipo de coisa, mas um trabalhador estaria falido se fizesse o mesmo, e esses costumes absurdos, caso fossem adotados por todos, arrasariam a economia, enfraquecendo, portanto, o Estado.[3] Mas Mozi aprovava os Reis Sábios, que, acreditava ele, não participavam desses disparates. Seu preferido era Yu, protegido de Shun, homem prático que trabalhara dia e noite para desenvolver uma tecnologia contra inundações. Mozi citava também um texto antigo sobre Yao para justificar seu desprezo por elaborados ritos funerários. Quando Yao morreu, o corpo foi enrolado em três pedaços de pano e posto dentro de um caixão simples, sem choradeira durante o sepultamento.[4] Citava as escrituras Zhou para dar mais autoridade ao argumento, notando que, em uma das *Odes*, o Céu elogiava o rei Wen pela simplicidade de sua vida.

Apesar de afamado, você não faz ostentação
Apesar de líder da sua terra, você não muda.[5]

Mozi, no entanto, preferia chamar o Céu de "Deus". A aristocracia se preocupara em cultivar um conceito impessoal do divino, mas Mozi provavelmente refletia as ideias dos *min*, a "arraia-miúda", que adoravam o Céu como uma divindade pessoal. Mais importante ainda, afirmava, as escrituras Zhou concordavam com ele. A *Ode* não dizia: "O rei Wen sobe e desce à esquerda e à direita de Deus"?[6]

Dentre os eruditos dos Estados Combatentes, Mozi é único no que se refere ao entusiasmo pela palavra escrita: lembrava com insistência que as *Odes* tinham sido registradas por escrito:[7]

> Essas proezas foram registradas em bambu e seda, gravadas em metal e pedra, inscritas em tigelas e bacias e transmitidas à posteridade nas gerações seguintes. Por que se fez isso? Para que os homens soubessem que esses governantes amaram e beneficiaram outras pessoas, e obedeceram à vontade do Céu, e foram recompensados pelo Céu.[8]

Por terem os Reis Sábios gravado esses textos, preservando-os para a posteridade, Mozi e sua geração podiam corrigir as falsas alegações dos *ru*. Exasperavam-no em especial a preocupação dos confucionistas com a família e a reverência filial — esse espírito de clã, acreditava ele, era a causa de muitos problemas sociais. Em vez disso, Mozi pregava o *jian ai*, que costuma ser traduzido como "amor universal", o que, provavelmente, é uma expressão emotiva demais para o pragmático Mozi.[9] Uma tradução melhor seria "preocupação com todo mundo". "Os outros devem ser vistos como iguais ao eu", insistia Mozi; a boa vontade e a empatia não podem ficar confinadas ao círculo de amigos e parentes, mas, antes, devem ser "abrangentes, sem excluir ninguém".[10] Os chineses só parariam de matar uns aos outros caso se dedicassem a cultivar o *jian ai*: "Se os homens olhassem para a situação dos outros como olham para a própria situação, quem mobilizaria seu Estado para atacar um Estado alheio? Seria como atacar o próprio Estado". Dessa maneira, concluía Mozi, "a parcialidade seria substituída pela universalidade".[11]

Aquela era mais uma tentativa de superar o tribalismo inerente à natureza humana e desenvolver uma atitude mais universal. Para dar autoridade a seus ensinamentos, Mozi citava uma seção, hoje perdida, dos *Documentos*: "O rei Wen era como o sol e a lua, derramando sua luz nos quatro cantos e sobre a terra ocidental". Dessa maneira, comentava Mozi, sua benevolência "resplandecia sobre o mundo inteiro, sem parcialidade".[12] Citava também as *Odes*: "Largo, largo é o caminho do rei, nem parcial nem partidário".[13] As *Odes* e os *Documentos* que Mozi conhecia eram diferentes das versões existentes, pois muitos textos se perderam na turbulência da era dos Estados Combatentes. Mas naquela época os chineses sem dúvida usavam esses escritos, então já com mais de quinhentos anos, como escrituras, recorrendo a eles para endossar e iluminar preocupações da época e investi-las das mais altas esperanças e dos mais elevados ideais.

Apesar da trágica violência da época, a China passava por uma surpreendente transformação política e econômica. Durante o século IV a.C., os chineses aprenderam a fundir o ferro e, com suas resistentes ferramentas de ferro, limparam uma quantidade imensa de terras de floresta: como resultado, as colheitas aumentaram e houve um rápido crescimento populacional. Uma nova classe de comerciantes, trabalhando em estreita colaboração com os governantes, construiu fundições, escavou minas e estabeleceu grandes impérios comerciais. As cidades deixaram de ser basicamente redutos de culto religioso para se tornarem movimentados centros de comércio e indústria.[14] Muitos viam com satisfação essas mudanças, mas havia quem as achasse perturbadoras. Cada vez mais a política refletia o astuto pragmatismo do éthos comercial em desenvolvimento. Os *Ritos* tinham insistido com os reis para confiarem na "virtude" (*de*) do cargo, como Yao, e "não fazerem nada" (*wu wei*). Mas os novos governantes aplicavam com veemência suas políticas, e o rei de Wei substituiu a aristocracia hereditária por um funcionalismo público assalariado. Ministros medíocres agora podiam ser sumariamente executados ou mandados para o exílio.

Era inevitável que essas mudanças causassem transtorno social. A economia das aldeias sofria danos quando camponeses eram recrutados para o exército e quando os governantes usurpavam a terra onde os camponeses tradicionalmente pescavam, caçavam e apanhavam lenha. Muita gente era posta para trabalhar nas novas fábricas e minas. Substituídas por funcionários assalariados, algumas famílias aristocráticas se tornaram irrelevantes, perderam influência e decaíram. Enquanto o mundo se transformava, havia quem buscasse novas respostas, enquanto outros apenas se retiravam da vida urbana. No Mediterrâneo, mais ou menos na mesma época, os atenienses desenvolviam a democracia como antídoto contra o governo autoritário, mas na China o impulso antiautoritário se expressava na rejeição indiscriminada da atividade política. Convencidos de que a única solução era abolir o governo, alguns filósofos simplesmente abandonaram as cidades e foram para a floresta.[15] Esses eremitas representaram a primeira fase do taoismo filosófico.

Seu herói era Shen Nong, um dos míticos Reis Sábios, que tinha precedido Yao e Shun no início dos tempos e inventado a agricultura.[16] Os taoistas afirmavam que, em vez de centralizar seu império, Shen Nung havia permitido aos feudos continuarem autônomos e, em vez de aterrorizar e explorar o povo, governava "não fazendo nada" (*wu-wei*). Os taoistas achavam que pôr a própria existência em perigo era desafiar o Céu, que atribuíra aos humanos um tempo de vida determinado, e que, portanto, agora que a vida política se tornava perigosa, era um erro querer exercer um cargo. Nas últimas seções dos *Analectos*, provavelmente compostas em meados do século IV a.C., vemos Confúcio discutindo com eremitas, os chamados "homens que fogem do mundo" (*yin-zhe*), que zombavam dele por seu "propósito frustrado" de tentar salvar a sociedade.[17] Esses anacoretas desenvolveram uma filosofia para justificar seu retiro, e o primeiro deles foi Yangzi ("Mestre Yang"). As referências cronológicas a seu respeito são incertas e ele não deixou textos; contudo, fragmentos de seus ensinamentos sobreviveram em obras posteriores. O grande filósofo confucionista Mêncio (361-288 a.C.) resumiu a filosofia de Yangzi no lema "Cada um por si"[18] e a descartou como puro egoísmo, afirmando que Yangzi dizia que, "Ainda que pudesse beneficiar o império apenas arrancando um fio de cabelo, não o faria".[19] É quase certo que se trata, aqui, de uma distorção das palavras de Yangzi. O que ele quis dizer, provavelmente, é que não trocaria um único fio de cabelo por todos os prazeres do império. Outros afirmavam que Yangzi "dava valor ao eu" ou que "desprezava bens e dava valor à vida". Para ele, a vida era tão preciosa que nem toda a riqueza do mundo se comparava a ela; por isso, preservá-la era um dever sagrado.[20] Mais tarde, os taoistas fariam eco a esses sentimentos.[21] É fácil rejeitar os yanguistas, tomando-os como hippies hedonistas, mas não há dúvida de que eles incomodaram seus contemporâneos. Além disso, até mesmo seus detratores reconheciam que, ao passo que os estados combatentes desenvolviam fortes ideologias políticas, a determinação destes de obrigar as pessoas a se adaptarem a uma norma antinatural parecia igualmente pouco realista. É possível, portanto, que os primeiros yanguistas estivessem se esforçando para alcançar uma compreensão mais profunda dos limites do despotismo e do governo totalitário.[22]

O yanguismo era muito discutido na Academia Jixia, fundada pelos governantes de Qi. Os confucionistas ficaram bastante perturbados com o novo movimento. Se Yangzi tivesse razão, os Reis Sábios, que haviam sofrido provações por amor ao povo, tinham sido tolos. Como poderia o mundo se aperfeiçoar se os seres humanos eram fundamentalmente egoístas? Seria o ideal confuciano, de cultivo pessoal, perverso e contra a natureza? Dois eruditos da academia chegaram a conclusões radicalmente diferentes. Um deles era Shen Dao (*c.* 350-275 a.C.), fundador de uma escola conhecida como "legalismo", que, na era dos Estados Combatentes, via as novas instituições como uma manifestação do Caminho do Céu que não podia ser impedida por meros humanos: o governante tinha de praticar o *wu wei* e evitar qualquer intervenção pessoal no governo que pudesse atrapalhar o funcionamento mecânico do sistema. Ideias legalistas já tinham sido postas em prática em Qi pelo Senhor Shang (m. 338 a.C.), que rejeitava tanto os Reis Sábios quanto o governo compassivo. Seu único objetivo era o enriquecimento do Estado e o fortalecimento de sua capacidade militar.[23] A moralidade do governante era irrelevante — na verdade, um sábio virtuoso, acreditava Shang, seria um desastre como rei. O legalismo fez de Qin o estado mais poderoso da China e, mais tarde, se constituiria como uma importante ideologia no império chinês.

Contudo, Mêncio, também da academia, estava convencido de que o confucionismo era o único jeito de andar para a frente, e seu livro se tornou um dos mais importantes Clássicos chineses.[24] Como Confúcio, ele não conseguiu influenciar nenhum governante em sua época, mas tinha uma convicção quase messiânica acerca da importância da sua missão. Calculava que um verdadeiro rei aparecia a cada quinhentos anos, mas já fazia setecentos anos que os Zhou tinham fundado sua dinastia: "Jamais a aparição de um verdadeiro rei atrasou tanto", lamentava ele, "e nunca antes havia o povo sofrido desse modo, sob um governo tirânico". Mêncio, porém, estava convencido de que, se um governante enfim estabelecesse um governo benévolo, "o povo se alegraria como se tivesse deixado de viver pendurado pelos calcanhares" e correria, em massa, para o seu Estado. Respaldou a afirmação citando Confúcio: "A influência da virtude se difunde mais rápido do que uma ordem transmitida pelo sistema de postas".[25]

Como Confúcio, Mêncio não foi o autor do próprio livro, que é também uma antologia compilada por discípulos que pretendiam registrar suas discussões com alunos, reis e adversários. Diferentemente das concisas declarações dos *Analectos*, porém, Mêncio desenvolve seus argumentos em pormenores. Como Mozi, Mêncio cita os *Documentos* e as *Odes* para dar autoridade escritural a suas ideias, mas incluía também Confúcio entre essas autoridades. O confucionismo não era um movimento poderoso, popular, nem tampouco unificado — havia cerca de oito escolas "confucionistas", cada uma com visões agudamente divergentes —,[26] mas Mêncio era imensamente otimista quanto a seu potencial. O mundo tinha mudado desde os tempos de Confúcio, por isso Mêncio não se apegava servilmente às ideias do Mestre, mas, sem nenhum escrúpulo, as adaptava ao presente. Enquanto Confúcio tinha uma compreensão abrangente e mística a respeito do *ren*, Mêncio reduzia seu significado a "benevolência"; enquanto Confúcio almejava reviver o idealismo dos Reis Sábios, Mêncio desejava apenas reforma política e econômica.

Nessa época de progresso tecnológico, em vez de elogiar a expertise ritual de Yao e Shun, como fizera Confúcio, Mêncio os estimava sobremaneira como homens práticos, de ação. Além disso, ressaltou que, ao contrário dos reis cruéis da época dele, os dois tinham sido motivados pela compaixão, sentindo o sofrimento do povo como se fosse deles. Quando a Grande Planície foi arrasada por uma desastrosa enchente, Yao "foi tomado de ansiedade", e esse desconforto lhe inspirou não *wu wei*, mas inovação tecnológica.[27] Abriu canais para que a água pudesse correr ao mar e a terra se tornasse habitável. Yu, principal ministro de Shun, tinha passado oito anos dragando os rios, aprofundando seus leitos e construindo diques, e em todo esse tempo, apesar de recém-casado, não dormiu uma única noite em casa.[28] Para Mêncio, o primeiro sinal da sabedoria incipiente em Yao, Shun e Yu havia sido uma empática preocupação com o povo. Todos tinham "um coração sensível à dor alheia [...] e isso se manifestava em governo compassivo". Governavam por *ren*, que Mêncio definia como "a extensão do nosso escopo de atividade, para incluir outros".[29] O homem de *ren* não agia simplesmente em benefício próprio, mas se conscientizava, bondosamente, das necessidades e dos direitos dos demais.

A compaixão, para Mêncio, era um impulso natural, profundamente arraigado na natureza humana. Todos, sem exceção, tinham quatro "impulsos" (*tuan*) fundamentais, tão indispensáveis à nossa humanidade como braços e pernas, e, se devidamente cultivados, desabrochariam nas quatro virtudes cardeais: bondade (*ren*), justiça, cortesia e a capacidade de distinguir o certo do errado. Um homem que vê uma criança à beira de um poço, prestes a cair, corre instintivamente para salvá-la. Alguma coisa estaria de todo ausente em um indivíduo que, sem um tremor de inquietação, pudesse ficar apenas assistindo enquanto a criança caía e morria. Da mesma forma, uma pessoa que não sabe o que é sentir vergonha, ou que não tem um senso, ainda que rudimentar, do que é certo e o que é errado, é um ser humano defeituoso. É possível inibir esses "impulsos" — assim como é possível nos mutilarmos, ou nos deformarmos —, mas, se devidamente incentivados, eles adquirem uma dinâmica própria, "como o fogo, quando se acende, ou a fonte quando irrompe". Um *junzi* que desenvolvesse plenamente esse instinto de empatia seria capaz de salvar o mundo.[30]

Não havia nada de sobrenatural no confucionismo de Mêncio, nem infusão de graça divina. O *junzi* simplesmente revelava um potencial inerente a todos. Como dizia Mêncio, o *junzi* adquiria seu carisma moral alinhando-se com o Céu e a Terra, os ritmos fundamentais que governam o universo, e assim, naturalmente, exercia profunda influência em todos que encontrava: "Um *junzi* opera transformações por onde passa e maravilhas onde vive. Segue a mesma correnteza que, acima dele, o Céu e, abaixo, a Terra. É possível dizer que ele traz pouco benefício?".[31] Confúcio acreditava que a sapiência só tinha sido alcançada pelos grandes reis do passado distante. Mas Mêncio afirmava que ela estava ao alcance de qualquer um, aqui e agora: qualquer um poderia ser como Yao e Shun. "Se usa as roupas de Yao, fala as palavras de Yao e comporta-se como Yao", afirmava Mêncio, "então você é um Yao."[32] O Tao, o Caminho do Céu, não era uma regra externa, imposta de fora para dentro, mas uma coisa que descobrimos dentro de nós mesmos através da ação compassiva de todos os dias, de todas as horas, e da prática da Regra de Ouro, que torna o *junzi* consciente de sua profunda conexão com todas as coisas.

> Todas as dez mil coisas estão em mim. Não há alegria maior para mim do que descobrir, pelo exame, que sou verdadeiro comigo mesmo. Se tentar fazer o possível para tratar os outros como gostaria de ser tratado, vai descobrir que este é o caminho mais curto para alcançar a humanidade [*ren*].[33]

Com grande frequência, porém, a pessoa perde contato com essa sabedoria inerente e "permite que o coração se extravie". A única maneira de recuperar o coração perdido é a "aprendizagem" (*xie*), que não consiste em estudar doutrinas complexas, mas no aperfeiçoamento disciplinado de nossa humanidade.[34]

Transformação e sabedoria, portanto, estão ao alcance de todos. Podem ser adquiridas pelo conhecimento tácito que vem com o ritual: o termo "cultivo de si mesmo" (*xie shen*) significa, literalmente, "cultivo do corpo".[35] Observando *li*, aprendemos a ficar em pé, a nos movimentarmos, a comer, a refinar nosso eu ordinário e inspirar outros a fazerem o mesmo. Mêncio lembrava que Shun tinha sido criado no campo, entre porcos e veados, mas que, ao conhecer a fala graciosa e a ação ritual da corte de Yao, o efeito sobre ele foi arrebatador: "Foi como água causando uma ruptura nos diques do Yangtze, ou do rio Amarelo. Nada era capaz de resistir".[36] A observância meticulosa dos ritos permitia ao *junzi* assimilar de tal maneira a compaixão que ele se transformava por completo, com *ren* manifestando-se "em seu rosto, dando-lhe uma aparência lustrosa. Também se mostrava em suas costas e estendia-se para seus membros, tornando a mensagem deles inteligível mesmo sem palavras".[37] O verdadeiro insight, acreditava Mêncio, era adquirido mais pelo exemplo silencioso do que pelas palavras. Em sua lista dos cinco modos de educação, o ensinamento verbal vem em penúltimo lugar:

> Um *junzi* ensina de cinco maneiras. A primeira é pela influência transformadora, como a da chuva oportuna. A segunda é ajudando o aluno a perceber plenamente sua virtude. A terceira é ajudando-o a desenvolver seu talento. A quarta é respondendo às suas perguntas. A quinta é dando um exemplo que outros, que não estejam em contato com ele, possam imitar.[38]

Mêncio lamentava o estilo pedante e agressivo do debate religioso contemporâneo: moístas e yanguistas viviam tentando impor seus ensinamentos a outros. Mas, não sem algum pesar, admitia que naqueles tempos difíceis ele às vezes recorria a esse tipo de disputa para "corrigir o coração dos homens [...] e banir opiniões excessivas".[39]

Então fez uma afirmação surpreendente. Disse que Confúcio também tinha se sentido compelido a corrigir os erros do seu tempo, e por isso compôs os *Anais de Primavera e Outono*, que "aterrorizaram os corações de súditos rebeldes e filhos irreverentes" e trouxeram alguma paz à sociedade chinesa.[40] Eruditos acreditam que os *Anais* pudessem ter se originado de uma prática antiga, que talvez datasse do século IX a.C.: aparentemente, todo dia, ao longo do ano, eram anunciados aos reis Zhou e seus ancestrais, no templo ancestral, breves relatos sobre assuntos então em voga. Por que Mêncio atribuiria esses anúncios a Confúcio? De início, explicou ele, os reis Zhou tinham supervisionado a escrita da história, mas funcionários haviam sido enviados a aldeias para coletar as canções dos *min*, que costumavam ser distribuídas para o restante da população, assegurando que a voz da "arraia-miúda" fosse ouvida. Mas reis posteriores tinham suspendido esse costume, deixando de corresponder ao Mandato do Céu. Assim, Confúcio se sentiu na obrigação de escrever os *Anais* para denunciar a tirania e a corrupção da sua época:[41]

> Havia casos de regicídio e parricídio. Confúcio estava apreensivo e compôs os *Anais de Primavera e Outono*. Em termos estritos, essa era uma prerrogativa do imperador. É por isso que Confúcio disse: "Os que me compreendem, me compreendem graças aos *Anais de Primavera e Outono*; os que me condenam, me condenam por causa dos *Anais de Primavera e Outono*".[42]

O sábio tinha o dever de enfrentar os problemas de sua época. Os antigos Reis Sábios haviam adotado medidas práticas depois da inundação; o duque de Zhou restaurara a estabilidade após a conquista, ao subjugar os bárbaros; e Confúcio purificara corações e mentes ao compor uma escritura. Ainda que Confúcio tenha declarado explicitamente que jamais compusera uma obra original, e que se limitara a transmitir a sabedoria dos antigos, acreditava-se que era ele o autor dos *Anais*, o que fez desse texto enigmático uma importante escritura chinesa.

Pelo fim do século v a.C., as antigas chefaturas arianas na região do Ganges oriental tinham sido absorvidas pelos grandes reinos, em constante expansão, que se desenvolveram ao longo do rio: Koshala no norte, Kashi e Magadha no sul. A leste, várias "repúblicas" emergiram — Malla, Koliya, Videha, Vajji, Shakya e Licchavi —, governadas por assembleias (*sangha*) de aristocratas. A urbanização viu surgir uma classe de comerciantes, formada por vaixás e sudras, que já não se encaixava claramente no velho sistema de classes. A vida urbana estimulava a inovação e a experimentação em questões práticas e também religiosas. Mas ao mesmo tempo sofria os efeitos negativos do superpovoamento, da doença e da morte. Muitos se incomodavam com a violência e a crueldade desse novo mundo, onde reis podiam impor sua vontade ao povo e a economia era movida pela ganância. Achavam a vida cada vez mais *dukkha* — "insatisfatória", "deformada", "errada".

A rapidez desses acontecimentos despertara nos habitantes das cidades uma aguda consciência do ritmo das mudanças. No interior, onde a vida era governada pelas estações, todos faziam as mesmas coisas, ano após ano. Mas nas cidades, onde a vida se transformava rapidamente, as pessoas viam que suas "ações" (*karma*) podiam ter consequências de longo prazo. Uma nova ideia religiosa começara a surtir efeitos na Índia. O tradicional rito de sacrifício dizia que qualquer um que realizasse com perfeição um determinado número de sacrifícios conquistaria cadeira cativa no mundo dos deuses. Mas as pessoas rapidamente perdiam a fé na eficácia desses rituais elaborados, que tomavam muito tempo e pareciam fora de sintonia com o ritmo da vida urbana. Pelo fim do século v a.C., acreditava-se que todos, sem exceção, precisariam retornar muitas vezes a este mundo de doenças, dores e mortes; não só teriam de sofrer uma morte traumática, mas também deveriam suportar, reiteradas vezes, a doença, a velhice e a morte, sem esperança de libertação final. Após a morte, homens, mulheres e animais renasceriam na terra numa nova condição, determinada pela qualidade de suas ações na vida anterior. Um carma ruim faria alguém renascer como escravo, animal ou planta; um bom carma significava a possibilidade de vir a ser rei, ou mesmo deus, na oportunidade seguinte. Mas até um deus acabaria consumindo o bom carma que o divinizara. Quando isso acontecesse, ele morreria para renascer numa posição menos vantajosa aqui na terra. Todos os seres, portanto, estavam presos a um ciclo infinito de *samsara* ("sempre em movimento"), que os impulsionava de uma vida para outra.[43]

As pessoas ansiavam por novas soluções e, cada vez mais, os "renunciantes" se tornavam os heróis do momento. Já no século VII a.C., alguns sacrificadores, que tinham feito a viagem ritualizada para o céu, como determinavam os Brâmanas, relutavam em retornar à vida profana depois do ritual. Preferiam permanecer no mundo do Brâman e abandonar a existência profana, deixando para trás a família e retirando-se para as florestas, onde levavam uma vida árdua, na qual não eram donos de nada e mendigavam comida. Alguns viviam em comunidades, cuidando do tradicional fogo sagrado; outros eram hostis ao culto oficial.[44] No dia em que saía de casa, o renunciante jogava uma última oferenda no fogo e depois o apagava; partia então atrás de um guru para iniciá-lo na vida de "sábio calado" (*muni*), em busca de uma "iluminação" (*yathabhuta*) que era um "despertar" para o seu eu mais verdadeiro e autêntico.[45] Pelo século V a.C., os "renunciantes" eram os principais agentes de mudança religiosa na Índia.[46]

Muitas escolas ascéticas surgiram, sempre em torno de um mestre que prometia a libertação (*moksha*) do *samsara*. Sabemos pouco sobre essas escolas, mas, aparentemente, todos os renunciantes faziam quatro votos, prometendo não matar e abster-se da mentira, do roubo e do sexo. Pareciam aprender que a vida era de fato *dukkha*, mas que certas formas de ascetismo ou meditação poderiam nos libertar do desejo que nos compelia a agir e consequentemente nos mantinha presos ao *samsara*. Não havia escrituras complexas para memorizar, porque o "ensinamento" era baseado na experiência pessoal de um guru. Se o ensinamento do guru nos servisse, alcançávamos a *moksha*; se não, bastava procurarmos outro mestre.

Mas duas dessas escolas acabaram produzindo escrituras importantes. Curiosamente, seus fundadores vieram ambos das "repúblicas" tribais menos dominadas pelas antigas ideias védicas. O primeiro deles era Vardhamana Jnanatraputra (497-425 a.C.), cujos discípulos passaram a chamá-lo de Mahavira ("Grande Homem"), título dado costumeiramente a guerreiros intrépidos.[47] Não sabemos quase nada de sua vida, uma vez que nossas fontes mais antigas datam apenas dos séculos II e I a.C. Ao que tudo indica, ele era filho de um chefe de clã xátria, estava destinado à carreira militar, mas aos trinta anos se tornou renunciante e por doze anos esforçou-se sozinho, sem a ajuda de um guru, para alcançar a *moksha*, jejuando, privando-se de sono e expondo o corpo nu ao calor tórrido do verão e ao frio do inverno. Mas não foi esse regime draconiano que lhe trouxe a iluminação; na verdade, ele alcançou a *moksha* ao desenvolver um novo jeito de ver o mundo que subvertia o éthos marcial do começo de sua vida.

Seu insight pode ser resumido numa só palavra: *ahimsa* — "inofensividade", "não violência".[48] Todo ser humano, animal, planta ou inseto, sem exceção — até mesmo uma gota d'água ou uma pedra —, tinha uma *jiva* presa dentro de si, uma entidade viva que era luminosa e inteligente, e tinha chegado a seu estado atual pelo carma acumulado de vidas anteriores. Cada entidade, portanto, precisava ser tratada com bondade, consideração e respeito, porque, como os seres humanos, tinha o potencial de renascer numa condição melhor. Para homens e mulheres, a *moksha* só era possível se não maltratassem as outras criaturas:

> Nenhum ser que respire, exista, viva, sinta deveria ser morto, nem tratado com violência, nem abusado, nem atormentado, nem afugentado. Esta é uma lei pura, imutável, eterna, que os inteligentes, que compreendem o mundo, proclamam.[49]

Mahavira conseguiu a transformação que buscava quando se identificou, empaticamente, com o sofrimento de cada ente do planeta. Ele tinha deixado a dor, o tormento e o terror experimentados por outras criaturas como ele penetrarem em seu próprio ser, e foi por meio dessa compaixão disciplinada que ele se tornou *jina*, "conquistador" espiritual.

Mahavira, após muito esforço, tinha eliminado o escudo que construímos instintivamente para nos proteger do desconforto de testemunhar o sofrimento alheio.[50] Ao concentrar-se tão intensamente nas dificuldades de cada criatura, ele encontrou numa *kenosis* que colocava seu eu de lado. Mahavira tinha alcançado o que as escrituras jainistas chamam de "onisciência" (*kevala*), possibilitando-lhe ver simultaneamente todos os níveis de realidade, em todas as dimensões de tempo e espaço. Era um estado mental inefável e indefinível, do qual "as palavras retornam em vão, sobre o qual nenhuma afirmação pode ser feita e que a mente não pode alcançar".[51] Consistia, simplesmente, em absoluta cordialidade e reverência por tudo e por todos.

Repete-se com frequência que o jainismo é ateísta. Certamente, não tem nenhum conceito ao estilo ocidental de hoje, de um deus que supervisiona o cosmo; para Mahavira, um deva era simplesmente um ser que alcançara a divindade honrando a essência sagrada de cada criatura. Além disso, Mahavira estava convencido de que qualquer um que seguisse seu regime automaticamente sacralizaria sua humanidade, tornando-se um "Grande Homem". Mais tarde, os jainistas desenvolveriam uma complexa cosmologia que via o carma como uma forma de matéria fina, como a poeira, que sobrecarregava a alma. Eles veriam em Mahavira apenas mais um representante da longa fila de "fabricantes de vaus" (Tirthankara), que tinha atravessado o rio do *dukkha* e pregava a *ahimsa*. Mas os primeiros textos jainistas não apresentam nenhum sinal dessas doutrinas, apesar de se referirem aos "inteligentes" que tinham pregado a *ahimsa* no passado. Aparentemente, Mahavira acreditava que o caminho para a iluminação era a *ahimsa*, nada mais.

Os jainistas estavam convencidos de que os seres humanos eram definidos não por sua classe védica, mas por suas ações.[52] Eles não se interessavam pelos Vedas e não os consideravam divinamente inspirados. Condenavam o ritualismo dos Brâmanas como a "ciência da violência" — seus textos e mantras não neutralizavam a crueldade presente no sacrifício do gado desafortunado.[53] Desenvolveram rituais próprios, muito mais importantes para eles do que a escritura, posto que lhes permitiam adquirir a perturbadora consciência de que tudo ao redor — até mesmo objetos aparentemente inertes — tinha uma *jiva* capaz de sofrimento. Os jainistas, portanto, sempre andavam com absoluta cautela, para não pisar sem querer num inseto, punham os objetos no lugar com extremo cuidado e jamais se movimentavam no escuro, para não esmagar, inadvertidamente, outras criaturas. Como todos os renunciantes, os jainistas faziam os quatro votos — de não matar, não mentir, não roubar e não fazer sexo —, mas acrescentavam elementos que estimulavam o hábito da empatia. O jainista ou a jainista (o jainismo admitia mulheres em sua *sangha*) não só evitava a mentira como jamais falava com indelicadeza ou impaciência. Não bastava abster-se de roubar: os jainistas eram proibidos de possuir qualquer objeto que fosse, pois cada coisa tinha uma *jiva*, que era soberana e livre.[54]

Em vez de passar horas e horas praticando ioga, como outros renunciantes, os jainistas desenvolveram uma forma própria de meditação, em pé, sem se mexer, na postura dos fabricantes de vaus: os braços estendidos rente ao corpo, sistematicamente suprimindo qualquer pensamento e impulso hostil e, ao mesmo tempo, fazendo um esforço consciente para encher a mente de amor e bondade por todas as criaturas.[55] Os jainistas experientes procuravam atingir um estágio a que chamavam de *samakiya* ("serenidade"), no qual *sabiam*, em cada nível do ser, que todos os objetos, animais e pessoas tinham o mesmo status e compreendiam qual era sua responsabilidade para com toda criatura, mesmo a mais reles e desagradável.

O nível de exigência do ritual jainista era tamanho que sobrava pouco tempo para escritura. Os jainistas não sentiam o divino em seus textos sagrados, mas cultivavam uma consciência da sacralidade de todas as coisas. Ao longo dos séculos, desenvolveram uma atitude ambivalente em relação à escritura. Também achavam que ela poderia ajudar os não iluminados, conscientizando-os da importância da *ahimsa*, mas, depois que a pessoa se empenhava em seguir o caminho jainista, as escrituras deixavam de ter papel significativo. A maioria dos jainistas não demonstrava muita vontade de lê-las. A rigor, para o não iniciado a escritura poderia ser perigosa.[56] Até hoje as seitas jainistas não permitem que o laicato leia suas escrituras, e as monjas jainistas só têm acesso a antologias de citações cuidadosamente selecionadas. Há, da parte deles, um temor de que as pessoas, só por terem compreendido intelectualmente uma mensagem, achem que já a dominam.[57]

O termo jainista mais próximo do conceito de "escritura" é *agama*, a "vinda" de um conjunto de doutrinas, transmitidas ao longo de uma linhagem de professores confiáveis, pessoas "iluminadas" que descobriram a verdade da *ahimsa*. *Agama* é resumida nesta declaração muito repetida: "Aquele que é Digno enuncia o significado, então os discípulos formam o texto sagrado [*sutta*] e, em seguida, o texto sagrado prossegue, para o bem da doutrina".[58] O significado de um texto é, portanto, separado de suas palavras. Além disso, *sutta* significa "indicação" — uma coisa que se limita a sugerir ou apontar para o significado, o qual só é totalmente comunicado por um professor idôneo.[59] Vemos esse processo de três camadas funcionando na história de Mahavira. Depois da iluminação, consta que ele pregou no santuário de um espírito de árvore para o rei e a rainha de Champa e uma grande multidão de ascetas, deuses, leigos e animais. Mais tarde, discípulos de Mahavira, que ouviram o sermão, transmitiram a mensagem oralmente, de modo que ela se tornou um *sutta*. Mas isso era apenas uma "indicação" das palavras de Mahavira. Ele enunciara uma verdade eterna, imutável, que, como o próprio universo, não teve começo e já havia sido pregada para "iluminados" em eras anteriores. Assim, o *sutta* não registra as palavras verdadeiramente ditas por Mahavira, mas, antes, consiste apenas em um comentário de sua mensagem.

Isso talvez explique a forte convicção jainista de que suas escrituras estão incompletas e que importantes verdades foram extraviadas — tema encontrado também em outras tradições. Cada um dos 24 fabricantes de vaus, dizia-se, tinha pregado a doutrina da *ahimsa* para seu próprio grupo de discípulos, e a cada vez os discípulos tinham registrado seus ensinamentos em catorze escrituras. Mas — tragicamente —, após a morte de cada fabricante de vaus, os discípulos responsáveis pela transmissão dos ensinamentos dele morriam durante uma epidemia de fome, de modo que informações cruciais se perderam.[60] Após o passamento de cada fabricante de vau, portanto, os jainistas ficavam sempre com um cânone escritural incompleto. As escrituras remanescentes só foram registradas por escrito no século VI d.C. Alguns jainistas acreditam que as poucas escrituras sobreviventes preservaram as doutrinas menos essenciais e eram destinadas a mulheres e crianças, uma vez que só homens eram capazes de compreender os ensinamentos mais avançados.[61] Jainistas tentaram corrigir a débil transmissão das suas escrituras numa série de concílios (*vacana*). O primeiro foi realizado em meados do século III a.C., em Pataliputra, e o segundo e terceiro se deram durante os séculos IV e V d.C. Uma tradução mais exata de *vacana* é "recitação". Essas assembleias não constavam de debates eruditos; em vez disso, nelas os participantes ouviam monges cantarem as escrituras que haviam memorizado.

O franco reconhecimento, pelos jainistas, da desintegração em curso de sua coleção escritural significa que, para eles, não existe um conceito de cânone definitivo. Quase todo texto de razoável antiguidade pode exercer certo grau de autoridade e, apesar de não ser possível datá-los, poucos deles remontariam à época de Mahavira. Com frequência, esses textos mais recentes são rejeitados por especialistas ocidentais, que os consideram inautênticos e supõem que o *Kalpa Sutra* é uma escritura essencial do jainismo, uma vez que foi preservado em tantos manuscritos ricamente ilustrados. Ele é de fato importante para os jainistas, mas não por registrar as palavras de Mahavira; também não é venerado por sua mensagem, já que pouquíssimos jainistas são capazes de entender o dialeto prácrito arcaico. Seu status depende inteiramente do papel que ele desempenha no festival de Pargushan ("Permanência"), o dia mais importante do ano para jainistas laicos. O evento celebra a chegada da monção, época em que ascetas param de vaguear e se estabelecem entre os laicos, que comemoram sua chegada. O *Kalpa Sutra* é recitado como ato de solidariedade para manter a comunidade unida. Atualmente, no Gujarate, nos primeiros sete dias do festival, quando o comparecimento é pífio, resumos do Sutra são recitados na tradução vernácula. Mas no oitavo dia, quando as multidões aparecem, os monges recitam o Sutra inteiro, no prácrito original, numa velocidade tão estonteante que ninguém — nem mesmo um especialista em prácrito — seria capaz de entender, ao mesmo tempo que, durante a leitura, manuscritos ilustrados do Sutra são exibidos pelas ruas, como objetos de culto.[62] Essa escritura é importante para os jainistas não por conta dos ensinamentos, mas por causa do papel que desempenham no ritual.

A segunda escola de renunciantes que se tornaria uma grande tradição religiosa foi fundada por Siddatta Gotama, contemporâneo mais jovem de Mahavira, conhecido como Buda, ou o "Iluminado". É provável que ele tenha morrido, segundo estimativas de estudos acadêmicos modernos, mais ou menos no ano 400 a.C. Mahavira e Gotama tinham muitas coisas em comum. Ambos eram xátrias (Gotama vinha de uma família aristocrática da república dos Sakka), aceitavam as doutrinas do carma e do renascimento e alcançaram a iluminação sem terem um professor, mas graças apenas aos próprios esforços. Ambos negavam a origem divina dos Vedas e diziam ensinar uma verdade antiga, reconhecida, no passado, pelos "inteligentes": houve múltiplos Budas antes de Gotama, e tanto ele como Mahavira afirmavam que qualquer um poderia atingir esse estado sublime se seguisse o regime correto. Ambos, portanto, fundaram comunidades de discípulos, que eles chamavam de *gana* ("tropa") ou *sangha* ("assembleia") — termos xátrias para as fraternidades guerreiras de jovens e que eram parte da vida ariana tradicional —, mas ambos se abstinham da violência e ressaltavam a importância da compaixão por todas as criaturas.

As escrituras budistas não nos oferecem uma narrativa contínua da vida do Buda, nem nos contam muita coisa sobre sua missão educativa de 45 anos. Mas os primeiros budistas refletiram profundamente a respeito de incidentes pontuais da carreira de Buda, descritos em detalhes nas escrituras em páli — a renúncia da vida em família, a longa luta pelo nirvana, a própria experiência de iluminação, a carreira de ensinamentos e a morte —, pois esses episódios lhes diziam o que era preciso fazer para alcançar a iluminação. Esse chamado à ação dedicada transformou a história da vida do Buda num mito que não buscava narrar com total precisão a biografia de Gotama, mas, sim, revelar uma verdade eterna. O nirvana não era uma meta impossível; fazia parte da nossa natureza humana e poderia ser alcançado por qualquer pessoa que seguisse o exemplo do Buda. Como qualquer mito, seu significado seria impenetrável se não fosse posto em prática a toda hora, todo dia.

Enquanto os jainistas tinham pouco interesse em intricadas técnicas de meditação, o Buda havia atingido o nirvana por meio de uma forma especializada de ioga. As escrituras nos dizem que, depois de sair de casa, ele foi treinado por alguns dos iogues mais competentes da época. Àquela altura, a ioga se tornara uma ciência elaborada com esmero, que possibilitava ao iogue elevar-se a um estado de transcendência ao fazer o oposto do que lhe ocorria naturalmente.[63] Ao praticar *asana*, o iogue se recusava a mexer-se: nosso corpo está em constante movimento — mesmo no sono, nunca estamos imóveis por completo —, por isso, quando se sentava estático, na postura correta, por horas a fio, o iogue mais parecia uma planta do que um ser humano. Ao praticar *pranayama*, ele interrompia as funções corpóreas mais instintivas por meio do controle radical da respiração, e descobria que essa disciplina física provocava sensações de grandiosidade, expansividade e plácida nobreza. Então, estava pronto para *ekagrata*, a concentração "num único ponto". Nossa mente vive em constante fluxo, com ideias e emoções perpassando interminavelmente por nossa consciência. Por isso, o iogue aprendia a concentrar-se num único objeto, valendo-se, para tanto, apenas do intelecto, mantendo os sentidos em repouso e excluindo rigorosamente qualquer emoção ou associação até que ele entrasse em estado de transe (*jhana*), quando se descobria impermeável ao desejo, ao prazer ou à dor. Em fases posteriores, experimentaria uma sensação de infinito e uma percepção de ausência que era, paradoxalmente, uma plenitude. Iogues muito talentosos entravam numa série de "estados meditativos" (*ayatanas*) tão intensos que julgavam ter penetrado no reino dos deuses, porque esses estados não tinham nenhuma relação com nada que houvesse na vida profana; experimentavam uma consciência pura, que só percebia a si mesma.

Gotama, estudante talentoso, rapidamente atingiu esses estados mais elevados; porém, sabendo que ele mesmo os fabricara, não pôde acreditar que fossem, de fato, transcendentes. Quando saiu do transe, descobriu que ainda estava sujeito às paixões ordinárias e que obtivera apenas um breve alívio do *dukkha* da vida cotidiana. O nirvana, concluiu ele, não poderia ser temporário. Assim, ele abandonou a ioga tradicional e se submeteu a um penoso programa ascético que quase o matou. Por fim, admitiu que os métodos estabelecidos não o ajudaram e que, no futuro, confiaria apenas nos próprios instintos. Tomada essa decisão, uma nova solução se revelou para ele.

Gotama recordava um incidente da infância, quando o pai o levou para assistir à primeira lavra ritual dos campos. Deixado sozinho na sombra de uma macieira, o jovem notou que os arados reviraram o capim novo e que os insetos e ovos ali depositados tinham sido destruídos. Sentiu uma aguda tristeza, como se parentes seus tivessem sido mortos. Apesar disso, no surto de empatia, experimentou um *ekstasis* iogue.[64] Então decidiu que a partir daquele momento, quando meditasse, cultivaria apenas emoções "proveitosas" (*kusala*), como a compaixão, excluindo, rigorosamente, estados "contraproducentes" (*akusala*), como a inveja, o ódio ou a cobiça. Passaria a trabalhar com sua humanidade natural, em vez de subvertê-la. A partir dessa lembrança pueril, Gotama desenvolveu uma prática iogue conhecida como "os imensuráveis": ao submergir nas profundezas da mente, em cada estágio do processo evocaria deliberadamente a emoção do amor e a direcionaria para os cantos mais longínquos do mundo, sem omitir desse raio de empatia nem uma só planta, um só animal, um só amigo ou inimigo, até finalmente alcançar um estado de total serenidade. Esse exercício de *kenosis* trouxe-lhe uma percepção que o transformou para sempre e o libertou do ciclo mortal do *samsara*.

Esse insight é tradicionalmente conhecido como as Quatro Nobres Verdades. As três primeiras — que a vida é *dukkha*, que a cobiça e o desejo são a causa de *dukkha* e que a iluminação nos libertaria desse estado — eram conhecidas de quase todos os renunciantes. O verdadeiro avanço estava na quarta verdade. O Buda alegava ter encontrado uma saída do ciclo através de um método que ele batizou de Nobre Caminho Óctuplo, racionalizado num plano de ação triplo: a moralidade (*sila*) cultivava estados *kusala* na fala, na ação e no jeito de viver; a meditação (*samadhi*) era praticada de acordo com disciplinas iogues revisadas por Gotama; e a sabedoria (*prana*) consistia no entendimento correto do Caminho e na determinação de alcançá-lo, incorporando-o diretamente no modo de vida do aspirante.

O budismo é um notável exemplo de trabalho criativo conjunto dos hemisférios direito e esquerdo do cérebro. Os "imensuráveis" de Buda e seu insight transcendente final parecem vindos da visão, a cargo do hemisfério direito, da interconexão de todas as coisas, mas a prescrição budista é "científica" em sua clareza, análise e precisão. Incontáveis budistas tornaram "reais" as Quatro Verdades ao fazerem delas uma realidade na própria vida. Ainda sujeitos à doença, à tristeza e à morte, eles, apesar disso, alcançaram uma serenidade interior que lhes permite viver serenamente com seu sofrimento. Buda sempre insistiu que o nirvana era um estado de todo natural, ao alcance de qualquer pessoa que cultivasse o caminho com o mesmo vigor com que ele o fizera.

Mas o nirvana não foi o fim da história. As escrituras em páli nos dizem que, alcançada a iluminação, o Buda se viu tentado a saborear na solidão aquela paz recém-conquistada. Mas o deus Brâman o convocou a agir, rogando-lhe que "olhasse para a humanidade, que se afoga na dor, e viajasse muito pelo mundo" para ensinar os outros a lidar com o sofrimento.[65] Afinal, foi o cultivo iogue da bondade amorosa que levou Gotama ao nirvana, e isso exigia que ele "retornasse ao mercado" para ajudar os demais. E pelos quarenta anos seguintes ele percorreu incansavelmente cidades grandes e pequenas na região do Ganges, levando seus ensinamentos a deuses, animais, homens e mulheres, exigindo o mesmo de todos os discípulos. "Agora saiam", dizia aos monges que alcançavam a iluminação,

> e viajem pelo bem-estar e pela felicidade do povo, por compaixão pelo mundo, para benefício, bem-estar e felicidade de deuses e homens [...]. Ensinem o darma, monges, e meditem sobre a vida santa. Há seres em cujo interior resta pouco desejo, e que definham por não ouvir o Ensinamento [*dharma*]; eles entenderão.[66]

Enquanto o Buda era vivo, não havia necessidade de escritura, uma vez que ele era um ícone vivente e ambulante dos próprios ensinamentos: "Quem me vê, vê o darma", dizia aos monges, "e quem vê o darma, me vê".[67] Depois da morte dele, parece que os monges passaram a reunir-se quinzenalmente para cantar a *Buddhavacana* ("a Palavra do Buda"), como ato formal de recordação.[68] Segundo a tradição, um ano após a morte do Buda, eles realizaram um concílio em Rajagriha para codificar a primeira coleção de escritura budista. Tal qual os concílios dos jainistas, o dos budistas foi mais uma recitação em que cerca de quinhentos monges cantaram e, dessa maneira, codificaram o darma oficial. Consta que Ananda, que fora um assíduo companheiro do Buda, recitou todos os pronunciamentos deste que ele pôde lembrar, dando a cada um o contexto histórico. Cada *sutta* começa desta forma: "Assim eu [Ananda] ouvi certa vez: O Senhor morava em...". Mais do que preservar as palavras exatas enunciadas por Buda, o objetivo era estabelecer a situação que provocara o ensinamento. Dessa maneira, o teor da mensagem era transmitido, mas os monges podiam variar e modificá-la, valendo-se do contexto histórico original para adaptá-la, no futuro, a diferentes contextos culturais.[69]

Apesar disso, desde o início a própria noção de escritura budista causava inquietação.[70] Alguns monges afirmavam já possuir o necessário para alcançar o nirvana. Citavam as palavras que Buda, pouco antes de morrer, teria dito a Ananda:

> Você talvez esteja pensando, Ananda, que a palavra do Mestre é coisa do passado; agora não temos mais Mestre. Mas não é assim que deve pensar. Deixe que o darma e a disciplina que lhe ensinei sejam seu mestre quando eu tiver partido.[71]

Apesar disso, cerca de cinquenta anos depois do Primeiro Concílio, monges nas regiões orientais do norte da Índia tinham desenvolvido métodos para memorizar os sermões do Buda e as regras minuciosas da Ordem. Adotaram um estilo formal, repetitivo, ainda evidente nos textos escritos, para ajudar na memorização, e dividiram os textos em coletâneas distintas, mas sobrepostas. Certos monges eram incumbidos de decorar uma dessas antologias e de transmiti-la para a geração seguinte. Desenvolveu-se então o *Cânone em Páli*, assim chamado porque foi composto no dialeto norte-indiano, talvez falado pelo Buda. Também era chamado de Tripitaka ("Três Cestos"), pois, quando as escrituras foram enfim registradas por escrito, no século I a.C., categorias diferentes de textos eram guardadas em três receptáculos separados: o Cesto de Discursos (*Sutta Pitaka*) consiste em cinco coleções de *nikayas* ("sermões"); o Cesto de Disciplinas (*Vinaya Pitaka*) contém as regras da ordem monástica; e o Parivara é um conjunto de variadas regras restritas. Mesmo depois de registrados por escrito, porém, os textos continuaram a ser recitados em voz alta e memorizados, para que as escrituras se fixassem na cabeça dos monges.

O *Cânone em Páli* talvez fosse chamado de "a Palavra do Buda", mas também incluía discursos de alguns de seus discípulos mais avançados. De fato, um dos *suttas* afirma que *qualquer* ensinamento que conduza à iluminação é a "palavra do Buda", não importando quem a proferiu.[72] Cerca de trezentos anos depois da morte do Buda, uma seção inteiramente nova, a Abidharma ("Outros Pronunciamentos"), foi acrescentada ao terceiro "cesto", que analisava filosoficamente os ensinamentos originais, revelando novas implicações. Uma vez que a palavra Buda significa apenas "iluminado", Buddhavacana poderia ser proveitosamente traduzida como "ensinamentos iluminados", já que os autores desses textos afirmavam ter alcançado a mesma iluminação de Gotama.[73]

O Buda sempre acreditou que sua tarefa era simplesmente tornar o darma acessível ao maior número possível de pessoas. Nas escrituras em páli, portanto, com frequência o encontramos adaptando ensinamentos às necessidades do público, usando terminologia e ideias que ele entendesse e com as quais pudesse se relacionar. Ainda que repudiasse o ritual védico, como registrado em seu famoso "Sermão do Fogo", proferido para uma congregação de Brâmanes, ele recorreu à imagem dos três fogos rituais que uma casa de Brâmane era obrigada a manter acesos diariamente. "Tudo está queimando", começou ele. Sentidos, desejos, paixões — tudo estava em chamas. O que provocava essa conflagração? Os três "fogos": o da cobiça, o do ódio e o da ilusão.[74] Se continuassem alimentando essas chamas, as pessoas jamais alcançariam o frescor do nirvana — palavra que significa, literalmente, "extinto; apagado". Buda jogou também com a palavra *upadana* ("apegar-se"), cujo sentido original era "combustível". Nosso ávido desejo pelas coisas deste mundo é que nos mantinha em chamas, impedindo a nossa iluminação. Numa reinterpretação similar da tradição védica, o Buda mudou o significado de carma, de "ação ritual" para "intenção", passando a apontar para um estado mental interior, e não mais para um rito externo.[75]

Em seu segundo sermão, para quatro ex-companheiros renunciantes, ele introduziu a doutrina de *anatta* (em sânscrito, *anatman*), ou "não eu". Era uma contestação direta à busca upanixádica do "eu". O atmã/Brâman imperecível.[76] Ninguém, afirmava Buda, tem um eu permanente, imutável. Lembrou que nossas emoções se encontram em fluxo constante, alterando-se de momento a momento, e comparou a mente humana a um macaco que, pendurando-se de galho em galho, se desloca através da floresta.[77] Não poderia, portanto, haver atmã permanente; mais importante ainda: se houvesse, não haveria possibilidade de transformação. Ao deixar de identificar-se com sua individualidade, ao sentar-se desprendido dela, explicava o Buda, o monge descobria que estava pronto para a iluminação. E, de fato, as escrituras em páli nos dizem que, quando ouviram esse ensinamento, os cinco monges se encheram de alegria e imediatamente alcançaram o nirvana.[78] Quando começavam a viver como se o ego não existisse, os discípulos do Buda descobriam que eram mais felizes e, paradoxalmente, sentiam um aprimoramento do ser.

O Buda parece sempre ter conversado com as pessoas onde quer que estivessem, não onde ele acreditava que deveriam estar. Um dia, deparou com um grupo de Brâmanes empenhados em alcançar uma visão de Brâman, a quem reverenciavam como o mais alto deva.[79] Em vez de repreendê-los por sua devoção aos devas, o Buda explicou àqueles Brâmanes sua prática iogue dos "imensuráveis". Essa empatia disciplinada, explicou, era a essência da "libertação (extática) da mente" (*cetto-vimutti*) que constitui a verdadeira iluminação, por isso, em vez de discutirem sobre Brâman, eles deveriam tentar esse método, que haveria de lhes alargar a mente de tal maneira que se tornariam tão "extensos, amplos e ilimitados" quanto o deva que perseguiam.[80]

Essa técnica do Buda, conhecida como *upaya* ("habilidade em meios"), resumia em si a "libertação da mente" que constituía a iluminação. Um discurso que pretendesse provar que nossos oponentes estavam errados era "contraproducente" (*akusala*), pois alimentava o ego e, em vez de nos transformar, nos aprisionava numa diminuta e limitada versão de nós mesmos. *Upaya*, porém, era um método cortês e compassivo que respeitava a dignidade do outro, não atacava nenhuma de suas caras convicções, mas as tomava como ponto de partida para dali avançar.[81] As escrituras budistas, portanto, não enunciam doutrinas claras, nem insistem estridentemente num sistema de crenças. As opiniões teológicas eram de todo indiferentes para o Buda; na verdade, aceitar um dogma com base na autoridade de alguém era *akusala*, pois uma ideia religiosa poderia se tornar um ídolo mental, algo a que nos apegarmos, ao passo que o objetivo do ensinamento do Buda era ajudar as pessoas a se desprenderem. Com seus discípulos, Buda sempre insistia para que julgassem tudo que ele ensinava à luz da experiência de cada um, e, se um ensinamento ou prática não lhes servissem, que os deixassem de lado. Ele não tinha o menor interesse em desenvolver teorias sobre a criação do mundo, ou sobre a existência dos devas: tratava-se de tópicos fascinantes, mas esse tipo de discussão em nada contribuía para deixar o monge mais perto do nirvana.

Os ensinamentos do Buda não se destinavam exclusivamente a seus monges; porém, as Quatro Nobres Verdades não podiam ser alcançadas sem uma intensa disciplina iogue, impossível de se obter em meio ao barulho e à azáfama de um lar indiano. Havia entre seus seguidores laicos muitos comerciantes, cujas atividades profissionais eram movidas por desejo e competitividade, de modo que não lhes seria possível almejar a extinção dos fogos da ganância. O máximo que poderiam esperar era renascer em circunstâncias mais promissoras, e um darma foi preparado para ajudá-los nessa tarefa. Teriam de viver moralmente, empreendendo uma versão mais suave dos Cinco Votos feitos pelos renunciantes — evitando o roubo, a trapaça, a mentira, a promiscuidade sexual e as bebidas alcoólicas. Mas esse sistema de duas fileiras não era uma solução ideal, e posteriormente os budistas buscariam uma alternativa.

Muitos monges se preparavam para alcançar o nirvana pela prática da atenção plena (*sati*). Essa estratégia voltou a entrar em voga em nossos dias, pois as pessoas acreditam que sessões regulares podem ajudá-las a ficar mais centradas e autoconscientes e a lidar com o estresse e a ansiedade. Mas dos monges budistas se exigia que examinassem o próprio comportamento a todo momento ao longo do dia, observando o vaivém de suas emoções e sensações, para se conscientizarem da natureza efêmera do eu.[82] A espiritualidade budista tinha raízes em práticas corporais que formaram novos rituais. O monge deveria mover-se com graça e harmonia que expressassem a tranquilidade do nirvana.[83] Mais ou menos como o *li* chinês, a prática de *kaya* ("atenção plena ao corpo") transformava atividades vulgares numa cerimônia de beleza espiritual. Diferentemente de outros renunciantes, com seus cabelos em desalinho e corpos imundos, o monge budista devia manter o corpo e as vestes escrupulosamente limpos e andar devagar e com cuidado, consciente, o tempo todo, de seus movimentos físicos.[84]

> O monge exercita a clara compreensão quando se retira e regressa, quando olha para a frente e para o lado, quando retrai os membros e os estende; quando veste a túnica e leva o manto externo e a tigela; quando come e bebe, ao mastigar o alimento e o saborear; quando defeca e urina; quando anda e fica em pé, ao sentar-se, ao dormir, ao acordar, ao falar e ao se calar.[85]

Dessa maneira, o corpo do monge instrui sua mente a respeito da sabedoria do darma. Ao tornar-se agudamente consciente da vida física, ele desenvolve um plácido desapego com relação tanto ao corpo como à perspectiva da sua morte.

As escrituras budistas, por si sós, não eram capazes de oferecer aos indivíduos a libertação que eles almejavam. Elas podiam apenas encaminhá-los para as rigorosas disciplinas ritualizadas que revelam todo o potencial do ser humano.

A essa altura, a Grécia deve entrar na história. Os gregos não eram povo de escrituras, ainda que as epopeias homéricas — a *Ilíada* e a *Odisseia* — funcionassem como "textos culturais" para iniciar na mentalidade helênica os jovens da elite. Mas eram um povo ariano e, como seus primos na Índia, sempre viram o divino como indissoluvelmente fundido com a humanidade. Os rishis antigos tinham sido reverenciados como encarnações da *rta*; o jovem poeta sabia que Agni estava presente na inspiração que invadia sua mente durante as contendas poéticas; e os sábios upanixádicos afirmavam que o Brâman era idêntico ao atmã de cada criatura. Os gregos também sentiam o divino em qualquer realização humana excepcional. O guerreiro, ao ser tomado pelo *ekstasis* da batalha, sabia que estava sendo possuído por Ares; quando seu mundo era transfigurado pelo poder irresistível do amor erótico, ele dava a isso o nome de "Afrodite". O divino artesão Hefesto revelava-se na obra de um artista, e Atena estava presente em todas as realizações culturais.[86] Mas isso não era apenas um insight ariano. Em Israel, Jeová estava misteriosamente presente no estranho que lutou com Jacó, e os profetas vivenciavam o divino como um imperativo avassalador que os obrigava a falar, às vezes a contragosto. Na China, a força sagrada de *ren*, que brotou dentro de Yan Hui, era idêntica à humanidade, e todo homem e toda mulher encarnavam o princípio divino do *shen*. Mas, no século V a.C., os gregos desenvolveram a primeiríssima psicologia secular.

Essa assombrosa inovação tinha raízes no sistema político democrático, estabelecido em Atenas por Sólon (638-559 a.C.), que, durante um período de dificuldade econômica daquela cidade-Estado, tinha reformado a constituição com vistas a assentá-la numa base mais igualitária. No fim do século VI a.C., cidadãos atenienses eram representados pelo Conselho dos Quinhentos, cujos membros eram eleitos anualmente nas classes médias. Esse organismo podia contestar qualquer abuso de poder da parte do aristocrático Conselho dos Anciãos, que se reunia no rochoso outeiro da Acrópole. Ali perto, na região ao sul, um teatro, com capacidade para 14 mil espectadores, tinha sido escavado na encosta, ao lado do templo de Dionísio. Foi onde se originou o drama trágico grego. A princípio, cidadãos se reuniam ali durante as Dionisíacas, o festival de Dionísio, para ouvir um coral recitar os sofrimentos daquele deus enquanto um narrador explicava o significado esotérico deles. No começo do século v a.C., o festival foi substituído por uma competição de dramas, na qual três poetas apresentavam trilogias de peças. Esse acontecimento anual era ao mesmo tempo uma meditação comunal e um dever cívico, uma vez que todos os cidadãos do sexo masculino eram obrigados a comparecer.

Os gregos sempre acreditaram que compartilhar a dor criava um valioso vínculo entre as pessoas; a experiência trágica, portanto, mantinha o conjunto de cidadãos unido.[87] Nas Dionisíacas Urbanas, os atenienses se davam conta de que não estavam sozinhos em sua tristeza e choravam em voz alta, sem sentir vergonha. Ao assistir à angústia do herói, apresentada no palco, aprendiam a entender a dor alheia. Como explicou Ésquilo (*c.* 525-456 a.C.), um dos primeiros tragediógrafos, em sua "Prece a Zeus", o sofrimento dá aos mortais uma perspectiva divina:

Precisamos sofrer, sofrer na verdade.
Não podemos dormir, e gota a gota no coração
A dor da dor lembrada nos vem novamente.
E resistimos, mas a sabedoria também vem.
Dos deuses entronizados no assombroso banco dos remos
Vem-nos um violento amor.[88]

A peça *Os persas*, de Ésquilo, a primeira das tragédias que chegaram até nós, foi encenada nas Dionisíacas Urbanas de 472 a.C. e celebrava a recente guerra entre Atenas e a Pérsia, quando os persas invadiram violentamente a cidade, destruindo prédios e profanando locais sagrados, até que a marinha ateniense enfim os derrotou na Batalha de Salamina (480 a.C.). Na peça, não havia honradez chauvinista nem presunção. Em vez disso, incentivava-se a plateia a chorar pelos persas, apresentados como um povo nobre e enlutado, ao passo que Grécia e Pérsia eram descritas como "irmãs de uma só raça [...], perfeitas em beleza e graça".[89]

Mas essa parece ter sido a última peça a abordar assuntos atuais. Os poetas preferiam dramatizar os mitos antigos dos grandes heróis homéricos — Agamêmnon, Orestes, Aquiles, Édipo, Teseu e Ájax — de um modo que os transformava completamente. O culto do herói era uma característica singular da religião grega. Esses reis e guerreiros antigos eram venerados como semideuses, e seus túmulos ocupavam lugar de honra em quase todas as cidades-Estados. Furioso com a própria morte, o herói devia suportar uma existência tenebrosa no mundo dos mortos; uma aura perturbadora emanava de seu túmulo, e ritos eram criados para apaziguá-lo. Mas a lembrança de suas qualidades excepcionais permanecia viva, e ele mesmo era uma fonte de inspiração para a comunidade.[90] Pelo século v a.C., no entanto, o herói, que personificara os valores aristocráticos da velha ordem, tornou-se uma espécie de constrangimento na *pólis* ("cidade-Estado"; plural, *poleis*) democrática. Nas tragédias, ele havia se convertido numa figura inquietante, problemática, mas ainda conservava um lugar no coração e na mente das pessoas, que achavam essa nova perspectiva penosa e perturbadora.[91]

Cada tragédia tomava a forma de debate entre o herói, sua família e seus colegas, que eram interpretados por atores profissionais, e um Coro, um grupo anônimo que representava os cidadãos atenienses. E, enquanto o Coro se expressava no estilo lírico da poesia que tinha celebrado o éthos heroico, os versos do herói eram mais prosaicos. Sua fala soava como a de um cidadão comum, e ele parecia, portanto, mais próximo da plateia do que o Coro, que supostamente a representava. Isso tornava plateia e atores agudamente conscientes da complexidade de sua relação com um passado cujos valores ainda encontravam eco e tinham contribuído para o nascimento da *pólis*.[92]

As tragédias deixavam a plateia em estado de *aporia*, uma dúvida desnorteante sobre questões fundamentais que não diferia da profunda incerteza que, como veremos no próximo capítulo, logo tomaria conta dos arianos da Índia. Na Grécia, o drama trágico desenvolvera-se em resposta ao novo sistema jurídico da *pólis*, que tinha por base o conceito de responsabilidade pessoal e que distinguia um crime "intencional" de um crime "desculpável". Exigia-se dos homens da *pólis* — as mulheres, claro, não figuravam no direito ateniense — que vissem a si mesmos como senhores de suas ações, e não mais como presas da influência dos deuses.[93] Hoje achamos a autonomia inquestionável, por isso temos dificuldade de entender o quanto esse conceito era perturbador no mundo antigo, onde as pessoas julgavam deter um ínfimo controle sobre o próprio destino. A maioria dos atenienses ainda estava convencida de que sem a eficácia, uma prerrogativa exclusiva dos deuses, toda ação humana era cronicamente impotente.

De fato, tão enraizada era essa atitude que os gregos não tinham palavra para designar "vontade", "escolha" ou "responsabilidade".[94] O vocábulo grego *hekon*, embora frequentemente traduzido como "vontade", abarcava qualquer ação não imposta por pressão externa, mas que podia resultar tanto de impulso quanto de deliberação consciente. *Hekon* e *akon* ("aquilo que não é desejado") eram termos jurídicos, destinados a regular a prática da morte para limpar a honra. Eles distinguiam um assassinato totalmente repreensível de um assassinato defensável. Contudo, ideias tradicionais ainda predominavam de tal maneira que a *pólis* precisou estabelecer regras para *hamartia*, doença mental infligida por uma força religiosa que se apossava do indivíduo e podia estender-se por toda a família ou pela cidade. Em outras palavras, portanto, o ser humano não era um agente livre, autônomo; não podia simplesmente "decidir" sobre um crime, pois o crime existia também fora e para além dele.[95] Como afirma o estudioso André Rivier, essas forças sobrenaturais não se estendiam ao herói trágico, mas operavam no âmago de suas decisões. Ele não podia "escolher", ou "tomar uma decisão", porque sua decisão era sempre determinada pelos deuses e condicionada pelo temor reverencial do sagrado. Sua tarefa era apenas reconhecer que o imperativo que o coagia era divino. Mas, insiste Rivier, não havia nisso nada de mecânico. Um herói como Orestes, levado a assassinar pelas Fúrias, não era passivo; na verdade, sua dependência dessas forças divinas e sua relação com elas davam maior profundidade à sua ação e aumentavam sua energia e seu compromisso moral.[96]

Portanto, ao pedir ao cidadão que se visse, ainda que minimamente, como agente livre, a *pólis* buscava uma ruptura radical com a tradição. Os gregos ainda levariam pelo menos cem anos — o século em que a tragédia floresceu — para aceitar e internalizar esse conceito. Sentiam a consciência tão profundamente entrelaçada com o divino que, sem o divino, eles não existiriam. Nossa moderna consciência secular foi, assim, conquistada a duras penas — não como uma evolução natural, mas cultivada com afinco. A velha consciência mítica voltaria a se reafirmar na Europa e, como veremos, no início do período moderno. A heroica proclamação de autonomia mental de Descartes implicaria considerável tensão psicológica. Aparentemente, era mais natural e instintivo ver o divino como força onipresente que "flui através de todas as coisas", incluindo a psique humana, e escapa à categorização analítica do logos.

Os gregos expressavam sua inquietação com relação a essa psicologia secularizada no gênero da tragédia, que descrevia o herói operando simultaneamente em dois níveis, o humano e o divino.[97] Os dramaturgos estavam claramente preocupados com o novo sistema jurídico. A carnificina era um tema recorrente, e as peças costumavam incluir um julgamento. Independentemente do que a *pólis* dizia sobre sua responsabilidade pessoal, o herói ainda tinha sua mente e suas intenções impregnadas de forças divinas que não se distinguiam de suas atividades mentais. Nossa palavra "drama" vem do dórico *dram* ("agir"): em grego ático, se tornaria *prattein*. O herói precisava decidir sobre o curso da ação, para acabar descobrindo que esse curso tinha uma dinâmica intrínseca que medonhamente recaía sobre ele, ainda que não por culpa dele. O gênero da tragédia, explica o estudioso francês Jean-Pierre Vernant, floresceu numa "zona de fronteira", em uma era que se iniciou com Sólon e se encerrou com Eurípides (m. *c.* 407 a.C.). As novas ideias tinham sido implementadas nos tribunais, mas as antigas ainda exerciam influência sobre a psique grega. Na cabeça do herói, as atividades divinas e humanas eram distintas o bastante para se chocarem umas contra as outras, mas eram também inseparáveis. Enquanto se debate em meio a essas forças conflitantes, o herói trágico se sente distante de si mesmo. É apresentado como um *thauma* ou *deinon*, um "monstro desconcertante", ao mesmo tempo agente e paciente, culpado e inocente, lúcido, mas, apesar disso, cego por um frenesi infligido pelos deuses. Por volta do século IV a.C., quando a psicologia secularizada estava mais estabelecida, Platão e Aristóteles já não compreendiam o objetivo da tragédia.[98]

O dilema do herói fica claro na obra-prima de Sófocles, *Oedipus Turannos* (que costuma ser traduzida como "Édipo rei"), que foi apresentada nas Dionisíacas Urbanas em 429 a.C. Durante o período homérico, Édipo não era visto como personagem trágico. *Turannos* não significava "tirano" no sentido moderno, mas, sim, um governante que não tinha chegado ao trono por hereditariedade natural. A história original, uma narrativa mágica sobre uma criança abandonada que se deu bem, era o tipo de lenda geralmente associada a um *turannos*. Quando Édipo nasceu, previu-se que ele mataria o pai; portanto, não é de surpreender que o pai, Laio, rei de Tebas, mandasse prender os tornozelos do bebê e ordenasse a um de seus pastores que o levasse ao alto do monte Citéron e o deixasse lá para morrer. Mas o pastor teve pena e entregou a criança a outro pastor, que o levou para Corinto. Ali, Édipo foi adotado por um rei e uma rainha sem filhos e cresceu achando que aquele casal real eram seus pais verdadeiros. Mais tarde, porém, consultou o oráculo de Delfos, que previu que ele não só mataria o pai como também se casaria com a mãe. Decidido a evitar esses crimes terríveis, Édipo jurou nunca mais voltar a Corinto, mas, na estrada de Tebas, um carro de guerra valeu-se da violência para obrigá-lo a sair da estrada. Na luta que se seguiu, Édipo matou o cocheiro, que não era outro senão seu pai biológico, Laio. Sem saber que era culpado de parricídio, Édipo chegou a Tebas, onde a monstruosa Esfinge destruía a cidade, devorando qualquer um que fosse incapaz de interpretar o enigma por ela proposto. Édipo decifrou o enigma e a cidade, agradecida, o recompensou com a mão da recém-enviuvada rainha Jocasta. Ele se torna, então, rei de Tebas. Na peça, Édipo afirma que é o filho favorito de Tuche ("Sorte" ou "Acaso"), "a grande deusa doadora de todas as coisas", que lhe reservara aquele elevado destino.[99] Na história original, ele não cai em desgraça quando a verdade da sua situação é revelada, nem cega a si mesmo em seu desespero. Homero o descreve reinando em Tebas até a morte.[100]

Ésquilo e Sófocles (*c.* 496-405 a.C.), porém, transformaram Édipo numa figura trágica. Sófocles começa a história alguns anos depois de Édipo ter subido ao trono, quando Tebas é assolada por uma peste arrasadora. O protagonista manda Creonte, seu cunhado, consultar o oráculo, que proclama que a peste continuará até que o assassino do rei Laio seja revelado. Édipo se põe de imediato a investigar. A investigação começa com a pergunta "Quem matou Laio?", mas, quando ele interroga os dois pastores que desempenharam papel crucial na história, termina com a pergunta: "Quem é Édipo?". No começo da investigação, Édipo, cheio de confiança, declara: "*Ego phano!*" — "Trarei tudo à luz!".[101] A plateia, claro, conhecia a história e certamente se dava conta da trágica ironia: o protagonista de fato traria tudo à luz, mas de uma forma inteiramente inesperada. E no fim da peça jamais voltaria a ver a luz do dia.

Édipo, decifrador de enigmas, descobre que ele próprio é o maior de todos os enigmas, e o oposto do que julgava ser. Intrepidamente, conduz uma investigação judicial só para descobrir que o objeto dela é ele mesmo.[102] Ele se vê como o médico que há de curar Tebas com seu inquérito cientificamente conduzido, mas acaba se revelando a doença (*hamartia*) que trouxe a morte à cidade.[103] No começo da peça, é saudado como o "melhor dos homens". Serenamente convencido de sua integridade, ele desdenhosamente rejeita as insinuações do adivinho cego Tirésias, que conhece a terrível verdade. Precisa descobrir que o tempo todo, apesar de não ter culpa, ele próprio era o "pior dos homens".[104] O rei reverenciado como semideus pelos súditos se torna o bode expiatório, o *pharmakos* que precisa ser descartado para impedir o contágio. O nome em si indica a ambiguidade da sua existência. "Oedipus" vem de *oida* ("eu sei"), frase que ele, confiante, repete nas primeiras etapas da investigação,[105] e *pous* ("pé inchado"), a marca da criança rejeitada. Édipo precisa passar por uma *kenosis* que lhe perfura a elevada autoestima. Sua infância não tinha sido nenhum romântico conto de fadas; ele foi e será um pária profanado e poluto.[106] É descrito como caçador, que incansavelmente persegue a verdade ao longo da investigação,[107] mas, quando finalmente descobre que seu casamento com Jocasta é incestuoso, anda pelo palco, uivando como um animal selvagem,[108] antes de cegar a si mesmo e fugir para a montanha.[109] O outrora herói se torna um paradigma da ambígua e trágica humanidade.

Para Sófocles, a realidade indizível e impensável se encontra logo abaixo da superfície da consciência de Édipo, tanto assim que este costuma falar a verdade sem se dar conta. Conhecendo a história, a plateia decerto saboreava a temerosa ironia. No começo da investigação, Édipo proclama com serenidade que é a pessoa certa para descobrir a verdade: "Sou por direito o vingador da terra e o paladino de Apolo", sem perceber o grau de verdade de suas palavras. De imediato, acrescenta que o assassino do rei Laio pode se sentir tentado a levantar a "mão violenta" contra ele — e, claro, Édipo, o assassino de Laio, de fato levanta a mão violentamente contra si mesmo, ao arrancar os próprios olhos.[110] Num dado momento, ameaça Creonte por suspeitar que este prepara um complô: "Se acha que pode ofender um parente e escapar do castigo, você é louco".[111] Está prestes a descobrir que ele mesmo será castigado, não por ofender, mas por matar o próprio pai. Diferentemente de Édipo, a plateia é capaz de saborear o duplo sentido. Os pensamentos dos deuses estão de tal maneira interligados com os processos psíquicos de Édipo que ele, sem saber, profere palavras que eles, únicos conhecedores de toda a verdade, profeririam. Assim, como explica Vernant, na fala de Édipo vemos que "dois tipos diferentes de discurso, um humano e um divino, se interligam".[112] Quando a verdade enfim vem à luz, Édipo percebe que jamais fora senhor dos próprios atos: o tempo todo, não passara de joguete dos deuses. As ações dele, das quais sinceramente acredita ser o autor, na verdade tinham sido inspiradas por uma força divina hostil. Ele nunca teve controle da própria vida. "Mas por quê? Por quê? Um homem de discernimento não diria — e com razão? — que alguma força selvagem (*daimon*) fez tudo isso desabar sobre mim?"[113]

À medida que a verdade ia surgindo, a plateia adquiria uma trágica visão do mundo e se tornava consciente da assustadora ambiguidade da condição humana. Não se trata aqui de uma crítica aos deuses; os deuses costumam ser benignos, mas também são ferozes e cruéis, posto que a vida é em si terrível e os humanos são indefesos diante do seu poder. Mas, na *pólis*, os cidadãos de Atenas aprendiam que precisavam assumir a responsabilidade por suas ações. Por isso, quando entra no palco para descrever com horríveis detalhes o suicídio de Jocasta e o enceguecimento de Édipo, o Mensageiro supõe que Édipo agira por vontade própria e que tinha perfeito controle sobre sua conduta. Essas proezas eram de fato

> coisas terríveis, e nenhuma delas feita cegamente agora, todas feitas deliberadamente. As dores que infligimos a nós mesmos são as que mais doem.[114]

Mas o Coro não pode aceitá-lo. Quando Édipo é levado para fora, cego e sangrando, o Coro recai na posição tradicional:

> Que loucura [*mania*] caiu sobre ti? Que divindade, que força sinistra ultrapassou todos os limites [...] coroou teu destino que foi obra de um *daimon* maligno?[115]

Édipo também percebe, agora, que todas as ações que ele sinceramente acreditava ter tomado foram, na verdade, orquestradas por uma força divina, com a qual apenas cooperara; dirige-se a seu *daimon*: "Meu destino, meu poder sinistro, que salto deste!".[116] Quando o Coro lhe pergunta: "Que força sobre-humana te levou a isto?", Édipo responde:

> Apolo, amigo, Apolo... Ele ordenou minhas agonias — estas são minhas dores sobre dores! Mas a mão que feriu meus olhos foi minha, só minha, de ninguém mais.[117]

A origem das ações de Édipo sempre esteve em outro lugar. Elas sempre foram comandadas por uma ordem divina, a única que dá sentido e direção aos projetos humanos. Humanidade e divindade eram inseparáveis.

Édipo arrancou os olhos porque tinha sido culpado de arrogância, um orgulho que o cegara para a verdade, que jazia logo abaixo da superfície durante toda a investigação. Ele se torna fisicamente tão cego quanto tinha sido figurativamente e, como o cego Tirésias, agora consegue "ver" claramente. Mas como um verdadeiro herói trágico, tem a liberdade de "sofrer na verdade" e aprender que, com o sofrimento, "a sabedoria também vem" — embora isso fosse igualmente um dom divino:

> Dos deuses entronados no assombroso banco dos remos nos vem um violento amor.

Um novo elemento entrou na peça. Quando ele é levado para o palco, arrasado e cego, o Mensageiro adverte o Coro: "Vereis agora um espetáculo, um horror que até vosso inimigo mortal lamentaria".[118] "Tenho pena de ti", grita o Coro, aflito, "mas não aguento olhar." Édipo agora lhes fala com uma ternura e uma estima que não tínhamos ouvido antes de sua parte:

> Queridos amigos, ainda aqui? Ao meu lado, ainda preocupados comigo, o cego? Que compaixão, leais até o fim.[119]

A autoimolação levara Édipo aos limites do conhecimento que tinha sido sua marca registrada, e a cegueira lhe conferira uma vulnerabilidade emocional totalmente nova.[120] Sua fala é adornada de exclamações ("*Ion... ion! Aiai... aiah!*"), e o Coro responde à altura, chamando-o ternamente de "amigo" e "querido".[121] Quando estende a mão para as filhas aflitas, Antígona e Ismene, Édipo momentaneamente se esquece de si mesmo, por simpatia com a difícil situação delas. Além disso, na tragédia, a compaixão expressa no palco é uma indicação para a plateia, instruindo-a a simpatizar com um homem culpado de crimes que normalmente a encheria de repugnância. Ao chorar por Édipo, a plateia experimentava a catarse, a transformação purificadora causada pela tragédia no *ekstasis* da empatia.

Édipo, com coragem, serenidade e compaixão, tinha aceitado o castigo imerecido. A sagacidade que lhe trouxera tanto prestígio tinha sido implacavelmente despedaçada. Mas houve uma estranha mudança de sorte. Isolado de outros seres humanos por sua mácula (*hamartia*), ele, na lógica da religião grega, se tornara tabu, uma figura separada, distante e, portanto, santa. Em *Édipo em Colono*, peça que Sófocles escreveu no fim da vida, Édipo seria exaltado — quase divinizado — na morte, e seu túmulo se tornaria uma fonte de bênçãos para a *pólis* de Atenas, que lhe concedera asilo.

Nessa altura, a era da tragédia estava chegando ao fim. A *pólis* desistira da visão trágica do mundo, substituída pelo logos filosófico desbravado por Sócrates (*c.* 469-399 a.C.), Platão (*c.* 427-347 a.C.) e Aristóteles (*c.* 384-322 a.C.). Platão chegou a descrever Sócrates expulsando os poetas trágicos de sua República ideal. Mas velhos hábitos custam a desaparecer. Em primeiro lugar, Platão apresenta os diálogos de Sócrates como uma versão filosófica do antigo ritual ariano *brahmodya*. Ao procurar Sócrates, as pessoas achavam que sabiam exatamente do que estavam falando, mas, depois de submetidas a uma hora de implacáveis perguntas de Sócrates, descobriam que não sabiam coisa nenhuma sobre conceitos básicos como justiça, bondade ou beleza. Os diálogos socráticos costumam terminar com os participantes sentindo uma dúvida vertiginosa (*aporia*). Nesse momento, insistia Sócrates, eles se tornavam filósofos, pois desejavam ter uma compreensão maior, mas humildemente se davam conta de que não tinham. De fato, muitos alunos seus descobriam que essa vertigem inicial conduzia ao *ekstasis*, pois tinham "dado um passo para fora" de seu antigo eu.

Sócrates acabou sendo acusado de impiedade e de corromper a juventude ateniense. Mas, depois que os juízes atenienses proferiram a sentença de execução em seu julgamento, Sócrates, o fundador do racionalismo ocidental, deixou claro que não via sua mente como uma entidade autônoma. Disse aos juízes que sempre recorrera a um *daimon*, termo que os tradutores modernos de Platão traduzem como "poder profético" ou "manifestação espiritual". Durante toda a vida, Sócrates tinha ouvido atentamente esse *daimon*, que "com frequência se opunha a mim quando eu estava prestes a cometer um erro". Mas consolava-se com o fato de que, durante o julgamento, seu *daimon* "não se opôs a mim, nem quando saí de casa ao amanhecer, nem quando vim para o tribunal, ou em qualquer momento em que eu ia dizer alguma coisa em meu discurso". Ele interpretou o silêncio do *daimon* como um endosso divino, mas tácito, de sua atitude, o que também lhe sugeria que a morte não era um mal, e até podia ser "uma grande vantagem". Foi por isso, concluiu ele, "que meu *daimon* não se opôs a mim em nenhum momento".[122] Durante toda a vida, portanto, Sócrates, defensor do logos, sentira na mente uma presença divina, às vezes afinada com suas próprias ideias, às vezes não, mas sempre misturada com suas deliberações mais profundas e cruciais.

6. Desconhecer

Depois da morte do Buda, a ideia de Estado imperial deitou raízes na Índia. O rei Bimbisara, de Magadha, amigo do Buda, foi assassinado pelo filho Ajatashattu, que de pronto anexou os reinos de Koshala e Kashi. O parricídio se tornaria uma característica regular da sucessão monárquica: todos os cinco reis que sucederam a Ajatashattu mataram os pais. Por fim, Mahapadma Nanda, da casta inferior dos sudras, fundou a primeira dinastia não xátria e ampliou ainda mais as fronteiras de seus domínios. Quando Chandragupta Maurya, outro sudra, usurpou o trono dos Nanda, em 321 a.C., o reino de Magadha se transformou no império máuria. Nenhum império pré-moderno era capaz de prevalecer sem uma incessante atividade militar, uma vez que os povos súditos eram propensos a revoltas. Além disso, a aquisição violenta de mais terras aráveis era essencial para a economia, e prisioneiros de guerra forneciam a indispensável mão de obra.[1] A ascensão dos imperadores sudras deixou claro que o velho sistema védico de quatro classes distintas, cada qual com seu papel, seu status e seu darma explicitamente definidos, estava morto. Na verdade, o mundo parecia ter sucumbido ao *adharma*, tornando-se apavorante e anárquico.

Mas o ideal de *ahimsa* ("não violência") continuava vivo, em estranho contraponto a um éthos de extermínio. Os governantes Nanda tinham jurado dizimar toda a classe dos xátrias para impedi-los de retomar o poder.[2] Mahapadma Nanda, que ficou conhecido como *sarva kshatrantaka* ("aniquilador de xátrias"), previu que no futuro "todos os reis da terra serão sudras".[3] Mas, paradoxalmente, o último imperador Nanda foi morto por Kautalya, um Brâmane cuja casta era devota da *ahimsa*. Talvez ainda mais estranho seja o fato de que os três primeiros reis Máuria, que tinham matado os pais para chegar ao trono, apoiaram jainistas e budistas, que repudiavam toda e qualquer violência. Ashoka Maurya, que subiu ao trono em 268 a.C., depois de assassinar dois irmãos seus, tinha reputação de cruel e de levar vida dissoluta. Mas em 260 a.C., quando acompanhava seu exército para sufocar uma rebelião em Orissa, ficou tão horrorizado com a violência por ele testemunhada que inscreveu imensos decretos, em penhascos e colunas cilíndricas em todo o império, pregando "a abstenção de matar seres vivos". Mas, é claro, não pôde dissolver o exército.[4] O último rei Máuria também foi morto por um Brâmane, Pashyamistra, que fundou a dinastia Sunga. Seguiram-se séculos de guerras, invasões e crônica desordem até que, finalmente, a dinastia Gupta (320-540 d.C.) criou um sistema mais descentralizado de governo e conduziu a Índia à era clássica.

Esse é o turbulento pano de fundo da grande epopeia da Índia, o *Mahabharata*, que reflete um mundo em que o assassinato de reis é parte da vida; o extermínio, uma prática monárquica aceita; e a instituição do darma — os deveres de cada classe da sociedade —, letra morta. Assim, não deixa de ser significativo que essa epopeia colossal — oito vezes mais longa do que a *Ilíada* e a *Odisseia* juntas — seja um dos textos sagrados mais populares da Índia. Ambientada na região do Ganges durante o último período védico, provavelmente entre os séculos X e IX a.C.,[5] de acordo com estimativas modernas, a epopeia descreve a luta pela sucessão entre dois grupos de primos na família Bharata, que governava o Estado: os Karauvas (os cem filhos do governante cego Dhrtarashtra) contra os heróis da epopeia, os cinco filhos do impotente rei Pandu, que foram concebidos pelos cinco devas. Dharma, guardião da ordem cósmica, gerou Yudhishthira; Vayu, deus da força física, gerou Bhima; Arjuna era filho de Indra; e os gêmeos Sahadeva e Nakula eram filhos dos Ashvins, divinos guardiães da fertilidade. No mundo da epopeia, divino e humano se misturam a tal ponto que é impossível vê-los como categorias distintas. Na verdade, a divindade dá à humanidade uma terceira dimensão, simbolizando o aspecto numinoso de nossa vida, que constantemente escapa à nossa compreensão.

A questão da sucessão não é claramente definida, uma vez que tanto Pandu como Dhrtarashtra governaram alternadamente, mas os acontecimentos degeneram, sem transição aparente, para a guerra aberta. Dezoitos livros da epopeia são dedicados a esse conflito catastrófico, que resulta no extermínio de quase toda a classe dos xátrias e anuncia a chegada da Kali Yuga, a idade das trevas profundamente imperfeita que dura até hoje. Essa escritura não dá respostas fáceis, nem doutrinas claras, ou certezas definitivas. Não oferece nenhuma panaceia esperançosa, mas leva à beira do desespero tanto os heróis como o público. É impossível resumir sua "mensagem": como a indóloga Wendy Doniger explica, "trata-se de um texto contestado, uma narrativa híbrida brilhantemente orquestrada, sem uma linha política determinada sobre qualquer assunto [...]. As contradições que traz em seu âmago não são erros de um editor desleixado, mas dilemas duradouros que nenhum autor jamais conseguiria resolver".[6]

Não é isso que muitos esperam hoje de uma escritura, mas essa narrativa vem fascinando os indianos há séculos e talvez isso devesse nos fazer questionar nossa opinião ocidental moderna sobre escrituras. Mais do que lida em privado, a epopeia sempre foi encenada. Durante os anos 1990, chegou mesmo a ser adaptada em formato de série para a televisão nacional na Índia, conquistando imensas audiências. Antigos filósofos indianos chamavam o teatro de "poesia visual", porque nele ideias obscuras são transmitidas através de gestos cuidadosamente articulados, em especial os das mãos e os dos olhos, numa apresentação que é ao mesmo tempo cerimoniosa e espontânea.[7] A intensidade da experiência oferece a atores e espectadores vislumbres de um nível mais elevado da realidade que talvez resolva algumas das muitas contradições da epopeia, mas escapa à análise racional.

Ler essa epopeia do começo ao fim é, provavelmente, uma tarefa impossível (que apenas especialistas ocidentais se arriscaram a realizar). Ela levou séculos para se desenvolver, cada geração contribuindo com insights próprios, de modo que se trata mais de uma enciclopédia do que de uma narrativa convencional. Sua composição é muito debatida. A maioria dos estudiosos acredita que é uma obra oral, transmitida entre 400 a.C. e 400 d.C., e que, se presume, começou como uma saga xátria que explorava a mitologia e o darma da classe guerreira. Mas a epopeia de que agora dispomos tem pouca semelhança com a versão original, uma vez que, no decorrer dos séculos, um grande volume de contos didáticos e mitos sacerdotais lhe foi acrescentado.[8] Parte desse material novo incluía histórias de deuses que tinham, quando muito, uma relação tangencial com os Vedas: Vishnu, por exemplo, faz uma breve aparição no Rig Veda, enquanto Rudra-Shiva aparece apenas num dos últimos Upanixades. Mas as histórias de Vishnu e Shiva devem ter sido transmitidas fora dos círculos Bramânicos durante séculos, e, com o tempo, ambos acabariam se tornando grandes divindades na Índia. Mas, na epopeia, Shiva é eclipsado por Vishnu, pois corre o boato de que Krishna, o primo dos Pandavas que desempenha papel de destaque na ação, é um avatar, ou uma encarnação, de Vishnu.[9]

Parece, portanto, que a saga xátria original foi confiscada e completada por Brâmanes durante um longo período. Mas uma teoria do especialista Alf Hiltebeitel atraiu muita atenção recentemente. Ele sugere que, em vez de transmitida oralmente, a epopeia foi composta por escrito entre meados do século II a.C. e o começo da Era Cristã "em comitê", por assim dizer, por Brâmanes que contavam com patrocínio real. Para se adequar à ortodoxia védica, porém, quiseram dar a impressão de que se tratava de um texto oral, e chegaram a chamá-lo de o "Sexto Veda". Portanto, embora a epopeia sempre fosse apresentada oralmente, Hiltebeitel sustenta que ela na verdade foi composta por sacerdotes especialistas, orgulhosos de seu conhecimento gramatical e de sua habilidade para produzir um texto escrito.[10]

Do começo ao fim, a epopeia ressalta a importância da recitação oral e de sua acolhida pela plateia. Já bem no início, somos apresentados a dois relatos diferentes da transmissão da epopeia, que "emolduram" toda a história e influenciam a maneira como é recebida pelos ouvintes. No primeiro relato, o bardo Ugrashravas chega à floresta Namisa, onde o Brâmane Shaunaka e seus companheiros executam um ritual védico de doze anos. Era costume entre os sacerdotes contar histórias nos intervalos dos ritos; por isso, os Brâmanes se reuniram em volta dele, ansiosos para ouvir uma história. Ugrashravas explica que acabara de assistir a um "sacrifício da cobra" altamente irregular, feito pelo único descendente dos Pandavas que havia sobrevivido — o rei Janemajaya. Ali, Ugrashravas tinha ouvido outro bardo, Vaishampayana, recitar uma epopeia que escutara do compositor original, o grande rishi Vyasa, avô dos Pandavas. Ugrashravas pergunta aos sacerdotes se queriam ouvir essa história, e eles respondem ansiosamente que sim. O objetivo dessa "moldura externa" é estabelecer as credenciais de Ugrashravas. Ele narrará a história épica dos Kauravas e Pandavas tanto para nós como para Shaunaka e seus Brâmanes, mas — o que é muito importante — Shaunaka o interromperá a todo momento, para fazer perguntas ou pedir esclarecimentos.[11] Dessa maneira, o "presente" (o ritual de Shaunaka na floresta Namisa) é interligado aos acontecimentos do trágico passado, o que nos faz lembrar que passado e presente estão inextricavelmente entrelaçados. Ações jamais ficam prontas e acabadas, pois o que aconteceu no passado tem, inevitavelmente, impacto no futuro.[12]

Contudo, pouco depois somos informados de algo importante: divulga-se que Shaunaka não é um Brâmane qualquer. Na verdade, é um *bhugu* (plural *bhgavas*), sacerdote considerado profundamente imperfeito, porque não vivia em conformidade com o darma Bramânico. *Bhgavas* se casavam com mulheres xátrias, mexiam com magia obscura e, em vez de observarem a *ahimsa*, especializavam-se em artes marciais. Além disso, descobre-se que quase todos os Brâmanes no *Mahabharata* são *bhgavas*, de modo que os Pandavas aprendem moralidade e guerra com sacerdotes imperfeitos que — como os Brâmanes que mataram os reis Nandas e Máurias — não seguem as regras de sua classe. A missão dos Pandavas é restaurar o darma num mundo que está ficando fora de controle; mas a situação é tão ruim que os únicos Brâmanes capazes de guiá-los e educá-los são degradados e adármicos.[13]

Chega da "moldura externa" que circunda a epopeia. Já a "moldura interna" é o estranho "sacrifício da cobra", durante o qual Ugrashravas ouviu pela primeira vez a história do *Mahabharata* narrada pelo bardo Vaishampayana ao rei Janemajaya, único descendente dos Pandavas. Ouviremos o relato de Vaishampayana sobre a guerra épica, bem como o de Ugrashravas. Mas descobrimos que, enquanto escuta a trágica história de seus antepassados, Janemajaya empreende uma vendeta macabra. Como o rei das cobras matou seu pai, Janemajaya jurou trucidar todas as cobras do mundo. Portanto, enquanto Vaishampayana recita sua versão da epopeia — para nós e para Janemajaya —, cobras são empurradas para a fogueira sacrificial numa tentativa sistemática de exterminar a espécie. A violência épica do passado, portanto, nos chega emoldurada por uma atrocidade moderna, que horroriza até os Brâmanes que dela participam. Não nos é permitido esquecê-lo, pois, tal qual Shaunaka, Janemajaya costuma interromper Vaishampayana com perguntas e comentários.[14] Isso levanta uma questão importante. O objetivo da guerra entre os Pandavas e Kauravas deveria ser o de restaurar o mundo, mas o último sobrevivente dos Pandavas executa um sacrifício cruel e adármico. Será que a batalha épica, que resultou em baixas tão colossais, teria valido a pena? Será que as pessoas aprendem com o passado? Os seres humanos são capazes de progresso, ou são viciados em crueldade, vingança e massacre? Aqui também a narrativa não oferece nenhuma resposta.

Na epopeia, deparamos a todo momento com questões imponderáveis como essas. Um de seus tradutores, J. A. B. van Buitenen, comenta: "A epopeia é uma série de problemas formulados com precisão, mas que são resolvidos imprecisa e inconclusivamente, com as resoluções sempre levantando um novo problema, até o fim".[15] Consta que, ao compor a epopeia, Vyasa ditou-a para Ganesha, o deus elefante de uma presa só, mas lhe recomendou que não anotasse nada que não entendesse. Para descansar dos rigores do ditado, Vyasa deliberadamente teceu na história "nós" — passagens enigmáticas, difíceis de decifrar — tão complexos que até mesmo o onisciente Ganesha precisava deter-se por um instante para refletir.[16] As adivinhações da epopeia são, portanto, intencionais, e as questões levantadas não são, de forma alguma, banais. Os seres humanos têm algum controle sobre seu destino, ou não passam de fantoches, empurrados por forças que não compreendem? As ações corretas realmente conduzem à felicidade e, se não conduzem, por que seguir nosso darma? Por que, apesar das boas intenções de quase todos os envolvidos, os acontecimentos terminam de forma tão trágica? Em vez de inspirar fé, a epopeia nos impregna de dúvida radical.[17] O horror do *Mahabharata* é tão grande que até hoje exemplares da epopeia nunca são guardados em casa, e ele só é recitado em área externa, na varanda — e jamais do começo ao fim, uma vez que o inexorável desenrolar de acontecimentos trágicos é não apenas acachapante, mas também considerado de mau agouro.[18]

Durante o período inquietante e violento em que o *Mahabharata* foi criado, as escrituras indianas tinham um objetivo: lidar de forma prática com o problema do sofrimento humano. O Buda havia chamado atenção para a ubiquidade do *dukkha* na Primeira Nobre Verdade e dera à palavra *dharma* uma dimensão ética. Jainistas e budistas tinham afirmado que eram a compaixão, a serenidade interior e a *ahimsa* o que nos liberava do *dukkha* inerente à existência. Em resposta, os Brâmanes haviam igualmente eticizado o conceito de darma, que se tornou objeto de muito debate. Parte dessa nova "literatura do darma" ainda sustentava que seguir os deveres morais e rituais de nossa classe nos libertaria do sofrimento nessa vida, garantindo um lugar no céu.[19] Foi a crescente tensão entre esses dois ideais, acreditam alguns especialistas, o que inspirou a composição do *Mahabharata*.[20] A epopeia deixa claro que o conceito Bramânico de darma tornara-se inviável. A maioria dos personagens é vítima de sofrimento ou descobre que sua busca pelo darma é responsável pela miséria de outros. Além disso, como veremos, a epopeia também sugere que a ideia de renascimento celestial pode ser uma ilusão. Provavelmente, como o Buda tinha explicado, qualquer religiosidade que se concentre na salvação e na sobrevivência do eu em condições celestiais é "inábil", uma vez que nos engasta no ego que, de acordo com os renunciantes, precisamos transcender se quisermos alcançar a paz e a iluminação.

Quase todos os heróis da epopeia, comprometidos com o antigo ideal de darma, têm uma morte violenta, ou então sobrevivem à guerra, mas são assolados pela tristeza. O *Mahabharata* nos obriga a testemunhar o sofrimento humano em escala épica, mas sem heroísmo. Cinco livros inteiros são dedicados à brutalidade de uma batalha de dezoito dias, na qual a morte é sórdida e degradante.

> Alguns eram perfurados por lanças, outros por alabardas, enquanto outros eram esmagados por elefantes e outros, ainda, pisoteados por cavalos. Alguns eram mutilados por rodas de carro de combate, e outros, por setas afiadas, e por toda parte chamavam parentes aos gritos [...]. E havia muitas vísceras espalhadas e coxas partidas [...]. E outros, com braços arrancados e os lados do corpo rasgados, eram vistos gemendo. Famintos, queriam viver, e outros, achacados pela sede, já quase sem forças, tombavam no campo de batalha sobre a terra nua e suplicavam por água.[21]

Ao fim da batalha, Ashwattaman, um Brâmane *bhugu*, jura vingar seu nobre pai, Drona, em cuja morte trágica os heróis Pandavas, apesar de suas boas intenções, estavam profundamente envolvidos. Quando todos no acampamento dos Pandavas estão dormindo, Ashwattaman invade o local e trucida homens, mulheres e crianças. A primeira vítima é o homem que tinha decapitado seu pai: Ashwattaman, "tomado de fúria, pisoteou-o, esmagando seus órgãos vitais com terríveis golpes dos pés, como um leão ataca um elefante no cio".[22] Suas vítimas são assassinadas na cama; elas suplicam por clemência e rastejam no chão. Depois do massacre, Ashwattaman dispara uma *brahmasiris*, arma de destruição em massa que, se não tivesse sido interceptada pelas orações de dois compassivos rishis, teria destruído o mundo.

Como era de esperar, os heróis Pandavas estão atônitos, de tristeza e medo, ao verem seus bravos esforços para observar o darma e salvar o mundo se voltarem contra eles mesmos, seus parentes e suas vítimas infelizes. "A dor destrói a beleza, a dor destrói a sabedoria, a dor traz a doença", diz Vidura ao irmão Dhrtarashtra, o rei cego. Esta talvez seja a mensagem central da epopeia: o sofrimento é parte da vida e precisa ser aceito com coragem e serenidade. Trata-se de uma escritura que nos desmama de nosso desejo de obter respostas simples, egoístas. Ela nos pede que nos desliguemos de nossa aflição, porque, se nos desesperarmos, sofreremos mais ainda, agravando, talvez, a dor alheia. Vidura continua:

> Nada se ganha com a tristeza: o corpo apenas sofre e os inimigos se alegram: não ceda à dor.
>
> Reiteradas vezes, o homem morre e nasce,
> Reiteradas vezes, o homem se levanta e cai.
> Reiteradas vezes, o homem indaga e é indagado,
> Reiteradas vezes, o homem pranteia e é pranteado.
>
> Felicidade e miséria, boa sorte e infortúnios, lucro e prejuízo, morte e vida atingem a todos, sem exceção — assim, o homem sábio não se alegra nem se entristece.[23]

Se nos entregamos à dor, provavelmente tomaremos decisões terríveis, como ocorreu com Ashwattaman. A epopeia exige que superemos nossa tristeza e reconheçamos a dor alheia — mesmo a de nossos inimigos.[24]

Yudhishthira simboliza a tensão entre a velha espiritualidade e a nova. Ele é filho do deus Dharma e por isso sabe que, estando destinado a ser rei, precisa lutar para recuperar o trono. Mas nenhum de seus inimigos, por mais ignóbil que seja, merece morrer, afirma ele. E, para ganhar o reino, Yudhishthira precisará matar parentes, amigos e gurus.[25] Ele parece incapacitado — quase paralisado — pelo conflito insolúvel entre o darma xátria tradicional e o novo ideal de não violência. Em nenhum momento sua paralisia moral é mais evidente do que durante o jogo de dados que é o acontecimento central, e talvez o mais desconcertante, de toda a epopeia.[26]

Os Pandavas e Kauravas foram criados juntos; mas, chefiados por Duryodhana — rival de Yudhishthira na disputa pelo trono —, os Kuravas se ressentem dos primos e conspiram para matá-los. Após relutar, o pai, o rei Dhrtarashtra, enfim cede aos Pandavas a metade oriental do seu reino, e eles estabelecem a capital em Indraprastha, onde constroem um magnífico salão de conferências. Mas isso desperta novamente a inveja de Duryodhana, e ele, junto com o tio Sakuni, conspira para tomar o reino dos Pandavas. Ambos desafiam Yudhishthira para um jogo de dados, e, apesar de ter sérias dúvidas a respeito do desafio, ele o aceita, pois acredita que o episódio, de alguma forma, está fadado a ocorrer; além disso, Yudhishthira sabe que seu darma exige que um rei aceite qualquer desafio. Ainda assim, ele parece perplexo em face desse dilema e caminha feito um sonâmbulo durante todo o evento — o que lhe acarreta terríveis consequências.

O jogo é realizado no salão de conferências de Dhrtarashtra, em Hastinapura. Os dados são viciados e, no decorrer da disputa, Yudhishthira aposta — e perde — seu reino, sua fortuna, seus irmãos e, acima de tudo, sua integridade. É como se tivesse se tornado um autômato: abandona imperativos morais básicos, atende às demandas de seu darma e, impulsionado pelos acontecimentos, abandona toda a decência. Por fim, aposta — e perde — Draupadi, a mulher comum dos cinco irmãos Pandavas. Segue-se uma cena chocante. Draupadi, que não estava presente durante o jogo, uma vez que a entrada no salão era vedada às mulheres, é arrastada diante dos reis e príncipes reunidos pelo irmão de Duryodhana; com o cabelo desgrenhado e o sári manchado de sangue menstrual, ela é estuprada por Duryodhana enquanto a nobreza em peso, incluindo os Pandavas, apenas assiste — sem fazer nada.

Todos os personagens estão envolvidos nesse crime. Duryodhana é consumido pelo ciúme, mas há circunstâncias atenuantes, pois os Pandavas (mas não Yudhishthira) o haviam tratado com crueza quando ele visitava Indraprastha. De início, o rei Dhrtarashtra se opôs ao jogo de dados, mas depois cedeu — no exato momento em que previu que o desafio teria consequências desastrosas. Seu silêncio durante o estupro indica consentimento tácito. Mais perturbadora, porém, é a conduta de Yudhishthira, o rei darma. Quando do início da disputa, ele é cauteloso, mas logo fica desorientado e transtornado. Ele joga de maneira temerária e se gaba de sua riqueza, o que era bastante incomum a esse homem em geral sensível. Um após o outro, ele aposta — e perde — seus amados irmãos, mas quando finalmente aposta a mulher, entoando um hino de louvor à sua beleza, os anciãos da sala gritam "Ai! Ai!" e o sábio conselheiro Vidura, horrorizado, quase desmaia. Ainda assim, ninguém toma a iniciativa de impedir o ultraje iminente.

Quando o lacaio foi despachado para buscar Draupadi e trazê-la ao salão, ela o mandou de volta com uma mensagem enigmática para Yudhishthira: "Quem perdeste primeiro, a ti ou a mim?". É uma pergunta pertinente, uma vez que, em sua fidelidade ao darma real, Yudhishthira de fato perdera o que havia de melhor e mais verdadeiro em si mesmo — mas ele não "se moveu, tal como se tivesse perdido os sentidos, e nada respondeu".[27] Durante todo o estupro, ele mal parecia ter consciência do que se passava — "calado e imóvel" — e não respondeu ao magnífico discurso de Draupadi, no qual ela pergunta aos presentes que assistiram em silêncio à sua violação: "O que restou do darma dos reis?".[28] Nenhum dos anciãos — todos eles versados nos novos manuais de conduta humana (*dharma-sutras*) — soube responder. A pergunta de Draupadi reverbera ao longo de toda a epopeia. Se nenhum dos ritualistas, dos sábios conselheiros, dos gurus e dos especialistas védicos ali presentes pôde falar em defesa de Draupadi, então o darma, que supostamente garantia proteção, felicidade e segurança, era, para todos os efeitos, impotente.

O silêncio atroz foi interrompido pelo uivo desfavorável dos chacais lá fora, e isso pareceu despertar Dhrtarashtra, que concedeu liberdade a Draupadi e soltou seus maridos. Mas ele ainda os chamou de volta para uma última partida de dados. Mais uma vez, Yudhishthira se sentiu obrigado a jogar; e mais uma vez perdeu, e os Pandavas foram obrigados a viver doze anos no exílio. Quando retornaram, teve início a guerra. Mas o que havia acontecido com Yudhishthira nesse meio-tempo? E o que tinha sido feito de seu parente Krishna, avatar do deus Vishnu? Será que ele poderia ter impedido o desastre — ou os poderes dos devas também eram limitados? Talvez os devas até fizessem vista grossa para o crime? De novo, essas perguntas ficam sem resposta.

Krishna é uma figura ambígua ao longo de toda a epopeia. Somos informados de que sempre que o darma está em declínio Vishnu desce à terra para restaurá-lo. Apesar disso, durante a guerra, em vez de restaurar o darma,

Krishna incentivava os Pandavas a agirem imoralmente — a mentir para seus parentes e gurus. O resultado é a morte de dois generais que tinham infligido numerosas baixas ao campo dos Pandavas. Bhishma e Drona, que haviam instruído os Pandavas, quando estes eram meninos, nas artes marciais, eram ambos Brâmanes *bhgavas* com poderes mágicos e por isso não poderiam ser derrotados por métodos normais. Mas nenhum dos dois tinha perdido a hombridade a ponto de nem sonhar em mentir ou em quebrar um juramento, e custavam a acreditar que Yudhishthira, o rei darma, fosse capaz de mentir para eles. Mas Krishna argumentava que a guerra não poderia ser ganha por meios normais e convenceu Yudhishthira a fazer Bhishma revelar, por meio de engodos, a única maneira possível de matá-lo e depois contar a Drona que o filho deste morrera em combate. Em sua dor e perplexidade, Drona depôs suas armas, tornando-se, assim, vulnerável a ataques. "Uma mentira seria melhor do que a verdade", afirmou Krishna, "e aquele que conta uma mentira para viver não é contaminado por ela."[29] Mas as consequências foram aterradoras: o filho de Drona — Ashwattaman — vingaria sua morte. E, apesar dos argumentos tranquilizadores de Krishna, Yudhishthira perdeu a respeitabilidade. Seu carro de guerra sempre flutuara quatro dedos acima do chão; porém, tão logo mentiu para Drona, o carro de Yudhishthira veio ao chão enquanto Drona, que morrera uma morte santa, foi levado diretamente para o céu. O contraste entre a queda de Yudhishthira em desgraça e a gloriosa ascensão de Drona foi devastador, e Arjuna repreendeu duramente o irmão: sua abjeta mentira conspurcaria todos eles.[30]

Os Pandavas escaparam do massacre de Ashwattaman porque Krishna — mais uma vez agindo ambiguamente — os aconselhou a dormirem fora do acampamento naquela noite. Quando a guerra acabou, 1 660 020 000 xátrias tinham morrido, restando apenas um pequeno grupo de cada lado.[31] E, apesar das promessas tranquilizadoras de Krishna, Yudhishthira estava indelevelmente maculado. Depois da guerra, ele reinou por quinze anos, mas a luz de sua vida se apagara. Durante séculos, a epopeia vem forçando as plateias a encararem firmemente a ambiguidade moral da guerra e a tragédia do regime imperial, recusando-se a atenuar seus horrores com piedosas banalidades.

Perguntas e charadas insolúveis seguem emergindo até o fim.[32] Trinta anos depois da guerra, os Pandavas ficam sabendo da morte de Krishna, e Vyasa, autor da epopeia, lhes diz que sua obra no mundo está terminada. Os cinco irmãos, juntamente com Draupadi e o cão de Yudhishthira, partem numa derradeira viagem, dando a volta ao mundo num ritual suicida, que continua até que os participantes tombem, mortos de cansaço. Quando chegam ao monte Meru, Draupadi morre, seguida, sucessivamente, por Sahadeva, Nakula e Arjuna. "Por quê?", perguntava Bhima, angustiado, a Yudhishthira depois de cada morte. Mas, a cada vez, como se não se importasse, Yudhishthira apontava friamente um defeito moral do morto. Sua incapacidade de enlutar-se era alienante. Quando Bhima também padece, Yudhishthira continua marchando sozinho, acompanhado apenas de seu cachorro.

De repente, Indra apareceu e convidou Yudhishthira a subir em sua biga, dizendo-lhe que é privilégio dos reis entrar de forma física no céu; seus parentes, livres dos corpos, o aguardam lá em cima. Mas Yudhishthira se recusa a abandonar seu cão fiel. Nisso, o cão se desfaz do disfarce, revelando que era o deus Dharma, pai de Yudhishthira. Dharma vocifera:

> És de berço nobre, rei dos reis [...]. Agora desististe de pegar uma biga para o céu por causa da devoção de um simples cachorro. Por isso, senhor dos homens, ninguém no céu a ti se compara. Portanto, melhor herdeiro de Bharata, os reinos imperecíveis são teus, mesmo em teu próprio corpo, e alcançaste o mais elevado estágio celestial.[33]

É uma deliciosa reviravolta, mas nossa inquietação persiste. Indra já havia prometido a Yudhishthira o privilégio de entrar no céu com o próprio corpo, porque Yudhishthira era rei; agora, Dharma lhe diz que essa honra lhe é concedida por causa de sua bondade com os animais. Mas este é um mundo de testes e artimanhas. Chegando ao céu, Yudhishthira vê não a família, mas seu inimigo Duryodhana instalado no trono "em glória real".[34] Yudhishthira, que se recusa a fazer parte desse céu, exigiu que o levassem até seus parentes; foi conduzido por um caminho sombrio e sinistro e, para seu pavor, escutou as vozes dos condenados suplicando-lhe que ficasse para aliviar a dor deles. Yudhishthira concordou — e descobriu que os sofredores eram seus irmãos e Draupadi. Furioso, insultou os deuses, jurando ficar no inferno para consolar sua família amada.

Imediatamente os deuses chegaram, os horrores do céu desapareceram, e uma brisa suave e fresca começou a soprar. "Vem, ó herói forte como um tigre, acabou", anunciou Indra. "Atingiste a perfeição, rei, e os reinos imperecíveis são teus."[35] Mas nossas dúvidas persistem. Será mais um truque? A epopeia nos deixa aturdidos e à deriva. Talvez esteja nos convidando a desistir do desejo de respostas claras e certezas religiosas, bem como das fantasias egocêntricas de vida após a morte. Atentos ao fato de que a vida humana é *dukkha*, aprendemos que a única solução é responder a essa verdade inexorável sem raiva ou tristeza excessiva, mas com compaixão pelos demais e destemida resignação.

Na China, durante o período dos Estados Combatentes, os yanguistas, que tinham contestado o ideal confuciano de serviço público e abandonado a vida política, perguntavam-se o que deviam fazer para preservar a vida numa era de crescente violência. Na primeira fase do taoismo, a resposta foi escapar. Fugindo para as montanhas e florestas, pensava Yangzi, era possível evitar o mal e a destruição do mundo humano. Mas a doença, o desastre e a morte também ocorrem no mundo da natureza. Assim, os taoistas posteriores foram mais a fundo. Talvez possamos sobreviver, pensavam eles, se compreendermos as leis que governam o universo e regularmos devidamente o nosso comportamento. Essa segunda fase do taoismo é expressa no *Daodejing* ("O Clássico do Caminho e sua Potência"), que se tornaria uma importante escritura taoista. Composto provavelmente em meados do século III a.C., o *Daodejing* parece ser uma coleção de provérbios usados por professores que se dedicavam ao aperfeiçoamento pessoal por meio da meditação e da reforma da atividade política do momento.[36] É o primeiro texto chinês examinado por nós que explicitamente define a si próprio como *jing*, ou seja, "Clássico" — obra de importância espiritual ímpar. A princípio, *jing* era um termo da tecelagem — a urdidura que definia e suportava a estrutura do tecido —, mas no fim do período dos Estados Combatentes *jing* era aplicado metaforicamente a um texto ou coleção de escritos que expressassem uma verdade universal e pudessem, consequentemente, fortalecer e ordenar a sociedade.[37]

No primeiro poema do *Daodejing*, Laozi, seu suposto autor, obriga os leitores a reconhecerem os limites do próprio entendimento pela distinção entre o ser (*yu*) e o não ser (*wu*):

O caminho [Tao] sobre o qual se pode falar
Não é o caminho constante;
O nome que pode ser nomeado
Não é o nome constante.
O inominado foi o começo do céu e da terra;
O nomeado foi a mãe de inumeráveis criaturas.[38]

Laozi não se refere a um Deus Criador, ou à origem das espécies: mais do que uma declaração temporal ou factual, o que ele faz é uma declaração ontológica. Uma vez que existem seres, deve haver aquilo através do que surgiram todas as coisas, mas sobre o que nada sabemos.

Silêncio e vazio
Está sozinho e não muda,
Dá voltas e não se desgasta.
É capaz de ser a mãe do mundo.
Não sei o seu nome.
Por isso o designo "o caminho".[39]

O Tao é inefável e, se quisermos falar a respeito dele, só lhe podemos dar um nome que não seja de fato um nome.[40] Talvez, sugere Laozi, devêssemos chamá-lo simplesmente de "a Escuridão", para nos lembrarmos sempre de sua obscuridade impenetrável.[41] O pensamento racional comum é inútil quando confronta a realidade transcendente. O *Daodejing* deliberadamente subverte a lógica analítica do hemisfério esquerdo do cérebro, obrigando-nos a levar em conta antíteses que não só invertem pressupostos convencionais, mas que nada têm a ver com lógica ou raciocínio. Descobrimos que a inação é superior à ação, a ignorância ao conhecimento, a fêmea ao macho, e o vazio à plenitude.[42] Mantendo essas contradições em mente, o sábio aprende a pensar para além das categorias normais e pode, dessa maneira, ter vislumbres do Incognoscível. Laozi não traça os passos que levam a essas percepções: esses comentários enigmáticos são apenas tópicos para meditação; seus leitores tinham de fazer a viagem por conta própria.

Mas Laozi explicou como o sábio deveria viver. Há um provérbio chinês que diz: "Quando uma coisa chega ao extremo, retrocede",[43] ou, nas palavras de

Laozi: "Voltar é a maneira do caminho de se mover".[44] Quando qualquer coisa chega a uma extremidade, retrai: "Um vento forte não pode durar a manhã inteira, e um súbito pé-d'água não pode durar um dia inteiro".[45] Essa é a lei fundamental da vida. Quando as pessoas comem demais, adoecem; o aluno que julga ter aprendido tudo não avança; e arrogância é sinal de que o nosso progresso chegou ao limite, e que é hora de retrair. Como disse Laozi:

Ser despótico quando se tem riqueza e posição social
É atrair a calamidade sobre si mesmo.
Retirar-se quando a tarefa está cumprida
É o caminho do céu.[46]

Portanto, a pessoa sensata evitará o desastre se viver humildemente e contentar-se com pouco, evitando "excesso, extravagância e arrogância".[47] Dessa maneira, progredirá, pois se submete à lei fundamental da vida: "Coloca-se em último lugar e chega em primeiro".[48]

Não se exibe, por isso se destaca;
Não acha que está certa, por isso é ilustre;
Não se vangloria, por isso tem mérito;
Não ostenta, por isso perdura.[49]

Para Laozi, *wu-wei* não é "não fazer nada"; é restringir a atividade ao necessário, evitando extremos. Mas, numa passagem importante, sugeriu que havia uma solução mais profunda. Era o egoísmo que causava nossa dor: "O motivo de haver grande aflição é eu ter um eu. Se não tivesse, que aflição poderia ter?".[50]

A terceira e última fase do taoismo exploraria esse insight no livro atribuído a Zhuangzi (*c.* 369-286 a.C.), um dos filósofos mais brilhantes e exaltados do período.[51] Ele costuma ser considerado o autor dos sete primeiros capítulos, mas esse Clássico é uma antologia de vários escritos taoistas, compilada no começo do império Han (206 a.C.-24 d.C.). Como os yanguistas, Zhuangzi tinha se retirado para a floresta a fim de escapar dos perigos do mundo político, mas não tardou a descobrir que o campo estava longe de ser um paraíso de tranquilidade. Na floresta, criaturas devoram incessantemente umas às outras, ao que tudo indica ignorando que elas próprias serão mortas e comidas, por sua vez.[52] Essas criaturas não se preocupavam com sua condição, como o faziam os seres humanos, apenas seguiam o fluxo. Portanto, concluiu Zhuangzi, os homens precisavam também se alinhar com o Céu e os ritmos inevitáveis do Tao sem se lamentar. Parou de preocupar-se com a morte. Quando a mulher morreu, recusou-se a ficar de luto: ela estava em paz no seio do Tao que não está sempre evoluindo. Chorar e ficar com raiva seria estar em desacordo com o ponto de vista do Céu, a Maneira como as coisas realmente eram.[53]

A maioria das pessoas, notou Zhuangzi, vivia apaixonada pelas próprias opiniões. Distingue "isto" do "daquilo"; o que "é" do que "não é"; "morte" de "vida". Mas o sábio não tem nada a ver com essa implacável análise do cérebro esquerdo, com suas inúteis e irascíveis distinções:

> O sábio não vai por aí, mas lança a luz do céu nessas questões. "Isto" é também "aquilo" e "aquilo" é também "isto". Aquilo, por um lado, também é "isto", e "isto", por outro lado, é "aquilo" [...]. Quando "isto" e "aquilo" não se opõem um ao outro, isso se chama pivô [quer dizer, a essência] do Tao. O pivô fornece o centro do círculo, que não tem fim, pois pode reagir igualmente ao que é e ao que não é.[54]

O sábio fica no centro desse círculo, ciente de tudo que ocorre no interior deste, mas sem se envolver — não por preguiça ou cinismo, mas porque atingiu o ponto de vista do que chamaríamos de hemisfério direito do cérebro. Uma vez descartada essa mentalidade analítica, vislumbramos o Todo, a unidade de todas as coisas no Uno indiferenciável.

Zhuangzi contava a história de Yan Hui, o discípulo amado de Confúcio, que anunciou certo dia ao Mestre: "Eu me sento sossegado e esqueço".

> Deixo o corpo desaparecer e o intelecto apagar. Descarto a forma, abandono a compreensão — e então me movo livremente, fundindo-me na Grande Mutação [do Tao]. É isto que quero dizer com "eu me sento sossegado e esqueço".[55]

"Esquecimento" não é distração; na verdade é uma conquista — a redução deliberada, por algum tempo, de nossas faculdades racionais e lógicas, o que permite "nos fundirmos" com a transcendência do mundo à nossa volta. Deveríamos aprender com os sons da Natureza, acreditava Zhuangzi. Cada um é único; é o que é, sem ser influenciado por nenhum dos outros. Mas palavras (*yen*) sempre representam ideias e opiniões que entram em conflito com outras. Assim fortalecemos o eu que é a causa de tantas misérias nossas e alheias. Cada um tem seu próprio ponto de vista parcial. As pessoas discutem interminavelmente sobre "isto" e "aquilo", tornando algumas ideias absolutas, condenando outras, e formando opiniões férreas que acreditam ser indubitavelmente "certas":

> Eles lutam contra a própria mente dia após dia [...] às vezes se extraviando muito, às vezes se aprofundando, às vezes calculando [...]. Então, fazendo julgamentos sobre "certo" e "errado", a mente dispara, como um projétil de balestra. Apegam-se a opiniões como se tivessem feito um juramento sagrado.[56]

Como é triste e inútil disputar uns com os outros dessa maneira, formando grupos rivais — moístas contra confucionistas! Como o Tao escapa a essa definição, a única posição consistente é não saber, uma vez que ninguém pode estar seguro do que é "certo". Quando "esquecemos" deliberadamente essas distinções, tornando-nos cientes da unidade de todas as coisas no Tao, perdemos a necessidade obsessiva de alardear nossas opiniões. Zhuangzi parece ter deliberadamente "fechado" a atividade analítica do hemisfério esquerdo do cérebro e alcançado a visão mais pan-óptica do que é certo, capaz de sustentar diferentes opiniões da realidade ao mesmo tempo. Ele não andava por aí num transe nebuloso, irrealista, porém; havia momentos em que precisava avaliar situações e fazer distinções, como qualquer pessoa.[57] Mas sua visão holística cuidadosamente alimentada lhe permitia estar em sintonia com o Caminho, afinado com a "raiz" de onde crescem todas as coisas, e com o eixo em torno do qual tudo gira.

A busca da certeza com frequência torna as pessoas dogmáticas e intolerantes com as convicções alheias, e isso, diz Zhuangzi, impossibilita a transformação. O que devemos fazer é abrir mão de nossa obsessão com o eu e cultivar a empatia. "O homem perfeito não tem eu", explicava Zhuangzi.[58] Tendo perdido qualquer senso de si mesmo como algo separado e especial, ele "vê os outros como se fossem eu": "Se pessoas choram, ele chora — considera tudo seu próprio ser". Sem a lente deformante do egoísmo, ele atingiu a bondade inconsciente de si mesma que é a essência da iluminação.[59]

O taoismo tinha dado a volta completa. Os yanguistas haviam feito o possível e o impossível para preservar o eu, mas Laozi percebeu que essa era a causa da nossa tristeza. Finalmente, Zhuangzi tinha descoberto que ver as coisas da perspectiva do Tao significava abandonar a autoafirmação clamorosa. Ele não alcançou esse entendimento com intensiva introspecção iogue. O *Zhuangzi* conta muitas histórias de camponeses e artesãos humildes completamente carnais, tão atentos ao trabalho físico — fosse capturando cigarras com um bastão revestido de grude, trinchando um boi assado ou construindo uma roda — que, sem fazer força, atingem o *ekstasis*, um esquecimento de si que lhes permite entrar em comunhão total com a Maneira como as coisas funcionam sem que seja necessário pensar a respeito delas. Seriam incapazes de explicar como realizavam a tarefa com tanta perfeição. Era simplesmente uma "aptidão" adquirida ao manterem a mente vazia de dogmatismo e deixarem os ritmos mais profundos da vida tomarem conta.

O último grande pensador confucionista do período dos Estados Combatentes foi Xunzi (340-245 a.C.), que fez uma poderosa síntese do pensamento intelectual e do pensamento espiritual da sua época. O *Xunzi* jamais se tornou uma escritura canônica, mas relaciona, pela primeira vez, os *jing* que se tornariam os Clássicos chineses, os quais, acreditava Xunzi, eram essenciais para o cultivo da humanidade (*ren*):[60] "Aprender [*xie*] começa com a recitação dos Clássicos [*jing*] e termina com a leitura dos textos rituais; aprende-se primeiro a ser homem de educação e termina-se aprendendo a ser sábio".[61] Como sempre, a aprendizagem confucionista era inseparável da autoeducação. Xunzi também apoiava a convicção crescente de que a sabedoria não era uma conquista de homens como Yao, Shun e Yu no passado distante, como acreditava Confúcio, mas algo acessível a qualquer um; praticando todos os dias, ou mesmo todas as horas, a bondade (*ren*) e a retidão (*yi*), afirmava Xunzi, "o homem da rua pode se tornar um Yu".[62]

O ritual era também componente essencial da sabedoria e não estava confinado aos ritos de reverência filial e às cerimônias de luto pelos mortos. Era essencial que cada um prestasse total atenção às minúcias físicas da vida: "a colocação do cálice cheio de água no lugar mais alto, a disposição de peixes crus na mesa de oferendas, a apresentação da sopa sem temperos — todos esses atos tinham o mesmo significado". Essas ações formavam dentro de nós uma atitude de respeito a cada elemento da refeição, criando um hábito de reverência não apenas para com os outros seres humanos, mas também para com todas as coisas do mundo natural.[63]

Os cinco *jing*, ensinava Xunzi, representam a parte mais elevada do Caminho e seu poder:

> A reverência e a ordem dos *Ritos*, a adequação e harmonia da *Música*, a amplitude das *Odes* e dos *Documentos*, a sutileza dos *Anais de Primavera e Outono* — abrangem tudo que existe entre o céu e a terra.[64]

Mas era inútil estudar escrituras sem ritual. "Deixar de lado os *Ritos* e tentar alcançar seu objetivo só com as *Odes* e os *Documentos* é como tentar medir a profundidade de um rio com o dedo, socar painço com ponta de lança, ou comer uma tigela de ensopado com uma sovela. Você não consegue nada."[65] O estudo dos Clássicos tinha que atingir as profundezas do nosso ser físico, bem como do nosso ser intelectual. "A aprendizagem do homem mesquinho entra pelo ouvido e sai pela boca", queixava-se Xunzi; ele ouve a escritura e imediatamente começa a discursar a respeito dela. O Clássico tinha afetado apenas "as quatro polegadas entre o ouvido e a boca", não penetrando no resto do corpo.[66] Essa pessoa estava simplesmente usando o que aprendera para impressionar as demais e avançar na carreira. A aprendizagem de um *junzi*, porém, "entra em seu ouvido, agarra-se à sua mente, espalha-se pelos quatro membros, e manifesta-se em suas ações".[67] Envolve todo o ser humano, não apenas a parte cerebral da sua mente. A escritura tinha que mobilizar todas as nossas capacidades mentais e físicas, ou não haveria transformação.

A assombrosa violência do fim do período dos Estados Combatentes levou Xunzi a concluir que a natureza humana era fundamentalmente má. Em 260 a.C., o exército de Qin conquistou o estado de Zhao, terra natal de Xunzi, e massacrou 400 mil prisioneiros de guerra, sepultando-os vivos. Mas Xunzi não desistiu da humanidade: a catástrofe apenas mostrava que o desenvolvimento da nossa humanidade plena era mais urgente do que nunca. Ressaltou que Yao, Shun e Yu perceberam que só com um gigantesco esforço intelectual seria possível pôr fim à miséria intolerável que testemunharam. Criaram os ritos de reverência, cortesia e "submissão" para impor ordem e harmonia às relações sociais.[68] Os taoistas acreditavam que o ritual de Confúcio impunha uma série de regras estranhas e antinaturais, mas na verdade os ritos humanizavam as emoções, dando forma e beleza a um material nada promissor: eles "aparavam o que era grande demais e estiravam o que era curto demais, eliminavam excessos e reparavam faltas, estendiam a força do amor e da reverência, e passo a passo faziam florescer as belezas da conduta adequada".[69]

Rituais pressupõem a presença de outros: o aperfeiçoamento individual não pode ser alcançado sozinho. Xunzi teria concordado com o povo da Índia — sem um professor, a escritura era impenetrável:

> *Ritual* e *Música* nos apresentam problemas, mas não dão explicações; as *Odes* e os *Documentos* tratam de questões antigas, que nem sempre são pertinentes; os *Anais de Primavera e Outono* são lapidares e não podem ser compreendidos de imediato [...]. Digo, portanto, que na aprendizagem nada é mais vantajoso do que associar-se àqueles que já sabem, e entre as estradas que levam ao conhecimento nenhuma é mais rápida do que amar esses homens.[70]

Um relacionamento caloroso e emocional com o professor era indispensável: "Se você for, em primeiro lugar, incapaz de amar esses homens e, em segundo, incapaz de ritualizar, tudo que aprenderá é uma massa confusa de fatos caso se limite a seguir cegamente as *Odes* e os *Documentos*, e nada mais".[71] Como Zhuangzi, Xunzi lamentava o que chamava de "obsessão", a insistência egoística nesta posição doutrinal em detrimento daquela, o que precisava ser combatido com a "submissão" ritual e o amor de seu professor.

Xunzi era um confucionista convicto, mas também influenciado profundamente pelo taoismo. Como Zhuangzi e Laozi, estava convencido de que o Caminho poderia ser compreendido pelo "fechamento" da atividade crítica da mente, para que ela se tornasse "vazia, unificada e quieta". Essa mente estaria "vazia" permanecendo aberta a novas impressões, em vez de apegar-se ao familiar, e cultivando uma profunda reatividade ao Outro — a tudo que não seja o próprio eu; estaria "unificada" em sua recusa a enfiar à força a realidade complexa num sistema arrumadinho e egoísta, formando certezas baseadas em abstrações; e "quieta" recusando-se a ceder a "sonhos [egoístas] e fantasias ruidosas". "São essas", concluiu Xunzi, "as qualidades de uma iluminação grande e pura."[72] Desmantelando cuidadosamente o pensamento mesquinho, egocêntrico, qualquer ser humano poderia atingir a visão pan-óptica de um sábio:

> Aquele que alcança essa iluminação pode ficar sentado no quarto e ver toda a área dentro dos quatro mares, pode viver no presente e apesar disso discursar sobre eras distantes. Tem uma percepção penetrante de todos os seres e compreende sua verdadeira natureza, estuda as eras de ordem e desordem e compreende o princípio por trás delas. Inspeciona o céu e a terra, governa todos os seres e domina o grande princípio e tudo que existe no universo.[73]

Quem alcançava essa iluminação não era um "deus"; simplesmente realizara o potencial de sua humanidade: "Ampla e vasta — quem conhece a sua virtude? Cheia de sombras e em constante mudança — quem conhece a sua forma? Seu brilho iguala o do sol e da lua, sua grandeza preenche as oito direções. Esse é um Grande Homem".[74]

Xunzi não mencionou o *Zhouyi* ("Mutações de Zhou"), o antigo texto divinatório que estava prestes a ser transformado no *Yijing*, o sexto Clássico chinês. Durante os séculos III e II a.C., um conjunto de comentários conhecido como as "Dez Asas" ou "Apêndices" tinha dado novo significado às enigmáticas linhas-declarações do *Zhouyi*, transformando-o, de texto divinatório, no relato protocientífico, racional, de um universo bem-ordenado, dinâmico e benigno, que era a fonte da bondade.[75] As "Asas" destinavam-se a tranquilizar e motivar; apresentavam o cosmo engajado num processo incessante de mutação e transformação que era impessoal, tranquilo e simples — o *yi* do título também significa "fácil". O "Grande Final" (Taiji), a fonte indescritível e incognoscível do ser, engendra duas forças, yin e yang, que são, respectivamente, passiva e feminina, ativa e masculina. O primeiro dos padrões que evoluíram a partir de yin e yang foram os Oito Trigramas, diagramas de três linhas quebradas e ininterruptas: nas "Asas", eles já não representavam a boa e a má sorte, mas eram forças cósmicas, celestes. Então os Trigramas se multiplicaram para se tornarem os Sessenta e Quatro Hexagramas, que representavam todas as formas possíveis de transmutação, situação, possibilidade e instituição da terra.

Em vez de serem controlados por espíritos perversos e irracionais, cujas intenções só poderiam ser avaliadas através de obscura e pouco confiável adivinhação, os chineses tinham desenvolvido um sistema que, como explica a Primeira Asa, podia ser previsto objetivamente:

> O sistema de *Mutação* [ou seja, o *Yijing*] equivale ao céu e à terra e, portanto, pode sempre manejar e ajustar o método do céu e da terra. Olhando para cima, observamos o arranjo dos céus; olhando para baixo, examinamos a ordem da terra. Com isso sabemos as causas do que está oculto e do que é manifesto. Se investigarmos o ciclo das coisas, compreenderemos os conceitos de vida e morte.[76]

Os "espíritos" de antigamente tinham sido transformados em ordeiras forças naturais, e agora não existe "discórdia" entre elas. A ciência do *Yijing*, portanto, "abraça todas as coisas e, à sua maneira, ajuda tudo sob o céu e, portanto, não há erro". Compreende o *Tian* ("Céu" ou "Natureza") e nele se alegra, por isso "compreende o destino. Portanto, não há preocupação. Como [as coisas] estão satisfeitas com sua posição e são sérias na prática da bondade, pode haver amor".[77]

Pode parecer simplista, mas a filosofia é clara: os seres humanos estão firmemente engastados no cosmo. Não se pode dizer "Natureza", ou "Céu", sem também dizer "Humano": eles formam uma tríade inseparável, por isso todo acontecimento terreno precisa ser interpretado nesse contexto holístico. No "Grande Apêndice" (Dazhuan), a mais importante das Asas, encontramos o sábio descrito como alguém que compreende as coisas do começo ao fim:

> Existe uma similaridade entre ele e o céu e a terra, e consequentemente não existe oposição entre eles [...]. Ele abrange, como num molde ou numa clausura, a transformação do céu e da terra sem qualquer erro; mediante uma adaptação sempre variável, termina todas as coisas sem exceção [...]. É assim que sua operação é como um espírito, não condicionada por lugar, enquanto as mudanças que ele produz não se restringem a nenhuma forma.[78]

As Asas posicionam a humanidade firmemente na ordem natural, e o sábio, a pessoa plenamente desenvolvida, alinhou-se tão perfeitamente ao Céu e à Terra que se tornou divino — exatamente como descrito por Xunzi.

O Grande Aprendiz prossegue e então descreve Fu Xi, o primeiro Rei Sábio, adquirindo consciência da interação dentro da tríade sagrada.

> Ele ergueu os olhos para examinar as imagens [*guan xiang*] no Céu, e abaixou-os para examinar os modelos [*fa*] na Terra. Examinou as marcas *wen* [padrões] dos pássaros e dos animais e sua adequação ao terreno. Olhando à sua volta, ele se inspirou no que viu dentro de si mesmo; olhando mais para longe, nos seres inanimados. Em seguida, criou os oito trigramas para comunicar-se com os poderes de inteligência espiritual, e para classificar a natureza de incontáveis objetos.[79]

A "virtude" (*de*) real de Fu Xi lhe permitia ler e interpretar o cosmo como um texto. Quando erguia os olhos para as estrelas, via as "imagens" arquetípicas do cosmo e criava seus próprios "padrões" nos Trigramas. Mas via também que essas "imagens" cósmicas correspondiam a "padrões" (*wen*) terrenos nas marcas de pássaros e animais que lhes permitiam harmonizar-se com seu habitat natural. Essa percepção da compatibilidade entre Céu e Terra inspirou Fu Xi a criar tecnologias que ajudassem seres humanos a viver produtivamente no mundo. "Inventou a corda com nós [para fazer registros] e fez redes e quadrados para caçar e pescar. Provavelmente tirou [a ideia para isso] do hexagrama *li* [Hexagrama 30: 'Fogo' do *Yijing*]."[80]

Fu Xi tinha criado um sistema de sinais humanos que correspondia ao universo, de modo que um revelava a verdade do outro. Isso incentivou os sábios que mais tarde viriam a criar tecnologias cada vez mais sofisticadas. Ao contemplar *Yi* (Hexagrama 42: "Aumento"), Shen Nong inventou a ciência da agricultura que tornava a terra produtiva. Yao e Shun trouxeram a Grande Paz ao mundo ao meditarem sobre os dois primeiros hexagramas, "Céu" (*Tian*) e "Terra" (*Kun*), e entenderem que sua harmoniosa interação deveria ser replicada em assuntos humanos. Outros hexagramas os levaram a construir barcos e a domesticar bois; e o Hexagrama 38, *Gui* ("Oposição"), lhes deu a ideia de arcos e flechas para manter intrusos violentos à distância. A última invenção deles foi a escrita (nascida do Hexagrama 43: *Guai*, "Determinação"), que usaram para criar documentos e contratos governamentais, para que "funcionários fossem controlados e as pessoas supervisionadas".[81] *Mutações*, portanto, explorava a inter-relação de monarquia, erudição, tecnologia e civilização. Os Reis Sábios estavam cientes de que a prosperidade humana dependia da imitação desses padrões cósmicos, os quais lhes possibilitavam viver em harmonia com o todo.

Os *Anais de Primavera e Outono*, que agora reivindicavam Confúcio como seu autor, também se associaram à adivinhação. Durante o período dos Estados Combatentes, três importantes comentários sobre os *Anais* foram transmitidos oralmente: o *Gongyang*, o *Guliang* e o *Zuozhuan*.[82] A adivinhação, a interpretação de sonhos e a exegese estão relacionadas em muitas culturas, pois todas requerem que um intérprete descubra sentidos ocultos em imagens obscuras.[83] Nos *Anais*, eclipses, incêndios e enchentes com frequência pressagiavam desastres políticos e tanto *Gongyang* como *Guliang* viam esses antigos augúrios como advertências para os governantes de sua época.[84] De início, o *Comentário Zuo*, que encontramos antes, era provavelmente uma crônica independente, do período de Primavera e Outono, adaptado mais tarde para se encaixar nos *Anais* quando a exegese ganhou prestígio.[85] Ele afirmava que as notas lacônicas dos *Anais* representavam ensinamentos de Confúcio, que ele havia transmitido secretamente para evitar represálias de governantes tirânicos. Assim sendo, numa época em que a realeza estava em declínio, a escritura desempenhara tarefa de monarca: *Odes*, ajudando a formular política, e *Ritos*, impondo ordem nos estados.[86]

Os *Anais*, claro, tinham apenas anotado nascimentos, casamentos, mortes, reuniões diplomáticas e campanhas militares, mas esse seco registro histórico sempre tivera uma aura numinosa, por causa de sua função ritual. Agora atribuído a Confúcio, tornou-se um elo com o Céu e, como toda escritura, foi radicalmente reinterpretado para lançar luz sobre o presente. O *Gongyang* estava convencido de que os *Anais* tinham poder transformador, "para restaurar a ordem em tempos caóticos e efetuar uma volta àquilo que é correto".[87] Confúcio havia relatado agourentos desastres naturais para repreender os governantes de sua época, e agora exegetas dos Estados Combatentes estudavam aqueles mesmos presságios para criticar abusos atuais, acrescentando interpretações próprias.[88] O *Gongyang* acreditava que, como a China não tivera um rei efetivo durante o período de Primavera e Outono, a monarquia só sobrevivera nos julgamentos dos *Anais*.[89] No fim do período dos Estados Combatentes, a ideia de que um texto sagrado podia ser o único repositório de autoridade política estava firmemente enraizada na China.[90]

Por quase duzentos anos, a Grécia tinha consistido politicamente em uma confederação frouxamente interligada de cidades-Estados autônomas, independentes, mas entrou numa nova fase em 334 a.C., quando Alexandre, rei da Macedônia (356-323 a.C.), atravessou para a Ásia Menor, libertou a *pólis* grega de Éfeso do controle persa e derrotou o gigantesco exército de Dario III, rei da Pérsia, no ano seguinte. Quando morreu, cerca de dez anos mais tarde, o império de Alexandre, o Grande, estendia-se até a Índia e o Afeganistão. Na confusão que se seguiu à sua morte, os principais generais, conhecidos como os *diadochoi* ("sucessores"), lutaram uns contra os outros pelo controle do império, e em 301 a.C. a província de Judá coube a Ptolomeu I Sóter, que tinha estabelecido uma base de poder no Egito. Os Ptolomeus não se metiam muito em assuntos locais, mas na esteira do exército colonos gregos chegaram à região e estabeleceram cidades-Estados democráticas em Gaza, Siquém, Maressa e Amã. Soldados, mercadores e comerciantes gregos se fixaram na região, e os moradores aprenderam grego, alguns até se tornando "helenos" e ingressando nas fileiras do exército imperial e do governo local.

Ainda que a *pólis* fosse alheia a tradições profundamente arraigadas no Oriente Médio — a sociedade grega era governada por uma intelligentsia secular, e não por um rei divinamente designado, ou por uma elite clerical —, o helenismo ganhou terreno na região. Egípcios, persas e judaítas podiam se tornar "gregos" estudando no liceu local, onde memorizavam trechos da *Ilíada*. Muito mais essenciais para a formação de um cidadão grego, porém, eram os exercícios físicos que permitiam a jovens da elite encarnar os ideais heroicos da tradição homérica, aprendendo a dominar seus corpos, de uma forma que refletisse seu domínio de outros.[91] Alguns moradores locais aprendiam a familiarizar-se com a cultura grega, misturando-a criativamente com tradições próprias. O famoso filósofo Fílon de Alexandria (*c.* 20 a.C.-50 d.C.), por exemplo, aplicou a disciplina grega da alegoria às histórias e leis da torá. Mas outros afirmavam e redefiniam agressivamente a própria herança literária. Em Judá, estudos textuais tradicionalmente ficavam confinados à elite de escribas, mas agora, numa tentativa de resistir à helenização, grupos de estudos de israelitas do sexo masculino se formavam fora do templo. Mas ler a escritura continuou a ser uma arte aristocrática, sacerdotal; leigos eram instruídos apenas nos princípios gerais das tradições hebraicas.[92]

Mas nos escritos de Ben Sira, um sacerdote e escriba hierosolimita da virada do século III a.C. para o século II a.C., vemos uma fusão de tradições gregas e hebraicas diferente da de Fílon.[93] Seus estudantes estavam destinados a ser escribas a serviço da aristocracia sacerdotal que governava o cerimonial do templo sob os auspícios dos Ptolomeus. A instrução ainda era feita oralmente, mas Ben Sira anotava por escrito suas aulas, na esperança de alcançar gerações futuras.[94] Ele pede a seus alunos que "ouçam" e "escutem" suas palavras, pois tinha como objetivo gravar os textos em seus corações. A sabedoria só era adquirida por quem "praticasse" os ensinamentos da torá e por eles se deixasse transformar.[95] Ben Sira talvez tenha sido o primeiro judaíta a vincular a "sabedoria" tradicional de Israel com a ideia grega de uma Sabedoria primordial encarnada nas leis do cosmo — síntese que dava à escritura de Israel uma dimensão supra-histórica.

Para Ben Sira, a torá, o "ensinamento" tradicional de Israel, era idêntica à sabedoria eterna de Deus.[96] Ele personificava essa Sabedoria divina na figura de uma mulher que canta os próprios louvores no Conselho Divino num hino que claramente se destinava a ser encenado e, possivelmente, cantado. Ela descreve a si mesma saindo da boca de Eloim como o Verbo divino que tinha trazido à existência toda a criação. Em seguida, perambulou pelo mundo em busca de um lar, até que Deus lhe ordenou que se estabelecesse com o povo de Israel. Foi assim que ela se instalou no monte Sião, servindo a Deus no templo, fonte inesgotável de insight e confiança.

> Quem bebe de mim terá sede de mais. Quem me escuta jamais terá de ruborizar-se. Quem age como eu ordeno jamais pecará.[97]

Esse hino claramente bebe em um outro que, ao que tudo indica, foi acrescentado aos antigos textos de Sabedoria de Israel no começo do período helenístico (*c.* 330-250 a.C.).[98] Aqui também a Sabedoria afirma que Jeová "me produziu como primeiro fruto de sua obra, no começo de seus feitos mais antigos", e que ela esteve ao lado dele em cada etapa do processo criativo, "como arquiteto e enchia-me de gozo dia após dia, regozijando-me sempre diante dele".[99]

Este é um mundo escritural muito diferente do desconcertante e sombrio universo do *Mahabharata*. Tampouco somos guiados através de um labirinto taoista de ambiguidades cultivadas com esmero, que nos envolva numa nuvem de desconhecimento. Ben Sira não era um Zhuangzi ou um Laozi; era um funcionário público treinando uma nova geração de escribas obedientes que, como ele, se apaixonaram pelo templo e por seus rituais. Ben Sira não parece ter trabalhado com nenhum texto bíblico definitivo: ainda não havia um cânone bíblico oficial. Mas o neto dele, que preservaria e editaria seu livro, viveu numa época muito mais desconcertante, quando os governantes de Jerusalém tentaram impor à força um cânone escritural a seus relutantes súditos.

7. Cânone

Em 221 a.C., a dinastia Qin derrotou o último de seus rivais e, ao unificar todo o país no primeiro império chinês, encerrou o longo pesadelo do período dos Estados Combatentes. O chamado Primeiro Imperador não era particularmente versado nos Seis Clássicos; tampouco era um ritualista ou um sábio. Tinha adotado o "legalismo" pragmático do Senhor Shang e acreditava que o bem-estar do Estado dependia mais da agricultura e da guerra do que de *ren*. Para governar sozinho, o imperador eliminou a aristocracia, forçando 120 mil famílias principescas a residirem na capital e confiscando suas armas. O império foi dividido em 36 comandâncias governadas por funcionários subordinados ao governo central. Os ritos Zhou foram abolidos e substituídos por cerimônias centradas no imperador.[1] Quando o historiador da corte se opôs a essa inovação, o primeiro-ministro Li Si (que tinha sido aluno de Xunzi) aconselhou o imperador a abolir qualquer escola que se opusesse ao programa legalista e a confiscar seus textos.[2] O historiador Sima Qian, que ocupou o cargo entre 140 a.C. e 110 a.C., diria mais tarde que houve uma gigantesca queima de livros e que quatrocentos professores foram executados, mas historiadores modernos acreditam que o imperador simplesmente proibiu indivíduos e escolas de possuírem os livros proibidos. Os Clássicos foram confiados aos filósofos oficiais do regime e só podiam ser estudados sob a mais estrita supervisão. Essa concentração de autoridade intelectual numa biblioteca imperial e num grupo de especialistas foi o primeiro passo para a formação de um cânone oficial a serviço do Estado.[3]

Contudo, ao tentar estabelecer um governo implacavelmente autocrático, o Primeiro Imperador havia calculado mal. Quando ele morreu, em 210 a.C., o povo se ergueu em rebelião, e, depois de três anos de anarquia, Liu Bang, um dos magistrados imperiais, fundou a dinastia Han. Ele queria preservar o Estado centralizado e sabia que o império precisava do realismo legalista, mas ao mesmo tempo sabia que uma ideologia mais motivadora se fazia necessária. Sua solução foi uma combinação de princípios taoistas e legalistas.[4] Haveria uma governança "vazia", de espírito aberto, e um direito penal severo, mas sem castigos draconianos.

Em seu relato das escolas filosóficas da China, o historiador Liu Xin (*c.* 46 a.C.-23 d.C.) afirmava que todas elas tinham suas forças e fraquezas. Ele via os literatos (*ru*) como "os mais elevados", por estarem radicados nas mais distintas tradições da China: cultivavam os Clássicos, promoviam *ren* e *yi*, transmitiam as tradições de Yao e Shun, consideravam os reis Wen e Wu autoridades, e Confúcio, o fundador. Mas não sabiam toda a verdade: "Há lacunas em [seu] conhecimento, que podem ser preenchidas pelas outras escolas". Os taoistas eram os mais espirituais: sabiam como "cada um devia se portar, pela clareza e pelo vazio, impor-se pela humildade e pela docilidade", mas subestimavam a importância do ritual e das regras de moralidade. Os legalistas compreendiam que o governo dependia de leis e freios, mas cometiam o erro de abandonar *ren* e *yi*. Liu Xin aprovava nos moístas a condenação da extravagância e a promoção do "amor universal" (*jian ai*), mas não a incapacidade de apreciar "a distinção entre parentes e desconhecidos".[5]

No Ocidente, as tradições religiosas são distintas e quase sempre opostas entre si, mas na China a síntese era a norma. Como Xunzi, era possível ser confucionista de dia e taoista de noite. Os legalistas compartilhavam muitas ideias taoistas, afirmando que o governante verdadeiramente esclarecido "aguardava na quietude e no vazio", e praticava *wu wei* deixando que "as tarefas cuidassem de si mesmas". Ele era apenas a Força Motriz, que permanecia imóvel, mas fazia ministros e súditos agirem.[6] Isso lembrava muito o príncipe confucionista idealizado, que silenciosamente emitia sua "virtude", mas não agia nem falava.

As escrituras chinesas diferiam umas das outras na ênfase, mas compartilhavam a convicção de que era essencial para os humanos se alinharem com o Caminho do "Céu" ou da "Natureza"; não viam distinção entre o espiritual e o físico, o sagrado e o profano.[7] Mas — distinção importante — isso não significava que suas escrituras fossem "seculares", como estudiosos ocidentais chegaram a supor, apenas que o secular era sagrado.[8]

O taoismo promovido por Liu Bang como religião de Estado era muito diferente da espiritualidade de Zhuangzi e Laozi. Concentrava-se no Rei Sábio conhecido como Imperador Amarelo (Huang Lo), e parece ter sido um amálgama de vários cultos, defendendo governo minimalista, redução de impostos e códigos jurídicos simplificados. Na corte, os textos preferidos eram o *Daodejing* e o *Zhuangzi*, mas houve também a voga dos rituais "neotaoistas", que alegavam contatar espíritos e aumentar a longevidade. Em sua juventude, porém, Liu Bang tinha estudado o ritual confucionista e, no começo de seu reinado, incumbiu os *ru* de criarem um cerimonial para a corte. Quando posto em prática pela primeira vez, ele exclamou: "Agora entendo a nobreza de ser Filho do Céu!".[9] Os literatos lentamente conquistaram terreno na corte, e havia um desejo crescente de orientação moral mais sólida.[10]

Mas os efeitos psicológicos da proibição dos Clássicos pelo Primeiro Imperador foram profundos.[11] O trauma desse primeiro "assalto" imperial tinha deixado muitos *ru* nervosos em relação à integridade dos *jing*; para muitos, os *jing* tinham sobrevivido apenas numa condição incompleta, e como era praticamente impossível estabelecer um texto definitivo antes do advento da imprensa, não era fácil aplacar esses temores. Inevitavelmente, talvez, algumas partes dos *jing* foram se perdendo ao longo do tempo. Vimos que Mozi e Mêncio citavam "escrituras" e máximas de Confúcio que há muito deixaram de existir. Essa apreensão generalizada sobre o status dos Clássicos criou o mito da "queima de livros" e foi por ele alimentada, mas também deu como resultado o estabelecimento de um cânone oficial. Alguns literatos tentaram reconstruir o *Yuejing*, o "Clássico da Música", que de fato se perdera, ou recuperar fragmentos desaparecidos dos *jing*. Outros tentaram amalgamar os cinco *jing* restantes — *Documentos, Odes, Ritos, Mutações* e *Anais de Primavera e Outono* — num só texto, ou provar que não eram uma coleção arbitrária de escritos díspares, mas que havia entre eles um fio condutor. A maioria dos *ru*, porém, tendia a concentrar-se num dos Clássicos, reinterpretando-o para adaptá-lo à nova realidade do império chinês.

Um desses eruditos foi Dong Zhongshu (179-104 a.C.), que se especializou nos *Anais* tal como interpretado pelo comentário *Gongyang*. Estava convencido de que, suplementado por algumas das novas ideias cosmológicas, esse Clássico poderia vir a servir de planta de uma nova ideologia Han.[12] Numa obra intitulada *Chunqiu fanlu* ("As joias opulentas da Primavera e do Outono"), Dong e seus discípulos afirmavam que as escrituras confucionistas eram essenciais para o processo que possibilitaria aos seres humanos encarnarem no Céu. Confúcio tinha deixado um projeto sobre a forma de governo perfeita nos enigmáticos julgamentos dos *Anais*, mas transmitira essas ideias em linguagem deliberadamente esotérica. Só um exegeta competente, portanto, poderia liberar o poder dinâmico desse texto sapiente. Nos *Analectos*, Confúcio nos lembrara que, ainda que o Céu não falasse, era possível reconhecermos o Caminho do Céu observando os ritmos da Natureza. Mas descobrir o significado oculto dos *Anais* exigia um esforço intelectual gigantesco:

> Mas, sem olhar, os olhos não veem. Sem deliberar, a mente não compreende. Ainda que tivéssemos diante de nós o melhor manjar do mundo, sem prová-lo, jamais saberíamos o quanto é excelente. Ainda que pusessem diante de nós os maiores princípios dos sábios, sem deliberar não conheceríamos a retidão desses princípios.[13]

Eruditos não podiam se contentar com uma leitura superficial dos *Anais*, e precisavam deduzir (*tui*) novos significados do texto.

A "virtude" (*de*) do imperador tinha sido desde sempre essencial para o bem-estar do Estado; agora, Dong afirmava que o imperador Han precisava governar como instrumento direto do Céu. Por ser o vínculo que unia Céu, Terra e Humanidade, a missão do imperador era usar seus dons intelectuais inigualáveis para alinhar os súditos com o Caminho do Céu.[14] Se fosse incapaz de lhes garantir segurança e felicidade, o Céu retiraria seu Mandato, mas mandaria sinais de advertência na forma de desastres naturais — enchentes, pestes e terremotos — antes de fazê-lo. Os *Anais* mostravam que a parceria do monarca com o Céu tinha funcionado durante o período de Primavera e Outono, portanto agora poderia ajudar o imperador a decifrar sinais atuais da vontade do Céu. Era essencial, portanto, que um grupo de eruditos capaz de interpretar os impenetráveis *Anais* tivesse o poder de garantir que a política imperial se baseasse em sua exegese.

Quando Dong escreveu as *Joias Opulentas*, a ideologia de Huang-Lo ainda predominava na corte, portanto não havia esperança de que isso acontecesse antes que o jovem imperador Wu (r. 141-87 a.C.), simpatizante dos confucionistas, subisse ao trono como sucessor. Wu nomeou especialistas nos Cinco Clássicos para cargos imperiais e Dong foi para a corte. Ele sugeriu ao imperador que havia um excesso de ideologias rivais e recomendou que as escrituras confucionistas se tornassem a doutrina oficial do Estado. Confúcio, explicou ele, desejara que os *Anais* fizessem as vezes de rei numa época em que a monarquia estava em desuso. Aconselhou o imperador a fundar uma academia de eruditos cujo estudo dos *Anais* revelasse o que Confúcio teria feito em seu lugar. Dong costuma ficar com o crédito de ter tornado o confucionismo a ideologia oficial do império chinês, mas, a rigor, ele caiu em desgraça e jamais ocupou um cargo elevado. Wu criou uma academia, como Dong solicitara, mas ela só se tornou uma instituição importante em 124 a.C., quando o especialista confuciano Gongsan Hong sugeriu que o estudo dos rituais e da história tornaria funcionários públicos mais perspicazes, solicitando que cinquenta alunos seus fossem recrutados para a academia, onde seus conhecimentos dos Clássicos seriam testados, e, se tivessem desempenho satisfatório, seriam nomeados para cargos públicos.[15]

O triunfo do confucionismo custou a ocorrer. Wu jamais se entregou inteiramente ao ideal confucionista — também promoveu ritos taoistas — e era motivado acima de tudo por considerações políticas. Delegava pouco, e os eruditos que ele patrocinou se tornaram a nova elite da corte.[16] Mas Wu não cometeu os erros do Primeiro Imperador: não havia intolerância sectária, e ele continuou a ver mérito em todas as escolas. De início, os *ru* conseguiram pouco progresso em seu combate ao prestígio do exército, mas no fim do século I a.C. havia mais de mil jovens estudando os Clássicos na academia, e, em 140 d.C., o número subira para 30 mil.[17] Aos poucos, a familiaridade com as escrituras confucionistas se tornou uma característica dos funcionários mais influentes.[18]

Mas o confucionismo mudou durante esse período de transição — alguns diriam que perdeu o rumo. A interpretação dos Clássicos pelos funcionários era, talvez inevitavelmente, racionalista e pragmática, e, durante esse processo, o próprio Confúcio sofreu uma transformação. Sima Qian, Grande Historiador da corte imperial, foi o primeiro a enunciar os novos mitos confucionistas.[19] Afirmava ele que na época de Confúcio os *Ritos* já não eram praticados e só fragmentos das *Odes* e dos *Documentos* tinham sobrevivido. Mas Confúcio havia, heroicamente, restaurado essas escrituras perdidas pesquisando a tradição antiga das dinastias Xia e Shang e os primeiros tempos da dinastia Zhou; além disso, rearranjara os textos dos *Ritos* e da *Música* e acrescentara as histórias de Yao e Shun aos *Documentos*. O conhecimento textual, claro, era prerrogativa do governante, mas, como a monarquia estava em declínio, Confúcio não teve escolha senão incumbir-se ele mesmo desse dever real. "A partir dessa época", concluiu Sima Qian, "as [regras] do *Ritual* e da *Música* puderam ser apresentadas, e dessa forma ele concluiu o Caminho Real e aperfeiçoou as Seis Artes."[20]

Sima Qian afirmava ainda que Confúcio tinha sido um sábio e um editor, mas que precisou lidar com o fato de que os grandes sábios — Fu Xi, o Imperador Amarelo, Yao e Shun — haviam sido reis ou fundadores de dinastias; Confúcio, é claro, não tinha sido nem uma coisa nem outra. Mas, em sua extraordinária biografia do Mestre, Sima Qian explicava que apenas um sábio conseguiria conjugar o poder civil (*wen*) com o poder marcial (*wu*) — ao passo que os mortais comuns se destacavam somente numa ou noutra esfera. Afirmava ainda que Confúcio (que, na verdade, jamais ocupou cargo importante) não só tinha sido um ministro brilhante, mas que também, em conformidade com o éthos guerreiro, realizara execuções implacavelmente. É claro que ele fora o sábio de sua época. Ainda que Confúcio não tivesse sido rei, Sima Qian afirmava que ele previra que seus julgamentos nos *Anais* seriam implementados por um imperador Han: "Quanto ao significado das condenações [dos *Anais*], haverá no futuro um rei que o adotará e o entenderá. A retidão dos *Anais* será posta em prática e os ministros religiosos e governantes do mundo a temerão".[21]

Pelo século I a.C., os chineses dispunham de um cânone formado pelos Cinco Clássicos, que seriam utilizados no treinamento de funcionários públicos até a Revolução de 1911. Mas nisso havia vantagens e desvantagens. O cânone não incluía nem os *Analectos*, nem *Mêncio*, que enfatizaram a importância da espiritualidade e do aperfeiçoamento individual. Em vez disso, os textos canônicos se concentrariam no político e no externo. Os *Documentos* registravam as palavras e os feitos de nobres estadistas, mas nada diziam sobre o desenvolvimento interior que os levara a ter suas visões. Os *Ritos* prescreviam as regras do ritual sem, no entanto, explicar melhor, em termos gerais, seus efeitos no âmbito espiritual. As *Mutações* apresentavam um conjunto de conhecimentos supostamente objetivos que permitiriam a um *junzi* conduzir-se moralmente no mundo. E os *Anais*, um texto histórico, tinham um papel puramente pragmático. É verdade que muitas *Odes* refletiam a vida afetiva, interior, mas, no início do período Han, elas eram usadas basicamente para dar aos governantes e funcionários conselhos éticos ou políticos.[22]

Os textos selecionados concentravam-se no mundano. Se Mêncio, por um lado, vivenciara o Céu como realidade espiritual dentro de si mesmo, Dong, por outro, acreditava que o Céu se punha em evidência sobretudo nos padrões da história e do mundo natural. Ao procurar estabelecer a crença oficial de um império agrário, os confucionistas tinham proporcionado ao Estado chinês uma mensagem moral e política, mas, ao longo de mais de mil anos, os chineses que quisessem explorar a vida interior e alcançar a transformação profunda, tão crucial para Confúcio, se voltariam para a espiritualidade taoista de Zhuangzi e Laozi. Outros eram atraídos pelo budismo maaiana.

Budistas abordaram seu cânone de outra maneira. O Primeiro Concílio, realizado logo depois da morte do Buda, tinha ratificado o *Cânone em Páli*, mas nem todos ficaram satisfeitos. "A Doutrina e a Disciplina foram bem cantadas pelos Anciãos", disse um monge. "Mas eu lhes digo que guardo a doutrina na memória, exatamente como a escutei [...] dos lábios do Abençoado."[23] O budismo jamais teria uma "doutrina" única e autorizada. O Buda sempre alterara seus ensinamentos para adaptá-los às necessidades e circunstâncias de pessoas diferentes, e o budismo agora se espalhava para outras regiões — para o Sri Lanka, ao longo das rotas comerciais, e para a China de Han —, onde, seguindo o exemplo do Buda, os monges adaptaram ao novo ambiente a tradição que tinha herdado.[24]

No Segundo Concílio (*c.* 330 a.C.), os teravadins, os "anciãos" da Sangha, acusaram os monges de relaxar regras monásticas. O monge Mahadeva tinha apresentado três objeções às alegações do *arahant* ("o respeitável") que tinha atingido o nirvana. Esses pontos foram debatidos décadas depois, num Terceiro Concílio convocado pelo imperador Ashoka em Pataliputra. Os teravadins diziam que todo budista poderia alcançar uma iluminação idêntica à de Gotama, mas a "maioria" (*mahasanghitas*) acreditava que a iluminação do Buda era única, e que o *arahant* tinha atingido apenas um penúltimo estado. Ainda estava sujeito ao desejo, afirmara Mahadeva, incluindo sonhos eróticos, não era onisciente em assuntos mundanos, ainda tinha dúvidas, e ainda podia obter lucros com a instrução.[25] Quando a votação foi contra eles, os teravadins se retiraram da maioria, mas durante anos não houve ruptura formal e os teravadins e os monges que se inclinavam para o que chamavam de maaiana, o "Veículo Maior", por acharem-no uma expressão mais adequada dos ensinamentos budistas, continuaram a viver juntos nos mesmos mosteiros.[26]

Ashoka insistia com os monges budistas para que cultivassem estreitas relações com seus patrocinadores laicos, e é possível que, como consequência, alguns deles tenham se tornado mais sensíveis às dificuldades do laicato, que não tinha esperança de alcançar a iluminação. Guerreiros e mercadores não podiam passar horas em meditação, nem, em termos realistas, desligar-se dos desejos que prendem todos os seres ao ciclo infinito de morte e renascimento. Os textos em páli incluem uma tocante história sobre Anathapindika, generoso patrono da primeira Sangha. Quando Anathapindika se encontrava em seu leito de morte, o grande *arahant* Sariputta o visitou e lhe fez um breve sermão sobre desapego, levando o moribundo às lágrimas. Por que ele nunca tinha ouvido aquele ensinamento? Porque ele era restrito aos monges, explicou Sariputta. Isso não está certo, protestou Anathapindika; muitos chefes de família estavam prontos para o nirvana e poderiam alcançá-lo se alguém lhes ensinasse como.[27] Anathapindika morreu naquela noite e renasceu no céu com apenas mais sete vidas pela frente. Segundo o entendimento dos editores do *Cânone em Páli*, tal feito se tratava de uma bênção, mas outros — monges e leigos — deviam considerá-lo uma recompensa pífia por tamanhas devoção e generosidade. Esse sentimento deve ter contribuído para o desenvolvimento do maaiana.[28]

Foi um processo muito gradual, que levou séculos. Como vimos, dois fatores entraram na equação: a compaixão pelo laicato e o rebaixamento do status do *arahant*, que, por sua vez, correspondia à elevação do status do Buda. As realizações de Gotama eram tidas agora como excepcionais.[29] Isso não queria dizer que ele tinha se tornado um deus — até porque na Índia um homem iluminado é superior aos devas —, mas deixara de ser visto como um mortal comum. Nas escrituras em páli, o Buda é apresentado como um ser humano normal, que, porém, com o desenvolvimento do maaiana, adquirira atributos sobre-humanos. Dizia-se que tinha sido concebido sem relação sexual, nascido de um dos flancos da mãe, na altura do coração, vivido em estado de meditação constante, limitando-se, aparentemente, a lavar-se, a comer ou a dormir.

Além disso, circulavam histórias sobre suas vidas anteriores como bodhisattva, coletadas no *Jatarka* ("Histórias de Nascimento") e incluídas no *Cânone em Páli*. Bodhisattva é a pessoa que prometeu alcançar o nirvana, uma conquista que poderia levar várias vidas. O Buda, segundo se dizia, tinha vivido previamente como animal, leigo e até mesmo mulher, e seu principal atributo sempre foi a compaixão, com frequência suportando de bom grado a dor para assim ajudar outros seres sofredores. Como consequência, o maaiana afirmava que os budistas não deveriam se retirar do mundo como faziam os teravadins. O Buda não tinha instruído seus monges a se lançarem num mundo de sofrimento? No *Cânone em Páli*, o Buda era chamado de Tathagata porque tinha "partido" e transcendido a dor da vida. Mas o maaiana sustentava que ele não tinha "partido" de forma alguma: sua morte fora apenas mais uma simulação, e ele permanecia presente, ajudando todos os seres sencientes a lidarem com a inescapável tristeza da existência. Tanto os teravadins como o maaiana preservaram partes essenciais da vida e da visão do Buda. Ele de fato vivera durante anos como asceta solitário e renunciara à sociedade enquanto buscava a iluminação. Mas também passara quarenta anos ensinando incansavelmente outras pessoas a se libertarem da dor. O maaiana desenvolveu novas tradições sobre os Budas inumeráveis que tinham alcançado o nirvana antes de Gotama e divulgou histórias de bodhisattvas que continuaram no mundo depois de alcançar a iluminação, para ajudar criaturas sofredoras.

Com o tempo, o maaiana tornou-se a forma dominante e mais popular de budismo. Seu sucesso talvez se deva à dinâmica essencial da escritura, que faz questão de que seus ensinamentos sejam implementados de modo prático. Para o maaiana, contrariar esse mandato e retirar-se, como um *arahant*, para sua própria paz interior era considerado um desvio. O *Cânone em Páli* continuou a crescer, notavelmente na Abidharma, que explorava as implicações filosóficas da vida do Buda. Mas o apelo do maaiana se devia, em grande parte, a sua gigantesca coleção de textos escriturais que, se publicados em inglês, encheriam 150 volumes.[30] Não se esperava, porém, que ninguém lesse todas aquelas escrituras e a maior parte dos maaianistas se concentrava em apenas uma. Esses textos não são lidos em silêncio, mas entoados e, como sempre fora na Índia, um professor é essencial, uma vez que eles não fazem sentido se não forem acompanhados por práticas meditativas e éticas que exigem diligente supervisão. Os textos também são um foco de adoração, porque cada um deles representa o "corpo" do Buda. Tanto em páli como em sânscrito, a palavra "corpo" (*kaya*) pode referir-se a um grupo ou coleção de elementos, por isso o "corpo do darma" do Buda é composto dessas qualidades e desses ensinamentos que representam a Verdade que ele encarnou.

Como poderiam as variadíssimas escrituras maaianas, que com frequência discordam entre si, expressar a verdade essencial da tradição? O maaiana jamais se julgou uma "escola" com claro objetivo doutrinal. Era, antes de qualquer coisa, um movimento espiritual sem direção, que se desenvolveu aos poucos ao longo dos séculos, assumindo muitas formas. Não tinha ambição de encontrar a verdade "essencial" do budismo, uma vez que considera o essencialismo uma falácia que atrapalha o nosso entendimento da realidade.[31] O essencialismo é crucial para as ciências, mas diante da bagunça da experiência humana pode nos levar a uma busca pouco realista e insustentável da certeza. Já a escritura maaiana se alegra com a diferença e considera virtudes a variedade e a dissolução de categorias. Os maaianistas não desejam encerrar ou desbastar o cânone, pois sua proliferação irrefreável deixa a porta aberta para experiências.[32]

Em vez de relegar o Buda histórico ao passado, as escrituras maaianas o libertam para o presente, onde ele e os bodhisattvas causam estragos às ideias recebidas que nos dão a ilusão de estabilidade. Fazer do Buda uma força efetiva, capaz de consolar, aclarar ou proteger, aqui e agora, talvez tenha sido uma resposta à turbulência que se seguiu ao colapso do império máuria — o mundo aterrorizante do *Mahabharata* —, no qual a iluminação podia ser difícil, ou mesmo impossível, sem a presença do Buda.[33] Mas isso nunca foi um anseio vago, egoísta. Tanto os teravadins como os maaianistas cultivavam um senso da presença do Buda numa prática meditativa disciplinada conhecida como *Buddhanasmrti* ("recordações do Buda").[34] Num dos textos mais antigos do *Cânone em Páli*, o monge Pingiya, velho demais para viajar com o Buda, descobriu um jeito de estar continuamente em sua presença: "Com vigilância constante e cuidadosa, me é possível vê-lo com a mente, tão claramente como com os olhos, seja de noite ou de dia".[35] No século v d.C., o grande teravadin exegeta Buddhaghosa instruiria o meditador a ir até um lugar solitário e convocar o Buda com a mente, demorando-se sistematicamente nos detalhes de seus traços físicos com tal concentração que os dois acabassem se tornando uma coisa só. Dessa maneira, "ele conquista o medo e o horror [...]. Passa a sentir como se estivesse vivendo na presença do Mestre, e seu [próprio] corpo [...] se torna digno de veneração como a sala de um santuário".[36]

Uma das primeiras escrituras maaianas explica que essa prática apressa a iluminação e que, ao viver em isolamento e pensar apenas na presença do Buda, os budistas poderiam adquirir uma visão mais ampla:

> Devem manter o corpo ereto e, voltados na direção do Buda, meditar sobre ele continuamente. Se fixarem plena atenção no Buda sem interrupção, de momento a momento, conseguirão ver *todos os Budas do passado, do presente e do futuro, a cada momento*.[37]

Essa prática foi essencial para a produção das escrituras maaianas e para lhes permitir afirmar que de fato se apresentava *Buddhavacana* ("ensinamentos iluminados"). Como ainda se achavam no mundo, o Buda e os outros inumeráveis Budas e bodhisattvas podiam se comunicar com maaianistas em sonhos e visões.[38] As escrituras maaianas não narram fatos históricos ou empíricos. Em vez disso, descrevem as experiências visionárias de meditadores que praticaram *Buddhanasmrti* e enxergaram uma versão inteiramente diferente do cosmo. O maaiana visualiza milhões de mundos além do nosso, alguns dos quais se tornaram "campos de Buda", regiões onde um Buda exerceu sua influência iluminada. As escrituras costumam descrever Gotama Buda tal como aparece nessas visões, pregando para, ou conversando com, milhares de Budas colegas seus ou bodhisattvas ativos em outros universos.

Isso era possível graças ao conceito maaiana de "vazio", que é discutido na vasta antologia de escrituras iniciais conhecida como *Prajnaparamita* ("Perfeição da Sabedoria"). Contendo cerca de 150 mil versos, foi compilada entre 100 a.C. e 100 d.C., mas novos escritos continuaram a ser acrescentados por mais dois séculos.[39] "Sabedoria" (*prajna*) era um estado de consciência, adquirido mediante disciplinas de meditação que aplicavam o ensinamento de *anatta* ("não eu") do Buda a todas as demais realidades. Suas experiências meditativas tinham convencido os maaianistas de que o que eles chamavam de darmas, as categorias essenciais à nossa experiência ordinária do mundo, não tinha fundamentação sólida: o mundo era essencialmente "vazio", sem substância. Esse "vazio" não era desolado nem niilista, porém, mas tornava o praticante aberto a novas formas de percepção. Como explica o estudioso norte-americano Stephen Beyer:

> A metafísica da *Prajnaparamita* é, na verdade, a metafísica da visão e do sonho: um universo de mudanças cintilantes e erráticas é precisamente um que só pode ser descrito como vazio. A visão e o sonho tornam-se ferramentas para desmantelar as férreas categorias que impomos à realidade, para revelar a eterna e fluida possibilidade na qual vive o bodhisattva.[40]

Subhuti, contemporâneo do Buda famoso por sua ternura e consideração, é o principal orador das primeiras partes da *Perfeição*. Ele explica que a seção Abidharma do *Cânone em Páli* ficou emperrada no pensamento conceitual e que o "vazio", a percepção de que tudo que vemos e imaginamos é ilusório, só poderia ser alcançado pela intuição disciplinada. Isso Subhuti tinha aprendido diretamente com o Buda, mas era acessível a qualquer um que praticasse *Buddhanasmrti* com assiduidade. Eles "vão ouvir essa percepção, pegá-la, estudá-la, divulgá-la, e escrevê-la [...] vão honrá-la, reverenciá-la, adorá-la e cultuá-la".[41]

"Vazio" não era uma ideia obscura, metafísica, mas um estado mental cuidadosamente cultivado. Os praticantes experimentavam o "nada" — uma vertigem existencial sem nada em que pudessem segurar, e nada que pudessem almejar.

> *Na forma, no sentimento, na vontade, na percepção e na consciência*
> *Em nada disso eles encontram lugar para repousar*
> *Sem lar, eles vagueiam,* dharmas *jamais os retêm*
> *Nem eles tentam se agarrar a eles.*[42]

É por isso que, explicava Subhuti, muitos ficam "assustados e apavorados" e "ansiosos" com esse ensinamento.[43] Era a renúncia definitiva, pois os praticantes precisavam "abrir mão" de tudo, mesmo de seu apego ao nirvana como uma coisa que "eu" vou alcançar e saborear. Assim como o "eu" era ilusório, eles tinham de entender que o nirvana também era "como uma ilusão, como um sonho".[44]

Um capítulo do início da *Perfeição* explica que os *arahants* jamais "abriam mão" de fato. Longe de estarem "vazios", viviam cheios de si: "Decidiam que 'devemos domar um único eu [...] um único eu conduzirá ao nirvana'". Parece que não lhes ocorria que depois da iluminação tinham o dever de guiar outros seres sofredores até o nirvana. O bodhisattva, porém, se torna iluminado justamente por causa da preocupação com os outros, embora não deva tirar disso nenhum prazer:

> Ele inspeciona incontáveis seres com seu olho celestial, e o que vê o enche de grande agitação [...]. E lida com eles pensando: "Vou me tornar um salvador para esses seres, libertá-los dos seus sofrimentos!". Porém, não faz disso ou de qualquer outra coisa um sinal ao qual venha a afeiçoar-se.[45]

Ele precisa esmagar qualquer sugestão de autossatisfação lembrando-se de que nem ele nem qualquer outra pessoa tem alguma realidade substancial. Assim, embora seja verdade que inumeráveis indivíduos foram conduzidos ao nirvana por um bodhisattva, também o é que "nenhum ser foi conduzido ao nirvana".[46] É esse desapego final que faz um verdadeiro bodhisattva.

Obviamente, o bodhisattva não pode andar por aí insistindo que seres sofredores devem adotar *sua* doutrina e *suas* práticas, nem imaginar que elas sejam aplicáveis universalmente. Como o Buda, ele emprega *upaya-kaushalhya*, termo geralmente traduzido como "meios hábeis", uma forma "inteligente" ou "vantajosa" de pedagogia (*upaya*) destinada a ajudar determinada plateia a atingir o nirvana. Para o maaiana, o ensinamento do Buda era essencialmente provisório, para que pudesse variar e ser modificado, pois o que é apropriado numa situação pode não ser em outra. O bodhisattva, portanto, adapta seu ensinamento às necessidades daqueles a quem se dirige, abandonando preferências doutrinais. Um apego a convicções queridas é outro sintoma do egoísmo que bloqueia a iluminação. Os bodhisattvas estão preparados para fazer o que for preciso para libertar seres sofredores de sua dor. Na *Perfeição* e em outros sutras maaianas lemos sobre bodhisattvas que arrancam os próprios olhos ou cortam os próprios membros para acabar com o sofrimento alheio. É claro que essas histórias não devem ser entendidas literalmente, pois esses olhos e membros também são "vazios", mas seu extremismo pode chocar o ouvinte e levá-lo a compreender o que a renúncia budista implica.

A doutrina dos "meios hábeis" foi desenvolvida no *Lotus Sutra* (*Saddharmapudarika*), que é provavelmente a mais importante de todas as escrituras maaianas, reverenciada não só na Índia, onde foi composta, mas também na China, na Coreia e no Japão.[47] É um sutra dramático, que começa com Gotama Buda sentado num profundo transe de meditação, cercado por 12 mil *arahants*, 6 mil monjas, 8 mil bodhisattvas, 60 mil deuses e centenas de milhares de criaturas celestes — uma visão cósmica claramente surgida de *Buddhanasmrti*. Todo o universo treme, cai uma chuva de flores e perfumes impregnam a atmosfera. Então o Buda começa a explicar a prática de *upaya*: seus ensinamentos precisam ser adaptados às necessidades de cada plateia, para que todos possam atingir a iluminação. Existem três, e não apenas um, "veículos" ou sistemas de distribuição — para os monges, para o laicato e para os bodhisattvas —, cada qual habilitando pessoas a seguirem o caminho para o nirvana em seu próprio ritmo.

O bodhisattva só age por compaixão. Irá a qualquer lugar, fará qualquer coisa, para ajudar seres sencientes a encontrarem alívio para a dor. Esse ideal é lindamente descrito no capítulo 25 do *Lotus Sutra*, dedicado ao bodhisattva Avalokishvara (conhecido como Guanyin na China e Kannon no Japão). Ele encarna a compaixão do Buda e ajuda a qualquer um que o procure. Salvou pessoas do fogo, de tempestades, de rios, de demônios e da prisão (mesmo quando eram culpadas). Aparece em diferentes formas — como Buda, herói ou deus — adaptando os ensinamentos do Buda às circunstâncias especiais de cada indivíduo sofredor. Chega a tornar-se um pássaro para poder ouvir o *dharma*. Alguns budistas diriam que Avalokishvara tomou a forma de Jesus; tibetanos afirmam que está encarnado no atual Dalai Lama.

No *Lotus Sutra*, o Buda explica *upaya-kaushalhya* para uma imensa assembleia em parábolas simples, que dão vida ao conceito. Sua doutrina, diz ele, é como a chuva que cai sobre todas as plantas igualmente, mas cada uma a absorve diferentemente, de acordo com sua natureza e sua capacidade.[48] Ele é como um guia conduzindo seres humanos a uma terra utópica; quando seus seguidores se cansam, e querem desistir, o guia se transforma num mágico que cria uma cidade encantada, onde todos possam descansar, antes de chegar a seu destino. A cidade mágica simboliza a condição de *arahant*, que não é um fim, mas apenas uma parada temporária no caminho.[49]

Então, de repente, para surpresa da assembleia, outro Buda aparece no céu e se apresenta como Buddha Prabhutaratna, explicando que admira tanto o *Lotus Sutra* que prometeu estar presente sempre que ele for ensinado. Revela-se que o *Lotus* não é uma nova escritura, mas tem sido parte do ensinamento de cada Buda em todos os tempos. De acordo com os ensinamentos de alguns budistas, Prabhutaratna morreu eternidades atrás, mas ainda está aqui — manifestamente, vibrantemente vivo; como Gotama Buda, continua presente no mundo.[50] E a chegada de Prabhutaratna demonstra o extraordinário poder do *Lotus Sutra*: somos informados de que, se uma pessoa ouve uma única palavra que seja dessa escritura e instantaneamente se alegra, ainda que por um momento, alcançará a iluminação. Esse sutra não deveria ser apenas recitado, mas cultuado como se fosse o próprio Buda com "variadas oferendas de flores, colares de perfume, incenso em pó, pasta, incenso queimado, dosséis de seda e bananas, roupas ou música".[51] Ele faz do Buda uma força efetiva de salvação neste mundo de *dukkha*. Mas o *Lotus* precisa ser pregado na correta atitude espiritual: com um coração sereno, honesto, bravo e alegre; com retidão e grande compaixão.[52] Uma das razões da popularidade do *Lotus* é que ele sugere que os menores atos de devoção podem ter um resultado desproporcionalmente positivo. Se alguém simplesmente levanta a mão e diz "Adoração do Buda", estará automaticamente no caminho da iluminação.[53]

O *Lotus* não discute o "vazio", mas sua qualidade mágica reflete o mundo cintilante, visionário, revelado quando renunciamos a classificações rígidas. O vazio, entretanto, é um tema importante do *Vimalakirti Sutra*, uma das mais amadas escrituras maaianas.[54] No começo, aprendemos que Vimalakirti, rico chefe de família de Vaishali, é muito respeitado por seus conhecimentos filosóficos, apesar de alguns acharem que ele fala demais. Mas ele está doente e se queixa de que os discípulos do Buda já não o visitam, por isso uma grande multidão de budistas, encabeçados pelo bodhisattva Manjushri, famoso por sua compaixão, deixa a residência do Buda e vai à casa de Vimalakirti para uma discussão sobre o vazio. Todo o sutra demonstra a liberdade que sentimos ao perceber que nada tem existência substancial. Vimalakirti afirma que, quando abandonamos hábitos mentais dualísticos, ingressamos numa existência na qual tudo é possível. Percebemos que o nirvana está tão perto do coração de todas as coisas e de todas as pessoas à nossa volta que não o notamos.

No mundo "vazio" desse sutra, vemos o Buda transformar quinhentos guarda-sóis incrustados de joias numa cúpula que reflete o universo inteiro, e ficamos maravilhados de ver milhares de seguidores do Buda caberem milagrosamente na modesta casa de Vimalakirti. Este convoca a Deusa da Sabedoria, que abençoa a plateia com flores e provoca o grande *arahant* Sariputta, cuja misoginia é bastante conhecida, afirmando que masculino e feminino não têm realidade intrínseca. Vimalakirti encomenda almoço de outro universo, entregue por bodhisattvas da terra do grande Buda Sugardhakuta. Por fim, Vimalakirti miniaturiza a assembleia inteira, coloca-a na mão e a devolve gentilmente à presença do Buda. Revela-se que Vimalakirti não é um chefe de família qualquer, mas uma encarnação de Akshobhya Buda, e que tem sua própria e maravilhosa terra de Buda, conhecida como Abhirati ("Intensa Delícia").

O despreocupado charme desse sutra contesta alguns preconceitos nossos sobre escritura: não há mandamentos severos, não há revelações assustadoras, nem condenações, não há profecias sinistras. Mas perguntas difíceis são feitas. Se nosso mundo é a terra de Buda de Gotama Buda, por que ainda é tão repleto de sofrimentos? Significa que nosso Buda era ineficiente e inferior ao Buda Sugardhakuta, que tinha criado um Universo de Perfume? Vimalakirti assinala que Gotama Buda teve apenas quarenta anos para salvar o nosso mundo, e que nossa percepção dele vem da nossa própria mentalidade inculta. Mas afirma também que nosso mundo sombrio é mais propício à conquista da iluminação do que terras de Buda "perfumadas" e "plenas de delícias", pois o sofrimento que testemunhamos inspira nossa compaixão. Ele nos enche de desconforto e funciona como um aguilhão, obrigando-nos a fazer o juramento bodhisattva, em vez de nos retirarmos para o nirvana solitário da condição de *arahant*.

Uma questão sobre a verdade da não dualidade, a Verdade Definitiva, é tão profunda que reduz até mesmo o volúvel Vimalakirti a um "silêncio retumbante" — não muito diferente do silêncio no fim da *brahmodya*. O maaiana produziu muitas escrituras volumosas, mas seu sutra mais curto consiste em apenas três frases. Começa, como sempre, com o Buda sentado perante uma assembleia de 1250 monges e bilhões de bodhisattvas, mas ele anuncia que seu discurso terá apenas um som — "a" — e a plateia responde com alegria.[55] Como primeira letra do alfabeto sânscrito, "a" é inerente a cada consoante e — sendo ao mesmo tempo infinito e indeterminado — é um símbolo do vazio.[56] Outros foram ainda mais longe. O grande filósofo indiano Nagarjuna (m. *c.* 250 a.C.) faz eco ao silêncio de Vimalakirti afirmando que o Buda esteve em silêncio a vida inteira: "O Buda não ensinou doutrina alguma, em lugar algum, para pessoa alguma".[57] Outros compararam a Palavra do Buda ao som de um sino dos ventos, que, sem ser acionado por ninguém, produz seu som ao ser agitado pelo vento. Do mesmo modo as palavras da escritura, que, como todos os fenômenos, são vazias de substância, só se tornam realidade quando tocam na mente e no coração de seres sencientes, segundo as diferentes necessidades de cada um.[58]

O neto de Ben Sira, quando, por volta de 130 a.C., traduziu o livro do avô para o grego, tinha consciência de que o clima intelectual e social de Judá se tornara tragicamente tacanho. Ele queria revelar ao universo mais amplo de Israel a generosa amplitude da visão do avô. Ben Sira, explicou ele enfaticamente, dedicara-se "cada vez mais a ler a Lei e os Profetas e os outros escritos que vieram depois dos profetas".[59] Mas uma série de tumultuosos acontecimentos políticos em Judá e nas regiões vizinhas tinha resultado na criação de um cânone menos abrangente. Ben Sira acreditava que seus insights estavam no mesmo nível das visões dos profetas antigos, mas agora as autoridades religiosas alegavam que a era da profecia tinha terminado com Esdras.[60] Muitos judaítas, porém, se recusavam a aceitar isso.

Pelo fim do século III a.C., mais judaítas adquiriam educação grega. Em vez de pertencerem a um povo escolhido, queriam se tornar cidadãos do mundo e achavam a torá tradicional arcaica e inibidora. Em Jerusalém, os Tobíades, um dos clãs aristocráticos da classe dominante, queriam que sua cidade descartasse as tradições hebraicas. A essa altura, os Ptolomeus tinham perdido seus territórios sírios para o reino selêucida, fundado na Mesopotâmia por um dos "sucessores" de Alexandre. Os selêucidas controlavam a população através de uma rede de *poleis* espalhadas pelo reino, todas elas equipadas com ginásios para aculturar o povo local e criar uma classe dominante helenizada. Quando subiu ao trono selêucida em 175 a.C., Antióquio IV herdou um reino empobrecido e suas políticas seriam ditadas tanto pela ideologia como pelas finanças.

Os Tobíades estavam ansiosos para fazer de Jerusalém uma *pólis*, uma vez que isso lhes traria consideráveis benefícios tributários. Seu líder, Josué, que adotara o nome grego de Jasão, conquistou o cargo de sumo sacerdote oferecendo a Antióquio grande soma de dinheiro tirada dos cofres do templo; em troca, Jerusalém passou a ter status de *pólis*. Poucos anos depois, o rival de Jasão, Menelau, que não era de linhagem aarônida, garantiu o cargo de sumo sacerdote oferecendo a Antióquio tributo em dobro, e a guerra civil começou. Antióquio acabou obrigando o exército de Jasão a recuar e, por gratidão, Menelau escoltou Antióquio até o Devir, o "Santo dos Santos" no templo, onde o rei abocanhou do cofre o equivalente a seis anos de tributos.[61]

A religião praticada pelo povo de Judá não era ainda o "judaísmo" como o conhecemos hoje, uma crença na qual o divino é experimentado basicamente através do estudo de textos sagrados. As escrituras eram importantes, mas, como vimos, estavam reservadas em primeiro lugar aos escribas e aos membros da classe dominante. A fé majoritária ainda era uma religião predominantemente de templo, centrada na presença divina (Shechiná) preservada no Santo dos Santos. Os Salmos mostram que os adoradores israelitas, quando entravam no recinto sagrado, sentiam estar pisando noutra dimensão, que acreditavam existir contemporaneamente ao mundo de todos os dias. O templo de Jerusalém era sagrado (*qaddosh*) — ou seja, era "outro" e "separado" de espaço profano. O plano do edifício representava uma abordagem do sagrado em três camadas, começando no pátio, seguindo pelo salão de culto e culminando no Santo dos Santos, acessível apenas a sacerdotes. Embora os Tobíades e seus colegas começassem a cultivar uma visão mais secular, a maioria dos judaítas ficou profundamente perturbada com a violação de seu lugar sagrado, o centro de seu mundo, por Antióquio. Mas o pior ainda viria.

Nem os Ptolomeus nem os selêucidas interferiam no ritual religioso de seus súditos. Mas em 170 a.C., por razões difíceis de imaginar, Antióquio instalou um novo culto helenístico no templo e baniu as tradicionais leis dietéticas judaítas, a circuncisão e a observância do sabá. A família sacerdotal hasmoneana, encabeçada por Judas Macabeu, liderou uma rebelião e em 165 a.C. conseguiu não só tirar Judá e Jerusalém do controle selêucida, mas também estabelecer um pequeno império ao conquistar as vizinhas Idumeia, Samaria e Galileia.[62] Mas, apesar dos piedosos primórdios, o império hasmoneano (165-63 a.C.) não era nem mais justo nem mais humano do que qualquer outro Estado agrário.

E, apesar de os macabeus terem sido inicialmente hostis ao helenismo, seu governo tinha feições distintamente helenísticas. Para incorporar os conquistados nabateus, galileus e idumeus ao seu império, eles transformaram o judaísmo, até então uma categoria estritamente étnica, numa identidade mais abrangente, aberta a outras, de modo a refletir o que os gregos chamavam de *politeia*.[63]

Escrituras, porém, eram muitos importantes para os hasmoneanos, que precisavam afirmar a legitimidade de sua religião.[64] Seguindo o exemplo de Alexandre, o Grande, que havia formado um cânone de textos helenísticos, insistiam em afirmar que só eles tinham o poder de endossar alguns livros judaítas como autênticos e válidos, e excluir outros, e declararam, convictamente, que a era das profecias tinha acabado. O templo ainda era o ponto de convergência da religião judaíta, mas os hasmoneanos haviam instalado um sumo sacerdote próprio, o que violava a lei judaíta, uma vez que ele não descendia de Aarão. Um grupo de escribas e sacerdotes, portanto, separou-se do templo de Jerusalém, tido por eles como irreparavelmente comprometido, e com seu líder, o Professor de Retidão, retirou-se para Qumran, à beira do mar Morto, para fundar um templo espiritual e uma renovada aliança mosaica.

Outros escribas se recusaram a aceitar a proibição hasmoneana de novas escrituras e, em atitude desafiadora, produziram novos textos, todos eles inspirados pelo problema do templo e de seu sacerdócio. Escribas costumavam ser, em geral, especializados em áreas distintas. A especialidade de Ben Sira tinha sido Sabedoria, enquanto esses outros escribas se concentravam na profecia, afirmando que, independentemente do que os hasmoneanos decretassem, a era das profecias não havia acabado — na verdade, naqueles tempos difíceis, as profecias eram ainda mais necessárias. Mas, em vez de falar com voz própria, como Amós e Oseias, esses escribas visionários atribuíam suas profecias a figuras do passado primordial, como Enoque, Sem ou Baruque, cujas aparições nas narrativas bíblicas eram bastante breves. Esses textos, porém, não eram "falsificações": como Ben Sira, os escribas estavam convencidos de que seus próprios escritos se igualavam aos dos profetas do passado. Confiando nas próprias visões, eles interpretavam criativamente as histórias antigas, recuperando narrativas bíblicas e adaptando-as às necessidades de então. Viam essa exegese inventiva como *apocalupsis* — um "desvendamento" ou "revelação".[65] Acima de tudo, tratavam da grande questão do momento: como acessar a presença divina, agora que o templo tinha sido tragicamente poluído? A popularidade e a longevidade de seus abundantes escritos mostravam que muitos judaítas compartilhavam suas preocupações.

Esses escribas "proféticos" tentavam preencher as lacunas da narrativa bíblica. Intrigava-os, por exemplo, a história de Enoque, o pai de Matusalém, que nasceu seis gerações depois de Adão:

> Quando Henoc completou 75 anos, gerou Matusalém. Henoc andou com Deus. Depois do nascimento de Matusalém, Henoc viveu trezentos anos, e gerou filhos e filhas. Ao todo, Henoc viveu trezentos e sessenta e cinco anos. Henoc andou com Deus e desapareceu, porque Deus o arrebatou.[66]

O que significava "andar com Deus"? Como Enoque "desapareceu"? E para onde foi quando Deus "o levou"? Tinha sido levado para o céu? Os escribas julgavam ter a resposta. Do século II a.C. até a Era Cristã, eles mostraram Enoque e outros heróis bíblicos subindo ao templo de Deus, nos céus, e sendo radicalmente transformados por essa experiência.

Esses textos apresentam Enoque ora como sacerdote, ora como escriba, ora como profeta e às vezes até como anjo.[67] Num deles, Enoque sobe ao Templo Celestial, onde viu um "trono exaltado" e ouviu uma voz que dizia: "Não tenhas medo, Enoque, homem justo, escriba da retidão, aproxima-te e ouve a minha voz".[68] O que Enoque "viu" não foi o próprio Jeová, claro, mas "a grande glória" (*kavod*), reflexo da essência divina que tinha aparecido havia tanto tempo a Ezequiel, numa forma de alguém "como filho do homem".[69] No livro de Daniel, composto durante as guerras macabeias, o profeta teve a visão de alguém "de avançada idade" sentado no trono celestial[70] e viu alguém "como filho do homem" vindo libertar os judaítas da tirania imperial.[71] Fílon, de Alexandria, descrevera Moisés como "deus e rei de toda a nação" que "entrou, foi o que nos disseram, na escuridão onde estava Deus".[72] Formava-se agora um aglomerado de ideias no qual um ser humano subia ao céu, chegava à Presença, era transformado — mesmo divinizado — e se tornava uma figura redentora.

Por causa da tentativa hasmoneana de criar um cânone escritural, encontramos pela primeira vez, a partir do começo do século II a.C., manuscritos padronizados quase idênticos à Bíblia hebraica que temos hoje. O cânone hasmoneano, entretanto, incluía os livros descaradamente propagandísticos dos Macabeus, que descreviam cuidadosamente sua heroica resistência aos selêucidas como uma guerra pelas escrituras — pelo "livro da Lei".[73] Ficamos sabendo que Judas Macabeu fazia citações "da Torá e dos Profetas" ao incutir coragem às tropas.[74] Mas — mudança significativa — o termo "Torá" agora se aplica especificamente ao Pentateuco, e "Profetas" abarca apenas aqueles que vão de Moisés a Esdras; todas as obras posteriores escritas em grego, como o livro de Ben Sira, são excluídas.[75] A partir de então, a Bíblia hebraica é mencionada como "a Lei e os Profetas".

Os sectários de Qumran se recusam a aceitar a Bíblia hasmoneana.[76] Sua biblioteca mostra que reconheciam a "Lei e os Profetas", mas isso incluía escrituras compostas por eles próprios. O *Pergaminho do Templo* afirma ter sido ditado pelo Anjo da Presença. Embora a história se passe no Sinai, o templo que descreve será construído por Deus em data futura, e nada tem a ver com o Tabernáculo construído no deserto, nem com qualquer outro santuário israelita. Como o *Pergaminho da Guerra*, que descreve a batalha final entre os Filhos da Luz e os Filhos das Trevas, é um texto vingativo, que aguarda com ansiedade a destruição dos inimigos de Jeová. Mas é importante notar que não há indicação de que Qumran planejasse uma guerra santa: Deus, e não a comunidade, é que tomaria a iniciativa no Fim dos Tempos.[77]

Embora ratificassem a lei mosaica, os sectários se concentravam em seus próprios textos legais, a Regra da Comunidade e a Regra de Damasco, afirmando que sua "Nova Aliança" era mais autêntica do que o cânone dos hasmoneanos. Em vez de confinar a revelação a um passado distante, diziam que seu Professor de Retidão era o último dos profetas. Desenvolveram uma forma de exegese, que chamavam de *pesher* ("interpretação"), para mostrar que os profetas antigos tinham previsto o advento de seu Professor, a Batalha Final e o Novo Templo. Os qumranitas celebravam sua Nova Aliança com Jeová numa refeição ritualizada:

> Onde houver dez homens do Conselho da Comunidade, não deverá faltar um sacerdote entre eles. Devem sentar-se diante dele de acordo com sua posição hierárquica e pedir seu conselho em todas as coisas seguindo essa ordem. E quando a mesa tiver sido preparada para a refeição, e novo vinho para beber, o Sacerdote será o primeiro a estender as mãos para abençoar os primeiros frutos do pão e do novo vinho.[78]

Todas as noites, um quórum de líderes sacerdotais, separado do restante da comunidade, entregava-se à longa recitação da escritura, durante a qual tinha novas revelações baseadas numa exegese criativa dos textos sagrados.[79] A Torá de Deus não ficava confinada ao passado pré-helenístico, como alegavam os hasmoneanos, mas era uma revelação em andamento, nascida de uma interpretação inovadora da escritura.

Em 63 a.C., o regime hasmoneano caiu em poder dos exércitos romanos, e o ódio aos gregos converteu-se automaticamente em sentimento antirromano. Os romanos introduziram um regime severo, com pesada tributação, que empobreceu as classes baixas, especialmente na Galileia. A mais leve infração era castigada com a crucificação. Como os persas e os gregos, os romanos governavam por intermédio da aristocracia sacerdotal em Jerusalém, mas além disso instalaram um rei fantoche com Herodes (r. 40-4 a.C.), príncipe idumeu recém-convertido ao judaísmo. Herodes iniciou um vasto programa de construção, incluindo um magnífico templo que atraía peregrinos de todos os setores da diáspora no Oriente Próximo e no Oriente Médio, e investiu recursos consideráveis no apoio a comunidades judaítas fora da Palestina.[80] Novas escrituras surgiram, redigidas em grego, incluindo textos como *Tobias* e *Sabedoria de Salomão*.

Nossa principal fonte sobre esse período é o historiador judeu Flávio Josefo (*c.* 37-100 d.C.), conhecedor das literaturas grega e hebraica. Vinha de uma família de sacerdotes, mas pertencia também à nova seita dos fariseus. Sabemos pouco sobre o movimento nesse estágio inicial. Josefo diz apenas que os fariseus eram especialistas nas "tradições dos anciãos":[81] parece que eram escribas que, como de hábito em sua classe, estudavam as tradições de maneira criativa.[82] Josefo sugere que a essa altura muitos — provavelmente todos — judeus, galileus e idumeus tinham aceitado "a Lei e os Profetas", uma restrita coleção escritural de escrituras pré-helenísticas.

> Não dispomos de uma grande quantidade de livros inconsistentes, em conflito uns com os outros: nossos livros, aqueles em que com justiça acreditamos, são apenas 22, e contêm o registro de todos os tempos. Desses, cinco são os livros de Moisés [...]. A partir da morte de Artaxerxes, que sucedeu a Xerxes como rei da Pérsia, os profetas depois de Moisés registraram por escrito os acontecimentos

de sua própria época em treze livros. Os quatro livros restantes contêm hinos a Deus e os preceitos para a conduta da vida humana.[83]

Mas alguns ainda insistiam em afirmar que a era da profecia tinha acabado. Josefo registra a intensificação de movimentos não violentos contra o domínio romano, liderados por pretensos "profetas" inspirados pelo ressentimento contra a pesada tributação tanto quanto por fervor religioso.

Durante os anos 50 d.C., por exemplo, certo Teudas encabeçou um Novo Êxodo de quatrocentas pessoas para o deserto de Judá, convencido de que se o povo tomasse a iniciativa Deus daria a libertação. Outro profeta anônimo marchou à frente de uma multidão de 30 mil pessoas desarmadas através do deserto de Judá até o monte das Oliveiras, com a intenção de invadir Jerusalém e subjugar a guarnição romana, não com armas, mas pelo poder de Deus.[84] Esses movimentos, entretanto, tinham pouca influência política e eram implacavelmente sufocados. Josefo não menciona Jesus de Nazaré, saudado como profeta e curador, que foi condenado à morte na cruz aproximadamente em 30 d.C. pelo governador romano Pôncio Pilatos depois de comandar uma procissão provocadora a Jerusalém na Páscoa dos judeus, saudado como rei por uma multidão entusiástica. Em poucos dias, seus discípulos tiveram uma visão em que ele, totalmente transformado, aparecia em pé, como Enoque, ao lado do trono de Deus no Templo Celestial; isso os convenceu de que Deus o "ungira" como o messias, e que ele logo voltaria para estabelecer o reino de Deus na Terra.

Em 66 d.C., uma revolta generalizada contra o domínio romano espalhou-se pela província da Judeia, depois que o governador romano confiscou dinheiro dos cofres do templo. A guerra culminou com o cerco de Jerusalém. Finalmente, Tito, filho do recém-escolhido imperador romano Vespasiano, obrigou os insurgentes a se renderem e em 28 de agosto de 70 d.C. o exército romano reduziu a cidade a cinzas. Mais uma vez o povo de Judá perdeu seu templo, que dessa vez não seria reconstruído. A religião de Israel poderia ter acabado ali, naquele momento, mas um grupo de fariseus se engajou numa revolução textual que substituiu o templo por uma nova escritura.

8. *Midrash*

No antigo Oriente Médio, um templo era tão crucial para a identidade de um povo que, sem ele, a vida nacional era inconcebível.[1] Mas durante o exílio dos judaítas na Babilônia, a compilação de uma escritura coerente dera esperança e objetivo aos exilados. A destruição do Segundo Templo, em 70 d.C., levou a outra onda de criatividade textual e inspirou dois novos movimentos. As escrituras produzidas pelos seguidores de Jesus de Nazaré anunciavam que sua morte tinha inaugurado um novo "testamento", ou uma nova aliança entre Deus e a humanidade. Mas a maioria dos judeus não sentiu necessidade de abandonar a revelação do Sinai, então o judaísmo criou maneiras de expressá-la, primeiro na Mishná e, depois, nos Talmudes, que deram origem ao judaísmo rabínico.

Os fariseus não tinham apoiado a guerra contra Roma. Seu notável líder, Yohanan ben Zakkai, membro do Grande Sinédrio (uma assembleia política dos homens mais importantes da cidade), conseguiu escapar de Jerusalém sitiada. Diz a tradição que ele foi ver Vespasiano, que comandava o cerco, profetizou que ele logo seria imperador e, quando ficou comprovado que a predição estava certa, Vespasiano lhe permitiu que estabelecesse um centro de estudos em Yavne, a leste de Jerusalém. Depois da queda de Jerusalém, os fariseus se reuniam lá, e a academia acatava também escribas e sacerdotes, desprestigiados agora que não havia mais templo. Os eruditos eram chamados de *rabbi*, "meu mestre". Nos primeiros anos, a academia foi chefiada pelo rabino Yohanan e seus dois talentosos discípulos, o rabino Eliezer e o rabino Joshua, que seriam sucedidos pelo rabino Akiva e pelo rabino Ishmael. De início, os rabinos ainda esperavam que o templo fosse reconstruído pela segunda vez: quem sabe Deus designava outro messias, como Ciro? Nesse meio-tempo, eles preservariam a memória de suas práticas e de seus rituais, para que o culto pudesse ser imediatamente retomado. Ao mesmo tempo, lançaram-se no gigantesco projeto de revisar a Torá, para que ela pudesse servir a seu povo num mundo tragicamente alterado.[2]

Vimos que, ao ler a Torá de Jeová para o povo depois do exílio na Babilônia, Esdras misturou a explicação do texto com a apresentação da escritura. O texto da Torá (conhecida como *miqra*: "aquilo que é recitado") fundira-se perfeitamente na mente da plateia com o comentário que o recitador ia fazendo, e que parecia igualmente inspirado. Agora, na nova ideologia rabínica, o sábio já não adquiria autoridade por causa do status sacerdotal ou de suas habilidades de escriba, mas devido à sabedoria herdada de uma série de mestres.[3] A escritura estava identificada com a Torá *escrita* que outrora ficava guardada no templo. Mas sua interpretação (*midrash*) tornava-se a tradição oral que um aprendiz de rabino recebia do mentor, memorizava e então passava adiante para seus próprios alunos. A interpretação era coisa que se "recitava" (*shna*), com cuidado e exatidão, de uma geração para a outra; era, portanto, uma *mishnah* ("tradição repetida"), nascida não de um pergaminho com inscrições, mas de um ser humano inspirado.

Em Yavne, portanto, os rabinos que cultivavam essa *mishnah* eram chamados de *tannaim* ("recitadores"). O texto da escritura podia ser visto por todos, mas representava as "tradições repetidas" que davam vida à palavra escrita. Mas "repetição" não significava que o rabino era obrigado a reproduzir ao pé da letra as percepções de seu mestre. Depois de absorvê-las completamente, podia improvisar, dar-lhes nova forma, para que falassem diretamente aos desafios políticos e intelectuais do momento. O rabino partilhava esses novos insights com seus discípulos, que mais tarde os transformariam novamente. A *mishnah*, portanto, era uma coleção viva e em constante desenvolvimento.[4]

Os rabinos não estavam interessados em teologia obscura. Seus problemas eram de todo práticos. Sua tarefa era desenvolver um sistema jurídico para permitir que os judeus fossem fiéis à tradição mosaica num mundo tragicamente alterado; portanto, não podiam se dar ao luxo de confiar nostalgicamente no passado. Uma regra sobre obrigações de pagar o dízimo na Transjordânia, por exemplo, foi definida durante um intenso debate que não tinha qualquer respaldo em parte alguma da escritura. Mas o rabino Eliezer a acolheu com satisfação: "'O mistério do Senhor está com aqueles que o temem e cuja Aliança deve imbuí-los!'[5] Vão e digam aos sábios! Não percam a confiança em sua decisão!".[6] A Mishná afastava-se deliberadamente da Bíblia hebraica canônica. Em vez de citar a escritura, os rabinos preferiam citar Hillel e Shammai, que tinham atuado em Jerusalém no começo do século I d.C. A Mishná jamais alegou que sua coleção de regras viesse de Moisés. Essa ideia só apareceu mais tarde.[7]

A exegese não era um estudo solitário, mas um evento barulhento, comunal. Os estudantes aprendiam as "tradições repetidas" dos professores, recitando-as em voz alta e discutindo entre si com veemência. Um rabino palestino descreveria a cena depois: "Palavras voam de um lado para outro quando os sábios entram numa casa de estudo e discutem a Torá, um expondo sua opinião, outro expondo outra, e um terceiro um ponto de vista diferente", ideias voando de um lado para outro "como uma peteca".[8] Ainda que uma decisão jurídica fosse tomada pelos votos da maioria, as opiniões minoritárias eram cuidadosamente preservadas, pois a revelação era concebida como não definitiva.[9] Uma opinião podia não ser válida agora, mas necessária no futuro. Dizia-se até que o próprio Deus teve que estudar essas "tradições repetidas" para certificar-se de ter compreendido suas implicações futuras.[10] Como explicaria um rabino, tempos depois, última palavra era uma coisa impossível:

> Se a Torá fosse passada adiante total e completamente resolvida, não teríamos como argumentar. Qual é a base escritural de uma declaração? [É]: "E o Senhor disse a Moisés" [...]. Moisés disse a Ele: "Senhor do Mundo, ensina-me a Lei". O Senhor lhe disse: "Siga a maioria [para declarar a Lei]. Se a maioria considera o acusado inocente, considere-o inocente; se culpado, culpado". Dessa maneira, a Torá pode ser decidida de 49 maneiras tomando-se o partido da impureza e de 49 maneiras tomando-se o partido da pureza.[11]

Deus deu a Torá a Moisés com múltiplos significados; cabia ao intérprete, o *tanna*, aplicá-la de acordo com as necessidades do momento.

Mas o texto em si não poderia fornecer a sabedoria exigida para interpretar a Torá corretamente. Como na Índia e na China, o estudante aprendia seu verdadeiro significado vivendo com o professor, servindo-o, observando seu comportamento e vendo a Torá em ação nas minúcias da vida diária. Um aluno infeliz, que entendera mal um texto e ignorara outro, interpretou erradamente uma sentença escritural sobre pureza ritual e com isso deixou de observar um dos mandamentos (*mitzvoth*). Seu erro foi confiar nos textos. Se tivesse observado o rabino praticar a *mitzvah* em questão, teria compreendido intuitivamente seu significado subjacente. A escritura costumava ser difícil de entender, mas o professor a encarnava em cada momento da vida. Observando-se como ele comia, falava, movia-se ou rezava, via-se a Torá encarnada.

A Mishná não é uma escritura atraente. Falta-lhe a linguagem emotiva da Bíblia; além disso, ela consiste em regras legais secas, e não em histórias intrigantes. Mas a ideia de narrativa, na qual um acontecimento leva inexoravelmente a outro, era penosa demais para os rabinos, pois eles sabiam muito bem como a história terminava. A Mishná, dizia-se, é um coquetel de dor bruta e de esperança falsa — um meio de manter à distância o desespero e o terror.[12] Diante de um mundo fragmentado, tudo que os rabinos podiam fazer era juntar as peças. Não queriam saber das histórias de Templo Celestial que os escribas ainda compunham; queriam era agarrar-se à realidade mundana, argumentando, por exemplo, sobre a função de uma sala nos edifícios do templo[13] ou sobre como o guarda-noturno tinha patrulhado as instalações.[14]

Uma figura crucial foi o rabino Akiva, que aperfeiçoou um sistema de *midrash* que costumava dar à "Lei e os Profetas" um significado drasticamente diferente das intenções dos autores bíblicos. Numa história, que circulou até bem depois de sua morte, dizia-se que a fama de seu gênio alcançou o céu e que Moisés decidiu assistir à sua aula, para descobrir, muito constrangido, que não conseguia entender uma palavra da explicação de Akiva sobre a Torá que *lhe* fora dada no monte Sinai! "Meus filhos me superaram", disse ele com orgulho na viagem de volta para o céu.[15] O rabino Ishmael achava que Akiva por vezes ia longe demais. Certamente era melhor ser o mais fiel possível ao texto original, não?[16] Mas o método do rabino Akiva se impôs, porque mantinha a escritura aberta: a palavra de Deus era infinita e não poderia ficar confinada a uma única interpretação.

Mas Akiva era uma figura trágica, cujo fim demonstrou a fragilidade das esperanças rabínicas. Em 130 d.C., o imperador romano Publius Aelius Hadrianus [Adriano] visitou a Palestina durante uma marcha imperial. Era seu costume deixar uma recordação permanente de sua visita na forma de um prédio, e, quando chegou a Jerusalém, que ainda estava em ruínas, decidiu que seu presente seria uma cidade inteiramente nova, chamada Aelia Capitolina, em honra dele mesmo e dos deuses do Capitólio romano — perspectiva que naturalmente encheu de terror os judeus. No ano seguinte, Adriano baixou uma série de decretos proibindo a circuncisão, o ensino da Torá e a ordenação de rabinos. Mesmo o mais moderado dos rabinos percebia que outra guerra com Roma era inevitável. A revolta foi encabeçada por Simon Bar Koseba, soldado pragmático que conseguiu segurar os romanos por três anos. O rabino Akiva o saudou como o Messias e lhe deu um novo nome, Bar Kochba, "Filho de uma Estrela". As legiões romanas destruíram sistematicamente um reduto judeu depois de outro. A partir de então, os judeus foram impedidos de entrar na Judeia, e o rabino Akiva morreu como mártir, esfolado vivo por ter apoiado a revolta.

Os rabinos tiveram de se mudar para Usha, na Baixa Galileia. Apesar de o novo imperador Antonino Pio (r. 158-61) ter atenuado a legislação de Adriano, eles se deram conta de que o templo jamais seria reconstruído e passaram a trabalhar numa nova escritura, à qual deram o nome de Mishná. É provável que houvesse uma versão escrita de suas discussões em Yavne, que foi combinada com suas deliberações posteriores, mais moderadas.[17] A discussão e a transmissão oral ainda eram a norma, mas, depois da supressão da revolta de Bar Kochba, os rabinos acharam que era essencial ter um registro permanente de suas tradições. Julgavam que as escrituras hebraicas originais — o Tanakh — pertenciam a uma fase da história já deixada de todo para trás, mas que poderiam ser usadas seletivamente para legitimar sua própria visão. O texto completo da Mishná era uma impressionante coleção da legislação rabínica para esse novo mundo, arranjada em seis *sedarim* ("ordens"): Zeraim ("Sementes"), Moed ("Festivais"), Nashim ("Mulheres"), Niziqin ("Danos"), Qodeshim ("Coisas Santas") e Tohorsh ("Regras de Pureza"). Essas ordens foram subdivididas em 66 tratados. A Mishná mantinha-se distante da Bíblia, e raramente a citava ou a ela recorria. Jamais afirmou que sua autoridade viesse de Moisés, jamais discutiu suas origens ou autoridade, mas, orgulhosamente, supunha sua competência inquestionável. Por serem os rabinos encarnações vivas da Torá, suas decisões não precisavam de respaldo bíblico.[18] Depois do desastre de Bar Kochba, eles perderam o interesse por fervor apocalíptico, ou por sonhos messiânicos de redenção. O templo talvez tivesse desaparecido para sempre, mas os judeus se conscientizavam da presença divina ritualizando a vida diária, como os exilados haviam feito na Babilônia. A Mishná os ajudava a viver como se o templo ainda existisse. Na verdade, as Seis Ordens foram construídas como um templo textual.[19] A primeira e a sexta tratavam, respectivamente, da santidade da terra e da santidade do povo. As duas ordens mais internas — Nashim e Niziqin — legislavam para a vida privada, doméstica, dos judeus e suas relações de negócios. Mas a segunda e a quinta ("Festivais" e "Coisas Santas") eram pilares de sustentação, dos quais todo o edifício textual dependia.

Contudo, viver como se a Shechiná ainda estivesse preservada no Santo dos Santos, quando tudo que restava eram umas poucas ruínas carbonizadas, exigia certa dose de heroísmo. Milhares de novas decisões tratavam das implicações da presença do templo na vida diária. Como deveriam os judeus lidar com os gentios? As mulheres poderiam assumir a tarefa sacerdotal de assegurar que todo lar judeu fosse um lugar santo? Como comparar esses rituais caseiros com as esplêndidas cerimônias de antigamente?[20] Os rabinos usavam o antigo calendário litúrgico para dar a esses ritos domésticos uma aura radiante. A Mishná descrevia cuidadosamente as celebrações da Páscoa no templo, mas deixando claro que agora poderiam ser adaptadas aos lares mais humildes. A partir de então, cada uma das aldeias judaicas replicava Jerusalém, e toda casa replicava o templo. Ao mesmo tempo, os rabinos pareciam ter preparado o texto final da Bíblia, que refletia o novo ânimo moderado. Antes da perda de Jerusalém, alguns contos apocalípticos sobre o Templo Celestial tinham sido considerados escriturais. Agora, eram rigorosamente excluídos do cânone. Só o livro de Daniel, personagem histórico, foi preservado. É possível que essas decisões tenham sido influenciadas pelas escrituras emergentes do movimento judaico, mais afinadas com o apocalipse e que preservavam livros que os rabinos rejeitavam.

Os rabinos tinham alcançado a extraordinária façanha de transformar o ritual do templo numa espiritualidade da mente. Se eles não fossem competentes, não teriam conseguido convencer as pessoas a observarem esses ritos. O estudo comunal, agora, introduziria os judeus na presença divina: "Se dois se sentam juntos e trocam palavras da Torá, a Shechiná habita com eles".[21] Não encontramos essa espiritualidade emotiva nas páginas secas da Mishná, e sim no *Pirke Avot* ("Provérbios dos Pais"), antologia compilada depois da conclusão da Mishná, aproximadamente em 220. Esse texto amado traça o pedigree dos grandes rabinos, remontando a Hillel e Shammai, e descreve a experiência transformadora do estudo da Torá. O rabino Meir, um dos mais distintos alunos do rabino Akiva, descreveu a transformação e a quase divinização operadas pelo estudo da Torá:

> Quem estuda a Torá por amor à Torá merece muitas coisas, não só por isso, mas [pode-se até dizer] porque o mundo inteiro se torna merecedor por causa dele. Ele é chamado de Companheiro Amado que ama a Presença Divina e ama todas as criaturas [e] que alegra a Presença Divina e alegra todas as criaturas. E ela o veste de humildade e temor [...] e as pessoas se beneficiarão de seus conselhos, de seu discernimento, de sua compreensão, de sua firmeza [...]. E os mistérios da Torá lhe são revelados e ele se torna uma torrente transbordante e contínua [...] e isso o engrandece e o eleva acima de toda a criação.[22]

Ben Azzai, outro aluno do rabino Akiva, também tinha lá suas inclinações místicas. Enquanto explicava um texto certo dia, foi visto envolvido num halo de chamas. Ele tinha acabado de criar uma *horoz*, explicou, uma "cadeia" que ligava passagens da escritura sem conexão alguma no texto original, mas que, uma vez "encadeadas", revelavam uma unidade integral e dinâmica.

> Eu estava apenas ligando as palavras umas às outras e depois às palavras dos Profetas, e os Profetas aos Escritos, e as palavras se encheram de contentamento, como quando foram transmitidas no Sinai, e eram doces como no pronunciamento original.[23]

A prática da *horoz*, quando ativada por voz humana, revitalizava a Torá e lhe dava novo fogo e relevância, traduzindo uma narrativa histórica num mito que fazia dela uma verdade eterna. Na *horoz*, versos escriturais eram entrelaçados para criar uma narrativa, ou um argumento, que dava sentido ao trágico presente, engastando novos insights no passado sagrado.

Para tanto, os rabinos se sentiam à vontade para mudar a redação de uma escritura, dizendo aos alunos: "Não interpretem *assim*, mas *assado*".[24] Em *Sifre*, uma coleção de textos exegéticos do século III, por exemplo, deparamos com o rabino Meir invertendo totalmente o sentido de uma dura prescrição feita em Deuteronômio, que decretava que um criminoso que foi enforcado deveria ser sepultado antes do anoitecer, porque ele foi "amaldiçoado por Deus [*qilelat Elohim*] e seu cadáver contaminaria a Terra".[25] Mas, protestou o rabino Meir, "Não leiam *qilelat Elohim*", e substituam por "*qallat Elohim*" ("a dor de Deus"). A sinistra lei foi feita para evocar um Deus que sofria com suas criaturas. "Quando uma pessoa está em sérias dificuldades, o que diz a Shechiná?", perguntou o rabino Meir. "Diz, de certa forma, 'Minha cabeça dói, meu braço dói.'"[26]

A compaixão era fundamental para a espiritualidade rabínica. *Pirke Avot* apresenta Simão, o Justo, respeitado sumo sacerdote do século III a.C., explicando que a ordem mundial dependia "Da Torá, do Serviço do Templo e de praticar atos de bondade".[27] Esse tema foi desenvolvido numa história em *Avot de Rabbi Nathan*, um texto posterior, que descreve o rabino Yohanan andando em Jerusalém com o rabino Joshua, que gritou de angústia quando passaram pelas ruínas do templo. Como poderia Israel expiar seus pecados sem os rituais de sacrifício? Para convencê-lo de que os atos de amorosa bondade seriam igualmente eficazes, o rabino Yohanan criou uma *horoz*: primeiro, invertendo totalmente o sentido do original, citou palavras ditas por Deus a Oseias: "Quero amor [*hesed*] e não sacrifício"; ligou isso à máxima de Simão, o Justo, e encerrou com um versículo dos Salmos, levemente alterado para a ocasião: "O mundo é feito de amor".[28]

É em *Sifre* que encontramos pela primeira vez a doutrina das duas Torás — uma oral, a outra escrita — que impregnaria exegeses rabínicas posteriores.

> Assim como a chuva cai sobre as árvores e dá a cada uma um sabor distinto — videiras de acordo com sua natureza, oliveiras de acordo com sua natureza —, as palavras da Torá são sempre a mesma — mas contêm [as características distintas de] escritura: Mishná, *halakhot* e *aggadot*.[29]

Não há distinção aqui entre a Mishná (as "tradições repetidas" dos rabinos), suas decisões jurídicas (*halakhot*, singular *halakha*) e as histórias que iluminam seus ensinamentos (*aggadot*). Todas têm status e autoridade de escritura.

Outro rabino explicou: "Duas Torás foram dadas a Israel; uma de boca, outra por escrito".[30] Pelo século III, os rabinos suplicavam para que suas tradições orais fossem consideradas uma continuação do mesmo processo revelador que havia produzido a Torá original. Mesmo quando envolvido em debates acirrados sobre a Torá, um estudante dedicado sabia que, em certo sentido, tanto ele como seu oponente estavam dando continuidade a uma conversa iniciada no Sinai: "As palavras daqueles e de todos os outros sábios, todas elas foram dadas por Moisés, o Pastor, daquilo que ele recebeu do Único e Sem Par do Universo".[31]

Enquanto isso, os seguidores de Jesus de Nazaré levavam a tradição judaica numa direção diferente. Originariamente, tratava-se de um grupo da "arraia-miúda": enquanto os rabinos pertenciam à elite, Jesus e seus primeiros seguidores vinham do campesinato. Apesar de extensas pesquisas sobre o Jesus histórico, pouco sabemos a seu respeito. Parece ter criado um movimento popular de pregadores e curandeiros itinerantes, que ministravam para o povo economicamente marginalizado da Galileia no fim dos anos 20 d.C. Num Estado agrário, a aristocracia vivia separada das massas, cuja religião, portanto, costumava ser muito diferente. Mas ainda que não soubessem ler, nem pudessem estudar as escrituras como estudantes rabínicos, Jesus e seus discípulos estavam familiarizados com os salmos cantados na Páscoa judaica e nas peregrinações a Jerusalém. Eles certamente conheciam a história do Êxodo e alguns ensinamentos proféticos, mas os profetas que mais respeitavam eram homens do povo: Moisés, que tinha libertado seus antepassados da escravidão; e Elias, que tinha pregado no norte da Palestina e era cultuado como herói local na Galileia, e que se esperava que, um dia, voltasse para restaurar a verdadeira devoção em Israel.[32]

Jesus nasceu numa sociedade traumatizada pela violência de Estado. Foi criado em Nazaré, um vilarejo perto de Séforis que tinha sido destruído por tropas romanas durante um levante na Galileia após a morte do rei Herodes. A Galileia era então governada pelo filho de Herodes, Antipas, que impôs pesados tributos para financiar vastos projetos de construção. O não pagamento era punido com confisco de terra, por isso muitos camponeses eram forçados a uma vida de bandidagem, enquanto outros — entre eles, possivelmente, o pai de Jesus, o carpinteiro José — se dedicavam ao trabalho braçal. As multidões que, em busca de cura, se aglomeravam em torno de Jesus eram famintas, aflitas e enfermiças, com muita gente atormentada por distúrbios neurológicos e psicológicos atribuídos a demônios. Nas parábolas de Jesus, vemos uma sociedade dividida entre os muito ricos e os muito pobres. As pessoas viviam em desespero, à procura de empréstimos, profundamente endividadas, obrigadas a trabalhar como diaristas.[33]

Parece que Jesus pregava uma renovação da aliança original com Jeová, defensor da "arraia-miúda". O Reino de Deus que ele proclamava tinha por base a justiça e a igualdade, e seus seguidores deviam se comportar como se isso já fosse realidade.[34] No Reino de Deus, os pobres seriam os primeiros, e os ricos e poderosos, os últimos. Mas, pregava Jesus, os que temiam o endividamento precisavam perdoar os que lhes deviam, e todos precisavam amar seus inimigos. Em vez de, tal qual os romanos, responderem às maldades com violentas represálias, deveriam oferecer a outra face, ajudar a todos que necessitassem e evitar exigir de um ladrão que devolvesse o que tinha roubado. Os seguidores de Jesus deveriam viver compassivamente e observar a Regra de Ouro — tratar os outros como gostariam de ser tratados.[35] Consta que Jesus dizia a seus seguidores para darem aos pobres tudo que tinham. A expressão prática da compaixão era essencial à sua mensagem. Previa que as pessoas admitidas no Reino de Deus não seriam as que tinham as crenças corretas, mas as que davam de comer ao faminto, de beber ao sedento, que acolhiam o estranho, vestiam o despido, cuidavam do doente e visitavam os presos.[36]

Era uma mensagem inerentemente política. Jesus não pregava a resistência armada, mas sua lição sobre o Reino de Deus era uma crítica implícita ao poder imperial. Quando lhe perguntaram se era lícito pagar tributos a César, ele respondeu ambiguamente: "Dai a César o que é de César e a Deus o que é de Deus".[37] Essa declaração era, de fato, mais provocadora — e politicamente perigosa — do que nos parece hoje. Jesus não defende, aqui, uma nítida separação entre Igreja e Estado. Na Palestina, quase todos os levantes contra Roma, no século I d.C., tinham sido provocados pela cobrança de tributos pelos romanos, vista como ilegítima, uma vez que a Terra Santa e seus produtos pertenciam a Deus. Havia, portanto, como Jesus deu a entender, pouquíssima coisa a "dar" a César.[38] O incidente que talvez tenha levado à sua morte, entretanto, foi sua provocadora entrada em Jerusalém, quando multidões o saudaram como rei de Israel. Ele então fez uma manifestação no templo, virando as mesas dos cambistas e declarando que a casa de Deus era "uma toca de ladrões".[39] O templo tinha sido instrumento de controle imperial desde o período persa, e os tributos extorquidos da população eram armazenados ali.[40] Dentro de poucos dias, Jesus foi condenado à crucificação por Pôncio Pilatos, o governador romano da Judeia.

A crucificação era o instrumento de terrorismo de Estado dos romanos, poderoso dissuasor, em geral aplicado contra escravos, criminosos violentos e insurgentes. A exibição pública da vítima, com o corpo quebrado pendente numa encruzilhada ou num anfiteatro, e ali deixado para servir de alimento às aves de rapina ou aos animais selvagens, demonstrava o poder impiedoso de Roma. Em 4 a.C., depois dos levantes que se seguiram à morte de Herodes, 2 mil rebeldes tinham sido crucificados fora dos muros de Jerusalém.[41] No Novo Testamento, os evangelhos afirmam que Jesus foi julgado numa reunião especial do Sinédrio, e que Pilatos tentou bravamente salvar-lhe a vida. Mas é pouco provável que um simples camponês galileu fosse tratado com tanta consideração, especialmente por um governador que viria a ser chamado de volta a Roma por sua irresponsável crueldade. Os discípulos de Jesus, que fugiram depois de sua prisão, provavelmente jamais tomaram conhecimento dos detalhes de sua morte. No Império Romano, crucificações ocorriam todos os dias, e Jesus deve ter sido despachado sem nenhum julgamento, com poucas testemunhas, se testemunhas houve, e com uma brutalidade displicente que hoje temos dificuldade de imaginar.[42]

Os evangelhos não são documentos históricos; não procuram nos apresentar os fatos da vida de Jesus. Também são *midrash*, tecendo versos escriturais para criar uma história e dar sentido e esperança ao perplexo presente. Os textos mais antigos do Novo Testamento que ainda existem, porém, são as cartas que Paulo, ex-fariseu, enviou às primeiras comunidades cristãs que fundou no Mediterrâneo oriental durante os anos 50 d.C., cerca de vinte anos após a morte de Jesus. Essas cartas mostram que no início os seguidores de Jesus já usavam as escrituras hebraicas para interpretar os acontecimentos da vida. Paulo diz a seus discípulos em Corinto:

> Ensinei-lhes o que eu mesmo aprendi, ou seja, que Cristo morreu por nossos pecados, *segundo as escrituras*; que foi sepultado e ressuscitou no terceiro dia, *segundo as escrituras*.[43]

Não havia nenhuma profecia explícita sobre esses acontecimentos na Bíblia hebraica, mas, como os sectários de Qumran, os primeiros cristãos interpretavam os textos escriturais antigos como predições de acontecimentos de sua época.

Ao que tudo indica, depois da crucificação, os seguidores de Jesus tiveram visões nas quais o viam em pé, tal qual Enoque, ao lado do Trono de Deus. Essas visões inspiravam um *ekstasis* que eles sentiam como se fosse um derramamento do Espírito de Deus. Desde uma data bem inicial, os cristãos se voltaram para um conjunto de textos que pareciam prever o extraordinário engrandecimento de Jesus. Dois vinham de salmos originalmente representados durante a coroação de um novo rei: "Jeová disse ao meu senhor: 'Senta-te à minha direita até que eu faça dos teus inimigos o escabelo dos teus pés'".[44] O outro proclamava a adoção do novo rei por Jeová: "És meu filho; hoje me tornei teu pai".[45] Seus discípulos recordavam que Jesus costumava descrever-se como "o filho do homem", o que lembrava o Salmo 8, no qual as maravilhas da criação inspiraram o salmista a perguntar a Deus por que ele elevara um "filho do homem" — um simples ser humano — à altura que, como tinham visto com seus próprios olhos, Jesus agora desfrutava:

> Tu o fizeste um pouco menor que um deus, e o coroaste de glória e esplendor, fizeste dele o senhor da obra de tuas mãos, puseste todas as coisas sob seus pés.[46]

Isso também os fez lembrar da visão que Daniel tivera de uma figura "como um filho do homem" a quem tinham sido concedidas "soberania, glória e realeza, e homens de todos os povos, línguas e nações se tornaram seus servos".[47] Com velocidade verdadeiramente notável, os títulos "senhor", "filho do homem" e "filho de Deus" foram atribuídos a Jesus, que agora era reconhecido como o *messhiah* (em grego, *christos*, "o ungido").[48]

Como um *midrash* rabínico, essa exegese não foi realizada com espírito de fria indagação acadêmica. Os primeiros cristãos acreditavam estar vivendo os últimos dias antes que Jesus voltasse para implantar o Reino de Deus, e que o *ekstasis* que experimentavam tinha sido previsto pelo profeta Joel:

> Eu [Jeová] derramarei meu espírito sobre toda a humanidade. Vossos filhos e filhas profetizarão, vossos velhos terão sonhos, e vossos jovens terão visões. Até mesmo sobre vossos escravos e escravas derramarei meu espírito naqueles dias.[49]

No passado, profetas geralmente pertenciam à aristocracia, mas agora o Espírito inspirava humildes camponeses, pescadores e artesãos.

Um texto bem do início, que os especialistas chamam de "Q" (do alemão *Quelle*, "fonte"), sobreviveu somente nos evangelhos atribuídos a Mateus e Lucas. Era apenas uma coleção dos ensinamentos de Jesus e não contava a história de sua vida. Significativamente, jamais menciona sua morte e ressurreição. Mas estudiosos há muito supõem que um relato da crucificação de Jesus também circulou pouco depois, e que foi usado pelos quatro evangelistas. Recentemente, porém, o estudioso norte-americano Arthur Dewey afirmou que não há provas concretas disso: o horror da execução de Jesus talvez tenha sido tão traumático que os primeiros cristãos raramente falavam a esse respeito, e parece que não havia uma história estabelecida que a descrevesse em detalhes. Mas, como as cartas de Paulo revelam, na Síria os cristãos lembravam a morte de seu messias numa refeição ritualizada. Durante sua última refeição com os discípulos, consta que Jesus partiu um pão e disse: "Este é o meu corpo, que é para vós: fazei isto em memória de mim". O vinho era "a nova aliança no meu sangue". "Todas as vezes que comeis deste pão e bebeis deste cálice", explicou Paulo aos coríntios convertidos, "proclamais a sua morte."[50] Fazer uma libação solene em honra de um homem executado pelo Estado como um criminoso comum era extraordinário.

A Cruz tinha imensas implicações para Paulo. Originalmente contrário ao movimento de Jesus, ele foi convertido por uma visão na qual também viu o corpo de Jesus, degradado, quebrado, ser elevado por Deus ao lugar mais alto do céu. Para Paulo, tratava-se de um *apocalupsis*, uma "revelação". Regras antigas já não serviam. Divisões étnicas, sociais, culturais e de gênero tinham sido eliminadas: "Não há judeu nem grego, nem escravo nem livre, nem homem nem mulher, pois sois todos uma coisa só na pessoa de Cristo Jesus".[51] Mas Paulo jamais descreveu a crucificação em detalhes. Dewey assinala que, até o começo do século v, havia apenas duas representações pictóricas da Cruz — uma delas, um grafite provocador; a outra, um amuleto mágico.[52] Os primeiros cristãos, portanto, não pensavam muito a respeito da morte de Jesus; seu interesse se concentrava na ressurreição e na elevação.

Encontramos o primeiro relato minucioso da morte de Jesus no Evangelho de Marcos, composto por volta de 70 d.C., mas de início apresentado oralmente para plateias na Galileia e na Síria, o narrador improvisando em resposta às reações do público.[53] Esse evangelho apresenta Jesus como um profeta popular da "arraia-miúda": como Elias, ele passou quarenta dias no deserto, lutando contra Satanás; sua caminhada sobre as águas do mar da Galileia recordava o Êxodo do Egito; e a alimentação miraculosa das multidões trazia à lembrança o maná que alimentou os israelitas no deserto. Como Moisés, ele baixou novos mandamentos do alto de um monte, e seus doze discípulos representavam as tribos de Israel. Escrevendo logo depois da horrenda destruição do templo, Marcos tentava combater o messianismo incendiário que servira de combustível para a trágica guerra judaica. Apresenta Jesus como um messias sofredor, derrotado, e sua missão, como uma jornada para a Cruz, em uma narrativa intercalada de previsões da morte dele.[54]

A crucificação tinha sido uma hedionda característica do cerco de Jerusalém. Josefo informa que as pessoas famintas, quando fugiam da cidade, eram capturadas pelos romanos e, como Jesus, "primeiro eram açoitadas, em seguida atormentadas com as mais variadas torturas [...] e finalmente crucificadas diante do muro da cidade". A cidade inteira ficou cercada de cruzes, as vítimas deliberadamente amarradas em posições grotescas:

> Então os soldados, movidos pela ira e pelo ódio que tinham dos judeus, pregavam aqueles que conseguiam capturar, um de uma forma, outro de forma diferente, em cruzes, por brincadeira; até serem tão numerosos que faltava espaço para as cruzes, e cruzes para os corpos.[55]

Notícias dessa atrocidade ecoaram por toda a região. Para Marcos, a morte de Jesus era um tema recorrente — só mais um exemplo do sofrimento dos inocentes, que acontece o tempo todo —, e seu relato da crucificação de Jesus é uma *horoz* de textos escriturais.[56] Sua principal fonte foi o Salmo 22, o lamento de um homem virtuoso que se tornou o "objeto de escárnio da humanidade, de zombaria das pessoas":

> *Todos os que me veem zombam de mim,*
> *Sacodem a cabeça e dizem:*
> *"Ele confiou em Jeová, Jeová que o salve!"*
> *"Jeová é seu amigo, ele que o socorra!"*[57]

Marcos atribui esse abuso aos "principais sacerdotes e escribas" aglomerados ao pé da Cruz de Jesus;[58] como no salmo, ele faz os soldados romanos tirarem a sorte com os dados para ver quem fica com a roupa de Jesus;[59] e ele é o único evangelista que coloca nos lábios de Jesus o terrível grito de desamparo do salmista: "Meu Deus, meu Deus, por que me desamparaste?".[60] Marcos também se vale de outros salmos: Jesus foi traído pelos amigos,[61] sentiu tristeza e angústia,[62] e, em seu pior momento, lhe deram vinagre para beber.[63]

Marcos associa a morte de Jesus inextricavelmente à tragédia de Jerusalém. Pouco antes de ser preso, Jesus tinha previsto a destruição da cidade e, quando morria, "o véu do Templo rasgou-se em dois de alto a baixo".[64] Marcos deixa claro que, num mundo dominado por Roma, os seguidores de Jesus sabiam que iriam sofrer. Compartilhar a filiação divina já não significava realeza, mas ignomínia e sofrimento:[65]

> Ficai de sobreaviso: as pessoas vos entregarão aos sinédrios; sereis açoitados nas sinagogas; sereis levados à presença de governadores e reis por amor a mim, para dardes testemunho diante deles, pois a Boa Nova precisa ser proclamada para todas as nações [...]. Sereis odiados por todos por amor a meu nome, mas aquele que persevera até o fim será salvo.[66]

O Reino de Deus virá: Marcos faz Jesus prever que a destruição de Jerusalém é o começo do Fim, e seus seguidores verão o Filho do Homem, vindo nas nuvens do céu "para juntar seus escolhidos dos quatro cantos do mundo às extremidades do céu".[67]

Os evangelhos de Mateus e Lucas, baseados em Marcos e Q, também são *midrashim*. Mateus apresenta Jesus como o Messias para gentios e para judeus; por isso, em seu relato do nascimento de Jesus, os reis magos persas são os primeiros a lhe prestarem homenagem. Ele não perde oportunidade de citar um precedente escritural para os acontecimentos da vida de Jesus. Usa a tradução grega da previsão de Isaías sobre o nascimento de Ezequias para o milagroso nascimento de Jesus: "A virgem ficará grávida e dará à luz um filho, e eles o chamarão Emanuel [Deus conosco]".[68] Quando os reis magos perguntam a Herodes onde poderiam encontrar o Messias, Mateus cita a profecia de Miqueias de que "um líder que pastoreará meu povo, Israel", virá de Belém.[69] Na verdade, o Evangelho de Mateus se destina a mostrar que toda a coleção escritural de Israel aponta para Jesus, a revelação definitiva de Deus. No Sermão da Montanha, Jesus se torna o novo Moisés, que promulga uma Nova Lei num comentário sobre a Velha, no qual indica sua inadequação: "Ouvistes que foi dito aos nossos antepassados [...] eu, porém, vos digo...".[70] A lei antiga de retaliação — "olho por olho, dente por dente" — transforma-se em "oferece-lhe a outra face";[71] "ama o teu próximo" é transmudado em "ama os teus inimigos".[72] Isso pode ter sido uma réplica aos rabinos de Yavne, cuja influência começava a ser sentida. O movimento de Jesus, afirma Mateus, suplanta Yavne: "Pois eu vos digo, se a vossa virtude não for superior à dos escribas e fariseus, jamais entrareis no Reino dos Céus".[73]

O *midrash* de Lucas é menos implacável do que o de Mateus, mas ele também mostra as escrituras apontando para Jesus como a revelação definitiva a Israel. A triunfante canção de Maria quando está grávida de Jesus anseia pelo Reino iminente: é uma longa *horoz*, prevendo o triunfo iminente da "arraia-miúda", que encadeia fragmentos bíblicos díspares e lhes dá um significado inteiramente novo.[74] A essa altura — Mateus escreveu nos anos 80, Lucas talvez no começo do século II — os cristãos afirmavam que depois de ressurgir dos mortos Jesus apareceu para seus discípulos antes de subir aos céus. Uma dessas aparições, descrita por Lucas, nos oferece um vislumbre da experiência de um *midrash* cristão dos primeiros tempos.

Poucos dias após a morte de Jesus, diz Lucas, quando dois discípulos andavam tristemente de Jerusalém para Emaús, um estranho apareceu e lhes perguntou por que estavam tão aflitos. Quando lhe contaram a trágica história da morte infame de seu Messias, ele os repreendeu por não "acreditarem plenamente na mensagem dos profetas", que tinha "determinado que o Cristo sofresse e entrasse na sua glória". Então, "começando por Moisés, e discorrendo sobre todos os profetas", o estranho mostrou que todas aquelas escrituras previam um Messias sofredor.[75] Chegando a seu destino, os discípulos pediram ao novo amigo que se alojasse com eles, e quando, ao abençoar o pão, ele o partiu e distribuiu entre eles, os "olhos deles se abriram", e os dois perceberam que seu companheiro não era outro senão o Cristo ressuscitado. De imediato, ele desapareceu. "Nosso coração não ardia dentro de nós", os discípulos disseram um ao outro, "quando ele nos falava no caminho e nos explicava as escrituras?"[76]

No *Pirke Avot*, os rabinos afirmavam que quando duas ou três pessoas estudavam a Torá juntas a Shechiná estava entre elas. Os dois discípulos de

Jesus tiveram experiência parecida, mas para eles a Presença outrora preservada no templo perdido estava encarnada na pessoa de Jesus. A exegese foi uma experiência emocional que fez o coração deles "arder". Eles sentiam essa Presença na refeição ritualizada que reproduzia a sua morte, nos insights que lhes ocorriam quando diferentes textos escriturais se mesclavam numinosamente, e no trato com o estranho. Isso seria especialmente significativo na comunidade mista de judeus e gentios de Lucas, a qual, ao superar preconceitos, "abria os olhos" para horizontes mais amplos.

Os três evangelhos sinóticos — Marcos, Mateus e Lucas — descrevem um incidente no qual três discípulos — Pedro, Tiago e João — viram Jesus resplandecente de luz divina: "Lá, em sua presença, ele se transfigurou: o rosto brilhou como o sol e as roupas brancas como luz".[77] Moisés e Elias apareceram ao lado dele e uma voz celestial proclamou: "Este é o meu Filho Amado; ele tem minha afeição. Escutai o que ele diz".[78] Poderia ser a descrição das visões de Páscoa dos discípulos ou uma visão tida por membros do movimento de Jesus em suas sessões de *midrash*.[79] Faz claramente lembrar a visão de Ezequiel de "um ser que parecia um homem", cercado de luz e "uma coisa que parecia a glória [*kavod*] de Jeová". Aparentemente, os primeiros cristãos vislumbraram alguma coisa da "glória" divina, um reflexo luminoso do divino, no homem Jesus. O Evangelho de João (escrito aproximadamente em 100 d.C.) reflete uma tradição diferente, possivelmente da Ásia Menor, mas seu prólogo, que apresenta Jesus como o Verbo (Logos) preexistente de Deus, pode ter sido originariamente um documento separado, de uso geral nas igrejas.[80]

> No princípio era o Verbo: o Verbo estava com Deus e o Verbo era Deus. Estava com Deus no princípio. Tudo foi feito por ele, e nada foi feito senão por ele.[81]

O Verbo *era* Deus, mas não idêntico a Deus, uma vez que também estava *com* Deus. O Verbo, agente da criação, como a Sabedoria, agora se encarnara: "O Verbo se fez carne; armou sua tenda entre nós, e vimos a sua glória, a glória que é sua como Filho único do Pai, cheio de graça e de verdade".[82]

As cartas de Paulo mostram que, já no início, em sua adoração comunal os membros do movimento de Jesus vivenciavam realidades eternas e celestiais como coisas existentes.[83] As pessoas falavam em línguas estranhas, tinham visões, profetizavam, transmitiam instruções divinas, realizavam milagres de cura e pregavam extemporaneamente sob inspiração do Espírito Santo.[84] Em suas cartas para os filipenses, escritas cerca de vinte anos após a morte de Jesus, Paulo citou um hino desde o início, provavelmente usado em rituais cristãos, que sugere que a cristologia de João, tal como expressa no prólogo, não foi uma "evolução tardia". Está claro, nos evangelhos, que em sua exegese *pesher* os primeiros cristãos identificavam Jesus com o misterioso Servo elogiado pelo Segundo Isaías: "homem de tristezas e familiarizado com o sofrimento", que seria "levantado; exaltado, elevado a grandes alturas".[85] O hino citado por Paulo declara que Jesus tinha estado com Deus desde o início, mas que, num supremo ato de *kenosis*, descera à terra voluntariamente e assumira a condição de servo.

> *Sua condição era divina,*
> *mas ele não se apegava*
> *a essa igualdade com Deus, mas se esvaziou a si mesmo* [heauton ekenosen]
> *para assumir a condição de escravo* [...]
> *E foi mais humilde ainda, a ponto de aceitar a morte, a morte numa cruz.*[86]

Mas, prosseguia o hino, Deus "o elevou à mais alta posição" para que "toda língua saúde Jesus Cristo como Senhor, para a glória de Deus Pai".[87] Paulo não estava dando uma aula teológica aos filipenses, porém, mas lhes dizendo que praticassem, eles próprios, a *kenosis*: "Que não haja competição entre vós, nem vanglória, mas que todos sejam humildes. Considerai sempre os outros superiores a vós, para que ninguém pense primeiro nos seus interesses, mas sim nos interesses dos outros. Em vossa mente, sede como Jesus Cristo".[88]

Paulo tinha levado seu evangelho para o mundo dos gentios, convencido de que o Messias voltaria para estabelecer o Reino de Deus na terra enquanto ele ainda estivesse vivo. Sua visão utópica de igualdade de gênero, racial e social precisa ser vista sob essa luz; o mundo que ele conhecia estava morrendo. Nesse meio-tempo, ele e seus discípulos deveriam viver como se a nova ordem já tivesse chegado. Mas não era um agitador; dizia aos convertidos para viverem quietos e cuidarem de seus negócios. Nada deveria ser feito que pudesse levar as autoridades a uma perseguição em massa dos seguidores do Messias, uma vez que isso poderia impedir a chegada do Reino. É talvez sob essa luz que devemos ler suas instruções aos romanos:

> Todos devem obedecer às autoridades constituídas. Como todo governo vem de Deus, as autoridades civis foram nomeadas por Deus, e assim, quem resistir à autoridade estará se rebelando contra a decisão de Deus, e um ato dessa natureza deverá ser punido [...]. O Estado aqui está para servir a Deus para o vosso bem.[89]

Paulo estava longe de ser amigo do Império Romano, que matou Jesus, mas até a volta do Cristo o domínio romano era a vontade de Deus. Isso, porém, era apenas um arranjo temporário. O statu quo seria abolido quando Cristo derrubasse os poderosos de seus tronos.[90] Também é significativo que Paulo insistisse, logo em seguida, que tanto a atividade política quanto a atividade ética deveriam se submeter à regra da caridade. "O amor não pratica o mal contra o próximo; portanto, o amor é o cumprimento da lei."[91] Jesus tinha ensinado seus seguidores a amarem até mesmo seus inimigos; o ódio político, com sua altiva e concomitante superioridade, não tinha lugar na comunidade do Messias.

Mas acabou ficando claro que os seguidores de Jesus tinham pela frente um longo período de coexistência com a sociedade greco-romana, por isso novas escrituras tentaram adaptar os ensinamentos radicais de Paulo à sóbria realidade. Paulo escreveu apenas sete cartas, a ele atribuídas no Novo Testamento.[92] No começo do século II, escrevendo em nome de Paulo, os autores das epístolas aos colossenses e aos efésios recomendavam aos cristãos que se conformassem com as normas tradicionais da sociedade. Onde o evangelho igualitário de Paulo afirmava que não havia homem nem mulher, escravo nem livre, essas novas diretrizes "paulinas" harmonizavam-se com os códigos de família promovidos por filósofos greco-romanos: esposas cristãs tinham de obedecer aos maridos, e escravos aos senhores.[93] Convencido de que Paulo era o único autor que de fato compreendia os ensinamentos de Jesus, Marcião (m. 169), instruído construtor naval de Sinope, no mar Negro, preparou um "Novo Testamento" para substituir a Bíblia hebraica, que segundo ele pregava um Deus violento e vingativo: esse testamento consistia em um único evangelho, baseado em Lucas, e nas cartas paulinas. Outros cristãos, contrários a Marcião, compuseram as chamadas "Epístolas Pastorais" — também escritas em nome de Paulo — para Tito e Timóteo. Eles claramente desaprovavam as mulheres que pregavam e oficiavam nas comunidades de Marcião: "Sua função é aprender, escutar em silêncio e com a devida submissão".[94]

Marcião tinha deixado alguns cristãos gentios apreensivos em suas relações com o judaísmo.[95] Os evangelhos sinóticos apresentam Jesus travando acirrada polêmica com os "escribas e fariseus".[96] Líderes judaicos teriam conspirado contra Jesus, e no Evangelho de Mateus, quando Pilatos reluta em assumir a responsabilidade pela execução de Jesus, a multidão de judeus, "sem exceção", reage aos gritos: "Que o sangue dele caia sobre nós e sobre nossos filhos".[97] Mais tarde, essas palavras inspirariam regularmente cristãos europeus a atacarem comunidades judaicas na Sexta-Feira da Paixão. Mas no contexto original isso não foi "antissemítico", porque os cristãos ainda eram na maioria judeus. A polêmica, portanto, reflete um debate judaico interno, no período imediato do pós-templo, entre os rabinos e o movimento de Jesus.[98] A afiada retórica de Jesus nos evangelhos sinóticos lembra um pouco os intensos debates *halakhic* na Mishná.[99] "O próprio Jesus era um judeu falando para outros judeus", ressalta a estudiosa norte-americana Amy-Jill Levine. "Seus ensinamentos estão de acordo com a tradição dos profetas de Israel. O judaísmo sempre teve um componente de autocrítica."[100]

Mas o Evangelho de João, como texto distinto de seu prólogo, pode refletir um conflito dentro do movimento de Jesus. Nos evangelhos sinóticos, Jesus guarda segredo de seu messianismo, mas João faz Jesus declarar, sempre que surge uma oportunidade, que trabalha com o Pai, que concorda com Ele e que atua como agente Dele, numa proximidade tão grande que os dois são um só.[101] Numa cena, Jesus parece incitar seus interlocutores judeus a rejeitarem-no — dizendo-lhes que eles não são verdadeiros filhos de Abraão e que o pai deles é o Diabo.[102] Alguns membros da comunidade de João talvez tivessem ficado alarmados com suas novas e mais radicais afirmações sobre Jesus, incompatíveis com o monoteísmo judaico.[103] Tanto o evangelho como as três epístolas atribuídas a João sugerem que essa comunidade se sentia sitiada. No evangelho, há um dualismo que sugere uma batalha cósmica, lançando a luz contra as trevas, o mundo contra o espírito, e a vida contra a morte. Ameaçados pelo "mundo", esses cristãos joaninos julgavam que seu dever mais importante era ficarem unidos e amarem uns aos outros.[104] Parece ter havido um penoso cisma no qual alguns membros achavam os ensinamentos da comunidade "intoleráveis" e eram vistos pelos fiéis como "anticristos", cheios de ódio assassino contra o Messias.[105]

No livro do Apocalipse, o dualismo "joanino" se transmudou numa batalha cósmica entre forças do bem e do mal. Satã e suas tropas atacam Miguel e seu exército angélico no céu, enquanto os maus atacam os bons na terra. O autor, João de Patmos, afirma aos leitores que Deus intervirá no momento decisivo e derrotará os inimigos do grupo. Tinha recebido uma revelação especial (*apocalupsis*) que "desvendaria" a verdadeira situação, de modo que os fiéis saberiam como se comportar nos Últimos Dias. Satã concederá autoridade a uma Besta, que se erguerá das profundezas do mar, exigindo obediência universal. Mas enquanto os anjos derramam seis pragas sobre a terra, Jesus, o Cordeiro, virá para resgatar. O Verbo de Deus cavalgará para a batalha como um general romano, lutará contra a Besta, e a jogará dentro de um abismo de fogo. Por mil anos, Jesus governará a terra com seus santos, mas finalmente Deus libertará Satã. Haverá mais destruição e mais batalhas, até que a paz seja restaurada e a Nova Jerusalém desça do céu para a terra.

Minando a ética da não violência dos evangelhos sinóticos, esse texto perturbador utiliza-se generosamente das imagens da arena romana, onde gladiadores eram obrigados a lutar até morrer perante uma grande plateia.[106] Dramáticas encenações do poder romano, os jogos de gladiadores exibiam a força impiedosa que sustentava o Império Romano. João de Patmos não foi o único a usar os jogos como imagem de violência escatológica. Um rabino palestino do século v também visualizaria o Julgamento como uma dramática reversão escatológica dos jogos:

> R. Aha disse [...]. Quando chegar o Dia sobre o qual está escrito que "os pecadores estão atemorizados em Sião" [Isaías 33:14], estareis entre os que veem e não entre os que são vistos; estareis entre os espectadores, e não entre os gladiadores".[107]

Judeus honestos não serão infelizes gladiadores, mas se tornarão a elite, assistindo à agonia de seus antigos senhores imperiais de assentos privilegiados. No Apocalipse também há uma desagradável experiência de *Schadenfreude*. Aqueles que tinham adorado a Besta "serão torturados na presença dos anjos santos e do Cordeiro, e a fumaça de sua tortura subirá para todo o sempre".[108] O Cordeiro, herói cruel e conquistador, é uma antítese horrenda do vulnerável "cordeiro de Deus que tira os pecados do mundo".[109] Como Tito depois da destruição de Jerusalém, ele se compraz de um triunfo romano, cavalgando à frente da cavalaria celestial, o manto empapado do sangue das vítimas.[110]

João está oferecendo a seus companheiros cristãos a visão de um futuro alternativo numa época em que o poderio romano parecia invencível. Mas o rabino Aha escreveu numa época em que a Palestina era governada por imperadores romanos cristãos, que eram igualmente impiedosos com os povos subjugados. O livro do Apocalipse derruba a visão kenótica do Novo Testamento, e muitos líderes de igreja relutavam em incluí-lo no cânone; até hoje os cristãos ortodoxos gregos e russos não aceitam que ele seja lido durante a liturgia. Mas veremos que ele é hoje a escritura preferida de muitos cristãos protestantes, especialmente nos Estados Unidos.

Em nossos dias, fala-se muito sobre a violência inerente à escritura. Somos uma espécie agressiva, e, apesar da mensagem de empatia e compaixão, todas as escrituras, sem exceção, têm um veio beligerante que pode facilmente ser explorado. Mas não podemos pôr a culpa da "violência religiosa" inteiramente na escritura, como ressalta o rabino Jonathan Sacks:

> Todo cânone escritural traz textos que, lidos literalmente, podem ser levados a endossar particularismos tacanhos, a suspeita sobre estrangeiros e a intolerância com os que têm crenças diferentes das nossas. Cada uma também traz dentro de si fontes que enfatizam a afinidade com o estrangeiro, a empatia com o de fora, a coragem que faz pessoas estenderem a mão por cima das fronteiras do ódio e da hostilidade. A escolha é nossa. Os textos generosos da nossa tradição hão de servir como chaves interpretativas para o resto, ou as passagens cáusticas hão de determinar nossas ideias sobre o que somos e o que somos chamados a fazer?[111]

Infelizmente, os cristãos têm feito escolhas erradas com certa frequência. A desastrosa história do antagonismo cristão aos judeus deveria torná-los mais cautelosos ao repreenderem outras tradições religiosas pela suposta intolerância de suas escrituras.

Mais ou menos ao mesmo tempo que o cânone cristão se desenvolvia, outra revelação — muito diferente — num campo de batalha anunciava o nascimento de uma nova paixão religiosa na Índia. Na *Bhagavad Gita*, uma obra posterior incorporada ao *Mahabharata*, temos a primeira indicação da *bhakti* ("devoção"), uma espiritualidade que se espalhou irresistivelmente pelo subcontinente numa revolução pacífica que derrubou a confusa ciência ritual dos Brâmanes, substituindo-a por uma fé centrada na amorosa devoção a um deva. Como o próprio *Mahabharata*, *bhakti* talvez tenha sido uma resposta ao período violento e turbulento que se seguiu ao colapso do império máuria. A exemplo da epopeia, ela não dá respostas fáceis sobre a legitimidade da guerra ou da *ahimsa*. Veremos que, no começo do século XX, as pessoas se voltavam para a *Gita* em busca de orientação nessas questões, tirando diferentes conclusões.

O contexto da *Gita* é a Grande Batalha do *Mahabharata*. Os exércitos rivais formam suas linhas de combate, quando Arjuna, quase sempre um guerreiro intrépido, tem um desses "momentos *Mahabharata*" nos quais um personagem fica subitamente paralisado pela tristeza e pelo pavor. Virando-se para o primo Krishna, seu cocheiro, declara que não consegue lutar. Estão ali tentando salvar o mundo, mas nas fileiras inimigas ele vê seus amigos, gurus e parentes — "pais, avós, professores, tios, irmãos, filhos, netos e amigos".[112] Como curar um mundo adármico violando as "eternas leis do dever familiar"?[113] Profundamente abalado, Arjuna se encolhe na biga e depõe as armas. Krishna tenta animá-lo, recorrendo a todos os argumentos tradicionais para justificar uma guerra, mas Arjuna não se convence, por isso Krishna apela para uma ideia nova. Nessas situações, diz ele a Arjuna, um guerreiro só precisa dissociar-se dos efeitos de suas ações e cumprir seu dever kenoticamente, sem animosidade pessoal. Como iogue, ele precisava tirar o "eu" de seus pensamentos e ações, para poder agir impessoalmente — na verdade, nem sequer estará agindo, pois na histeria da batalha continuará intrépido, livre de desejo e animosidade pessoal.

Arjuna escuta educadamente, mas está perturbado demais para alcançar essa serenidade imparcial, por isso Krishna propõe uma opção ainda mais revolucionária. Arjuna deveria entrar nesse estado meditativo concentrando sua atenção no próprio Krishna. Ele não é o que parece. Sim, ele tem uma "natureza inferior", como todo mundo, por isso parece um homem perfeitamente comum, mas na verdade é nada menos do que "a força vital que sustenta o universo".[114] Ele, Krishna — amigo e parente de Arjuna —, é o avatar de Vishnu, o fundamento do ser: "Tudo que existe está tecido em mim, como uma trama de pérolas num fio".[115] Além disso, ele é Indra, Shiva e a montanha sagrada de Meru; é a eterna sílaba AUM, a essência de todas as coisas, sacras e profanas, "o grande cântico ritual, o ritmo poético do cântico sagrado [...] o jogo de dados dos jogadores, a lucidez dos homens lúcidos".[116] O universo inteiro "e tudo o mais que você queira ver; tudo está aqui, no meu corpo".[117] A realidade que a tudo perpassa e que sustenta o universo foi revelada num ser humano.

Arjuna se curva diante do primo, o cabelo arrepiado de pavor: "Vejo os deuses em teu corpo, ó Deus, e uma multidão de variadas criaturas!".[118] Vê que todas as coisas — humanas e divinas — estão presentes no corpo de Krishna. Tudo que existe se precipita inexoravelmente na direção dele, como os rios são atraídos para o mar e as mariposas voam desafortunadamente para a chama. E, para seu horror, Arjuna vê também os guerreiros Pandavas e Kauravas, todos se arremessando para a boca incandescente de Vishnu. De uma perspectiva humana limitada, a Grande Batalha ainda não começou, mas Arjuna percebe que, no reino intemporal do sagrado, Krishna já tinha aniquilado os dois exércitos. Arjuna não só tinha o dever de lutar; na verdade, já tinha cumprido esse dever.

Foi a culminação de um longo processo na Índia, iniciado quando os primeiros rishis tinham encarnado o sagrado som dos Vedas. Krishna agora diz a Arjuna que ele, Vishnu, descera à terra fisicamente, nascendo, vivendo e morrendo inúmeras vezes, para salvar a humanidade de si mesma.

Sempre que o dever sagrado [dharma] *se decompõe*
e o caos prevalece,
então, eu crio
a mim mesmo, Arjuna.
Para proteger homens virtuosos
e destruir homens malignos,
para estabelecer o padrão do dever sagrado
eu apareço, idade após idade.[119]

É por isso que, nesse momento de caos e *adharma*, ele tinha vindo à terra mais uma vez para travar a batalha que inauguraria Kali Yuga, a quarta e última "idade" do nosso atual ciclo de mundo, um período de aumento da doença, da desordem e da aflição.

Krishna podia salvar aqueles que o amavam de todos os efeitos negativos de seu *karma* — mas só se eles alcançassem uma atitude de completa serenidade:

Agindo apenas por mim, concentrado em mim,
Livre de apegos,

Sem hostilidade a criatura alguma, Arjuna,
Um homem de devoção pode vir a mim.[120]

Até então, a *moksha* tinha sido reservada apenas a sacerdotes da elite e uns poucos ascetas heroicos, mas agora a devoção desprendida a Krishna era possível até mesmo para a "arraia-miúda": "mulheres, vaixás, sudras, até homens nascidos no útero do mal".[121] Fosse qual fosse sua casta, e fosse qual fosse o peso de seu fardo cármico, qualquer pessoa inspirada pelo amor de Krishna poderia aprender a superar a ganância, o egoísmo e a parcialidade nos deveres comuns da vida diária. Na verdade, todo o universo material era um campo de batalha no qual os mortais lutavam pela paz e pela iluminação, com as armas da humildade, da não violência, da honestidade e do autodomínio.[122] O conhecimento (*veda*) já não era uma busca esotérica, e podia ser adquirido na prática das virtudes simples — reverência pelo mestre, "serenidade constante na satisfação e na frustração" — e no recolhimento ocasional a um lugar solitário para meditar sobre os mistérios de Krishna.[123] A *Bhagavad Gita* não negava os insights das escrituras anteriores; tornava a espiritualidade védica possível para todos.

9. Encarnação

Deuses, ao que tudo indica, podiam assumir forma humana — mas será que seres humanos podiam tornar-se divinos? A doutrina cristã da encarnação de Deus no homem Jesus foi inspirada e impulsionada pelo desejo dessa transformação. No século III d.C., homens e mulheres das classes de elite do mundo mediterrâneo foram atraídos pelo cristianismo, e o estudo da escritura tornou-se uma forma de arte sofisticada. Esses primeiros filósofos eram, na maioria, platônicos que acreditavam que homens e mulheres eram capazes de transcender as limitações do mundo físico por seus próprios poderes naturais. O filósofo alexandrino Orígenes (*c.* 185-254) acreditava que todos nós caímos de um estado original de perfeição. Feitos para sermos espíritos angélicos em contemplação extática diante de Deus, preferimos negligenciar — ou, no caso dos demônios, rejeitar — o divino, fazendo de nós mesmos o centro do nosso mundo. Só Jesus tinha permanecido inabalavelmente unido a Deus. Mas, insistia Orígenes, era possível recuperar essa condição angélica pelo estudo da escritura.[1] Seu método exegético dominaria o cristianismo oriental e ocidental por mais de mil anos.

A mensagem de Orígenes era clara: "Eu te imploro, transforma-te. Sabe que em ti há uma capacidade de transformar-se".[2] Era inútil ler escrituras sem a determinação de atingir uma humanidade aprimorada. Orígenes era versado em alegorias alexandrinas, e depois de mudar-se para a Palestina, onde fundou sua própria academia, passou a estudar *midrash* com os rabinos da Cesareia. Para Orígenes, cada palavra da escritura, em certo sentido, tinha sido pronunciada por Cristo, o Verbo de Deus, e ele convocava o leitor a segui-lo. A tarefa do intérprete era tornar audível a voz divina. Orígenes não descuidava do sentido literal da escritura. Produziu uma edição da Bíblia hebraica que apresentava o texto original ao lado de cinco diferentes traduções gregas; e era fascinado pela geografia, pela flora e pela fauna da Palestina. Sustentava que a leitura da escritura era um processo essencialmente espiritual e que, se quiséssemos de fato transcender nosso ego recalcitrante, precisaríamos da "mais absoluta pureza e sobriedade e [...] de noites de vigília" e era impossível sem prece e virtude.[3] O significado da Bíblia não poderia ser descoberto só com o intelecto; um intenso cultivo moral era necessário. Mas se o exegeta perseverasse, refletindo sobre as escrituras "com toda a atenção e reverência que elas merecem, com certeza no próprio ato de ler e estudá-la com aplicação sua mente e seus sentimentos serão tocados por um hálito divino e ele reconhecerá que as palavras que está lendo não são pronunciamentos de um homem, mas a linguagem de Deus".[4]

No prólogo de seu *Comentário ao Cântico dos Cânticos*, Orígenes sugeria que três dos livros de "sabedoria" atribuídos a Salomão — Provérbios, Eclesiastes e Cântico dos Cânticos — representavam os três estágios da jornada para a condição angélica. A escritura tinha um corpo, uma psique e um espírito, que correspondiam aos três "sentidos" do texto bíblico. Provérbios representava a coleção de escrituras e expressava o sentido *literal* do texto; era essencial dominar completamente essa fase antes de tentar qualquer outra coisa. Eclesiastes funcionava no nível da psique, dos poderes naturais da mente e do coração; seu autor nos ensinava a ver a vaidade das coisas terrenas e nos mostrava como era fútil investirmos nossas esperanças no mundo material. Ensinando-nos a nos comportar, ele representava o senso *moral* da escritura. Só um cristão que passasse por essa iniciação preliminar poderia avançar para o sentido *espiritual* ou *alegórico*.

Em seu tratado sobre o Cântico dos Cânticos, Orígenes explicava que o versículo inicial — "Que ele me beije com os beijos da sua boca" — falava, *literalmente*, do desejo da noiva pelo noivo; mas, quando interpretado em termos *morais*, a noiva se tornava modelo de todos os cristãos, que precisam aprender a desejar incessantemente esse retorno a uma condição original. *Alegoricamente*, a noiva simbolizava o povo de Israel, que tinha recebido a "Lei e os Profetas" como um dote, mas ainda aguardava pelo Verbo que o executasse. Aplicadas ao indivíduos, essas palavras expressavam a esperança de que sua "alma pura e virginal pudesse ser esclarecida pela iluminação e pela visitação do próprio Verbo".[5] Como bom platônico que era, Orígenes estava convencido de que a prática da *theoria* ("contemplação") possibilitava aos seres humanos ascender ao mundo divino por seus próprios poderes naturais, e portanto os cristãos deveriam meditar sobre esse versículo até se tornarem "aptos a receber os princípios da verdade".[6] Se os comentários de Orígenes parecem inconclusivos, é porque tudo que seus ensinamentos poderiam fazer era colocar os alunos na postura espiritual correta; ele mesmo não teria como fazer essa meditação intensiva por eles. Além disso, como na *philosophia* grega tradicional, a exegese requeria também um estilo de vida disciplinado. Os alunos de Orígenes só conseguiriam apreender o verdadeiro sentido da escritura vivendo, com desprendimento, suas implicações na vida de todos os dias.[7]

Orígenes viveu numa época em que os cristãos ainda eram uma minoria desprezada, sofrendo perseguições esporádicas. Pelo século IV, porém, a Igreja já era uma organização significativa, tendo expulsado alguns elementos mais desvairados, e, como o próprio Império Romano, era multirracial, internacional e administrada pelo clero, que se tornou uma burocracia eficiente.[8] Em 306, Constantino (Valerius Aurelius Constantinus: 274-337) tornou-se um dos dois governantes das províncias ocidentais do império. Decidido a governar sozinho, fez campanha contra o comprador Magêncio e em 312, na véspera de sua batalha derradeira, Constantino viu uma cruz flamejante no céu, adornada com as palavras "Com isto, vence!". Ele atribuiu a vitória a esse miraculoso presságio e legalizou o cristianismo no fim daquele ano. Em 323, tornou-se governante único do império ao derrotar Licínio, imperador das províncias orientais, e transferiu a capital de Roma para a nova cidade de Constantinopla, em Bizâncio, no Bósforo. Para os cristãos, esses acontecimentos foram providenciais. Deixaram de ser cidadãos marginalizados do império e agora poderiam dar uma contribuição distinta à vida pública. Muitos acreditavam que Constantino estabeleceria o Reino de Deus na Terra.

Constantino esperava que o cristianismo fosse uma força unificadora do império, mas descobriu que no Mediterrâneo oriental a Igreja estava dividida por uma disputa acirrada a respeito da pessoa e da natureza de Jesus. Até então, não existia uma "regra de fé" única, e, embora Jesus fosse reverenciado como o Verbo de Deus, não havia uma opinião oficial sobre o que isso realmente significava. Não podemos acompanhar aqui essas intrincadas discussões em detalhes. O importante para nós é que acabou se mostrando difícil — na verdade, impossível — encontrar uma solução na escritura. Ário (*c.* 250-336), o carismático presbítero de Alexandria que provocou a crise em 320, era um exegeta erudito. Pouquíssimas obras suas sobreviveram, portanto temos que recorrer aos escritos de seus oponentes, que quase certamente distorceram suas ideias. Hoje, Ário costuma ser visto como herege, mas, no início da controvérsia, não havia ortodoxia cristã oficial e ninguém sabia quem tinha razão.

Por acreditarem que as escrituras hebraicas previram a chegada de Jesus, os cristãos também achavam, por influência de Orígenes, que muitos salmos e profecias tinham sido — em certo sentido passível de ser descrito — pronunciados por Cristo, que era apresentado no prólogo do Evangelho de João como o Verbo de Deus.[9] O conflito ariano começou com um desentendimento sobre um versículo do livro dos Provérbios, no qual a "Sabedoria" declara que "Jeová me criou quando primeiro manifestou seu propósito, antes da mais antiga de suas obras".[10] Parecia claro para Ário que Cristo, o Verbo e a "Sabedoria" de Deus, estava explicando aqui que tinha sido criado por Deus. Ário, portanto, disse ao seu bispo, Alexandre, que o Filho de Deus tinha muitas qualidades divinas; como o Pai, era imutável (*atraptos*) e inalienável (*analloiotos*), mas claramente não tinha sido não gerado (*agennetos*).[11] Escreveu a Eusébio (*c.* 260-340), bispo de Cesareia, que logicamente o Pai tinha que ter existido antes do Filho, portanto Jesus só podia ter sido criado do nada, do contrário seria um segundo Deus.[12] Um versículo do Salmo 45, que os cristãos agora acreditavam ter sido dirigido a Cristo, "o ungido", respaldava essa posição.

É por isso que Deus, o teu Deus, te ungiu
Com o óleo da alegria, mais do que a teus rivais.[13]

Deus tinha, por assim dizer, "promovido" o Verbo, o primogênito de todas as criaturas, a uma condição excepcionalmente elevada. Ário terminava sua carta referindo o hino citado por Paulo em sua carta aos filipenses: a exaltação de

Jesus significava que "toda língua deve aclamá-lo como Senhor para a glória de Deus Pai".[14]

No tocante à escritura, isso era perfeitamente aceitável. Jesus sempre chamava Deus de Pai, dando a entender que era de fato *gennetos* ("gerado"); tinha tido com toda clareza que o Pai era maior que ele. Também não havia nada de excepcional na preocupação de Ário com a salvaguarda da transcendência de Deus, que era "único" — "o único não gerado, o único eterno, o único sem começo, o único verdadeiro, o único que tem imortalidade; o único sábio, o único bom".[15] Orígenes não veria nenhum problema nisso e Eusébio, como a maioria dos bispos, tinha opiniões parecidas. Alguns dos partidários mais radicais de Ário talvez alegassem que Jesus era um mero ser humano, cuja virtude exemplar fora recompensada pela promoção a um status quase divino; isso também tinha respaldo na escritura, especialmente nas cartas de Paulo. Mas era radical demais para Ário, que só estava tentando desenvolver uma teologia consistente, racional e com base em escritura.[16] Ele pôs música em suas ideias e logo marinheiros, barbeiros e viajantes estavam cantando canções populares que proclamavam que o Pai era Deus por natureza e tinha dado vida ao Filho, o Verbo e a Sabedoria divinos, que nem era coeterno, nem incriado. Mas Ário tinha sido escolarizado na filosofia de Orígenes, que ia sendo rapidamente substituída por uma "nova filosofia" que se desenvolvia nos desertos sírios e egípcios.

Em 270, Antão (*c.* 250-356), jovem camponês egípcio, se sentiu muito incomodado com as palavras de Jesus ao jovem rico: "Se queres ser perfeito, vai, vende tudo que é teu e dá aos pobres, e terás um tesouro no céu".[17] Ele imediatamente renunciou à sua propriedade e saiu em busca de liberdade e santidade no deserto egípcio, reproduzindo o jeito de viver dos primeiríssimos cristãos, tal como está descrito nos Atos dos Apóstolos: "O grupo de fiéis era unido no coração e na alma; ninguém dizia que eram suas as coisas que tinha, pois tudo que tinham era de todos".[18] O monasticismo era um desafio frontal à mundanidade e ao esplendor do cristianismo imperial de Constantino.[19] Ário foi combatido por Atanásio (*c.* 296-373), o assistente do bispo Alexandre, que era profundamente inspirado pelo ideal monástico e escreveria a biografia de Antão.

No Concílio de Niceia, convocado por Constantino em 325, Atanásio saiu vitorioso ao declarar que Jesus, o Logos, não fora "criado" do nada, como tudo o mais, mas gerado, "de uma maneira inefável, indescritível", a partir da *ousia*, ou "essência", de Deus. Portanto era "de Deus", mas diferente de todas as outras criaturas. Isso não tinha qualquer respaldo escritural. Na verdade, a palavra que descrevia a condição de Cristo no Credo Niceno não aparece na Bíblia: Jesus, afirmava o credo, era *homoousios*, "da mesma natureza" do Pai. Muitos bispos ficaram insatisfeitos com essa decisão, mas sucumbiram à pressão imperial. Só Ário e dois colegas seus se recusaram a ceder; os demais retornaram para suas dioceses e continuaram a ensinar como sempre tinham feito — a maioria, uma espécie de meio-termo entre Ário e Atanásio. Foram necessários mais cinquenta anos de rancor, negociação, concessão e até violência para que o Credo Niceno, com alterações, finalmente fosse adotado como doutrina oficial da Igreja. Até hoje muitos cristãos orientais o acham inaceitável.[20]

A doutrina nicena radicava-se não na escritura, mas no ritual. Atanásio estava decidido a salvaguardar a prática litúrgica da Igreja, que regularmente dirigia suas preces a Jesus e o reverenciava, se bem que imprecisamente, como divino. Se, afirmava ele, os arianos realmente acreditavam que o Cristo era uma mera criatura, não seriam eles culpados de idolatria ao cultuá-lo?[21] Independentemente do que dizia a escritura, o homem Jesus era uma imagem (*eikon*) do divino e tinha dado aos cristãos um vislumbre de como era o totalmente transcendente e incognoscível Deus. Mais importante ainda, os cristãos estavam convencidos de que na liturgia experimentavam uma dimensão antes inexplorada de sua humanidade que — em certo sentido — lhes permitia participar da vida divina. No século IV, chamavam essa experiência de *theosis* ("deificação"): como o Logos encarnado, eles também se tornaram filhos de Deus, como Paulo tinha declarado com toda clareza.

Mas será que isso queria dizer que o totalmente espiritual Deus tinha assumido carne humana? Pelo século IV, muitos cristãos se haviam afastado do platonismo de Orígenes e não mais acreditavam que humanos pudessem aspirar ao divino por esforço próprio. Em vez de verem uma Cadeia de Ser emanando eternamente do divino para o mundo material, muitos agora achavam que o cosmo era separado de Deus por um abismo vasto e intransponível.[22] O universo era vivenciado como tão frágil, tão moribundo e tão contingente que não poderia ter nada em comum com o Deus que era o próprio Ser. Apesar disso, o novo ritual eucarístico tinha dado aos cristãos sugestões de *theosis* e eles não poderiam — certo? — ter vivido isso se o Deus que dera existência a todas as coisas a partir de um nada abissal de alguma forma não tivesse transposto esse imenso precipício quando "o Verbo se fez carne e viveu entre nós". Atanásio sustentava que os cristãos não podiam ter vivenciado a "deificação", nem sequer ter imaginado o Deus incognoscível, se Deus não tivesse entrado no reino de suas frágeis criaturas. "O Verbo se fez humano para que pudéssemos nos tornar divinos", insistia ele. "Ele se revelou através de um corpo para que pudéssemos ter ideia do que é o Pai invisível."[23]

Vimos que tanto a intuição mística como o estudo da escritura sempre estiveram radicados em práticas físicas: seres humanos sentiram, repetidamente, ter encarnado o divino. Suas práticas contemplativas baseavam-se no input do hemisfério direito do cérebro, que, diferentemente do esquerdo, aceita bem o corpo e o físico. O platonismo, com sua nítida divisão entre matéria e espírito, tinha cortado esse elo, e a exegese de Orígenes, o platônico, representara uma subida do corpo do texto para seu espírito. Mas seu novo status sob Constantino tinha dado aos cristãos interesses para defender no mundo terreno. Agora podiam construir basílicas imponentes e desenvolver uma liturgia dramática na qual o esplendor da corte imperial se misturava com as descrições bíblicas do templo de Salomão. A simples refeição eucarística dos primeiros cristãos se tornara um banquete para os sentidos, com procissões espetaculares, coros gigantescos e nuvens de incenso perfumado.[24] A espiritualidade cristã voltara a unir-se ao corpo. Durante o século IV, houve uma explosão dessas devoções tangíveis na forma de veneração de relíquias. Peregrinos vinham de todos os cantos do mundo cristão para orar nas novas igrejas em Jerusalém e na Palestina, e para seguir fisicamente os passos de Jesus.

Mais importante ainda, os Monges do Deserto diziam ter retornado à sua condição angélica original não pela rampa platônica de Orígenes, mas por um ascetismo intensamente corporal que lhes transformava a própria carne. Em sua biografia, Atanásio descreveu a extraordinária aparência de Antão quando ele, depois de vinte anos de solidão, finalmente saiu de sua cela:

> E eles, quando o viram, ficaram maravilhados, pois ele tinha o mesmo aspecto de corpo de antes, e não estava nem gordo, como um homem que não se exercita, nem magro de jejuar e lutar contra os demônios, mas era exatamente o mesmo que haviam conhecido antes de seu retiro. E sua alma se achava livre de mácula, pois não estava nem contraída, como por uma dor, nem relaxada pelo prazer

[...]. Mas ele estava totalmente sob controle, como se guiado pela razão [logos] e permanecendo num estado natural.[25]

O historiador britânico Peter Brown afirma que os teólogos dos séculos IV e V não teriam tratado dos imensos problemas intelectuais levantados pela encarnação do Verbo "com uma energia intelectual tão feroz se a junção do humano com o divino na mesma pessoa [...] não tivesse sido sentida por eles como um emblema assombroso da enigmática junção de corpo e alma dentro deles próprios".[26]

Efraim (*c.* 306-73), o mais importante teólogo sírio desse período, afirmava que o cristão recebia o conhecimento de Deus por meio não só da escritura, mas da liturgia na qual o divino era apreendido pelos sentidos, e não pelo intelecto. Na Eucaristia, o corpo de Cristo

era recém-misturado aos nossos corpos
e Seu sangue puro era derramado em nossas veias,
e Sua voz em nossos ouvidos, e Seu brilho em nossos olhos.
Tudo isso agora estava misturado a
todos nós por sua compaixão.[27]

Na encarnação, Deus se derramara num corpo, e pelo pão e pelo vinho da Eucaristia ele entra no corpo do cristão, para que nada separasse o corpo do crente do seu:

Ouvidos até O escutaram, olhos O viram,
mãos até O tocaram, a boca o comeu,
Membros e sentidos dão graças
Àquele que veio e reviveu tudo que é corpóreo.[28]

A santificação do corpóreo no novo ritual cristão tornou a encarnação de Cristo essencial para a experiência cristã. É verdade que, nas províncias ocidentais do Império Romano, os cristãos tinham herdado a antiga convicção mediterrânea de que o corpo era fonte de perigo moral. Isso está claro nos escritos de teólogos latinos como Tertuliano, Agostinho e Jerônimo. Sua denúncia do físico tem atraído muita atenção do mundo acadêmico, mas os desenvolvimentos litúrgicos no cristianismo oriental que dotavam a experiência corpórea de valor espiritual positivo costumam ser ignorados.[29]

Ário talvez estivesse tentando refrear esse novo entusiasmo, na esperança de que uma elucidação escritural convencesse os mais maduros cristãos platônico a guardar distância dessa devoção populista e a insistir numa interpretação mais rigorosa dos textos bíblicos. Mas Atanásio e seus colegas achavam que as novas fórmulas teológicas — como a *homoousios* — representavam um entendimento mais profundo da tradição cristã. A teologia da Igreja estava radicada também na escritura e, portanto, certamente refletia a experiência cristã da *theosis*. Mas a doutrina da encarnação de Cristo apresentava imensas dificuldades intelectuais, que alimentaram intensos debates nos séculos IV e V.

Faltava aos cristãos das províncias ocidentais a experiência linguística e filosófica para participar dessas discussões. No Concílio de Calcedônia (451), o papa Leão — que para os cristãos orientais era apenas o bispo de Roma — tentou resolver o problema com uma sensata definição: Cristo tinha duas naturezas, uma humana e outra divina, unidas em uma pessoa e em uma substância. Isso satisfez os cristãos de fala latina, mas no leste o endosso do Tomo de Leão pelo concílio foi pouco mais do que um acordo para discordar. Não fazia justiça à experiência dos cristãos orientais, para quem o tema dos debates era o potencial divino da humanidade, e não as tecnicalidades obscuras sobre a natureza de Deus.

Como explica o teólogo ortodoxo Vladimir Lossky, no cristianismo oriental o dogma é inseparável da espiritualidade: o ensinamento oficial da Igreja não teria qualquer poder sobre as pessoas se de certa forma não refletisse sua experiência interior:

> Precisamos viver o dogma expressando uma verdade revelada, que nos pareça um mistério insondável, de tal maneira que, em vez de assimilar o mistério ao nosso jeito de compreender, busquemos, ao contrário, uma mudança profunda, uma transformação íntima de espírito, que nos permita vivê-lo misticamente.[30]

Cristãos gregos discutiam acirradamente sobre a doutrina da encarnação de Cristo porque tinham experimentado sua própria *theosis* — um aprimoramento da sua humanidade tão crucial para sua teologia quanto alcançar o nirvana sempre o fora para os budistas.

A posição grega foi expressa definitivamente por Máximo, o Confessor (580-662), que afirmou que Jesus foi o primeiro ser humano a ser completamente "deificado" — possuído e permeado pelo divino — e que todos seríamos como ele, mesmo nesta vida. Para Máximo, a deificação humana baseia-se na fusão do divino com a natureza humana em Jesus — mais ou menos como o corpo e a alma estão unidos no ser humano:

> O ser humano [*anthropos*] integral deveria tornar-se Deus, deificado pela graça de Deus-feito-homem, tornando-se um ser humano integral, alma e corpo, por natureza, e tornando-se inteiramente divino, alma e corpo, pela graça.[31]

Para Máximo, o homem Jesus nos ofereceu apenas um vago indício do que era o Deus indescritível, ao mesmo tempo que nos revelou no que os seres humanos poderiam se tornar. Mas isso não faria sentido sem a profunda experiência da liturgia e as disciplinas físicas do asceta dedicado. Não se tratava de algo que poderia ser meramente deduzido dos textos sagrados. Máximo deixou claro que a escritura não pode distribuir ensinamentos claros e informações lúcidas sobre a transcendência do que chamamos Deus. É só por não sabermos o que era Deus que dizíamos que seres humanos poderiam, de certa forma, compartilhar a natureza divina. Mesmo quando contemplávamos Jesus o homem, "Deus" permanecia opaco e esquivo. Qualquer concepção clara da divindade só poderia ser, portanto, idólatra. O objetivo da escritura era nos fazer apreciar a inefabilidade de Deus. Não adiantava procurar textos-prova, como o fez Ário; essas questões não poderiam ser resolvidas por formulações doutrinais ou escriturais, porque a linguagem humana não era adequada para expressar o divino.[32]

Aqui Máximo concordava inteiramente com Gregório (*c.* 335-94), bispo de Nissa, na Capadócia, que dizia que a escritura, o Verbo de Deus, afirmava, paradoxalmente, a incognoscibilidade do divino:

> Seguindo as instruções da Sagrada Escritura, temos ensinado que [a natureza de Deus] está fora do alcance de nomes e da fala humana. Dizemos que todo nome [divino], seja investido de costume humano ou transmitido pela tradição das escrituras, representa nossas concepções da natureza divina, mas não comunica o significado dessa natureza em si mesma.[33]

O irmão mais velho de Gregório, Basílio (*c.* 329-79), bispo de Cesareia na Capadócia, fazia distinção entre *dogma*, por ele definido como tudo acerca de Deus que não pode ser dito, e *kerygma*, o ensinamento público da Igreja com base nas escrituras. *Dogma* representava o significado mais profundo da verdade bíblica, que só poderia ser apreendido através da experiência da contemplação e da liturgia. No Ocidente, porém, a palavra "dogma" viria a significar "um conjunto de opiniões, formuladas e enfaticamente declaradas", e uma pessoa "dogmática" "a que afirma, confiantemente, suas opiniões de maneira autoritária e arrogante".[34]

Basílio e Gregório ressaltavam a importância da "tradição" que acompanha a escritura. A tradição — as verdades transmitidas oralmente de uma geração para outra — refletia a compreensão, sempre em desenvolvimento, da mensagem espiritual pela comunidade cristã. Basílio achava que, juntamente com a clara mensagem dos evangelhos, sempre existira um ensinamento privado e esotérico "que nossos santos padres preservam num silêncio que impede a ansiedade e a curiosidade [...] como para salvaguardar com esse silêncio o caráter sagrado do mistério".[35] No mundo de fala grega, um "mistério" não era um nebuloso enigma irracional: a palavra *musterion* era estreitamente aparentada com *myesis* ("iniciação"), experiência adquirida por ritual.[36] Durante séculos, os gregos acreditaram que os rituais de Elêusis, psicodrama cuidadosamente construído, conferia aos *mustai* ("iniciados") uma extraordinária experiência do sagrado que, em muitos casos, lhes transformava a percepção da vida e da morte. No cristianismo grego, "mistério" era uma verdade que levava as pessoas aos limites da linguagem, mas que poderia ser intuída através do drama ritualizado da liturgia.

O "mistério" da Trindade era um bom exemplo. Os evangelhos falam do Pai, do Filho e do Espírito Santo, mas certamente não endossam a doutrina trinitária formulada por Basílio, Gregório e seu amigo Gregório (*c.* 329-90), bispo de Nazianzo. Esses três capadócios faziam distinção entre a *ousia* de uma coisa, sua natureza íntima, e a *hypostases*, suas qualidades externas. Em Deus havia, por assim dizer, uma única e divina autoconsciência que permanecia incognoscível, indizível e inominável. Mas os cristãos tinham experimentado essa inefabilidade nas *hypostases* — manifestações exteriores da divindade inescrutável —, que a tornaram mais acessível a seres humanos. Deus tinha uma *ousia*, mas três *hypostases* — Pai, Filho e Espírito Santo. Jamais conheceremos a *ousia* de Deus; na verdade, não deveríamos nem falar nisso. Mas podemos reconhecer as atividades (*energeiai*) de Deus no mundo. "Pai", representa a fonte do ser — como Brâman — da qual todas as criaturas participam; vislumbramos alguma coisa da incognoscível essência divina no "filho" Jesus, e na imanente presença divina dentro de cada um de nós que a escritura chama de Espírito Santo. Os termos bíblicos Pai, Filho e Espírito Santo, explicava Gregório de Nissa, são simplesmente "palavras que usamos" para descrever como o absolutamente incognoscível Deus se revelou para nós.[37]

Mas ninguém era solicitado a simplesmente "acreditar" nisso. Como qualquer *musterion*, isso só se tornou uma realidade num ritual que induzia cristãos a diferentes maneiras de pensar sobre a divindade. Depois do batismo, os novos *mustai* eram iniciados num rito mental a ser apresentado durante a liturgia eucarística, que mantinha sua mente em movimento contínuo, oscilando entre o Um incognoscível e os Três entrevistos simbolicamente, até adquirirem uma compreensão intuitiva do *musterion*. Como explicou Gregório de Nazianzo, não se tratava de um exercício puramente cerebral, pois provocava intensa emoção:

> Nem começo a pensar na Unidade e a Trindade me ilumina com seu Esplendor; nem começo a distinguir a Trindade e a Unidade me leva de volta. Quando penso em qualquer um dos Três penso nele como o todo, e meus olhos se enchem de lágrimas, e a maior parte do que estou pensando me escapa. Não consigo apreender a grandeza dessa Unidade, para que possa atribuir uma grandeza maior ao restante. Quando vejo os Três juntos, vejo apenas uma Tocha, e não posso deduzir ou medir a luz indivisa.[38]

Sem essa meditação, a Trindade não fazia sentido. É por isso talvez que para muitos cristãos ocidentais, que não experimentaram esse rito, a Trindade continua desconcertante e não escritural.

O conflito entre Ário e Atanásio tinha mostrado que a escritura era incapaz, por si só, de resolver essas disputas teológicas. Como explica o teólogo britânico Rowan Williams, as escrituras "precisam tornar-se mais difíceis, antes que possamos de fato apreender suas simplicidades e esse reconhecimento de que escritura e tradição não fazem necessariamente sentido — é uma das tarefas fundamentais da teologia".[39] Mas talvez a gente comum desejasse que as escrituras "fizessem sentido". O novo entusiasmo pela peregrinação à Terra Santa não indicava um interesse pelos fatos triviais da história cristã? Um dos primeiros peregrinos a chegar a Jerusalém, aproximadamente em 333, veio de Bordeaux. Durante sua visita ao arruinado monte do Templo, ele declarou, de maneira lacônica, prosaica, que lhe haviam mostrado a pedra que o salmista tinha descrito como "rejeitada pelos arquitetos",[40] bem como o local do assassinato do profeta Zacarias (sem faltar as manchas de sangue no pavimento) e a palmeira cujas palmas foram espalhadas diante de Jesus em sua procissão triunfal a Jerusalém.[41] Um peregrino moderno, cujo pensamento é dominado pelo logos, ficaria revoltado com essas afirmações, mas aqueles primeiros visitantes aparentemente não se incomodavam, porque pensavam de forma mítica. O passado distante tornava-se presente para eles, que não avaliavam os lugares sagrados com olhar crítico, mas com *affectio*, palavra recorrente em suas memórias. Naqueles lugares, suas lembranças das escrituras eram vividas *diligentius* ("mais sentidamente"), e eram como um regresso à casa paterna.[42]

Nem mesmo Jerônimo (*c.* 342-420), exegeta concentrado no sentido literal da Bíblia, aproximava-se desses lugares como um historiador moderno. Ali, o passado se tornava presente: "Ao entrar no Santo Sepulcro, vemos sempre o Senhor deitado em sua mortalha e, demorando-nos um pouco mais, vemos o anjo aos seus pés, o pano enrolado na cabeça".[43] Os acontecimentos bíblicos formavam um pano de fundo intemporal para o presente, e podiam ser trazidos para o primeiro plano da consciência por um ato de devoção voluntária. Egéria, devota peregrina espanhola, chegou a Constantinopla em 381, exatamente quando os bispos estavam reunidos para o concílio que tornaria a doutrina de Atanásio o ensinamento oficial da Igreja. Em sua longa viagem pelo Oriente Médio, ela e seus companheiros sempre liam a passagem bíblica apropriada "no local exato" (*in ipso loco*). Essa leitura era uma reencenação sacramental que tornava o passado uma realidade presente. Egéria descreve imensas multidões de peregrinos marchando em procissão pelas ruas de Jerusalém, a cantar hinos e salmos numa "jornada" ritualizada pela Bíblia que era uma *horoz* litúrgica conectando acontecimentos díspares, em vez de versículos bíblicos, de maneira inteiramente não histórica: o lugar onde Elias foi levado para o céu ficava perto de onde Jesus foi batizado; o altar sobre o qual Abraão amarrou Isaac ficava ao lado do local da crucificação.[44]

* * *

Jerônimo foi um dos refugiados que deixaram a Europa durante as invasões bárbaras do século IV. Ele fundou um mosteiro em Belém, onde traduziu a Bíblia hebraica para o latim.[45] Sua Vulgata seria o texto bíblico padrão na Europa Ocidental até o século XVI. Jerônimo começara traduzindo a partir da Septuaginta, a tradução grega do Velho Testamento usada pelos cristãos orientais, mas, quando soube que os rabinos locais a consideravam inexata, começou a trabalhar com o que chamava de *Hebraica veritas* ("a verdade em hebraico"). Atraído de início pela exegese alegórica, seu trabalho textual rigoroso o levou de volta para o sentido literal, ou claro, da escritura.

Seu amigo Agostinho (354-430), bispo de Hipona, no Norte da África, era um platônico, e, apesar de sua natural inclinação para a alegoria, explorou o contexto histórico dos textos bíblicos mais exaustivamente do que Jerônimo. Isso o convenceu de que a moralidade era historicamente condicionada, entendimento que o conduziu ao "princípio da caridade", na sua opinião crucial para a exegese bíblica. Os cristãos, por exemplo, não deveriam condenar altivamente a poligamia dos patriarcas judeus, posto que se tratava de prática comum entre povos primitivos. Também era inadequado alegorizar a história do adultério do rei Davi, pois todos nós — mesmo os melhores — pecamos.[46] A condenação moral era sinal de presunção e um grande obstáculo para a nossa compreensão da escritura. Segundo Agostinho, "precisamos meditar sobre o que lemos até alcançarmos uma interpretação que tenda a estabelecer o reino da caridade".[47] Como os budistas, jainistas e confucionistas, Agostinho sustentava que a escritura era inútil se não conduzisse ao pensamento e ao comportamento compassivos.

Os cristãos ocidentais praticavam uma versão da *pesher* judaica, lendo o "Velho Testamento" como uma previsão do "Novo".[48] Irineu (*c.* 130-200), bispo de Lyon, dera a isso o nome de "regra da fé":

> Se alguém lê as Escrituras [...] com atenção nela encontrará um relato de Cristo e o prenúncio de um novo chamado. Pois Cristo é o tesouro que estava oculto no campo; ou seja, neste mundo ("pois o campo é o mundo").[49] E Cristo era o tesouro oculto nas escrituras que nos é indicado pelas analogias e parábolas.[50]

Agostinho concordava, até certo ponto: "Nosso objetivo único, quando lemos os Salmos, os Profetas e a Lei, é ver Jesus ali".[51] Mas, para Agostinho, a "regra da fé" não era um dogma. Pelo contrário, nossa interpretação da escritura precisava ser guiada pelo "princípio da caridade", ainda que ele contradissesse o sentido claro:

> Se alguém acha que entendeu as escrituras divinas, ou qualquer parte delas, mas sem que esse entendimento edifique o duplo amor de Deus e do próximo, não entendeu nada. Se alguém encontra ali uma lição útil para edificar a caridade, ainda que não seja o que o autor talvez tivesse intenção de dizer naquele ponto, não se deixou enganar.[52]

O princípio da caridade nos ensinava a nos colocarmos constantemente no lugar dos outros e criar o hábito da *com passio*, a capacidade de "sentir com" o outro: "A escritura não ensina nada que não seja caridade, nem condena nada que não seja a ganância, e dessa maneira molda a mente dos homens".[53]

Agostinho tinha sido instruído na retórica clássica e de início achara constrangedora a falta de refinamento estilístico da Bíblia. Mas acabou percebendo que a escritura só era acessível àqueles que compartilhassem a humildade de Cristo, o Verbo de Deus, que se curvara até chegar ao nosso nível.[54] Na escritura, o Verbo intemporal tinha sido revelado nas palavras escritas por homens falíveis, mortais. A escritura, portanto, jamais poderia nos oferecer a verdade absoluta, e seu sentido só ficaria claro no Fim dos Tempos.[55] Depois da queda de Adão, Deus só pôde nos ensinar sobre questões espirituais através de objetos e acontecimentos históricos.[56] Dessa maneira, a linguagem da escritura está condicionada pela inadequação da natureza humana. Ambas são limitadas, e discutir sobre a interpretação da Bíblia era insensato e destrutivo, uma vez que o objetivo da escritura era criar um vínculo entre os cristãos.[57] Agostinho não tinha a menor paciência com pessoas que se julgavam as únicas capazes de compreender o significado da escritura.[58] Seu orgulho e seu egoísmo as isolaram da comunidade; na verdade, a riqueza de interpretações possíveis deveria unir os cristãos cujas opiniões poderiam, sem isso, divergir juntas no amor.[59]

À exceção de Paulo, nenhum teólogo foi mais influente no mundo ocidental do que Agostinho. Embora se concentrasse no sentido literal e histórico da escritura, Agostinho estava longe de ser um literalista intransigente: seu "princípio da acomodação" dominaria a interpretação bíblica no Ocidente até o início do período moderno. Ele explicava que Deus tinha adaptado sua revelação às normas culturais do povo que primeiro a recebeu.[60] Um dos salmos, por exemplo, reflete a visão antiga, já fora de moda na época de Agostinho, de que havia um lago acima da terra que provocava a chuva.[61] Seria ridículo, insistia Agostinho, interpretar literalmente esse versículo. Deus tinha simplesmente acomodado sua revelação à ciência da época, para que o povo de Israel pudesse entender. Se o sentido literal da escritura entrasse em choque com informações científicas confiáveis, decretava Agostinho, o intérprete deveria respeitar a integridade da ciência, do contrário faria a escritura cair em descrédito.[62] Muitos problemas poderiam ter sido evitados se cristãos que vieram depois ouvissem esse conselho.

Nos últimos anos da vida de Agostinho, os vândalos cercaram sua cidade natal de Hipona. Vendo as províncias ocidentais do Império Romano caírem, impotentes, em poder das tribos invasoras, mergulhando a Europa Ocidental numa Idade das Trevas que duraria cerca de setecentos anos, sua visão escureceu. Esse é o contexto de sua doutrina fatídica do pecado original. A queda de Adão tinha condenado todos os descendentes à danação eterna e, apesar de nossa redenção por Cristo, danificara de modo permanente nossa natureza humana. Para cristãos ocidentais como Agostinho, não havia perspectiva de deificação e nenhum deleite no corpo ou nos sentidos. O pecado de Adão, ensinava ele, foi transmitido pelo ato sexual, quando homens e mulheres passaram a buscar um prazer irracional uns nos outros, e não em Deus — exatamente como Roma, a fonte da ordem e da civilização, tinha sido degradada por bárbaros sem lei. Cada um de nós, portanto, era concebido e nascido "em pecado":

> Deus criou o homem corretamente, pois Deus é o autor de todas as naturezas, embora com certeza não seja responsável por seus defeitos. Mas o homem foi pervertido por vontade própria e justamente condenado, e em consequência disso gerou uma descendência condenada. Pois somos todos aquele homem que caiu em pecado, por intermédio da mulher que foi feita dele antes do primeiro pecado.[63]

Nossa "natureza seminal", portanto, tinha sido absolutamente corrompida; estávamos agora "acorrentados com os grilhões da morte" e não poderíamos nascer em nenhuma outra condição.[64] Só os salvos por Cristo poderiam ser liberados de uma segunda morte de eterna perdição.

Os teólogos de fala grega em Bizâncio achavam a exegese de Agostinho tragicamente equivocada. Todo ser humano era livre para buscar o bem, insistia Máximo.[65] Ele destacava, ainda, que a tradução de Jerônimo do texto-prova em Romanos, citado por Agostinho para respaldar sua afirmação, era imprecisa. Paulo explicava ali que o pecado de Adão de fato trouxera a morte ao mundo, mas dizia que o motivo de todos nós morrermos era o fato de *cada um de nós* — não apenas Adão — ser culpado de pecar ao longo da vida. Jerônimo, ressaltava Máximo, tinha traduzido "*eph ho pantes hermarton*" ("todos pecaram")[66] como "*in quo omnes peccaverunt*" ("em quem [ou seja, Adão] todos pecaram"). Os gregos, portanto, interpretariam a prática do batismo de crianças de um jeito muito diferente dos latinos. No Ocidente, o batismo servia para expurgar o pecado de Adão, mas para Teodoreto de Ciro, contemporâneo de Agostinho, um recém-nascido não tinha pecado e o batismo era apenas uma promessa de deificação futura.[67]

Alguns rabinos acreditavam que a construção da Torre de Babel tinha sido o primeiro pecado da humanidade. Outros afirmavam que o "pecado original" ocorreu quando "os filhos de Deus, olhando para as filhas de Deus, viram que elas eram agradáveis [...] e delas tiveram filhos". Foi imediatamente depois disso que Deus resolveu destruir a humanidade no Dilúvio.[68] Mas outros rabinos não aceitavam a fraqueza humana como um fato da vida, acreditando que nela havia um potencial positivo. Afirmavam que no último dia da criação Deus disse que sua obra era "*muito* boa"[69] justamente porque tinha criado a "inclinação para o mal" (*yetzer ha ra*) naquele dia. "Mas a inclinação para o mal é 'muito boa'?", perguntavam os rabinos. Sim, respondiam, porque, paradoxalmente, contribui para a criatividade, para o progresso e para o empreendedorismo humanos. "Pois se não fosse a inclinação para o mal, o homem não construiria uma casa, ou adquiriria uma esposa, ou geraria um filho, ou se envolveria em negócios, como está dito: 'Todo trabalho e toda obra habilidosa vêm da rivalidade do homem com seu próximo.'"[70]

O cristianismo ocidental é ímpar em sua catastrófica visão do pecado de Adão. Tanto Agostinho como Orígenes eram platônicos, que viam o corpo como inferior à alma — dualismo inteiramente alheio à Bíblia. Ambos concluíram que uma falha original havia separado a humanidade do divino e viam o corpo como símbolo desse deslize primal. Orígenes acreditava que transformação estava ao alcance dos nossos poderes naturais, mas Agostinho passara a ver a natureza humana como tão irremediavelmente corrompida que, mesmo após a morte redentora de Cristo, continuava cronicamente prejudicada. Tragicamente, Agostinho legou ao cristianismo ocidental uma culpa indelével que o Buda teria chamado de "inepta" (*akusala*), pois a culpa nos incrustava no ego que deveríamos tentar transcender.

Durante os séculos V e VI, os rabinos da Babilônia e da Palestina completaram os dois Talmudes. Os judeus continuavam se afastando firmemente da Bíblia hebraica: a Mishná raramente a citava, enquanto o Tosefta ("Suplemento") era um comentário da Mishná, e não da Bíblia. Os Talmudes eram menos desdenhosos do Tanakh, mas o foco da sua atenção era a Mishná, deixando claro que as tradições orais dos rabinos não poderiam ficar subordinadas à Torá Escrita. Os rabinos palestinos completaram o Yerushalmi, o Talmude de Jerusalém, mais ou menos em 400 d.C. É menos abrangente do que o Bavli, o Talmude babilônico, e isso provavelmente reflete a insegurança das comunidades judaicas do Império Romano depois da conversão de Constantino. Judeus palestinos tiveram de assistir à transformação de Jerusalém numa cidade santa cristã, enquanto Constantino lançava uma truculenta ofensiva missionária na Galileia judaica. Seus sucessores introduziram legislação proibindo o casamento entre judeus e cristãos e tornando ilegal para os judeus possuírem escravos, o que prejudicava sua economia. Finalmente, em 353, Constâncio II proibiu a conversão para o judaísmo, descrevendo os judeus como "bárbaros", "abomináveis" e "blasfemos".[71]

O Yerushalmi é um comentário (*gemara*) da Mishná. A essa altura, a ideia de que Deus tinha revelado uma Torá Oral e uma Torá Escrita para Moisés no Sinai já estava consolidada na Palestina, refletindo a convicção judaica de que a Torá precisava ser revitalizada por vozes humanas a cada geração. Uma sentença do grupo do rabino Yohanan deixou claro que as "tradições repetidas" dos rabinos eram superiores à Torá Escrita: "Questões nascidas do que é ensinado de boca em boca são mais preciosas do que as nascidas da escritura".[72] A revelação contínua da Torá Oral consolidava as relações dos judeus com Deus e, diferentemente da Bíblia, que tinha sido apropriada pelos gentios cristãos, só era acessível à elite rabínica.[73] O rabino Jehoshua ben Levi foi mais longe. Comentando as palavras de Moisés no Deuteronômio, de que "Jeová me deu as duas tábuas de pedra, escritas com o dedo de Deus e nelas estavam escritas todas as palavras que o Senhor falou convosco no Sinai",[74] ele afirmava que isso não só se aplicava a todas as decisões rabínicas — passadas, presentes e futuras — como também até mesmo um jovem aprendiz de rabino discutindo a Torá com seu professor repetia as palavras divinas ditas para Moisés: "Mesmo o que um discípulo instruído exporá no futuro diante de seu mestre — tudo já foi dito a Moisés no monte Sinai".[75]

A revelação, portanto, não estava confinada no passado distante: era um processo contínuo — e essencialmente físico — que ocorria toda vez que um judeu se concentrava na Torá. Dizia-se que, depois que um rabino morria e seus alunos recitavam as tradições dele para seus próprios pupilos, os "lábios [do morto] moviam-se simultaneamente no túmulo" e ele sentia um prazer sensual, "como alguém que bebe vinho com mel".[76] Quando um rabino transmitia os ensinamentos do mestre a seus alunos, o Yerushalmi recomendava-lhe que imaginasse o mestre em pé ao seu lado, numa prática não muito diferente da *Buddhanasmrti*.[77] Imaginando o professor, que encarnara a Torá em palavras e atos, ao seu lado enquanto recitava suas tradições, o rabino lhe estaria concedendo vida póstuma. A erudição rabínica jamais era um mero estudo de textos antigos; na verdade, tratava-se de um diálogo com os sábios do passado.[78]

O Bavli foi concluído em aproximadamente 600 d.C. Os judeus da Babilônia mantinham estreitos laços com os palestinos, por isso os dois Talmudes são parecidos, mas os Partos, uma dinastia iraniana, concediam à comunidade judaica certo grau de autonomia, o que tornava o Bavli mais confiante e seguro de si. Ele se tornaria o texto-chave do judaísmo rabínico. Como o Yerushalmi, o Bavli usava a Bíblia hebraica para respaldar a Torá Oral, selecionando apenas aqueles trechos do Tanakh que considerava úteis e ignorando o resto. Nenhuma autoridade do passado era sacrossanta. Os editores do Bavli se sentiam à vontade para revogar a legislação da Mishná, jogar um rabino contra outro e chamar atenção para as lacunas em seus argumentos. Chegaram a mudar a Torá Escrita, em favor de suas próprias decisões, dizendo o que o Tanakh deveria ter dito.

Os rabinos viam-se a si mesmos como os profetas da sua época: "Desde o dia em que o Templo foi destruído, a profecia foi tirada dos profetas e dada aos sábios".[79] No Bavli, Abraão, Moisés, os profetas, os fariseus e os rabinos não são apresentados como pertencentes a períodos históricos particulares, mas juntos na mesma página, dando a impressão de estarem debatendo — e com frequência discordando veementemente — uns com os outros através dos séculos. Não é possível haver respostas definitivas. Numa história seminal, encontramos o rabino Eliezer envolvido numa intratável discussão com seus colegas sobre uma filigrana do ritual judaico. Quando se recusam a aceitar sua opinião, ele pede a Deus que o respalde fazendo alguns milagres espetaculares. Não demorou para que uma alfarrobeira se movesse sozinha por quatrocentos côvados, que a água de um canal corresse morro acima e que as paredes da Casa de Estudos estremecessem com tamanha violência que pareciam prestes a tombar. Mas os outros rabinos não se deixaram impressionar. Por fim, em desespero, o rabino Eliezer pediu que uma voz do céu (*bat qol*) endossasse sua opinião, e uma voz divina declarou: "Qual é a sua disputa com R. Eliezer? A decisão legal [*halakha*] é sempre segundo a opinião dele". Mas o rabino Joshua discordou citando uma passagem do Deuteronômio referente à Torá: "Não está no céu". A Torá já não pertencia a Deus: uma vez promulgada no Sinai, era propriedade inalienável de cada judeu, "portanto não damos atenção a uma *bat qol*".[80] Ninguém podia ter a última palavra a respeito do divino, e nenhuma teologia era definitiva.

O Bavli já foi descrito como o primeiro texto interativo.[81] Quando finalmente foi registrado por escrito e, mais tarde, se tornou livro impresso, foi organizado de tal maneira que a porção da Mishná em discussão era colocada nas páginas centrais e cercada pelos comentários de sábios do passado mais distante e mais recente. Cada página também deixava espaço para o estudante acrescentar seu próprio comentário. Quando estudava a Bíblia através do Bavli, ele aprendia que a verdade estava constantemente mudando e que, apesar de numinosa, a tradição não deveria limitar seus poderes de julgamento. Se o estudante não acrescentasse sua própria *gemara*, a linha de tradição seria interrompida. Mesmo quando envolvido num debate acalorado com os colegas, o estudante estava ciente de estar participando de uma conversa que remontava a Moisés e continuaria à medida que a revelação de Deus evoluísse ao longo do tempo.

* * *

Enquanto isso, mercadores e monges ambulantes trouxeram o budismo maaiana para a China. A cultura indiana e a cultura chinesa haviam se misturado tempos atrás na Ásia Central, onde o império cuchana iraniano, centrado na Báctria, se estendia do Vale do Ganges à Rota da Seda. Mas na própria China o budismo era rejeitado como religião de bárbaros. Os confucianos, em especial, achavam repugnante a renúncia dos laços de família pelos monges, e sua ideia de renascimento punha em dúvida o culto dos antepassados. Apesar disso, durante o Período de Desunião (221-581) que veio em seguida ao colapso da dinastia Han, o budismo começou a atrair gente interessada em técnicas avançadas de meditação. O taoismo, claro, não tinha desaparecido quando o cânone confucionista foi estabelecido. Suas ideias místicas ainda tinham apelo para membros da aristocracia, que viam uma distinta semelhança entre o budismo e o taoismo de Zhuangzi. O conceito maaiana de "vazio" parecia totalmente compatível com o ideal taoista de que a mente deveria estar "vazia, unificada e quieta". Dizia, ainda, que Laozi tinha visitado a Índia no fim da vida, onde instruíra o Buda — ou até mesmo se tornara ele próprio o Buda.[82]

No budismo chinês, portanto, encontramos uma síntese criativa de tradições místicas indianas e chinesas. Durante o Período de Desunião, muitos achavam que as técnicas budistas de meditação serviam de alívio para as incertezas políticas, e, durante os séculos III e IV, um número crescente de textos budistas, como a Perfeição da Sabedoria, foi traduzido para o chinês. Talvez inevitavelmente, ideias budistas eram explicadas em termos de categorias filosóficas taoistas, num processo conhecido como *goyi*, ou "interpretação por analogia". O ideal monástico tornou-se mais atraente para alguns, e a partir do século IV os budistas chineses formaram o que era essencialmente uma sociedade monástica, separada da principal.

Durante o século V, contudo, um gigantesco esforço de tradução levou as escrituras budistas a um público mais amplo. Parece que mais da metade dos monges budistas se tornou tradutora, exegeta, especialista em *vinaya* ("regra monástica"), recitadora de sutra, mestre de sutra e cantora de cânticos. Tendiam a concentrar-se num único texto, que se tornava a referência para avaliação de outras escrituras: o tema básico desse texto-chave era identificado, e outros textos com temas similares eram organizados em torno dele.[83] Alguns tradutores vieram de fora, como o grande budista centro-asiático Kumarajiva, que viveu e ensinou na moderna Sião, de 401 até sua morte, em 413, e cujos discípulos chineses viriam a ser extremamente influentes. Kumarajiva os introduzira nos ensinamentos budistas mais tradicionais; porém, fiel à ênfase maaiana nos "meios hábeis" (*upaya-kaushalhya*), continuou a usar terminologia taoista, como *yu* ("ser", "existência"), *wu* ("não ser"), *yu-wei* ("ação intencional") e *wu-wei* ("ação restrita"). Esse método era diferente da velha analogia *goyi*, na qual as similaridades tinham sido apenas verbais, pois os alunos de Kumarajiva percebiam a conexão mais profunda entre essas ideias. O resultado foi não uma distorção ou deturpação do budismo, mas uma síntese do budismo indiano com o taoismo chinês que acabaria levando a uma forma exclusivamente chinesa de budismo.[84]

Dois discípulos de Kumarajiva desenvolveram ideias que se tornariam fundamentais para o budismo chinês. Um foi Sengzhao (384-414), que estudara os escritos de Laozi e Zhuangzi durante anos, antes de se tornar aluno de Kumarajiva. Escreveu dois ensaios, "Não há verdadeira incerteza" e "Da imutabilidade das coisas", nos quais doutrinas budistas essenciais se misturam com ensinamentos taoistas. Todas as coisas estão em constante fluxo, ensinava ele, mudando de momento a momento; o conhecimento de um sábio não é como o conhecimento secular, no qual o objeto do pensamento é externo a quem sabe; e ter conhecimento de *wu* é estar em harmonia com *wu* e era esse conhecimento que constituía o estado de nirvana — mas, posto que esse conhecimento transcende a linguagem, nada poderia ser dito a respeito dele.

Sengzhao morreu aos trinta anos, mas seu colega Daosheng (m. 434) tornou-se monge de grande brilhantismo; dizia-se que, quando ensinava, até as pedras balançavam a cabeça concordando. Seus ensinamentos eram tão revolucionários que ele foi banido do mosteiro, embora posteriormente tenha sido reintegrado quando novas traduções escriturais de textos budistas indianos ratificaram suas ideias. Seus ensinamentos, como os de Sengzhao, lançaram os alicerces do budismo Chan (conhecido no Japão como Zen) que seria desenvolvido ao longo do século IX. Uma das suas principais doutrinas era que a conquista da iluminação não se dava gradualmente, ao longo do tempo, mas de repente — como um pulo sobre um abismo. Isso porque o nirvana não era uma "coisa" objetiva, que pudesse ser dividida em partes. Não era possível conquistar um pedacinho de nirvana hoje e mais um pedacinho amanhã: ou vinha de uma vez, ou não vinha de forma nenhuma. Daosheng também afirmava que todo ser senciente possui uma natureza-Buda, mas que a maioria das pessoas não percebe. O mundo do Buda está bem aqui, dizia ele, em nossa existência atual. Mesmo o *icchantika*, o oponente do budismo, poderia alcançar a condição de Buda, porque tem a natureza de Buda. Um ensaio atribuído a Sengzhao explicava essa teoria:

> Imagine-se um homem que, num armazém de utensílios dourados, vê os utensílios, mas não presta atenção em suas formas e características. Ou mesmo que preste atenção nas formas e características, ainda assim percebe que são todos de ouro. Não se deixa confundir pelas aparências variadas e, portanto, é capaz de ignorar suas distinções [superficiais]. Vê que a substância de todos é ouro, e não sofre qualquer ilusão. Essa é uma ilustração do que é um sábio.[85]

A natureza-Buda, portanto, não está apenas no mundo dos fenômenos — não existe outra realidade.

Há uma tradição budista chinesa segundo a qual o Buda desenvolveu um ensinamento esotérico que nunca foi registrado por escrito, mas apenas transmitido secretamente para um discípulo, que o comunicou a um de seus alunos, e assim até que finalmente ele chegou a Bodhidharma, o 28º patriarca Chan, que por volta de 520 d.C. o levou para a China. Contudo, não há nenhuma prova documental que corrobore essa história, e nenhum estudioso a leva muito a sério, pois o terreno para o budismo Chan já tinha sido preparado por Sengzhao e Daosheng. Era pequena a contribuição da escritura na instrução dos mestres Chan. Como o nirvana não pode ser discutido, tampouco pode ser expresso em textos, ou alcançado por esforço consciente (*yu-wei*) ou por rituais e preces. Quando o estudante estivesse pronto, seu mestre poderia conduzi-lo, por meio de um choque, ou mesmo de uma surra, à consciência psicológica de sua natureza-Buda, que era a iluminação. Ele então continua a tocar a vida como antes, mas para ele tudo agora tem outro significado.

As ideias de Sengzhao e Daosheng também influenciariam o confucionismo. Os *Analectos* tinham deixado claro que o *ren*, ou a perfeita virtude humana, era fundamental para nossa humanidade; indefinível, transcendente, mas ao alcance da mão — mais ou menos como o nirvana. Daosheng ensinava que qualquer um poderia se tornar um Buda, assim como Mêncio e Xunzi tinham afirmado que mesmo o homem da rua poderia vir a ser um Yao ou um Shun. O budismo chinês é uma demonstração notável da profunda similaridade da experiência religiosa e espiritual dos seres humanos. Cada cultura a expressa de acordo com seu próprio gênio e em suas próprias escrituras. No caso do Chan/Zen, porém, nenhuma escritura é necessária, pois a capacidade para a transcendência já está implantada na mente humana. Essa realidade sagrada não está fechada a chave num mundo espiritual, no paraíso ou no céu, mas é inerente à nossa humanidade, e tudo que precisamos fazer é cultivá-la. O sagrado, o divino, a condição de Buda ou o nirvana são estados que todos nós encarnamos. A escritura é apenas uma das maneiras de percebermos essa realidade inseparável do nosso eu mais profundo. Como diria uma nova escritura árabe, ela está mais perto de nós do que a nossa veia jugular.[86]

10. Recitação e *intentio*

A revolução escritural no Oriente Médio, que tinha começado no século I d.C. com a Mishná e o Novo Testamento, culminou na Arábia, em 610, durante o mês do Ramadã, quando um mercador de Meca, cidade comercial no Hejaz, teve uma visão amedrontadora numa caverna nas montanhas e as primeiras palavras de uma nova escritura árabe começaram a escorrer espontaneamente de seus lábios. Mais tarde, ele chamaria aquela noite memorável de *Layla al-Qadr*, "Noite do Destino", porque ela fez dele um mensageiro de Alá, o alto deus da Arábia que os árabes agora identificavam com o Deus dos judeus e dos cristãos. A experiência estarreceu Maomé, e ele, aterrorizado, desceu correndo a pedregosa encosta do monte Hira para descrevê-la à esposa Cadija, que, em tom firme, lhe declarou que ele tinha recebido uma revelação divina.

No século V, Sozemon, historiador cristão palestino, informou que alguns árabes tinham redescoberto o monoteísmo antigo de Abraão, conhecido como *hanifiyyah*, a "religião pura". Havia comunidades de judeus e cristãos na Arábia, conhecidos como o *ahl al-kitab* ("povo da escritura"), e na região aceitava-se amplamente a ideia de que os árabes descendiam de Ismael, o filho mais velho de Abraão. Deus mandara Abraão abandoná-lo no deserto, juntamente com a mãe Agar, mas prometeu que Ismael também seria o pai de um grande povo.[1] Mais tarde, de acordo com o folclore árabe, Abraão teria visitado Ismael no deserto e, juntos, eles reconstruíram a Caaba, santuário em forma de cubo no meio de Meca, erguida, originariamente, por Adão. Vindo de todas as partes da península, árabes pagãos e cristãos se reuniam para praticar ritos antigos em volta da Caaba durante o mês de peregrinação do Hajj.

Havia uma forma de paganismo árabe provavelmente mais forte em Meca do que em qualquer outra parte. Contudo, as tribos beduínas não se interessavam muito por religião. No seu entender, tudo era controlado pelo tempo ou pelo destino; todas as coisas pereciam, e até o mais heroico dos guerreiros morreria. Mas os habitantes de Meca cultuavam vários deuses. Alá, como a maioria dos altos deuses, era uma divindade bastante abstrata, e não tinha um culto específico: dizia-se que havia criado o mundo, era o provedor da chuva e acelerava o embrião no útero. As pessoas até rezavam para ele numa emergência, mas costumavam esquecê-lo depois da crise.[2] Os habitantes de Meca também adoravam três deusas, as filhas de Alá — Allat, Al-Uzza e Manat — representadas por grandes pedras em pé nas vizinhas cidades de oásis de Taif, Nakhlah e Qudayd.

No começo do século VI, os coraixitas, a tribo de Maomé, haviam transformado Meca num centro comercial. Tinham conseguido abandonar a vida nômade atendendo as caravanas estrangeiras que atravessavam o deserto, com produtos trazidos da Índia para as terras habitadas do Oriente Médio. Com o tempo, os coraixitas começaram a enviar suas próprias caravanas à Síria e ao Iêmen e, para isso, tiveram de sair do crônico ciclo de guerras intertribais e fazer de Meca um refúgio de paz, onde as pessoas pudessem se entregar ao comércio sem medo de vendetas. Com habilidade e diplomacia consumadas, eles tinham criado o Haram ("Santuário"), uma zona num raio de trinta quilômetros a partir da Caaba, onde toda violência era proibida.[3] Além disso, fizeram acordos especiais com tribos beduínas, que prometeram não atacar as caravanas durante os "meses proibidos", quando se realizavam feiras em várias partes da península, culminando com cinco feiras consecutivas, ou *suqs*, em volta de Meca. A última feira do ano era realizada na vizinha Ukaz, imediatamente antes do mês do Hajj, de forma que o ciclo comercial terminava com os mercadores praticando os ritos antigos na Caaba e visitando suas próprias divindades, cujas efígies estavam instaladas no Haram.

Não se tratava de uma exploração cínica da religião. Os coraixitas acreditavam que o comércio os salvara das durezas da vida nômade, tornando-os muito mais ricos do que jamais sonharam. O comércio, portanto, tinha sua sacralidade e, para alguns, oferecia até uma esperança de imortalidade. Esta talvez fosse uma visão pouco comum da fé, mas os árabes desfrutavam de singular independência. Nem a Pérsia nem Bizâncio, as grandes potências da região, tinham qualquer interesse nos estéreis desertos da Arábia, por isso os coraixitas puderam desenvolver sua incipiente economia de mercado livremente, sem controle imperial. Além disso, puderam cultivar sua própria ideologia religiosa e interpretar como bem entendessem as ideias teológicas dos vizinhos mais sofisticados. Conservavam uma orgulhosa autossuficiência (*istighna*) que era a marca registrada da vida árabe e resistiam firmemente a qualquer tentativa de dominação. O comércio também lhes havia ensinado a prezar os valores e os ideais de outros: um objeto só era negociável porque outras pessoas, pelas mais variadas razões, o cobiçavam e, por isso, a troca de bens era também uma permuta de ideias e de visões do mundo. Havia na Arábia uma abertura que não encontramos nem na Bíblia hebraica nem no Novo Testamento.[4]

Graças a essa atitude pluralista, a ideia de uma religião exclusiva era alheia aos coraixitas. A Arábia era cercada por cristãos — na Síria, na Mesopotâmia, na Abissínia e no Iêmen — que, em sua maioria, rejeitavam a ortodoxia do Concílio da Calcedônia e tinham opiniões próprias a respeito de Jesus. Os judeus haviam migrado para a Arábia depois da destruição de Jerusalém, aculturando-se na vida tribal árabe. Praticavam sua forma particular de judaísmo e, ao longo dos anos, desenvolveram tradições independentes. As tribos árabes conheciam bem as crenças judaicas, como a história de Abraão e Ismael, mas para elas nenhuma dessas tradições — judaísmo, cristianismo, paganismo ou o *hanifiyyah* — era distinta ou autossuficiente. Na verdade, eram vistas como vertentes de pensamento e de prática que eram indefinidas, flexíveis e ainda em desenvolvimento. Os árabes tinham pouca experiência com dogmas escriturais rígidos e guiavam-se mais por pronunciamentos orais. A primeira palavra da escritura ditada por Deus a Maomé, no monte Hira, tinha sido "*Iqrah!*", "Recita!". Muitas revelações subsequentes também ordenavam a Maomé que proclamasse a mensagem divina oralmente: "Diz!".[5] Ele ouvia as palavras inspiradas, memorizava-as e recitava-as em seguida para seus seguidores. Essas revelações acabariam sendo coletadas na escritura que chamamos de Quran [Alcorão], a "Recitação".

Essa revelação foi, portanto, a culminação de dois processos na Arábia, que se fundiram no Alcorão: um foi a revolução escritural do Oriente Médio, que tinha revitalizado o gênero escritural na região; o outro foi o hábito dos árabes de ver as ideias religiosas dos vizinhos como tendências ainda em desenvolvimento, em vez de doutrinas intransigentes. A espantosa — na verdade inédita — velocidade com que o islã se propagou, dentro e fora da Arábia, sugere que ele deu voz a desejos generalizados, e até então não desenvolvidos, que correspondiam a uma insatisfação com a ortodoxia linha-dura de Estado que àquela altura se desenvolvera em Bizâncio. O Alcorão se anuncia, reiteradas vezes e com orgulho, como "escritura"[6] — coisa que não ocorre nem com a Bíblia hebraica nem com o Novo Testamento. Acima de tudo, era uma escritura em árabe. O árabe era uma língua literária, compartilhada por todas as tribos: era a língua franca da península.[7] A poesia era a forma de arte suprema na Arábia. Inspirado pelos *jinn*, os ferozes duendes que assombravam as estepes, o poeta era "aquele que sabe", pois tinha acesso ao que outros não viam.[8] A poesia tribal girava em torno da honra, da coragem, do amor, do sexo, dos prazeres do vinho e de idílicas descrições da natureza. Era utilizada também para infundir terror no coração dos inimigos. Como outros povos pré-alfabetizados, os árabes eram capazes de memorizar grandes quantidades de versos e acreditavam que sua recitação tinha um poder numinoso.

Maomé sempre afirmou que não era poeta. Achava que a poesia tinha um fortíssimo sabor da antiga *jahiliyyah* ("irascibilidade" ou "agressão") — uma obsessão crônica por honra e prestígio e, acima de tudo, uma inclinação para a violência e a retaliação.[9] Tanto em estilo como em conteúdo, o Alcorão divergiria da poesia árabe convencional, mas Maomé recitava para pessoas que tinham desenvolvido "um dos gostos mais refinados e exigentes da história do discurso profético".[10] Elas saberiam ouvir as palavras inspiradas, apreciar as múltiplas camadas de sentido em quase todas as frases, e memorizar o Alcorão, aceitando-o de coração.

Durante alguns anos antes da primeira revelação, Maomé e Cadija tinham feito um retiro anual no monte Hira, nos arredores de Meca. Ali ele dava esmolas aos pobres e executava rituais, que talvez incluíssem prostrações diante de Alá.[11] Maomé, ao que parece, se preocupava profundamente com a situação do mundo. As guerras tribais tinham se intensificado na península, e, mais ao longe, os grandes impérios da Pérsia e de Bizâncio pareciam empenhados em destruir um ao outro numa série de guerras devastadoras. Dentro de Meca também havia mal-estar e insatisfação espiritual. Alguns clãs coraixitas enriqueciam, mas outros se sentiam marginalizados. O espírito comunitário que tinha sido essencial para a sobrevivência da tribo no deserto fora enfraquecido pela economia de mercado, que dependia da competição implacável, da ganância e do empreendedorismo individual. Ignorando as dificuldades dos mais pobres, alguns acumulavam fortunas; chegavam a explorar órfãos e viúvas, absorvendo suas heranças. Parecia que os coraixitas tinham se livrado do melhor e ficado só com o que havia de pior na mentalidade tribal — a temeridade, a arrogância e o egoísmo *jahili*, que eram moralmente catastróficos e só poderiam levar à ruína. A solução corânica para os problemas de Meca começou a aparecer já na primeira revelação:

Recita em nome do teu senhor que criou —
De um embrião criou o humano [...]
O ser humano é um tirano
Acha que suas propriedades o tornam seguro
Para o teu senhor é a volta de todas as coisas[12]

Esse verso desenvolveu a crença um tanto nocional dos coraixitas de que Alá tinha criado cada um deles, mas declarava sua orgulhosa autossuficiência ilusória, porque os humanos dependem inteiramente de Deus. Alá afirmava que não era um "alto deus" distante e ausente. Suas criaturas precisavam "chegar perto" para que ele as pudesse guiar, e deviam abandonar sua orgulhosa *istighna*: "Toca tua cabeça no chão!", ordenou Deus no fim da surata (capítulo).[13] Assim nasceu a religião do islã, que exige a "submissão" (*islam*) do ego. O muçulmano era alguém que tinha realizado essa submissão existencial.

Essa "submissão", porém, tinha de ser expressa em compaixão manifestada na prática. O Profeta começava quase todas as recitações do Alcorão com a invocação "Em nome de Deus, o Compassivo [*al-Rahman*], o Misericordioso [*al-Rahim*]"; esses atributos divinos tinham de ser encarnados na sociedade muçulmana. O Alcorão confere ao Profeta um mandato político, exigindo que os seres humanos se comportem com justiça e equidade e distribuam sua riqueza satisfatoriamente. Esta, insistia a voz divina, tinha sido a mensagem central de todas as grandes escrituras do passado. A experiência de construir essa sociedade (*ummah*) e nela viver daria aos muçulmanos sugestões do divino, pois eles estariam em harmonia com a maneira como as coisas teriam de ser. Dessa forma, o bem-estar político da *ummah* era uma questão de sagrada importância, e a política era o que os cristãos chamariam de sacramento que possibilitava ao divino funcionar bem no mundo.

O Alcorão se refere com frequência à noção semítica da *Umm al-Kitab*, a "Fonte da Escritura", um Livro arquetípico que estava com Deus por toda a eternidade.[14] O Alcorão considera essa raiz da escritura (*asl al-kitab*) o texto do qual todas as escrituras humanas surgiram. Consequentemente, o Alcorão acha que todas as escrituras são inspiradas por Deus e transmitidas através de uma linha de profetas para diferentes grupos de pessoas. Os Salmos foram revelados a Davi, a Torá a Moisés, o Evangelho a Jesus e agora, finalmente, o Alcorão a Maomé. Mais tarde, os muçulmanos viriam a reconhecer a validade do Avesta zoroastriano e do Veda indiano. Onde judeus e cristãos tendiam a ser mais exclusivos em sua ideia de revelação, o Alcorão sustentava que muçulmanos deveriam honrar as revelações recebidas por todos os mensageiros de Deus, sem exceção.

> Digam: "Acreditamos em Deus e no que nos foi revelado e a Abraão, Ismael, Isaac, Jacó e às Tribos. Acreditamos no que foi concedido a Moisés, a Jesus e aos Profetas pelo seu Senhor. Não fazemos distinção entre eles. É a Ele que somos devotos. Se alguém busca uma religião que não seja total devoção [*islam*] a Deus ela jamais será aceita".[15]

A última frase costuma ser citada como "prova" de que o Alcorão diz que o islã é a única religião verdadeira. Mas o islã não é ainda o nome oficial da religião de Maomé. Aqui a palavra se refere apenas à "submissão" total do eu a Deus; por isso, quando lido em seu devido contexto, esse versículo claramente repudia a ideia de uma fé exclusiva. No Alcorão, está dito que cada uma das religiões reveladas tem seu próprio *din*, suas práticas e seus insights. O pluralismo religioso, portanto, é da vontade de Deus: "Designamos uma lei [*din*] e um caminho para cada um de vós. Se Deus quisesse, Ele teria feito de vós uma comunidade [*ummah*]".[16] Deus não era propriedade exclusiva de nenhuma tradição, mas a fonte de todo o conhecimento humano. "Deus é a luz dos céus e da terra", proclamava um dos versículos mais místicos do Alcorão. A luz divina não poderia ficar confinada a uma só lâmpada, e estava contida em cada vasilha de iluminação.[17]

Por 23 anos, até sua morte, Maomé continuou a receber revelações. A revelação era uma experiência penosa. Ele costumava suar, até em dias frios, e desmaiar em consequência do esforço de traduzir pronunciamentos divinos em fala humana. Algumas revelações aludiam a histórias conhecidas dos árabes, por causa de seus contatos com judeus e cristãos. Essas histórias de Abraão, José, Moisés, Jesus e Maria são muito parecidas com as versões bíblicas, mas são também diferentes. Não são "empréstimos" que distorcem o "original"; na verdade, elas refletem o costume árabe de interpretar histórias e doutrinas desse tipo como "obra em andamento", que poderiam se transformar fluidamente em diferentes modos, para atender a necessidades particulares. Para os árabes, o judaísmo e o cristianismo não eram tradições exclusivas, mas refletiam tendências espirituais totalmente compatíveis com noções árabes.

As primeiras revelações se concentravam no Juízo no Fim dos Tempos, ideia que claramente vinha das tradições judaicas e cristãs. Mas diferiam um pouco, pois se destinavam especificamente a dissipar o sorumbático pessimismo do paganismo árabe e sua visão da vida como inevitavelmente moribunda. O Alcorão fazia questão de que no Juízo o ser humano encontrasse "o Senhor ao amanhecer" e entrasse na vida.[18] Mas o "Dia do Ajuste de Contas" (*Yawm ad-Din*) não era apresentado simplesmente como um acontecimento futuro, pois o *din* árabe também podia significar "o momento da verdade" que nos obriga a tomar medidas capazes de mudar nossa vida, aqui e agora.[19] No Juízo Final haveria uma dramática inversão ontológica: tudo que parecia sólido e permanente se tornaria efêmero, enquanto o comportamento aparentemente sem importância se mostraria crucial: "Quem quer que faça uma partícula de bem o verá; quem quer que faça uma partícula de mal o verá".[20] Um ato egoísta aparentemente insignificante ou um negligenciado ato de generosidade seriam a medida de uma vida humana: "Libertar um escravo, alimentar o pobre num dia de fome, um parente, um órfão, ou um desconhecido, sem sorte, passando necessidade".[21] O Alcorão pergunta insistentemente: "Para onde estás indo na vida?".[22] As perguntas exploratórias, íntimas e o constante uso do tempo presente obrigavam o público do Profeta a ver a vida de outro jeito. Mas seres humanos esquecem e tendem a afastar da consciência perguntas inconvenientes.

“Lembra-lhes”, recomendou Deus a Maomé. “Tudo que podes fazer é ser uma ajuda para a memória deles.”[23]

O Alcorão deixava claro que não estava ensinando nada de novo. Tratava-se apenas de um lembrete (*dhikr*) do que todos já sabiam. O velho ideal tribal ressaltava a importância de cuidar de cada membro, mas a economia de mercado levava as pessoas a se esquecerem disso. Como os profetas hebreus, Jesus e Paulo, o Alcorão insistia na igualdade social. As pessoas não seriam julgadas por suas crenças particulares, ou por seus delitos, mas por sua fidelidade às “obras de justiça”. A mensagem fundamental do Alcorão é que é errado adquirir uma fortuna particular e que é certo compartilhar sua riqueza, criando uma sociedade na qual os pobres e os vulneráveis fossem tratados com respeito. O Alcorão reserva palavras duras para o *kafir*, termo que costuma ser erroneamente traduzido como “infiel”, mas que vem do radical *KFR* (“ingratidão”) e implica uma rude recusa a aceitar alguma coisa oferecida com bondade e generosidade.[24] O Alcorão não repreende os *kafirun* por sua descrença, mas por sua arrogância, sua altivez, sua pretensão, sua insolência e sua hostilidade:[25]

> *Vês o que chama de mentira o Ajuste de Contas?*
> *Ele é o que rejeita o órfão,*
> *O que não insiste em alimentar o necessitado* [...]
> *O que faz de si um grande espetáculo*
> *Mas hesita em cometer o pequeno ato de bondade.*[26]

Já o muçulmano praticava a tradicional virtude árabe do *hilm* e era tolerante, paciente e misericordioso.[27] Diferentemente dos *kafirun*, os muçulmanos tinham de controlar a raiva, cuidar dos pobres e alimentar os necessitados, mesmo quando eles mesmos também passavam fome.[28]

Pouco tempo depois, o Alcorão passou a incluir histórias dos profetas, especialmente de Abraão, que não era judeu nem cristão, uma vez que tinha vivido antes da Torá e do Evangelho.[29] Maomé enfrentou hostilidade e rejeição de parte da *ahl al-kitab* na Arábia. Como não concebia uma religião exclusiva, partia do princípio de que a ideia de um “povo eleito”, ou a convicção de que *somente* judeus e cristãos entrariam no Paraíso, era uma opinião de indivíduos equivocados.[30] Ficou aturdido também quando soube que alguns cristãos acreditavam que Deus era uma Trindade e que Jesus era o filho de Alá, e, também nesse caso, achava que eles simplesmente interpretaram mal as escrituras.[31]

Em Meca, Maomé não só se deparou com oposição como chegou mesmo a ser perseguido, e a posição da comunidade muçulmana se tornou insustentável. Por isso, em 622, ele aceitou o convite de árabes do oásis agrícola de Yathrib, cerca de quatrocentos quilômetros ao norte.[32] O oásis tinha sido dilacerado por uma drástica guerra tribal, e Maomé foi chamado para atuar como árbitro imparcial. Logo após a chegada dos muçulmanos, o Profeta deu ao lugar um novo nome, Al-Madinah al-Munawarah, a "Cidade Iluminada", ou, mais sucintamente, Medina. Ali, pôde realizar suas reformas moral e social de um jeito que tinha sido impossível em Meca. Assim, nos últimos dez anos de vida de Maomé, o Alcorão mudou: as suratas se tornaram mais longas e mais preocupadas em legislar. Mas a *ummah* era extremamente vulnerável, e aqueles anos foram de muito medo. Os muçulmanos não passariam por nada parecido até o período colonial moderno, quando, de novo, a *ummah* se viu cercada por inimigos poderosos. Em Medina, Maomé enfrentou virulenta oposição de algumas tribos pagãs e judaicas, que se incomodavam com os recém-chegados. Houve atentados contra a vida do Profeta, enquanto em Meca sua própria tribo, os coraixitas, jurara vingança.

Os emigrantes muçulmanos precisavam descobrir uma nova fonte de renda; do contrário, se tornariam um fardo desgastante para os antigos moradores de Medina. Os recém-chegados eram banqueiros e mercadores, sem nenhuma expertise em agricultura, e, de qualquer maneira, toda a terra arável do oásis já estava ocupada. A solução óbvia foi o *ghazu*, rápida incursão para saquear, que era a maneira consagrada pela tradição de equilibrar o orçamento em tempos de escassez na península. Os combatentes levavam alimentos e animais, tomando cuidado para não matar membros de tribo, pois isso resultaria em vendetas. Ninguém achava esse recurso repreensível — o *ghazu* era tido quase como um esporte nacional. A única diferença é que os muçulmanos estavam atacando sua própria tribo. Maomé, portanto, despachou grupos guerreiros para atacarem as caravanas comerciais dos coraixitas, de início com pouco êxito, pois os guerreiros eram inexperientes. Eles conseguiram sua primeira grande vitória em março de 624, no Poço de Badr, mas foi uma experiência aterrorizante, uma vez que os coraixitas tinham enviado sua poderosa cavalaria para defender a caravana e os muçulmanos foram superados numericamente por tropas bem treinadas. Os coraixitas, decididos a erradicar a *ummah*, infligiram severas derrotas aos muçulmanos nos três anos seguintes. A certa altura, em março de 627, antes que a maré virasse a favor de Maomé, um imenso exército de Meca e seus aliados beduínos — cerca de 10 mil homens — cercaram Medina durante um mês inteiro. O Alcorão registra o terror dos muçulmanos: "Eles se aglomeraram contra vós por cima e por baixo; vossos olhos rolavam [de medo], vossos corações subiam para a garganta e tivestes [maus] pensamentos de Deus. Ali os crentes foram duramente postos à prova, e ficaram profundamente abalados".[33]

Com diplomacia e negociação, porém, Maomé deu um jeito de construir uma forte confederação de tribos beduínas amigas e, em 628, encabeçou um grupo de mil peregrinos muçulmanos, de Medina e de Meca, para a peregrinação do Hajj. Como toda violência era proibida no Haram, especialmente durante a peregrinação, os muçulmanos entrariam praticamente desarmados em território inimigo. Os coraixitas despacharam sua cavalaria para atacá-los, mas os aliados beduínos conduziram os peregrinos a Meca por uma estrada menos movimentada. No Poço de Hudaybiyyah, eles pararam para descansar e aguardar os acontecimentos. Sabendo que perderiam credibilidade na Arábia se massacrassem autênticos peregrinos em seu território sagrado, os coraixitas acabaram mandando um embaixador para negociar e, para horror dos peregrinos, Maomé cedeu quase todas as vantagens conquistadas durante a guerra. Mas o apoio à *ummah* na Arábia tornara-se uma tendência irreversível. Dois anos depois, Meca voluntariamente abriu os portões para o exército muçulmano e muitos oponentes coraixitas de Maomé adotaram o islã. Quando morreu, em 632, ele tinha unido toda a Arábia assolada pela guerra na *Pax Islamica*.

O islã, contudo, se impusera não pela conquista ou pelo carisma pessoal de Maomé, mas pela força do Alcorão. Para os não muçulmanos, é algo difícil de entender, pois o Alcorão, aos olhos de quem está de fora, parece uma escritura pouco atraente e desconcertante. Europeus e norte-americanos, que levam para o Alcorão um entendimento de escritura baseado na Bíblia, geralmente ficam perplexos. Não há uma narrativa coerente: relatos sobre os profetas espalham-se por todo o texto, sem qualquer senso de progressão. Os temas não são desenvolvidos de maneira lógica; não há tratamento sistemático de doutrinas; e as repetições constantes são cansativas. As suratas foram, ao que tudo indica, arranjadas arbitrariamente, começando pelas mais longas e terminando pelas mais curtas. Quase não há ideia de tempo: os profetas, cujo tempo de vida se estende por mil anos ou mais, são todos tratados como contemporâneos.

Mas o Alcorão é uma escritura transmitida oralmente e feita para ser representada, não lida em silêncio ou sequencialmente. Versado na arte da recitação, o público de Maomé era capaz de captar sinais verbais que se perdem na codificação escrita (e na tradução). Os ouvintes descobriam que temas, palavras, frases e padrões sonoros se repetem muitas vezes — como variações de uma peça musical que sutilmente amplificam a melodia original e vão acrescentando camadas de complexidade. O Alcorão é projetado para ser repetitivo. Suas ideias, imagens e histórias são ligadas por ecos internos, que reforçam os ensinamentos centrais com ênfases instrutivas. Repetições verbais interligam passagens díspares na cabeça do ouvinte e integram diferentes vertentes do texto, com um verso delicadamente qualificando ou suplementando outros.

O Alcorão não estava comunicando fatos que pudessem ser transmitidos instantaneamente. Como o próprio Maomé, os ouvintes tinham de absorver os ensinamentos aos poucos, seu entendimento se aprofundando e refinando com o tempo. A linguagem rica e alusiva e os ritmos do idioma árabe os ajudavam a desacelerar processos mentais costumeiros e a entrar em outro modo de consciência. Nas primeiras suratas de Meca, o Alcorão falava intimamente ao indivíduo, preferindo formular ensinamentos na forma de perguntas — "Não ouviste?" "Estás levando em conta?" "Não viste?". Cada ouvinte era convidado a interrogar-se a si mesmo. A resposta a essas indagações costumava ser gramaticalmente ambígua ou indefinida, deixando a plateia com uma imagem para meditar, mas sem resposta decisiva. O Alcorão não tinha a intenção de comunicar certeza metafísica; apenas convidava a plateia a desenvolver um tipo diferente de consciência. Como explica o estudioso norte-americano Marshall G. S. Hodgson:

> O Qur'an não foi projetado para ser lido em busca de informações ou mesmo de inspiração, mas para ser recitado como ato de devoção em reverência: também não se tornou mera fonte sagrada de autoridade [...]. O que as pessoas faziam com o Qur'an não era folhear um livro, mas venerar por seu intermédio; não era recebê-lo passivamente, mas ao recitar reafirmá-lo para si mesmas; o evento da revelação era renovado toda vez que o fiel, no ato de cultuar, revivia [ou seja,

dizia de novo] as afirmações corânicas [...] continuava a ser um evento, um ato, mais que uma declaração de fatos ou de normas.[34]

O Alcorão unia duas formas escriturais. Uma, como já vimos, era a tradição semítica do Livro Celestial. A outra era a tradição oriental do som sagrado. A linguagem corânica tinha o poder de um mantra indiano. Maomé, sempre que recebia uma revelação, era instruído a ouvir atentamente até que o significado dela transparecesse.[35] Maomé recitava cada revelação para os companheiros até que eles também a soubessem de cor — o modo tradicional de transmitir a poesia árabe. Eles, por sua vez, deixavam o som permear sua consciência e a beleza das palavras impregná-los de admiração. A finalidade, como explica Hodgson, não era a convicção intelectual, mas a devoção e a reverência.[36]

O Alcorão registra os efeitos que sua mensagem causou nos primeiros ouvintes de Maomé. Alguns ficavam perplexos, até chocados, pois era muito diferente da poesia árabe tradicional. Outros se sentiam emocionalmente transportados: "caíam de joelhos e choravam"; a recitação fazia "estremecer a pele dos que se assombravam com seu Senhor [...] amaciar o coração à menção de Deus", os olhos "se inundarem de lágrimas porque reconheciam a Verdade [nele]".[37] Umar ibn al-Khattab, que viria a ser o segundo califa, de início foi hostil à mensagem do Profeta, mas uma noite, ao ver Maomé recitar o Alcorão para si mesmo ao lado da Caaba, arrastou-se por debaixo do pano adamascado que cobria o santuário até ficar bem na frente dele: "Não havia nada entre nós, além da cobertura da Caaba", lembrava-se ele. "Quando ouvi o Alcorão meu coração amoleceu e chorei, e o islã penetrou em mim."[38] A recitação era uma forma de música, que, já se disse, é intrinsecamente triste. O filósofo grego Górgias (*c.* 485-380 a.C.) afirmava que quem ouve poesia — que na Grécia antiga era sempre recitada, claro — sentia "um assombro, uma piedade chorosa, um desejo pesaroso".[39] A filósofa Suzanne Langer disse que a música tem o poder de despertar "emoções e estados de espírito que não tínhamos sentido, paixões que antes não conhecíamos".[40] A tristeza e a empatia que alimenta nosso senso de justiça estão profundamente interligadas,[41] por isso o próprio som do Alcorão endossava, num nível mais profundo do que o meramente racional, seu imperativo ético.

Ao longo dos séculos, muçulmanos vivenciaram o Alcorão como aquilo que os cristãos chamam de sacramento, uma penetração perpétua do transcendente no mundano.[42] Enquanto os cristãos veem o Verbo Divino personificado no homem Jesus, para os muçulmanos o Verbo está presente no som do texto corânico recitado em reverência comunal. Quando o aprendem de cor, recebem-no em si em santa comunhão. Os muçulmanos se esforçam muito para difundir a alfabetização, e a cópia caligráfica do texto é uma forma de arte sacra, mas o dever mais importante do muçulmano é aprender de cor a mensagem do Alcorão.[43] Para muitos, é tarefa para a vida inteira. Ele não pode ser memorizado através da leitura de um texto escrito, mas da sua recitação, e cada recitação é uma reencenação da revelação, uma participação simbólica no mistério da preocupação de Deus com a humanidade.[44]

No Ocidente moderno, dependemos do pensamento empírico e do raciocínio discursivo, que avança logicamente, das premissas para as conclusões. Isso tem sido essencial para as nossas conquistas científicas e tecnológicas. Mas, como vimos, seres humanos também tiram sentido do movimento físico e, assim, os muçulmanos também aprendem com ritos corporais.[45] Os "Cinco Pilares", as práticas essenciais do islã, são disciplinas corporais e mentais. As preces obrigatórias que interrompem qualquer atividade mundana em cinco momentos do dia precisamente estabelecidos incluem movimentos físicos ritualizados. Ao ouvirem o muezim convocando para a prece (*salat*), a primeira coisa que os muçulmanos têm de fazer é determinar a direção (*qibla*) de Meca para se posicionarem adequadamente, um "lembrete" (*dhikr*) físico da sua verdadeira orientação. Em seguida, recitam versículos do Alcorão, curvando-se para a frente, sentados sobre as panturrilhas, e tocando o chão com a testa — gestos que imprimem na mente e no coração o que se exige na "rendição" a Deus. O jejum do Ramadã, que inverte as sequências habituais de espaço e tempo, é outro "lembrete" do definitivo. Durante o dia, a austeridade é a regra: comida, bebida e sexo são proibidos, ao passo que a noite é dedicada à celebração comunal. As voltas rituais da peregrinação do Hajj em torno da Caaba, outro *dhikr* físico, representam a concentração espiritual em torno do transcendente.

Após a morte do Profeta, em 632, sua confederação desmoronou e o "sucessor" (*khalifa*), Abu Bakr, lutou contra as tribos desertoras para impedir que a Arábia mergulhasse de volta nas guerras crônicas. Em dois anos, restaurou a *Pax Islamica*, e depois da sua morte Umar ibn al-Khattab (r. 634-44) convenceu-se de que a paz só seria preservada com uma ofensiva voltada para fora. Essas campanhas militares não eram de inspiração religiosa — nada no

Alcorão sugere que os muçulmanos se dediquem a conquistar o mundo. Os motivos de Umar eram puramente econômicos. Em tempos de escassez, o *ghazu*, a rápida incursão para saquear, tinha sido a forma tradicional de redistribuir os limitados recursos da Arábia, mas, por serem os muçulmanos proibidos de lutar uns contra os outros, esse método já não era possível. Umar decidiu que a solução era saquear as ricas terras colonizadas, que, como bem o sabiam os árabes, estavam em estado de desordem depois das debilitantes guerras entre persas e bizantinos. Como era de esperar, encontraram pouca resistência. Os exércitos das duas potências tinham sido dizimados e os povos subjugados se alienaram. Num período notavelmente curto, os árabes forçaram o exército bizantino a retirar-se da Síria e da Palestina (636) e destroçaram o desfalcado exército persa numa única batalha (637). Em 641, conquistaram o Egito, e, apesar de levarem cerca de quinze anos para pacificar todo o Irã, acabaram prevalecendo. Só Bizâncio, reduzido, pela perda das províncias meridionais, à condição de Estado residual, resistiu. Foi assim que, vinte anos após a morte de Maomé, os muçulmanos se tornaram senhores de um vasto império, abrangendo a Mesopotâmia, a Síria, a Palestina e o Egito.

Os árabes não tinham nenhuma experiência na construção de um Estado e simplesmente adaptaram os sistemas persa e bizantino de posse da terra, de cobrança de impostos e de governo. Como na Pérsia, os "povos do livro" — judeus, cristãos e zoroastrianos — passaram a ser *dhimmis* ("súditos protegidos"), tomando conta dos próprios negócios e pagando um imposto comunitário em troca de proteção militar. O islã era a religião dos conquistadores, da mesma forma que o zoroastrismo, que evoluíra a partir das revelações do profeta ariano Zaratustra, atuante no Cáucaso mais ou menos em 1200 a.C., tinha sido a religião exclusiva da classe dominante persa.[46] Na verdade, pelos primeiros cem anos, a conversão ao islã era desencorajada por razões tanto religiosas como econômicas. Mas o império era um desafio religioso. Como compatibilizar a desigualdade sistêmica do império agrário com a justiça corânica? Umar não permitia que seus funcionários estabelecessem propriedades na rica terra do Iraque. Em vez disso, os soldados muçulmanos viviam em cidades com guarnições militares estrategicamente situadas: Kufa no Iraque, Basra e Damasco na Síria, Qum no Irã, e Fustat no Egito. Mas já no reinado do terceiro califa, Uthman (r. 644-56), as tropas se haviam tornado insubordinadas e insatisfeitas. Uthman preocupava-se também com a integridade do Alcorão.

Há indícios de que, em seu último ano de vida, Maomé tinha começado a antologizar suas revelações num texto escrito, com a ajuda do escriba Zayd ibn Thabit, mas morreu antes de ver o projeto terminado.[47] A preservação do Alcorão tornou-se problemática quase de imediato após a morte do Profeta, quando muitos dos principais recitadores, que sabiam a escritura de cor, foram mortos nas "guerras de sucessão". Abu Bakr, Zayd e os recitadores sobreviventes coletaram fragmentos para criar um texto escrito. Estavam convencidos de que haviam memorizado o Alcorão inteiro, porque o cantaram com o Profeta em seu último ano. Após a morte de Abu Bakr, esse texto foi entregue a Umar, que, por sua vez, o legou para a filha Hafsa, uma das mulheres de Maomé.

Mas essa não era a única cópia em circulação. No Iraque, os muçulmanos preferiam a versão de Abdallah ibn Masud, companheiro altamente respeitado do Profeta, enquanto os muçulmanos da Síria afirmavam que seu próprio texto era superior. Assim, Uthman encarregou um conselho de destacados escribas e recitadores, incluindo Zayd ibn Thabit, de compilar um texto autorizado. Dúvidas sobre redação e conteúdo foram resolvidas pelos que tinham aprendido os trechos em questão com o próprio Profeta. Concluída a tarefa, Uthman guardou uma cópia em Medina e despachou outras para Kufa, Damasco, Basra e Meca, cada uma acompanhada por um recitador oficial, e mandou queimar todas as demais cópias. Diz a tradição que isso foi feito em todos os lugares, exceto na Mesopotâmia, que continuava leal ao texto de Ibn Masud.

Mas a de Uthman ficaria sendo a versão-padrão. As revelações são divididas em 114 suratas, arranjadas por tamanho e não por conteúdo. Dentro das suratas, versículos (*ayat*) preservam a prosa rimada tradicional, o ritmo e a qualidade musical do Alcorão. À exceção da Surata 9, cada surata começa com a *bismillah* ("Em nome de Deus, o Clemente, o Misericordioso"), fórmula usada pelo Profeta. Mas o texto de Uthman é reconhecidamente defeituoso. Há variantes que se devem não a erros dos escribas, mas à inadequação da escrita árabe naqueles tempos iniciais. Durante os primeiros quatrocentos anos, o Alcorão foi escrito em caracteres cúficos, que diferiam do estilo cursivo posterior. Por ser o árabe um alfabeto consonantal, como o hebraico, as vogais tinham de ser inseridas pelo recitador. Além disso, algumas consoantes nesse estágio eram tão parecidas que marcas diacríticas passaram a ser inseridas para distinguir umas das outras. Os muçulmanos aceitam essas leituras diferentes como genuínas, por isso variantes "canônicas", todas consideradas válidas, eram listadas lado a lado.[48] Nenhuma representa uma diferença substantiva de sentido — dizia-se até que o Profeta recitava a mesma passagem de diferentes maneiras, em certas ocasiões. A transmissão oral ainda era o modo preferido, e intérpretes muçulmanos consideravam as variantes uma bênção, uma vez que todas vinham de Maomé.[49]

Talvez fosse inevitável que, à medida que os muçulmanos faziam a transição espantosamente rápida da penúria para o domínio imperial, houvesse problemas de liderança.[50] Em 656, Uthman foi morto durante um motim e iniciou-se uma guerra pela sucessão entre Ali, o sobrinho e genro do Profeta, e Muawiyyah, filho de um dos mais obstinados inimigos de Maomé. Finalmente, a arbitragem se manifestou contra Ali, que foi deposto por Muawiyyah e assassinado em 661. O trauma dessa guerra civil marcou para sempre a vida islâmica. A maioria dos muçulmanos achava que a unidade da *ummah* tinha prioridade sobre tudo o mais. Ainda que isso significasse aceitar certa dose de injustiça, eles obedeceriam à Suna, a "prática rotineira" do Profeta; a partir de então, ficariam conhecidos como sunitas. Mas outros, que se descreviam como *Shiah i-Ali* ("os partidários de Ali"), conhecidos desde então como xiitas, afirmavam que seus descendentes de sangue eram os verdadeiros líderes da *ummah* e viam a morte de Ali como sintomática da injustiça crônica da vida política. Essa convicção foi confirmada em 681, quando Husain, filho de Ali, com sua família e seus companheiros, foram trucidados em Carbala, perto de Kufa, pelas tropas do califa Yazid, filho e sucessor de Muawiyyah.

Muawiyyah tinha transferido a capital de Medina para Damasco e fundado uma dinastia hereditária, e o império omíada aos poucos se tornou um Estado agrário típico, com uma aristocracia privilegiada, distribuição desigual de riqueza e exército permanente dedicado à expansão territorial. Mas os muçulmanos mais compassivos continuaram a travar intensas discussões sobre a moralidade do domínio imperial e foi desses debates que instituições essenciais e práticas piedosas do islã, tal como hoje o conhecemos, começaram a surgir. Essas deliberações éticas sobre o papel dos líderes políticos da *ummah* no islã foram tão decisivas quanto os grandes debates teológicos cristãos em Bizâncio. Para os muçulmanos, a política não era um desvio da vida religiosa, mas a arena na qual vivenciavam Deus e que possibilitava ao divino funcionar efetivamente no mundo. Com isso, desenvolveu-se um movimento ascético em reação ao luxo da vida aristocrática; como o Profeta, os ascéticos usavam as vestimentas de lã rústica (*tasawwuf*) dos pobres, e por isso passaram a ser conhecidos como sufistas. Os xiitas também desenvolveram uma religiosidade do protesto, afirmando que só um descendente do Profeta poderia ser o verdadeiro imã ("líder") da *ummah*: por consequência, alguns se retiraram da atividade política, ao passo que outros se opuseram militarmente à crueldade e à injustiça da vida imperial.

A jurisprudência islâmica (*fiqh*) foi outra resposta ao dilema do domínio imperial. Os primeiros juristas queriam criar normas jurídicas que fizessem dos ensinamentos corânicos, que eram a vontade revelada de Deus, uma possibilidade realista nos assuntos humanos. O problema era que o Alcorão não trazia regras estritas; continha pouca legislação e as leis que nele havia tinham sido projetadas para uma sociedade menor e muito mais simples. Além disso, era clemente demais para um império viável — ou, na verdade, para qualquer Estado. O Alcorão, por exemplo, prescrevia a pena máxima para assassinato ou traição — mas se o malfeitor se arrependesse, os juízes deviam lembrar que Alá era clemente e misericordioso.[51] O roubo deveria ser punido à maneira árabe tradicional, com amputação da mão — "mas se qualquer pessoa se arrepender depois de cometer transgressão e fizer alguma coisa para corrigir o erro, Deus aceitará seu arrependimento".[52] Durante a guerra com Meca, o Alcorão tinha baixado regras de conduta na batalha — embora essas regras também fossem acompanhadas de um versículo recomendando tolerância: "mas se eles se inclinam para a paz, inclina-te também, e confia em Deus [...]. Se a intenção deles é enganar-te, Deus te basta".[53]

Nos primeiros dias, os muçulmanos nas cidades militares podiam perguntar aos Companheiros de Maomé o que ele teria dito ou feito numa situação problemática qualquer, mas, quando a primeira geração morreu, juristas começaram a coletar notícias ou relatos (*hadith*), que registrassem as palavras do Profeta numa determinada ocasião e seu jeito habitual de comportar-se (Suna).[54] O *hadith* tornou-se crucial para a *fiqh* islâmica.[55] Alguns desses "relatos" eram usados para apoiar novas formas de religiosidade islâmica desenvolvidas em oposição ao imperialismo omíada; outros forneciam provas históricas em apoio de políticas de Estado. Esses relatos se multiplicaram nos séculos VIII e XIX, até que um número desconcertante de *hadith* circulava em todo o império, cobrindo tópicos da vida diária, metafísica, cosmologia e teologia, bem como política. Foram finalmente coletados e antologizados. Os editores mais famosos foram Muhammad ibn Ismail al-Bukhari (m. 870) e Muslim ibn al-Hajjaj (m. 875), que desenvolveram critérios para julgar a credibilidade de cada *hadith* com base em sua corrente (*isnad*) de transmissores, que começava com o Profeta ou um de seus Companheiros e terminava com a autoridade atual. Especialistas examinavam cuidadosamente cada elo da corrente para avaliar a credibilidade dos transmissores. Dessa maneira, um *hadith* era declarado confiável (*sahih*), aceitável (*hasan*) ou fraco (*daif*).

Como muitos — na verdade, a maioria — dos *hadith* refletiam debates teológicos ou jurídicos ocorridos após a morte do Profeta, alguns especialistas ocidentais tendem a rejeitá-los como invenções ou até mesmo falsificações. Mas não nos referimos aos evangelhos nesses termos, ainda que eles também tenham sido produzidos décadas depois da época em que Jesus viveu e reflitam condições posteriores.[56] Tanto os evangelhos como os *hadith* foram tentativas de fundamentar o presente em acontecimentos do passado que inspiraram o movimento. Os evangelhos, como os *hadith*, são comentários sobre a revelação original, que para os cristãos é o Verbo encarnado e para os muçulmanos o Verbo registrado no Alcorão.[57] Os *hadith* foram vigorosamente promovidos por um contingente populista conhecido como Ahl al-Hadith ("Povo Hadith") que queria que a lei muçulmana fosse alicerçada nesses relatos testemunhais, e não no "raciocínio independente" (*ijtihad*) desenvolvido pelos juristas. Sua religiosidade horrorizava os muçulmanos de inclinação mais racional, pois ameaçava seu rigoroso senso da unidade divina, mas essas práticas também lembravam o modo como os cristãos tinham passado a pensar em Jesus. O Povo Hadith acreditava que o Alcorão era uma encarnação terrena do Verbo de Deus que existia com ele por toda a eternidade. Podiam ouvir a voz de Deus sempre que escutavam uma recitação corânica; e quando recitavam o Alcorão, a fala de Deus estava em sua língua e em sua boca. Seguram o Verbo nas mãos quando carregavam uma cópia do texto sagrado.

Hoje, atrocidades terroristas cometidas em nome do islã levaram muita gente no Ocidente a concluir que o Alcorão é uma escritura inerentemente violenta e dedicada à jihad, que significaria "guerra santa". Na verdade, jihad significa "luta", "esforço" ou "empenho". A palavra e seus derivados aparecem apenas 41 vezes no Alcorão e em apenas dez jihad se refere inequivocamente à guerra.[58] A "submissão" do islã exige uma luta constante contra o egoísmo inato. Por vezes, como na guerra com Meca, isso envolvia "combater" (*qital*), mas dar aos pobres em tempos de dificuldades pessoais também era jihad. No Alcorão, a palavra jihad sempre é precedida do artigo definido (*al-*) e seguida da frase *fi sabil Allah*, e deve ser traduzida não como "luta", mas como "esforçar-se no caminho de Deus". A palavra *harb* ("luta") aparece apenas quatro vezes no Alcorão, e nunca é usada com a frase "no caminho de Deus"; apenas uma vez se refere a uma guerra justa travada pelo Profeta.[59]

Significativamente, a frase *al-jihad fi sabil Allah* costuma ser vinculada a *sabr* ("paciência", "resignação", "firmeza"). Em Meca, os muçulmanos eram com frequência maltratados, física e verbalmente, por seus oponentes. Em vez de reagir com violência, o Alcorão os exorta a fazer um esforço — "lutar" — para responder a esses maus-tratos com paciência silenciosa e estoica:[60] "Tu que acreditas sê firme [*asbiru*], mais firme do que outros [*sabaru*], prepara-te [*rabitu*] e reverencia a Deus para que possas prosperar".[61] Os primeiros grandes comentaristas do Alcorão — Mujahid ibn Jabr de Meca (m. 722), Muqatil ibn Sulayman (m. 767) e Abd al-Razzaq al-Sunani (m. 827) — explicam que *sabr* se referia ao autocontrole que os muçulmanos deveriam demonstrar quando maltratados. Mais tarde, *rabitu* ganharia conotações militares, mas no Alcorão sempre se refere à firmeza dos muçulmanos em continuar fazendo as orações exigidas mesmo quando fisicamente agredidos por fazê-lo.[62] Aqui também os muçulmanos que tinham sido obrigados a deixar suas casas durante a *hijrah* migratória [Hégira] do Profeta de Meca para Medina são instruídos a "se esforçarem" (*jihadu*) e permanecerem "pacientes" (*sabaru*). No Alcorão, portanto, jihad está basicamente associada não à guerra, mas à resistência não violenta.

Desde o início, comentaristas muçulmanos se mostraram sensíveis ao contexto e desenvolveram a estratégia exegética de vincular cada verso do Alcorão a um acontecimento da vida de Maomé, de tal maneira que o ambiente histórico de uma revelação pudesse estabelecer um princípio geral. A maioria dos primeiros exegetas — Muqatil, Mujahid e o *Tanwir al-Miqbas* atribuído a Muhammad ibn Abbas — ressaltou o caráter defensivo da guerra muçulmana, como está claro neste versículo inicial: "Àqueles que foram atacados permite-se que peguem em armas, pois foram prejudicados — Deus tem o poder de ajudá-los — àqueles que foram injustamente expulsos de suas casas só por terem dito 'Nosso Senhor é Deus'".[63] Significativamente, esse versículo equipara o culto judaico e cristão à prece muçulmana, ressaltando que, se essa violência não fosse violentamente respondida, "muitos mosteiros, igrejas, sinagogas e mesquitas, onde o nome de Deus é muito invocado, teriam sido destruídos".[64]

Os primeiros exegetas situaram um versículo aparentemente agressivo em seu contexto histórico, explicando que foi revelado durante o Tratado de Hudaybiyyah, quando muçulmanos se preparavam para entrar em território inimigo, praticamente desarmados.[65] Começa com a ordem enfática: "Não cometas agressão [*wa la ta tadu*]".[66] Se fosse necessário, os muçulmanos poderiam lutar no Haram de Meca, onde toda violência costumava ser proibida, mas só se fossem atacados primeiro:

> Matai-os quando os encontrardes, e expulsai-os de onde eles vos expulsaram, pois perseguir é pior do que matar. Não luteis com eles na Mesquita Sagrada, a não ser que eles vos combatam ali. Se lutarem contra vós, matai-os — é isso que esses infiéis merecem — mas se pararem, então Deus é clementíssimo e misericordiosíssimo. Lutai com eles até que não haja mais perseguição, e o culto seja dedicado a Deus.[67]

Longe de ver nesses versículos uma justificativa para a guerra agressiva, os primeiros exegetas sustentavam que ele era obsoleto, aplicando-se apenas às extraordinárias circunstâncias do Hudaybiyyah. Da mesma forma, o *Tanwir al--Miqbas* interpreta o versículo "A guerra é ordenada para ti, embora te seja odiosa",[68] como restrito à época de Maomé. Esses primeiros intérpretes também contextualizaram o bastante citado "Versículo da Espada", afirmando que só valia para a guerra com Meca e não tinha nenhuma relevância atual: "Quando os quatro 'meses proibidos' passarem, sempre que encontrardes os idólatras [*mushrikin*], matai-os, capturai-os, cercai-os, esperai por eles em todas as atalaias".[69] Pelos primeiros quatrocentos anos de história islâmica, esse versículo, citado com tanta frequência hoje em dia pelos críticos do islã, raramente era discutido. Os intérpretes que dele tratavam o faziam de forma superficial, explicando que *mushrikin* era uma referência aos coraixitas e que o versículo se tornara irrelevante, porque já não havia "idólatras" árabes.[70] É importante notar que até mesmo o feroz "Versículo da Espada" termina com um chamado à reconciliação: "Mas se eles se arrependerem, mantiverem as preces e pagarem as esmolas prescritas, deixai-os em paz, pois Deus é misericordiosíssimo e clementíssimo".[71]

Essa atitude pacífica, contudo, não era propícia à construção de um império. No século VIII, depois que os exércitos omíadas se mostraram incapazes de derrotar Bizâncio, aguerridos eruditos ligados ao governo imperial começaram a encontrar brechas na proibição corânica à agressão. O exegeta medinense Zayd ibn Aslam (m. 753), conselheiro do califa Yazid, afirmou que versículos que pareciam recomendar tolerância em vez de retaliação violenta na verdade simplesmente recomendavam paciência durante uma jihad militar. Dessa maneira, na passagem do Alcorão 22:39-40, já citada, ele comenta *rabitu*: "*Sê firme* no caminho de Deus com teus inimigos e os inimigos de tua religião", afirmando que o substantivo verbal *ribat* era uma referência inicial ao emprego da cavalaria para assegurar a fronteira, deixando, porém, de mencionar o fato de que na época do Profeta não havia "fronteira" alguma.[72]

Muitos *hadith* que militarizaram a noção corânica de jihad vieram de círculos imperiais. Alguns afirmavam que lutar era o Sexto Pilar do islã, por ser a maneira divina de difundir a fé, enquanto para outros lutar era muito mais precioso aos olhos de Deus do que rezar a noite toda ao lado da Caaba, ou jejuar no Ramadã.[73] Eles prediziam que no paraíso o mártir usaria roupas de seda, beberia vinho e se deleitaria nos prazeres sexuais de que abrira mão ao ingressar no exército omíada, casando-se com 72 mulheres no paraíso; tradicionalmente, esses *hadith* eram tidos como "fracos", mas ganharam notoriedade especial depois de 11 de setembro de 2001.[74] Em Meca e Medina, porém, onde a fronteira era uma realidade distante, atos de caridade, como dar esmolas, e compaixão para com os pobres continuavam a ser a forma mais importante de jihad.

Essa exegese agressiva ficou mais acentuada com os abássidas, que derrotaram os omíadas em 750 e transferiram a capital muçulmana para Bagdá. Muito embora os abássidas se dessem conta de que não havia mais como ampliar o império, ainda era essencial defender a fronteira. O conceituado jurista abássida Muhammad Idris al-Shafii (m. 820) formulou o que viria a ser a doutrina clássica da jihad: a humanidade dividia-se em Dar al-Islam ("a Casa do Islã") e Dar al-Harb ("a Casa da Guerra") e não poderia haver uma paz final entre as duas, apesar de uma trégua temporária ser permissível. O objetivo da jihad não era converter os povos subjugados, uma vez que a *ummah* era apenas uma das muitas comunidades divinamente guiadas; seu objetivo era estender os valores do Alcorão ao resto da humanidade, libertando todos os povos da tirania de Estados governados segundo princípios mundanos.[75] Não existe nada nesse sentido no Alcorão. A divisão do mundo em dois campos potencialmente hostis — os governantes e os governados — é típica ideologia imperialista. O grande exegeta Abu Jafar al-Tabari (m. 923), estreitamente ligado à elite abássida, reconheceu devidamente as interpretações irênicas dos primeiros exegetas, mas se inclinava para a visão mais agressiva da jihad, que ia se tornando uma tendência irreversível em alguns círculos.[76] Essa visão se tornaria ainda mais saliente em séculos posteriores, quando os muçulmanos estavam cercados de vizinhos hostis.

Enquanto isso, na Índia, um novo gênero escritural se desenvolvia, inspirado por *bhakti*, a amorosa "devoção" a uma deidade.[77] À semelhança do *Mahabharata*, essas escrituras eram conhecidas como um "Quinto Veda"; alegava-se que não eram de forma alguma "novas", mas *puranas* ("contos antigos"). Essas histórias podem de fato ter circulado oralmente nas classes inferiores durante séculos. Também é possível que tenham se desenvolvido a partir de *phalashruti* ("frutos da audição"), narrativas recitadas durante os grandes festivais, que descrevem os benefícios de cantar ou ouvir certo mantra.[78] Para o sacerdote, era importante estar familiarizado com a história do mantra que ia recitar e conscientizar os ouvintes da eficácia desse mantra no passado. Os *puranas* eram, no entanto, extensões da tradição dos mantras, porque, diferentemente do mantra clássico, em que o som por si era transformador, o significado de um *purana* também era importante. Numa das mais populares, por exemplo, Vishnu recita um mantra no qual ele se diz a suprema realidade:

Só eu estava no começo: não havia mais coisa alguma,
Manifesta, ou não manifesta.
O que existe agora que o universo é sou Eu; o que
Restará no fim é simplesmente Eu.[79]

Mas Devi, a Deusa Mãe, faz a mesma reivindicação em seu Purana: "Todo este universo é apenas Eu, não há nada mais que seja eterno".[80] Os dois ressaltam a sagrada unicidade de todas as coisas, mas também fazem afirmações sectárias, importantes para os devotos — portanto, temos no mantra purânico uma síntese de som e significado.

Os Puranas alegavam ser mais antigos do que os Vedas. Dizia-se que a primeira escritura pronunciada por Brâman, o deva que personificava a realidade última, não foi o Veda, mas o Purana primordial, tão longo que Vyasa, o rishi que editou as escrituras, precisou dividi-lo nos dezoito "Grandes Puranas" para torná-lo acessível aos seres humanos. Eruditos ocidentais tendem a rejeitar os Puranas como simples compilações, mas na Índia o arranjo e o rearranjo de materiais são a mais alta forma de criação. Uma só narrativa, como a história de Prajapati, pode, como vimos, ser contada de inúmeras maneiras, e reformulada interminavelmente.[81] Portanto, embora o material de um Purana seja antigo, não há uma versão "original". Vem daí a máxima "*Purapi navam bharati puranam*": "O que é que, apesar de formado há muito tempo, se torna novo? — um Purana!".[82]

Oficialmente, há apenas dezoito Grandes Puranas, mas na realidade há muito, muito mais, e não existe consenso sobre que textos compõem o cânone dos dezoito. Puranas são extremamente difíceis de datar, porque o material antigo costuma coexistir com acréscimos mais recentes. Algumas das histórias podem ser até mais velhas do que o Rig Veda, mas na forma existente, todas foram editadas entre 400 e 1000 d.C.[83] A preocupação com datas, entretanto, é uma preocupação ocidental moderna; de um ponto de vista indiano, são irrelevantes. O especialista norte-americano C. Mackenzie Brown sugeriu que, em vez de ver os dezoito Puranas como um cânone fechado, talvez seja mais exato ver o gênero purânico como um rio com muitos canais que se separam, divergem e se juntam novamente mais tarde de diferentes maneiras. É uma tentativa em andamento de atualizar a tradição reinterpretando verdades antigas para que tenham algo a dizer ao presente. Como explica Brown: "Na tradição hindu, a história é vista como um playground [...]. Como um carrossel, a história não para de girar. Os detalhes reais de um ciclo qualquer são menos significativos do que o princípio que governa todos os ciclos". O que encontramos nos Puranas, portanto, é "história criativa" que "revela a natureza da condição humana em relação à realidade divina".[84]

Consta que cada Purana tem cinco tópicos (*lakshanas*): a Criação Primária (cosmogonia); a Criação Secundária (o ciclo de destruição e renovação de mundos); as genealogias de deuses e patriarcas; os reinados dos Manus (os catorze reis primordiais); e a história posterior. Esses tópicos são de fato discutidos em alguns dos primeiros Puranas, mas não aparecem em outros de maneira significativa. O que os *lakshanas* oferecem não é assunto, mas a visão de mundo que governa o relato. Esses acontecimentos pré-históricos pressupõem o "presente" do "conto antigo", e a ele conduzem, mas os Puranas estão sempre prontos a transformar as próprias premissas e jamais insistem num relato absoluto, objetivo, do passado.[85]

Além disso, os Puranas têm plena consciência de serem textos escritos, o que, na Índia, equivale a quase quebrar um tabu.[86] Estranhamente, no entanto, isso era um esforço de democratização espiritual, porque um texto escrito pode ser transmitido para um público mais amplo. Dizia-se que Brâman tinha mandado Vyasa ditar o texto do *Mahabharata* para Ganesha porque queria que a epopeia se tornasse um livro acessível a um maior número de pessoas. Os Brâmanes só tinham transmitido os Vedas — oralmente — a outros sacerdotes, mas os Puranas estavam disponíveis para qualquer um, até mesmo para os sudras e para as mulheres, que eram excluídos dos Vedas. Dizia-se também que um devoto adquire mérito venerando a escritura em sua própria casa, porque o livro que contém o "conto antigo" é sagrado também.[87] Era particularmente meritório copiar o texto de um Purana e entregar o manuscrito como ato de caridade, especialmente se o recipiente fosse um sacerdote Brâmane. Trata-se de uma reviravolta subversiva. As classes inferiores estavam se apropriando do monopólio aristocrático da recitação e da transmissão da escritura, pois agora um mero sudra podia dar a cópia de um Purana a um Brâmane.[88]

Assim como o mantra tinha encarnado o Brâman invisível, transcendente, na forma de som, o livro sagrado era reverenciado como uma manifestação visível do deva por ele celebrado. Quando Krishna, o avatar de Vishnu, estava prestes a deixar o mundo, seu companheiro Uddhava lhe perguntou como poderiam os devotos suportar a perda de sua presença. A resposta de Krishna foi presentear Uddhava com uma cópia do *Bhagavata Purana*, na qual infundira sua própria energia: "Portanto, esta é a imagem verbal de Shri Hari aqui na terra, que livra a pessoa do pecado".[89] Uma imagem icônica de Krishna ou Vishnu estava instilada ritualmente de divindade, fazendo o Deus Supremo presente para seus devotos. Da mesma forma, o livro que celebra o amor de Vishnu pelo *bhakta* ("devoto") está imbuído de sua presença: o devoto precisa olhar através da realidade física para encontrar a realidade lá dentro.

Como o *Mahabharata*, os Puranas adotam o formato de perguntas e respostas, entre o narrador e seus ouvintes, como parte de uma tradição oral viva. Isso é *smrti*, transmissão por um ato de lembrança que autentica o presente. No *Bhagavata Purana*, Shuka, o narrador, conta a história de Krishna para o rei Parikshit, a criança que Krishna tinha resgatado do Massacre Noturno de Ashwattaman, para que a linhagem de Pandava pudesse continuar. Parikshit estava destinado a morrer por uma picada de cobra e escuta a história contada por Shuka ao lado do Ganges, já no finzinho da vida. Portanto, a história é retransmitida para uma plateia suspensa — como todos nós — entre a vida e a morte. Estas são as últimas palavras que Parikshit ouvirá e elas o reconciliam com seu destino.[90] Diz ele a Shuka: "Quanto mais o ouço, mais bebo o néctar das histórias de Krishna que fluem da sua boca; meu corpo fica mais animado; minha dor desaparece; não sinto fome nem sede; meu coração está satisfeito". Shuka responde que a história purifica o homem que a escuta com prazer, como a água que flui do pé de Vishnu. Já não se trata aqui de instrução edificante; nem ela nos enche de temor e pressentimentos, como a epopeia. É mais uma santa comunhão.[91]

No *Bhagavad Gita*, Krishna tinha descrito *bhakti* como uma austera disciplina iogue. Mas no *Bhagavata Purana*, *bhakti* absorveu a espiritualidade mais indômita, emocional da Índia meridional e a concentração aristocrática iogue foi substituída por um amor estático e íntimo que rompe as barreiras de classe. O *Bhagavata Purana* se apresenta como a culminação dos Vedas. Conscientemente usa a linguagem védica, expressando a espiritualidade emocional dos tâmeis do sul da Índia no sânscrito arcaico, dizendo, na verdade: "Não só me sujeito à ortodoxia védica, falo como se fosse o Veda".[92] Na verdade, ele se diz a maior proeza de Vyasa.[93] Explica que depois que dividiu o Veda em quatro textos, compôs o *Mahabharata* e compilou os dezoito Puranas, Vyasa sentiu-se estranhamente irrealizado. De repente, o divino rishi Narada apareceu e explicou que Vyasa estava insatisfeito porque ele ainda não tinha cantado louvores a Krishna. Vyasa, portanto, retornou a seu eremitério, meditou, e finalmente teve uma visão de Purusha, a "Pessoa" arquetípica, divina. Então compôs o *Bhagavata Purana*, o coração transbordante de alegria enquanto celebrava Vishnu-Krishna, Senhor da criação.[94]

Purusha, a "Pessoa" primordial do Rig Veda, agora era vista como encarnada no Senhor Krishna, que era *purushottama* ("Vishnu personificado"). O corpo de Purusha tinha contido todos os mundos: todos os deuses, demônios, sábios e reis; todos os rituais; toda a verdade e, significativamente, todos os mantras, ritmos poéticos e cânticos védicos.[95] Desse modo, Vishnu/Krishna era não apenas o cumprimento do Veda, era o Veda em forma humana: "O ascetismo é o meu coração; o mantra é o meu corpo; o conhecimento assume a forma da minha atividade; os sacrifícios são meus membros; o darma nascido dos sacrifícios é a minha essência [atmã]; os deuses são meus vários alentos".[96] O obscuro saber dos Brâmanes agora se misturava ao anseios das pessoas comuns, que haviam sido excluídas dos ritos védicos. O objetivo não é mais uma absorção disciplinada, mística, no Brâman inescrutável, mas a união estática com Krishna.

De longe, a parte do *Bhagavata Purana* mais popular é o livro décimo, que, bebendo na fonte do *Harivamsha*, um suplemento do *Mahabharata* datado do século III, conta a história da infância de Krishna. Esse Krishna não tem nenhuma semelhança com o Krishna assustador e aristocrático da epopeia. A divina criança nasceu com os quatro braços e as armas de Vishnu, o Deus Supremo,[97] e seus pais imediatamente o reconhecem como Brâman encarnado.[98] O bebê Krishna vira uma pesada carroça durante a cerimônia de nascimento e arranca árvores pela raiz para libertar os espíritos presos lá dentro.[99] O menino Krishna é um inveterado ladrão de manteiga; desloca montanhas com a ponta do dedo; e ao examinar-lhe a boca a mãe vê lá dentro o universo inteiro.[100] Quando ele e o irmão Rama caminham pelas ruas de Mathura, os moradores imediatamente o reconhecem como o maior dos deuses.[101] Krishna, o vaqueiro, produz efeito devastador sobre as mulheres; ao vê-lo as mulheres de Mathura ficam totalmente confusas e abandonam suas tarefas domésticas.[102] Ele furta as roupas das *gopis*, as pastoras de vacas, enquanto elas tomam banho,[103] assume diferentes formas para fazer sexo com todas as mulheres, sem exceção — embora nos garantam que ele age por compaixão, e não por lascívia —, e ao som da sua flauta as *gopis* abandonam a ordenha pela metade, deixam o leite derramar no fogo e largam até os bebês que amamentam.[104]

Quando Indra ameaça punir a aldeia por negligenciar seu culto com uma tempestade arrasadora, Krishna defende a aldeia. Mas isso em nada se assemelha às batalhas de Indra com Vritra. Krishna se limita a pegar o monte Gorendhara e a segurá-lo como um guarda-chuva gigante para proteger a comunidade. Sua batalha mais famosa é com Kaliya, monstro de muitas cabeças que envenenava o riacho onde vivia, matando o gado. Krishna pula dentro da água, e insulta Kaliya até que ele emerge de seu covil. Em vez de lutar, Krishna dança em volta dele até a cabeça de Kaliya desprender-se do corpo, exausta. Kaliya reconhece a derrota, e Krishna o expulsa para uma ilha distante.

Brincar (*lila*) é o jeito de ser de Krishna. Bem diferente do Deus legislador das religiões monoteístas, Krishna expressa a natureza incondicional do divino, que não se subordina a convenções humanas.[105] Exemplifica a atividade imaginativa, rica e criativa do sagrado que é espontâneo e livre. Essa teofania revela uma divindade que não exige pompa nem louvor bajulatório, não governa o mundo sentada num trono soberano, nem necessita ou exige rituais elaborados. Em vez disso, o divino transcende as convenções humanas e as divisões de classe e nos estimula a questioná-las. A flauta de Krishna é uma convocação que zomba do nosso presunçoso senso de dever e convida homens e mulheres aos domínios da beleza e do Carnaval, aos quais nem os deuses resistem. As *gopis* expressam o desejo de um *ekstasis* que é impossível no mundo aborrecido do ramerrão. Em suma, o *Bhagavata Purana* contesta a imagem estereotipada da espiritualidade indiana como meditativa, iogue e imóvel. Sua perene popularidade sugere que expressa um insight fundamental. Com demasiada frequência a escritura é usada para confirmar nossas ideias preconcebidas, quando sua verdadeira função deveria ser a de subvertê-las.

Na China, a dinastia Song (960-1279) tinha desenvolvido a economia mais sofisticada do mundo na época, mas os territórios setentrionais, incluindo a Grande Planície, foram repetidamente invadidos pelos vizinhos bárbaros e o governo Song perdeu dezesseis divisões territoriais ao sul da Grande Muralha, enquanto a tribo Tanqat estabelecia seu próprio Estado no noroeste. Reforma das instituições e técnicas de governo pareciam inadiáveis. Wang Anshi (1021-86) estava convencido de que o problema era meramente militar e fiscal, ao passo que Sima Guang (1019-86), lançando o olhar de volta para os *Anais de Primavera e Outono*, buscava o "princípio" (*li*) subjacente de governo que revelasse que estratégias tinham dado certo no passado e poderiam, portanto, guiar a política atual.

Mas um grupo de confucionistas no norte, inicialmente envolvido nessas reformas políticas, achava que uma solução mais profunda era essencial. A mudança deveria basear-se no princípio sagrado ou na realidade definitiva que impregnava o cosmo, influenciava tudo que acontece e estava presente também em cada ser humano. Só se as pessoas adotassem esse princípio fundamental seus negócios estariam de acordo com o Caminho do Céu. Já por algum tempo budistas dominavam a cena filosófica e os budistas chineses afirmavam que era preciso buscar a iluminação antes de lançar-se na ação política. Mas o confucionista Han Yu (768-824) tinha contestado essa noção, citando um capítulo do *Clássico dos Ritos* conhecido como o *Grande Aprendizado* (*Daxue*), que preparava um *junzi*, passo a passo, para suas responsabilidades sociais e políticas. Mais recentemente, o grande estadista Fan Zhongyan (989-1052) ressaltara que, de acordo com Mêncio, Yao, Shun e Yu tinham alcançado a sabedoria justamente devido à sua compassiva preocupação com as pessoas e às medidas práticas que adotaram para aliviar seus sofrimentos. Em vez de fazer da nossa própria paz mental uma prioridade, como os budistas, afirmava ele, o caminho confucionista para a autorrealização estava na luta ativa pelo bem-estar da população em geral.

Por volta do século x, mais confucionistas começavam a estudar o *Grande Aprendizado*, que falava justamente desse dilema, afirmando que o engajamento político era essencial para o processo de aperfeiçoamento pessoal. Começa com uma frase concisa combinando as duas coisas: "O Caminho do *Grande Aprendizado* está na virtude edificante, em tratar as pessoas com afeto, e repousa na perfeita bondade [*ren*]".[106] O jeito de adquirir-se um caráter claro, luminoso não é retirar-se do mundo, mas amar as pessoas e fazer do *ren* ("humanismo") o alicerce da vida.[107] Como uma árvore, enraizada na misteriosa terra, o homem de *ren* aspira ao Céu mas, ao mesmo tempo, procura compassivamente ajudar as pessoas.[108] Cinco parágrafos concisos expunham esse programa. Era essencial estabelecer prioridades bem definidas: "Saber o que colocar em primeiro lugar e o que colocar em último nos aproxima do Caminho".[109] Os "anciãos" — Yao, Shun, Yu e o duque de Zhou — tinham começado tomando providências para que tudo estivesse bem com as próprias famílias, mas, para consegui-lo, tiveram de reformar mente e coração. Isso envolvia *gewu* ("a investigação das coisas"), a ampliação de seu conhecimento do Caminho do Céu, que, como o Céu impregnava tudo, incluía também o entendimento dos assuntos terrenos. O *Grande Aprendizado*, portanto, prescrevia um programa de oito partes, que começava com o cultivo individual e terminava com o estabelecimento da paz mundial:

> É só quando as coisas são investigadas que o nosso conhecimento se amplia; quando o conhecimento se amplia que os pensamentos se tornam sinceros; quando os pensamentos se tornam sinceros que a mente é corrigida; quando a mente é corrigida que a pessoa se desenvolve; quando a pessoa se desenvolve que a ordem chega à família; quando a ordem chega à família que o Estado é bem governado; quando o Estado é bem governado que a paz chega ao mundo.[110]

Esse projeto não era apenas para a classe dominante. Todo mundo — "do Filho do Céu às pessoas comuns" — tinha a responsabilidade de cultivar o *ren*, que era a "raiz" e o "alicerce" do mundo: "Jamais acontece de a raiz estar em desordem e os galhos em ordem". A não ser que o governante e seu povo cultivassem, juntos e assiduamente, sua humanidade, todo o edifício político continuaria corrupto e anárquico.

Han Yu também havia recomendado outro capítulo dos *Ritos*, conhecido como a *Doutrina do Meio* (*Zhongyong*), um texto mais psicológico, metafísico e místico, que Confúcio teria transmitido ao neto Zisi, que o repassou para Mêncio.[111] *Zhong* ("moderação") é um estado de equilíbrio, segundo se ensina, no qual emoções como o prazer, a raiva, a tristeza e a alegria são mantidas em perfeito equilíbrio:

> Quando esses sentimentos são despertados e todos, sem exceção, alcançam a medida e o grau adequados, dá-se a isso o nome de harmonia [*he*]. Quando o equilíbrio e a harmonia são obtidos no mais alto grau, Céu e Terra atingem a ordem apropriada e todas as coisas florescem.[112]

A regra estabelecida pelos Reis Sábios e pelos primeiros Zhou seguia o padrão da Natureza ou do Céu — o Caminho do Céu-e-da-Terra — no qual "todas as coisas são produzidas e desenvolvidas sem prejudicarem umas às outras. O curso das estações, o sol e a lua, é percorrido sem conflito".[113] Isso precisa ser reproduzido na vida política, pois o Caminho do Céu-e-da-Terra é também o Caminho dos seres humanos. É essencial para a nossa própria natureza — não "pode ser separado de nós por um instante" —, portanto podemos e devemos desenvolver a estabilidade e a harmonia que vemos na Natureza em nossa vida e evitar prejudicarmos uns aos outros.[114] Diferentemente do nirvana budista, isso não exige nenhum esforço extraordinário; na verdade, a palavra *yong* no título do capítulo significa "ordinário". Seguir o Caminho é apenas uma questão de fazer coisas normais — como comer, beber, conversar — corretamente, conscientizando-nos da importância dessas atividades triviais a cada momento do dia.

O aperfeiçoamento de si consiste, portanto, na santificação da vida diária. Governantes, súditos e até os *min* ("arraia-miúda") devem observar os ritos de família, vida pública e privada, sendo "reverentes para com estranhos de países distantes", fiéis aos amigos e obedientes aos pais. O Caminho do Céu-e-da-Terra exige que sejamos escrupulosamente honestos conosco, que nos comportemos decente, bondosa e respeitosamente com todos.[115] O Caminho se manifesta na ordem cósmica, portanto precisamos estudá-lo extensamente, investigá-lo cuidadosamente e praticá-lo tão a sério que ele se torne para nós uma segunda natureza.[116] Não nos tornará extraordinários; em vez disso, o objetivo é *cheng*, "autenticidade", ou "sinceridade". Apenas aperfeiçoamos a nossa natureza, desenvolvendo o nosso eu mais completo:

> Sinceridade é o Caminho do Céu. Pensar em como ser sincero é o caminho do homem. Sincero é quem depara com o que é certo sem esforço e apreende sem pensar. Está natural e facilmente em harmonia com o Caminho. Esse homem é um sábio. O que tenta ser sincero escolhe o bem e a ele se apega.[117]

Sabedoria não é um estado excepcional: Mêncio e Xunzi tinham afirmado com insistência que era possível para qualquer um, até mesmo para os *min*.

Enquanto taoistas e budistas buscavam a iluminação retirando-se da sociedade, o Meio, como Confúcio, dizia que precisamos uns dos outros para alcançar a plena humanidade. Ninguém pode se aperfeiçoar sem, ao mesmo tempo, trabalhar para aperfeiçoar todos os outros seres: "A sinceridade não é apenas a realização do próprio eu, é o meio pelo qual todas as coisas se realizam. A realização do eu significa humanidade [*ren*]".[118] Cheng é, portanto, uma força ativa que nos permite cooperar com Céu-e-Terra, aperfeiçoando uns aos outros e transformando o mundo:

> Só os absolutamente sinceros podem desenvolver plenamente sua natureza. Se puderem desenvolver plenamente sua natureza, então podem desenvolver plenamente a natureza de outros, então podem desenvolver plenamente a natureza das coisas, então podem ajudar na transformação e manutenção do Céu e da Terra. Podem, dessa maneira, formar uma trindade com o Céu e a Terra.[119]

Yong também significa aquilo que é universal: portanto, embora a palavra *zhong* no título se refira à natureza humana comum, *yong* nos dirige à parceria da humanidade com as forças sagradas do Céu-e-da-Terra e a unidade essencial de humanidade e divindade.

Essas duas escrituras foram essenciais para os reformistas confucianos do século XI. Zhou Dunyi (1017-73), entretanto, primeiro foi inspirado por *Mutações*, que ele acreditava ser "a fonte dos Cinco Clássicos [...] a profunda e sombria moradia do Céu, da Terra e dos seres espirituais".[120] Afirmava que os hexagramas tinham possibilitado a Confúcio "formar uma Trindade com Céu-e-Terra e tornar-se igual às Quatro Estações".[121] Zhou era tão profundamente consciente de sua relação íntima com todas as coisas que, segundo consta, recusava-se a cortar o capim que crescia debaixo da sua janela. Zhang Zai (1020-77) expressou essa visão da unidade e igualdade fundamental das coisas na "Inscrição Ocidental" ("Ximing"), assim chamada porque estava inscrita no muro ocidental de seu escritório:

> O Céu é meu pai e a Terra minha mãe, e mesmo uma criatura tão pequena como eu encontra um lugar entre eles.
>
> Portanto, aquilo que se estende através do universo eu considero meu corpo e aquilo que dirige o universo eu considero minha natureza.
>
> Todas as pessoas são meus irmãos e irmãs, e todas as coisas minhas companheiras.
>
> O grande governante [o imperador] é o filho mais velho dos meus pais [Céu e Terra] e os grandes ministros são seus administradores. Respeitem o idoso — esta é a maneira de tratá-los, como anciãos devem ser tratados [...]. Mesmo os que estão cansados e enfermos, aleijados e doentes, os que não têm irmãos ou irmãs, esposas ou maridos, todos são meus irmãos que sofrem e não têm a quem recorrer.

Essa visão da unidade de todas as coisas era, portanto, um pré-requisito para a ação compassiva. A "Inscrição Ocidental" termina assim: "Na vida, sigo e sirvo [ao Céu e à Terra]. Na morte, estarei em paz".[122]

Zhang Zai era tio e professor dos irmãos Cheng. "Quando tinham catorze e quinze anos", recordaria ele, "os dois Chengs já eram livres [de ideias errôneas] e queriam aprender a ser sábios."[123] Estavam convencidos de que a "Inscrição Ocidental" registrava um ensinamento perdido de Confúcio e que a sabedoria não estava limitada ao passado distante, mas poderia ser alcançada por qualquer pessoa no presente. Cheng Yi (1033-1108) escreveu para o irmão mais velho Cheng Hao (1032-85) que depois de estudar com Zhang Zai desistiu de preparar-se para os exames do Serviço Público e por dez anos oscilou entre o taoismo e o budismo, antes de retornar aos Clássicos.[124] Após um longo e profundo estudo, Cheng Hao concluiu que a visão da "unicidade de todas as coisas" era essencial para a conquista e a prática de *ren*, que o ligava estreitamente à Natureza: "O homem de *ren* considera o Céu e a Terra em união consigo; para ele não existe nada que não seja ele. Depois de os reconhecer como ele mesmo, o que haveria que não pudesse fazer por eles?".[125]

Vimos que o currículo do Estado, consistindo nos cinco Clássicos confucianos, tinha marginalizado a espiritualidade de Confúcio e Mêncio e, ao estimular uma "mentalidade de exame", dava a entender que os Clássicos deveriam ser abordados com uma atitude pragmática. Cheng Yi apresentou a descoberta do irmão como o heroico resgate dessa tradição perdida. Depois de Mêncio, dizia ele, a aprendizagem dos grandes sábios se perdera, por isso Cheng Hao "tomou como sua responsabilidade restaurar a tradição cultural":

> Como o Caminho não foi iluminado, doutrinas perversas e estranhas surgiram para competir, jogaram lama nos olhos e nos ouvidos das pessoas, e afundaram o mundo em imundície. Até pessoas de grande capacidade e inteligência brilhante têm sido conspurcadas pelo que veem e escutam [...]. Isso forma moitas de mato e ervas daninhas no caminho correto e obstáculos à porta da sabedoria. Precisamos limpar tudo isso antes que as pessoas entrem no Caminho.[126]

Depois de 1400 anos, portanto, o Caminho tinha sido redescoberto e era preciso defendê-lo com tenacidade naquele decadente e perigoso período da história. Independentemente do que os professores de Han ensinavam, a sabedoria era acessível a todos: "Quando se trata de aprender, a primeira coisa que importa é saber aonde ir, e em seguida atuar vigorosamente para que eles possam alcançar a sabedoria".[127]

Os Chengs chamavam sua filosofia de *Daoxue* ("aprendizado do Tao"), e ela exerceu apelo imediato sobre os homens de letras que ansiavam por uma interpretação mais espiritual da tradição. A resposta foi extraordinária: "Os que queriam aprender jogaram a mochila nas costas e arregaçaram as mangas [com pressa] para receber pessoalmente suas instruções, espalhando-as aos quatro ventos. Alguns em sigilo, outros abertamente".[128] Havia empolgação, ansiedade e esperança. Cheng Yi dizia que sua doutrina de "princípio" (*li*), bem diferente da dos reformistas políticos, era a lição perdida dos sábios, que havia sido expressa numa declaração concisa, de dezesseis caracteres, atribuída a Yao e Shun nos *Documentos*: "A mente humana é precária; a mente taoista é estável. Seja criterioso, seja íntegro, para que possa sinceramente perseverar no *Meio*!".[129]

Os neoconfucionistas acreditavam que todos nós temos duas mentes: nossa mente humana e a mente do Céu de que somos dotados ao nascer. Nossa mente celestial encarna o *li*, o princípio celestial, e o Caminho que devemos ser. Como explicava o *Meio*:

> O que o Céu transmite ao homem chama-se natureza humana. Seguir nossa natureza chama-se o Caminho. Cultivar o Caminho chama-se educação. O Caminho não pode ser separado de nós nem por um momento.[130]

É difícil resistir à tentação de equiparar essas duas mentes aos hemisférios esquerdo e direito do cérebro. Os Chengs recomendavam aos alunos que controlassem o que chamaríamos de movimentado hemisfério esquerdo e adquirissem a visão da unidade e interconexão da mente taoista, residente no hemisfério direito, que inspirou a "Inscrição Ocidental". Nossa mente humana é "precária": nossos desejos egoístas, nossos preconceitos e nossa instabilidade constantemente nos separam da nossa mente taoista, portanto precisamos controlá-la, unindo-a à nossa celestial mente taoista por meio do *jing* ("atenção" ou "reverência"). "Tenho sido perturbado por pensamentos intranquilos", confessou Su Jiming, do grupo de amigos de Cheng. "Às vezes, antes de refletir sobre um assunto, outros assuntos me ocorrem, emaranhados como fibras de cânhamo. O que devo fazer?" "Isso precisa ser evitado; é fonte de desintegração.

Você precisa praticar", respondeu Cheng Yi. "Praticando, você se torna capaz de concentração, tudo dá certo. Seja em pensamento ou ação, você deve sempre buscar a unidade."[131]

A mente *jing* é unificada e inteira, e para ser *jing* é preciso viver sempre no momento. Seja lá o que estivermos fazendo — cuidando de um pai, lavando, caligrafando, comendo ou olhando a paisagem —, o *jing* exige que controlemos nossa errante mente humana e nos concentremos na tarefa em questão, excluindo tudo o mais. Certos hábitos físicos podem nos ajudar a adquirir essa atenção. Cheng Yi aconselhava aos estudantes: "sejam arrumados e solenes", "controlem a expressão facial", "endireitem a roupa e enobreçam o olhar".[132] Na tradição chinesa, em que não existe divisão entre corpo e mente, nosso porte físico nos ajuda a desenvolver estados espirituais. "Ser digno e grave não é o caminho para a atenção mental interna", explicava Cheng Yi, "mas, para praticar o *jing*, é aí que se começa."[133] O corpo, portanto, é capaz de guiar e sustentar a mente até que ela finalmente esteja vazia de egoísmo e possa refletir o Tao da mesma maneira que a água parada reflete o céu.

Os Chengs desenvolveram a visão de Zhang Zai sobre a unidade e igualdade de todas as coisas. Como afirmava Cheng Hao em seu livro *Da compreensão de Ren*: "Uma pessoa de *ren* é indiferenciadamente o mesmo corpo [*tongti*] de todas as coisas".[134] A empatia, como vimos, é produto do hemisfério direito do cérebro, que está profundamente sintonizado com o Outro e vê toda a realidade como profundamente interligada. Por formarmos "um corpo" com todos os outros seres, devemos sentir seu sofrimento como se fosse nosso, assim como respondemos imediatamente à dor ou a uma coceira em nosso próprio corpo: "Não sentir simpatia desinteressada pelos outros é perder a consciência de que eles são uma só substância comigo".[135] Uma vez consciente de sua unidade com o Céu-e-a-Terra e com todas as coisas, afirmava Chang Hao, você "não tem mente [que seja sua]".[136] Isso era diferente da *anatta* ("não alma") budista, que nega a existência estável da mente humana. Chang Hao ensinava os estudantes a esvaziar a mente do egoísmo, para enchê-la da mente do Céu-e-da-Terra. Isso era obtido com esforço moral constante e com o *jing*, que também implica "reverência", um profundo senso de temor religioso. Cultivamos esse senso com *gewu*, "a investigação das coisas", um profundo estudo do "princípio" do Céu que existe em todas as suas manifestações, uma vez que o Céu fala conosco por intermédio de suas criaturas.[137] Como explicou Cheng Yi, *gewu* exige que se olhe abaixo da superfície:

> Em cada coisa, há uma manifestação de princípio — é preciso explorar ao máximo o princípio. Há muitas maneiras de explorar princípio — estudar livros, e a explicação de princípios morais nos livros; discutir figuras importantes, passadas e presentes, distinguindo o que há de certo e errado em suas ações; cuidar de questões práticas e administrá-las adequadamente. Tudo isso são maneiras de explorar princípio.[138]

Para Cheng Yi, também significava um estudo profundo do mundo natural: "cada folha de relva e cada árvore tem princípios que deveriam ser examinados".[139]

O "estudo de livros" era atividade crucial no grupo de Cheng.[140] Os Clássicos eram essenciais nessa missão, mas os Chengs achavam que o jeito de ler os livros no currículo estatal os distorcia completamente. Em vez de memorizar friamente esses textos para passar nos exames, os estudantes precisavam "saboreá-los", explorar seu sentido original, e ver como falam conosco, aqui e agora. Quando ensinava as *Odes*, Cheng Hao não as analisava intelectualmente, como explicou um de seus alunos, apenas "as saboreia descontraidamente, entoando-as alto e baixo, e com isso consegue que as pessoas tirem alguma coisa delas".[141] Os Chengs comparavam o "gosto" e o "sabor" do texto a uma experiência sensual na boca. Sua apresentação das escrituras juntava texto escrito e voz, especialmente quando estudavam os *Analectos*, porque isso recriava e continuava as discussões que Confúcio tinha iniciado com seus discípulos. Cheng Yi explicava:

> Pegue as palavras do sábio e as saboreie um pouco, então naturalmente haverá um ganho qualquer. Você precisa examinar profundamente os *Analectos*, fazer das perguntas dos alunos suas perguntas e ouvir as respostas do sábio como se seus ouvidos as tivessem ouvido hoje; então, naturalmente, você tirará daí alguma coisa. Se Confúcio ou Mêncio estivessem vivos agora, não conseguiriam mais que isso em sua comunicação com as pessoas.[142]

Aprender tinha que ser uma experiência comunal, não solitária, porque os estudantes aprendiam a ser pessoas de *ren*, que não se isolavam, mas viviam em comunhão umas com as outras.

Antes de mais nada, o estudo da escritura tem de ser transformador. "Se depois de estudar os *Analectos* a pessoa é exatamente a mesma de antes", disse Cheng Yi, "isso é nunca ter estudado o livro."[143] Era essencial que "o estudo de livros" se integrasse com a "investigação das coisas" no mundo natural num processo constante, cumulativo. "É preciso investigar um item hoje e outro amanhã", explicava. "Quando alguém acumula muito conhecimento, acaba alcançando naturalmente um entendimento completo, como uma súbita liberação."[144] Depois de um longo período de estudo intensivo, chega um momento de insight, quando tudo de repente se encaixa. Diferentemente da iluminação budista, que ia além do pensamento e do sentimento, os neoconfucionistas achavam impossível separar insight moral, intelectual e emocional. Mesmo para um racionalista como Cheng Yi, o estudo da escritura tinha repercussão física:

> Ao ler os *Analectos* e *Mencius*, faça-o completamente e sinta o verdadeiro gosto deles. Aplique as palavras do sábio a você mesmo, a sério. Não as trate apenas como palavras [...]. Há pessoas que leram os *Analectos* sem que nada lhes acontecesse. Há outras que ficam felizes quando entendem uma ou duas frases. Outras, ainda, depois de ler o livro, dançam inconscientemente com as mãos e os pés.

Para levar mais longe esse processo, os Chengs introduziram o hábito de "sentar quieto" (*jingzuo*), adaptado da meditação Chan e taoista, como forma mais relaxada de ioga. Esse hábito não exigia que se sentasse em posição de lótus; o objetivo era simplesmente esvaziar a inquieta mente humana como parte de uma prática diária de *jing*, com intervalos de uma hora.[145] Um de seus alunos disse que quando Cheng Hao se sentava quieto, dessa maneira, "era como uma estátua de barro, mas quando se associava com pessoas era, totalmente, uma esfera de pacífica disposição".[146] Os Chengs ensinavam basicamente pelo exemplo. Dizia-se, a respeito de Cheng Hao, que "ele não fazia com os outros o que não queria que os outros fizessem com ele":[147]

> Seu aperfeiçoamento pessoal era tão completo que ele estava totalmente imbuído do espírito de paz, o que se revelava na voz e na postura. Entretanto, quando se

olhava com mais atenção, ele era tão imponente e profundo que ninguém o trataria com desrespeito.[148]

Cheng Hao encarnava tão completamente as escrituras que se tornara uma realidade viva e ambulante.

Depois da queda das províncias ocidentais do Império Romano, a Europa passou a sofrer ataques constantes de escandinavos, magiares e piratas, e com frequência seus mosteiros eram as únicas ilhas de estabilidade. No começo do século v, John Cassian (*c.* 360-435) tinha fundado comunidades monásticas no sul da França, apresentando aos cristãos ocidentais o método de exegese de Orígenes e a espiritualidade dos Monges do Deserto, que tinham por base a memorização e a constante repetição de textos bíblicos. Os monges egípcios chamavam essa técnica de *mneme theou* ("a memória de Deus"). Mas, como explicou a estudiosa de assuntos medievais Mary Carruthers, *memoria* não era simplesmente a recordação de acontecimentos, mas implicava criatividade e invenção.[149] Uma vez memorizada, a escritura servia de base para a criação de novas ideias. Isso viola nossa moderna preocupação acadêmica com a objetividade e o respeito à integridade de textos antigos. No mundo pré-moderno, era não só permissível, mas essencial, fazer os escritos antigos dizerem alguma coisa de novo; como vimos, o objetivo não era ser fiel ao passado, mas edificar para o futuro.

Numa passagem que se tornou crucial para a hermenêutica ocidental, Paulo se comparara a um arquiteto:

> Lancei o fundamento sobre o qual outro está edificando. Todos que constroem o prédio precisam trabalhar com cuidado. Como fundamento, ninguém pode lançar outro que não seja o que já foi lançado, ou seja, Jesus Cristo. Sobre esse fundamento, pode-se construir com ouro, prata e joias, ou com madeira, capim e palha.[150]

Paulo tinha lançado os alicerces, mas outros completariam o edifício, usando materiais de sua escolha: "Não sabeis", perguntou aos coríntios, "que sois o templo de Deus e que o Espírito de Deus habita em vós?".[151] Vimos que em todas as tradições o objetivo do estudo escritural era a transformação pessoal. Paulo lembrava aos convertidos que eles não estavam construindo um edifício de doutrinas e práticas ortodoxas: eram o edifício. Cada qual desenvolvia o Espírito de Cristo dentro de si, e nesse projeto quintessencialmente pessoal não poderia haver regras exigidas de todos. O cristão precisava improvisar, cada um respondendo a suas circunstâncias exclusivas. O alicerce lançado por Paulo era apenas o começo: não deveria ser confundido com a estrutura final.

O papa Gregório Magno (*c.* 540-604) referiu-se à metáfora de Paulo em sua explicação dos três "sentidos" da escritura segundo Orígenes — o literal, o moral (ou tipológico) e o alegórico.

> Primeiro, entramos com as fundações do sentido literal [*historia*]; depois, por interpretação tipológica, construímos o tecido da nossa mente na cidade fortificada da fé; e, finalmente, através da graça da nossa compreensão moral, como uma cor que acrescentássemos, vestimos o edifício.[152]

O sentido literal da escritura era simplesmente o alicerce. Sua eficácia estava no uso criativo que fazemos dele na "fabricação" e na "cor" que acrescentamos ao longo do processo da nossa edificação pessoal. Gregório via os livros históricos da Bíblia como o "alicerce" da escritura, mas tinha pouco interesse pelo conteúdo factual. O objetivo da escritura não era nos ensinar a história de Israel ou da vida da Igreja em seus primeiros tempos, mas provocar uma mudança radical dentro de nós: "Precisamos transformar o que lemos dentro do nosso próprio eu, de modo que, quando nossa mente é excitada pelo que ouve, nossa vida possa contribuir praticando o que foi ouvido".[153] A não ser que, e até que, resulte numa grande mudança de vida, nossa interpretação da escritura estaria incompleta. A escritura era um espelho, no qual víamos tanto a nossa feiura como a nossa beleza: "Ali sabemos quanto ganhamos, ali sabemos a que distância estamos do nosso objetivo".[154] Seu objetivo não era nos ensinar sobre a obra de Deus no passado, mas estimular em nós a busca da santidade no presente. Pedro Crisólogo, o bispo de Ravena no século v, vivia a escritura como uma força dinâmica que, uma vez injetada na consciência, incendeia nossa mente e nosso coração: "Se pelo menos semeássemos esta semente de mostarda em nossas lembranças, de modo que ela cresça e se transforme numa grande árvore de conhecimento [...]. Dessa maneira, ela arderá para nós com todo o fogo de sua semente, e explodirá em chamas em nosso coração".[155] A escritura precisa estar tão profundamente interiorizada que se torne a parte de nós que mudou toda a nossa perspectiva.

No Ocidente, o mosteiro já não era um posto avançado no deserto, mas uma escola para educação da juventude. Bento de Núrsia (*c.* 480-547) tinha composto sua regra monástica quando a sociedade civil na Itália parecia prestes a entrar em colapso. Sua intenção era criar comunidades de obediência, estabilidade e *religio* (termo que poderia ser traduzido como "reverência" ou "ligação"). Sua Regra oferecia *disciplina*, um conjunto de rituais físicos cuidadosamente concebidos para reestruturar emoção e gerar uma atitude interior de humildade.[156] Mais tarde, a disciplina beneditina encantaria Carlos Magno (r. 772-84), o rei franco que restaurou a ordem no norte da Itália, na Gália e na Europa Central e se tornaria o primeiro "imperador sacro-romano". Ele e seus sucessores tinham consciência de que deviam suas conquistas às tropas altamente disciplinadas e promoveram o monasticismo beneditino em todos os seus domínios para reformar a Europa com um currículo baseado na escritura. Mosteiros que aderiam à reforma carolíngia eram presenteados com luxuosas Bíblias de púlpito, apesar de elas não terem qualquer semelhança com a Bíblia que conhecemos.[157] Consistiam em excertos bíblicos, arranjados para uso na liturgia monástica e na apresentação do Ofício Divino — *Opus Dei*, a "Obra de Deus" — que ocupava lugar central na reforma educacional carolíngia.[158]

No Ofício Divino, que pontuava o dia monástico, beneditinos cantavam todo o livro dos Salmos, com leituras intercaladas da escritura, toda semana. De importância especial era o Ofício Noturno, durante o qual se esperava que todo o cânone bíblico fosse recitado uma vez por ano, mas, como o reformista inglês Elfrico confessou, "por sermos servos preguiçosos e mandriões", a Bíblia tinha que ser lida também durante as refeições, para que a exigência fosse cumprida.[159] Essa apresentação da escritura não era, como às vezes se afirma, um exercício mecânico. Em sua Regra, Bento tinha explicado:

> Acreditamos que a presença divina está em toda parte, e que em todos os lugares os olhos do Senhor observam os bons e os perversos. Mas não deveríamos ter a menor dúvida de que isso é especialmente verdade quando celebramos o Ofício Divino. Pensemos então em como deveríamos nos comportar na presença de

Deus e de seus anjos, e cantemos os salmos de tal maneira que nossas mentes estejam em harmonia com nossas vozes.[160]

O Ofício, insistia Bento, era a principal ocupação do monge.[161] Os monges logo aprendiam todo o saltério de cor, e os ritmos do canto gregoriano davam aos salmos e hinos um timbre emocional que reforça seu significado semântico.[162] Como na entoação de um mantra indiano, a monotonia e o ritmo regular do canto restringem a consciência racional do hemisfério esquerdo do cérebro, possibilitando um modo de consciência mais intuitivo. Mas, diferentemente da Índia, onde o significado do mantra não tinha importância, o monasticismo ocidental jamais rejeitava o significado semântico dos salmos; a intenção era ir além do racional, para uma compreensão mais profunda e primordial das palavras escriturais.[163]

Os monges também dramatizavam as histórias bíblicas. Durante a Quaresma, andavam em procissão, cobertos de cinzas, contemplando os quarenta dias de Jesus no deserto; e no Domingo de Ramos encenavam a fatídica entrada de Jesus em Jerusalém. Durante a vigília da noite do Sábado de Aleluia, os leigos eram convidados para irem à igreja monástica participar num ritual que tornava claro para eles o significado da ressurreição pela dramática alternância de luz e sombra, silêncio e música exuberante. O *Regularis Concordia* (o "Acordo Monástico"), redigido na Inglaterra em 973, ressaltava sua importância para o laicato por "expor claramente tanto o terror da treva, que na Paixão de Nosso Senhor atacou o mundo tripartite com um medo invulgar, e a consolação da pregação apostólica que revelava ao mundo inteiro o Cristo obediente ao Pai mesmo na morte".[164] Na manhã do Domingo de Páscoa, os monges encenavam para o laicato a descoberta, pelas mulheres, do túmulo vazio e seu encontro com o anjo que lhes disse que Jesus havia ressuscitado. Monges transformavam a Bíblia em realidade viva para o laicato, com rituais e gestos que eram provavelmente seu vínculo principal com a escritura.[165] Tinha especial importância a encenação de Jesus lavando os pés dos discípulos na noite da véspera da sua morte. Em alguns mosteiros, toda a comunidade se revezava para lavar os pés dos pobres ao longo do ano e a Regra também instruía a lavar os pés dos convidados, como se fossem o próprio Cristo.[166]

Um monge passava duas horas por dia em *lectio divina* ("estudo divino").[167] Ele se imaginava diante de Moisés no Sinai ou aos pés da Cruz de Cristo.[168] Em vez de simplesmente correr os olhos pela página, murmurava as palavras, pronunciando-as em voz baixa, prática recomendada pelos retóricos clássicos como auxílio da memorização. Os monges comparavam o *lectio divina* à ruminação de uma vaca — metáfora possivelmente sugerida pelo movimento de "mastigação" da boca.[169] A memória era o estômago e a escritura o bolo alimentar ruminado, de cheiro adocicado, que, ingerido, tornava-se parte do ruminador e, quando solicitado, podia ser trazido de volta do estômago para o palato e dito em voz alta.[170] O texto, portanto, tornava-se parte integrante do monge. Um bom monge, escreveu um abade do século XII, "devorará e digerirá os livros santos [...] porque a lembrança deles não desistirá das regras da vida".[171] O sussurro do *lectio* tornava-se a voz de meditação — mais ou menos como o noivo no Cântico dos Cânticos chamava a noiva em voz baixa (*sono depresso*) ou a voz divina falou para Elias no sopro sussurrante de uma brisa suave.[172]

A meditação também tinha um vigor e uma urgência cheios de suspense, propósito e foco, dando à pacífica ruminação empurrão para a frente, prático.[173] Isso exigia *intentio* ("concentração"), na qual o monge se detinha em cada palavra da escritura. Agostinho lembrava que seu mentor, o bispo Ambrósio de Milão, lia silenciosamente enquanto sua "mente rememorativa decifrava [*rimabatur*] o sentido", desmontando cada palavra até exaurir seu potencial, antes de guardá-la na memória.[174] Uma vez que a escritura, como insistira Agostinho, não ensinava nada além de caridade, durante suas meditações o monge deliberadamente desviava sua *intentio* do ego e virava-a para os outros seres humanos.[175] *Intentio*, portanto, expressava o dinamismo da arte escritural, que só está completa quando leva o praticante a trabalhar vigorosamente por um mundo mais altruístico e compassivo.

Mas os mosteiros também fomentavam a erudição bíblica. Naquela altura, os livros da Bíblia eram apresentados em manuscritos individuais, prefaciados por um comentário de autoria de um dos Pais da Igreja, cujas interpretações com frequência divergiam entre si. Durante o século XII, portanto, alguns monges franceses tentaram criar um conjunto padronizado de comentários. Anselmo de Laon (m. 1117) interpretou os Salmos, as epístolas de Paulo e o Evangelho de João; seu irmão Ralph (m. 1133) glosou Mateus; enquanto seu aluno Gilbert d'Auxerre (m. 1144) enfrentou as Lamentações de Jeremias e os doze profetas menores. Todos seguiam o mesmo método: breves explicações eram inseridas entre as linhas do texto bíblico com um comentário mais longo nas margens. A fórmula tornou-se tão popular nas escolas monásticas que passou a ser conhecida como *Glossa Ordinaria* ("a Glosa Ordinária").

Na abadia de São Vítor em Paris, a exegese tornou-se mais aventurosa e avançada. Hugo de São Vítor (m. 1141), que acrescentou um quarto "sentido" de escritura aos três de Orígenes, definiu a meditação como "a capacidade de uma mente penetrante e curiosa para explorar as obscuridades e perplexidades que encontramos na escritura".[176] Começava-se com um estudo intensivo de *littera*, o sentido literal, que incluía o estudo de gramática e de retórica, mas a essa altura o estudante deveria também aplicar o sentido espiritual, *allegoria*, porque os acontecimentos do Velho Testamento pressagiavam os do Novo. Dessa maneira, ele aprendia que o presente continha as sementes de coisas futuras. Em seguida, o sentido moral ou tropológico, quando descobria o que aquela escritura significava para ele, pessoalmente. Por fim, em meditação, desenvolvia *intentio*, que o impelia à ação compassiva no presente para criar um futuro melhor.[177]

Enquanto isso, as comunidades judaicas do norte da França desenvolviam uma forma de exegese inteiramente diferente. O rabino Shlomo Yitzhak (m. 1105), conhecido como Rashi, tinha abandonado os *midrash* para se concentrar no sentido literal da escritura, detendo-se em determinadas palavras que, quando examinadas com minúcia, levantavam novas questões.[178] *Bereshit* (a primeira palavra do Gênesis) podia significar "No princípio de", por isso um jeito de ler a frase era "No princípio da criação por Deus do Céu e da Terra, a Terra era sem forma e vazia [*tohu vabohu*]". Será que isso significava que as matérias-primas do mundo já existiam? Uma leitura alternativa de *bereshit* seria "Por causa do princípio" e, na Bíblia, Israel e a Torá também eram referidos como *bereshit*. Poderíamos, então, deduzir que Deus tinha criado o mundo especificamente para dar a Torá a Israel? Os sucessores de Rashi eram mais radicais. Joseph Karo (m. 1130) afirmava que um intérprete que se afastava do texto simples era como um homem que se afogava agarrado a uma palha, e Joseph Bekhar Shor buscava encontrar uma explicação natural para os sinais e maravilhas da Bíblia. A mulher de Ló simplesmente foi coberta pela lava da explosão vulcânica que destruiu Sodoma e Gomorra; José tinha sonhado com a grandeza futura porque era um jovem ambicioso, e qualquer pessoa com um mínimo de inteligência seria capaz de interpretar os sonhos do faraó.

Essa abordagem rigorosamente literal deixou intrigado André de São Vítor (1110-75), o mais talentoso aluno de Hugo, que se tornou o primeiro erudito cristão a tentar uma interpretação totalmente literal da Bíblia.[179] André nada tinha contra a alegoria, mas simplesmente não se interessava por alegorias, portanto, como Rashi, concentrou-se na semântica e nos fatores geográficos e históricos que esclareciam o sentido simples. Concordava com Rashi que Isaías tinha previsto que uma "jovem", não uma virgem, daria à luz Immanu-El; nem sequer mencionou Jesus em seu comentário do Cântico dos Cânticos; e via no Servo uma representação simbólica de todo o povo de Israel, e não um precursor de Cristo. Em vez de enxergar na visão de Ezequiel de alguém "como o filho do homem" uma profecia da encarnação, André simplesmente se perguntava o que os exilados judaítas teriam achado dessa visão peculiar.

Alguma coisa estava acontecendo com a espiritualidade ocidental. *Lectio divina* continuava indispensável para a vida espiritual de Anselmo de Bec (1033-1109), mas ainda assim ele desenvolveu a famosa prova ontológica, que nada tinha a ver com escritura, porém se utilizava da nova metafísica que ia se tornando moda na Europa. Anselmo definiu Deus como "essa coisa em comparação à qual nada se pode pensar de mais perfeito" ("*aliquid quo nihil maius cogitari possit*").[180] Isso não só não tinha base alguma na escritura, como chamava Deus de "coisa", um ser cuja existência poderia ser comprovada pelo hemisfério esquerdo. Anselmo não escreveu comentários à escritura e em seus escritos teológicos simplesmente recorria à Bíblia para fundamentar ideias próprias — exemplo inicial, talvez, de "texto-prova".[181] E, o que era mais notável, em *Por que Deus se tornou Homem?*, Anselmo usou textos bíblicos para embasar um arrazoado inteiramente lógico da encarnação e da crucificação: o pecado de Adão exigia expiação; como Deus era justo, o ser humano precisava expiar; mas como o pecado geral era tão grave, só Deus poderia expiar. Se quisesse salvar o mundo, portanto, Deus tinha que se tornar homem. Como lógica, era impecável. Como teologia, era ruim, porque Anselmo estava fazendo "Deus" pensar como ser humano.

A doutrina do pecado original de Agostinho ainda não assomava na espiritualidade ocidental, mas as orações de Anselmo mostravam o que poderia acontecer se assomasse:

Ai de mim, sou de fato desprezível, um desses desprezíveis filhos de Eva, separados de Deus! O que comecei, e o que consegui? [...] Busquei a bondade e o que temos aqui é perturbação; eu queria me aproximar de Deus e era meu próprio obstáculo. Busquei a paz interior, e nas profundezas do coração encontrei aflição e tristeza.[182]

A ênfase no pronome pessoal é extraordinária; a convicção de culpa herdada parece ter engastado Anselmo no ego que ele deveria tentar transcender. Em vez de o impelir kenoticamente à compaixão para com os outros, a *intentio* de Anselmo o empurrava de volta para si mesmo, de um modo que se tornaria muito comum no cristianismo ocidental.

11. Inefabilidade

O racionalismo de Rashi, André e Ambrósio sinalizou uma mudança na espiritualidade da Europa, que começava sua prolongada transição da economia agrária para a economia capitalista, impulsionada por pensamento crítico e empírico. As estruturas sociais tradicionais já começavam a se debilitar. À medida que as cidades iam se tornando centros de prosperidade, poder e criatividade, banqueiros e financistas de origem humilde enriqueciam à custa da aristocracia, enquanto parte da população urbana era reduzida à pobreza mais abjeta.[1] Ricos e pobres viviam tão próximos que a disparidade se tornava intolerável. As condições dos camponeses também se haviam deteriorado seriamente. Alguns migraram para as cidades e enriqueceram, mas aldeões sem terras percorriam o interior tentando desesperadamente arranjar emprego.[2]

Apesar de quase todas as escrituras que discutimos aqui insistirem na justiça social e na preocupação com a "arraia-miúda", sempre houve um limite para a implementação desses valores nas economias agrárias. O novo capitalismo não melhoraria a situação. O apego ao dinheiro, de uso comum no fim do século XI, era visto como a "raiz de todo o mal", e na iconografia popular o pecado mortal da avareza inspirava desprezo visceral.[3] Nesse clima, a riqueza do clero aristocrático, em violação à ética igualitária dos evangelhos, tornara-se particularmente ofensiva e era denunciada com veemência por grupos dissidentes condenados pela Igreja como heréticos. Os seguidores de Valdo — rico comerciante de Lyon que doara todos os seus bens aos pobres — mantinham uma posse comum daquilo de que dispunham, tal qual os primeiros cristãos, e, como os apóstolos de Jesus, viajavam em duplas, de cidade em cidade, descalços e mendigando comida. Os cátaros, os "puros", fundaram igrejas alternativas dedicadas à pobreza, à castidade e à não violência, nas grandes cidades do norte e do centro da Itália, em Languedoc e na Provença.

Numa tentativa de conter o movimento da pobreza, o papa Inocêncio III aprovou a Ordem dos Frades Menores fundada por Francisco de Assis (*c.* 1181-1226), filho de um comerciante abastado que renunciou a seu patrimônio depois de uma doença grave. Ele e seus seguidores se dedicaram ao serviço dos pobres nas cidades, e sua Regra inicial consistia quase exclusivamente em citações bíblicas. Como explicou o biógrafo Tomás de Celano, a espiritualidade de Francisco baseava-se em *lectio divina*:

> Sempre que lia os Livros Sagrados, e alguma coisa entrava em sua cabeça, ele a escrevia indelevelmente no coração. Tinha boa memória para livros [inteiros], porque, uma vez que ouvia algo ele o acolhia sem leviandade, mas, com contínuas e devotas atenções, sua memória-emoção [*affectus*] ruminava aquilo. Esse, dizia ele, era o frutífero método de ensino e leitura, e não ter perambulado por milhares de discussões eruditas.[4]

Como vimos, a meditação monástica sobre a escritura concluía com uma *intentio* focalizada na caridade. Enquanto beneditinos tinham convidado leigos para o mosteiro, um refúgio de *stabilitas* e *caritas* num mundo violento e instável, as meditações de Francisco sobre o Evangelho o impeliram para as cidades turbulentas. No mesmo espírito, Domingos de Gusmão (1170-1221) e sua Ordem dos Pregadores levaram o Evangelho para populações do sul da França e da Espanha.

Desde o início, os dominicanos tinham consciência de que precisavam de sólidos conhecimentos bíblicos para rebater os argumentos dos cátaros, mas também os franciscanos se deram conta de que, se não quisessem ser vistos como os "apóstolos de imitação" e "falsos profetas", denunciados no Novo Testamento,[5] precisariam adotar um tipo diferente de discurso. Havia muitos ensinamentos da Igreja que não se baseavam na escritura: como poderiam os frades explicar essa discrepância? *Lectio divina* não servia de nada nesse caso; os frades então entenderam que precisavam daquilo que o filósofo francês Pedro Abelardo (1079-1142) tinha chamado de *theologia*, um "discurso a respeito de Deus" que exigia uma abordagem mais analítica da verdade religiosa e era apoiado por argumentos logicamente convincentes.[6] Os frades se tornaram uma força importante nas novas "universidades", assim chamadas porque buscavam uma concepção universal da verdade que integrasse diferentes campos do conhecimento. Os frades começaram a aplicar suas novas habilidades à Bíblia, compondo *postillae*, comentários linha por linha que cobriam tópicos não incluídos na *Glossa Ordinaria*, e, bebendo na obra de Rashi e de André de São Vítor, tentaram estabelecer uma edição mais precisa da Vulgata de Jerônimo. Tentaram ainda integrar o currículo monástico tradicional às novas disciplinas científicas que os eruditos tinham trazido da Espanha muçulmana.[7]

Desde o século X, eruditos europeus tinham ido a Córdoba estudar com os mulás e ali encontravam a medicina, a matemática e a ciência da Grécia antiga que a Europa perdera durante a Idade Média. Os muçulmanos tinham traduzido textos gregos para o árabe durante os séculos VIII e IX, e o estudo de Aristóteles havia inspirado alguns muçulmanos a desenvolver uma nova tradição islâmica, à qual deram o nome de *falsafah*. Traduzida sem grande rigor como "filosofia", era na verdade todo um modo de vida. Os *faylasufs* queriam viver de acordo com as leis racionais, que a seu ver governavam o cosmo, integrando seu conhecimento científico ao ensinamento corânico. Houve conflitos, claro: a ciência aristotélica contradizia a doutrina corânica da criação ex nihilo, mas os *faylasufs* não desprezavam a opinião tradicional. Tanto a escritura como a ciência, segundo eles, eram caminhos válidos para Deus, porque atendiam às necessidades de diferentes pessoas. Mas a *falsafah* era mais desenvolvida, porque expurgava a ideia de Deus de qualquer antropomorfismo. O conceituado *faylasuf* Abu Ali ibn Sina (*c.* 980-1037), conhecido no Ocidente como Avicena, chegou a conclusões bem diferentes de seu contemporâneo Anselmo de Bec, afirmando que a Unidade Divina significava que Alá era perfeitamente simples e, portanto, não possuía atributos distintos da sua essência — em vista disso, a razão analítica não tinha absolutamente nada a dizer sobre ele.

Os cristãos europeus, que descobriram Aristóteles por intermédio dos comentários de *faylasufs* devotos, de inclinação mística, como Avicena, acharam--no inebriante. Traduziram do árabe para o latim as obras de Aristóteles, que, no começo do século XIII, já eram estudadas nas universidades de Paris, Bolonha, Oxford e Cambridge, dando aos cristãos ocidentais exatamente o que eles procuravam. Pela primeira vez, depararam com uma visão intelectual que abrangia teologia, cosmologia, lógica, ética, física, metafísica e política num único sistema.[8] Passaram então a incluir a filosofia moral e natural e a metafísica no currículo universitário. Oxford e Cambridge introduziram também medicina, direito e teologia, formando médicos para cuidar dos doentes, advogados para administrar a justiça, e pastores para ensinar a fé. Tudo precisava ser posto debaixo do guarda-chuva sagrado do divino — e Aristóteles mostrou que era possível integrar esse novo conhecimento e demonstrar sua verdade racionalmente.

Alguns estudiosos, porém, viam com cautela a ciência aristotélica, que sustentava que o universo sempre existira e simplesmente tinha sido posto em movimento pelo Motor Primário, que Aristóteles equiparava a "Deus". Mas, em meados do século XIII, Boaventura de Fidanza (1221-74), franciscano, e o erudito dominicano Tomás de Aquino (1225-74) a rigor batizaram Aristóteles. Tomás entendeu o desafio do aristotelismo e, em seu tratado *Da ciência da Escritura Sagrada*, afirmou que a teologia poderia se tornar uma ciência racional, aristotélica — mas com uma diferença. Para Aristóteles, o conhecimento científico começava com os primeiros princípios a partir dos quais todas as outras verdades poderiam ser logicamente deduzidas. Mas a revelação bíblica, baseada em histórias e acontecimentos, concentrava-se em particulares, e não em universais. O exegeta podia achar que os acontecimentos bíblicos significavam verdades universais, ou concluir que a teologia era uma forma de sabedoria, mas não uma ciência. Tomás preferiu a primeira opção, acrescentando a nova ciência racional da *theologia* aos quatro "sentidos" tradicionais da escritura. O significado das palavras inspiradas fornecia o sentido literal da escritura, e as realidades a que se referiam davam o sentido espiritual, que devia estar sempre fundamentado no literal.

Aristóteles tinha definido Deus como o "Motor Primário"; para Tomás, Deus era o "Primeiro Autor" da Bíblia. Os autores humanos, que tinham traduzido o Verbo divino em discurso terreno, eram instrumentos de Deus e, por assim dizer, também Deus os pusera em movimento — embora fossem responsáveis apenas pelo estilo e pela forma literária dos textos. O exegeta poderia aprender muito com o sentido literal da escritura, que agora incluía um estudo racional do vocabulário e da retórica da Bíblia. Porém, diferentemente de autores humanos que só podiam se comunicar com palavras, Deus também era capaz de orquestrar acontecimentos históricos. O sentido literal do Velho Testamento poderia ser encontrado nas palavras usadas pelos autores bíblicos, mas seu significado espiritual só viria à luz em acontecimentos como o Êxodo ou a instituição do Cordeiro Pascoal, que prefigurava a obra redentora de Cristo.

Contudo, as técnicas arrebatadoras da lógica aristotélica não nos levavam muito longe. Sempre que fizesse uma declaração sobre Deus, afirmava Tomás, o teólogo precisava lembrar que suas palavras eram inerentemente, inevitavelmente inadequadas, pois o que ele chamava "Deus" era transcendente — ou seja, estava além do nosso alcance conceitual. *Theologia*, literalmente "discurso sobre Deus", deveria, portanto, enfim reduzir tanto o orador como a plateia a um assombro silencioso. Se a nova ciência da *theologia* não deixasse claro que a realidade a que chamamos "Deus" estava fora do alcance da mente humana, suas declarações seriam idólatras. No início da *Summa Theologiae*, sua obra-prima, Tomás relacionou, um tanto superficialmente, cinco "provas" (ou, como preferia chamá-las, cinco "vias") da existência de um Motor Primário, uma Causa Eficiente, um Ser Necessário, a Altíssima Excelência e o Planejador Inteligente, como demonstrado por Aristóteles e pelos *faylasufs*. No entanto, depois de aparentemente ter resolvido a questão, Tomás minou o projeto inteiro, ressaltando que não sabemos o que foi que provamos. Tínhamos apenas lidado com um mistério insolúvel:

> Não há como provar que homens, céus e pedras não existem desde sempre; portanto, é bom nos lembrarmos disso, para não tentarmos provar o que não pode ser provado e dar aos descrentes motivos para zombaria, e para acharem que as razões que apresentamos são nossas razões para acreditar.[9]

Nem mesmo a escritura poderia nos dizer coisa alguma sobre Deus — na verdade, sua tarefa era nos fazer perceber que Deus era incognoscível. "O máximo conhecimento do homem está em saber que não O conhecemos", explicou Tomás, "pois só conhecemos Deus verdadeiramente quando acreditamos que isso está muito acima de tudo que o homem é capaz, possivelmente, de pensar sobre Deus."[10]

Até Jesus, suprema revelação de Deus, se esquivou de nós. Paulo não tinha afirmado com insistência que o Cristo estava "muito acima [...] de qualquer nome que se nomeie"? Diz a escritura que, durante a subida para o céu, Jesus se ocultou numa nuvem. Quando ele deixou o mundo, portanto, o Verbo foi ocultado de nós outra vez, numa esfera além do alcance do nosso intelecto, permanecendo perpetuamente incognoscível e inominável.[11] Toda a obra de Tomás pode ser lida como uma tentativa de contestar a tendência, encontrada em Anselmo, de domesticar a transcendência. Suas longas e, para a mente moderna, tortuosas análises devem ser lidas como um rito intelectual que conduz o leitor através de um labirinto de pensamento que vai culminar num *musterion* ou *ekstasis* final.[12] Está claro que para Tomás fé não significava crença acrítica. A meditação era um estado de intensa e lúcida atenção, que Tomás definia como *solicitudo* ("preocupação"). Como um cão mordendo um osso, ela desperta *curiositas*, que não é "curiosidade ociosa", mas, numa tradução melhor, seria "cuidado" ou "atenção vigilante", estado de excitação intelectual em que as emoções também estavam profundamente envolvidas.[13]

Tomás reverenciava imensamente, e citava com frequência, os escritos de um anônimo teólogo grego do século VI que havia adotado o pseudônimo de Dionísio, o Areopagita, o primeiro ateniense convertido por são Paulo.[14] A obra de Dionísio, traduzida para o latim, influenciou praticamente todos os grandes teólogos ocidentais antes da Reforma. O fato de que tão pouca gente não ouviu sequer falar dele hoje em dia talvez seja um sintoma das dificuldades que temos com a religião. Dionísio tornou os cristãos sensíveis às limitações da linguagem. Ressaltava que, na Bíblia, Deus recebera 52 nomes.[15] Era chamado de pedra e de guerreiro e comparado ao céu e ao mar. Como aquilo que chamamos "Deus" era ubíquo e se derramava continuamente em suas criações, qualquer um desses nomes pode nos dizer algo sobre Deus. A pedra, por exemplo, falava da estabilidade e da permanência de Deus — mas era obviamente um erro dizer que Deus é uma pedra. Os nomes mais sofisticados que damos a Deus, como Unidade, Bondade, Trindade e outros semelhantes, eram mais problemáticos e podiam ser mesmo perigosos, dando a impressão errônea de que sabemos o que é Deus. Mas Deus não é "bom" em nenhum sentido que possamos entender e é diferente de qualquer espécie de tríade que faça parte da nossa experiência. Muito embora Deus nos tenha revelado esses "nomes" nas escrituras, é importante termos sempre em mente que não fazemos ideia do que significam.

A linguagem mítica da escritura, explicava Dionísio, abastece Deus "de cavalos e bigas e lhe oferece banquetes delicadamente preparados", como se ele fosse um ser humano, de maneira que podemos facilmente nos acostumar a pensar em Deus como um ser igual a nós, numa escala exagerada, com apetites e opiniões como os nossos. A Bíblia também nos fala dos "acessos de raiva de Deus, Suas tristezas, Seus vários juramentos, Seus momentos de contrição, Suas pragas, Suas iras, e múltiplas e tortuosas razões são dadas para Suas falhas no cumprimento de promessas".[16] Tudo isso é tão obviamente inadequado que deveria nos chocar, levando-nos a avaliar a inerente incompetência de discursos teológicos mais sofisticados.[17] Ao ouvir as escrituras, precisamos lidar criticamente com o que está sendo dito, perceber que estamos balbuciando sem coerência, e guardar constrangido e reverente silêncio.

O próximo passo é repudiar esses nomes e, com isso, avançarmos de modos terrenos de percepção para o modo divino. Negar os nomes físicos é fácil, pois está claro que Deus não é pedra, brisa suave ou guerreiro. Nem é nada parecido com um criador ou artesão humano. Mas precisamos também negar os nomes mais abstratos de Deus, porque Deus não é Mente, Grandeza, Poder, Luz, Vida, Verdade ou mesmo Bondade, tal como a conhecemos.[18] Certamente não podemos dizer que Deus "existe", porque nossa experiência existencial se baseia em seres limitados e moribundos, e não no próprio Ser.

> Deus é conhecido por conhecimento e por desconhecimento; sobre ele há entendimento, razão, conhecimento, toque, percepção, opinião, imaginação, nome e muitas outras coisas, mas Ele não é compreendido, nada pode ser dito a seu respeito, ele não pode ser nomeado. Ele não é nenhuma das coisas que são; Ele é todas as coisas em tudo e nada em coisa alguma.[19]

Não se trata aqui simplesmente de um árido enigma orquestrado pelo hemisfério esquerdo do cérebro. Dionísio ensinava sua assembleia de fiéis gregos a participar dessa disciplina durante a eucaristia, quando eram tocados, sensual e emocionalmente, pela música evocativa, pelo drama e pela solenidade ritualizada que a transpunham para o mundo intuitivo do cérebro direito. Nesse contexto, a prática de Dionísio era capaz de provocar um *ekstasis* como o da *brahmodya*.

No Ocidente medieval, essa teologia apofática, ou "silenciosa", de Dionísio existia como contraponto corretivo para a *theologia* aristotélica. Boaventura, franciscano italiano que lecionava em Paris na época de Tomás, também afirmava que Cristo, suprema revelação de Deus, não tornava o divino nem um pouco mais claro. "Tomem cuidado", advertia ele, "para não ficarem achando que podem subestimar o incompreensível."[20] O Verbo falado por Deus em Cristo e na escritura passava, gradual e inexoravelmente, para o desconhecido, conduzindo-nos ao Pai incognoscível.[21] A revelação não produzia nenhuma clareza, mergulhando-nos na obscuridade. Em vez de apresentar a morte de Jesus como uma necessidade lógica, à maneira de Anselmo, Boaventura afirmava que a crucificação do Verbo refletia a fragilidade de toda linguagem a respeito de Deus. Nós também "precisamos morrer para entrar nessa escuridão. Silenciemos todos os nossos cuidados e todas as nossas imaginações. Vamos 'passar deste mundo ao Pai' [...].[22] Aquele que ama esta morte poderá ver Deus, pois é absolutamente verdadeiro que o homem não pode ver Deus e estar vivo".[23] A linguagem da escritura, insistia Boaventura, sempre aponta para além de si mesma. Certamente, as ciências naturais, a lógica e a ética podem contribuir para a nossa compreensão do divino, mas só se reconhecermos as limitações da *theologia* numa disciplina interior que ponha de pernas para o ar nossas maneiras normais de pensar e de ver.

Esse conselho era valioso — na verdade, essencial. Desde que a inefabilidade de Deus fosse preservada, Tomás e Boaventura não viam qualquer incompatibilidade entre a racionalidade científica e a escritura. Tinham desenvolvido uma teologia escolástica modelada no discurso científico, que afirmava que a *theologia* tinha coerência lógica, era agudamente analítica, e avançava seguindo um implacável formato de perguntas e respostas. Mas alguns europeus de uma geração depois daquela de Tomás e Boaventura começaram a cultivar uma visão exclusiva do hemisfério esquerdo, não apenas sobre o mundo, mas também sobre Deus. Nessa época, os universitários estudavam lógica, matemática e ciência aristotélica, antes de iniciarem seus estudos teológicos, e chegavam à Escola de Divindade tão versados na metodologia científica que se sentiam tentados a resolver problemas teológicos por meio da matemática.[24] Na Inglaterra, o teólogo franciscano João Duns Escoto (1265-1308) estava convencido, como Platão, de que a razão era capaz de provar qualquer coisa, sendo possível, portanto, chegarmos a uma compreensão adequada de Deus com nossos poderes naturais de raciocínio. Tomás afirmara que, muito embora o que chamamos "Deus" devesse "existir", não fazemos ideia do que a palavra "existe" significa nesse contexto — e o mesmo se aplica a qualquer dos atributos divinos.[25] Mas Escoto sustentava que "existência" tinha o mesmo significado, fosse aplicada a Deus, aos homens, às montanhas, aos animais ou às árvores. Tomás tinha considerado esse tipo de pensamento potencialmente idólatra, pois, se entendêssemos que Deus era um mero ser, seria fácil demais projetar nossas próprias ideias nele e criar um ídolo à nossa semelhança. Guilherme de Ockham (*c.* 1285-1349), outro franciscano inglês, também afirmava que nossas declarações doutrinárias eram verdadeiras no sentido literal e deveriam ser submetidas a severa investigação racional.

A escolástica medieval, entretanto, não se dava conta de que o conhecimento do mundo natural cientificamente adquirido é, em essência, diferente do conhecimento oriundo de textos. Ele só pode avançar através da observação empírica, que testa suas descobertas por meio de experimentos e, na verdade, está sujeito a constante revisão.[26] À medida que se desenvolvia na Europa, o método científico levaria a uma tensão no futuro. No fim, os grandes cientistas dos séculos XVII e XVIII rejeitariam com desprezo a ciência aristotélica, mas, ironicamente, foi seu fundamento acadêmico no aristotelismo que lhes permitiu chegar a esse ponto.[27]

O misticismo islâmico concentrava-se inteiramente no Alcorão. Jafar al-Sadiq (m. 765), tetraneto do Profeta Maomé, era reverenciado pelos xiitas como o verdadeiro líder da *ummah*, mas desenvolveu uma forma de exegese mística que também foi crucial para o misticismo sufista. Essas técnicas de meditação permitiam a seus discípulos intuir uma sabedoria oculta (*batin*) em cada versículo corânico — uma espiritualidade que não se destinava a substituir, mas a suplementar, a exegese literal de um erudito como Tabari. Jafar chamava o processo de *tawil* ("levar de volta"), porque o intérprete se tornava capaz de ouvir o Alcorão enquanto era recitado no reino celestial. Henri Corbin, o historiador do xiismo iraniano, comparou-o a uma polifonia musical: intérpretes podiam ouvir as palavras árabes humanas ao mesmo tempo que intuíam a essência divina do Alcorão. Ao escutar (*sama*) dessa maneira, o exegeta aplacava suas faculdades críticas e percebia o silêncio numinoso que cercava as palavras da escritura, agora agudamente consciente do abismo entre nossa ideia de Deus e a realidade inefável.[28]

O xiismo era movido por uma aguda ansiedade sobre transmissão corânica. Sendo o texto corânico problemático, como vimos, os xiitas acreditavam que a interpretação exigia um insight profético.[29] Alegavam que Maomé tinha transmitido o conhecimento esotérico (*ilm*) do Alcorão ao primo e genro Ali; e que cada descendente de Ali repassara esse conhecimento ao próprio filho e sucessor. O líder da *ummah* tinha que ter esse entendimento especial da escritura, para poder atualizar o Alcorão, fazendo-o falar para épocas e circunstâncias diferentes.[30] Os xiitas sustentavam que o próprio Alcorão endossava a necessidade do imamato nos versículos endereçados à família do Profeta, os *ahl al-beit*, e em referências a um imã que guiaria a *ummah*.[31] No versículo místico que descreve Deus como a luz do mundo, "alimentada pela bendita oliveira", a oliveira seria uma referência aos imãs.[32] Embora os muçulmanos comuns pudessem compreender o sentido claro e óbvio do Alcorão, só os imãs que tivessem esse conhecimento especial poderiam captar o sentido oculto de cada versículo corânico.[33]

Após a morte de Jafar, houve um racha no Shiah. A maioria dos xiitas reverenciava uma sucessão de doze imãs descendentes de Ali. Com o declínio do poder dos abássidas, os califas não poderiam permitir que os imãs continuassem soltos, por isso o décimo e o 11º imãs foram presos e provavelmente envenenados, mas o 12º imã simplesmente desapareceu. Dizia-se que ele tinha sido miraculosamente escondido por Deus — indo para a "ocultação" — e que voltaria pouco antes do Juízo Final para estabelecer o primado da justiça. Outros xiitas, porém, acreditavam que a linhagem de Ali tinha terminado com Ismael, o primogênito de Jafar, que morrera antes do pai, e, diferentemente dos "xiitas dos Doze", os "ismaelitas" não aceitam a legitimidade do segundo filho de Jafar.

Abu Yaqub al-Sijistani (m. 971), importante pensador ismaelita, sentia-se incomodado com a linguagem antropomórfica aplicada a Deus no Alcorão, por isso criou um exercício dialético que, quando posto em prática, produzia um senso do transcendente que tornava o recitador consciente da gaguejante impropriedade do logos quando aplicado ao divino. Começava falando de

Deus por meio de negativas — Deus é não ser em vez de ser, não ignorante em vez de sábio. Mas isso nos deixava com uma árida abstração; portanto, precisávamos negar a negação, dizendo que Deus era "não não ignorante" ou "não não Nada".

O *tawil* sufista era menos historicamente focado, mas também se radicava no Alcorão. Os sufistas queriam experimentar um pouco do que o Profeta tinha sentido ao receber as revelações do Alcorão, por isso buscavam um sentido oculto (*batin*) nos versículos corânicos que pudesse jogar alguma luz sobre o estado interior de Maomé. Ressaltando a misericórdia e o amor de Deus, mais do que o severo julgamento Dele, inventaram práticas que possibilitavam a todo mundo — não apenas a uma elite mística — ter consciência do transcendente. A mais popular dessas devoções era *dhikr*, a "rememoração" comunal da presença divina alcançada ao se cantar o nome de Alá como um mantra. A monotonia e o ritmo repetitivo do exercício, somados às poderosas reverberações físicas do canto, aplacavam os hábitos racionais da mente, tornando os participantes abertos ao modo de pensamento mais encarnado no hemisfério direito do cérebro. A postura e a respiração eram cuidadosamente monitoradas, e os participantes eram instruídos a concentrar-se em determinada parte do corpo enquanto exalavam e inalavam. *Sama* ("ouvir"), outra importante prática sufista, usava a música e o canto devocional para cultivar essa consciência.

O mito arquetípico do misticismo islâmico era a história da "Viagem Noturna" de Maomé de Meca a Jerusalém e sua ascensão espiritual ao trono de Deus. O episódio só é mencionado alusivamente no Alcorão,[34] mas comentaristas o ampliaram imensamente, a ponto de transformá-lo numa alegoria do retorno que todos teremos de fazer para a Fonte de onde viemos. Isso exigia a "aniquilação" (*fana*) do ego e seu consequente "renascimento" (*baqa*), quando o místico percebia que era inseparável do divino. Abu Yazid al-Bistami (m. 874), um dos primeiros sufistas, contou que teve de livrar-se de uma preocupação egoísta depois de outra, até parecer que se fundiu com a presença divina, que lhe disse: "Sou teu através de ti; não há Deus senão Tu".[35]

Os sufistas eram criticados por ignorar o sentido singelo do Alcorão, mas eles respondiam citando um versículo corânico no qual Deus descreve a complexidade da escritura:

> Alguns dos seus versículos têm significado definido — são a base da Escritura — e outros são ambíguos. Os de coração perverso buscam as ambiguidades em sua tentativa de causar discórdia e estabelecer um significado específico de sua autoria: só Deus sabe o verdadeiro significado. Os que se baseiam solidamente no conhecimento dizem: "Acreditamos nele: tudo emana de nosso Senhor" — só os dotados de verdadeira percepção hão de prestar atenção.[36]

Por ser discurso de Deus, o Alcorão era infinito e não poderia ficar confinado a uma única interpretação, por isso esses "versículos ambíguos" só poderiam ser compreendidos por aqueles "que se baseiam solidamente no conhecimento", que têm "verdadeira percepção".[37] Quando recitavam o Alcorão, os sufistas se imaginavam subindo da terra para o céu, como o Profeta o fizera ao transmitir o Alcorão em Meca e Medina, quando Gabriel, o anjo da revelação, o recitara para ele e, finalmente, quando o ouvira diretamente de Deus. Como explicou um sufista:

> Eu costumava ler o Alcorão, mas não achava nele doçura alguma, até que o recitei como se estivesse ouvindo o Mensageiro de Deus recitá-lo para seus companheiros. Em seguida me ergui para uma estação acima e o recitei como se estivesse ouvindo Gabriel apresentá-lo ao Mensageiro de Deus. Então Deus me levou a outra parada do caminho e agora eu o ouço do Orador. Aí encontro nele uma bênção e um deleite aos quais não poderia resistir.[38]

A experiência poderia ser tão arrasadora como tinha sido para o Profeta: como Maomé, Jafar costumava perder a consciência, mas explicava: "Eu continuava repetindo o versículo no coração até ouvi-lo do Orador e meu corpo era incapaz de aguentar firme".[39]

Alguns muçulmanos faziam objeções à exegese sufista. Tabari afirmava que muitos "versículos ambíguos" eram explicados, em nível bastante satisfatório, em outras partes do Alcorão e que aprofundar a obscuridade poderia provocar discórdia.[40] O erudito persa Fakhr al-Din ar-Razi (m. 1210) achava que os exegetas deveriam simplesmente aceitar a leitura mais óbvia de um versículo difícil.[41] Mas Abu Hamid al-Ghazzali (m. 1111), o maior teólogo da sua época, deu ao sufismo sua aprovação. A essa altura, o sufismo se tornara um movimento popular em todo o império, atraindo muçulmanos de todas as classes sociais. Os mestres sufistas pareciam ter ativado no Alcorão uma dinâmica autêntica e essencial. Pessoas comuns agora se reuniam para a *dhikr* e reverenciavam seus *pirs*, orando e organizando *dhikrs* em seus túmulos. Cada cidade agora tinha um *khanqah* ("convento") onde os moradores locais se reuniam para receber instrução. Ordens sufistas (*tariqas*) foram criadas, com filiais em todo o mundo muçulmano. Al-Ghazzali percebeu que os rituais contemplativos dos sufistas ajudavam as pessoas a desenvolverem uma espiritualidade interior: "os que se baseiam solidamente no conhecimento", disse ele, eram muçulmanos que adotavam disciplinas sufistas, as quais, se observadas aplicadamente, geravam um conhecimento que transcendia o conceitual. O sufismo tornara-se uma força inevitável. Mesmo os críticos, como o arquiliteralista Ahmed ibn Taymiyyah (m. 1328), ingressaram em ordens sufistas. Até o século XIX, práticas sufistas continuaram sendo a principal lente pela qual os muçulmanos vivenciavam o Alcorão.

O poeta persa Jalal al-Din Rumi (*c.* 1207-73), fundador da Ordem Sufista, popularmente conhecida como "Dervixes Rodopiantes", tornou algumas das mais obscuras ideias sufistas acessíveis aos muçulmanos comuns. Conhecido por seus discípulos como Mawlana ("Nosso Mestre"), seu grande poema, *Masnawi*, sugeria que, sabendo ou não, todos buscavam o Deus ausente, obscuramente cientes de estarem separados da fonte do ser.[42] *Masnawi* desafiava os muçulmanos a olharem através das aparências de tudo à sua volta para descobrirem a transcendência dentro deles. O Alcorão não recomendava que vissem em todos os elementos do mundo natural "sinais" apontando para o divino? Rumi citava o Alcorão com mais frequência do que qualquer outro poeta sufista e invariavelmente esclarecia o sentido da citação,[43] a tal ponto que se dizia que *Masnawi* era "o Alcorão da poesia persa".[44] Não se tratava de uma declaração blasfema. Ao comentar um *hadith* no qual o Profeta diz "o Alcorão tem uma dimensão externa e uma dimensão interna e sua dimensão interna tem sete camadas", Rumi explicava:

Há uma forma externa do Alcorão
Mas a interna é mais poderosa, bom homem,
E dentro dela há até uma terceira camada —
Todos os intelectos nela se perderiam.
A quarta camada interna ninguém viu, só Deus,
Que é ímpar e incomparável.[45]

Como seu significado mais profundo só é conhecido pelo ilimitável Deus, o Alcorão constantemente gera significado novo. A revelação não estava confinada ao passado distante, portanto, mas ocorria sempre que um sufista se abria para o texto sagrado.

Essa ideia era essencial para o pensamento do místico e filósofo espanhol Muid ad-Din Ibn al-Arabi (m. 1240), que estava convencido de que todo mundo, não só os místicos e os especialistas em teologia, deveria procurar o significado oculto da escritura. "O Alcorão é perpetuamente novo para quem o recita", afirmava; na verdade, qualquer um que leia um versículo corânico duas vezes do mesmo jeito não o entendeu direito.[46] Muçulmanos verdadeiramente atentos descobrirão novo significado num versículo corânico toda vez que o recitarem, porque estão ouvindo exatamente o que Deus lhes reserva naquele exato momento.[47] Os muçulmanos devem lembrar que o Espírito de Deus estava presente em cada recitação; portanto, o Alcorão não é apenas um texto, mas "um atributo divino — e o atributo é inseparável daquilo que qualifica. [Quando] ele baixa sobre o coração, então Aquele Cuja Palavra o Alcorão É baixa com ele".[48] Isso se aplica não apenas ao Alcorão, mas a todas as escrituras que o precederam — a Torá, os Salmos, o Evangelho e os Vedas.[49]

Nenhuma interpretação do Alcorão, portanto, poderia ser exclusiva. Qualquer um que recite um versículo "adquire uma nova argúcia; a cada leitura, ele é o recitador que, em sua própria existência, segue Deus".[50] Ninguém deveria se sentir obrigado a aceitar a interpretação de outro alguém.[51] O Alcorão incentiva todo mundo a buscar os significados mais profundos de seus versículos (*ayat*), que, como os "sinais" (*ayat*) da natureza, são "sinais para aqueles que refletem".[52] Certas pessoas, explicava Ibn al-Arabi, quebram a casca da noz para descobrir a riqueza da amêndoa, enquanto outras se satisfazem com a casca — e essa é a vontade de Deus para elas.[53] Não deve haver elitismo ou exclusividade, porque o Alcorão é infinito — "um oceano sem margem".[54] Mas o misticismo exigia pensamento cuidadoso — não poderia haver sentimentalismo vago. A razão (*aql*) deve sempre complementar o insight intuitivo e as palavras corânicas precisam ser entendidas corretamente, como na época do Profeta.[55] O muçulmano deve aspirar a tornar-se o Alcorão, como o fez o Profeta: sua mulher Aisha disse dele que "Sua natureza era o Alcorão".[56]

Como a *bismillah* ressaltava no começo de cada recitação, o Alcorão era o registro do discurso de um Deus de misericórdia. Ao contrário dos juristas, que enfatizavam a justiça de Deus, Ibn al-Arabi repetidamente citava o *Hadith* Sagrado, no qual Deus diz: "Minha misericórdia tem precedência sobre minha ira". O próprio Alcorão não afirmava que Deus enviou Maomé como "uma misericórdia" para o mundo?[57] Ibn al-Arabi ressaltava a misericórdia divina tão vigorosamente que chegou a afirmar que os sofrimentos do inferno não poderiam ser permanentes.[58] Essa insistência na compaixão divina estava por trás de sua convicção de que todas as tradições religiosas eram igualmente válidas:

Meu coração é capaz de todas as formas:
Um claustro para o monge, um santuário para os ídolos,
Um pasto para as gazelas, a Caaba do devoto,
As Tábuas da Torá, o Alcorão.
Deus é a fé que tenho: para onde virem
Seus camelos, a fé verdadeira é minha.[59]

O sufismo, que se tornava a forma dominante de islã, desenvolveria um excepcional respeito por outras religiões.

Contudo, outros muçulmanos não podiam compartilhar essa visão generosa de outras tradições religiosas. Em julho de 1099, os cruzados da Europa tinham baixado sobre Jerusalém, onde judeus, cristãos e muçulmanos viviam em razoável harmonia por mais de quatrocentos anos, e trucidaram 30 mil pessoas em três dias. Na Europa, o historiador Robertus Monachus fez a extraordinária declaração de que a importância dessa conquista só era superada pela criação do mundo e pela crucificação.[60] Antes das cruzadas, a maioria dos europeus não sabia praticamente nada do islã; depois, os muçulmanos eram duramente criticados no Ocidente como "raça vil e abominável", "desprezíveis", "degenerados e escravizados por demônios".[61] Mas, apesar do espantoso massacre de 1099, não houve nenhum ataque muçulmano coletivo contra os "francos" por mais de cinquenta anos. Os cruzados que ficaram no Levante estabeleceram pequenos reinos e principados, e os emires locais, que continuaram lutando uns contra os outros como sempre por território, não tinham escrúpulos em fazer alianças com príncipes francos. Longe de estarem programados para a guerra santa por sua escritura, os muçulmanos demonstravam pouco apetite para uma jihad militar. Só com a chegada de imensos exércitos da Segunda Cruzada em 1148 alguns emires ficaram apreensivos. Ainda assim,

Nur ad-Din (m. 1174) e Salah ad-Din (m. 1193) levaram uns bons quarenta anos para despertar o interesse popular por uma guerra contra os francos. A jihad, que estivera praticamente morta, foi ressuscitada não pela violência inerente do Alcorão, mas por um assalto sustentado do Ocidente.[62]

Ao mesmo tempo que os muçulmanos do Levante rechaçavam os cruzados, os exércitos mongóis conquistavam vastas faixas de território muçulmano na Mesopotâmia, nas montanhas iranianas, a bacia do Syr-Oxus e a região do Volga, onde estabeleceram quatro grandes estados. O governante que não se rendesse de imediato via suas cidades arruinadas e seus súditos massacrados. Tanto Ibn Taymiyyah como Rumi eram refugiados que tinham fugido de casa para escapar do avanço mongol, finalmente contido pelo exército muçulmano mameluco na Batalha de Ain Jalut, na Galileia, em 1250.

Foi nessa época temerosa que eruditos muçulmanos começaram a interpretar os versículos corânicos sobre guerra mais agressivamente. Exegetas anteriores, como vimos, tinham insistido na natureza defensiva do combate militar. Mas, escrevendo durante a Reconquista cristã, que se empenhava em expulsar muçulmanos da Ibéria, Muhammad al-Qurtubi (m. 1278) afirmou que em Alcorão 22:39-40, que assinalava que "muitos mosteiros, igrejas, sinagogas e mesquitas" teriam sido destruídos se não tivesse havido uma demonstração de força, revogaram-se todos os versículos mandando muçulmanos fazerem a paz com seus inimigos. Fakhr ad-Din ar-Razi, porém, dizia que mosteiros, igrejas e sinagogas não poderiam ser considerados lugares "onde o nome de Deus é muito invocado", porque Deus só era cultuado corretamente em mesquitas. Além disso, os primeiros exegetas tinham concluído que o comando em Alcorão 2:190-93 — "Não ultrapasseis os limites [*la ta tadu*]" — tinha posto um freio no costume de iniciar hostilidades e responder desproporcionalmente a agressões. Seu entendimento também tinha sido o de que esses versículos só se aplicavam às circunstâncias especiais da expedição extraordinária em que, como já se viu, Maomé entrou à frente de mil muçulmanos praticamente desarmado em território inimigo e, contra todas as expectativas, assinou um decisivo tratado de paz com os coraixitas no Poço de Hudaybiyyah. Os muçulmanos que acompanharam o Profeta nessa missão de alto risco ficaram em dúvida sobre como reagir se os coraixitas os atacassem no Haram de Meca, onde era proibido lutar. Nessas circunstâncias excepcionais, o Alcorão lhes dava permissão para revidar: "Matai-os sempre que os encontrardes", ainda que fosse nos recintos sagrados, mas *somente* se o inimigo iniciasse atos de guerra. Agora, porém, Al-Qurtubi, tirando os versículos do seu contexto histórico, alegava que o Alcorão havia baixado uma ordem absoluta: os muçulmanos tinham por obrigação lutar contra todos os "infiéis", quer eles atacassem primeiro ou não.[63]

Comentaristas anteriores tinham prestado pouca atenção a Alcorão 2:216 ("Lutar te foi ordenado [*alaykum*], apesar de ser difícil para ti"). Na verdade, até uma fase avançada do século VIII, lutar deixara de ser um dever. Mas Ar-Razi agora argumentava que a palavra *alaykum* ("sobre ti") tornava o combate uma obrigação generalizada, que, como o jejum do Ramadã, era exigida de todos os muçulmanos — opinião consolidada em sua época, que assistiu à Terceira e à Quarta Cruzadas. Al-Qurtubi concordava, ressaltando que os cristãos só tinham conseguido capturar território andaluz porque os muçulmanos espanhóis tinham relutado em combater. Exegetas anteriores haviam decidido que Alcorão 9:5 ("Sempre que encontrardes os idólatras, matai-os, capturai-os, cercai-os, esperai por eles em todas as atalaias") se aplicava apenas aos coraixitas violadores do pacto de Hudaybiyyah. Mas Ar-Razi novamente tirou o versículo de contexto, afirmando que se tratava de uma instrução geral, válida para os muçulmanos no presente. Não afirmou, porém, que ela revogava os mandamentos corânicos sobre convívio pacífico e polido com não muçulmanos.[64]

Sempre houve um elemento místico no judaísmo rabínico. O rabino Akiva tinha buscado o significado espiritual oculto na Torá e quando o rabino Yohanan discutia com seus discípulos a visão da carruagem celestial de Ezequiel, fogo caíra do céu e um anjo falara com eles de dentro das chamas.[65] Quando os judeus estudavam a Torá, dizia-se que estavam repetindo a teofania do Sinal na qual Deus revelara sua glória (*kavod*) e sua Presença (Shechiná) ao povo de Israel.[66] Esse tipo de especulação intensificou-se após a conquista muçulmana da Palestina, talvez por influência da história da ascensão de Maomé ao trono de Deus. Os rabinos puseram-se a meditar sobre o papel cósmico da Torá.[67] O *Pesikta Rabbati*, produzido na Palestina no século VII, afirmava que, como a Torá era idêntica à Sabedoria, o "mestre artesão de Deus" na criação, quando Deus disse "Façamos o homem à nossa imagem", estava se dirigindo ao seu assistente, a Torá. E, se as palavras da Torá eram idênticas ao discurso divino, que criara o mundo, ao estudá-la os judeus entravam em sintonia com os ritmos do cosmo.[68] A *Pirke de Rabbi Eliezer*, do século VIII, dotava até a caligrafia e as letras da Torá de poderes cósmicos.[69] O estudo da Torá adquiria significado teúrgico: não só preservava a existência do mundo como também fortalecia o próprio Deus. No Talmude, ficamos sabendo que o rabino Ishmael tinha advertido o rabino Meir de que ele realizava uma obra divina ao registrar a Torá por escrito, e que por isso, se omitisse ou acrescentasse uma única letra, destruiria o mundo inteiro. Todas as letras — fossem elas tortas ou curvas, grandes ou pequenas — eram formas do próprio Deus, e um único erro desqualificava um pergaminho, que deixava de ser a imagem de Deus.[70]

Judeus que viviam no império islâmico tinham criado sua própria versão da *falsafah*, embora também achassem difícil conciliar o Motor Primário de Aristóteles com o Deus da Bíblia. Como, perguntava Saadia ben Joseph (882--942), líder da comunidade judaica da Babilônia e primeiro talmudista a empreender uma interpretação filosófica do judaísmo, poderia um Deus totalmente espiritual ter criado um mundo material? A certa altura, a razão empacava; tudo que ela podia fazer era apresentar os ensinamentos da escritura lógica e sistematicamente.[71] Moses ben Maimon (*c.* 1138-1204), nascido na Espanha e conhecido como Maimônides, também estava ciente do conflito entre Aristóteles e a Bíblia.[72] Mas concluiu que, por ser inefável, a essência divina só poderia ser expressa apropriadamente nas abstrações racionais da *falsafah* e no simbolismo enigmático do misticismo, e ambos exigiam sofisticação intelectual e expertise meditativa. Era impossível, portanto, compartilhar esses insights com as pessoas comuns; eles tinham de continuar esotéricos, ocultos dentro da linguagem aparentemente simples da Bíblia. Os próprios profetas haviam sido forçados a usar linguagem alegórica ou figurativa, pois o mistério que era Deus não tinha semelhança alguma com qualquer ser mundano.

Era melhor, portanto, afirmava Maimônides, usar terminologia negativa quando falássemos de Deus. O que sabíamos a respeito de "existência" era tão pouco que em vez de dizer "Deus existe" deveríamos dizer que Deus não *não* existe. Também era impossível dizer que Deus era "sábio", "perfeito" ou "poderoso"; seria melhor dizer, portanto, que Deus era "não ignorante", "não imperfeito" ou "não impotente". Caso contrário, projetaríamos em Deus nossas limitadas noções de poder, perfeição e sabedoria. Mas esse método só poderia ser aplicado aos atributos de Deus, e não à essência de Deus — o eu mais íntimo de Deus — que estava fora do alcance do discurso.[73] Como os ismaelitas, Maimônides achava que esse método produzia faíscas intermitentes de revelação. Era concebido de tal maneira "que as verdades sejam vislumbradas e em seguida se ocultem de novo", explicava ele; "o assunto aparecerá, num relampejo, e voltará a desaparecer".[74] A insuficiência dessas declarações, que levavam os praticantes a lidarem com os limites da linguagem, permitia uma breve apreensão da transcendência. Maimônides falava de sua "trêmula emoção" ao confrontar a inefabilidade do divino.[75]

A exclusão das massas por Maimônides é uma ofensa aos nossos valores igualitários, mas era a norma nas sociedades agrárias, onde o abismo educacional entre os camponeses e a aristocracia era quase insuperável. Maimônides, na verdade, desenvolveu um "credo" para os iletrados — uma lista de crenças essenciais para a salvação, que afirmava a existência, a unidade, a espiritualidade e a eternidade de Deus; proibia a idolatria e validava a profecia; afirmava que Deus sabia como as pessoas se comportavam e as julgaria levando isso em consideração; e contava com a vinda do Messias e a ressurreição dos mortos.[76] O *faylasuf* muçulmano Abu al-Walid ibn Ahmad ibn Rushd (1126-97), conhecido no Ocidente como Averróis, produziu um credo parecido, mas nenhum dos dois teve grande impacto. Hoje esperamos que "religião" defina suas crenças dessa maneira, mas não era esse o caso no período pré-moderno, quando se vivia e expressava a verdade religiosa em ações ritualizadas.

O próprio Maimônides não vivenciava o judaísmo como um conjunto estático de dogmas exigidos, vendo-o como cumulativo e dinâmico. Cada geração acrescentava novas leis e normas, e a controvérsia e o debate eram essenciais nesse processo. Em suas acirradas discussões, os primeiros rabinos não tentavam desesperadamente resgatar ensinamentos essenciais, mas esquecidos, como afirmavam alguns judeus; na verdade enfrentavam os problemas do mundo pós-templo, quando as velhas normas já não se aplicavam.[77] Nem Maimônides aderiu à recente divinização da língua hebraica; o hebraico era apenas uma criação humana e, portanto, ambígua, ocultando tanto quanto revelava. Em vez disso, Maimônides recorria à linguagem racional da *falsafah*, que exploraria o significado subjacente das ambiguidades bíblicas e traria à luz seu significado oculto. Além disso, estava convencido de que as intuições da profecia e do misticismo, que dependiam da imaginação, produziam uma visão mais elevada de Deus.

No fim do século XIII, um pequeno grupo de judeus na Espanha e na Provença introduziu uma nova disciplina mística, a que chamava de cabala ("tradição recebida"), porque, como o saber rabínico, era transmitida de professor para aluno. Moisés de León, Isaac de Latif e Joseph Gikatilla tinham pouca experiência do Talmude, mas se empolgaram com a *falsafah* até decidirem que ela não tinha relação nenhuma com sua própria experiência. Em vez disso, voltaram-se para o rabino Akiva, herói de uma história misteriosa no Talmude, que descrevia quatro sábios entrando em "pomares" (*pardes*), os quais evidentemente simbolizavam um perigoso experimento espiritual. Só o rabino Akiva saiu ileso; por isso, os cabalistas concluíram que sua própria espiritualidade, firmemente baseada na Bíblia, era a única forma segura de misticismo.[78] Deram a isso o nome de PaRDeS, acrônimo referente aos quatro "sentidos" da escritura: *peshat*, o sentido literal; *remez*, o alegórico; *darash*, o sentido moral; e *sod*, sua própria interpretação mística da Torá. Lembra a exegese cristã, mas na verdade cada "sentido" representava uma fase anterior da hermenêutica judaica. *Peshat* referia-se à interpretação literal de Rashi; *remez*, à exegese mais obscura dos *faylasufs*; e *darash*, a textos de comentários posteriores, como *Pesikta Rabbati*. Apesar de reconhecerem polidamente tentativas anteriores de interpretar a escritura, os cabalistas apresentavam *sod*, sua própria exegese mística firmemente baseada na Bíblia, como a única forma segura de encontrar o divino.

Diferentemente do sistema cristão, no qual intérpretes usam um "sentido" de cada vez, os cabalistas jamais produziam comentários literais, morais ou alegóricos, concentrando-se apenas nos místicos. Ainda assim, criaram uma poderosa síntese.[79] Ressuscitaram o elemento místico da tradição rabínica, que alguns rabinos e *faylasufs* tendiam a minimizar, e recorriam à cosmologia *faylasuf*, que descrevia o mundo material emergindo do Deus indefinível em dez emanações, que terminaram na produção do nosso mundo material. Na cabala, porém, a revelação já não servia de ponte sobre o abismo ontológico; em vez disso, essas emanações ocorriam continuamente, em cada pessoa. A criação também não foi uma ocorrência do passado distante, mas um processo perene, do qual todos nós participamos. Tratava-se de uma profunda tentativa de expressar a unidade da realidade, vislumbrada apenas obscuramente, quando nossas faculdades analíticas estão paralisadas e entramos na visão do hemisfério direito do cérebro.

A escritura era crucial para a cabala. Sempre que estudava a escritura, o cabalista mergulhava no texto e em si mesmo — mergulho que era também uma ascensão à fonte do ser. Deus e escritura eram inseparáveis, porque a escritura encarnava o divino em linguagem humana, e as histórias bíblicas eram os "trajes" da Torá. A maioria das pessoas era incapaz de enxergar além dessas narrativas, mas o cabalista, como um novo marido, despia a noiva de todos os trajes, até que ele e sua amada fossem uma coisa só.[80] Enquanto os rabinos tinham procurado a vontade de Deus na escritura, os cabalistas buscavam a presença divina, descobrindo uma interpretação esotérica em cada versículo da Bíblia. Como os *faylasufs*, sabiam que palavras não podiam definir Deus, mas Deus poderia ser vivenciado — quem sabe conhecido — nos símbolos da escritura. Como havia uma ligação intrínseca entre a palavra e o que ela simbolizava, o Tetragrammaton — as quatro letras do Nome inefável — era a essência de Deus.[81] A Torá era na verdade uma tessitura viva de todos os nomes tecidos com o Nome incognoscível de Deus, portanto Deus, por assim dizer, se comprimira na escritura e era a escritura.[82]

Os cabalistas chamavam a essência mais íntima de Deus de En Sof ("Sem Fim"). En Sof era absolutamente incognoscível e não era sequer mencionado na Bíblia ou no Talmude. Durante a criação, irrompera de sua impenetrável ocultação como uma árvore colossal, cujos galhos manifestavam seus atributos. Houve dez emanações, que os cabalistas chamavam de *sefiroth* ("numerações", sing. *sefirah*), cada qual revelando um aspecto da En Sof, que estava fora do alcance do discurso, cada qual mais compreensível do que a anterior, à medida que se aproximavam do mundo material. Mas não eram "segmentos" do divino, porque cada uma encerrava todo o mistério da divindade sob um título diferente.

O mito destinava-se a jogar luz sobre o processo indescritível pelo qual o Deus incognoscível se deu a conhecer. As emanações não eram uma escada, ligando o nosso mundo ao divino. Na verdade, moldavam o nosso mundo e o rodeavam, e, por estarem presentes também na psique humana, representavam o processo pelo qual a En Sof impessoal veio a tornar-se o Deus personalizado da Bíblia. Os cabalistas levavam muito a sério a doutrina da criação "a partir do nada", mas a viraram de cabeça para baixo. Esse "nada" estava dentro de En Sof e tudo veio dele. A primeira *sefirah*, Keter, a chama negra que começou o processo criativo-revelador, chamava-se "Nada", porque não correspondia a nenhuma realidade que pudéssemos conceber. Era o próprio divino, uma realidade oculta e inexprimível, cuja "face" é voltada para dentro e para longe de nós — uma transcendência que sempre escapa ao nosso entendimento.[83] Em seguida, Hokhmah ("Sabedoria"), a segunda *sefirah*, que representava o limite absoluto do nosso entendimento, irrompeu da escuridão impenetrável, seguida por Bimah, a "Inteligência" divina. Então as sete *sefiroth* inferiores vieram em sucessão: Rekhamin ("Compaixão"), Din ("Julgamento Severo"), Hesed ("Misericórdia"), Netsakh ("Paciência"), Hod ("Majestade") e finalmente Malkuth ("Reino"), também chamada Shechiná.

Esperava-se que Adão, quando foi criado, contemplasse todo o mistério da divindade no primeiro sabá, mas em vez disso ele escolheu a opção mais fácil, meditando apenas sobre Shechiná, a *sefirah* mais acessível. Isso não resultou apenas na queda de Adão; também arrancou Shechiná das outras *sefiroth*, de modo que ela foi exilada do mundo divino. Porém, ao se dedicarem à tarefa que Adão deveria ter executado, os cabalistas aprendiam a contemplar o mistério divino escondido na Bíblia, que passou a ser um relato codificado da interação das *sefiroth*. Por exemplo, a ligação de Abraão a Isaac mostrava que Julgamento (Din) e Misericórdia (Hesed) sempre andavam juntos, um temperando o outro. José, que chegou ao poder por resistir à tentação sexual, mostrava que na psique divina a contenção (Din) era sempre contrabalançada pela Graça e pela Compaixão (Rekhamin), enquanto o Cântico dos Cânticos simbolizava o anseio por harmonia e unidade, que lateja em todos os níveis da existência.[84] Os cabalistas exploravam, dessa maneira, os diferentes níveis da escritura, da mesma forma e ao mesmo tempo que contemplavam as "camadas" de divindade.

O *Zohar* ("Livro do Esplendor"), atribuído a Moisés de León, adquiriu a forma de um romance ambientado no século II d.C. Apresenta Simeon ben Yohai, um dos primeiros rabinos, perambulando pela Palestina e reunindo-se com os companheiros para discutir a Torá. As conversas mostram que o cabalista, à medida que penetrava nas camadas do texto, descobria que estava ascendendo rumo à fonte do ser. O processo é descrito através de uma alegoria na qual uma linda moça, isolada num palácio, tinha um amante secreto que passava o tempo todo andando na rua, para cima e para baixo, na esperança de avistá-la. Ela abria a porta — só por um segundo — e depois sumia. Primeiro, lhe fez um sinal e falou com ele "atrás do véu que mantinha diante de suas palavras, para que se adaptassem ao tipo de entendimento que permitisse ao rapaz avançar aos poucos".[85] O cabalista também deve avançar aos poucos, de um nível para o próximo, com os véus ficando cada vez menos opacos, até que, finalmente, a amada "aparece diante dele e mantém com ele uma conversa a respeito de todos os seus mistérios secretos".[86] Como um noivo ardoroso, ele precisava arrancar os trajes da Torá — as histórias, leis e genealogias bíblicas:

> Pessoas sem entendimento veem apenas as narrativas, os trajes; as que têm um pouco mais de perspicácia veem também o corpo. Mas as verdadeiramente sábias, as que servem ao altíssimo Rei e ficam em pé no monte Sinai, penetram até a alma, a verdadeira Torá, que é o princípio de tudo.[87]

De início, a Torá parece defeituosa e incompleta: só a assídua exegese pode revelar sua inerente divindade.

O mito da cabala tornava-se realidade por meio de ritual, que tomava a forma de vigílias, jejuns e constante autoexame. Mais importante ainda, os cabalistas tinham de viver juntos, em camaradagem, reprimindo o egoísmo, porque a raiva rompia a divina harmonia que cada um tentava construir dentro de si. Era impossível experimentar a unidade das *sefiroth* num estado de espírito dividido, fragmentado.[88] O amor da amizade é tão crucial para o *ekstasis* da cabala que um dos sinais da interpretação correta da escritura no *Zohar* é o grito de alegria dos colegas do exegeta, quando escutam a verdade divina e quando, finalmente, os exegetas abraçam e beijam uns aos outros, antes de prosseguirem em sua jornada mística. A cabala começou como uma minúscula procura esotérica, mas acabaria se tornando um imenso movimento coletivo no judaísmo, seus mitos exercendo apelo até para judeus sem talento místico. Mais ou menos da mesma maneira que os sufistas ativaram uma dinâmica essencial do islã, os cabalistas tinham, claramente, tocado num nervo vital da psique judaica.

Os Chengs também haviam revolvido algo muito a fundo na alma confuciana, afirmando que qualquer um poderia descobrir a mente celestial dentro de si e tornar-se sábio. Mas seu movimento continuou marginal até que Zhu Xi (1130-1200) plantasse a busca de um "princípio" firmemente na escritura. Sua versão do neoconfucionismo dominaria o mundo intelectual chinês até a revolução de 1911. Nascido na cidade que hoje se chama Anshi, Zhu foi educado em casa pelo pai, que o iniciou nos escritos dos Chengs. Após a morte do pai, Zhu passou nas provas para o serviço público com a idade precoce de dezenove anos e estudou budismo e taoismo antes de ocupar um cargo oficial. Sentia-se especialmente atraído pelo budismo Chan, mas se converteu convencido de que no fundo era um confucionista.

Como os Chengs, Zhu acreditava que os confucionistas tinham perdido de vista ensinamentos essenciais. Em seu comentário à *Doutrina do Meio* explicou que Zisi, neto de Confúcio, a escrevera "porque tinha receio de que a transmissão do 'aprendizado do Caminho' [*Daoxue*] se perdesse". Zhu lembrava aos seus leitores que Confúcio não tinha sido um ministro poderoso, como afirmara Sima Qian, mas era praticamente um proscrito em sua própria época, e isso tornava seu resgate do verdadeiro significado do Caminho ainda mais heroico do que o de Yao e Shun. Mas apenas dois discípulos seus — Yan Hui e Zeng Can — tinham compreendido plenamente sua mensagem e depois de Mêncio ela foi esquecida. Felizmente, o *Meio* tinha sobrevivido e oferecido aos irmãos Cheng algo com que trabalhar. Eles haviam corajosamente "recolhido os fios" de sua mensagem, mas, infelizmente, suas próprias explicações agora estavam perdendo importância. Zhu reconheceu que ele próprio tinha lutado para "juntar as peças" da verdadeira mensagem do *Meio* a partir do material fragmentário de que dispunha. A "Recuperação do Caminho" (*Daotong*), portanto, tinha exigido a dedicação de indivíduos inspirados, que quase literalmente o haviam "prendido" ou "costurado" novamente.[89]

Depois de sua conversão, Zhu estudou com Li Tong (1088-1158), discípulo de Cheng Yi, que o iniciou na prática de "sentar quieto" que, segundo ele, lhe permitiria encontrar o "princípio do Céu" (*Tianli*) no fundo do seu ser.[90] Mas Zhu tinha lá suas reservas a respeito do "sentar quieto", que achava muito parecido com a meditação Chan; recomendava o método aos seus alunos, mas só como parte do cultivo de *jing* ("atenção reverente"). Além disso, Li Tong aconselhou Zhu a estudar os Clássicos e seu discurso racional sobre moralidade.[91] Zhu endossou totalmente a doutrina de Cheng Hao sobre "formar um corpo com todas as coisas", mas temia que, se as implicações morais dessa verdade fossem insuficientemente enfatizadas, ela degenerasse num misticismo de natureza nebulosa e complacente:

> Falar sobre *ren* em termos gerais do eu e das coisas como "um corpo" pode nos tornar vagos, confusos, negligentes, e levar-nos a não fazer força para sermos vigilantes [...]. De outro lado, falar de amor exclusivamente em termos de consciência deixará as pessoas nervosas, impacientes e privadas de qualquer virtude de profundidade.[92]

Zhang Zai deixou claro que a "unidade de todas as coisas" tem de ser percebida na ação moral — na devoção filial aos pais, no serviço respeitoso a um irmão mais velho, e no desempenho leal e sério do dever. Confúcio tinha dito: "Refreia o teu ego e submete-te ao ritual [*li*]" que governa o nosso trato com os outros. "Isso significa", explicava Zhu, "que, se superarmos o egoísmo e voltarmos ao 'princípio do Céu', a substância dessa mente [ou seja, *ren*] estará presente em toda parte."[93]

Zhu sempre sustentou que a busca neoconfucionista do "princípio do Céu" na mente humana era inseparável da moralidade e da ação firme e constante na sociedade. Recusava-se a equiparar *ren* com a "compaixão" (*ci*) budista, porque o budismo não tinha um programa prático, o que implicava que "princípio" e "prática" eram coisas separadas. A distinção entre confucionismo e Chan estava no que Zhu chamava de *liqi fenshu* — "a unidade do princípio e a diversidade de sua particularização". A descoberta do Tao do Céu-e-da-Terra em nossa mente "humana" era inseparável das nossas circunstâncias particulares, que implicam deveres e responsabilidades exclusivamente nossos. Li Tong tinha ensinado a Zhu que a conquista da iluminação não era uma precondição para servir ao mundo, como os budistas chineses afirmavam. Não devemos deixar para nos envolver com as confusas questões humanas só depois de atingirmos o nirvana. A autorrealização e a liberdade espiritual genuínas eram alcançadas no desempenho prático do nosso serviço aos outros.[94]

Zhu ressaltava que o aprendizado era inseparável da afeição pelas pessoas e do envolvimento na atividade política de ordenar o Estado e trazer a paz ao mundo. O aperfeiçoamento pessoal — a "ampliação do conhecimento" e a "investigação das coisas" — levava inexoravelmente à ação social no mundo dos acontecimentos. Os Chengs tinham explicado que aprender era um processo cumulativo, que provocava "uma súbita liberação" quando todas as coisas se encaixavam. A certa altura, ensinava Zhu, experimentamos um "salto repentino para a compreensão integral" (*huoran guantong*) — o que poderíamos chamar de sabedoria do hemisfério direito do cérebro — quando percebemos, abruptamente, a "unicidade" indiferenciada descrita por Zhang Zai e pelos Chengs. Não há mais dicotomia entre nós e os outros, entre dentro e fora, e compreendemos nosso lugar único na "substância integral e no grande funcionamento" do Céu-e-da-Terra e as obrigações particularíssimas que isso acarreta. Devido à *liqi fenshu*, essa experiência seria diferente para cada um de nós: "Em determinada fase da busca do aprendizado [...] o nosso entendimento finalmente produz a sensação de estar de bem conosco e com o mundo [...] onde nada nos parece estranho".[95] Vem junto também uma sensação de assombro diante do maravilhoso funcionamento da criação nas coisas mais comuns — uma experiência que, como explicavam os Chengs, combinava o físico e o emocional, o moral e o racional. Mas Cheng Yi tinha chegado à "liberação" estudando o mundo "lá fora", procurando princípio em cada folha de relva. Zhu afirmaria que seus discípulos alcançavam esse insight transformador imergindo nas escrituras confucianas.

Zhu compreendeu que o processo de aprender precisava ser cuidadosamente orquestrado: os estudantes precisavam começar pelos textos mais simples e só avançar para obras mais complexas quando progredissem o suficiente. Por algum tempo agora, os confucionistas vinham se concentrando no *Grande Aprendizado*, no *Meio*, nos *Analectos* e no *Mencius*, textos que atendiam mais diretamente ao seu desejo de autotransformação do que os Cinco Clássicos. Em 1190, Zhu publicou essas quatro escrituras num único volume, chamado *Quatro Mestres* (*Sizi*), acrescidos de um comentário que os unificava, instruindo os estudantes a dominarem primeiro esses textos.

Os *Quatros Mestres* tinham de ser lidos em determinada ordem, explicava Zhu:[96]

> Quero que as pessoas leiam primeiro o *Grande Aprendizado*, para adquirir um padrão; em seguida, que leiam os *Analectos*, para estabelecer um alicerce; em seguida, que leiam o *Mencius* para observar seu desenvolvimento, e por último que leiam o *Meio* em busca dos argumentos mais sutis dos antigos.[97]

Os dois primeiros livros davam ênfase à importância do aperfeiçoamento pessoal e ao efeito da liderança moral sobre a sociedade. No *Mencius*, os estudantes debruçavam-se sobre *ren* e moralidade com mais penetração, e, finalmente, no *Meio* refletiam sobre a vida interior do sábio, alcançável apenas com imenso esforço.

Junto com os *Quatro Mestres*, os iniciantes estudavam alguns textos básicos. Um deles era *Reflexões sobre coisas próximas*, concisa antologia de citações para ajudar estudantes ainda não maduros para a metafísica a entenderem o processo de aperfeiçoamento pessoal. O que havia de revolucionário nas *Reflexões*, porém, era que não havia menção alguma a Yao, Shun, Yu ou mesmo ao duque de Zhou. Toda atenção era dada aos "modernos" — Zhou Dunyi, Zhang Zai e os Chengs — que provaram que a sabedoria poderia ser alcançada aqui e agora. Além disso, *Educação inferior* (*Xiaoyixue*) iniciava os alunos nos pré-requisitos sociais e morais para o estudo filosófico avançado, enquanto no *Esboço e Compilação do "Espelho geral"* (*Tongjian Gang mu*) Zhu sintetizava a volumosa história de Sima Qian, tornando suas lições mais claras pela omissão dos detalhes mais obscuros. Seus alunos eram todos membros da classe dominante, destinados a exercer cargos públicos. Esse currículo cuidadosamente elaborado equilibrava moral e treinamento intelectual, preparando alunos para uma vida inteira de dedicação ao aprendizado, o que, para Zhu, era essencial para o serviço público e para a saúde do Estado.[98] Quando dominassem esses textos preliminares, os alunos estavam prontos para enfrentar os Cinco Clássicos.

Zhu incomodava-se com a situação do aprendizado na China. Muitos homens de letras queriam apenas adquirir a reputação de brilhantismo e criatividade e alguns desses beletristas jamais leram os Clássicos. As provas para o serviço público incentivavam uma "mentalidade de exames" que era moralmente debilitante, e Zhu acreditava também que professores de Chan, que não estimulavam o estudo sério, davam aos estudantes a impressão de que erudição e iluminação eram fáceis de atingir.[99] Além do mais, ele se preocupava com os efeitos insidiosos do material impresso. Ainda que os chineses tivessem inventado a tipografia no século VIII, só muito recentemente essa tecnologia se difundira.[100] Sem dúvida era uma vantagem dispor de textos a baixo custo, fáceis de encontrar, mas de repente havia um excesso de livros; os estudantes já não precisavam memorizar nada, e achavam uma única leitura suficiente para compreender um texto. Como funcionário do governo, Zhu tinha grande interesse por educação, fundando nove academias e lecionando em outras, com o objetivo de estimular um aprendizado mais desinteressado. A rápida difusão de academias semelhantes no século XII indicava que ele tinha atendido a uma necessidade sentida por muitos homens de letras.[101]

Zhu era um entusiasta do poder transformador da escritura. "Se as pessoas simplesmente tirassem dez dias para ler, abaixando a cabeça e ignorando tudo que não tivesse a ver com o assunto, garanto que se tornariam pessoas diferentes."[102] Mas não bastava apenas familiarizar-se com o conteúdo de um texto. Os estudantes precisavam absorvê-lo tão completamente que "as palavras parecessem sair de sua própria boca. Precisamos, então, continuar a refletir sobre ele, para que suas ideias pareçam surgir de nossa própria mente. Só então haverá verdadeira compreensão".[103] Se uma passagem parecesse obscura, o estudante deveria lutar com ela, não desistir enquanto não tivesse compreendido inteiramente o sentido, lendo devagar, com total concentração.[104] Quando tinha a idade deles, dizia a seus alunos, costumava recitar o *Grande Aprendizado* e o *Meio* dez vezes todas as manhãs; também deveriam recitar cada um dos quatro livros tão repetidamente que o livro passasse a fazer parte deles.[105]

Como os Chengs, Zhu instruía os alunos a "saborearem" os textos. A recitação repetida, realizada lenta, meditativa e deliberadamente, possibilitava ao leitor interiorizar as palavras dos sábios. Como os monges beneditinos, Zhu utilizava imagens ligadas à ruminação. O leitor deveria "mastigar" as palavras, reiteradamente, apreciando o sabor; quanto mais devagar lesse, mais tempo durava o sabor.[106] Assim como "somos o que comemos", Zhu esperava que dessa maneira as palavras dos sábios nos transformassem em nosso eu sábio e verdadeiro. Como os Chengs, comparava ler os textos dos sábios a "falar com eles, face a face",[107] e por essa razão o estudante precisava aproximar-se dos seus livros com reverência. Apropriando-se das palavras, ele não só assimilaria a escritura, mas a própria mente do sábio seu autor.

Os estudantes não deveriam ler as próprias crenças na escritura. "Hoje em dia as pessoas costumam primeiro ter uma ideia na própria cabeça, e então pegar o que outros homens disseram para explicar essa ideia. O que não se coaduna com essa ideia, eles fazem coadunar à força."[108] O estudante precisa descartar as próprias ideias, "e ler em busca do sentido dos antigos".[109] Se os estudantes descobrissem que estavam brigando com o texto, podia ser que a opinião tradicionalmente aceita (que eles tinham absorvido sem pensar) estivesse bloqueando sua compreensão. Precisavam ler os comentários criticamente, porque todos continham erros.

A dúvida, insistia Zhu, era o ponto de partida para chegar-se à iluminação. Todas as ideias recebidas deveriam ser esfregadas para fora da mente, de modo "que ela se torne um claro espelho refletindo o princípio divino dentro de nós".[110] Deveríamos gastar metade do dia lendo e a outra metade "sentados quietos", uma vez que isso purificava a mente do egoísmo que impede o estudo imparcial e ajudava os estudantes a cultivarem o *jing*. Como os Chengs, Zhu acreditava que a postura física era capaz de controlar a mente cronicamente inquieta — cabeça erguida, pés e mãos respeitosos, a postura solene.[111] O estudo era um processo dialético no qual, depois de muitas leituras, duas coisas distintas — o texto e o leitor — fundiam-se no momento da iluminação.[112] Na China, a transcendência não era a descoberta de "outra" esfera, mas a percepção do eu autêntico que despertava o sábio inerente dentro de todos nós e nos permitia descobrir nossa conexão fundamental com todos os seres do universo.[113]

No finzinho do século XV, um jovem teve uma revelação divina numa aldeia perto de Lahore, então parte do império mogul muçulmano. Nanak tinha nascido em 1469, três anos após a publicação da Bíblia de Gutenberg na Europa. O pai queria que ele fosse contador ou pastor, mas Nanak era um jovem solitário que passava horas em meditação e tinha tendência a dar todo o dinheiro que ganhava. Um dia desapareceu durante o banho no rio e a família achou que ele tivesse morrido afogado, mas três dias depois saiu da água. Suas primeiras palavras foram: "Não há hindu, não há muçulmano, assim sendo, qual é o caminho que devo seguir? Devo seguir o caminho de Deus".[114] Mais tarde, ele descreveu sua experiência:

> Eu era um menestrel sem trabalho; ele me dera a tarefa de cantar o Verbo Divino dia e noite. Convocou-me à corte e me outorgou uma função de honra por cantar seus louvores. Em mim, derramou o Néctar Divino numa taça, o néctar do seu verdadeiro e santo Nome.[115]

Durante anos depois dessa revelação, Nanak viajou muito, indo até Assam no leste e Meca no oeste, compondo e recitando sua inspirada poesia, e conversando com hindus e muçulmanos em locais de peregrinação em Bagdá e Benares, antes de voltar para casa. Ao voltar para o Punjab em 1519, Guru Nanak, como seus *shikshya* ("discípulos") o chamavam, estabeleceu uma comunidade em Kartarpur.

As primeiras doutrinas e práticas sikhs combinaram muitos dos temas que encontramos em outras escrituras. Elas insistem na absoluta inefabilidade da realidade suprema, que Nanak chamava de Akal Purakh ("Além do tempo"). O Criador cuidava de todos os homens e mulheres, independentemente de sua casta ou tradição religiosa. A vida humana estava repleta de tristeza e o objetivo da busca religiosa era a *mukti* ("liberação") do ciclo de sofrimento e renascimento (*samsara*). Nanak comunicava sua mensagem em hinos de grande beleza, que atribuía à "palavra santa" (*shabad*), afirmando que não participava de sua criação.[116] Os sikhs passavam o tempo em cânticos comunais, cantando o nome divino como um mantra — prática não diferente do *dhikr* muçulmano — e servindo aos pobres. Em 1539, ano da sua morte, Nanak nomeou um sucessor, fundando uma linhagem que duraria 170 anos. Significativamente, porém, não deixou escritura oficial. Na verdade, repudiava a ideia de um texto canônico, fossem os Vedas ou o Alcorão. Em vez de ouvir a mensagem divina comunicada externamente, um sikh deveria ouvir a palavra divina com seu ouvido interno.

A ênfase na inefabilidade nessas escrituras nos leva de volta aos rishis que encontramos no começo da nossa história, pioneiros da arte da escritura. Desde então, as pessoas continuaram a cantar ou a ouvir seus textos sagrados em busca de vislumbres da realidade definitiva que estava fora do alcance do discurso, e percebendo que para tanto precisavam cultivar formas de pensamento e sentimento diferentes da nossa maneira usual de processar informações. Como explicou Nanak, elas precisavam escutar com o "ouvido interno". Não consultavam as escrituras para confirmar suas próprias ideias, mas avançando para alcançar novos insights, fazendo os textos sagrados dizerem algo diferente, e impulsionando suas tradições para terreno desconhecido. A experiência da transcendência também dependia da prática da compaixão e, especialmente na China, de um senso da interdependência da humanidade, o mundo natural e o cosmo. Nanak estava disposto até mesmo a abandonar a escritura convencional, mas na Europa Ocidental, na época sofrendo uma grande mudança social, econômica e política, as pessoas passavam a confiar cada vez mais exclusivamente no texto sagrado, sem os ritos e práticas que tradicionalmente lhe deram suporte.

PARTE TRÊS
LOGOS

12. *Sola scriptura*

No começo do século XVI, os europeus se deram conta de que suas sociedades passavam por uma grande mudança. Haviam descoberto novos continentes; penetravam os mistérios do cosmo com incomparável precisão; e, auxiliados por novas técnicas, podiam expressar seus insights com mais brilho do que nunca na pintura e na escultura. A humanidade, essa era a convicção do estudioso de assuntos bíblicos Gianozzo Manetti, evoluía para um estado sublime:

> Tudo que nos cerca é obra nossa, obra do homem: casas, castelos, cidades, edifícios magníficos em toda a terra. Mais parecem obra de anjos do que do homem; no entanto, são obra do homem [...]. E, vendo essas maravilhas, percebemos que somos capazes de fazer coisas melhores, coisas mais belas.[1]

Outros, porém, tinham medo. De 1347 a 1350, a Peste Negra matara um terço da população da Europa; em 1453, os turcos otomanos tinham conquistado o império bizantino e agora invadiam território europeu; e o escândalo do Grande Cisma (1378-1417), quando até três pontífices brigavam inescrupulosamente pelo papado, afastara muita gente da Igreja. A Itália, pátria do Renascimento, era atormentada por invasão e por guerra de extermínio mútuo. Os seres humanos "sofrem continuamente os conflitos mais cruéis com a tentação", escreveu o poeta italiano Francesco Petrarca (1304-74); "vivem sempre expostos a muitos perigos terríveis, e nunca estão seguros até morrer".[2]

Estudando os clássicos da Grécia e de Roma, os humanistas descobriam com espanto que a Europa tinha sido muito diferente no passado distante. Isso os convenceu de que uma mudança radical era possível, até mesmo em religião. Eram homens de letras, preocupados acima de tudo com estilo literário, e rejeitavam os escritos de Tomás de Aquino não por sua doutrina, mas por sua deselegância. Acreditavam que o conhecimento era adquirido não só pelo intelecto, mas também pelo coração e pelos sentidos. A escritura também deveria ser apreciada emocional e esteticamente, além de teologicamente, porque, como escreveu Petrarca ao irmão: "Pode-se dizer que teologia é, na verdade, poesia, poesia que diz respeito a Deus".[3]

Para reanimar sua fé, os humanistas do Renascimento lançaram os olhos retroativamente para as fontes (*ad fontes*) do cristianismo, e isso significava ler a Bíblia nas línguas originais.[4] Lorenzo Valla (*c.* 1406-57) produziu uma antologia dos "textos-provas" do Novo Testamento que eram usados nas universidades em apoio da doutrina da Igreja. Ao colocar a tradução latina desses textos de autoria de Jerônimo ao lado do grego original, ficou claro que nem sempre comprovavam o que deles se dizia. A *Collatio* de Valla circulou de início em forma de manuscrito, mas Desidério Erasmo (1466-1536), humanista holandês, produziu uma versão impressa que atingiu um público muito mais vasto. Erasmo também publicou o texto grego do Novo Testamento, que ele mesmo traduziu para um latim de estilo ciceroniano. Graças à tipografia, qualquer pessoa que soubesse grego e latim agora podia ler os evangelhos no original. Os eruditos podiam também examinar uma tradução mais rapidamente do que em qualquer outra época, e sugerir correções, e Erasmo tirou partido disso, publicando várias edições adicionais do Novo Testamento. Os humanistas se sentiam especialmente atraídos por Paulo, cujas epístolas adquiriam nova vitalidade no grego koiné original. Até então, apesar de reconhecerem a importância de Paulo, os cristãos tendiam a achá-lo desconcertante, porque suas ideias e seus argumentos intrincados eram difíceis de transmitir pela oralidade. Mas, libertados da desajeitada tradução de Jerônimo, seus escritos ganharam vida. Erasmo estava convencido de que uma apreciação do impacto emocional da escritura poderia reformar a Igreja, e que leigos como ele eram essenciais para essa reforma.[5]

A economia comercial, que vinha se desenvolvendo no norte da Europa desde o século XIV, também afetava o modo de as pessoas pensarem e verem o mundo. Invenções e inovações, que na época não pareciam especialmente decisivas, ocorriam simultaneamente em diferentes campos, e seu efeito cumulativo seria determinante. Todas as descobertas eram caracterizadas por uma mentalidade pragmática, racional, que minava os valores míticos tradicionais. As pessoas começaram a fabricar instrumentos de precisão — a bússola, o telescópio, as lentes de aumento — que produziam mapas e gráficos mais exatos, melhoravam técnicas de navegação e revelavam mundos nunca vistos. A observação de bactérias, espermatozoides e outros microrganismos pelo microscopista holandês Antony van Leeuwenhoek levantou novas questões sobre os processos de geração e decomposição, vida e morte. Por volta de 1600, as invenções ocorriam numa escala tão grandiosa que tornava o progresso irreversível. O capitalismo permitiria ao Ocidente replicar seus recursos indefinidamente, e libertar-se das limitações da economia agrária. Quando esse processo finalmente resultou na Revolução Industrial do século XIX, mudanças sociais, políticas, econômicas e intelectuais tinham se tornado parte integrante de um processo interligado, em que cada elemento dependia de todos os outros.[6]

Mas mudanças fundamentais, apesar de imperceptíveis, podem ser desorientadoras. As pessoas não veem a direção que a sociedade está tomando, mas experimentam sua lenta transformação de formas incoerentes e perturbadoras.[7] Algumas sentiam que as devoções e os rituais que sustentaram os cristãos ocidentais por mais de um milênio não se ajustavam bem ao novo mundo, e, talvez por ser o século XV mais devoto do que qualquer século anterior na Europa, havia uma nova sensibilidade à venalidade do clero e um receio cada vez mais forte de que a Igreja católica romana tivesse muito pouco a ver com a Igreja fundada por Cristo. Havia quem temesse que o Fim dos Tempos estivesse próximo e achasse que só uma reforma total poderia salvar o cristianismo da vingança divina.[8]

Martinho Lutero (1483-1546), professor de escritura e filosofia na Universidade de Wittenberg, era a personificação dessa doença. Como jovem frade, tinha seguido fielmente as regras da sua ordem, mas achava que essas práticas, formadas num mundo bem diferente, eram incapazes de amenizar seu terror quase patológico da morte.[9] Encontrava alívio na exegese. Enquanto preparava uma série de sermões sobre os Salmos, interpretou o sentido literal de um versículo do Salmo 71 — "Livra-me na tua justiça [*justitia*]"[10] — como uma prece de Cristo ao Pai. Mas examinou também o sentido moral, transformando esse versículo na prece de um crente ao Cristo, e, para sua imensa alegria, percebeu que isso implicava que Cristo poderia outorgar sua própria justiça ao pecador.[11] Não muito tempo depois, enquanto interpretava a Epístola aos Romanos em seu escritório na torre do mosteiro, ficou perplexo com uma citação que Paulo tirara do profeta Habacuque:

> Pois não me envergonho do Evangelho: ele é o poder de Deus salvando todo aquele que tem fé — primeiro os judeus, mas os gregos também —, pois isto é o que revela a justiça de Deus para nós: ela mostra que a fé conduz à fé, ou, como diz a escritura, *O homem justo encontra a vida pela fé.*[12]

Lutero sempre entendera que a justiça (*justitia*) de Deus era a justiça divina, que condenava o pecador às chamas do inferno. Como é que isso poderia ser "boa nova"? E como é que "justiça" estava ligada à "fé"? Então se lembrou do Salmo 71 e tudo fez sentido. Paulo, acreditava Lutero, estava dizendo que Deus outorgaria sua própria justiça ao pecador que tivesse fé em Cristo. "Foi como se eu tivesse renascido", escreveria Lutero posteriormente, e "como se eu tivesse entrado pelos portões abertos do próprio paraíso."[13]

A característica doutrina luterana de justificação pela fé significava, por si, que se tivesse fé o pecador poderia dizer: "Cristo fez muito por mim. Ele é justo. Ele é minha defesa. Ele morreu por mim. Ele fez de sua justiça minha justiça".[14] Por fé (*fides*), Lutero não queria dizer "crença" num conjunto de doutrinas. Usava a palavra em seu sentido original de dedicação e confiança. "Fé não exige informações, conhecimento e certeza", explicava, "mas uma submissão livre e uma feliz aposta na bondade não experimentada, não testada, e desconhecida [de Deus]."[15] Sua interpretação das palavras de Paulo divergia do significado original, mas Lutero estava praticando a arte tradicional da exegese escritural, dando-lhe um novo significado que se aplicava diretamente à sua situação. Mas havia uma diferença importante. A arte da escritura também exigia *kenosis*, o "esvaziamento" do eu, acompanhado pelo gesto de estender compassivamente os braços para os outros. Essa interpretação dos Romanos, porém, dizia respeito exclusivamente a Lutero — *sua* fé, *sua* salvação, *seu* medo da morte —, e compaixão, como veremos, não era uma das virtudes de Lutero.

A Reforma Protestante começou em 31 de outubro de 1517, quando Lutero afixou suas 95 teses na porta da igreja do castelo de Wittenberg. Elas contestavam ferozmente as práticas penitenciais e sacramentais da Igreja católica que não tivessem sanção bíblica. Dois anos depois, num debate público em Leipzig com Johann Eck, professor de teologia em Ingolstadt, Lutero formulou a nova doutrina de *sola scriptura* ("só a escritura"). A Igreja católica afirmava que só os papas e o concílio de bispos tinham competência para interpretar a Bíblia. Na verdade, perguntou Eck, como era possível compreender a escritura sem a orientação dos papas, dos concílios e das universidades a quem fora confiada a complexa arte da interpretação escritural? "Um simples leigo armado com a escritura está acima de um papa ou de um concílio sem ela", foi a resposta de Lutero.[16] Esse estimulante grito de guerra teve apelo imediato para cidadãos de mentalidade democrática que estavam fartos da extorsão de dinheiro de pessoas ingênuas pelos sacerdotes. As cidades do centro e do sul da Alemanha tinham se tornado importantes centros comerciais e estavam, portanto, numa posição de força para declarar e obter independência de fato em relação a Roma.[17] A parte mais intelectual do clero espalhava as ideias de Lutero em seus próprios livros, os quais, graças à nova tecnologia de impressão, circulavam com velocidade inédita, criando um dos primeiros movimentos em massa do mundo.

Sola scriptura foi o grito revolucionário que lançou a Reforma Protestante. Até então, como vimos, a escritura jamais tinha sido uma experiência direta. Era tradicionalmente apresentada e encenada em rituais por vezes mais importantes do que os próprios textos. Mas a escritura agora estava muito em voga. A Bíblia de Gutenberg a tornara mais acessível do que nunca, e os humanistas tinham provocado seu próprio renascimento escritural, em consequência do qual os reformistas protestantes eram muito versados em hebraico e em grego.[18] De fato, na Suíça a Reforma começara em grupos de estudo humanistas. Os reformistas suíços estavam menos interessados em dogma do que Lutero, e tudo que desejavam era uma reforma moral. Mas, tal como Lutero, Ulrico Zuínglio (1484-1531), de Genebra, estava convencido de que essa reforma só poderia ser realizada através do encontro direto com a Bíblia. "O Verbo de Deus, quando brilha no entendimento de um indivíduo, ilumina-o de tal maneira que ele compreende", escreveu Zuínglio em 1522.[19] A Bíblia não precisava de interpretação: "Ela é certa e não pode falhar. Ela é clara e não nos deixará na escuridão. Ela ensina a si mesma por conta própria".[20]

Balthazar Hubmaier (*c.* 1480-1528), colega de Zuínglio, era da mesma opinião:

> Em todas as questões litigiosas e controvérsias, só a escritura, canonizada e tornada santa pelo próprio Deus, deve ser o juiz, ninguém mais [...]. Pois só a escritura sagrada é a verdadeira luz e lanterna com a qual todas as disputas, escuridões e objeções humanas são reconhecidas.[21]

Mas vimos que na verdade a escritura *não* "ensina a si mesma"; em vez disso, ela com frequência se funde, deliberadamente, com o silêncio e o desconhecimento. Não resolve disputas dogmáticas: os teólogos gregos foram incapazes de provar a divindade de Cristo só pela escritura, e jurisconsultos muçulmanos tinham exercido "raciocínio independente" (*ijtihad*) para criar a jurisprudência islâmica. Os rabinos não haviam encontrado nenhuma resposta clara para o mundo pós-templo na Bíblia e acabaram criando a *mishnah*; e julgando suas escrituras falíveis, os jainistas tinham recorrido aos rituais compassivos.

Não é de surpreender, portanto, que os reformistas logo tenham descoberto que, apesar de sua expertise bíblica, não conseguiam chegar a um acordo sobre o que a escritura ensinava. Lutero e Zuínglio, por exemplo, discutiam com veemência sobre a eucaristia. O que Jesus quis dizer com "Este é meu corpo"?[22] Lutero, que ainda acreditava na presença real de Cristo nos elementos eucarísticos, dava uma interpretação literal — "Este pão é meu corpo" —, mas Zuínglio afirmava que o sentido "natural" era: "Este pão significa meu corpo" ou "Este pão é como meu corpo, partido para vós".[23] Entre 1515 e 1529, reformistas publicaram 28 tratados contestando a opinião de Lutero. Não era uma questão banal, porque significava que os reformistas não poderiam cultuar juntos, de modo que, desde o início, a Reforma Protestante se dividiu em grupos conflitantes.

Já se disse que a Reforma sinalizou o ressurgimento do hemisfério esquerdo do cérebro, o que, como vimos, tinha começado na Europa durante o século XIII.[24] As disputas sobre eucaristia representaram um salto do modo metafórico para o modo literalista de pensamento. Os reformistas estavam às voltas com a implausível doutrina da transubstanciação, uma infeliz tentativa feita por teólogos medievais para dar sentido à eucaristia em termos aristotélicos, o que os cristãos gregos jamais aceitaram. Dizia-se que, quando o padre pronunciava as palavras da consagração, a "substância" (a realidade subjacente) do pão e do vinho tornava-se, *literalmente*, o corpo e o sangue de Cristo, deixando os "acidentes" (sua aparência externa) intactos.

A transubstanciação representou uma fuga "inábil" da metáfora, o modo de expressão natural do hemisfério direito do cérebro, que vê a interligação das coisas. A metáfora liga o todo de uma coisa ao todo de outra coisa, de tal maneira que vemos diferentemente as duas coisas.[25] Quando chamamos um homem de lobo, o lobo fica mais humano, e o homem mais animal, e quando dizemos que um ser humano é divino, adquirimos uma nova compreensão da humanidade e da divindade. Esse insight metafórico ocorre antes que a transformação seja processada no hemisfério esquerdo.[26] O ritual católico tradicional era deliberadamente metafórico, implícito e indecifrável, possibilitando aos participantes vislumbrar tacitamente a unidade da realidade. A Reforma, entretanto, anunciou o triunfo da Palavra escrita e a preferência pela clareza e pela definição. As palavras de Cristo agora significavam que o pão só podia ser pão — um modo de pensamento que resultava na ênfase na palavra, e não na imagem, no literal, e não no metafórico, e numa insistência no significado explícito da escritura. Em vez de "decifrar" as palavras da escritura para vislumbrar alguma coisa além, como Ambrósio de Milão, os reformistas abandonaram os quatro "sentidos" tradicionais, concentrando-se na leitura literal, histórica. A alegoria só era permitida se não pusesse em risco o significado óbvio do texto — decisão que submeteria a mente cristã ocidental a uma tensão que logo se tornaria intolerável.

O novo literalismo também era óbvio na veemente discórdia entre os reformistas sobre o batismo das crianças, que os anabatistas, os reformistas mais radicais, afirmavam ser "antiescritural". De fato, não havia menção explícita dessa prática no Novo Testamento, mas ela havia sido aceita, por diferentes razões, por cristãos orientais e ocidentais, que se sentiam à vontade para improvisar e inovar. Mas os reformistas debatiam essa questão com uma raiva e um farisaísmo que se incrustavam no ego que a arte da escritura os obrigava a transcender. Conrad Grebel denunciou o batismo de crianças como "uma abominação sem sentido, blasfematória, contra todas as escrituras", enquanto Felix Manz declarou que era "contra Deus, um insulto a Cristo, e um pisoteio em sua palavra eterna". Para Hans Hut, era "uma fraude imoral contra pessoas simples, um truque astuto contra todo o cristianismo, uma cobertura supervelhaca para todos os ímpios", enquanto Michael Sattler, ex-monge beneditino, condenava-o como "a primeira e maior abominação do papa".[27]

Os reformistas pareciam ter esquecido a advertência de Valla sobre a falibilidade dos textos-provas: as partes em conflito citavam máximas escriturais para incriminar os adversários que, claro, atiravam de volta outros textos endossando sua própria posição. Fica-se imaginando o que Zhuangzi, Xunzi, o Buda ou os rabinos achariam dessas disputas. Todos eles tinham, à sua maneira, afirmado que esse tipo de querela agressiva, egoística, era "inábil", que era perigoso se apaixonar pelas próprias opiniões, e que a certeza estridente era um grave equívoco e poderia tornar-se "obsessão". Zhu Xi advertira seus alunos especificamente contra a tentação de ler as próprias ideias nos textos, como os reformistas faziam agora. A arte da escritura destinava-se a provocar mudança radical nos que a estudavam, e não a dar uma sanção divina a suas próprias e inevitavelmente limitadas opiniões. Todos os reformistas reverenciavam Agostinho, mas pareciam ter esquecido sua advertência de que tudo que a escritura ensinava era a caridade. "Cuidado com Zuínglio e evitem seus livros como se fossem o veneno infernal de satanás", dizia Lutero aos colegas, "pois o homem está pervertido e perdeu completamente Cristo."[28]

Lutero afirmava que a Bíblia tinha apenas um sentido. "Em toda a escritura, não há nada além de Cristo, seja em palavras simples ou em palavras elaboradas."[29] Mas ele logo se deu conta de que alguns livros da Bíblia eram mais cristológicos do que outros. Sua solução para isso foi criar um "cânone dentro do cânone", favorecendo livros que apoiavam sua própria teologia. Nisso ele entrou em choque com o teólogo de Wittenberg Andreas Karlstadt, que fazia fortes objeções à marginalização, por Lutero, da Epístola de Tiago, que contestava sua doutrina de justificação apenas pela fé. "Vejam o caso, meus irmãos, de alguém que jamais praticou uma boa obra, mas afirma que tem fé. Essa fé o salvará?", perguntara Tiago. A fé poderia salvar um homem que nada fez para ajudar os que não tinham como satisfazer as necessidades básicas da vida? "Desacompanhada de boas ações", concluíra Tiago, "a fé está morta."[30] Vimos que a escritura era sempre um chamado à ação e que as tradições monoteísticas sempre ressaltaram a importância da justiça social. Os maaianas se opunham aos *arahants* porque eles não sentiam nenhuma obrigação de ajudar os outros a encontrar alívio para o seu sofrimento, e os neoconfucionistas afirmavam que estender a compaixão prática aos confins da terra era essencial para a iluminação.

Desde que o duque de Zhou introduzira a ideia do Mandato do Céu, a escritura tinha tido uma dinâmica política, uma vez que a injustiça, a desigualdade e a opressão do Estado eram questões de importância sagrada. Durante a Reforma, essa questão chegou a um ponto crítico na Revolta dos Camponeses.[31] Os camponeses do sul e do centro da Alemanha tinham resistido às políticas centralizadoras dos seus príncipes, que os privavam de direitos tradicionais. Alguns tinham conseguido concessões negociando pragmaticamente, mas, entre março e maio de 1525, bandos insubordinados de camponeses saquearam e queimaram propriedades da Igreja. Lutero não tinha qualquer simpatia pela causa dos camponeses, sustentando que seu destino era sofrer: era sua obrigação obedecer ao Evangelho, oferecer a outra face e aceitar a perda de vida e propriedade.[32] Mas os camponeses também sabiam citar a escritura e cometeram a temeridade de retorquir que Cristo tinha criado todos os homens iguais. Para Lutero, essa recusa provava que eles estavam sob a influência de Satã e deu o seguinte conselho aos príncipes:

> Que todos aqueles que sejam capazes golpeiem, matem e esfaqueiem, secreta ou abertamente, lembrando que nada pode ser mais tóxico, nocivo ou diabólico do que um rebelde. É exatamente como quando temos de matar um cão raivoso: se não o atacarmos, ele nos atacará, e a terra toda conosco.[33]

Na verdade, afirmava, matar os rebeldes era um ato de misericórdia, porque isso os libertaria da escravidão satânica. É possível que cerca de 100 mil camponeses tenham sido mortos, antes que a rebelião fosse controlada. Lutero foi o primeiro cristão a defender a separação entre religião e política. Acreditava que os cristãos, justificados por um ato de fé pessoal no poder redentor de Deus, pertenciam ao Reino de Deus e tinham que ficar longe das questões políticas do mundo pecador. Mas esses cristãos verdadeiros eram raros; a maioria dos que se diziam cristãos ainda pertencia ao Reino do Mundo, um reino de egoísmo e violência, governado pelo Diabo, e precisava ser contido à força pelo Estado.[34]

A interpretação escritural, claro, sempre fora, talvez inevitavelmente, exclusividade da elite letrada e ociosa. Depois da Revolta dos Camponeses, Lutero desistiu da sua afirmação de que "um simples leigo" pudesse interpretar a Bíblia sem ajuda. Os anabatistas continuariam insistindo na ideia de que todos os cristãos tinham o direito de ler a escritura, mas em 1530 a "Reforma Magisterial", seguindo Lutero e Zuínglio, decretou que só os cristãos fluentes em hebraico, grego e latim poderiam ler a Bíblia. O resto deveria adquirir seus conhecimentos bíblicos por meio de "filtros" como o *Catecismo Menor* de Lutero (1529).[35] Mais tarde, o reformista francês João Calvino (1509-64) concordou que a maioria dos cristãos era incapaz de ler a escritura, e seu *Institutas da Religião Cristã* (1559) passou a ser o guia protestante padrão para a Bíblia.[36]

No entanto, João Calvino não era nenhum literalista empedernido. Continuou a respeitar o "princípio da acomodação" de Agostinho, afirmando que o Verbo divino estava condicionado às circunstâncias históricas nas quais foi pronunciado. A história da criação era um exemplo perfeito de *balbative* ("linguagem infantil"), que adaptava processos imensamente complexos à mentalidade de pessoas simples, sem instrução.[37] As descobertas de astrônomos modernos, dizia Calvino, não deveriam ser condenadas "simplesmente porque algumas pessoas histéricas costumam rejeitar audaciosamente tudo aquilo que desconhecem". Moisés, por exemplo, tinha descrito o Sol e a Lua como os maiores corpos celestes, mas agora os cientistas acreditavam que Saturno era maior do que a Lua.

> Aí está a diferença: Moisés escreveu num estilo popular coisas que, sem instrução, as pessoas comuns, dotadas de bom senso, são capazes de compreender; mas astrônomos investigam com grande esforço tudo aquilo que a sagacidade da mente humana é capaz de compreender.

A revelação, segundo Calvino, era um processo gradual, evolutivo. A cada fase, Deus adaptara sua verdade à capacidade limitada dos seres humanos, por isso seus ensinamentos tinham mudado e evoluído com o tempo, tornando-se progressivamente mais espirituais.[38] Mas enquanto Lutero via o "Velho" Testamento apenas como prelúdio de Cristo, Calvino respeitava a integridade da revelação a Israel e tornou as escrituras hebraicas mais importantes, em si mesmas, para os cristãos ocidentais do que em qualquer outra época até então.

No Concílio de Trento (1545-63), a Igreja católica reafirmou sua concepção tradicional da escritura contra os reformistas. Os bispos refutaram *sola scriptura*, sustentando que a corrente da tradição era um suplemento essencial da Bíblia; alegaram que o cânone protestante era insuficiente; confirmaram a autoridade da Vulgata e a prerrogativa da Igreja de interpretá-la; e decidiram que ninguém poderia publicar comentários sobre a escritura sem que fossem previamente examinados por seu superior, decisão que paralisaria a erudição bíblica católica durante séculos. Como os protestantes, a Igreja católica também divulgou uma série de "filtros" e catecismos, que tentavam "congelar" a mensagem escritural num único momento histórico, freando a interpretação inovadora que até então permitira aos exegetas tornar a escritura receptiva às mudanças de situação.[39] A produção de livros e material impresso também mudaria a atitude das pessoas para com a escritura.[40] À medida que o livro impresso ia, aos poucos, substituindo métodos orais de comunicação, o conhecimento religioso tornava-se despersonalizado e, talvez, menos flexível do que quando a verdade se desenvolvera na relação dinâmica entre mestre e discípulo. A página impressa era, em si, um modelo de precisão e exatidão, um sintoma da atitude mental da nova atmosfera comercial movida pela razão.[41]

Na Espanha, houve uma reforma católica de outro tipo. Teresa d'Ávila (1515-82) transformou radicalmente a vida monástica das mulheres em sua reformada ordem carmelita, assegurando que as mulheres fossem adequadamente instruídas nas escrituras e na psicologia do misticismo, para que não sucumbissem à histeria tão frequente nos conventos medievais. João da Cruz (1542-91), amigo e mentor de Teresa, descreveu a transição que o místico tinha que fazer da consciência comum, de todos os dias, para a consciência mística:

> Nesse estado de contemplação em que a alma abandona a meditação pelo estado mais adiantado, é Deus que agora age na alma; ele prende suas faculdades interiores e não permite que ela se apegue ao entendimento, nem se deleite com a vontade, nem raciocine com a memória.[42]

Trata-se claramente de um afastamento disciplinado da dominação do hemisfério esquerdo; o contemplativo "prende" ou controla seu foco no racional, no conceitual e em seu aperfeiçoamento voluntário do eu. Teresa descreveu processo semelhante:

> Quando todas as faculdades da alma estão unidas [...] não podem fazer absolutamente nada, porque o entendimento está, por assim dizer, surpreso. A vontade ama mais do que o entendimento sabe; mas o entendimento não sabe o que a vontade ama, nem o que ela está fazendo [...]. Já a memória, a alma, acho eu, não tem nenhuma, nem qualquer poder de pensar, nem os sentidos estão despertos, mas perplexos.[43]

Como os Upanixades, esses reformadores carmelitas ensinavam os adeptos a transcender modos normais de percepção para descobrir sua identificação com Brâman — "o Absoluto".

Isso, no entanto, não implicava um afastamento total do mundo; Teresa não compartilhava o desdém de Lutero pelas boas ações: "Este [...] é o objetivo da oração; esta é a intenção do Casamento Espiritual, do qual nascem boas ações e apenas boas ações [...]. Deveríamos desejar a prece e nos envolver na prece não para nossa diversão, mas para adquirir a força que nos capacita para o serviço".[44] Outro reformista espanhol, Inácio de Loyola (1495-1556), fundador da Companhia de Jesus, criou os *Exercícios Espirituais* com o objetivo exclusivo de inspirar seus jesuítas a agirem; era pela obra missionária nos rincões mais distantes do mundo conhecido — até mesmo, como veremos ainda neste capítulo, na China — que alcançariam a iluminação. Inácio tinha tido um momento visionário, no qual "ficou com seu entendimento tão lúcido que parecia ser outro homem, com outra cabeça".[45] Mas, como ex-soldado, também era homem do hemisfério esquerdo. Seus *Exercícios Espirituais* guiavam cada jesuíta através de uma controlada viagem interior de trinta dias, precisamente sinalizada; sua teologia e sua espiritualidade preocupavam-se com sistema, análise e definição — uma mentalidade que fez dos jesuítas figuras destacadas no desenvolvimento inicial da ciência moderna.

As rixas da Reforma tinham resultado numa profunda hostilidade entre católicos e protestantes, amplificada pelas chamadas "Guerras de Religião". Depois da Reforma, o nordeste da Alemanha e a Escandinávia ficaram sendo, de modo geral, luteranos; a Inglaterra, a Escócia, o norte da Holanda, a Renânia e o sul da França basicamente calvinistas, enquanto o resto do continente permaneceu católico. Isso inevitavelmente exacerbava as relações internacionais, mas havia também muitos príncipes alemães alarmados com as ambições dos Habsburgo, que agora governavam territórios alemães, a Espanha e o sul da

Holanda. O imperador Carlos v (r. 1519-56), católico, empenhava-se em alcançar uma hegemonia transeuropeia nos moldes otomanos, enquanto os príncipes alemães estavam igualmente determinados a construir Estados fortes e soberanos, nos moldes da França e da Inglaterra. Os reis católicos da França tentavam conter as ambições dos Habsburgo e por mais de trinta anos fizeram campanhas militares contra o imperador católico, que finalmente reconheceu a derrota e assinou a Paz de Augsburgo em 1555. A partir de então, na Europa a lealdade religiosa do governante local determinaria a fé dos seus súditos — princípio consagrado na máxima *Cuius regio, eius religio* ("Quem controla a região controla a religião").[46]

Na cabeça dos participantes, porém, essas guerras eram vivenciadas certamente como uma luta de vida ou morte entre protestantes e católicos, mas se o conflito fosse inspirado apenas por religião não era de esperar que protestantes e católicos lutassem do mesmo lado. Foi, no entanto, o que fizeram com frequência, consequentemente matando irmãos de fé. O mesmo se aplicava às Guerras Religiosas na França (1562-98), que emendaram na Guerra dos Trinta Anos (1618-48), a qual matou cerca de 35% da população da Europa Central.[47] Mas o trauma desses conflitos convenceu muitos europeus de que as diferenças teológicas entre católicos e protestantes eram insolúveis, e que era preciso encontrar terreno comum numa verdade que nada tivesse a ver com religião.

Muitos, portanto, gostaram da solução do filósofo francês René Descartes (1596-1650), elaborada no campo de batalha da Guerra dos Trinta Anos. Apesar de continuar sendo católico devoto até a morte, Descartes admitiu que a religião era parte do problema, mais que da solução, e nunca tirou da cabeça o desafio lançado pelo cético francês Michel de Montaigne (1533-92) no fim do ensaio "Apologia de Raymond Sebond": a não ser que possamos encontrar uma verdade que nos dê certeza, não podemos ter certeza de absolutamente nada. Em 1619, enquanto Descartes servia como soldado cavalheiro, uma nevasca o obrigou a sair da estrada em Ulm, no Danúbio, onde se alojou num pequeno quarto bem aquecido. Ali, teve três sonhos luminosos, que o inspiraram a criar uma ciência que juntasse todas as disciplinas — teologia, aritmética, astronomia, música, geometria, ótica e física — sob o manto da matemática.

Em vez de *sola scriptura*, Descartes sugeriu *sola ratio* ("só a razão"). Sua solução descartava toda revelação e toda teologia tradicional e propunha a seus contemporâneos uma ideia que, estava convencido, era evidente por si mesma, clara e distinta, mas que começava com uma dúvida radical. Não podíamos confiar nas provas dos nossos sentidos — na verdade, não podíamos sequer ter certeza de que os objetos mais próximos de nós verdadeiramente existiam: era possível que estivéssemos sonhando ao pensar que os víamos, ouvíamos ou tocávamos. Portanto, Descartes sistematicamente esvaziou sua mente de tudo que ele achava que sabia; mas, enquanto pensava e duvidava dessa maneira, tornou-se consciente da realidade da sua própria existência.[48] Essa ascese disciplinada e cética permitira ao ego erguer-se inevitavelmente das profundezas de sua mente:

> Notando que esta verdade, *cogito, ergo sum* ["penso, logo existo"] era tão certa e tão sólida que nem mesmo as suposições mais extravagantes dos céticos seriam capazes de abalar, concluí que poderia considerá-la sem receio o primeiro princípio da filosofia que eu buscava.[49]

O eu pensante era solitário, autônomo e um mundo em si mesmo, não afetado por influência externa e separado de todas as demais coisas existentes. O *cogito* de Descartes marcou o início do Iluminismo europeu, mas, diferentemente da transformação escritural efetuada por *kenosis*, o iluminismo alcançado pela "razão sozinha" era uma triunfante presunção.

Desse núcleo de certeza — *cogito, ergo sum* —, Descartes partiu para demonstrar a existência de Deus e a realidade do mundo exterior. A única coisa viva em todo o universo era o eu pensante; portanto, o universo material, que era sem vida, sem deus e inerte, nada poderia nos dizer sobre Deus. Não havia necessidade de escritura, revelação ou teologia, porque "Deus" era uma ideia clara e distinta na mente humana, e, sendo Deus a própria Verdade, explicou Descartes num argumento um tanto circular, ele não nos permitiria estar errados sobre uma questão tão importante quanto a da sua existência. Onde Avicena, Maimônides, Dionísio e Tomás de Aquino tinham afirmado que Deus não era um ser, Descartes não teve escrúpulos em chamar Deus de "o primeiro e soberano ser", encolhendo, dessa maneira, a Realidade inefável e onipresente dos sábios, rabinos e místicos para fazê-la caber nos limites da mente humana.[50]

Quando dedicou suas *Meditações sobre filosofia primeira* aos eruditos da Sagrada Faculdade de Teologia de Paris, Descartes calmamente informou a esses eminentes teólogos que cientistas como ele estavam mais qualificados do que eles para discutir o divino. Eles concordaram sem hesitar. Descartes oferecera a seus contemporâneos uma esperança real de fugirem do impasse dos dogmas incompatíveis. *Sola scriptura* tinha inspirado um volume enorme de opiniões incompatíveis, simplesmente porque os reformistas tinham se apaixonado pelas próprias ideias, mas descobriram que seus textos-provas não provavam coisa alguma. Descartes, porém, podia afirmar: "É pelo menos tão certo que Deus, que é um Ser tão perfeito, é, ou existe, quanto qualquer demonstração de geometria pode ser".[51] Descartes julgava dever da ciência dissipar a admiração e a reverência pelo mundo natural que a escritura procurou inspirar. Na verdade, sua filosofia nos tornaria senhores e donos da natureza. Os fenômenos cósmicos eram apenas produto de necessidade física, insistia ele, e logo, graças à *ratio* científica, "não teremos mais ocasião de nos espantarmos com nada que deles possamos ver [...] facilmente acreditaremos ser possível também descobrir as causas de tudo que há de mais admirável acima da terra".[52]

A esquizofrenia foi definida como um excesso de racionalidade; não é uma regressão para um modo de pensamento primitivo, inconsciente, mas uma "condição excessivamente desprendida, hiper-racional, reflexivamente consciente de si, incorpórea e alienada" que ocorre quando a pessoa faz um esforço deliberado para se distanciar do seu ambiente, e suspende "todas as suposições normais e as submete a um exame minucioso e desapaixonado".[53] Os sintomas de Descartes, se não são indicativos de doença mental, sugerem que sua confiança na *sola ratio* pode ter exercido excessiva pressão sobre seu equilíbrio psicológico. Ele descreve a si mesmo olhando pela janela para os homens que passavam na rua e se perguntando por que aceitava sem pensar que se tratava de seres humanos e não de autômatos: "Na realidade não os vejo; porém, deduzo que o que vejo sejam homens [...], mas o que vejo da janela além de chapéus e sobretudos, que podem carregar máquinas automáticas? No entanto, julgo que são humanos".[54] Achava incompreensível que "esse misterioso beliscão do estômago que chamo de fome me dê vontade de comer".[55] Na verdade, lutava para se convencer de que tinha um corpo. Era capaz de formular uma "provável conjetura" de que seu corpo existia, mas era "apenas uma probabilidade" e ele não tinha "ideia clara e distinta" de sua natureza corpórea.[56]

Descartes tinha heroicamente introduzido a Idade da Razão, que produziria avanços espetaculares na ciência, na filosofia e na tecnologia, mas que também transformaria a forma como os povos ocidentais vivenciavam suas escrituras. Até então, a escritura tinha sido uma forma de arte que recorria a gestos corpóreos de ritual, a cânticos comunais e à música, a mais física das artes; tinha, além disso, exigido uma preocupação empática com a humanidade, e não um retraimento e um distanciamento cartesianos.

No Ocidente, portanto, teologia e escritura seriam com frequência cada vez maior traduzidas num idioma racional que lhes era estranho. Logos não pode aliviar nossa tristeza ou evocar nosso senso do transcendente, por isso é incapaz de nos convencer de que, apesar das provas racionais em contrário, nossa vida tem sentido e valor. Claro, a música de Johann Sebastian Bach (1685-1750) e de George Frederick Handel (1685-1759) ajudaria a devolver o texto bíblico ao hemisfério direito do cérebro, e a prosa magnífica da Bíblia do rei Jaime, além de oferecer aos leitores um texto (relativamente) livre de polêmicas, separaria a linguagem sagrada da fala trivial. Mas, cada vez mais, católicos e protestantes passariam a ler os *mithoi* bíblicos como se fossem *logoi*. Talvez não seja de surpreender que alguns poetas, artistas e dramaturgos preservassem uma abordagem mais tradicional das escrituras. Embora os teólogos tendessem a concentrar-se no sentido original do texto bíblico, eles continuaram a interpretar suas narrativas livremente, para poder tratar de questões atuais e efetuar dentro do leitor uma transformação pessoal indispensável para a religião.

John Milton (1608-74), poeta saudado quando ainda era vivo como inferior apenas a Homero e Virgílio, interpretou radicalmente a história bíblica da Queda de Adão e Eva em seu poema épico *Paraíso perdido*, publicado em 1667. Humanista e cria da Reforma, Milton personificava os dois grandes movimentos da sua época, apesar de ser uma figura de transição. Protestante devoto e partidário da *sola scriptura*, no fim da vida desgostou-se com o dogmatismo sectário e desenvolveu a paixão pela liberdade política e intelectual que viria a ser essencial para o Iluminismo do século XVIII. Mas rejeitava completamente a *sola ratio* de Descartes — afinal, observava, Paulo tinha deixado claro que o cristianismo era essencialmente irracional.[57] "Ao discutir temas sagrados, deixemos de lado a razão", recomendou em seu tratado *Da doutrina cristã*, "e sigamos exclusivamente o que a Bíblia ensina."[58] Mas se recusava a aceitar tanto a ênfase de Lutero apenas na fé em detrimento das "boas ações" como sua insistência em que o verdadeiro cristão não se envolvesse em questões políticas.

Sem dúvida a fé nos justifica, afirmava Milton, "mas uma fé viva e não uma fé morta"; a fé, acreditava ele, "tem suas próprias ações", e a maior delas era a política. Milton esteve profundamente envolvido na agitação política de sua época. Depois da Guerra Civil Inglesa (1642-9), que resultou na execução do rei Charles I e na criação de uma república puritana de curta duração, ele serviu no governo de Oliver Cromwell e publicou ensaios sobre teoria política.

Depois da restauração da monarquia em 1660, Milton foi obrigado a abandonar a vida política, por isso se dedicou inteiramente à poesia. Foi durante esses anos que compôs o *Paraíso perdido*. Em 1652, tinha perdido a visão e, da manhã à noite, todos os dias, ditava o poema para seu secretário e para suas pacientes filhas. Para Milton, não se tratava apenas de um empreendimento literário; tratava-se de uma "boa ação" inspirada pela fé e seu objetivo era essencialmente político. Os poetas, afirmou em seu famoso panfleto *Areopagítica*, eram melhores professores do que os eruditos, pois, em vez de simplesmente comunicar fatos, a poesia operava indiretamente; apelava ao que nós hoje chamaríamos de mente subconsciente, possibilitando aos leitores assimilar suas lições num nível mais profundo do que o meramente racional.[59] Milton acreditava que a educação moral e religiosa dos cidadãos era muito mais importante para a saúde do Estado do que arranjos constitucionais. A função do governo era "tornar as pessoas mais preparadas para escolher, e os escolhidos mais preparados para governar [...] corrigir nossa educação corrupta e deficiente para ensinar às pessoas fé, não sem virtude".[60] Cego, desacreditado e politicamente impotente, criar esse poema épico era sua única maneira de fazer a obra de Deus.

Milton tinha lido a Bíblia na língua original e esperava que seus leitores fossem escrituralmente alfabetizados, rezando para "público adequado encontrar, ainda que pequeno".[61] Mas tomou muitas liberdades com o texto bíblico, introduzindo elementos inteiramente novos à história da Queda, porque se julgava tão inspirado pela musa celeste quanto os autores bíblicos. O *Paraíso perdido* é uma obra de *midrash*: como os rabinos, Milton preenchia as lacunas da fábula bíblica para que ela dissesse algo sobre as condições da Inglaterra depois do turbilhão da Guerra Civil e da Restauração.

Como as grandes epopeias clássicas, o *Paraíso perdido* começa *in medias res*, após Satã e seus anjos rebeldes terem sido derrotados na grande guerra no céu e ido parar no inferno. Para instigar as tropas derrotadas, Satã planeja seduzir a recém-criada raça humana e estender seu poder a esse bravo mundo novo. Viajando através do reino assustador do Caos primitivo, ele chega ao Éden, onde espiona Adão e Eva em seu estado de inocência. Pela metade do poema, a trama volta ao início da história, quando Satã declara guerra a Deus, numa tentativa republicana de liberdade contra Deus Pai, que acabara de promover o Filho ao mais alto lugar do céu. Assistimos então à trágica Queda de Adão e Eva, mas o poema termina com o arcanjo Miguel dando a Adão uma lição de história que não só revela as consequências da Queda, mas também anuncia a promessa de regeneração.

O assunto do poema, declara Milton no início, é a doutrina agostiniana do pecado original:

Da Primeira Desobediência do Homem, e do Fruto
Daquela Árvore Proibida, cujo sabor mortal
Trouxe a Morte ao Mundo, e todos os nossos males,
Com a perda do Éden.[62]

Como vimos, a Igreja oriental tinha rejeitado com veemência a interpretação do Gênesis por Agostinho e, apesar de ampliada por Anselmo, sua doutrina não teve grande impacto na espiritualidade ocidental até o começo do período moderno, quando se tornou essencial para a fé tanto de católicos como de protestantes. Ressaltando a culpa inerradicável dos seres humanos, era uma doutrina sombria e pessimista; mesmo depois do batismo, sustentava Agostinho, nossa humanidade continuava severamente debilitada. Enquanto a Igreja oriental jamais teve dúvida sobre a possibilidade da *theosis* ("deificação") de cada cristão durante a sua vida, essa transformação era tida como praticamente impossível no Ocidente.

Na época de Milton, a situação tinha ficado ainda mais tensa, pois a doutrina da predestinação, apesar de não ter sido importante para o próprio Calvino, tornara-se marca distintiva do calvinismo. Teodoro de Beza (1519-1605), que assumiu a liderança dessa Igreja após a morte de Calvino, tinha sustentado que os seres humanos não poderiam contribuir em nada para a própria salvação, porque os decretos de Deus eram imutáveis, e ele tinha decidido desde sempre salvar alguns e predestinar o resto à danação eterna. A conversão transformou-se num drama torturante, no qual o "pecador" costumava passar por uma ab-reação psicológica, uma perigosa oscilação da mais extrema desolação ao arrebatamento mais histérico. Convencidos de que estavam condenados, alguns mergulhavam numa depressão suicida, vista como obra de Satã, que era aparentemente poderoso e implacável como Deus.[63]

Milton rejeitava tudo isso. Esse impiedoso Deus calvinista violava os ideais de sua educação humanista. "Por que motivo a queda de Adão lançaria irremediavelmente tanta gente", perguntou, indignado, "juntamente com seus filhos pequenos, à morte eterna?"[64] Mas sua mais poderosa contestação foi o jeito como retratou Satã, que aparece apenas fugazmente na escritura. Na Bíblia, ele não é identificado como o tentador de Adão e Eva, que, como vimos, era apenas uma serpente falante. Nas escrituras hebraicas, a origem do mal costuma ser atribuída à rebelião de um deus ou herói até então subalterno, como Leviatã, o rei da Babilônia ou o príncipe de Tiro.[65] Satã é apresentado como o inimigo de Jesus nos evangelhos, mas só se revela inteiramente no livro do Apocalipse. Apesar da ênfase protestante na *sola scriptura*, porém, a figura escritural menor de Satã dominou a imaginação cristã durante o primeiro período moderno e ele é, sem sombra de dúvida, a figura mais poderosa no *Paraíso perdido*.

Desde o começo, os críticos não conseguiam chegar a um acordo sobre o Satã de Milton, que para alguns era a personificação do mal, e para outros, o herói da epopeia. Na verdade, o segredo do fascínio exercido por Satã está no fato de que ele permanece um enigma "ambivalente insolúvel", cujo caráter muda constantemente de mal desafiador a tristeza comovente.[66] Como ocorre com a maioria dos seres humanos, seu caráter nos escapa. Quando fala para os outros demônios no inferno, ele é arrebatador e grandioso em sua fúria, mas, quando pela primeira vez vê Eva em sua beleza e inocência, torna-se "estupidamente bom", momentaneamente alheio ao mal que, como ele mesmo declara, agora define sua natureza, antes de "recompor-se" e reassumir a pose satânica.[67] O narrador nos diz que sua fúria e coragem mascaram um desespero cada vez mais profundo.[68] Milton dá a Satã solilóquios dignos de Hamlet ou Macbeth, que revelam seu tormento e remorso interiores com tamanha eloquência que não apenas simpatizamos com ele, como admiramos a coragem envolvida em sua dor constantemente reprimida:

Para onde quer que eu voe é Inferno;
E na profundeza mais funda uma profundeza
Ainda mais funda que ameaça devorar-me se escancara,
Na qual o Inferno que sofro parece um Céu.[69]

Satã é o personagem mais desenvolvido do poema — aquele que acabamos conhecendo de forma mais íntima — justamente por ser o mais humano. Como qualquer ser humano, ele permanece complexo, nebuloso e contraditório. Milton tenta destruir o pesadelo monstruoso que conduzia puritanos aterrorizados ao suicídio fazendo de Satã um ser humano.

O tratamento dado por Milton a Satã lembra a "inclinação para o mal" descrita pelos rabinos, que está inextricavelmente ligada ao progresso e à produtividade humanos. Satã encarna muitas conquistas do início da modernidade. Quando se lança na perigosa jornada através do Caos, torna-se um daqueles primeiros intrépidos exploradores modernos, corajosamente em busca de um Novo Mundo; em seu plano de invadir o Éden, é como um colonizador europeu; e, claro, compartilha a paixão miltoniana pela liberdade republicana quando protesta contra a elevação monárquica do Filho. Lançando um olhar retroativo para seu momento de rebeldia, ele declara que "desprezava a vassalagem": "Estão dispostos a inclinar a cerviz e preferem dobrar/ O joelho dócil?", pergunta aos anjos, seus companheiros:

Quem pode então, por razão ou direito, assumir
Autoridade monárquica sobre aqueles que são por direito
Seus iguais, apesar de em poder e esplendor inferiores,
Em liberdade iguais?[70]

Como os rabinos, Milton dava a entender que o mal não era uma força alienígena, onipotente; pelo contrário, estava intrincadamente entrelaçado com a criatividade e a inventividade essenciais à natureza humana e a suas conquistas. Como explicou em *Areopagítica*:

O Bem e o Mal que conhecemos no campo deste mundo crescem juntos quase inseparavelmente. E o conhecimento do bem está, portanto, envolvido e entrelaçado com o conhecimento do mal, e em tantas astutas semelhanças são difíceis

> de distinguir [...]. Foi pela casca saboreada de uma maçã que o conhecimento do bem e do mal, como dois gêmeos colados um no outro, entrou no mundo, e talvez esta seja a desgraça de Adão, a de conhecer o bem e o mal, ou seja, de conhecer o bem através do mal.[71]

Ao projetar o mal na figura monstruosa de Satã, os primeiros cristãos modernos renegavam o mal que lhes era não só inerente, mas parte essencial de sua humanidade. O Satã de Milton os convidava, na verdade, a se apropriarem do mal que é uma característica peculiarmente humana e adotarem uma perspectiva rabínica mais equilibrada e realista.

Satã entreouve Adão explicar a Eva que é preciso obedecer à ordem de Deus para não comer o fruto da árvore do conhecimento, porque é a única "proibição fácil" que Deus lhes impôs. Como era de esperar, Satã, ardoroso republicano, conclui que aquele é outro sinal da injustiça arbitrária de Deus. Mas para Adão, é um "sinal da nossa obediência"[72] — um lembrete simbólico do fato de que, como as demais criaturas, eles não eram autônomos, "nascidos de si mesmos, criados por si mesmos",[73] mas deviam sua existência e seu status a Deus, de modo que a autoridade deles sobre o mundo natural não pode ser um mandato para dominar e explorar.[74] Quando Eva sucumbe aos argumentos de Satã, e colhe a maçã, Milton explica que ela pôs em movimento a trágica história do abuso e da corrupção da natureza pelo homem:

> *A Terra sentiu o ferimento, e a Natureza do seu assento*
> *Suspirando enquanto falava*
> *Deu sinal de pesar,*
> *Pois tudo estava perdido.*[75]

Mas, sustenta Milton, nem tudo está perdido. Quando saem do Jardim, o arcanjo Miguel promete a Adão e Eva que "vós [...] havereis de possuir/ Um paraíso dentro de vós, muito mais feliz",[76] uma transformação que vão alcançar reorganizando na prática suas relações um com o outro e com as demais criaturas.

Nos dois últimos livros da epopeia de Milton, Miguel revela a Adão a história futura da humanidade. Começa mostrando seis cenas bíblicas, a começar por Caim assassinando Abel e termina com o dilúvio de Noé. De início, Adão fica horrorizado de ver o sofrimento que seu deslize infligiu a seus infelizes descendentes, mas aos poucos, sob a tutela de Miguel, percebe que em todos os casos o que parecia uma catástrofe leva em última análise a renascimento, transformação e regeneração. Curiosamente, na última seção do poema, Milton não dá ênfase ao fato de que o sofrimento e a morte do Filho (antes discutidos no Céu) são cruciais para o processo de redenção.[77] A iluminação de Adão vem da sua compassiva reação à miséria dos outros seres humanos[78] e é isso que lhe dá esperança.[79] Sentindo que finalmente alcançou a iluminação, ele grita:

Aprendi então que obedecer é melhor,
E amar temendo o Deus único, andar
Como se estivesse em sua presença, observar sempre
Sua providência, e somente dele depender.[80]

Miguel, porém, logo o corrige. Uma transformação puramente interna, espiritualizada, não basta. Adão precisa expressar esse entendimento em "boas ações"; à fé tem de ser somado esforço disciplinado e perseverante, repete o arcanjo enfaticamente:[81]

apenas acrescenta
Ações correspondentes ao teu conhecimento, acrescenta a Fé,
Acrescenta a Virtude, a Paciência, a Temperança, acrescenta Amor.[82]

O "paraíso interior" que Adão e Eva conhecerão não pode ser simplesmente uma serenidade interior, privada. A humanidade precisa fazer um esforço prático — político e social — para reorganizar na terra da forma que puder a vida paradisíaca para a qual os seres humanos foram criados.

Milton tinha refutado magnificamente a descrição de Satã que se tornara comum em círculos calvinistas. Sucumbiu, no entanto, à noção inadequada de Deus que começava a criar raízes no cristianismo ocidental e tornaria Deus cada vez mais problemático, religiosa e intelectualmente. Milton tinha sérias dúvidas sobre a Trindade, por exemplo, que, como vimos, não tem nenhuma base escritural sólida, mas a terminologia trinitária estava tão arraigada na psique cristã que ele não teve como evitá-la. O resultado foi profundamente insatisfatório, intelectual e teologicamente. Os cristãos ocidentais jamais compreenderam a base mística da concepção grega da Trindade, na qual "Pai", "Filho" e "Espírito" eram apenas "termos que usamos" para expressar a maneira em que o Deus totalmente transcendente e incognoscível se manifesta para nós — vislumbres parciais e incompletos da Natureza Divina (*ousia*) que está muito além de qualquer imagem e conceptualização. Nunca fica claro, na epopeia de Milton, se o Filho é um segundo ser divino ou uma simples criatura, como os anjos. Como em outras representações modernas da Trindade, Pai e Filho estão sentados lado a lado no céu — supostamente em cadeiras celestiais —, duas personalidades inteiramente separadas, que devem travar longas conversas de profundo tédio para descobrir as intenções um do outro, ainda que o Filho seja reconhecidamente o Verbo e a Sabedoria do Pai.

A linguagem do Pai é estranhamente não escritural. Enquanto o Filho faz referências curiosamente prolépticas a acontecimentos escriturais que ainda não ocorreram, mas que prefiguram a salvação que ele, em algum momento do futuro, trará para o mundo, os discursos do Pai são mecânicos, casuísticos, repetitivos, frígidos e chatos. A Queda ainda não ocorreu, mas ele já mostra pouco carinho pela espécie humana que criou:

E assim cairão
Ele e sua Progênie infiel: de quem será a culpa?
De quem, senão dele? Ingrato, teve de mim
Tudo que podia ter; eu o fiz justo e correto,
Suficiente para ficar em pé, embora livre para cair.[83]

Rechaça completamente qualquer sugestão de que, como Criador onipotente, pudesse impedir essa catástrofe futura:

Se previ,
Previsão não teve influência alguma em sua falta,
Que não teria sido menos certa se fosse prevista.
Assim sem o menor impulso ou vestígio de Destino,
Ou que fosse imutavelmente previsto por mim
Eles transgridem, Autores de tudo por si mesmos
Tanto no que julgam como no que escolhem.[84]

Isso não pode deixar de fazer o leitor lembrar os absurdos debates teológicos que agora preocupam alguns dos demônios no inferno de Milton — sobre "Providência, Conhecimento Prévio, Vontade e Destino,/ Destino Imutável, Livre-Arbítrio, Conhecimento Prévio absoluto" — que o narrador descarta como "tudo saber inútil, falsa Filosofia".[85]

O Deus de Milton é a divindade doutrinal criada pelos catecismos e "filtros" destinados, no respaldo da Reforma, a impor uma estrita ortodoxia. O Pai aparece como impiedoso, farisaico e inteiramente desprovido da misericórdia que sua religião deveria inspirar. Quando fazemos o que chamamos "Deus" pensar e raciocinar como nós, "ele" deixa de ser o Ser em si, e passa a ser apenas um ser como nós numa escala exagerada, um ídolo que construímos à nossa imagem. É desconcertante ouvir Pai e Filho e, na verdade, Miguel discursarem longamente sobre trágicos acontecimentos da história de Israel já antecipadamente decididos; inevitavelmente, ocorre ao leitor que tem de haver uma forma mais fácil e misericordiosa de salvar o mundo. Obrigar Deus a falar e pensar como um de nós demonstra a impropriedade de uma concepção antropomórfica do divino, que se tornaria cada vez mais difundida no mundo ocidental. No *Paraíso perdido*, temos, em estágio embrionário, o irado "Velho no Céu" que acabaria tornando a religião impossível para muitos europeus. Não há sinal aqui do Deus inefável de Dionísio, de Tomás de Aquino, de Boaventura, nem do inescrutável En Sof dos cabalistas. Mas em outras partes do mundo, uma teologia mais tradicional e a arte de ler textos sagrados continuavam vivas.

Em 2 de janeiro de 1492, os exércitos cristãos da Reconquista conquistaram a cidade-Estado de Granada, o último bastião muçulmano na Europa, e em 31 de março os monarcas católicos Fernando e Isabel assinaram o Édito de Expulsão, que dava aos judeus espanhóis a possibilidade de escolher entre o batismo ou a deportação. Muitos eram tão apegados a Al-Andalus que se converteram ao cristianismo e permaneceram na Espanha, mas cerca de 80 mil judeus cruzaram a fronteira para Portugal, enquanto 50 mil fugiram para o império otomano.[86] Fernando e Isabel estavam criando um Estado centralizado moderno que não tolerava instituições autônomas como a guilda medieval e a comunidade judaica, de modo que a unificação da Espanha foi concluída por um ato de limpeza étnica. Em 1499, foi dada aos muçulmanos da Espanha a mesma escolha oferecida antes aos judeus, e por vários séculos a Europa Ocidental não teve muçulmanos. Para alguns, a modernidade seria fortalecedora, libertadora e iluminadora, mas para outros seria uma experiência coercitiva, invasiva e destrutiva.

Comunidades judaicas em todo o mundo lamentaram a extinção da judiaria espanhola, o que parecia colocar em perigo a própria Torá. O temor de Maimônides era que a dispersão dos judeus por tantas terras resultasse na fragmentação da Torá, razão pela qual compôs a *Mishneh Torah* ("Segunda Lei"), sumário de toda a Lei Oral. Agora Yosef Karo (1488-1575), um dos principais estudiosos de Sefad, no norte da Palestina, produziu um resumo semelhante, *Shulkhan Arukh* ("Mesa Posta"), que consistia em trinta curtas seções que podiam ser lidas diariamente, para garantir que em todas as comunidades judaicas espalhadas pelo mundo houvesse apenas Uma Torá. Graças à tipografia, havia agora livros demais e opiniões demais:

> Com o passar dos dias fomos transferidos de uma vasilha para outra [...] e problemas desabaram sobre nós até que, por causa dos nossos pecados, a profecia seja cumprida e a sabedoria dos sábios se perderá, e a Torá e os estudantes são impotentes, pois a Torá agora não são duas leis [a Torá Oral e a Escrita], mas muitas leis, porque há muito livros explicando suas regras e regulamentos.[87]

Na Polônia, o rabino Moshe Isserles, conhecido como Rasa, produziu código semelhante para seus estudantes asquenazes, pois ele também lamentava essa proliferação de interpretações da Torá, todas se dizendo divinamente inspiradas: "O tempo passa e suas palavras não morrem [...] e depois esses próprios livros e aquele que os lê afirmam que todos eles foram entregues no Sinai".[88]

Como os novos "filtros" e catecismos produzidos na Europa cristã naquela época, esses códigos rabínicos tentavam conter o fluxo de inovações. Mas, significativamente, no mundo judaico houve objeções imediatas a esses sumários. Estudiosos afirmavam que era errado apresentar o Talmude como um sistema jurídico simplificado. Os rabinos Jacob Polak e Shalom Shachne, fundadores dos estudos talmúdicos na Polônia, recusaram-se a criar esse "filtro" para seus alunos, porque inibiria sua capacidade de inovar e responder criativamente a novas situações. "Não quero que o mundo dependa de mim", protestou o rabino Jacob:

> Quando há desacordo entre autoridades rabínicas, o rabino deve decidir ou atentar para suas próprias opiniões, uma vez que "O juiz só deve seguir aquilo que vê com os próprios olhos". Todo mundo, portanto, deveria decidir de acordo com as necessidades do momento e os desejos do seu coração.[89]

Diferentemente dos reformadores e dos Padres Tridentinos, os rabinos não esperavam — na verdade, abominavam — uniformidade de opinião e não ficavam nem um pouco perturbados com a possibilidade de desacordo ou inovação, porque o Talmude não só permitia, mas ativamente estimulava, pontos de vista diversos. Como explicou Solomon ben Jehiel (1510-74), conhecido como Maharshal, a escritura era a Palavra de Deus, portanto, ainda que os céus e os oceanos fossem tinta, não haveria tinta suficiente para interpretar uma única passagem da escritura, registrar todas as dúvidas que surgem, e as muitas ideias novas que inspirava. Não era realista esperar explicações de todas as passagens obscuras da Torá, porque ela foi redigida deliberadamente num estilo lapidar, enigmático, que criou a necessidade de intensas discussões orais e discórdias.[90]

Os rabinos tinham um apreço profundo, instintivo pela dinâmica vanguardista da escritura, que os cristãos europeus pareciam decididos a esquecer. Os judeus sempre acreditaram que a Torá ganhava vida nas discussões orais, que inspiravam novas interpretações. O rabino Chaim Bezalel criticou o código de Rasa, chamando-o de ato de censura que condenaria todos os textos anteriores ao esquecimento. O gênio do Halakha (o sistema de leis e jurisprudência judaicas), insistia ele, era que não tinha limites fixos e não poderia ser restringido porque a Torá e o Halakha eram palavras de Deus, portanto infinitas. Sem a existência de um código fechado, o rabino não precisava tentar ser consistente, mas poderia responder com sabedoria e criatividade às necessidades do momento. "Ele pode não reinar hoje como o fez ontem", explicava Bezalel. "Isso não implica mudança ou deficiência. Pelo contrário, esse é o verdadeiro caminho da Torá."[91] Como vimos, a maioria das discussões registradas no Bavli (o Talmude babilônico) evitava respostas definitivas para as questões levantadas. Em vez disso, preservava deliberadamente as muitas diferenças e a variedade na abordagem de qualquer problema, para dar às gerações vindouras, vivendo num mundo muito diferente, a oportunidade de responder a suas circunstâncias de forma criativa.

Havia, porém, desacordo sobre o currículo escritural. Na França, o avanço dos estudos talmúdicos tinha levado a um declínio no estudo da Bíblia. "Nenhum judeu deveria estudar outra coisa que não seja o Talmude", sentenciava o rabino Aharon Land, do século XVI — nem "mesmo os 24 livros" que formam a Bíblia.[92] Uma visão mais matizada da Polônia ajuda a explicar essa preferência. A obscuridade dos antigos textos bíblicos não ajudava o judeu a cultivar a religiosidade e a reverência, por isso era melhor ficar com o Talmude: "O estudo da Bíblia não torna ninguém piedoso, porque não conseguimos entender [...]. Mesmo um pouquinho do Talmude é suficiente para trazer o temor a Deus, mais do que muito estudo de outros assuntos".[93] Claramente, não havia nenhum desejo de retornar às fontes: Maharshal chamou a atenção para a evolução progressiva da escritura. A Mishná tinha registrado a Torá Oral e isso resultara na criação do Talmude, um texto ainda superior, que por sua vez inspirara a Tosefta, que iluminava os debates talmúdicos. É lamentável, porém, que o prestígio do Bavli minimizasse o estudo da Bíblia, o texto escrito fundamental.

Havia discussões também sobre se o Bavli poderia ser estudado junto com a *falsafah* e a cabala. Maimônides, como vimos, achava que a *falsafah* era uma salvaguarda e um corretivo da apresentação antropomórfica de Deus na Bíblia. Além disso, ele afirmara que o estudo do Talmude era inferior ao estudo místico da metafísica, vendo-o como uma escala para disciplinas superiores. Para os cabalistas, o objetivo era *devekut*, a união com Deus por meio de técnicas de meditação, o que poderia ser estorvado pelo foco intensamente analítico do estudo talmúdico. Mas Yosef Karo, grande talmudista e místico, dizia não haver conflito entre a intuição mística e a meditação tradicional, "pois o estudo da Torá fortalece a comunhão"; na verdade, interromper o estudo da Torá era distanciar-se do estado místico.[94]

Os judeus sefarditas que migraram para o império otomano depois da expulsão da Espanha tiveram uma experiência diferente da dos seus irmãos asquenazes. Alguns se estabeleceram em Safed, na Palestina, onde conheceram Isaac Luria (1534-72), um frágil judeu do norte da Europa que havia desenvolvido uma forma de cabala com uma mensagem direta para a sua difícil situação. A deportação tinha infligido neles um ferimento psicológico que fazia o mundo parecer alheio, com tudo fora de lugar.[95] Enquanto os cristãos ocidentais desenvolviam uma compreensão totalmente literal e histórica da escritura, Luria ainda conseguia interpretar a Bíblia miticamente, revelando seu significado subjacente, num mito de criação sem qualquer semelhança com a ordeira cosmogonia do Gênesis. Com o valor escritural da *kenosis* desaparecendo da Europa cristã, Luria descreveu a criação como um ato de autoesvaziamento. Sendo Deus onipresente, não havia lugar para o mundo, e assim En Sof, a Divindade incognoscível, se contraíra, a bem dizer, numa retirada voluntária (*zimzum*), a fim de criar esse espaço, diminuindo-se para que suas criaturas pudessem prosperar e ser.

A história da criação segundo Luria prosseguia numa série de cósmicos acidentes, explosões e tentativas frustradas. Faíscas de luz divina tinham caído no vácuo criado pelo *zimzum*, tudo acabou indo parar no lugar errado, e a Shechiná vagou pelo mundo, ansiando por unir-se novamente à Divindade.[96] A história de Luria pode divergir do mito bíblico, mas parecia uma descrição mais precisa do mundo arbitrário que os judeus agora habitavam do que o relato do Gênesis. Além disso, era fiel ao espírito subjacente da história bíblica, que mostrara o povo de Israel sofrendo sucessivas e penosas migrações e deportações. Esse mito dava sentido à experiência traumatizante dos exilados, sugerindo que sua tragédia estava em sintonia com os ritmos básicos da existência, levando em conta que inclusive Deus exilara-se de si mesmo. Em vez de párias descartados, os judeus eram atores centrais num processo capaz de curar seu mundo despedaçado, porque a observância rigorosa da Torá poderia acabar com essa expatriação universal e alcançar a "restauração" (*tikkun*) da Shechiná à Divindade, dos judeus à sua Terra, e do resto do mundo ao seu legítimo Estado.[97] Em 1650, a cabala luriânica já se tornara um vasto movimento no mundo judaico, da Polônia ao Irã — a única interpretação judaica da escritura no início do período moderno a ter aceitação tão entusiástica.[98]

No mundo protestante, o ritual era aos poucos descartado ou rebaixado. Mas o mito de Luria teria sido uma ficção sem sentido sem os ritos que ele concebeu para torná-lo uma realidade capaz de curar. Os cabalistas faziam vigílias noturnas, chorando e esfregando o rosto na poeira como um jeito de apossar-se da própria tristeza. Passavam a noite inteira acordados, clamando a Deus em seu abandono, e faziam longas caminhadas pela Galileia, encenando sua condição essencial de desabrigados. Mas precisavam compreender e aceitar sua dor de forma disciplinada. As vigílias sempre terminavam ao amanhecer, com uma meditação sobre o fim do exílio da humanidade do divino, na qual praticavam exercícios de concentração (*kawwanoth*) que provocavam um senso de assombro e deleite. A compaixão era uma virtude luriânica essencial, e havia severas penitências para quem ofendesse outros. Os judeus, que tanto sofreram, não deveriam aumentar a soma da tristeza do mundo.[99]

É costume ouvir-se no Ocidente que o islã nunca passou por uma "reforma" adequada, mas movimentos de *islah* ("reforma") e *tajdid* ("renovação") sempre marcaram a história islâmica. Ocorriam com frequência durante períodos de mudanças culturais ou na esteira de desastres políticos, como as invasões mongóis, quando velhas respostas já não bastavam, e os reformistas usavam o *ijtihad* ("o raciocínio independente") para lidar com o novo statu quo.[100] Ibn Taymiyyah, por exemplo, tentara reformar a lei da xaria para atender as necessidades de muçulmanos vivendo sob domínio mongol. Como os reformistas protestantes, retornou às fontes, ao Alcorão e à Suna, contestando a jurisprudência medieval, àquela altura tida como sagrada. Mas, diferentemente dos cristãos, os reformistas muçulmanos concentravam-se mais nas práticas do que nos dogmas.

Outro momento desses ocorreu após a descoberta da pólvora, quando a nova tecnologia militar deu aos governantes mais poder sobre os súditos, possibilitando a construção de Estados maiores, mais centralizados. No fim do século XV e começo do século XVI, três novos e poderosos impérios islâmicos foram criados: o império safávida no Irã, o império mogul na Índia e o império otomano na Anatólia, Síria, Norte da África e Arábia, todos eles diferentes dos velhos impérios muçulmanos num sentido importante. A administração abássida jamais pusera em vigor a lei da xaria, nem desenvolvera uma ideologia islâmica própria, mas os governantes desses novos impérios tinham, cada qual, uma orientação islâmica distinta. No Irã safávida, o xiismo tornou-se religião de Estado; a *falsafah* e o sufismo eram dominantes no Estado mogul; e o império otomano foi o primeiro Estado a tentar governar pela xaria. Para nós têm interesse especial as "reformas" dos séculos XVII e XVIII no Irã e na Arábia.

Os espetaculares êxitos militares do xá Ismail, que conquistou o Irã no começo do século XVI, tinham abalado o mundo muçulmano. Até então, a maioria dos xiitas tinha sido árabe, e a maioria dos iranianos era sunita, apesar de haver centros xiitas em Rayy, Kashan, Khurasan e na velha cidade militar de Qum. Desde a época de Jafar al-Sadiq, os xiitas viviam retirados da política por razões éticas, portanto, perguntavam os muçulmanos uns aos outros, como poderia haver "xiismo de Estado"? Mas o xá Ismail criou um xiismo de elite que pouco tinha a ver com a ortodoxia tradicional dos Doze. Até então, xiitas e sufistas tinham sido próximos, mas agora ordens sufistas (*tariqas*) foram suprimidas no Irã, e ulemás sunitas (especialistas em teologia e leis sacras), executados ou deportados. Ismail provavelmente sabia muito pouco sobre o xiismo normal. Os safávidas apoiavam a teologia "extremista" (*ghuluww*) que predominava nos Estados *ghazi* na periferia do território mongol, que reconheciam os mongóis como senhores, mas governavam seus próprios emirados. Todos eram de forte orientação sufista, desenvolvendo ordens sufistas que combinavam formas extravagantes de sufismo com a mentalidade revolucionária dos primeiríssimos xiitas. Reverenciavam Ali como a encarnação do divino e afirmavam que, à maneira do Imã Oculto, os imãs falecidos da sua *tariqa* estavam em "ocultação". Como outros líderes *ghuluww*, Ismail talvez se julgasse o Imã Oculto, que voltara para fundar um império xiita e estabelecer um reinado de justiça.

Contudo, governando, agora, um vasto império agrário, não tardou para os safávidas se darem conta de que sua ideologia "extremista" já não era viável. O xá Abbas I (1588-1629) expulsou todos os funcionários *ghuluww* e importou xiitas árabes do Líbano para instruir seu povo sobre a ortodoxia dos Doze. Com Abbas, Isfahan, sua capital, passou por um renascimento cultural que, como o Renascimento europeu, voltava-se para as fontes em busca de inspiração, o que, para Abbas, significava a cultura persa pré-islâmica. Mas os ulemás árabes ficaram numa posição anômala. Os xiitas, que viam todos os governos como inerentemente injustos, tradicionalmente mantiveram distância da sociedade e não tinham nem mesquitas nem madraças próprias, limitando-se a fazer reuniões de grupos de estudo privados nas casas uns dos outros. Agora estavam encarregados do sistema educacional e jurídico do Estado, com generoso financiamento dos xás, que construíram para eles magníficas madraças. Eles concordaram, mas recusando cargos oficiais no governo e insistindo em serem classificados como súditos, e deixando claro que eles — e não os xás — eram os verdadeiros representantes do Imã Oculto.

Mas sua nova riqueza comprometia o espírito igualitário do xiismo. Alguns, como Muhammad Baqir Majlisi (m. 1700), que iniciara uma reforma xiita, tornaram-se autoritários, até mesmo intolerantes. O xiismo tinha desenvolvido ao longo dos anos uma espiritualidade mística, influenciada tanto pelo sufismo como pela *falsafah*, que Majlisi considerava uma inovação corrupta. Insistiu num retorno aos princípios fundamentais, perseguindo implacavelmente os sufistas restantes e se tornando fanaticamente hostil aos otomanos sunitas. Também tentou suprimir o estudo da *falsafah* e da teologia mística em Isfahan, pressionando os ulemás para se concentrarem na jurisprudência (*fiqh*). Muitos ulemás, portanto, desenvolveram uma mentalidade legalista, literalista e racionalista.[101] Diferentemente dos reformistas protestantes, no entanto, cujo foco de atenção era a escritura, Majlisi concentrava-se no ritual. Ele baniu o *dhikr* sufista, e o culto de santos sufistas, e introduziu no Irã, ainda predominantemente sunita, os ritos fúnebres xiitas dedicados ao imã Hussein — domando cuidadosamente esse ritual potencialmente subversivo para que ele servisse à causa imperial.

Durante o mês de Muharram, os xiitas tinham o velho costume de realizar procissões rituais comemorando o martírio de Hussein, neto do Profeta, assassinado por tropas do califa Yazid em Carbala. Chorando, gemendo e batendo na testa, os participantes expressavam a paixão por justiça que está no coração da espiritualidade xiita, e sua frustração com a iniquidade imperial. Pelo século XVI, esses rituais estavam mais elaborados. Mulheres e crianças aos prantos, representando a enlutada família de Hussein, marchavam em camelos. Os caixões do imã e de seus companheiros martirizados eram seguidos pelo governador e por personalidades locais, enquanto multidões de homens soluçavam, gemiam e se cortavam com facas.[102] O *Rawdat ash-Shuhada*, relato emocional da tragédia de Carbala, era recitado com lamentações parecidas. Majlisi, porém, tinha tão pouca simpatia pelos iranianos pobres quanto Lutero pelos camponeses rebeldes. Em vez de inspirar as multidões a seguirem Hussein na luta contra a tirania, Majlisi ensinava-as a reverenciá-lo como patrono que poderia garantir a admissão delas no paraíso. Esses ritos adulterados agora endossavam o statu quo, tacitamente estimulando as pessoas a bajular os poderosos e se preocupar com a salvação pessoal, e não com o bem-estar político da *ummah*.[103]

Ao longo do século XVII, surgiu um racha dentro do xiismo iraniano.[104] A maioria dos xiitas iranianos seguia os Akbaris, que tentavam se opor ao poder crescente dos ulemás como Majlisi retornando às fontes — ao Alcorão, tal como interpretado pelos imãs. Nesse processo, porém, os Akbaris perderam o contato com o caráter místico do xiismo tradicional, e tendiam a reduzir a escritura a um conjunto de diretrizes explícitas.[105] Os Akbaris estavam particularmente alarmados com uma nova ideia, que considerava a maioria dos muçulmanos incapaz de interpretar os fundamentos (*usul*) do islã por conta própria. Os Usulis, que representavam essa visão um tanto pessimista, se opunham aos Akbaris, temendo que estivessem tão encantados com o passado que fossem incapazes de reagir aos desafios associados ao declínio do poder safávida. Na ausência do Imã Oculto, afirmavam os Usulis, nenhum jurista poderia ter a última palavra e nenhum precedente poderia ser vinculante; portanto, os muçulmanos comuns deviam acatar as decisões de uma autoridade viva — um *mujtahid* que fosse tido como capaz de exercer o *ijtihad*.

Contudo, mais ou menos na mesma época em que Descartes criava o credo do *sola ratio*, Mir Dimad (m. 1631) e Mulla Sadra (m. 1640) fundaram uma nova escola de filosofia mística em Isfahan que se opunha aos horizontes cada vez mais estreitos dos Usulis.[106] Na Europa, católicos e protestantes insistiam para que os fiéis se submetessem a suas doutrinas, mas na opinião de Mir Dimad e Mulla Sadra o verdadeiro conhecimento jamais poderia ser obtido através do conformismo intelectual. Em vez disso, desenvolveram uma síntese de misticismo com o racionalismo da *falsafah* — em termos modernos, uma parceria criativa dos dois hemisférios frontais do cérebro. Mulla Sadra criticava os ulemás por mancharem a instituição mística e repreendia os sufistas por rejeitarem o pensamento racional, enquanto Mir Dimad era um cientista natural, tanto quanto um místico. Um verdadeiro *faylasuf* deveria ser tão racional quanto Aristóteles, mas indo além dele numa apreensão extática da verdade transcendente.

Ambos ressaltavam o papel da imaginação e do inconsciente, que descreviam como um estado existente entre o reino da percepção sensorial e a abstração racional. Os sufistas tinham dado a isso o nome de *alam al-mithal*, o mundo de imagens puras, que vem à tona em nossos sonhos, mas pode também ser alcançado por técnicas místicas. Essas experiências não deveriam ser descartadas como ilusões, porque, ainda que não possam ser analisadas logicamente, são parte da nossa natureza humana e afetam profundamente nosso comportamento e nossa personalidade. A verdade não está confinada a ideias que podem ser demonstradas lógica ou praticamente; tem uma dimensão interior que transcende nossa consciência desperta normal.

Os ulemás mais intransigentes expulsaram Mulla Sadra de Isfahan, e por dez anos ele viveu isolado numa pequena aldeia perto de Qum. Como Lutero em sua torre e Descartes em seus alojamentos, ele exercitava sua filosofia na solidão, percebendo que, apesar da dedicação à filosofia mística, sua abordagem da religião ainda era abstrata e cerebral demais. Quando começou a praticar os exercícios mentais disciplinados que lhe permitiam mergulhar profundamente no *alam al-mithal*, sua mente, dizia ele, pegava fogo e ele descobriu que podia apreender mistérios que até então pareciam incompreensíveis. Mulla Sadra acreditava que, fazendo um esforço imenso, seres humanos poderiam ser totalmente transformados, e adquirir certo grau de divindade encarnando os atributos de Deus, como os profetas e imãs tinham feito.[107]

Isso, porém, não implicava uma rejeição do mundo secular. Tendo alcançado essa transformação, o místico não poderia permanecer em *ekstasis*, e precisava retornar à vida política, trabalhando na prática para criar uma sociedade mais justa no que os budistas chamariam de "retorno ao mercado". Nas *Quatro jornadas da alma*, Mulla Sadra descreveu o progresso desse líder carismático. Primeiro, tinha que abandonar o pensamento empírico do que nós chamamos hemisfério esquerdo do cérebro e entrar no reino holístico, imaginativo, do *alam al-mithal*. Ali deveria contemplar separadamente cada um dos atributos divinos revelados no Alcorão, até descobrir sua unidade essencial — um insight que o transformaria. Em sua terceira viagem, o *faylasuf* místico retornaria à humanidade, para descobrir que agora via o mundo de modo diferente. Sua tarefa final era pregar a palavra de Deus, encontrando novas maneiras de implementar o Alcorão, e reordenar a sociedade de acordo com a vontade de Deus.[108] Para Mulla Sadra, a justiça e a imparcialidade não poderiam ser alcançadas sem uma sustentação religiosa. Essa nova visão dos líderes xiitas considerava o esforço racional necessário para a transformação da sociedade inseparável do contexto mítico e místico que lhe dava sentido. Essa missão, que começara como uma profunda exploração da mente, terminava com um retorno ético ao mundo político para pôr em prática os princípios corânicos.

Uma reforma islâmica posterior, no século XVIII, na Arábia, que tinha impactado imensamente o islã moderno, tentou, como a Reforma Protestante, retornar às fontes. Na época, o império otomano começava a desfiar nas bordas, e a ruptura que viria em seguida inspirou vários movimentos de reforma, todos caracterizados por um retorno ao Alcorão e ao Hadith. Convencidos de que a inquietação do momento se devia à deterioração da prática ortodoxa e à importação de ritos estrangeiros, como o de honrar túmulos de santos sufistas, seu objetivo era a reconstrução social e moral da sociedade. Ainda que o Alcorão fosse essencial para esse projeto, os reformistas não defendiam uma interpretação obstinadamente literalista. Enquanto os cristãos ocidentais introduziam "filtros" para os não instruídos, esses reformistas recomendavam a todos os muçulmanos que estudassem a escritura diretamente, em vez de recorrer a comentários e manuais, usando seus poderes de *ijtihad* para descobrir o que uma decisão corânica ou um hadith tinham significado em seu contexto original.[109]

Um dos reformistas mais importantes na Arábia foi Muhammad ibn Abd al-Wahhab (1702-91). Ele era contestado pelos ulemás mais conservadores, que temiam perder autoridade se os muçulmanos começassem a estudar o Alcorão diretamente. Também o acusavam de promover a violência, o que Ibn Abd al-Wahhab sempre negou. Essa "luta" (*jihad*) começava com a educação e a luta só poderia ser o último recurso. Como precisava de um protetor, fez aliança com Muhammad ibn Saud de Najd em 1744: ele ficaria responsável pela prática religiosa, enquanto Ibn Saud cuidaria de assuntos políticos e militares. Esse arranjo acabou fracassando, porque Ibn Abd al-Wahhab não endossava todas as campanhas militares de Saud, afirmando que a verdadeira *jihad* não era um meio de adquirir riqueza e poder. Ele mesmo travou uma *jihad* epistolar, convidando líderes locais, especialistas e governantes a participarem do seu movimento, e ideias wahhabistas se espalharam pela península.[110]

Ibn Abd al-Wahhab exigia que todos os muçulmanos — os homens e as mulheres também — estudassem a escritura por conta própria; mas lhes recomendava que não perdessem tempo com versículos obscuros, "ambíguos", e se concentrassem nos ensinamentos corânicos claros e diretos. Ao mesmo tempo, deveriam estudar os Cinco Pilares. A Shahada, o Primeiro Pilar, é uma declaração: "Só Alá é Deus". Não se tratava aqui de simples questão de "crença";

ele afirmava que a primeira e única prioridade do muçulmano era Alá, e não "deuses" falsos, como riqueza, poder e status. Os estudantes, depois de compreenderem isso perfeitamente, e de organizarem sua vida adequadamente, podiam ir para *salat*, as cinco preces canônicas. Então tinham condições de praticar *zakat* ("dar esmolas"). Nessa fase, o estudante já era um verdadeiro muçulmano, e tinha que voltar sua atenção externamente para a criação de uma sociedade justa e compassiva.[111]

Ao defender o estudo da escritura, Ibn Abd al-Wahhab sempre ressaltava a importância da discussão, da discórdia e da atenção cuidadosa ao significado das palavras corânicas. Ibn Taymiyyah tinha sido o primeiro muçulmano a decidir que qualquer um que não aceitasse suas opiniões era um *kafir*, um infiel, e alguns dos discípulos de Abd al-Wahhab inclinavam-se a essa visão dissidente, mas ele mesmo sempre afirmou que só Deus sabia o que se passava no coração de uma pessoa e, portanto, ninguém poderia dizer se alguém era ou não era muçulmano. Também não concordava com aqueles seguidores seus que cultivavam um entendimento mais militante do islã. Como os primeiros exegetas, ele interpretava os versículos sobre jihad em seu contexto histórico, de um jeito que impunha limites à guerra.[112] Mas os wahhabistas mais agressivos concordavam com Ibn Saud, que se empenhava em criar um grande reino para si mesmo na Arábia. Foi devido à influência deles que os escritos de Ibn Taymiyyan foram aceitos no cânone wahhabista no começo do século XIX, decisão que levaria wahhabistas a uma interpretação mais intransigente do Alcorão.

Enquanto cristãos ocidentais se tornavam agressivamente sectários, a Índia andava na direção oposta. Akbar (1542-1605), o terceiro imperador mogul, fundou uma Casa de Culto, onde eruditos de todas as tradições religiosas se reuniam para discutir questões espirituais, e uma Ordem Sufista dedicada ao "monoteísmo divino" (*tawhid-e-ilahi*), com base na convicção de que o Deus Único se revela em qualquer religião corretamente guiada. Em novembro de 1598, Akbar, com uma comitiva de escribas, artistas, pintores e músicos, visitou Arjan, o Quinto Guru Sikh, em Goindval, no Punjab. Durante a visita, os manuscritos imperiais eram exibidos como demonstração de poder mogul, e isso talvez tenha inspirado o Guru Arjan a editar os hinos e escritos dos seus quatro antecessores, juntamente com mais de 2 mil hinos de sua própria autoria, criando assim a primeira escritura sikh oficial. O Primeiro Guru, Nanak, tinha, claro, rechaçado a própria ideia de cânone escritural, mas Amar Das, o Terceiro Guru, abrira caminho encomendando um hinário em dois volumes com poemas dos três Gurus e alguns poetas medievais. Parece que inimigos do Guru Arjan distribuíram obras espúrias em nome de Nanak para convencer pessoas a repudiarem a legítima sucessão, por isso Arjan estava preparando uma versão autorizada com seu próprio imprimátur.[113] Iniciado imediatamente depois da visita de Akbar, esse imenso esforço editorial resultou no *Adi Granth*, o "Primeiro Volume" de escrituras sikhs, que foi consagrado no Templo Dourado de Amritsar.

Nessa nova escritura, encontramos muitos valores que já vimos expressos de formas diferentes em outras tradições, mas que o Ocidente moderno começava a deixar de lado. Descartes tinha desenvolvido seu insight filosófico travando um diálogo intenso consigo mesmo, confiando inteiramente na própria mente. Em certo sentido, Nanak tinha feito a mesma coisa. Não recebeu revelação alguma de uma divindade externa; sua experiência transcendente foi resultado de uma profunda reconfiguração da consciência por meio de uma conversa interna na qual uma parte da mente dialogava com a outra.[114] Quase todas as seções do *Adi Granth* começam assim: "Ó, Nanak!", mas quem fala não é um "Deus" personalizado ou uma força externa. Num processo não muito diferente da doutrina neoconfucionista de "duas mentes", ouvimos a mente inconsciente de Nanak falar com sua mente não redimida, lisonjeando-a e galanteando como um amante.

A triunfante conclusão da luta solitária de Descartes tinha sido uma forte afirmação do ego: *cogito, ergo sum*. Mas a mente não redimida de Nanak afastara-se de sua metade melhor justamente porque estava perpetuamente envolvida na preservação e na promoção do ego, calculando, explodindo de raiva, manipulando outros para garantir uma vantagem e cedendo a emoções negativas — sempre obcecada pela consciência de sua extinção inevitável:

A mente é um elefante no cio esbravejando
Pela floresta, seduzido pelos encantos deste mundo.
Anda para cá e para lá sob pressão da morte,
Com o guru, é capaz de achar o caminho de casa.[115]

A verdadeira "casa" da mente não redimida é a mente inconsciente, que chegou a um acordo com a morte, a mortalidade, a impermanência. Ela entende o que *Adi Granth* chama de "comando" (*hakam*): o fato de que a extinção é uma lei fundamental da vida. Só conseguimos transcender o ego e conhecer a transcendência que as escrituras sikhs chamam de "Um", "o Nome" ou "o Verbo" quando aceitamos sinceramente o fato de que tudo que existe, nós também, desaparecerá:

Nenhuma ideia Dele pode ser concebida por milhares de pensamentos
O silêncio final escapa à mais profunda meditação
Acumular a riqueza do mundo não diminui a fome do homem
E a múltipla perspicácia não nos ajudará na outra vida.
Diz Nanak: "Como libertar-se? Como derrubar a muralha do ego?
Siga o comando [hakam], *como decretado desde o início".*[116]

Enquanto Descartes julgava ter descoberto a prova incontestável da existência de Deus, as escrituras sikhs deixam claro que a realidade definitiva está além do julgamento humano. Não pode ser alcançada por "milhares de pensamentos", por "meditação" intensiva, ou por "múltipla perspicácia", mas somente transcendendo-se o ego.

Isso não pode ser alcançado forçando os processos mentais, como o fez Descartes. A abordagem de Nanak é mais suave, muito embora, como Descartes, ele não olhe além da própria mente em busca de salvação: "Embora seja uma doença crônica, o ego também contém sua própria cura".[117] É assim porque, no núcleo mais profundo do nosso ser, na mente inconsciente, conhecemos e aceitamos o "comando", a lei da vida e da morte. Para ir além do clamoroso ego, os Dez Gurus conceberam uma prática chamada *nam simerum* ("recordação do Nome"). *Simerum* vem do radical indo-europeu *SMR* ("recordar"), mas também é cognato de *MR* ("morrer"), por isso nessa disciplina lembramos a nós mesmos, constantemente, da nossa mortalidade e da mortalidade de tudo e de todos à nossa volta — num processo não muito diferente da plena atenção budista que permite aos praticantes perceberem a natureza efêmera do eu.

A indagação de Descartes era deliberadamente — quase agressivamente — solitária, mas a escritura sempre ressaltou a importância da comunidade.

Os hinos e escritos reflexivos do *Adi Granth* também deixam claro que o reconhecimento da impermanência essencial da existência tem de levar à simpatia, ao respeito e ao sentimento de companheirismo com todas as coisas vivas, profundamente interligadas pelo fato de compartilharem esse destino comum. Os Gurus davam a esse vínculo íntimo entre o eu e os outros o nome de "*nam*". A rigorosa ascese de Descartes fizera dele uma "coisa pensante" solitária, incapaz até mesmo de acreditar na humanidade dos transeuntes, e alienada do próprio corpo. Sua adoção do *sola ratio* tornara o temor reverencial desagradável. Mas, para os Dez Gurus:

> *A Palavra adorna a língua*
> *Que canta "Que maravilha!"* [...]
> *As pessoas vêm honrar aqueles*
> *Que este canto tornou adoráveis.*
> *A Graça concede "Que maravilha"*
> *Com honra no portão.*[118]

As escrituras sikhs chamam esse estado de *sargan*, e ele nasce de uma visão da divindade inerente a todas as coisas. Não experimentamos o Absoluto separando-nos do mundo, mas descobrindo o Absoluto dentro de nós e projetando sua sacralidade sobre a nossa experiência diária. Os sikhs nem renunciam ao mundo, nem separam a religião da vida secular e política, porque a experiência mística, quando não se efetiva nos acontecimentos contingentes do mundo temporal, permanece estéril. A soberania individual cultivada por Descartes poderia facilmente nos levar a achar que temos um direito de soberania sobre outras coisas — atitude que seria crucial para a sociedade capitalista. Mas a prática do *nam simerum* ajudou os sikhs a desenvolverem uma consciência de finitude que abre mão das coisas. Como contrariava o impulso econômico da sociedade, isso era um conceito político. A escritura sikh desenvolve a visão de uma sociedade baseada na justiça divina sem qualquer tipo de opressão.

Mas a política logo se tornaria extremamente perigosa no Punjab. A visita de Akbar foi o clímax das boas relações entre muçulmanos e sikhs. Depois da sua morte, o império mogul entrou em lento declínio. O filho de Akbar, Jahangir (r. 1605-27), teve de sufocar uma série de rebeliões, e ficou ofendido com o crescente poder do Guru Arjan, a quem os sikhs costumavam tratar como "Imperador". Os inimigos de Arjan atiçaram essa hostilidade e ele foi acusado de sedição, torturado e executado em 1606. Quatro anos depois, Jahangir prendeu seu sucessor, o Guru Hargobind (m. 1644), que se sentiu obrigado a armar a Panth (comunidade) sikh para que ela pudesse se defender.

Boa parte do século XVII foi marcada por conflitos políticos e militares, que culminaram na execução do Nono Guru, Tegh Bahadan, em 1675. Seu filho e sucessor, Gobind Singh, acrescentou os escritos do pai ao *Adi Granth* e pouco antes de morrer, após anos de combates contra os moguls, deu por encerrada a tradicional linhagem de gurus pessoais e declarou que a escritura passaria a ser o eterno Guru dos sikhs. Recebeu novo nome, *Guru Granth Sahib* ("O Guru dos Sikhs"), porque encarnava o espírito dos Dez Gurus. Os sikhs tinham ampliado o sentido da palavra guru: ela se referia não apenas a um mestre inspirado, mas ao espírito que inspirara todos os Gurus que os sikhs poderiam conhecer em seus escritos. O culto de um livro, portanto, não é "idolatria", como explica um estudioso sikh: "Não existem dez Gurus diferentes. Guru é um único espírito, o espírito de Nanak. Está manifestado em dez pessoas históricas. Finalmente, reside na palavra de Deus no *Guru Granth Sahib*".[119]

O *Guru Granth Sahib* está abrigado em prédio próprio, o Gurdwara, no Templo Dourado, colocado numa almofada, envolto num pano especial e coberto por um dossel. É tratado mais ou menos da mesma forma que as imagens de Shiva e Vishnu, que também preservam uma presença divina. Os sikhs se curvam diante dele e tiram os sapatos antes de entrar no Gurdwara, preparando-se para o encontro com o sagrado.[120] Na tradição hindu, o divino é vivenciado preferencialmente num ser humano — um rishi ou um guru — que humaniza a Palavra divina adaptando-a às necessidades especiais dos discípulos. Enquanto Nanak e seus sucessores governavam a Panth, provavelmente era assim que transmitiam a Palavra. Agora um texto escrito tomou o lugar deles. Assim como os hindus pedem conselhos pessoais ao guru, os sikhs consultam sua escritura numa cerimônia conhecida como *vak lao* ("ouvir a Palavra de Deus"), uma devoção diária que também ocorre em casamentos, iniciações ou quando se dá nome a uma criança. O sacerdote abre o livro sagrado ao acaso e começa a recitar a partir do primeiro versículo no canto superior esquerdo da página. Quando dito em voz alta, o versículo é recebido como uma mensagem que comunica a vontade divina para aquela ocasião.

Em certa ocasião famosa, um grupo de intocáveis pediu para ingressar na Panth, mas os sikhs mais conservadores não quiseram deixar. Concordaram em consultar o Guru. O livro foi aberto ao acaso como sempre, e o sacerdote leu em voz alta o seguinte:

> Sobre os desprezíveis Ele derrama sua graça, irmão, se eles servirem o verdadeiro Guru. Exaltado é o serviço do verdadeiro Guru, irmão, guardar na lembrança o nome divino. O próprio Deus oferece graça e união mística. Somos pecadores desprezíveis, irmão, mas o Verdadeiro Guru nos atraiu para essa beatífica união.[121]

A mensagem divina era clara. Para a mente ocidental moderna, isso não passaria de uma feliz coincidência, mas os sikhs veem nessa aleatoriedade um jeito de eliminar o egoísmo e os preconceitos pessoais, abrindo espaço, por assim dizer, para a vontade divina. O sikh pega uma *vak lao* todas as manhãs, considerando-a uma mensagem pessoal que ele contempla ao longo do dia. À noite, ela é entendida como o comentário do Guru sobre os acontecimentos do dia.[122]

Isto é sem dúvida muito diferente da ênfase ocidental na inteligibilidade da escritura. Pertence à espiritualidade indiana do mantra, do *bhakti* e do som sagrado. As escrituras sikhs só têm o poder de transformar se forem recitadas exatamente da mesma maneira com que foram proferidas pelos Gurus. Como os hindus, os sikhs estão mais preocupados em ouvir e recitar a Palavra do que em compreendê-la semanticamente; mas, ao contrário dos hindus, só há pouco tempo desenvolveram uma tradição interpretativa — um provável resultado de influência ocidental. É um lembrete de que o entendimento ocidental moderno da escritura, que começou a surgir durante a Reforma, está longe de ser universal e talvez não devesse ser universalizado.[123]

Enquanto os horizontes espirituais se estreitavam na Europa Ocidental, na China do fim do século XVI e começo do século XVII havia uma abertura para novas ideias e uma redução da hostilidade sectária. Enquanto os Chengs e Zhu Xi tinham com frequência descartado o taoismo e o budismo em seu esforço para renovar o espírito confuciano, os confucionistas do fim da era Ming geralmente reafirmavam os "Três Ensinamentos", insistindo que eram complementares e que nenhuma tradição era dona da verdade. No Ocidente — bem como na China moderna — o neoconfucionismo costuma ser visto como inerentemente anticientífico, mas essa opinião ultimamente tem sido contestada. O sinólogo norte-americano Wm. Theodore de Bary afirma que certa aptidão para o pensamento científico esteve presente no confucionismo desde o início. O impulso para a transcendência que era essencial ao estudo da escola de Cheng-Zhu transmudou-se facilmente num desejo de ir além das ideias preconcebidas. A prática de "esvaziar" a mente e a convicção de que um *junzi* não tinha "opiniões próprias" tendiam a estimular uma atitude intelectual de imparcialidade e objetividade. Da mesma forma, a ênfase escritural na "ampliação do conhecimento" e na "investigação das coisas", junto com a crença de Zhu na importância criativa da dúvida, incentivava uma exploração científica do mundo natural, bem como uma atitude crítica para com a escritura, que, em alguns casos, provocou rebeliões contra a própria tradição que alimentara essa atitude.[124]

Essa atitude crítica já era evidente no comentário de Zhu sobre a *Doutrina do Meio*, que recomendava ao confuciano "estudar... intensivamente, investigar... com precisão, pensar... com cuidado, examinar claramente e praticar com seriedade".[125] Zhu tinha elaborado isso:

> Depois que estudou exaustivamente, ele pode ter diante de si os princípios de todas as coisas. Pode, portanto, examiná-los e compará-los para fazer as perguntas certas. Então, perguntando corretamente, seus professores e amigos se envolverão de corpo e alma num toma lá dá cá com ele, estimulando-o, e ele começará a pensar. Ao pensar com cuidado, seus pensamentos ficarão refinados e livres de impurezas. Então ele alcança algo por conta própria. Agora pode examinar minuciosamente o que conseguiu. Pode, portanto, estar livre de dúvidas e colocar seus pensamentos em ação.[126]

Como Descartes, o estudioso neoconfucionista ficava livre das dúvidas, mas não se tratava nesse caso de uma indagação solitária, uma vez que ele busca a contribuição de "professores e amigos" num processo de "toma lá dá cá", que não é puramente cerebral, mas travado "de corpo e alma". Isso não é submissão a uma doutrina recebida. O estudioso alcança "algo por conta própria".

Enquanto na Europa católicos e protestantes se desentendiam, os chineses se tornavam mais pluralistas. Ni Yuanlu, estadista que no fim da dinastia Ming estava disposto a morrer por seu governante e dedicava-se apaixonadamente a reafirmar o confucionismo tradicional durante esse período turbulento, era também um budista devoto. Jiao Hong (*c.* 1540-1620), exemplo extraordinário do novo espírito, era também um crente sincero nos "Três Ensinamentos".[127] Via o budismo como um comentário sobre o confucionismo, reprovava a hostilidade de Zhu contra ele, e sofreu forte influência do taoismo. Não havia *sola scriptura* para Jiao: o Caminho, afirmava ele, é um processo dinâmico, existencial, que está fora do alcance das palavras, das doutrinas e dos textos. As escrituras são como uma armadilha para um peixe ou um laço para um coelho, que se esquece depois que o peixe ou o animal é apanhado. Ao buscar o Caminho, deve-se agir como um cavalo, perpetuamente avançando a galope, guiado por textos e ensinamentos, mas sempre indo além deles.[128] Ensinamentos verbais são apenas "vestígios" (*ji*) e "imagens" (*xiang*) que podem sugerir como é o Caminho, mas jamais expressá-lo.[129]

Em nítido contraste com o Ocidente no século XVII, Jiao acreditava que um estudioso não deveria prender-se a nenhum conjunto de ensinamentos; menos ainda discutir a respeito deles. Jiao acreditava que os sábios antigos tinham compreendido isso. Jamais se desentendiam por questões de ortodoxia, porque sabiam que qualquer ensinamento é inevitavelmente inadequado: limitavam-se a aprender uns com os outros.[130] Os confucionistas, dizia ele, costumavam afirmar que Confúcio fez campanha contra budistas e taoistas, mas não havia budismo na China em sua época e Confúcio jamais criticou Laozi.[131] Foi a hostilidade de Mêncio contra Mozi e Yangzi que trouxe a intolerância para essa tradição, ainda que ambos tenham desenvolvido seus ensinamentos a partir de sábios antigos: Mozi de Yu, e Yangzi do Imperador Amarelo.

A ênfase na inefabilidade do definitivo claramente reflete influência taoista e budista. Esse sincretismo também era comum entre os membros mais radicais da "Escola da Mente" fundada por Wang Yangming (1472-1579), que eram conhecidos como "chanistas bravios", mesmo tendo eles preservado valores confucianos. Apesar de suas dúvidas sobre o valor real de seus ensinamentos, Jiao achava os textos sagrados indispensáveis, porque "o peixe e o coelho ainda não tendo sido capturados, a armadilha e o laço não podem ser descartados".[132] Ressaltava a inefabilidade do Caminho para demonstrar a validade de todos os ensinamentos, cada qual refletindo a Verdade à sua maneira. Essa preocupação o levou a contestar o currículo neoconfucionista, recomendando aos alunos que estudassem os Cinco Clássicos, sem recorrer aos comentários de hábito. Tratava-se, claro, de um retorno às fontes — mas com uma diferença. Onde os protestantes tinham voltado atrás em sua determinação original de deixar todos os cristãos lerem as escrituras por conta própria, e insistido no uso de catecismos como substitutos explanatórios, Jiao dizia que o comentário só se tornara habitual no tempo de Han e tornara os estudos confucianos mais superficiais: "Como os comentários explicam mais, o estudante dos Clássicos pensa menos".[133] Jiao não queria impedir que estudiosos comentassem os Clássicos — ele mesmo os discutia longamente, mantendo seus comentários separados dos textos originais — mas era contra a forma como muitos exegetas oficialmente reconhecidos diziam falar em nome dos sábios quando na verdade expunham suas próprias ideias. Os comentários mais antigos, afirmava Jiao, "explicavam as palavras e a linguagem sem tentar revelar o significado dos Clássicos, que o leitor percebia por conta própria mediante profunda reflexão".[134]

Com suas tentativas de voltar ao tipo original de exegese, Jiao tornou-se um dos pioneiros da crítica textual científica que viria a ser tão importante na Europa durante o século XIX. As *Odes*, afirmava ele, "deveriam ser descobertas em termos de som, e o resto dos Clássicos entendido por meio da linguagem".[135] Autor prolífico e bibliófilo, Jiao obteve edições antigas e compilou uma obra monumental sobre bibliografia chinesa. Explicava os Clássicos tentando uma reconstrução erudita de seu ambiente histórico original e fez uma descoberta importante sobre a pronúncia do chinês antigo pela análise das rimas das *Odes*.

Fang Yizhi (1611-71) expressou de forma diferente a orientação científica emergente do fim do período Ming.[136] Ele havia recebido a educação costumeira nos Clássicos e era muito lido em filosofia, apesar de preferir poesia. Tinha tido dúvidas sobre uma carreira na vida pública, especialmente depois que o pai foi preso em Beijing — o lacrimoso apelo de Fang por clemência convenceu o imperador a comutar a sentença de execução para desterro —, mas veio a ser tutor do terceiro filho do imperador. Quando as tropas da dinastia manchu Qing se fecharam em torno da capital em 1644, porém, Fang mandou raspar uma tonsura de monge budista — estratagema adotado por muitos chineses para demonstrar sua determinação de não servir à nova dinastia Qing. Consta, porém, que, apesar de ter vivido como monge os últimos vinte anos de vida, ele jamais esqueceu que era confucionista e em seus escritos continuou a minimizar a diferença entre as duas tradições.

Fang também foi influenciado pelos missionários jesuítas do "Extremo Ocidente" que se apresentavam como confrades dos literatos chineses e procuravam satisfazer o crescente interesse desses literatos por matemática, astronomia e filosofia natural europeias. Fang já era versado em ciência ocidental: o pai tinha preparado uma coleção imperialmente financiada de estudos astronômicos europeus. Mas, como verdadeiro confucionista, Fang abordava a nova ciência do ponto de vista do *Grande Aprendizado*. Zhu Xi reformulou o terceiro parágrafo dessa escritura para deixar claro que *gewu*, a "investigação das coisas", estava na raiz da ação moral e política:

> Os homens de antigamente, quando queriam que a virtude brilhasse no mundo, primeiro colocavam os próprios países em ordem, para o que antes regularizavam as próprias famílias, para o que antes se aprimoravam como indivíduos, para o que antes corrigiam o próprio coração, para o que antes conferiam integridade às próprias intenções, para o que antes ampliavam seu conhecimento. A ampliação do conhecimento está na investigação das coisas.[137]

Fang, porém, discordava de Zhu na definição de "coisas" (*wu*), que Zhu confinara à descoberta do "princípio" celeste na mente humana através da escritura. Isso se tornara a interpretação neoconfucionista padrão, mas Fang achava-a estreita demais, pois negligenciava o estudo de fenômenos naturais.[138] Além disso, discordava de Wang Yangming, que afirmara que *gewu* só devia ser explorada na mente e que a exploração do mundo natural era irrelevante para o aperfeiçoamento individual. Fang sustentava que "coisas" tinham de incluir tudo que existe no mundo, fosse físico ou espiritual:

> "Coisas" são isso que preenche o espaço entre o Céu e a Terra. É aqui que os seres humanos ganham vida. A vida sendo contida em nossos corpos e nossos corpos sendo centrados no mundo real, tudo que conhecemos dos acontecimentos [*shih*]. Acontecimentos [ou atividades] são uma categoria de "coisas".[139]

A mente também é uma "coisa"; a natureza é uma "coisa"; assim também o "Céu-e-a-Terra juntos".[140] Fang assinalou que os velhos reis sábios tinham feito descobertas tecnológicas, bem como explorado o mundo interior: tinham "feito implementos [*qi*] e desenvolvido bons métodos para facilitar a vida dos seres humanos".[141] Achava "risível" o fato de as pessoas considerarem essas invenções "pouco práticas e sem benefícios".[142] Fan não estava com isso depreciando a procura de Zhu por "princípio" na escritura, simplesmente afirmando que a procura deveria ser ancorada nesse contexto mais amplo.

Enquanto Descartes recolhera-se à própria mente para adquirir certeza, Fang desenvolveu uma perspectiva mais inclusiva e, como Zhu Xi, a concebia como um esforço comunal, mais do que solitário. Era essencial ver o próprio "eu" no contexto de todas as "coisas" no Céu-e-na-Terra:

> Se eu tivesse riquezas materiais, eu estabeleceria um lugar rude [ou seja, simples] de estudo e forneceria bolsas para as mentes mais talentosas do império. Utilizaríamos as partes mais interessantes e as ramificações de causas em áreas como a exegese clássica, os princípios da natureza, os princípios das coisas, literatura, economia, filologia, habilidades técnicas, música, contagem do tempo e medicina. Arranjaríamos os pontos importantes e daríamos a conhecer os detalhes de fenômenos específicos.[143]

Fang era receptivo a estudos do Ocidente. Parece ter aceitado sem objeções a noção de que a terra era esférica e parte de um universo heliocêntrico, e absorvido as ideias de Copérnico e Tycho Brahe. Os chineses, que se apegavam à teoria antiga de que "a terra flutua na água e os céus circundam a água", cometeram, dizia ele, "um erro ao não examinar a questão".[144]

Mas tinha lá suas reservas acerca da filosofia ocidental. O Ocidente é "exaustivo em investigação material", concluiu, mas deficiente na "compreensão de forças seminais".[145] Com "forças seminais", Fang se referia ao que é "incognoscível", "o recôndito", e a "realidade unificadora subjacente a camadas de mistério"[146] — em resumo, o que Jiao e outros chamavam de Tao incognoscível. Fang teria ficado horrorizado com a afirmação de Descartes de que a existência de Deus era óbvia, como uma demonstração geométrica. Descartes tinha, claro, eliminado a "maravilha" do mundo, porque ele — e um número cada vez maior de filósofos ocidentais — estava perdendo o senso do inefável e confinando a realidade definitiva dentro de um sistema humano de pensamento.

Fang estava pronto a levar em consideração ideias ocidentais como os céus orbitais, a existência do Motor Primário, as posições relativas dos corpos celestes, as fases de Vênus, e a distância e dimensões de corpos celestes que não fossem o Sol. Mas não conseguia seguir os jesuítas na crença num décimo céu "quiescente", lar de um "Deus" absurdamente inadequado que os jesuítas chamavam de "Senhor da Criação". Os jesuítas de mentalidade científica tinham sucumbido ao "Deus" circunscrito, do hemisfério esquerdo, de Escoto e Ockham, que Aquino teria considerado um ídolo. Em vez do Tao — que era inominável e incognoscível, dinâmico, em evolução infinita, intrínseco a tudo que existe, e a realidade que "passa por todas as coisas" — o "Senhor da Criação" dos jesuítas ficava encurralado num único setor do universo que ele supostamente criara — uma divindade não muito diferente do Deus de Milton. No Ocidente, o Deus inefável dos capadócios, de Dionísio, de Tomás e de Boaventura tornava-se um mero ser, um entre muitos. Os jesuítas, concluiu Fang, não perceberam as limitações da linguagem ao falar da realidade definitiva: "Com frequência, seus significados são estorvados por suas palavras".[147]

13. *Sola ratio*

Os primeiros livres-pensadores e ateístas da Europa não foram *filósofos* iluministas, mas judeus espanhóis obrigados a se converterem ao cristianismo durante a Inquisição espanhola, que ficaram conhecidos, em tom de escárnio, como marranos ("suínos"), termo insultuoso que eles passaram a usar como distinção honorífica. A maioria só aceitara o cristianismo sob coação, e agora estava proibida de deixar a Espanha, vigiada de perto pela Inquisição que neles buscava identificar indícios de reversão. Acender velas na noite de sexta-feira ou recusar-se a comer mariscos poderia significar prisão, tortura, até morte. Como era de esperar, muitos desses *conversos* jamais aceitaram sinceramente o cristianismo e foram lançados num limbo espiritual. Depois do Édito de Expulsão em 1492, o rei dom João II concedeu asilo a 80 mil judeus em Portugal, mas quando Manuel I subiu ao trono português três anos depois, Fernando e Isabel, seus sogros, ordenaram-lhe que mandasse batizar à força todos os judeus do reino. Manuel, porém, lhes concedeu imunidade contra a Inquisição por cinquenta anos, dando aos *conversos* tempo para formar um movimento clandestino, no qual uma dedicada minoria continuava a praticar secretamente o judaísmo e tentava atrair outros judeus de volta para sua religião.

Inevitavelmente, porém, com o passar dos anos seu entendimento do judaísmo foi ficando limitado. Eles recebiam educação católica e tinham a cabeça repleta de símbolos e doutrinas cristãos, e muitos desses judeus clandestinos acabaram cultivando uma religião híbrida, que não era judaica nem cristã.[1] Sem acesso ao culto judaico, os marranos observavam pouquíssimos dos rituais e das práticas que faziam da Torá uma realidade viva. Alguns tinham estudado lógica, física, medicina e matemática em universidades portuguesas e trouxeram para a religião uma mentalidade racional, empírica. Seu Deus era o aristotélico Motor Primário, que jamais intervinha nos negócios terrenos, nem baixava mandamentos, uma vez que as leis da natureza eram acessíveis a qualquer um.[2]

Francisco Sanchez (1550-1623), um converso que ainda se sentia atraído pelo judaísmo, tornou-se diretor do Colégio de Guyenne no sudoeste da França. Foi o primeiro pensador moderno a rejeitar a noção escolástica de *auctoritas* ("autoridade"), que insistia na submissão às ideias de "autores" — como Aristóteles em física ou Galeno em medicina.[3] Sua experiência de marrano o tornou alérgico a qualquer forma de censura. "Não me pergunte sobre muitas autoridades, nem me peça reverência a 'autores'", escreveu em 1581, "pois isso é coisa de espírito servil e iletrado, e não de alguém que é livre e quer conhecer a verdade. Sigo apenas a razão da natureza." Aqui, talvez pela primeira vez, ouvimos a voz da *sola ratio*, tornada hostil à religião pela crueldade e pela opressão: "O objetivo da autoridade é acreditar, o da razão é demonstrar. Uma é para a fé, a outra para a ciência".[4]

Ouvimos essa voz novamente em Baruch Spinoza (1632-77), o primeiro erudito a estudar a Bíblia cientificamente e a conseguir, inusitadamente na Europa daquela época, viver com êxito fora do alcance da religião estabelecida. Quando os conversos receberam permissão para deixar a Península Ibérica no fim do século XVI, os pais dele se estabeleceram em Amsterdam, que muitos judeus viam como a Nova Jerusalém. A República Holandesa resolvera o problema do estado confessional europeu no qual a devoção religiosa do governante — católica, luterana ou calvinista — se tornava a religião nacional. Esse sistema tinha sido incapaz de reduzir a tensão entre as denominações. Além disso, os holandeses perceberam que os governantes cristãos, atentos à condenação de Mamon pelos evangelhos, tendiam a ser muito mornos em seu apoio ao comércio. Por razões puramente pragmáticas, portanto, a República Holandesa separou a Igreja do Estado: apoiava a Igreja protestante reformada, mas não expulsava sacerdotes católicos porque isso provocaria a hostilidade dos Estados católicos com os quais esperava manter relações comerciais. Como resultado, os holandeses não apenas prosperaram materialmente, mas se tornaram líderes mundiais. Estenderam essa liberdade religiosa aos judeus, muitos dos quais eram atraídos para Amsterdam pelas oportunidades sociais e econômicas. Alguns desses marranos, porém, estavam ansiosos para voltar à prática integral do judaísmo. Não era fácil, pois precisavam de uma completa reeducação na fé e é um grande crédito para os rabinos holandeses o fato de a maioria, apesar da tensão inicial, ter conseguido fazer a transição.

Mas um número significativo não conseguiu, e sua experiência é instrutiva. Para alguns sofisticados marranos portugueses, os 613 mandamentos do Pentateuco pareciam não apenas arbitrários, mas absurdos, e as enigmáticas leis dietéticas e os ritos de purificação pareciam bárbaros. Por necessidade, eles haviam se acostumado a pensar coisas por conta própria, e achavam difícil aceitar as explicações dos rabinos. Como sabemos, o processo de estudo intensivo da Torá dava aos judeus lampejos do sagrado, e a prática de *mitzvoth* trazia um imperativo divino para as minúcias da vida diária. Mas para os críticos marranos, esses ritos, que não tinham sanção bíblica, pareciam bizarros. Seu dilema é um lembrete de que uma narrativa de religião é insustentável sem os insights que vêm com a prática ética, as disciplinas físicas do ritual e a ascese intelectual do estudo, da contemplação e da prece.

Os pais de Spinoza tinham conseguido uma transição e de início o filho parecia bem ajustado e devoto. Ele não passou pela experiência da perseguição, frequentou uma excelente escola Keter Torá, estudou matemática, astronomia e física. Mas aos 22 anos começou a manifestar dúvidas. Havia contradição nos textos bíblicos, afirmava, que, portanto, não podiam ser de origem divina. Na verdade, a revelação era uma quimera, uma vez que "Deus" era simplesmente a totalidade da própria Natureza. Em 27 de julho de 1656, Spinoza acabou sendo excomungado da sinagoga e adorou sair. Tinha protetores poderosos e desfrutava da amizade de importantes cientistas, filósofos e políticos. Mas naquela altura não havia alternativa secular na Europa. Você até podia adotar outra religião, mas, a não ser que fosse um ser humano excepcional — como Spinoza —, era quase impossível viver sem fazer parte de uma comunidade religiosa. Houve casos trágicos de marranos incapazes de sobreviver fora da sinagoga: sabe-se de um que vivia miseravelmente sozinho, evitado por judeus e cristãos, que acabou se matando com um tiro na cabeça; e de um marrano insubordinado que não se integrou na comunidade judaica e talvez tenha tomado a desesperada iniciativa de tentar uma reconciliação com a Igreja católica que evitara a vida inteira.[5] Certamente judeus e cristãos achavam a irreligião de Spinoza profundamente desconcertante.[6]

Spinoza não foi o primeiro marrano a interpretar a Bíblia utilizando-se apenas da razão. Isaac La Peyrene (1596-1676) tinha aplicado metodologia científica no estudo da Bíblia, afirmando que o texto era corrupto, continha imprecisões e não poderia ter sido escrito por Moisés.[7] Mas Spinoza foi mais longe. Como Sanchez, não tinha a menor paciência com autoridade:

> A suprema autoridade para explicar religião, e para emitir juízos, pertence ao indivíduo, porque diz respeito a direitos individuais. Como a autoridade da interpretação escritural pertence a cada homem, a regra para essa interpretação não deveria ser nada mais que a efetiva luz da razão, que é comum a todos — e não qualquer autoridade sobrenatural ou externa.[8]

Spinoza achava que o significado da escritura poderia ser encontrado "simplesmente pelo significado das palavras ou por uma razão que não reconheça outra base que não seja a escritura".[9] Não deveria haver nenhum *midrash* inventivo nem imposição de doutrinas pós-bíblicas sobre o texto bíblico. A escritura tem de ser interpretada pelas regras nacionais tão proveitosas quando aplicadas na investigação do mundo natural:

> O método para interpretar escrituras não difere do método para interpretar a natureza. Pois assim como a interpretação da natureza consiste em compor uma história [ou seja, um relato sistemático dos dados] da natureza e a partir daí deduzir definições de fenômenos naturais, a interpretação escritural também se faz compondo uma verdadeira história da Escritura.[10]

O verdadeiro assunto da escritura não eram os acontecimentos relatados nas histórias bíblicas, mas seus ensinamentos teológicos e morais. Esses deveriam ser julgados pela razão natural, que nos diz que um ser supremo existe, que precisa ser obedecido e cultuado pela prática da justiça e do amor ao próximo. A escritura não é a autoridade suprema, portanto; está subordinada à *sola ra-*

tio. Como vimos, a teologia tradicionalmente exigia intuição e imaginação, juntamente com ritual e outras disciplinas que estimulam a empatia, mas, à medida que a Idade da Razão avançava, o conceito de religião — e, portanto, o entendimento da escritura — perdia força.

Frustrados com os debates teológicos da Reforma, muitos cristãos se voltaram para as novas descobertas na ciência, que pudessem, como esperavam, confirmar suas crenças num Deus objetivo, empírico, e resolver o assunto de uma vez por todas. Numa síntese magnífica, Sir Isaac Newton (1642-1727) juntou a física cartesiana, as leis de movimento planetário descobertas pelo astrônomo alemão Johannes Kepler (1571-1630) e as leis de movimento terrestre de Galileu. A gravidade era a força que integrava essa atividade cósmica, impedindo que planetas saíssem voando pelo espaço e puxando-os na direção do Sol, e atraindo a Lua e os oceanos para a Terra. Mas — afirmava Newton — esse sistema intrincado "só poderia vir do conselho e da dominação de um Ser inteligente e poderoso".[11] Essa divindade era bem diferente da En Sof de Luria, que se esvaziava a si mesma, ou do Verbo kenótico do Novo Testamento. Era uma força esmagadora que dominava e controlava o universo, cuja principal qualidade era Dominação: "É a dominação de um ser espiritual que constitui um deus", afirmou Newton.[12] O criador também tinha que ter forçosamente inteligência, perfeição, eternidade, infinidade, onisciência e onipotência.

Como temia o filósofo chinês Fang Yizhan, o Deus do "Extremo Ocidente" tinha sido reduzido a uma explicação científica e incumbido de uma função limitada, definível, no cosmo, controlando a matéria assim como a vontade regula o corpo. A existência de Deus agora era consequência racional do projeto do mundo e Deus uma presença imanente nas leis que "ele" tinha concebido: a gravidade era simplesmente a atividade do próprio Deus. Nesse caso, quem precisava de escritura? Não Newton, para quem a ciência era o único meio de alcançar uma compreensão adequada do divino: "Pois não há como chegar ao conhecimento de uma divindade a não ser pelas formas da Natureza".[13] O racionalismo científico, acreditava ele, era a religião original da humanidade, mas tinha sido corrompido por "monstruosas Lendas, falsos milagres, veneração de relíquias, feitiços, a doutrina de Fantasmas ou Demônios e sua intercessão, invocação e culto de outras superstições".[14] Newton compôs um tratado intitulado *As origens filosóficas da teologia pagã*, afirmando que essa "religião fundamental" tinha sido criada por um homem que os judeus chamavam Noé mas que recebera nomes diferentes de outros povos. Noé e o filho tinham orado em templos que reproduziam o cosmo: "Eles calcularam que o céu inteiro fosse o templo verdadeiro e real de Deus e, portanto, [...] o tomaram como representação de todo o sistema, onde nada pode ser mais racional".[15]

Os judeus, afirmava Newton, tinham seguido originalmente essa fé que os havia inspirado a estudar o universo racionalmente, mas recaíram muitas vezes na superstição, e tiveram de ser chamados de volta, reiteradamente, à religião da razão pelos profetas. Jesus foi um desses profetas, mas sua Religião da Natureza fora corrompida por Atanásio, que concebera as doutrinas da Encarnação e da Trindade para conquistar os pagãos. No livro do Apocalipse, Deus previu que o avanço do trinitarianismo — "essa estranha religião do Ocidente", "o culto de três deuses iguais" — chamaria sobre si a ira divina.[16] Não havia necessidade de ritual ou meditação na "religião fundamental" de Newton, cujo único requisito era "crença", palavra que Newton usava em seu sentido moderno de aprovação intelectual de uma hipótese um tanto duvidosa. Anteriormente, "crença" tinha significado lealdade e dedicação às práticas da fé que tornavam sua teologia compreensível intuitivamente.[17] Para Newton, crença era simplesmente a aceitação intelectual de uma doutrina. "Quando escrevi meu tratado sobre nosso Sistema", escreveu ele para o classicista Richard Bentley, "examinei atentamente os Princípios que possam ajudar homens de tendência contemplativa a acreditarem numa Divindade e nada pode me deixar mais feliz do que achar que eles servem a essa finalidade."[18] Crença não requer um salto da fé, porque era óbvio que o sistema solar dependia de um "Agente voluntário" para equilibrar suas diversas forças, que era "muito habilidoso em Mecânica e Geometria".[19]

Newton claramente criara um deus à sua própria imagem e semelhança. Mas, fartos das rixas da Reforma, os líderes cristãos estavam ansiosos para trocar *sola scriptura* — que produzira apenas conflitos inúteis — por *sola ratio*. No começo do século XVIII, surgiu um novo teísmo baseado inteiramente na razão e na ciência newtoniana. Como Newton, os deístas afirmavam ter descoberto a fé primordial escondida sob a fábula bíblica. Matthew Tindal (1655-1733) e John Toland (1670-1722), nas ilhas Britânicas, o filósofo francês Voltaire (1694-1778) e Benjamin Franklin (1706-90) e Thomas Jefferson (1743-1826) nas colônias norte-americanas procuraram colocar a religião sob o manto da razão — com o objetivo de tornar todo mundo, sem exceção, capaz de pensar logicamente, discriminar judiciosamente e compreender as verdades reveladas pela ciência.[20]

Como Spinoza, John Locke (1632-1704) negava a necessidade de revelação ou alegoria e argumentava que os relatos bíblicos da Criação e da Queda deveriam ser lidos como narrativas factuais, expressões da nossa necessidade de redenção. Levando em conta que declarações lógicas não podem ter vários significados ao mesmo tempo, não fazia sentido haver exegese figurativa, que, portanto, deveria observar as regras da linguagem racional, para que todos pudessem descobrir a verdade por conta própria:

> Para nossas simples ideias [...], que são a fundação e única matéria de todas as nossas noções e de todo o nosso conhecimento, temos que depender inteiramente da nossa razão, quero dizer, das nossas faculdades naturais, e não podemos, de forma alguma, recebê-las por meio de revelação tradicional.[21]

Locke também dava aprovação racional à separação luterana entre religião e política. As Guerras de Religião, acreditava ele, tinham sido causadas por uma fatídica incapacidade de examinar outro ponto de vista, ao passo que a religião era uma "busca privada" que, como tal, não poderia ser policiada pelo governo. Misturar religião e política era um erro perigoso e existencial:

> A Igreja é uma coisa absolutamente separada e distinta do Estado. Os limites em ambos os lados são fixos e inalteráveis. Embaralha céu e terra, as coisas mais remotas e opostas, quem mistura essas duas sociedades, que são, em sua finalidade original, empresas, e em tudo o mais perfeita e infinitamente diferentes uma da outra.[22]

Isso, entretanto, poderia ser qualquer coisa, menos uma verdade evidente para a maioria dos seus contemporâneos, uma vez que a religião sempre fora um chamamento à ação social e política. Mas a "religião" moderna, tal como definida por Lutero e Locke, tentaria subverter essa dinâmica escritural, fazendo do indagador um introvertido.

Filósofos liberais como Locke não tinham dúvida de que métodos racionais de exegese poderiam desvendar o significado original dos textos bíblicos, opinião sensata que prevaleceria durante todo o século XVIII. Os princípios de interpretação eram claros, segundo Johann Salomo Samler (1725-91), professor de teologia na Universidade de Halle:

> A habilidade hermenêutica de alguém depende do conhecimento apropriado e preciso que tenha do uso da linguagem da Bíblia, bem como de saber distinguir e representar, para si mesmo, as circunstâncias históricas de um discurso bíblico; e de ser capaz de falar hoje dos mesmos assuntos na linguagem exigida pelos tempos e pelas circunstâncias em que vivem os nossos semelhantes.[23]

Os que não conseguiam aceitar a historicidade das narrativas bíblicas afirmavam que as verdades do cristianismo eram espiritualmente importantes. "A religião não é verdadeira porque os evangelistas e os apóstolos a pregaram", dizia o intelectual alemão Gotthold Lessing (1729-81), "mas eles a pregaram porque é verdadeira."[24]

Mas Anthony Collins (1676-1729), amigo de Locke, indicou uma mudança de atitude. Em *Discurso sobre os fundamentos e razão da tradição cristã* (1724), ele descartou a ideia tradicional de que os profetas de Israel tinham previsto a vida e a morte de Jesus. Tratava-se de seres humanos comuns, que, portanto, não poderiam prever o futuro, e a previsão de Isaías de que uma virgem daria à luz era apenas uma referência a uma jovem que viveu na época do rei Acabe — e não à Virgem Maria. Uma declaração racional não pode significar várias coisas ao mesmo tempo, por isso o verdadeiro sentido da Bíblia dependia das intenções de seus autores humanos.[25] Isso, porém, ameaçava a unidade do cânone bíblico, uma vez que, desde o início, os cristãos fizeram uma perfeita junção entre o "Velho" e o "Novo" Testamentos. Num ensaio inovador de 1775, Semler foi ainda mais longe, afirmando que a Bíblia não era a mesmíssima coisa que a Palavra de Deus, e que o cânone não passava de criação humana. Se cada livro fosse avaliado à luz do seu próprio contexto histórico, e não de uma perspectiva moderna, ficaria claro que alguns escritos bíblicos tinham hoje pouco valor religioso para nós — portanto, cabia aos seres humanos decidir o que havia na Bíblia.[26]

A mentalidade racional do Iluminismo estava tornando a exegese escritural uma arte perdida. Assim também o debate perturbador sobre a confiabilidade histórica dos relatos bíblicos, especialmente acirrado na Inglaterra e na Alemanha. A noção de história estava mudando. Pela primeira vez, historiadores acadêmicos podiam usar métodos científicos modernos para revelar um quadro preciso do passado, respaldando suas descobertas com provas empíricas. Por ser "verdade", afirmava o filósofo escocês David Hume (1711-76), a nova história "melhora o entendimento e [...] fortalece a virtude".[27] Os historiadores clássicos gregos e romanos, que tinham buscado lições práticas para o presente em suas pesquisas do passado, eram amplamente lidos.[28] Mas onde ficavam os relatos bíblicos, que incluíam bizarros relatos de milagres e outros fenômenos duvidosos? Vimos que no passado as pessoas não esperavam encontrar exatidão histórica, porque esses contos eram mitos, cuja importância estava no sentido. Mas se não eram factuais, muita gente começava a suspeitar que eram "falsos". A discussão se concentrava nas narrativas que tiveram impacto mais direto na teologia cristã, como o relato da Criação e da Queda de Adão e Eva no Gênesis, e as histórias de milagres nos evangelhos.

Alguns, como Siegmund Jakob Baumgarten (1706-57), adotavam uma linha mais robusta, afirmando que descobertas científicas recentes não entravam em conflito, de forma alguma, com o relato bíblico e que até as palavras da escritura e a forma literária de cada livro foram diretamente inspiradas por Deus. Baumgarten era professor de teologia na Universidade de Halle, fundada por um movimento protestante conhecido como pietismo logo após a Guerra dos Trinta Anos. Os pietistas reagiam à rígida ortodoxia confessional que tinha desfigurado a Reforma, concentrando sua atenção nas boas ações e na vida santa. Os eruditos de Halle produziram a *Biblia Pentapla* para incentivar uma leitura transdenominacional da escritura, com cinco traduções diferentes impressas lado a lado, para que luteranos, calvinistas e católicos pudessem ler sua versão preferida, mas consultar outras versões se faltasse clareza à redação. Essa abordagem liberal tinha estimulado Semler a adotar uma visão mais secular da escritura, mas pietistas devotos, que atribuíam grande importância ao estudo bíblico individual, estavam convencidos de que cada palavra continha um germe de verdade absoluta e, se lida com devoção, renderia uma experiência numinosa. Paradoxalmente, isso abriu caminho na Alemanha para um interesse mais profundo pela Bíblia como documento escrito, que perdurou mesmo depois que o estudo crítico da escritura se tornou uma atividade predominantemente secular.[29]

Na Inglaterra, não havia nada como o pietismo, mas apenas uma crescente descrença no texto bíblico. Em 1745, William Whiston (1667-1752) publicou uma versão do Novo Testamento que omitia qualquer referência à trindade ou à encarnação. O deísta irlandês John Toland tentou substituir o Novo Testamento por um manuscrito antigo, que alegava ser o evangelho perdido de são Barnabé e negava a divindade de Cristo. Outros afirmavam que o texto do Novo Testamento estava tão corrompido que era impossível determinar o que a Bíblia realmente ensinava. Mas Richard Bentley (1662-1742), amigo de Newton, aplicou à Bíblia as novas ferramentas críticas utilizadas para analisar a literatura greco-romana, afirmando que era possível reconstruir os manuscritos originais comparando e analisando as variantes.[30]

A maioria dos estudiosos ingleses, porém, estava mais preocupada com a confiabilidade factual do que com a confiabilidade textual dos evangelhos. Ou as histórias dos milagres de Jesus e sua ressurreição provavam que ele era divino, ou deveriam ser descartadas, como fantasias sem base histórica. Mas, estranhamente, nenhum deles pensou em comparar as histórias dos evangelhos às narrativas de um novo gênero literário que se desenvolvia na Inglaterra e na França, atraindo grande atenção popular. Essas ficções faziam de conta que estavam relatando acontecimentos reais, mas claramente não eram históricas. Ainda assim, exploravam profundas verdades sobre a condição humana e eram discutidas a sério com sofisticada argúcia crítica. Os contos bíblicos não fariam sentido mais ou menos como os romances de Samuel Richardson (1689-1761), Henry Fielding (1707-54) e, mais tarde, Jane Austen (1775-1817)?[31] Havia, claro, uma diferença. As histórias bíblicas narravam experiências da humanidade com a transcendência nas tragédias e vicissitudes da história. Já o romance descrevia o impacto em indivíduos comuns das imensas mudanças sociais, históricas e políticas que ocorriam na Inglaterra e na França, o que definia e engrandecia esses personagens fictícios, ao mesmo tempo que os restringia.

Os romancistas vinculavam cuidadosamente suas ficções à nova voga de escrita histórica, saudada por Hume como moralmente edificante. A obra-prima de Richardson, *Clarissa* (1747-9), traz como subtítulo "*A história de uma jovem*" e assume a forma de uma coleção de cartas que pareciam ter sido seletivamente antologizadas para mostrar diferentes perspectivas sobre a situação. A obra-prima de Fielding trazia o título de *A história de Tom Jones*. Os dois autores estavam preocupados com moralidade e significado. Na dedicatória de Tom Jones ao político George Lyttelton, Fielding declarava que, apesar das chocantes peripécias sexuais do herói, "recomendar bondade e inocência foi minha intenção sincera nesta história". Como nas narrativas bíblicas, o leitor é incentivado a sentir empatia por essa gente fictícia, viver suas alegrias e tristezas e meditar sobre as desconcertantes complexidades da aflição humana. Mas a nova ênfase em *sola ratio* não permitia que estudiosos tratassem as histórias bíblicas como imaginárias. A única pessoa a abordar as histórias bíblicas como gênero semelhante à nova ficção foi o poeta alemão Johann Gottfried Herder (1744-1803), que afirmava que a única maneira de entender a Bíblia era identificar-se emocionalmente com seus personagens.

> Tornai-vos pastores com um pastor, com a gente da terra um homem da terra, com os antigos do Oriente um homem do Leste, se quiserdes saborear esses escritos na atmosfera de sua origem: e cuidado especialmente contra abstrações de novas e enfadonhas prisões acadêmicas.[32]

Mas Herder também estava comprometido com a verdade histórica da Bíblia e jamais soube conciliar completamente essas duas abordagens muito diferentes.

Ele claramente detestava as "novas e enfadonhas prisões acadêmicas" nas quais os eruditos alemães do "Criticismo Superior" aplicavam técnicas científicas para analisar manuscritos antigos da Bíblia. Eles concluíram que Moisés com certeza não foi o autor de todo o Pentateuco, obra de vários autores diferentes, cada qual com estilo e mensagem distintos. Notaram que havia narrativas duplicadas, obviamente escritas por mãos diferentes, como os dois relatos da criação no Gênesis. Jean Astruc (1684-1766), médico parisiense, e Johann Gottfried Eichhorn (1752-1827), professor de línguas orientais na Universidade de Jena, afirmaram que o Gênesis continha dois documentos: um que chamava Deus de "Yahweh" [Jeová] (J); enquanto o outro preferia o título de "Elohim" (E). Mas outros estudiosos, incluindo Johann Severin Vater (1771-1826) e Wilhelm de Wette (1780-1849), sustentavam que o Pentateuco consistia em numerosos fragmentos, antologizados por um editor. Pelo século XIX, era crença geral que ele combinava quatro fontes independentes. De Wette achava que Deuteronômio (D) era o último livro do Pentateuco, enquanto o professor Hermann Hupfeld (1796-1866), de Halle, afirmava que a fonte "elohista" consistia em dois documentos separados: o mais velho era E1 (obra sacerdotal), que foi seguido, em ordem cronológica, por E2, J e D.

Karl Heinrich Graf (1815-69), contudo, estava convencido de que o documento sacerdotal (E1) era, na verdade, a última das quatro fontes, e Julius Wellhausen (1844-1918) apoderou-se dessa teoria porque ela resolvia um problema que o perturbou por muito tempo. Por que os profetas jamais se referiam à lei mosaica? E por que o deuteronomista, obviamente familiarizado com yahwistas e elohistas, nada sabia sobre o documento sacerdotal? Isso tudo poderia ser explicado se a fonte sacerdotal (E1) fosse uma composição posterior. Wellhausen mostrou também que a teoria dos quatro documentos era simplista demais. Houve acréscimos às quatro fontes antes que elas fossem combinadas numa narrativa única. A obra dele foi vista por seus contemporâneos como o ponto alto do método crítico, mas o próprio Wellhausen achava que a pesquisa tinha apenas começado; na verdade, ela continua até hoje.

O criticismo histórico aumentou imensamente nosso entendimento da Bíblia e da forma como foi montada ao longo do tempo. Mas essa preocupação crítica com o texto poderia levar a uma diminuição da experiência transcendente da escritura — perda que passaria a fazer parte da experiência moderna. Mas as descobertas dos estudiosos tinham valor moral além de acadêmico: mostravam que, quando os editores montaram os textos bíblicos, os insights de todos eles foram incluídos e respeitados, mesmo quando continham visões contraditórias, como as tradições sulistas ao lado das tradições nortistas em Israel. A história teria sido bem diferente se reformistas protestantes e católicos, que racharam a Reforma em campos opostos, tivessem sido igualmente inclusivos.

Com os teólogos incapazes de concordar em questões básicas de fé, os europeus se voltaram aliviados para a *sola ratio* de Descartes em sua procura por um terreno comum.[33] Na América, os filósofos e estadistas que encabeçaram a revolução de 1776 contra o domínio britânico — George Washington, John e Samuel Adams, Thomas Jefferson, James Madison e Benjamin Franklin — eram deístas, racionalistas e homens do Iluminismo, inspirados pelas ideias de Locke e pela filosofia escocesa do senso comum. A Declaração de Independência, redigida por Jefferson com Franklin e John Adams, baseava-se no ideal de direitos humanos de Locke, definidos por ele como vida, liberdade e propriedade (o último depois transformado em "procura da felicidade"). Esses direitos humanos naturais foram declarados "evidentes por si mesmos". Mas seriam? Como se veria depois, os *philosophes* tinham opiniões muito diferentes sobre a natureza humana; portanto, *sola ratio*, tal como *sola scriptura*, não resultava necessariamente em unanimidade, nem poderia produzir uma *raison d'être* clara, distinta e irrefutável para os direitos humanos.

Locke estava convencido de que liberdade e igualdade eram direitos humanos fundamentais. Em seu estado natural, afirmava ele, os homens tinham vivido "num estado de perfeita liberdade para ordenar suas ações e dispor de suas posses como quisessem, dentro dos limites da lei da natureza". Suas sociedades eram igualitárias, "nada havendo de mais evidente do que o fato de que criaturas da mesma espécie e categoria [...] fossem iguais também entre si, sem subordinação ou sujeição".[34] Mas essa não era a opinião de Thomas Hobbes (1588-1679), que acreditava que em estado de natureza os seres humanos talvez nascessem iguais em capacidade, mas isso simplesmente os levava a "destruir e subjugar uns aos outros". Quando o homem é deixado por sua conta, sem forte controle governamental, "a vida do homem [é] solitária, pobre, sórdida, bruta e curta".[35] Jean-Jacques Rousseau (1712-78) chegou à conclusão oposta: a natureza humana era boa e nossas instituições políticas é que nos tornavam maus.[36] Da mesma forma, os Pais Fundadores dos Estados Unidos não concordavam em questões básicas como democracia. John Adams, o segundo presidente dos Estados Unidos, desconfiava de qualquer política que pudesse levar ao empobrecimento da aristocracia, enquanto para os seguidores de Jefferson norte-americanos de todas as classes deveriam desfrutar de liberdade e autonomia.[37]

Esse desentendimento sobre verdades supostamente "evidentes por si mesmas" não teria surpreendido o filósofo alemão Immanuel Kant (1724-1804), cuja *Crítica da razão pura* (1781) minou o projeto do Iluminismo ao afirmar que todas as nossas ideias eram essencial e inevitavelmente subjetivas. Como os neurocientistas de hoje, ele entendia que a ordem que supomos encontrar na natureza provavelmente tem pouca relação com a realidade. Podemos conceber uma visão racional viável para satisfazer nossa mente, mas não existe verdade objetiva que seja a mesma para todo mundo. Kant tinha formulado a definição clássica: "O Iluminismo é o êxodo do homem da tutela a que se sujeita. Tutela é a incapacidade do homem de fazer uso do próprio entendimento, sem ser dirigido por outro".[38] O Iluminismo foi descrito por um erudito moderno como "um grande salto para a autonomia e autogestão humanas", que começou "com a decisão humana de colocar a história sob administração e controle humanos". Foi, claro, cria do hemisfério esquerdo do cérebro: sua "arma" era a "razão [...] a perfeita facilidade humana para conhecer, prever, calcular e assim elevar o 'é' para o 'deve'".[39]

Jefferson, especialmente, estava decidido a libertar a política humana das garras dos chamados representantes de Deus e colocar a história sob controle humano. Mas os norte-americanos eram em sua maioria protestantes devotamente religiosos de vários matizes — presbiterianos, anglicanos, puritanos e congregacionalistas —, todos ainda aderindo à *sola scriptura* e olhando de soslaio para a jeffersoniana abordagem deísta da Bíblia. Como a maioria dos pensadores do século XVIII, Jefferson ainda acreditava que ela tinha valor espiritual, mas em 1787 recomendou ao sobrinho Peter Carr que submetesse cada um dos seus livros ao "tribunal da razão":

> Os fatos na Bíblia que contradizem as leis da natureza precisam ser examinados com mais cuidado e de vários ângulos. Deves verificar as pretensões do escritor sobre inspiração recebida de Deus. Deves examinar em que provas essas pretensões estão baseadas, e se as provas são tão fortes que tornem sua falsidade mais improvável do que uma mudança nas leis da natureza, no caso narrado.[40]

Não se pode, por exemplo, acreditar na história de Josué fazendo o sol ficar parado. Jefferson também recomendou a Carr que considerasse as "pretensões" de doutrinas cristãs como a divindade de Jesus, o nascimento virginal e a subida física ao céu, e não se preocupasse se concluísse que Deus não existia: "Tua razão é o único oráculo que o céu te concedeu, e és responsável, não pela correção, mas pela honestidade da decisão".[41] O forte compromisso de Jefferson com *sola ratio* o tornara incapaz de apreciar o papel do mito na religião — em sua versão do Novo Testamento, ele eliminou todos os milagres, o nascimento virginal e a ressurreição, concentrando-se exclusivamente nos ensinamentos de Jesus.[42]

Tão acirradas tinham sido as disputas provocadas por *sola scriptura* que Jefferson percebeu que a Constituição Federal jamais receberia o apoio de todos os Estados se fizesse de qualquer denominação protestante a religião oficial da União. Como Locke, ele estava convencido de que a segregação entre religião e governo era "acima de tudo necessária para a criação de uma sociedade pacífica".[43] Em 1786, Jefferson tirou o status oficial da Igreja anglicana da Virgínia, declarando que a coerção em assuntos religiosos era pecaminosa e tirânica. A verdade só prevaleceria se as pessoas pudessem formar opiniões próprias; portanto, deveria haver um "muro de separação" entre religião e política.[44] A cláusula lapidar da Primeira Emenda à Constituição dos Estados Unidos na Declaração de Direitos decretava que "o Congresso não fará lei relativa ao estabelecimento de religião, ou proibindo o seu livre exercício". Isso libertaria a religião da injustiça e violência inerentes ao Estado, mas também poderia incentivar a fuga das dores do mundo para uma espiritualidade privatizada centrada no próprio eu. Os Pais Fundadores afirmavam que seu entendimento da dignidade e igualdade do homem nascera exclusivamente da razão; mas estava claro que haviam absorvido esses ideais, pelo menos em parte, nas escrituras judaica e cristã que continuavam a respeitar, ainda que minimamente. É verdade que governantes cristãos raramente estiveram à altura do ideal de justiça e equidade proclamado nas escrituras. Mas filósofos e governantes secularistas também renegaram seus textos sagrados. Em sua *Carta sobre a tolerância*, um clássico do Iluminismo, Locke foi rigorosamente intransigente ao declarar que o Estado liberal não poderia tolerar nem o catolicismo nem o islã.[45] Também decretou que o senhor tinha "Poder Absoluto, Arbitrário, Despótico" sobre o escravo, incluindo "o poder de matá-lo a qualquer momento", e que os "reis" nativos da América não tinham jurisdição legal nem direito de propriedade sobre suas terras.[46] A Declaração de Independência dos Estados Unidos afirmava que todos os homens eram criados iguais, mas não haveria igualdade para os povos nativos dos Estados Unidos nem para os escravos africanos, ou para os norte-americanos mais pobres vivendo nas fronteiras, que os Fundadores tributavam tão severamente quanto os britânicos antes deles.[47]

O processo de modernização no Ocidente foi marcado por explosões de extrema irracionalidade e, como discuti exaustivamente noutra parte, o desdém secularista frequentemente distorceu a religião.[48] A maioria dos norte-americanos, incapaz de compartilhar a mentalidade racional dos Fundadores, tentou adaptar religiosamente esses novos ideais seculares. No passado, o ritual — agora rejeitado ou bastante reduzido por alguns protestantes — ajudara as pessoas a lidarem com a turbulência do seu mundo interior. Os ritos da cabala luriânica, por exemplo, tinham guiado os exilados sefarditas em seu trauma, possibilitando-lhes absorvê-lo, exteriorizá-lo e aprender a conviver com ele benigna e criativamente. Mas sem o apoio desse ritual disciplinado, alguns protestantes norte-americanos vivenciariam a mudança radical num processo doloroso que Buda poderia ter achado *akusala* — "contraproducente" ou "prejudicial".

O erudito ministro calvinista Jonathan Edwards (1703-58) acreditava que o renascimento religioso conhecido como Primeiro Grande Despertar que tinha tomado conta de Connecticut, Massachusetts e Long Island em 1734 havia apresentado aos norte-americanos menos instruídos o ideal iluminista de procura da felicidade,[49] deixando-lhes na lembrança um beatífico estado a que chamavam "liberdade".[50] Mas esse *ekstasis* não tinha nada em comum com a ioga disciplinada que levara o Buda à "iluminação" ou o diálogo do Guru Nanak com sua mente inconsciente; na realidade, tratava-se de uma perigosa rendição à emoção. Durante os sermões de Edwards, a assembleia de fiéis gritava e berrava, contorcendo-se nos corredores, e se aglomerava em torno do púlpito pedindo-lhe que parasse. Cerca de trezentas pessoas, as emoções oscilando entre a exaltação estonteante e a depressão arrasadora, "nasceram de novo". Julgando-se amaldiçoados, alguns, em desespero, cometeram suicídio, enquanto outros, segundo Edwards, enlouqueceram, tomados de "estranhas e entusiásticas ilusões".[51] Não poderia haver *kenosis* libertadora, uma vez que essa perigosa rendição ao inconsciente só dizia respeito ao indivíduo — *meu* arrependimento, *minha* salvação, *minha* condenação.

O Segundo Grande Despertar nos anos 1790, porém, foi uma rebelião orquestrada pelos norte-americanos pobres das fronteiras contra a mentalidade racional dos aristocráticos Fundadores. Seus profetas não queriam saber de *sola ratio*: tinham descoberto os ideais de liberdade e igualdade expressos com clareza na Bíblia e, naturalmente, ressaltavam os ensinamentos radicais do Novo Testamento com muito mais vigor do que os exegetas aristocráticos. Sua devoção altamente emocional lembrava, sem dúvida, a do Primeiro Grande Despertar, mas rejeitavam intelectuais como Edwards, que achavam que só eruditos tinham o direito de interpretar a Bíblia, chamando a atenção para o fato de que Jesus e seus discípulos não frequentaram faculdades. À primeira vista, esses novos profetas pareciam pertencer aos tempos antigos, por darem valor a tudo aquilo que os filósofos abominavam: sonhos, visões, sinais, prodígios e milagres. Mas também apresentavam os ideais modernos de democracia, igualdade, liberdade de expressão e independência num idioma bíblico. Havia procissões com tochas acesas e comícios imensos, nos quais novas canções gospel levavam multidões ao êxtase, a ponto de chorarem e se agitarem violentamente, para a frente e para trás, gritando de alegria, no extremo estado emocional que se tornaria marca registrada do cristianismo norte-americano.[52]

Durante os anos 1840, Charles Finney (1792-1875) trouxe essa espiritualidade de fronteira para as classes médias, e, pelo fim do século XIX, o "cristianismo evangélico", baseado numa interpretação literal da escritura, era a religião dominante nos Estados Unidos.[53] Os evangélicos não achavam a separação jeffersoniana entre religião e política uma verdade evidente por si, mas pelo menos nos estados nortistas fizeram dos direitos humanos inalienáveis um mandamento bíblico, fazendo campanha contra a escravidão e o álcool e a favor da reforma educacional e penal e da igualdade de direitos para as mulheres, criando um híbrido que alguns estudiosos chamam de "protestantismo iluminado".[54]

Com grande frequência, porém, a exegese moderna esqueceu a insistência de Agostinho no "princípio da caridade". Isso estava claro na doutrina bíblica que criou raízes nos Estados Unidos no fim do século XIX e ficou conhecida como pré-milenarismo, por afirmar que Cristo voltaria à terra antes de estabelecer seu reinado de mil anos, como profetizado no Apocalipse. O pré-milenarismo foi criação de John Nelson Darby (1800-82), inglês que convenceu pouca gente em seu país, mas percorreu os Estados Unidos seis vezes, entre 1859 e 1877, com extraordinária aceitação. Dizia ele que a humanidade estava ficando tão depravada que Deus não tardaria a destruir o mundo, mas os cristãos devotos triunfariam e veriam a vitória final de Cristo no Reino.[55]

O pré-milenarismo é bom exemplo de uma interpretação literalista, supostamente "racional", da escritura, que, como o Grande Despertar, beirava a insanidade. Para Darby, os profetas, são Paulo e o autor do Apocalipse não estavam falando por metáforas, mas fazendo previsões precisas que podiam ser decifradas analiticamente. Darby dividiu toda a história da Bíblia em sete "dispensações" ou épocas, cada uma terminando em catástrofes como a Queda, o Dilúvio e a crucificação. A humanidade atualmente vivia a sétima, ou penúltima, dispensação, explicava Darby, que terminaria num horror sem precedentes. O Anticristo, o falso redentor cuja vinda Paulo previra,[56] logo daria início a um período de sete anos de Tribulação, massacrando um número incalculável de pessoas até que, como está previsto no Apocalipse, Jesus descesse à terra, derrotasse o Anticristo e combatesse Satã nas planícies de Armagedão nos arredores de Jerusalém. Ele então iniciaria a Sétima Dispensação, governando o mundo com paz e justiça por mil anos, até que o Juízo Final encerrasse a história.

Os cristãos evangélicos estavam predispostos a aceitar a missão de Darby, porque tinham um desejo mórbido de ver extinta a sociedade moderna. William Miller (1782-1849), agricultor do norte do estado de Nova York, estava convencido de que as profecias bíblicas poderiam ser decifradas com precisão científica, matemática, e em 1831 divulgou um panfleto anunciando a Segunda Vinda de Cristo para 1843. Miller acreditava, ainda, que todos os cristãos tinham o direito de interpretar a Bíblia e incentivava os leitores a contestarem seus cálculos. Mas poucos o fizeram, e cerca de 50 mil norte-americanos se tornaram "milleritas" convictos. Ficaram desolados quando Cristo não apareceu em 1843, mas outras seitas, como os adventistas do sétimo dia, ajustaram o calendário escatológico — sabiamente evitando previsões exatas — e permitiram a gerações de norte-americanos aguardarem ansiosamente o Fim iminente.[57]

O pré-milenarismo de Darby, porém, tinha o atrativo extra de possibilitar aos eleitos escapar das provações do Fim dos Tempos. Aproveitando um comentário casual de são Paulo, que, numa lírica descrição da Segunda Vinda de Jesus, tinha contado aos convertidos tessalonicenses que eles seriam "arrebatados nas nuvens [...] para encontrar Cristo nos ares",[58] Darby concluiu que pouco antes da Tribulação haveria um "Arrebatamento" no qual verdadeiros cristãos seriam levados de repente para o céu. Apresentando sua exegese como racional e científica, os pré-milenaristas desenvolveram um cenário minucioso do Arrebatamento: aviões, carros e trens se chocando enquanto pilotos e motoristas convertidos são levados para o céu e seus passageiros padecem uma morte extremamente sofrida; mercados desmoronariam e governos cairiam. Os "deixados para trás" perceberiam — tarde demais — que os verdadeiros cristãos, de cujas crenças eles haviam escarnecido, estavam certos o tempo todo. O pré-milenarismo é cruel e antagonístico: os eleitos se imaginam olhando egoisticamente lá de cima para os sofrimentos dos que os ridicularizaram e agora recebem o merecido castigo.

Há também uma drástica perda de transcendência. Exegetas do passado diziam que quando falamos de Deus não sabemos de que estamos falando. Mas Darby não demonstrou nenhuma timidez desse tipo: seu Deus era um ser humano sádico e vingativo, em proporção exagerada, cujas ações podiam ser previstas nos mínimos detalhes. Ele personificava o ressentimento da "arraia-miúda" dos Estados Unidos, que se sentia ignorada e desprezada pelo establishment supostamente igualitário. Mas estranhamente o pré-milenarismo estava em sintonia com o pensamento científico e político mais sofisticado do século XIX. Contemporâneos de Darby como Georg Wilhelm Hegel (1770-1831), Karl Marx (1818-83) e Charles Darwin (1809-82) sustentaram que o desenvolvimento é resultado de conflito. Como Darby, dividiram a história em diferentes eras, e Marx ansiava por um clímax utópico. Tendo descoberto sucessivas épocas do desenvolvimento da terra nas camadas de fauna e flora fossilizadas em pedras e penhascos, alguns geólogos concluíram que todas as épocas terminaram em catástrofe. O pré-milenarismo era moderno também em seu literalismo e em sua democracia. Não havia significados ocultos ou simbólicos na Bíblia, acessíveis apenas a uma elite que dispunha de tempo livre e de instrução para desenterrá-los. A escritura queria dizer exatamente o que dizia. Um milênio significava dez séculos; 485 anos significavam exatamente isso. Quando falavam de "Israel", os profetas não se referiam à Igreja cristã, mas aos judeus. E se o Apocalipse previa uma batalha entre Jesus e Satã nos arredores de Jerusalém, isso era exatamente o que ia acontecer.[59] A leitura pré-milenarista da Bíblia se tornaria ainda mais fácil para os cristãos comuns depois da publicação da Bíblia de Referência Scofield (1909), que explicava essa história dispensacional em notas abundantes anexadas ao texto bíblico e se tornou um best-seller da noite para o dia.

A escritura, forma de arte originariamente concebida para ser interpretada com imaginação, agora teria que ser uma ciência racional, se quisesse ser levada a sério. Mas a própria ciência estava mudando. Como as teorias de Darwin eram em boa parte hipotéticas, alguns cristãos as descartavam como "anticientíficas". Voltaram-se então para o filósofo Francis Bacon (1561-1626), para quem a tarefa da ciência era apenas categorizar fenômenos conhecidos e organizar suas descobertas em teorias baseadas em fatos que fossem óbvios para todos.[60] O pregador batista do século XIX Arthur Pierson, por exemplo, queria que a Bíblia fosse interpretada num "espírito verdadeiramente imparcial e científico":

> Gosto de uma teologia bíblica que [...] não comece com uma hipótese e depois acondicione os fatos e a filosofia para encaixar no seu dogma, mas que seja um

sistema baconiano, que primeiro reúne os ensinamentos da palavra de Deus e em seguida tenta deduzir alguma lei geral na qual os fatos possam ser arranjados.[61]

Contudo, as verdades bíblicas jamais pretenderam ser passíveis de demonstração científica, e, portanto, uma abordagem "científica" da escritura só poderia produzir uma caricatura de discurso racional, que faria a religião cair em descrédito.[62]

Em 1873, Charles Hodge, professor de teologia no Seminário New Light em Princeton, Nova Jersey, foi o primeiro teólogo a atacar a teoria da evolução de Darwin. Nessa altura, pouquíssimos cristãos eram capazes de avaliar todas as implicações da hipótese de Darwin. Para o teólogo liberal norte-americano Henry Ward Beecher (1813-87), Deus estava presente nos processos naturais, por isso a evolução poderia ser vista como prova da amorosa preocupação de Deus com sua criação. Mais tarde, porém, quando ficou claro que inúmeras espécies tinham sido destruídas no processo de seleção natural, a evolução já não parecia tão benigna. Mas para o baconiano Hodge, o darwinismo era apenas má ciência. Os cientistas, dizia ele, tinham mergulhado tão fundo no estudo da natureza que só acreditavam em causas naturais e não percebiam que a verdade religiosa também era factual. Ele temia pelo futuro, quando cientistas já não vissem Deus como a explicação última e definitiva: a religião, afirmou, "tem de lutar pela vida contra uma grande classe de homens de ciência".[63] Mas isso não teria sido tão ruim se os cristãos não tivessem ficado dependentes do método científico, alheio à exegese tradicional.

Muito mais preocupante para os evangélicos nessa época, porém, era o Criticismo Superior da Bíblia. Em 1860, ano seguinte à publicação de *A origem das espécies*, sete clérigos anglicanos publicaram *Essays and Reviews*, uma série de artigos que tornaram a erudição alemã acessível ao público. O livro causou sensação, vendendo 22 mil exemplares em dois anos — mais do que *Origem* nos primeiros 25 anos — e inspirou quatrocentos livros e artigos, como resposta.[64] O ensaio mais importante do livro era de autoria de Benjamin Jowett, mestre do Balliol College, Oxford, que afirmava que a Bíblia precisava ser submetida ao mesmo rigoroso exame a que se submetiam outros textos antigos. Protestantes evangélicos na Grã-Bretanha, bem como nos Estados Unidos, achavam essas ideias desconcertantes. Em 1888, a romancista inglesa Mrs. Humphry Ward publicou *Robert Elsmere*, a história de um clérigo cuja fé fora destruída pelo Criticismo Superior. A certa altura, a esposa dele reclama: "Se os evangelhos não são verdadeiros factualmente como história, não vejo como poderiam ser verdadeiros de qualquer outra forma, ou que tenham qualquer valor".[65] O romance tornou-se best-seller na Inglaterra, o que sugeria que muita gente compartilhava os temores da autora.

Nos Estados Unidos, os teólogos de Princeton encabeçaram a luta contra o Criticismo Superior.[66] Em 1873, Hodge publicou o primeiro dos dois volumes da sua obra *Teologia sistemática*. Subvertendo séculos de interpretação escritural, Hodge afirmava que a tarefa do teólogo não era buscar um sentido *além* das palavras, mas simplesmente arranjar os claros ensinamentos bíblicos num sistema baconiano de verdades gerais. Cada palavra da Bíblia era divinamente inspirada e infalivelmente verdadeira; portanto, não deveria ser distorcida por exegese alegórica ou simbólica. Até a Reforma, os cristãos ocidentais interpretavam a Bíblia como uma ascensão ao divino; o sentido claro das palavras era apenas o primeiro degrau de uma escada que conduzia ao inefável. Nem judeus nem cristãos jamais acharam clareza nos ensinamentos bíblicos, porque eles apontavam para o inexprimível. Agora, entretanto, a Bíblia precisava ser organizada num sistema racional.

Em 1811, o filho de Charles, Archibald Hodge, e um colega mais jovem, Benjamin Warfield, publicaram uma defesa da verdade literal da Bíblia, que se tornaria um clássico. Todas as histórias e declarações da Bíblia eram "absolutamente isentas de erros e ligadas em nome da fé e da obediência", afirmavam. Tudo que a Bíblia dizia era "verdade factual". Se os profetas registrados na Bíblia diziam que suas palavras foram inspiradas, então a Bíblia foi inspirada.[67] Nesse sistema fechado, coerente apenas nos próprios termos, o exegeta ficava enclausurado num argumento circular. Seria a marca registrada do fundamentalismo protestante.

Em 1886, o pregador revivalista Dwight Lyman Moody (1837-99) fundou o Moody Bible Institute em Chicago, com o objetivo de criar um quadro de estudiosos para se opor ao Criticismo Superior que, estava convencido, levaria o país à destruição. Faculdades parecidas foram criadas por William B. Riley, em Minneapolis em 1902, e pelo magnata do petróleo Lyman Stewart em Los Angeles em 1907. Circundado agora por uma auréola de maldade, o Criticismo Superior parecia simbolizar tudo que havia de errado no mundo moderno. "Se não tivermos um padrão infalível" na Bíblia, afirmou o clérigo metodista Alexander McAlister, "todos os valores decentes desaparecerão."[68] O pregador metodista Leander W. Mitchell culpava o Criticismo Superior pela embriaguez e pela imoralidade sexual que se espalharam pelos Estados Unidos.[69] O presbiteriano M. B. Lambdin via nele a causa das altas taxas de divórcio, suborno, corrupção, crime e homicídio.[70]

Isso assinala o começo de uma forma de religiosidade conhecida popularmente como "fundamentalismo", que discuti amplamente numa obra anterior.[71] Cunhado pelos protestantes nos Estados Unidos nas primeiras décadas do século XX para distingui-los dos cristãos "liberais", o termo fundamentalismo é insatisfatório. O objetivo declarado era retornar aos "fundamentos" da fé, que eles julgavam ser a interpretação literal da escritura, juntamente com um conjunto selecionado de doutrinas essenciais. Movimentos semelhantes, embora com foco bem diferente, desenvolveram-se em outras tradições religiosas. Na verdade, sempre que um governo secular separou a religião da política, desenvolveu-se uma contracultura paralela decidida a empurrar a religião de volta para o centro do palco.

Nos anos 1990, no início do seu monumental Projeto Fundamentalista em seis volumes, que examinou esse fenômeno, Martin E. Marty e R. Scott Appleby explicaram que todos os "fundamentalismos" — fossem eles cristãos, muçulmanos, judaicos, budistas, hindus ou confucionistas — tinham uma trajetória similar. Eram espiritualidades em apuros que se desenvolveram em resposta a uma suposta crise. Travam um combate com inimigos cujas políticas e convicções secularistas parecem hostis à própria religião. Fundamentalistas não veem essa batalha como uma luta política convencional, mas a vivem como se fosse uma guerra cósmica entre as forças do bem e as forças do mal. Temem a aniquilação, e tentam fortalecer sua identidade sitiada pela recuperação de certas doutrinas e práticas do passado. Sentindo-se profundamente ameaçados, costumam retirar-se da sociedade convencional para criar uma contracultura: no fundamentalismo protestante norte-americano, os Institutos Bíblicos, fundados inicialmente por Moody, Riley e Stewart, e depois por Bob Jones e Jerry Falwell, eram com frequência o bastião dessas comunidades separatistas. Mas fundamentalistas não são sonhadores sem senso prático. Eles absorveram o racionalismo pragmático da modernidade e, sob a orientação de líderes carismáticos, refinam esses "fundamentos" para criar uma ideologia que dá aos crentes um plano de ação. E acabam revidando numa tentativa de ressacralizar um mundo cada vez mais cético. Isso nem sempre significa violência — só uma percentagem minúscula de fundamentalistas recorre a táticas terroristas —, mas geralmente toma a forma de um contra-ataque cultural, ritualizado ou erudito.[72]

Todo movimento fundamentalista, porém, tem um foco diferente. No judaísmo, tem sido o Estado secular de Israel, que fundamentalistas apoiam ou combatem. No islã, o último dos três monoteísmos a desenvolver uma versão "fundamentalista", ele sempre foi desencadeado por um ataque — ideológico ou físico — à *ummah*, a comunidade muçulmana. A escritura desempenha uma função nesses movimentos, quase sempre no uso de "textos-provas" para justificar uma linha de ação. Mas não é o ponto de partida nem o principal meio de expressão — fundamentalistas costumam usar o ritual para marcar posição. Porém, como vimos, a escritura foi o foco do fundamentalismo protestante desde o início — o que talvez não seja de surpreender. A Reforma Protestante tinha insistido na *sola scriptura*. A escritura era, portanto, a vida e a alma do cristianismo protestante; era tudo que eles tinham, e, quando atacada, os fundamentalistas se sentiam violados no próprio ser. Vem daí o seu medo exacerbado do Criticismo Superior.

Fundamentalismos geralmente começam com o que é visto como um assalto — físico ou ideológico — da maioria secularista. Os protestantes estabeleceram seu movimento fundamentalista em 1920, mas foi o famoso Julgamento Scopes (1925) que levou à sua retirada da cultura dominante e à criação de uma contracultura. Os legislativos estaduais de Flórida, Mississippi, Tennessee e Louisiana tinham aprovado leis proibindo o ensino da evolução nas escolas públicas. Para desferir um golpe a favor da liberdade de expressão, o jovem professor John Scopes confessou ter violado a lei quando substituiu o diretor de sua escola numa aula de biologia. Levado a julgamento em julho de 1925, foi defendido pela nova União Americana pelas Liberdades Civis (Aclu), cujo cabeça era o militante racionalista Clarence Darrow. O político William Jennings Bryan concordou em defender a lei antievolução e o julgamento tornou-se uma disputa entre religião e ciência.[73] Como todos sabem, Darrow saiu como herói do pensamento racional lúcido e Bryan como um trapalhão anacrônico e incompetente. Scopes foi condenado, mas a Aclu pagou sua multa, e Darrow e a ciência foram os verdadeiros vitoriosos.

Para a imprensa foi um prato cheio e os fundamentalistas foram denunciados como uma praga, inimigos da ciência e da liberdade, que não tinham lugar no mundo moderno. Depois desse perverso ataque da mídia, os fundamentalistas se retiraram, criando um enclave de religiosidade em suas próprias igrejas, estações de rádio, editoras, escolas, universidades e faculdades de teologia. No fim dos anos 1970, quando o movimento ganhou força suficiente, eles voltariam à vida pública, lançando uma ofensiva de inspiração bíblica para converter o país. A zombaria da imprensa mostrara-se contraproducente. Antes de Scopes, a evolução não era um grande assunto para os fundamentalistas: até mesmo Charles Hodge sabia que o mundo existia havia muito mais tempo do que os 6 mil anos declarados na Bíblia. Pouquíssimos fundamentalistas tinham adotado a "ciência da criação", que afirmava que o Gênesis era cientificamente sólido nos mínimos detalhes. Mas depois de Scopes, um inabalável literalismo bíblico tornou-se essencial para a mentalidade fundamentalista e a ciência da criação passou a ser o carro-chefe do movimento. Ao atacar uma religião que lhes pareça obscurantista, os críticos religiosos devem ter sempre em mente que isso provavelmente a tornará mais radical.

De qualquer forma, os Estados Unidos continuaram a ser um país fortemente religioso, sua vertente evangélica ainda baseada numa interpretação literal da Bíblia. Na Europa, a história era bem diferente — e, de novo, já discuti a perda de fé dos europeus numa obra anterior.[74] Eis aí um processo complexo que envolvia acontecimentos não só escriturais, mas também políticos e sociais. Alguns europeus, como o biólogo britânico Thomas H. Huxley (1825-95), viam o racionalismo científico como uma nova religião secular que exigia conversão e devoção total. Outros, como o poeta Matthew Arnold (1822-88), renunciaram à sua fé com tristeza, sem sentir qualquer desafio prometeico, qualquer libertação inebriante, mas ouvindo apenas o "bramido melancólico, longo, afastado" da fé que recua e deixa em seu lugar "a eterna nota de tristeza".[75]

O filósofo alemão Friedrich Nietzsche (1844-1900), examinando o coração dos seus contemporâneos, descobriu que Deus estava morto lá dentro, ainda que, disse ele, pouquíssimas pessoas percebessem. Em *A gaia ciência* (1882), ele contou a história de um louco que certa manhã correu para o mercado gritando: "Eu procuro Deus!". Quando os céticos, que haviam perdido a fé, lhe perguntaram, em tom de escárnio, se Deus tinha fugido ou emigrado, ele respondeu: "Nós o matamos — vocês e eu! Somos seus assassinos!".[76] As revoluções científica e industrial tinham levado os seres humanos a se concentrar tão completamente no mundo físico e empírico que já ninguém compreendia os aspectos estéticos da religião, que renderam vislumbres de transcendência. A morte de Deus, dizia Nietzsche, projetava suas primeiras sombras sobre a Europa. Os poucos que podiam ver com clareza já estavam conscientes de que "parece que um sol se pôs e uma profunda crença se transformou em dúvida".[77]

Ao converter "Deus" numa verdade puramente especulativa, alcançável pelo intelecto racional e científico, sem o ritual, a contemplação e o compromisso ético, os europeus o haviam matado para si mesmos. Pode-se dizer que, pelo cultivo assíduo do hemisfério esquerdo do cérebro, eles perderam contato com as sugestões do hemisfério direito. Como os judeus marranos, que também haviam optado pela *sola ratio*, eles começavam a sentir a religião como algo tênue, arbitrário e sem vida, e suas escrituras como francamente implausíveis. Para Karl Marx, a abolição da religião tinha sido um projeto — uma coisa a ser alcançada no futuro, para libertar os seres humanos das contradições e das injustiças da sociedade capitalista. Vendo-se a si mesmo como "o Darwin da sociologia", ele quis dedicar *Das Kapital* a Darwin, que, apesar de agnóstico, sempre foi muito respeitador da fé religiosa, e polidamente recusou a gentileza. Para Nietzsche, porém, a morte de Deus já tinha acontecido. Ele rejeitava qualquer visão do divino que tentasse explicar algo causal ou moralmente, ou com certeza. Era só uma questão de tempo para que "Deus" deixasse de ser uma presença na civilização científica do Ocidente. Ao impor o sagrado a um modo totalmente racional de pensamento, que era alheio a ele, e ao ler suas escrituras como factuais, os europeus tinham inviabilizado a religião. Nos Estados Unidos, como vimos, essa interpretação literal da escritura produziu uma visão de Fim dos Tempos que, longe de endossar o racionalismo dos Pais Fundadores, beirava a insanidade.

Nietzsche estava convencido de que, a não ser que se encontrasse um novo absoluto para tomar o lugar de "Deus", a civilização científica do Ocidente ficaria mentalmente desequilibrada. Não só não havia Deus; agora não havia nenhum princípio ordenador. "Para onde vai a terra agora?", perguntou o louco. "Não nos extraviamos, como através de um nada infinito?"[78] O século que começara na Europa com a certeza newtoniana e a convicção de possibilidades ilimitadas sucumbia a um pavor indefinível.

Quando concluiu *A gaia ciência* no verão de 1882, no entanto, Nietzsche teve uma crise espiritual e mental que interpretou como uma "revelação".

Sentiu-se tomado de "um sentimento de liberdade, de absoluto, de poder, de divindade" que nada tinha a ver com o "Deus" convencional:

> Algo de repente, com indizível certeza e sutileza, se torna visível, audível, algo que abala e transtorna no mais íntimo de nós [...] um êxtase [...] um abismo de felicidade no qual as coisas mais dolorosas e sombrias aparecem não como antíteses, mas como condicionadas, exigidas.[79]

O resultado dessa visão de hemisfério direito, de uma união extática de opostos, foi o trabalho que ele mesmo considerava sua obra-prima. *Assim falou Zaratustra* (1883-91), acreditava ele, seria "a Bíblia do futuro, a mais alta expressão de gênio humano que contém o destino da humanidade".[80] O jovem Nietzsche, filho de um pastor luterano, tinha sido um cristão devoto e adquiria um conhecimento excepcional da escritura. Todos os seus livros contêm frases e alusões bíblicas e, mais tarde, quando começou a atacar o cristianismo, ele relia, conscientemente, grandes trechos da Bíblia. Sabia muito bem, portanto, como funciona a escritura, e passou a utilizar o gênero escritural para demolir a religião convencional.[81]

Seu porta-voz era o profeta ariano Zaratustra (em grego, "Zoroastro"), que por volta de 1200 a.C. tinha recebido revelações que acabariam dando origem à religião persa conhecida como zoroastrismo. Nietzsche afirmava que, por ter Zaratustra criado a moralidade, "o mais fatal dos erros", era natural que ele fosse ressuscitado para refutá-la.[82] Mas na escritura sem Deus de Nietzsche, Zaratustra assume nova função. Tornara-se o próprio deus grego Dionísio, que inspirara a arte do drama trágico. Anos antes, em *O nascimento da tragédia* (1871), Nietzsche sustentara que na tragédia clássica grega o culto de Apolo, representando clareza, controle e razão, se fundira com o culto de Dionísio, o deus das mutações. Enquanto a plateia via o herói lutar contra a morte, o horror e a falta de sentido, o comentário do Coro, que na opinião de Nietzsche tinha sido musicado e cantado, permitia que os espectadores atingissem um *ekstasis* que afirmava a vida em face da tristeza e da morte — experiência não muito diferente da que ele próprio tivera em 1882. Nietzsche acusava Sócrates, que, segundo Platão, quis expulsar os poetas da *pólis*, pela perda do insight trágico na Grécia. Sócrates, dizia ele, criara uma cultura que era otimista demais em sua confiança em que a razão e a ciência poderiam sozinhas resolver todos os enigmas da existência humana. Na Grécia antiga — como na Europa pós-Iluminismo — logos tinha expulsado o mito, e, consequentemente, Deus estava morto, e nós só poderíamos aliviar a dor da vida na arte.[83]

Nietzsche fez três afirmações sobre seu *Zaratustra*.[84] Em primeiro lugar, era uma paródia — uma paródia, diriam alguns, do Novo Testamento.[85] Nietzsche estava convencido de que, ao revelar a implausibilidade histórica de suas escrituras, o Criticismo Superior tinha demolido o cristianismo, e sua morte era apenas uma questão de tempo. Havia óbvias alusões ao Novo Testamento em *Zaratustra*. Vemos Zoroastro andar pelo mundo com um grupo de discípulos mais ou menos como Jesus; um dos capítulos traz o título de "A última ceia", e outro, zombeteiramente, chama-se "Da Imaculada Percepção". Mas *Zaratustra* não era apenas uma paródia barata dos evangelhos: era, na verdade, uma afirmação nascida da sua negação de Deus em *A gaia ciência*. Pouco lido em sua época, Nietzsche precisou ser seu próprio crítico. É por isso que em sua obra encontramos com frequência duas vozes: uma que afirma e outra que qualifica essa afirmação. Essa "paródia", portanto, era apenas um primeiro passo que agora precisava ser descontruído para que se alcançasse uma nova visão.[86] O cristianismo, acreditava Nietzsche, tinha cultivado uma "mentalidade de escravos" baseada em ressentimento, num senso de mérito prejudicado, e motivada por um ressentimento contra os poderosos e um desejo irrealista de vingança. Por defender a resistência passiva ao sofrimento, o cristianismo, uma fé ascética, era essencialmente hostil à vida humana e precisava ser banida pelos fortes. Mas o cristianismo também influenciara os ideais supostamente "seculares" do liberalismo e do socialismo — igualdade e emancipação — que, segundo Nietzsche, eram danosos e precisavam ser superados.[87]

Nietzsche, contudo, fazia uma distinção entre o cristianismo institucionalizado e Jesus, cujo caráter, acreditava ele, tinha sido distorcido pelos primeiros autores cristãos, notavelmente Paulo. Escreve com simpatia sobre Jesus, como se fosse um irmão mais velho do Cristo, afirmando que morreu "cedo demais; ele mesmo teria repudiado seus ensinamentos se vivesse até a minha idade! Era suficientemente nobre para se retratar!".[88] Nietzsche não tinha a menor paciência com o amor indiscriminado de Jesus por todo mundo. Amar com maturidade — e isso Jesus teria aprendido com o tempo — é amar com discriminação.[89] Era, portanto, crítico da compaixão de Jesus, que ele traduziu erradamente como *Mitleid* ("piedade"). Se sentimos pena de alguém, afirmou em *A gaia ciên-*

cia, tendemos a diminuir o seu valor, porque sofrer é tão importante para o nosso desenvolvimento quanto a felicidade. Não deveríamos querer abolir a adversidade:

> Toda a economia da minha alma e o equilíbrio afetado por "infortúnios", a irrupção de novas fontes e necessidades, a cura de velhas feridas, o descarte de períodos inteiros do passado — terrores, privações, empobrecimentos, aventuras, riscos e erros — são tão necessários para nós como seu oposto.[90]

A "paródia" nietzschiana do cristianismo, portanto, era apenas parte de uma dialética, uma ofensiva exploratória inicial que cutuca o leitor cristão para que ele faça uma incômoda reavaliação de hábitos familiares do cristianismo, como a compaixão — e algumas ideias modernas nela radicadas —, a título de preparação para seu verdadeiro objetivo, que é dar ao leitor um "novo Novo Testamento" inspirado por Dionísio. Vem daí a segunda definição de Nietzsche: *Zaratustra*, disse ele, era um "contraideal", uma alternativa para a fé cristã ascética e negadora da vida.[91]

Por último, e mais importante, Nietzsche definiu *Zaratustra* como tragédia.[92] Não era porque tivesse um fim infeliz — a obra termina numa nota otimista, triunfante —, mas porque daria aos leitores, esperava ele, uma experiência parecida com o *ekstasis* dionisíaco na velha Atenas, na qual os opostos se fundiam para formar uma coisa só. Na tragédia grega, a plateia via o herói passar por uma profunda mudança mental e espiritual, descobrindo que suas próprias atitudes tinham sofrido transformação semelhante. A "nova Bíblia" de Nietzsche, esperava ele, permitiria aos leitores sentir empatia por Zaratustra, mais ou menos da mesma forma, enquanto o viam alcançar sua própria conversão dionisíaca — no palco, por assim dizer. Quando Zaratustra parte triunfalmente para um nobre futuro no fim do livro, Nietzsche esperava que os leitores tivessem um insight sobre o novo estado mental do herói. Eles entenderiam que nossa percepção diária da alegria e da tristeza, da vida e da morte, como fenômenos opostos é ilusória, porque no *ekstasis* dionisíaco tudo isso se fundia novamente no holismo primitivo existente antes de o racionalismo apolíneo fazer essas distinções artificiais. Eles teriam vislumbres da própria visão eufórica de Nietzsche da união dos opostos.

Mas fazer não é tão fácil quanto falar. É dificílimo — na verdade, quase impossível — aceitar e suportar as alegrias e tristezas da vida com total serenidade. Isso requer o que Nietzsche chamava de "superação" (*Übergang*), além de muita coragem, uma vez que renunciar aos nossos valores mais arraigados representa uma profunda ameaça ao nosso senso de identidade. Não era uma questão de fundir alegria e deleite num êxtase temporário, mas de segurá-los juntos na cabeça e no coração numa afirmação permanente. Pode-se avaliar a tensão que isso envolve acompanhando o progresso de Zaratustra: ele mergulha em profunda depressão, adoece e, em certa ocasião, entra em coma por uma semana, enquanto luta para aceitar o fato de que seu eu velho precisa ser irremediavelmente destruído. Ele descreve a vertigem mental do processo como o "meu Getsêmani":

> Conhece o terror que assalta quem adormece?
>
> Ele sente medo até nos dedos dos pés, porque o chão parece ceder, e o sonho começa.
>
> Conto-lhe isso numa parábola. Ontem, na hora mais quieta [...] meus sonhos começaram.
>
> O ponteiro se mexeu, o relógio da minha vida parou de respirar — nunca ouvi tamanha quietude à minha volta, e meu coração se apavorou.

Nesse momento sombrio, a tarefa parece superior a suas forças. Ele chora e treme, como uma criança, mas alguma coisa lhe diz, sem voz: "Que importância tens, Zaratustra? Fala o que tens de falar e despedaça-te!".[93]

Para Nietzsche, Zaratustra é um herói trágico, porque alcançou essa "superação" e está apto a dizer alegremente "Sim!" a todas as experiências da vida, por mais tristes e desoladas que sejam — um processo que não pode ser alcançado só com os poderes do raciocínio. Ele agora vê as contradições da vida se harmonizarem e pode juntar coisas aparentemente incompatíveis numa audaciosa afirmação. Ele tinha alcançado a integridade que existia antes de os seres humanos aprenderem a analisar e a fazer distinções. "Meu mundo acabou de ficar perfeito", grita ele, no penúltimo capítulo, "meia-noite é também meio-dia!"

> A dor é também alegria, a maldição é também bênção, a noite é também sol — vão embora, ou aprenderão: sábio é também tolo.
>
> Vocês já disseram Sim a uma alegria? Ó, meus amigos, então vocês disseram

> Sim a todas as aflições também. Todas as coisas estão encadeadas e interligadas, todas as coisas estão apaixonadas.[94]

Zaratustra não sente nenhum desejo pelo céu cristão "sobrenatural". Em vez disso, prega o que chama de "eterno retorno" de tudo que o mundo natural oferece — pesar e dor, bem como alegria.

> Se já desejou o mesmo momento duas vezes, se já disse: "Agrada-me, felicidade, instante, momento!", então você desejou que *tudo* retornasse!
>
> Você quis tudo de novo, tudo eterno, tudo encadeado, interligado, tudo apaixonado. Ó, foi assim que você amou o mundo [...] e diz até à aflição: "Vá, mas retorne!".[95]

Agora que Deus está morto, insistia Nietzsche, os seres humanos precisam preencher o vácuo por ele deixado desenvolvendo uma versão superior de sua própria espécie — o *Übermensch* ou "Super-homem" — que daria ao mundo sentido definitivo. Mas esse é um processo perigoso. "O homem é uma corda", explica Zaratustra, "amarrada entre o animal e o super-homem — uma corda sobre um abismo. Uma perigosa travessia."[96] As pessoas precisam "viver perigosamente". Precisam se rebelar contra o "Deus" cristão, que outrora impusera limite à aspiração humana, nos afastara dos nossos corpos e das nossas paixões e nos debilitara com seu choroso ideal de compaixão. Não deveria haver *kenosis* aqui. Como uma encarnação da sua vontade de poder, o *Übermensch* forçaria a espécie a evoluir para uma nova fase, quando a humanidade se tornaria suprema.

Mesmo sendo uma forma de arte aristocrática, a escritura quase sempre desenvolvera uma preocupação disciplinada com a "arraia-miúda". Mas Nietzsche levou o ideal aristocrático a novas alturas, desdenhando a pequenez e a mediocridade humanas. Não tinha a menor simpatia pela igualdade, rechaçando-a como um ideal criado pela ressentida "mentalidade de escravos" do cristianismo. Zaratustra se revolta com a piedade que sente pelos seres humanos, que reiteradamente o leva a deixar a solidão da montanha para pregar seu novo evangelho. E repetidamente ele é empurrado de volta pela náusea (*Ekel*), um horror quase visceral "da ralé". Sabe muito bem por que é que os ascéticos se retiram para o deserto, em vez de ficarem "sentados perto do poço, na companhia de imundos condutores de camelo".[97] Quando vivia no meio da gente comum, confessa Zaratustra, ele passava os dias "de mau humor [...] apertando o nariz".[98] Nas escrituras tradicionais, vimos profetas e sábios descendo do alto da montanha para socorrer os seres humanos em seu sofrimento; não existe essa volta ao mercado em *Zaratustra*. A escritura termina com uma afirmação orgulhosa do ego. Vemos o trágico herói de Nietzsche abandonar seus companheiros indignos e continuar sozinho sua missão, até o dia em que possa encontrar homens do seu próprio, superior calibre.

> "Esta é a *minha* alvorada, *meu* dia começa: *levanta-te agora, levanta-te, grande meio-dia*!"
>
> Assim falou Zaratustra, e saiu de sua caverna, radiante e forte, como um sol da manhã surgindo atrás de montanhas sombrias.[99]

Zaratustra seria o livro mais popular de Nietzsche. Ele dizia que o canto do coro grego tinha sido essencial para a experiência trágica, e vimos que a música ou a recitação estilizada eram também cruciais para a recepção da escritura, uma vez que isso dava às palavras uma dimensão afetiva que vai muito além do discurso racional do logos. Nietzsche, ao que parece, tentou reproduzir essa experiência em sua prosa hiperbólica. Como ele mesmo sugeriu: "O Zaratustra inteiro talvez possa ser considerado música".[100] Sua prosa era normalmente bela, disciplinada e sóbria, mas em *Zaratustra* ele utilizou, deliberadamente, uma dicção poética exuberante — e, para ouvidos modernos, pomposa. Não há logos em *Zaratustra* — não há argumentos desenvolvidos nem explicações racionais. Mas os primeiros leitores de Nietzsche reagiram com entusiasmo — segundo Carl Jung (1875-1961), até pessoas muito sérias e normalmente sóbrias achavam o livro extraordinariamente comovente. Mas Nietzsche compreendeu que seu estilo enfeitado não bastava para transformar o leitor. O drama grego tinha sido um *musterion*, não muito diferente dos mistérios eleusinos, que transformavam os iniciados (*mustai*) por meio de rigorosas disciplinas físicas e mentais. Nietzsche sabia que para alcançar a *Übergang* o leitor teria que se submeter ao mesmo regime fatigante de Zaratustra. Só lhe restava esperar que alguns, inspirados por seu "novo Novo Testamento", se tornassem sérios *mustai* e ajudassem a humanidade a dar mais um passo em direção à sua apoteose.

A escritura, como Nietzsche bem o sabia, é uma forma de arte; portanto, não é de surpreender que poetas entendam a dinâmica da religião melhor do que os *philosophes* do Iluminismo. Bem antes de Nietzsche, houve uma reação contra a devoção iluminista no movimento romântico — que também teria execrado algumas ideias de Nietzsche. William Blake (1757-1827) acreditava que a humanidade fora danificada durante a Idade da Razão e que até a religião sucumbira a uma falsa ciência que afastou as pessoas da natureza e de si mesmas. O Iluminismo tinha criado um Deus de "temível simetria", como "o Tigre" de Blake, distante do mundo em "remotos abismos e céus".[101] O Deus tirânico de Newton precisa passar por uma *kenosis*, retornar à terra, padecer uma morte simbólica na pessoa de Jesus e integrar-se à humanidade.[102] O verdadeiro profeta da era industrial foi o poeta, não o cientista; só ele poderia chamar os seres humanos de volta aos valores perdidos na era científica:

Chamando a Alma extraviada
Que chora no orvalho noturno
E poderia governar
O polo estrelado
E regenerar a luz caída.[103]

A "imagem divina" deveria ser encontrada não no distante "Domínio" de Newton, mas em "Compaixão, Piedade, Paz e Amor"; é encontrada na "divina forma humana" e tem um "coração humano" e uma "face humana".[104]

Enquanto Newton reagira com repugnância à noção de mistério, os poetas românticos reverenciavam o indefinível, recuperando um senso do transcendente. A natureza não era um objeto a ser testado, manipulado, dominado e explorado, mas uma fonte de revelação — uma coisa que os rishis da Índia tinham descoberto quase 4 mil anos antes. William Wordsworth (1770-1850) desconfiava do "intelecto intrometido" que "mata para dissecar", desmontando a realidade em suas análises rigorosas. Em vez de dominar a natureza, o poeta deveria cultivar uma "sábia passividade" e "um coração que observa e recebe".[105] Cultivando cuidadosamente essa atitude de espera silenciosa e acessando as percepções do hemisfério direito do cérebro, Wordsworth tinha "aprendido" a olhar a natureza, descobrindo ali uma "presença" — "um senso sublime"

De uma coisa muito mais profundamente impregnada.
Cuja moradia é a luz de sóis poentes,
E o redondo oceano e o ar vivo,
E o céu azul, e na mente do homem:
Um movimento e um espírito que impele
Todas as coisas pensantes, todos os objetivos de todo pensamento,
E permeia todas as coisas.[106]

É o que os rishis indianos chamavam de *rta*, e, posteriormente, Brâman, o Tao chinês, o En Sof dos cabalistas, Esse Seipsum ("Ser em si")[107] de Tomás de Aquino e a Misericórdia de Ibn al-Arabi. Wordsworth, que sempre tomava o cuidado de usar a linguagem com consumada precisão, evitava deliberadamente chamar essa "coisa" de "Deus", porque a palavra tinha adquirido um sentido totalmente diferente. Não era um ser, mas uma realidade que permeava e unificava o cosmo inteiro. A visão da interconexão de todas as coisas deu a Wordsworth um insight não muito diferente do dos iogues, sábios e místicos — um "estado de espírito sereno, abençoado", induzido não por *sola ratio*, mas também pelo corpo e pelos "afetos":

Até que, o respirar desta estrutura corpórea
E mesmo o movimento do nosso sangue humano
Quase suspensos, adormecemos
No corpo, e nos tornamos alma viva:
Enquanto, com um olho sossegado pelo poder
Da harmonia, e o profundo poder da alegria,
Vemos a vida das coisas.[108]

Essa atitude mental precisava ser cultivada com assiduidade. Significava renunciar à certeza cartesiana dedicando-se ao que John Keats (1795-1821), contemporâneo mais jovem de Wordsworth, chamava de "capacidade negativa", alcançada "quando o homem é capaz de permanecer num estado de incertezas, Mistérios, dúvidas, sem a busca irritada de fato e de razão".[109] Era assim que no passado sábios upanixádicos, taoistas, confucionistas, budistas, rabinos, sufistas e monges beneditinos liam as escrituras. Em vez de tentar controlar seu ambiente raciocinando agressivamente, Keats dispunha-se a mergulhar numa nuvem de desconhecimento. "Sou, porém, um jovem que escreve ao acaso — forçando partículas de luz no meio de uma grande escuridão — sem ser orientado por qualquer afirmação, qualquer opinião."[110] Gabava-se de não ter opinião nenhuma sobre nada, porque não tinha identidade: parece ter alcançado certa dose de "não eu" (*anatta*) que renunciava ao que chamava de "sublime egoísmo", uma transcendência da preocupação consigo mesmo que era essencial ao verdadeiro insight.[111]

Focar o pensamento racional e empírico na sociedade industrial moderna tinha alterado o jeito de interpretar a Bíblia dos cristãos norte-americanos. Mas a modernidade científica não ficou confinada ao Ocidente; as potências coloniais levariam tanto *sola scriptura* como *sola ratio* para outras partes do mundo. Como isso afetaria a tradição escritural?

As comunidades judaicas foram provavelmente as primeiras a sentirem os efeitos do Iluminismo. Os chassídicos ("os piedosos") surgiram na Polônia mais ou menos na mesma época em que o Primeiro Grande Despertar tomava conta da América do Norte, quando os pobres padeciam sob o peso de excesso de tributação e se sentiam abandonados pelos rabinos, que se isolavam para travar áridas discussões sobre minúcias da Torá. Pregadores populares, às vezes conhecidos como *hasidim*, assumiram a sua defesa e em 1735 Israel ben Eliezer (1700-60) declarou-se "mestre do nome" (*baal shem*) e tornou-se rabino. Ficaria conhecido como o "Besht", palavra formada pelas primeiras letras da expressão *baal shem tov* ("mestre de reputação excepcional"). No fim da vida, o Besht tinha mais de 40 mil seguidores, e no fim do século XIX o hassidismo dominaria quase todas as comunidades judaicas da Polônia, da Ucrânia e do leste da Galícia, estabelecendo-se também na Rússia e na Romênia, e começando a penetrar na Lituânia.[112]

O Besht dizia-se encarnação do espírito do profeta Elias e alegava ter sido instruído nos mistérios divinos pelo mestre de Elias, Abias de Siló. A Torá, explicava ele, era intemporal; as histórias bíblicas não eram relatos históricos precisos de acontecimentos do passado distante, mas expressavam realidades eternas, vivas, no presente.[113] Um chassídico precisava abrir-se receptivamente para receber o texto, buscando o divino além do significado das palavras. Os chassidim deviam também tentar enxergar, através da superfície do mundo natural, uma Presença interna inata. De início a oração chassídica era descontrolada, barulhenta e emotiva, mas, diferentemente do Primeiro Grande Despertar, havia *kenosis* e uma alegre apreensão da onipresença do divino, no lugar da preocupação neurótica com a salvação pessoal. Essa espiritualidade nascera do hemisfério direito do cérebro, profundamente afinada com o Outro e à vontade com a encarnação. Os chassidim combinavam o culto com gestos estranhos, veementes, entregando-se inteiramente — de corpo e alma — à oração. Batiam palmas, sacudiam a cabeça, davam tapas na parede, e balançavam para a frente e para trás, as ações físicas criando dentro deles uma nova consciência psicológica das atitudes sagradas e espirituais de reverência. Todo o ser do chassídico deveria ser maleável à presença divina como a chama que responde às rajadas de vento. Eles davam até cambalhotas na sinagoga, uma subversão física do ego. "Quando o homem é atormentado pelo orgulho", explicava um chassídico, "ele precisa se entregar."[114]

Essa espiritualidade emotiva baseava-se no relato místico luriânico da criação, mas o Besht transformou a trágica visão luriânica da faísca divina aprisionada na matéria durante a explosão primitiva numa jubilosa constatação de que não havia lugar algum onde Deus não estivesse. Os chassidim mais devotos conscientizavam-se do seu "apego" (*devekut*) ao divino a cada momento do dia. Como a "alguma coisa" de Wordsworth, esse "Deus" não ficava confinado num céu distante, como o "Senhor da Criação" dos jesuítas, que tanto ofendera Fang Yizhi, mas permeava todas as coisas e estava presente em todas as atividades — comer, beber, fazer amor, negociar ou participar da vida política da comunidade.[115]

No fim da vida do Besht, o Iluminismo europeu começava a alcançar o leste da Europa. Em muitos sentidos, o hassidismo era sua antítese. O Besht promovia a intuição mística, em vez da *sola ratio*; enquanto o ideal racional do Iluminismo separava a religião da política, o racional do místico e do emocional, o físico do espiritual, e o humano do divino, o hassidismo cultivava uma visão de hemisfério direito da conexão entre as coisas. O Besht também rejeitava o igualitarismo do Iluminismo, porque não acreditava que judeus comuns pudessem alcançar a união com Deus de forma direta: só a alcançariam na pessoa do Zaddik ("homem justo"), que houvesse adquirido a consciência constante do sagrado.[116] Isso era totalmente novo no judaísmo. O rabino chassídico não era uma personificação da Torá, como os sábios rabínicos, mas uma encarnação do divino, funcionando na comunidade chassídica mais ou menos como o avatar na Índia.[117] Mas o hassidismo era democrático em seu envolvimento com as pessoas comuns. Rabinos chassídicos não eram diferentes dos profetas do Segundo Grande Despertar, que trovejavam contra os teólogos de Harvard e Yale. Os chassidim tinham declarado sua independência dos rabinos eruditos, que se afastaram do povo para mergulhar em seus textos, e fundado suas próprias sinagogas.

O hassidismo não endossava *sola scriptura*. Não só a espiritualidade chassídica dependia de rituais, como o Besht afirmava que rezar era mais importante do que o estudo da Torá — ideia revolucionária no judaísmo. O hassidismo desenvolvera sua própria arte de ler as escrituras. Dizia-se que o Besht certa vez visitou o erudito cabalista Dov Ber (1710-72), que viria a sucedê-lo. Os dois conversaram sobre um texto que descrevia anjos, e o Besht julgou correta a exegese de Dov Ber, mas sentiu que faltava algo. Disse-lhe que os anjos estavam presentes na sala e pediu-lhe que se levantasse em sinal de respeito. Quando Dov Ber se levantou, "toda a casa se impregnou de luz, um fogo ardeu em volta, e eles [os dois] sentiram a presença dos anjos que tinham sido mencionados". "A leitura simples é isso que você diz", disse o Besht a Dov Ber, "mas seu jeito de estudar carece de alma."[118] Sem gestos corpóreos ritualizados, o estudo puramente intelectual do texto não poderia provocar uma visão da Realidade invisível, mas presente, para a qual o texto escrito se limitava a apontar.

Dov Ber diria posteriormente a seus discípulos que o Besht o libertara do estudo puramente textual: "O Besht me ensinou a linguagem dos pássaros e das árvores, e os nomes e fórmulas sagrados para unir todas as esferas".[119] Isso lhe possibilitou levar seus insights às pessoas comuns, que não tinham como dedicar a vida inteira ao estudo da Torá, como o fazia a elite rabínica. Mas Dov Ber também era capaz de conversar com rabinos e cabalistas eruditos, alguns dos quais viriam a ser os líderes chassídicos da geração seguinte. Eles jamais esqueceram seu jeito carismático de estudar. Um deles recordava-se do seguinte:

> Vi várias vezes que ele, quando abria a boca para proferir palavras da Torá, era como se não pertencesse a este mundo, e a Presença divina é que falasse por sua garganta. Às vezes, mesmo quando dizia alguma coisa, ele parava no meio de uma palavra para esperar um pouco. E nos dizia: "Vou lhes ensinar a Torá da melhor

maneira, não para que se sintam [conscientes] de si mesmos, mas para serem como um ouvido que ouve o mundo do som falar, mas ele próprio não fala".[120]

Em vez de usar a escritura para respaldar suas opiniões, Dov Ber estudava a Torá com a "sábia passividade" de Wordsworth e a "capacidade negativa" de Keats, abordando o texto numa atitude de silêncio e espera que deixava a escritura falar por si mesma. Um dia, alterou a redação de uma frase do segundo livro dos Reis — "E, quando o músico tocava, a mão de Jeová veio sobre ele"[121] —, que ficou assim: "Quando o músico foi tocado pela mão do Senhor [...]". A Presença só poderia ser sentida quando o leitor parasse de impor suas próprias ideias ao texto e se abrisse receptivamente para ele, tornando-se apenas um recipiente para a atividade divina no mundo.[122]

Enquanto o Besht chefiou o movimento, os estudiosos rabínicos não o levaram a sério, mas o erudito Dov Ber era outra história. Elijah ben Solomon (1720-97), o chefe (*gaon*) da Academia rabínica de Vilna, na Lituânia, e seus seguidores, conhecidos como *misnagdim* ("oponentes"), agora acusavam o hassidismo de heresia e pediam sua excomunhão. O *gaon* ficava horrorizado com a campanha de difamação por eles promovida contra o estudo tradicional da Torá, para ele o ponto central da vida. Ele sentia grande prazer no que chamava "esforço" de estudar, uma intensa atividade mental que o impelia a um estado alternativo de consciência e a uma ascensão mística até o divino — embora também encontrasse tempo para matemática, astronomia, anatomia e línguas estrangeiras. Ainda que sua própria espiritualidade não fosse diferente do hassidismo, o *gaon* fez violenta campanha contra Dov Ber, e o conflito entre os chassidim e os *misnagdim* tornou-se quase tão rancoroso quanto a briga entre protestantes e católicos. O *gaon* admitia que, por si mesma, *sola ratio* era incapaz de alcançar o divino: para entrar num novo modo de percepção, o místico precisava recorrer a seus próprios poderes de intuição, mas essa ascensão mística podia ter como ponto de partida um esforço racional. Os judeus, quando estudavam assuntos seculares modernos, entravam em conflito contra os limites do próprio conhecimento, até transcenderem o logos conscientizando-se dos limites do logos, atingindo a visão de uma Presença imanente em todos os fenômenos.[123] Como os chassidim, o *gaon* encontrava uma realidade sacra nas profundezas do próprio ser: costumava rolar no chão até entrar em transe e dançar euforicamente como a gente comum.[124]

Os chassidim e os *misnagdim* acabaram se juntando contra um adversário mais perigoso: o Iluminismo judaico (Haskalá), fundado por Moses Mendelssohn (1729-86). Filho de um estudioso pobre da Torá de Dessau, na Alemanha, Mendelssohn tinha seguido seu mestre para Berlim, onde se apaixonou pelos estudos seculares modernos, dominando o alemão, o francês, o inglês e o latim, bem como a matemática e a filosofia, com uma rapidez prodigiosa. Desejava participar do Iluminismo alemão, mas estava dolorosamente ciente do seu desdém pelo judaísmo. Mendelssohn escreveu uma réplica à polêmica antijudaica dos *philosophes* em sua obra-prima *Jerusalém, Sobre autoridade religiosa e judaísmo* (1783). Mas é difícil reconhecer como judaica a religião ali descrita, porque ele insiste em dizer que se tratava de uma fé inteiramente racional, ignorando quase por completo seus aspectos míticos e místicos. Sustentava que Deus tinha revelado uma lei, mais do que um conjunto de doutrinas, no monte Sinai, o que deixava a mente dos judeus completamente livre, tornando o judaísmo eminentemente adequado para a modernidade iluminista. Isso era uma abominação para os chassidim, os *misnadgim* e os judeus mais ortodoxos da Europa, mas extremamente atraente para aqueles que queriam se livrar das restrições do gueto.

Durante o século XIX, porém, quando muitos judeus alemães se integravam à moderna cultura europeia convertendo-se ao cristianismo, dois movimentos relacionados se desenvolveram para combater essa tendência, ambos radicados na Haskalá. Um deles tentou uma reforma para criar uma versão "protestante" do judaísmo. Israel Jacobson (1768-1828) fundou uma escola em Seesen, perto das montanhas do Harz, onde os alunos eram instruídos em assuntos seculares e judaicos, e abriu um "templo" (assim chamado para distingui-lo da sinagoga tradicional) onde o coral cantava e os sermões eram pregados em alemão, em vez de hebraico. Outros templos foram estabelecidos em Hamburgo, Leipzig, Viena e na Dinamarca. No templo de Hamburgo, havia cerimônias de confirmação ao estilo protestante, e a divisão de mulheres e homens em assentos separados foi abandonada. Reformar o judaísmo tornou-se especialmente popular quando ele foi exportado para os Estados Unidos.[125] Pragmático, racional, liberal e humano, dando pouca atenção ao místico, ele se adaptava confortavelmente ao mundo moderno; estava pronto para desfazer-se do seu particularismo e tornar-se uma religião universal.[126]

Contudo, durante os anos 1840, a Reforma começou a atrair estudiosos e rabinos influenciados por Kant e Hegel e formou uma escola conhecida como a ciência do judaísmo. Leopold Zunz (1794-1886), Zechariah Frankel (1801--75), Nachman Krochmal (1785-1840) e Abraham Geiger (1810-74) aplicaram métodos críticos modernos à escritura judaica e historiografia moderna à história do judaísmo, afirmando que não se tratava de uma religião revelada, mas que se desenvolvera lentamente e agora era cada vez mais racional.[127] Mas esses pensadores ainda tentavam contrabalançar suas inovações com estudos tradicionais. Krochmal e Frankel, por exemplo, achavam que a Torá Escrita foi revelada no Sinai, mas negavam a origem divina da Lei Oral, que era criação humana e poderia, portanto, ser alterada para se adaptar às condições modernas. Não era um caso de pragmatismo cínico. Como os judeus reformistas, esses estudiosos se preocupavam com a sobrevivência de sua tradição num mundo que parecia empenhado em destruí-la.

Criticavam, porém, o abandono do ritual pela Reforma. Krochmal ainda era um judeu praticante, enquanto Zunz também afirmava que as ações corporais e o drama do ritual davam sentido à mitologia judaica, impedindo-a de descambar num sistema desolado de doutrinas abstratas. Frankel temia que os reformistas perdessem contato com a emoção. *Sola ratio* não era o único caminho para a verdade, afirmava; ela era incapaz de induzir a alegria e o deleite que no passado o judaísmo tradicional despertara, em seus melhores momentos. O complexo ritual do Yom Kippur tinha ajudado os judeus a cultivarem um senso de temor reverencial, enquanto a proclamação litúrgica de um iminente retorno messiânico a Jerusalém alimentara suas esperanças em meio a trágicas circunstâncias.[128] Os judeus reformistas reconheceriam a sabedoria dessa crítica, restabelecendo alguns desses ritos tradicionais.

Enquanto isso, judeus de mentalidade tradicional no leste da Europa se sentiam cada vez mais encurralados num mundo hostil. Mesmo depois da Emancipação, quando foram oficialmente liberados de restrições legais, políticas e sociais, continuaram a viver como se ainda estivessem no gueto, mergulhados na Torá e no Talmude e evitando influências gentias. Em 1803, o rabino Hayyim Volozhiner (1749-1821), discípulo do *gaon* de Vilna, fundou a yeshivá Etz Hayyim em Volozhin, Lituânia. Yeshivás parecidas foram fundadas em Mir, Telz, Slobodka, Lomza e Novogrudnok. Até então, uma yeshivá consistia apenas em alguns quartos atrás da sinagoga, onde judeus podiam estudar a Torá e o Talmude. Mas centenas de estudantes talentosos agora vinham de todos os cantos da Europa para aprender com importantes especialistas talmúdicos em Volozhin. O rabino Hayyim ensinava o Talmude como tinha aprendido do *gaon* de Vilna, analisando o texto e ressaltando sua consistência lógica, mas de forma tão intensiva que levava ao *ekstasis*. O processo de aprendizagem era em si um ritual: a memorização, as horas de cuidadosa preparação antes da aula e a discussão intensiva eram uma forma de oração. Longe da família, estudantes formavam uma comunidade quase monástica, a vida inteiramente determinada pela yeshivá. Alguns tinham permissão para dedicar algum tempo a estudos modernos, mas em geral os assuntos seculares eram vistos como roubo de tempo que pertencia à Torá.[129]

Como os Institutos Bíblicos nos Estados Unidos, essas novas yeshivás eram bastiões de ortodoxia, um enclave contracultural que oferecia uma alternativa para a sociedade moderna. Os *misnagdim* viam o Iluminismo judaico, a Reforma e a Ciência do judaísmo como mais ameaçadores ainda do que o hassidismo, porque possibilitavam a infiltração dos males da modernidade no próprio judaísmo. Só o estudo adequadamente conduzido da Torá poderia impedir a extinção do judaísmo. Os cabeças das yeshivás exerciam enorme influência sobre os estudantes, exigindo obediência incondicional, combatendo a ênfase moderna na autonomia e na inovação com a observância rigorosa dos mandamentos. O objetivo da yeshivá e do Instituto Bíblico não era entrar em guerra contra a cultura secular, mas preservar a integridade dos estudantes impregnando-os das tradições do mundo pré-moderno.

Outros judeus tentavam uma saída menos drástica. Em 1851, alguns judeus tradicionalistas em Frankfurt, onde a Reforma avançava, conseguiram permissão da municipalidade para formar uma comunidade separada e convidaram Samuel Raphael Hirsch (1808-88) para rabino. Hirsch lançou os alicerces da neo-ortodoxia moderna, estabelecendo escolas primárias e secundárias nas quais os alunos podiam aprender disciplinas seculares e judaicas. Hirsch lembrava que no passado os judeus tinham desempenhado papel de destaque no desenvolvimento das ciências naturais, especialmente no mundo islâmico. Não tinham por que temer o contato com outras culturas e deveriam adotar todos os avanços modernos que pudessem, sem descartar o passado tão completamente como os reformistas.[130] Hirsch não tinha a menor paciência com o literalismo fundamentalista. Os alunos deviam procurar o significado íntimo dos mandamentos estudando e pesquisando com cuidado. Uma lei podia parecer irracional, mas sua prática talvez funcionasse como lembrete de uma verdade importante. A circuncisão, por exemplo, chamava a atenção para a importância de preservar a pureza corporal; enquanto a lei que proibia misturar carne e leite lembrava aos judeus que o mundo não era deles para que o tratassem como quisessem, e que era preciso haver sempre algum freio no nosso tratamento da ordem cósmica divinamente determinada.

Durante os séculos XVII e XVIII, os chineses tinham tido um "iluminismo" bem diferente. O Iluminismo chinês, diferentemente dos *philosophes* ocidentais, que queriam se libertar dos grilhões de um passado ignorante, consistira, de início, numa experiência mística da unidade de todas as coisas no Tao, alcançada por uma espiritualidade cuidadosamente orquestrada. O Tao, claro, não era um "Deus" personalizado, mas sim tudo que é — uma força produtiva, criativa e continuamente em desenvolvimento que, desde Mêncio, os chineses também tinham experimentado como inata, dentro de si mesmos.[131]

No começo do século XVII, Gao Paulong, um confucionista, descreveu seu árduo trajeto para o iluminismo no livro *Kanxue Ji* ("Recordações das labutas da aprendizagem"). Depois de um longo período de aperfeiçoamento pessoal e de "sentar quieto", ele tinha sentido uma iluminação (*wu*) que o transformou para sempre. Teve a impressão de fundir-se com o Tao, a realidade definitiva, e descobriu que, nesse retorno aos ritmos fundamentais da vida, o mundo natural se misturava com a mente para criar um estado de consciência, conhecido como "quietude", que precedia o despertar de emoções como raiva, dor ou prazer. Com tempo e prática, a quietude se tornaria um hábito, alcançado tanto na solidão como em companhia de outros.[132] Gao identificou-o com "reverência" (*jing*), "um estado em que a mente está 'sem assuntos' e não 'se fixa em coisa alguma'". Antes dessa iluminação, ele desprezava estudiosos que se gabavam desse tipo de experiência, mas agora "a via como ordinária", um estado normal de ser.[133] Outros estudiosos neoconfucionistas alcançaram esse estado depois de um longo período de estudo dos textos sagrados, vivenciando uma ordem abrangente que era simultaneamente racional, estética e religiosa.[134]

A experiência de estar "sem assuntos" e "não se fixar em coisa alguma" é muito parecida com o "vazio" budista e o objetivo buscado por Cheng-Zhu de não "ter uma mente" própria. Essa atitude espiritual, adquirida pela transcendência do eu, também poderia preparar o caminho para uma objetividade completa. Havia contribuído para o estudo científico dos Clássicos de Jiao Hong e para a exploração do mundo natural de Fang Yizhi. Durante a dinastia Qing, levou ao desenvolvimento de um estudo erudito da escritura não muito diferente do Criticismo Superior da Bíblia. A dinastia manchu dos Qing (1644-1911) era simpática à cultura chinesa e os primeiros dois terços do seu longo reinado foram um período de paz e prosperidade. Os neoconfucionistas continuaram ocupando o centro do governo, mas houve uma reação contra a escola de Cheng-Zu, que parecia ter-se tornado abstrata demais. Alguns especialistas, portanto, desenvolveram o que chamavam de *Hanxue* ("aprendizagem Han"), preferindo os comentários de Han sobre os Cinco Clássicos, compostos mais perto da época de Confúcio do que os *Quatro Mestres* de Zhu. Como Jiao Hong, esses "exegetas Han" concentravam-se na crítica textual e na filologia para determinar o sentido literal de um texto. Um movimento estreitamente aliado era o *kaozhengxue* ("pesquisa comprobatória" ou "empirismo"), mais amplamente baseado e aplicado em vários campos sem foco especial no período Han.

Huang Zongzi (1610-95) acreditava que a "pesquisa comprobatória" representava o retorno a uma forma mais genuína de confucionismo.[135] Estava convencido de que a busca filosófica neoconfucionista de um "princípio" interior nada tinha a ver com os ensinamentos de Confúcio, que sempre priorizara a ação prática em benefício das pessoas. Em 1692, publicou um ensaio sobre a consagração recente de um templo confuciano, no qual indagava por que todos os luminares ali homenageados eram eruditos e místicos da escola Cheng-Zhu. Citou uma lista de sete *junzi* importantes não homenageados que se haviam "dedicado, eminentemente, ao bem-estar público". Em vez de escrever comentários sobre os *Quatro Mestres*, eles dedicaram a vida heroicamente ao serviço público, "a despeito de todas as torturas e de todos os castigos infligidos pelo governante":

> Como pode a escola de Confúcio ser tão pedante, tão tacanha a ponto de preocupar-se exclusivamente com o eu, e ignorar a ordem e a desordem do mundo, e estar pronta para jogar no lixo todos os heróis do passado e do presente que tentaram despertar o mundo para a ação?[136]

A China precisava era de homens que trabalhassem corajosamente para transformar a sociedade, e não de sábios "sentados quietos" que se retiravam para uma "terra do nunca da consciência".[137]

Huang simbolizava a atenção especial dada pela era Qing à realidade e à praticidade. Em vez de contemplar o passado, os estudiosos da era Qing estavam decididos a viver no presente. Assim também, é claro, os Chengs e Zhu Xi, cujas *Reflexões sobre coisas próximas* tinham louvado os sábios modernos, em lugar dos Reis Sábios da Antiguidade. Mas Huang foi mais além em seu *Ming xuean*, um exame do pensamento Ming, o primeiro estudo crítico chinês de um único período histórico. Em vez de apresentar as ideias da era Ming como reflexos de verdades tradicionais, Huang as discutia como significativas por si mesmas, traçando o seu desenvolvimento de um mestre para outro mestre. Nenhum retorno aos ensinamentos dos sábios de antigamente: a história chinesa já não era apresentada como uma série de ciclos dinásticos, ou como um declínio em relação a um passado idealizado. A "pesquisa comprobatória" do Iluminismo não só reconhecia as mudanças dinâmicas como as adotava com entusiasmo.[138]

Os chineses estavam sucumbindo à mentalidade avançada da modernidade. Como na Europa, a nova escrita histórica preferia conclusões baseadas em provas, em lugar da especulação nobre, e concentrava-se no ser humano tal como era, e não como poderia vir a ser. Consequentemente, havia menos interesse em alcançar a transformação da sabedoria; em vez disso, os estudiosos adotaram uma atitude mais crítica em seu estudo da escritura. Já no fim do período Ming, Jiao Hong tinha dado atenção especial à fonologia e à crítica textual, e agora os eruditos do "aprendizado Han" desenvolveram esses insights, lançando-se no "Criticismo Superior" dos Clássicos.[139] Eles também preferiam o estudo dos Clássicos ao dos *Quatro Mestres* e seu objetivo era o conhecimento rigoroso, e não a espiritualidade mística. Sua atenção à filologia, à etimologia, à fonologia, à paleografia e ao estudo textual cuidadoso ficou conhecida como *paxue* ("aprendizagem desadornada") e refletia o novo foco no material e no empírico.

Em seu estudo definitivo da "pesquisa comprobatória", Benjamin Elman explica que seu objetivo era descobrir até que ponto as informações dos Clássicos sobre os sábios antigos eram confiáveis: isso só poderia ser feito averiguando-se exatamente o que eles diziam nesses textos. Portanto, a linguagem dos sábios teve que ser investigada científica e criticamente.[140] "Se um caractere não for compreendido exatamente", explicava Dai Zhen (1723-77), um dos principais estudiosos *Hanxue*, "o significado do que está sendo dito necessariamente deixa a desejar, e com isso perde-se o Caminho."[141] Mas, para Dai Zhen, a aprendizagem Han era uma busca religiosa, tanto quanto histórico-crítica:

> Desde a idade de 17 anos, decidi ouvir o Caminho e achei que, se não procurasse o Caminho nos Seis Clássicos, Confúcio e Mêncio, jamais o encontraria; se não me impusesse a tarefa de aprender o significado dos caracteres, das instituições e dos termos dos Clássicos, não teria base para compreender sua linguagem. Busquei atingir esse objetivo por mais de trinta anos e desse modo saber qual é a fonte da ordem e da desordem através dos tempos.[142]

Ele estava ansioso também para desviar a espiritualidade de obscuras especulações metafísicas e orientá-la no sentido da contemplação do mundo físico, que era a realidade das pessoas comuns.[143] Mas Dai Zhen não tinha abandonado o ideal de autotransformação. Seu estudo ainda era movido pela "fé na possibilidade da sabedoria": "O objetivo de estudar é alimentar a bondade inata do homem para que ele possa se desenvolver até tornar-se um notável ou um sábio".[144] A nova crítica textual era uma busca espiritual, além de intelectual.

Contudo, outros membros do movimento comprobatório desconfiavam da erudição de Dai. Com os estudiosos cada vez mais atentos ao mundo material, concentrando-se crítica e objetivamente nas minúcias linguísticas das escrituras, o objetivo da sabedoria ia ficando tão remoto quanto o ideal de santidade no Ocidente. A secularização da consciência tinha, sem dúvida, começado. Mas seria um erro comparar a aprendizagem Han e a "pesquisa comprobatória" com o materialismo ocidental moderno, que acabaria condenando "Deus" à irrelevância, porque na China a distinção entre o material e o espiritual nunca foi muito clara. O estudo da era Qing talvez tenha se concentrado nos aspectos mais materiais de *qi*, a "substância do universo", mas, como diz o estudioso norte-americano Thomas Metzger, isso ainda era concebido como "uma realidade concreta impregnada de sentido divino".[145] O professor De Bary usa argumento parecido, afirmando que o estudo da era Qing ainda descrevia o "vitalismo" do cosmo como o Caminho, uma produtividade ordenada que tinha direção e propósito. Havia, portanto, uma dimensão sagrada na "investigação [chinesa] das coisas". Mais tarde na China, esses insights seriam inundados pelas ideias ocidentais e a tradição chinesa desvalorizada. Em vez de encontrarem o Caminho dentro de si mesmos, como Mêncio e Gao, por influência do materialismo ocidental alguns passaram a ver a natureza apenas como uma realidade puramente externa. Como os pensadores ocidentais, os chineses começaram a ver o "iluminismo" como a libertação de um passado ignorante. Mais recentemente, porém, como veremos, tem crescido a convicção de que o cultivo tradicional chinês da reverência pelo cosmo pode muito bem ser o que o mundo de fato precisa.[146]

Os países industrializados do Ocidente acabaram impelidos a buscar no exterior novos recursos e mercados para seus produtos manufaturados e a embarcar na aventura colonialista. Uma nova potência colonial se apropriava de um país "não desenvolvido", extraindo matérias-primas para abastecer o processo industrial, e a colônia era inundada por produtos manufaturados baratos, arruinando o comércio local.[147] Em meados do século XIX, a Grã-Bretanha controlava a maior parte do subcontinente indiano, e tinha deposto o último imperador mogul. A facilidade com que eles tinham sido subjugados era profundamente perturbadora para o povo da Índia, pois isso implicava a existência de qualquer coisa radicalmente errada com seu sistema social. Eles nunca tinham pensado em si mesmos como "nação" no sentido moderno, europeu; em vez de uma unidade organizada, tinham tradicionalmente incentivado a sinergia entre vários grupos, mas, com a ocidentalização se impondo, sua sociedade hierárquica foi obrigada a cultivar uma identidade, comunal, vasta e sem castas.

Os britânicos criaram também o "hinduísmo" à sua própria imagem e semelhança, inadvertidamente transmitindo um legado de sectarismo ao subcontinente. Em face da desconcertante variedade social da Índia, eles se aproximaram dos grupos que, erroneamente, julgavam compreender, dividindo a população entre muçulmanos, sikhs, cristãos e "hindus". O termo *hindu* ("indiano") tinha sido usado pelos moguls para se referir aos povos nativos e distingui-los da classe dominante muçulmana, de modo que budistas, jainistas e sikhs, bem como a maioria da população, chamavam a si mesmos de *hindus*.[148] Mas nunca houve uma "religião" organizada ao estilo ocidental chamada "hinduísmo": como vimos, as pessoas tinham cultuado numerosos deuses sem relação alguma entre si e se envolvido em devoções que não tinham qualquer núcleo teológico comum num "mosaico de distintos cultos, divindades, seitas e ideias".[149] Mas agora milhões de indianos foram agrupados numa entidade que os britânicos chamavam de "hinduísmo", e que, fatidicamente, ficou associada à "Nação Indiana".

Como explica a historiadora Romila Thapur, o "hinduísmo" tornou-se realidade "quando houve competição por recursos políticos e econômicos entre vários grupos numa situação colonial".[150] Enquanto disputavam entre si pela aprovação dos britânicos, por recursos e por influência política, líderes sikhs, "hindus" e muçulmanos descobriram que os colonizadores eram mais receptivos se eles agissem em conformidade com o entendimento britânico de religião. Desenvolveram movimentos reformistas que tendiam a adotar normas protestantes contemporâneas, distorcendo inevitavelmente as próprias tradições. Assim como os protestantes tinham tentado retornar às fontes da Igreja primitiva, a Arya Samaj ("Sociedade de Arianos"), fundada em 1875 por Swami Dayananda (1824-83), tentou reviver a antiga ortodoxia védica e criar um cânone escritural confiável, segundo o modelo ocidental.[151] Dayananda e seus sucessores estabeleceram uma rede de escolas e faculdades no norte da Índia, e a Arya cresceu solidamente, atingindo 1,5 milhão de membros em 1947.[152]

Durante muito tempo os "hindus" se haviam submetido a imperialismos estrangeiros, primeiro o mogul e em seguida o britânico.[153] A partir do fim do século XVIII, foram atormentados também pelo proselitismo agressivo de missionários cristãos. Isso tudo contribuiu para a criação de um "hinduísmo" deliberado, claramente distinto de outras "religiões".[154] Na verdade, a tentativa da Arya Samaj de voltar aos "fundamentos" foi, como o fundamentalismo protestante, um novo desvio. Os indianos reverenciavam os Vedas, claro, mas os textos mais antigos agora tinham pouco significado para a maioria: os hinos do Rig Veda, por exemplo, eram vivenciados basicamente em mantras, divorciados do seu contexto original. Os Upanixades ainda eram muito lidos, mas não traziam uma mensagem única. Em meados do século XIX, a Brahmo Samaj ("Sociedade de Brama"), um movimento "hindu" de elite, surgira em Calcutá para acatar ideias ocidentais.[155] Seu fundador, Rammohan Roy, acreditava que os Upanixades eram compatíveis com a mentalidade racional do unitarismo cristão, mas a diversidade de ideias upanixádicas dividiu o movimento em grupos rivais, cada um deles convencido de ser o único dono da verdadeira mensagem.

Swami Dayananda, ao deparar com a desorganização da Brahmo Samaj, se deu conta de que era preciso retornar *ad fontes*, aos Vedas originais.[156]

A maioria dos indianos concorda que os Vedas contêm toda a verdade, mas vê essa verdade védica como uma semente de onde germinaram as filosofias e espiritualidades posteriores. O estudioso norte-americano Brian K. Smith observa que "o grande paradoxo" do hinduísmo moderno é que "o assunto dos Vedas era e é amplamente desconhecido daqueles que se definem em relação a ele [...] e em muitos casos, parece ser totalmente irrelevante para a doutrina e a prática hindus".[157] Mas Swami Dayananda conheceu um professor que lhe ensinou um ângulo completamente diferente — um rabugento guru de 81 anos que era um estudioso de sânscrito altamente respeitado. Para Swami Virjananda, a Grande Batalha do *Mahabharata* (que para muitos teria ocorrido cerca de 5 mil anos atrás) foi um ponto decisivo na história. E por ter marcado o início da Kali Yuga, a atual idade das trevas, tudo que foi escrito depois era inerentemente corrupto. As escrituras compostas antes da Grande Batalha eram *ars* ("dos rishis") e todas as obras posteriores eram *anars* ("não dos rishis") e precisavam ser descartadas, porque extraviavam as pessoas.[158]

Essa teoria forneceu a Dayananda um cânone escritural e um índice de Livros Proibidos, mas, enquanto Virjananda simplesmente partilhara suas ideias com funcionários do governo, Dayananda levou as suas para o povo. Até então, as escrituras indianas tinham avançado resolutamente, mas o retorno às fontes pela Arya Samaj era perfeitamente compatível com ideias protestantes então em alta, dando aos "hindus" um teísmo racional, uma mentalidade literal e um cânone de textos sagrados antigos.[159] Os três primeiros princípios das Dez Regras da Arya afirmavam apenas que Deus era a fonte de todo o conhecimento, e que o conhecimento estava contido nas escrituras védicas que todos os arianos eram obrigados a estudar. Todas as ideias hindus tradicionais foram atualizadas, reformuladas racional e literalmente: os devas foram apresentados como homens sábios e cultos, e os *asuras*, seus rivais divinos, como pessoas ignorantes.[160] As referências védicas a reis e batalhas foram interpretadas como diretrizes militares e políticas.[161] A exemplo dos reformistas protestantes, a Arya Samaj descartava os "acréscimos" medievais, como *bhakti* e o culto ritualizado de imagens, indispensáveis à vida da maioria dos "hindus", mas vistos como "idolatria" primitiva por missionários e colonos protestantes.

Dayananda, contudo, não estava bajulando servilmente seus senhores coloniais; na verdade, o que ele fazia era afirmar, desafiadoramente, a superioridade da tradição indiana e, sem que tivesse essa intenção, distorcê-la. Interpretava literalmente a máxima tradicional de que os Vedas continham "todo o conhecimento", sustentando que os Vedas não só foram as primeiras escrituras a serem reveladas à humanidade, mas também que "todo o conhecimento existente no mundo [hoje em dia] teve sua origem em Arya Varta", antigo reduto ariano.[162] O sacrifício védico, por exemplo, tinha base científica: quando atiradas no fogo sagrado, manteiga e ghee "purificam o ar, a chuva e a água [e] portanto promovem a felicidade na terra".[163] Todas as referências geográficas e botânicas nos Vedas tinham aplicação universal.[164] Arya Varta era conhecida como "Terra Dourada" porque produzia ouro e pedras preciosas. Seus reis tinham governado o mundo inteiro e ensinado a sabedoria ariana a todos os povos; sua extraordinária ciência lhes permitira construir as armas assustadoras descritas nas epopeias, como a arma disparada por Ashwattaman depois da Grande Batalha. Depois da Grande Batalha, porém, todo esse conhecimento precioso se perdera. Cabia à Arya Samaj restaurar a glória antiga.

A humilhação da experiência colonial tinha levado Dayananda a distorcer a tradição que ele mesmo exaltava de um jeito que beirava o absurdo, mas que ainda assim recuperou um pouco da confiança ferida de muitos "hindus". Dayananda era um modernizador: propôs reformas rituais que preservavam cerimônias tradicionais numa forma mais simples, mais apropriada para a vida moderna. Além disso, disponibilizou as escrituras para todas as castas e realizou ritos de purificação amplamente divulgados para grupos de castas inferiores que viriam a ser muito populares nos anos 1920 e 1930, depois da sua morte. No começo do século XX, a Arya Samaj também atendeu as necessidades da diáspora hindu, que fazia questão de manter uma identidade distintamente hindu. Com a intensificação da violência entre muçulmanos e hindus nos anos 1920, a Arya Samaj tornou-se mais militante, recomendando aos arianos que desenvolvessem as virtudes antigas dos xátrias e fundando um Quadro Militar, a Arya Vir Dal ("Tropa de Cavalos Arianos"). Como sua rival, a Rashtriya Svayamsevak Singh ("Associação Nacional de Voluntários"), mais conhecida como RSS, fundada em 1924 por Keshar B. Hedgewar, acabou cometendo o persistente pecado do nacionalismo moderno, a intolerância com minorias étnicas, religiosas e culturais. Em seu livro *Luz da verdade*, Dayananda escarneceu da teologia cristã, foi sarcástico em suas injúrias contra o profeta Maomé e desdenhou do Guru Nanak, chamando-o de ignorante bem-intencionado, que nada entendia de ritual védico.

No passado, os sikhs tinham sido perseguidos pela classe dominante muçulmana, mas sempre mantendo boas relações com a maioria hindu. Após a morte de Dayananda, porém, a Arya redobrou seus insultos ao siquismo, escarnecendo regularmente dos gurus; isso, talvez inevitavelmente, levou a uma agressiva afirmação da identidade sikh. Pelo fim do século XIX, havia cerca de cem grupos radicais do movimento Sikh Sabha no Punjab, empenhados na afirmação da singularidade sikh, construindo escolas e faculdades sikhs e produzindo um dilúvio de literatura polêmica num separatismo que subvertia por completo a visão original do Guru Nanak.[165] Desenvolveu-se um fundamentalismo sikh que interpretava a tradição seletivamente, ressaltando os ensinamentos mais marciais do Décimo Guru e ignorando a mentalidade mais irênica de seus antecessores. Uma tradição de início aberta a todos agora temia hindus, hereges, modernizadores, secularistas e qualquer forma de dominação política.[166]

Como vimos no caso do Ocidente, os fundamentalismos modernos foram alimentados pelo medo da aniquilação, a convicção de que a maioria religiosa e secular quer erradicar a tradição de uma minoria.[167] O caso dos sikhs mostra que isso não deve ser descartado como paranoia irracional. Em 1919, um general britânico mandou metralhar uma multidão pacífica, majoritariamente sikh, no Templo Dourado, matando 309 pessoas e ferindo mais de mil. Depois da independência em 1947, as ofensas hindus se intensificaram e camponeses sikhs no Punjab foram submetidos a extraordinárias dificuldades econômicas; alguns, portanto, recorreram ao extremismo, exigindo um Estado sikh separado. Em 1984, o exército indiano invadiu o Templo Dourado para expulsar militares alojados. O templo, claro, abriga a *Guru Grant Sahib*, a escritura sikh que encarna o espírito dos gurus, e a nova vulnerabilidade de sua escritura era um símbolo da identidade sikh sitiada. O surgimento de novas elites no Estado indiano estimulado pelo novo nacionalismo "hindu" significava que os sikhs que não se conformassem obedientemente eram cada vez mais marginalizados. Como explicou o estudioso sikh Harjot S. Oberoi, eles agora eram obrigados "a falar e sonhar numa única língua", a língua dos líderes "hindus". Formas mais antigas de siquismo foram substituídas por inovações exclusivistas, como a demarcação do espaço sagrado sikh limpando os santuários sagrados de ícones e ídolos hindus, o cultivo do punjabi como a língua sagrada dos sikhs, a fundação de entidades culturais exclusivamente para jovens sikhs, a inserção dos aniversários dos gurus sikhs no calendário ritual e sagrado e, o mais importante, a introdução de novos rituais de passagem de ciclos biológicos.[168]

O Guru Nanak não demonstrara interesse pelas escrituras, mas os sikhs acabaram desenvolvendo um protecionismo profundo e visceral em torno da *Guru Granth Sahib*. Como os fundamentalistas cristãos que denunciam o Criticismo Superior, os fundamentalistas sikhs não têm a menor tolerância com qualquer interpretação histórica de sua escritura. O sikh que ouse praticar esse tipo de estudo corre o risco de ser atacado, não apenas metafórica, mas também literalmente. Em 22 de fevereiro de 1984, Sumeet Singh, editor da mais antiga revista literária do Punjab, foi baleado nos arredores de Amritsar por sua interpretação independente da ideologia sikh. Singh Bhindranwale (1947-84), importante figura do fundamentalismo sikh, recomendava insistentemente seus ouvintes a não tolerarem qualquer insulto às escrituras, afirmando que eles tinham a obrigação moral de matar qualquer um que mostrasse o mais ligeiro desrespeito pela *Guru Granth Sahib*.[169]

De uma perspectiva fundamentalista, a escritura, por ser revelada, é infalível e qualquer esforço para historicizá-la ou interpretá-la inovadoramente é blasfêmia. Essa nova intransigência, que contraria séculos de interpretação inovadora, é resultado de um assalto que, para os sikhs, envolveu derramamento de sangue e assassinatos em massa. Em outros lugares também houve choques violentos. Em 14 de fevereiro de 1989, cinco anos depois do assassinato de Sumeet Singh, o governo iraniano decretou uma *fatwa* contra o escritor anglo-indiano Salman Rushdie, que em seu romance *Os versos satânicos* tinha criado o que os muçulmanos viam como um retrato sacrílego do profeta Maomé e, mais perigosamente, sugerido que o Alcorão fora contaminado por influência satânica. A *fatwa* iraniana foi condenada como anti-islâmica por 44 dos 45 países-membros da Conferência Islâmica no mês seguinte, mas houve distúrbios no Paquistão e em Bradford, Inglaterra, onde o romance foi ritualmente queimado. Anos de supressão e difamação tinham ferido sensibilidades muçulmanas. O dr. Zaki Badawi, um dos muçulmanos mais liberais da

Grã-Bretanha, explicou que o assalto ao Alcorão foi "como levar uma facada ou ser estuprado".[170]

Contudo, alguns secularistas e liberais ocidentais acharam que seus valores sagrados também tinham sido violados pela *fatwa* iraniana. Para eles, a humanidade — e não Deus — era a medida de todas as coisas, e a liberdade de expressão era um valor sagrado e um direito inalienável. Mas prejudicaram a própria causa ao denunciar o islã na imprensa britânica como uma religião "perversa" e "sanguinária", e a sociedade muçulmana como "repulsiva".[171] Nenhum dos lados foi capaz de entender o outro. O antropólogo Ernest Gellner sugeriu que durante o período moderno um "fundamentalismo racionalista iluminista" se desenvolvera juntamente com sua contrapartida religiosa, o qual se recusa a levar a sério a transcendência que previamente era um fato da vida humana. Ele não admite "salvadores, nem personagens sagrados, nem comunidades sacramentais" e exclui "o milagroso, a ocasião sagrada, a intromissão do Outro no Secular".[172]

O *Bhagavad Gita*, porém, que desfrutou de nova popularidade no período moderno, contesta a separação radical de humanidade e divindade, uma vez que, na pessoa de Krishna, Deus é um aspecto do humano. Na verdade, a escritura contrasta a humanização de Deus com a desumanidade da guerra.[173] O *Gita* conquistou sua alta posição na Índia em tempos relativamente recentes. É, em muitos sentidos, um "texto colonial", porque falava diretamente das aflições do povo da Índia durante o período imediatamente anterior à luta para se libertar do domínio colonial britânico. Embora funcionasse como um texto fundamental para a política anticolonial, também tratava das questões de qualquer sociedade pós-colonial. Ao colocar o problema da guerra no centro de um debate sobre o futuro da Índia, o *Gita* forçou os hindus a fazerem a infeliz constatação de que teriam de lutar contra os britânicos. Não se trata de um texto sobre a derrubada de imperialismos estrangeiros, porém: como a guerra fratricida do *Mahabharata*, na qual irmãos são forçados a lutar contra irmãos e amigos a matar amigos e mentores, os britânicos não eram inimigos distantes e sem rosto, mas, com frequência, amigos e colegas. Como os Pandavas, o povo da Índia chegava ao fim de certa era de sua história e se via frente a frente com um futuro totalmente inimaginável.

O *Gita* foi também uma revelação para os ocidentais, porque contestava o paradigma orientalista da "espiritualidade passiva do Oriente", quase sempre comparada, paternalisticamente, com a "mentalidade ativa" do Ocidente protestante, racional.[174] Lidava francamente com os problemas da violência, as obrigações do indivíduo para com a sociedade, e seus limites, e a tensão entre o indivíduo e o destino. Contestava, portanto, a separação de religião e política de Locke, e depois da barbárie da Primeira Guerra Mundial o angustiante desconforto de Arjunta com os horrores da guerra parecia vivamente relevante. Mas ainda que o *Gita* parecesse falar diretamente com o presente, ninguém — fosse indiano ou britânico — chegava a um acordo sobre o significado dessa escritura: ela representava um desafio direto ao ideal iluminista de ideias claras e distintas, bem como ao entendimento protestante moderno da mensagem irrefutável da escritura. Em vez disso, assim como o *Mahabharata*, o *Gita* continua opaco, um lembrete de que um texto verdadeiramente sagrado provavelmente sempre resistirá a qualquer interpretação definitiva.

Para o poeta e crítico alemão Johann Gottfried Herder, o *Gita* mostrava que a Índia era a fonte da verdadeira sabedoria, e seu conceito de darma lembrava ao filólogo e político Wilhelm von Humboldt (1767-1835) o imperativo categórico de Kant: "Aja apenas de acordo com a máxima que você gostaria que se tornasse lei universal".[175] O ensaísta norte-americano Ralph Waldo Emerson (1803-82) via o *Gita* essencialmente como um poema budista, enquanto o estudioso de sânscrito inglês Ralph T. Griffith achava que ele talvez pudesse incentivar os indianos a se converterem ao cristianismo. O tradutor alemão Eugene Burnouf acreditava que o *Gita* expressava a essência da filosofia védica, embora o orientalista Max Muller o considerasse inferior aos Vedas. Sir Edward Arnold, cuja tradução de "A Canção Celestial" tornou o *Gita* amplamente acessível para um público de fala inglesa, afirmava que o poema transcende as divisões de seita — mas também deixou claro que em sua opinião sem o cristianismo as tradições orientais ficavam incompletas.[176]

A tipografia permitiu que o poema atingisse um público indiano mais vasto do que nunca, e ele se tornou um símbolo nacional, lido avidamente pela classe recém-alfabetizada, que tendia a interpretá-lo alegoricamente. Correspondia à ideia da Índia como terra-mãe, popularizada pela RSS, e convenceu os devotos de Krishna de que a política britânica era adármica, uma vez que, no *Gita*, Krishna, o avatar de Vishnu, explica que desce à terra sempre que o darma é eclipsado. Teosofistas liam o *Gita* como uma alegoria na qual a oposição de Arjuna aos Kauravas representava a interminável batalha contra os impulsos inferiores, enquanto outros o interpretavam como uma alegoria da sabedoria antiga da Índia se opondo à opressão britânica, à dominação tecnológica e à propaganda missionária.[177]

O debate mais crucial sobre o significado do *Gita*, porém, se deu entre Mohandas (Mahatma) Gandhi (1869-1948) e o erudito e poeta Aurobindo Ghose (1872-1950), que discordavam totalmente quanto à legitimidade de lutar contra os britânicos. Essencial à visão de mundo de Gandhi era o entendimento upanixádico de que todos os seres são manifestações do Brâman; como todos nós compartilhamos o mesmo núcleo sagrado, lutar contra outros seres humanos violava a predisposição metafísica do universo inteiro. A recusa de Gandhi a obedecer à política britânica tinha por base os três princípios de *ahimsa* (não violência), *satyagraha* (a "força de alma" que vem com a compreensão da nossa natureza divina) e *swaraj* ("autogoverno"). Ele acreditava que a relutância inicial de Arjuna em lutar não era *ahimsa* verdadeira, porque ele ainda via "o inimigo" como distinto de si mesmo: tivesse percebido que ele e os Kauravas compartilhavam a mesma natureza divina, teria adquirido "força de alma" para transformar inimizade em amor. Aurobindo, porém, sustentava que a aprovação da violência por Krishna no *Gita* simplesmente refletia os sombrios fatos da vida; enquanto *satyagraha* não se tornasse uma realidade efetiva no mundo, seres humanos e nações continuariam a destruir uns aos outros. Além disso, Gandhi certamente estava ciente de que sua política de renúncia à violência tinha derramado tanto sangue quanto as políticas mais militantes, pois a resposta britânica à sua campanha de não violência resultara em colossal perda de vidas.[178]

A única coisa que todos esses intérpretes do *Gita* tinham em comum era a convicção de que essa escritura só tinha um significado. A estudiosa norte-americana Laurie Patton, porém, sugere outra abordagem, ressaltando que desde o Rig Veda os poetas indianos jamais viram o sentido como uma questão de "uma coisa ou outra", entendendo-o, porém, mais inclusivamente como "tanto uma coisa como outra". Agni, por exemplo, era *tanto* um deva *como* o elemento material do fogo; soma era *tanto* a planta alucinógena *como* o sacerdote divino. Patton sugere que apliquemos essa abordagem ao *Gita*. Krishna, por exemplo, manda Arjuna entrar na briga:

Indiferente à alegria e ao sofrimento
Ao ganho e à perda, à vitória e à derrota,

Arma-te para a batalha,
Para que não caias no mal.[179]

Estas palavras sem dúvida podem ser interpretadas como uma exortação à luta, como o próprio Gandhi admitia, afirmando, porém, que a luta a que se refere o verso também poderia ser interpretada como espiritual. Patton sugere que talvez seja melhor o leitor ter em mente as *duas* interpretações ao mesmo tempo, de modo que uma pessoa pode estar decidida a entrar na batalha, mas, concomitantemente, ter dúvidas a esse respeito. Pois ainda que se abstenha de violência, o desejo de lutar continua presente, pronto para se manifestar, se não for submetido a constante vigilância e disciplina. Há uma ambiguidade parecida em outro verso que Gandhi muito admirava. É, certamente, sobre *ahimsa*, descrevendo um homem que

Sem atração e ódio
encontra serenidade no autocontrole.
Na serenidade, todas as suas tristezas se dissolvem,
sua razão se torna límpida,
sua compreensão segura.[180]

Mas esse verso também pode se aplicar, sugere Patton, ao autocontrole e à disciplina que todo guerreiro precisa ter no calor da batalha, para não sucumbir à atrocidade. Afinal de contas, Arjuna e Krishna estão tendo essa conversa num campo de batalha real, durante uma guerra tragicamente violenta. Em vez de tentar fazer a escritura dizer o que queremos que diga, talvez seja melhor buscarmos a ambiguidade, por ser mais expressiva da complexidade do dilema humano.[181]

Patton apresenta outro argumento importante. Embora o *Gita* tenha sido tradicionalmente lido como um texto complexo com um significado simples, haverá benefícios reais se o interpretarmos como um texto complexo com um significado complexo, de forma a incentivar a discussão e o debate profundos. Mas até hoje, as tradições orientais sentem a obrigação de explicar-se para o Ocidente moderno, que agora estabelece as normas. Quando, por exemplo, textos não ocidentais contêm passagens agressivas — como ocorre em todas as tradições escriturais —, essas escrituras tendem a ser entendidas como mais intrinsecamente violentas — ou, na melhor hipótese, mais "primitivas" — do que as escrituras judaico-cristãs do Ocidente dominante. Ainda que, como é o caso no "hinduísmo", haja uma forte tradição de não violência, uma passagem violenta tende a ser vista como uma "contradição" dentro de uma tradição que é, em tudo o mais, "pacífica", e não como apenas um elemento da complexidade de qualquer religião, cujas escrituras refletem a natureza humana e inevitavelmente contêm passagens tanto violentas como irênicas.[182]

O Alcorão é um exemplo óbvio dessa tendência. Desde a época das Cruzadas, os cristãos ocidentais se acostumaram a vê-lo como uma escritura tóxica que dá aos muçulmanos licença para cometer atos de violência em nome da religião.[183] Por quase um milênio, o islã tinha sido uma grande potência global, mas no começo do século XX a maioria dos muçulmanos se viu vivendo sob o domínio colonial europeu. Seus governantes ocidentais nem sempre disfarçavam o desdém que sentiam pela religião e pela cultura islâmicas.[184] O choque desse rebaixamento súbito foi imenso; já foi comparado com o efeito drástico da hipótese evolucionária de Darwin em certas formas de cristianismo e certamente agravou o clima de hostilidade entre o islã e o Ocidente. O estudioso canadense Wilfred Cantwell Smith chamou atenção para o fato de que "No abismo entre [o muçulmano moderno] e, por exemplo, o norte-americano moderno, uma questão de significado primordial tem sido precisamente a profunda diferença entre uma sociedade com uma lembrança da grandeza passada e um senso de grandeza presente".[185] Como no cristianismo fundamentalista, sua humilhação levou alguns muçulmanos a se apegarem a uma teologia mais fechada e conservadora.

Após a saída dos colonizadores, muitas sociedades muçulmanas definharam sob ditaduras que eram apoiadas por várias potências ocidentais e encabeçadas por oficiais do exército. Reza Khan, por exemplo, chegou ao poder no Irã em 1921, o coronel Abd-Shishak na Síria (1949) e Gamal Abd al-Nasser no Egito (1952). Esses reformistas modernizaram seus países superficialmente, de modo cruel e com frequência violento. Em sua tentativa de secularizar, mataram o clero de fome financeiramente, roubando-lhe sistematicamente qualquer vestígio de poder.[186] Mustafá Kemal Atatürk (1881-1938), fundador da moderna república da Turquia, aboliu sumariamente o califado, que durante séculos tinha sido o principal símbolo de poder sunita, fechou as madraças e empurrou os líderes das Ordens Sufistas para a clandestinidade, privando seu povo de orientação religiosa responsável nesse momento crucial. Nasser transformou os juristas ulemás em funcionários do Estado que acabaram sendo desprezados como lacaios do governo. A modernidade secular iniciada pelo Ocidente e promovida por esses implacáveis líderes muçulmanos não parece ter sido libertadora, nem fortalecedora, mas cruel e destrutiva. A brusca introdução dos muçulmanos na modernidade levou à convicção generalizada de que o islã corria o risco de ser diluído ou contaminado por normas estrangeiras. No Ocidente, havia uma convicção arraigada de que o islã era incompatível com a modernidade; uma religião cronicamente atrasada que jamais passara por uma reforma.

Apesar disso, alguns pensadores muçulmanos modernos deram início a abordagens reflexivas, profundas e inovadoras sobre o Alcorão. Aprenderam com a mentalidade racionalista e progressista do saber ocidental, que usaram para promover a mentalidade igualitária e compassiva do Alcorão que tinha sido diluída por exegeses deficientes. Em vez de compor os tradicionais comentários versículo a versículo, que continuam populares entre os muçulmanos conservadores, eles tendem a concentrar-se num tema ou aspecto do Alcorão ou a explorar minuciosamente um número limitado de versículos. Concentram-se no contexto histórico das revelações originais a Maomé, enfatizando o fato de que o Alcorão se incrustava num ambiente social distinto e numa era histórica específica. Muitos desses estudiosos reformistas são muçulmanos não árabes, vindos da Turquia, do Paquistão, da Tasmânia, da Malásia ou da África do Sul, e um número significativo leciona em universidades nos Estados Unidos, onde desfruta de maior liberdade intelectual. Eles contestam algumas das acusações mais generalizadas feitas hoje contra os muçulmanos: que o Alcorão exige governos autoritários, que ordena a subjugação das mulheres, que é inerentemente hostil a outras tradições religiosas, e que promove a jihad violenta. Atendo-se à redação específica do Alcorão e explorando o contexto exato no qual uma determinada revelação ocorreu, esses estudiosos afirmam que no passado juristas e teólogos muçulmanos com frequência foram incapazes de apreender o pleno significado de sua escritura.[187]

Essa abordagem crítica começou no período colonial. Na Índia, durante o declínio do domínio mogul, Shah Wali Allah Dihlawi (m. 1762) afirmava que era imprescindível abolir a prática bastante disseminada da *taqlid* ("imitação de prática antiga") e dar início a uma nova fase de *ijtihad* ("apreciação independente"). Para encarar o desafio da dominação estrangeira, o sistema legal islâmico precisava de uma reforma abrangente. Isso exigiria um rigoroso reexame dos *hadith*, que se apresentavam como o registro das palavras do profeta Maomé e seus companheiros e dominavam a interpretação corânica desde o século IX. Com excessiva frequência, juristas se baseavam em *hadith* pouco confiáveis que tinham sido oficialmente classificados como *ahad*, "fracos". Uma fonte mais importante e confiável, afirmava Dihlawi, era a Suna, a prática consuetudinária do Profeta; estudando o comportamento de Maomé, na vida pública e na vida privada, os muçulmanos tinham a oportunidade de ver sua escritura em ação. Reformistas posteriores, também lutando sob domínio colonial, seguiram Dihlawi, especialmente Muhammad Abdu (1849-1905), grande mufti do Egito durante a ocupação militar britânica, e seu discípulo, Rashid Rida (1865-1935). Eles também ressaltavam a importância da Suna e criticavam vigorosamente o uso de *hadith* duvidosos como textos-provas. Nessa época decisiva, juristas simplesmente não podiam se dar ao luxo de confiar em *hadith* que contradiziam o significado óbvio do Alcorão.

Os reformistas de hoje têm a mesma preocupação, levantando questões que contestam séculos de exegese islâmica. Eles também lamentam o uso pouco exigente dos *hadith* e defendem uma volta à *ijtihad*. Figura crucial foi Fazlur Rahman (m. 1988), nascido no Paquistão e professor de direito islâmico da Universidade de Chicago, que sustentava que ao confiarem em *hadith* fracos os ulemás medievais impediram o desenvolvimento natural do pensamento corânico. Viam Maomé como um legalista de consciência mais jurídica do que profética e o descreviam "regulando, metodicamente, nos mínimos detalhes, toda a vida humana — da administração a minúcias de pureza ritual".[188] Mas, afirmava Rahman, Maomé era antes de tudo um reformista moral e jamais emitiu sentenças jurídicas claras. Enquanto lutavam contra os efeitos destrutivos do colonialismo e suas consequências, juristas ainda se apegavam ao passado encarnado nos *hadith*, perdendo contato com o Alcorão:

> Devido ao peculiar complexo psicológico que desenvolvemos com relação ao Ocidente, acabamos defendendo [nosso] passado como se fosse Deus [...], quase todo ele se tornou em geral sagrado para nós. A maior suscetibilidade diz res-

peito aos *hadith*, embora seja amplamente aceito que, à exceção do Alcorão, tudo o mais está sujeito à mão corruptora da história. Na verdade, uma crítica dos *hadith* deveria não só remover um grande bloco mental, mas também incentivar um jeito atualizado de pensar sobre o islã.[189]

Para divulgar uma autêntica mensagem corânica para o presente, é essencial que os eruditos travem um diálogo criativo com o passado. Para começar, precisam compreender os problemas específicos aos quais o Alcorão respondia na Arábia do século VII. Isso lhes daria um melhor entendimento da resposta corânica precisa àqueles problemas. Depois de apreenderem exatamente o que o Alcorão dizia na época da sua revelação, eles poderiam reafirmar sua mensagem de um jeito que falasse diretamente às condições e aos desafios da modernidade.[190]

Como Dihlawi e Abdu, Rahman via a Suna como essencial para a interpretação do Alcorão, mas dizia que uma reverência ingênua a todos os *hadith* tinha, com o tempo, fomentado ideias sem base escritural. O jurista do século IX Al-Shafii chegara ao ponto de considerar todo o conjunto de *hadith* igual ao Alcorão; segundo ele, era "revelação não recitada" (*wahy ghayr matlu*), que diferia do Alcorão recitado (*wahy matlu*) na forma, mas não na substância.[191] Mas os primeiríssimos muçulmanos tinham sido mais cautelosos. Umar, o segundo califa, lamentara a promoção irresponsável de *hadith* inexatos por alguns Companheiros; previu que isso poderia ter sérias consequências políticas, sociais e religiosas. Ameaçou Abu Huraya, marqueteiro descarado, com castigos severos se ele continuasse a citar erroneamente o Profeta. Apesar disso, juristas posteriores levaram os *hadith* de Abu Huraya muito a sério, usando-os com frequência em suas sentenças.[192]

Rahman não promovia *sola scriptura*, porém. Jamais sugeriu que todo o conjunto de *hadith* fosse descartado: "Se o [conjunto dos] *hadith* em sua totalidade for jogado fora, a base da historicidade do Alcorão é eliminada de um só golpe".[193] Os *hadith* autênticos eram essenciais para o seu método exegético, porque eles plantavam a mensagem corânica firmemente em seu contexto histórico e possibilitavam ao intérprete aplicá-la criativamente a questões contemporâneas. Nem Rahman, nem qualquer outro pensador reformista que discutiremos adiante tinham paciência com os muçulmanos conhecidos como *ahl al-Quran* ("alcoranistas") que queriam eliminar todos os *hadith*.[194] Esse movimento tinha começado na Índia nos anos 1930, ressurgira brevemente nos Estados Unidos no fim do século XX e, outra vez, de forma mais moderada, na Turquia em 2008. Para desalento de alguns comentaristas ocidentais (que acreditavam despreocupadamente que os alcoranistas estavam prestes a iniciar uma reforma ao estilo protestante),[195] o movimento não deixou de ser um grupo minoritário e tem sido firmemente — às vezes ferozmente — rechaçado.

A exegese contextual de Rahman é bem demonstrada nesta discussão da revelação corânica que endossa a poligamia:

> Dá aos órfãos suas propriedades, não troques [suas] boas coisas por más, não consumas suas propriedades juntamente com a tua — um grande pecado. Se tens medo de não saber lidar corretamente com meninas órfãs, podes casar com quaisquer [outras] mulheres da tua aprovação, duas, três ou quatro. Se tens medo de ser injusto com elas, então casa apenas com uma, ou com tuas escravas: com isso tens mais probabilidade de evitar favoritismo.[196]

Claramente, o Alcorão aqui não está apenas servindo à luxúria masculina. A sociedade árabe no século VII caracterizava-se por colossal desigualdade socioeconômica, explica Rahman, mas o Alcorão estava lidando com um novo problema.[197] As guerras entre Meca e Medina tinham resultado num drástico aumento do número de órfãs na comunidade muçulmana e os guardiães se apropriavam ganonciosamente de suas propriedades.[198] A poligamia era inerradicável na Arábia do século VII e, ao permitir aos muçulmanos apenas quatro mulheres, o Alcorão restringiu uma prática contemporânea. Mas, como observa Rahman, os juristas não tinham percebido que não se tratava apenas de uma decisão jurídica: havia também uma forte carga ética, "um ideal moral em cuja direção se esperava que a sociedade andasse".[199] A essência dessa decisão, afirmava ele, era uma exigência de igualdade. Ela não só rompia com a tradição, insistindo nos direitos de propriedade das órfãs, que não tinham essa prerrogativa na Arábia pré-islâmica, mas também exigia que o marido superasse suas inclinações emocionais e sexuais e não demonstrasse favoritismo algum em qualquer esfera da vida marital — uma imparcialidade que é, afirma Rahman, "na natureza das coisas, impossível".[200] Em alguns países modernos majoritariamente muçulmanos, a poligamia é proibida por razões religiosas.

Outros eruditos mostraram que durante séculos os muçulmanos tinham sido incentivados, por exegese inadequada, a adotar políticas que contradiziam princípios fundamentais islâmicos. Por recorrerem a *hadith* "fracos", sustentava Jamal al-Banna (m. 2013), eles tinham de fato rebaixado o Alcorão a um status secundário. A decisão altamente controvertida de tornar a apostasia um delito capital, por exemplo, não tinha apoio algum no Alcorão. De fato, o Alcorão declara, nos termos mais vigorosos possíveis, que nenhum ser humano — nem mesmo um profeta — pode impor a crença religiosa à força: "Não há compulsão em questões de fé".[201] As traduções sempre parecem brandas, mas o texto árabe (*la iqra fi-l din*) é enfático, equiparando-se à força convincente da Shahada, a proclamação de fé muçulmana: *la ilahu illa Allah* ("Só Alá é Deus!"). O Alcorão sugere que a apostasia talvez seja passível de punição no outro mundo, mas jamais insistiu num castigo terreno.[202] A base legal da pena de morte depende inteiramente de um único e isolado *hadith* "fraco", transmitido por Ikrima ibn Abbas, na coleção de *hadith* de Muhammad ibn Ismail al--Bukhari: "Seja quem for que mude de religião, matem-no".[203] Al-Banna observou que Muslim ibn al-Hajjai não o incluiu em sua antologia de *hadith*, porém, porque via Ikrima como um transmissor pouco confiável.

Al-Banna achava que o rebaixamento do Alcorão começou com a instituição da prática exegética de *naskh* ("revogação") na qual certos versículos eram modificados ou apagados por uma revelação ocorrida depois. Como resultado, de cem a quinhentos versículos foram revogados em diferentes épocas por diferentes eruditos. Mas com grande frequência uma revogação simplesmente refletia os interesses mundanos do exegeta e do seu meio social e político.[204] Abdulaziz Sachedina, professor de estudos religiosos da Universidade da Virgínia, afirma que a prática da revogação foi usada para diluir o pluralismo religioso do Alcorão.[205] O Alcorão jamais declara estar revogando escrituras anteriores. Na verdade, insiste em dizer que o pluralismo religioso é a vontade de Deus e que em vez de perderem tempo em inúteis disputas teológicas os muçulmanos e não muçulmanos deveriam competir uns com os outros em seus esforços para fazer o bem no mundo.[206] Alcorão 2:62 declara categoricamente que a aceitação do islã não é essencial para a salvação:

> Os fiéis [muçulmanos], os judeus, os cristãos e os sabeus — todos aqueles que acreditam em Deus e no Dia do Juízo e praticam o bem — receberão recompensas do seu Senhor. Não temam por eles, nem eles se lamentarão.[207]

Contudo, aqueles que promoviam a ideia de que o islã tomou o lugar das religiões mais antigas citavam um *hadith* baseado em Alcorão 3:85: "Se alguém busca outra religião além do islã não será aceito nela; ele estará entre os perdedores no outro mundo". O *hadith* declarava que esse versículo tinha sido revelado depois de Alcorão 2:62, que, portanto, fora revogado, invalidando a promessa anterior de Deus. Não haveria, portanto, salvação para membros de tradições religiosas mais antigas. Como já dissemos, quando esses versículos supostamente revogadores tinham sido revelados, "islã" ainda não era o nome oficial da religião corânica: em seu contexto original, portanto, o versículo tinha simplesmente afirmado que qualquer pessoa, fosse qual fosse sua tradição religiosa, que fizesse uma "rendição" completa de sua vida a Deus poderia alcançar a salvação. Os sufistas preservariam esse generoso pluralismo, mas a visão exclusiva já tinha deitado profundas raízes na psique muçulmana e agora é frequente em todo o mundo islâmico.

No Ocidente, o Alcorão costuma ser condenado como cronicamente misógino e é verdade que juristas homens, recorrendo a *hadith* "fracos", impuseram durante séculos uma mentalidade agressivamente patriarcal de sua escritura. Mas nos anos 1980, mulheres exegetas pela primeira vez começaram a contestar essa interpretação do Alcorão — um avanço extraordinariamente importante. Leila Ahmed e Fatima Mernissi reescreveram a história islâmica do ponto de vista das mulheres; enquanto Aziza al-Hibri, Amina Wadud e Asma Barlas desenvolveram uma hermenêutica feminista.

Mernissi chamou a atenção para um incidente importante que, segundo ela, validou uma crítica feminina. Maomé, como era de esperar de um grande chefe árabe, teve mais do que as quatro mulheres prescritas no Alcorão, mas esse harém não era um ninho de amor. Os casamentos tinham motivação política; cimentavam relações com seus Companheiros mais próximos e, quando uma nova tribo se juntava à confederação pan-islâmica que ele estava construindo na Arábia, Maomé às vezes se casava com a irmã ou filha do chefe. Árabes do século VII viam as mulheres como uma espécie inferior, por isso os contemporâneos de Maomé ficavam desconcertados com o óbvio respeito que ele demonstrava por suas mulheres; referia-se a elas regularmente como suas "Companheiras", título que dava aos colegas homens mais próximos. Com frequência carregava uma delas numa de suas expedições militares e levava seus conselhos a sério. Umm Salamah, mulher inteligente e sofisticada, logo se tornou porta-voz das mulheres de Medina, que um dia lhe perguntaram por que elas nunca eram mencionadas no Alcorão. Em resposta, poucos dias depois uma nova revelação declarou que no islã homens e mulheres tinham o mesmo status e as mesmas responsabilidades:

> Para homens e mulheres que são devotos de Deus — homens e mulheres fiéis, homens e mulheres obedientes, homens e mulheres confiáveis, homens e mulheres caridosos, homens e mulheres que jejuam e se lembram de Deus com frequência —, Deus preparou o perdão e uma rica recompensa.[208]

Deus por assim dizer tinha prontamente respondido a Umm Salamah e logo deixaria claro que as mulheres estavam entre os oprimidos a quem o Alcorão faria justiça.[209] Mernissi observa que essa história foi cuidadosamente preservada na tradição islâmica, mas, pelo século VIII, juristas tinham conseguido diluir esse importante insight reafirmando o chauvinismo árabe tradicional.[210]

Como os reformistas homens, as novas mulheres exegetas abandonaram o comentário tradicional versículo a versículo, em favor de exegeses mais holísticas. Versículos separados, que por si sós podem dar a impressão de respaldar a desigualdade de gênero, devem ser vistos no contexto do todo. Elas enfatizam a centralidade da *tawhid* ("unidade") na teologia islâmica, que, afirma Al-Hibri, implica a igualdade metafísica de todas as criaturas. No Alcorão, Satã nega isso quando se recusa a reverenciar Adão, afirmando que tinha sido criado primeiro e que, portanto, lhe era superior; uma "lógica satânica" parecida, diz ela, constitui a base do patriarcado muçulmano tradicional.[211] Wadud sustenta que a insistência do Alcorão na igualdade foi minimizada porque, ao longo de séculos, só homens tinham permissão para ler e recitar a escritura.[212] Barlas afirma que, pelo fato de Deus ser mencionado como "ele" no Alcorão, não significa que ele seja do sexo masculino; isso simplesmente reflete as limitações da linguagem humana, porque, insiste o Alcorão, Deus é diferente de qualquer ser criado.[213]

Poucos dias depois de Alá ter respondido tão positiva e prontamente à pergunta de Umm Salamah, uma nova surata foi revelada, dedicada em grande parte às mulheres. O Alcorão parecia colocar-se firmemente do lado das mulheres: decretou que as mulheres não poderiam mais ser legadas a herdeiros masculinos como se fossem cabeças de gado ou tamareiras. Tinham o direito de herdar e competir com os homens por uma fatia de propriedade.[214] Nenhuma órfã poderia casar-se com o seu guardião contra a vontade, como se fosse um bem móvel.[215] Era tradicional que o noivo desse um dote de presente à noiva, mas na prática pertencia à família dela. Agora o dote se tornou sua propriedade inalienável, e em caso de divórcio o marido não poderia reivindicá-lo.[216] Os homens da *ummah* ficaram furiosos com essas inovações corânicas revolucionárias, mas o Alcorão as sustentou com firmeza.[217] Críticos ressaltam que os direitos das mulheres ainda não eram iguais: no direito, por exemplo, o depoimento de duas testemunhas femininas equivalia ao de uma única testemunha masculina.[218] Mas eles deveriam lembrar que as mulheres ocidentais só adquiririam esses direitos legais ou de propriedade no século XIX.

Apesar do intenso foco hoje em dia no hijab ou "o véu", o Alcorão não tem interesse algum pelo que as mulheres usam na cabeça. Os trajes femininos são discutidos apenas em duas passagens.[219] Na primeira, o Alcorão recomenda que homens e mulheres usem roupas modestas em público: que "abaixem os olhos" e "protejam suas partes privadas". Além disso, as mulheres são instruídas a "não exibirem seus atrativos além do que ordinariamente aparecem".[220] O segundo versículo trata de um problema específico de Medina em determinada época, e hoje deveria ser irrelevante. Os inimigos de Maomé atacavam as mulheres muçulmanas quando saíam à noite para fazer suas necessidades, alegando que as confundiam com escravas. O Alcorão, portanto, ordenou as mulheres a "fazer seu vestuário exterior cair solto sobre elas [*adna al-jilbab*] para serem reconhecidas e não serem insultadas".[221] Apesar de esse versículo ter sido inspirado pela depravação masculina, observa Wadud, muitos homens muçulmanos que continuam a fazer questão do *jilbab* o associam à fraqueza e à imoralidade femininas, e ignoram "a questão do que constitui comportamento sexual adequado para os homens".[222]

Mas um versículo, que não só insiste na submissão das mulheres a seus maridos, mas também parece aprovar o costume de eles baterem nelas, é, de fato, perturbador: "Se vocês temem prepotência [*nushuz*] de suas mulheres, recordem-lhes [os ensinamentos de Deus]; depois, ignorem-nas quando forem para a cama, então batam nelas [*wa-dribuhanna*]".[223] Juristas homens tenderam a ignorar a verdade inconveniente de que mais adiante, nessa surata, também os maridos são advertidos contra o *nushuz*.[224] Mas a instrução para estapear uma mulher "prepotente" vem de há muito perturbando exegetas masculinos, bem como estudiosas feministas, porque entra em choque com a Suna. Todo mundo sabia que o poeta ficava revoltado com a simples noção de violência contra mulheres, e tão endêmica era a prática que essa atitude era tida como estranha e excêntrica. "O Profeta jamais ergueu a mão contra uma de suas mulheres, ou contra um escravo, ou contra qualquer pessoa", escreveu seu primeiro biógrafo Muhammad ibn Sad. "Ele sempre foi contra bater em mulheres."[225] Alguns exegetas, porém, acham uma solução para esse problema na polissemia do idioma árabe: a raiz verbal *DRB* nesse versículo também pode significar: "ter relações sexuais"; "dar um exemplo"; ou "afastar-se delas ou deixá-las em paz".[226] Os muçulmanos, como vimos, sempre aceitaram o fato de existirem "variantes" no texto. Esta pode ser uma. Essa interpretação tem a grande vantagem de estar de acordo com a Suna do Profeta, porque, em certa ocasião, Maomé de fato "deixou" suas mulheres durante um mês inteiro, quando elas insistiram estridentemente, contra a mentalidade corânica, que ele entregasse à família a maior parte do butim capturado durante uma incursão. Ele acabou resolvendo a crise dando às mulheres uma opção: ou elas renunciavam ao seu desejo "desta vida presente e seus privilégios" ou ele concederia a todas elas um divórcio amistoso.[227] As mulheres concordaram em viver de acordo com os imperativos corânicos e as relações conjugais foram restabelecidas.

Essa interpretação entraria em conflito com séculos de tradição islâmica, mas, para os exegetas reformistas, isso não chega a ser um empecilho. Khaled Abou El Fadl, professor de direito islâmico na Universidade da Califórnia (UCLA), afirma que uma única e indiscutível interpretação de um texto escritural dá às pessoas uma falsa sensação de segurança num mundo em constante mudança. Na verdade, a religião prospera num clima de interpretações pluralistas:

> Textos que são incapazes de se libertarem de seus autores ou incapazes de desafiar o leitor com níveis de sutileza ou de provocar com nuances de significado têm o desagradável [...] hábito de se tornarem previsíveis, chatos e fechados. Textos que permanecem abertos continuam vivos, relevantes e vitais.[228]

Como Rahman, ele critica a confiança cega nos *hadith*. Hoje os muçulmanos que Abou El Fadl chama de "puritanos" recorrem a essa dependência para com os *hadith*, apegando-se a uma ortodoxia estéril para compensar "sentimentos de derrotismo, emasculação e alienação com um distinto senso de arrogância farisaica em relação ao 'outro' indistinto, seja este 'outro' o Ocidente, os infiéis em geral, os chamados muçulmanos heréticos, ou mesmo as mulheres muçulmanas".[229] Seu erro, segundo Abou El Fadl, é exagerar o papel do texto e minimizar a função do intérprete.[230]

Essa ênfase no intérprete, mais do que no texto revelado, é a marca registrada da exegese inovadora dos reformistas. No passado, juristas ressaltaram a origem divina do Alcorão, mas talvez não fizessem justiça ao aspecto humano da revelação. Ao enfatizar o contexto histórico da escritura, os exegetas reformistas corrigiram esse desequilíbrio. Através desse livro, vimos que a escritura é encarnacional. Ela precisa entrar na mente e no corpo do profeta ou do sábio que a recebe e recita, bem como do intérprete que explora seu significado. O Verbo precisa de alguma forma se fazer carne. O Alcorão, explica Rahman, é tanto humano como divino; é a palavra de Deus, mas também a palavra de Maomé.[231] O Profeta não foi apenas um recipiente passivo de lúcidos comandos divinos; sua contribuição para a revelação foi essencial. O Alcorão certamente emanou do que chamamos "Deus", mas "também estava intimamente ligado à personalidade mais profunda [de Maomé]".[232] No passado, os exegetas descreviam a revelação como vindo de uma fonte externa, que eles personificavam, chamando-a de "Espírito" que baixava do céu à terra, ou anjo Gabriel. Mas isso confinava o divino a uma localidade específica, enquanto, como vimos o tempo todo, a divindade é onipresente e "passa por todas as coisas". O Espírito, dizia Rahman, também foi um poder, uma faculdade ou uma força motriz no coração do Profeta. O papel de Maomé foi soltar o Espírito vestindo-lhe a língua árabe, para que ele pudesse mudar o mundo.

O estudioso iraniano Abdulkarim Soroush (n. 1945) também insiste em dizer que, apesar de a fonte do Alcorão ser divina, é essencial que os muçulmanos reconheçam sua dimensão humana. Os muçulmanos só têm condição de decidir que aspectos da revelação são relevantes para sua vida no mundo contemporâneo se aceitarem que o Alcorão também é um produto humano. Como Rahman, Soroush afirma que Maomé teve papel ativo na produção do Alcorão. A revelação lhe veio em estado informe, que transcendia palavras e conceitos. O trabalho do Profeta foi "dar forma ao informe, para torná-lo acessível". A personalidade humana de Maomé, portanto, "foi ao mesmo tempo receptáculo e gerador, ao mesmo tempo sujeito e objeto de suas experiências reveladoras religiosas". Ele era não só um recipiente vazio para a fala divina, explica Soroush; "a revelação estava sob seu controle, e não ele sob controle da revelação".[233] O Alcorão, portanto, foi adaptado ao seu meio e moldado, de maneira importante, pela história pessoal de Maomé, seus problemas, seu estado de espírito. Na verdade, Soroush chega a dizer que, se o Profeta tivesse vivido mais e passado por mais experiências, suas reações e respostas teriam inevitavelmente amadurecido também... e o Alcorão poderia ter sido muito mais longo do que é. Poderia ter havido até um segundo volume.[234]

Essas opiniões chocam muçulmanos conservadores, mas a antiga tradição islâmica endossa a contribuição humana, deixando claro que Maomé teve que lutar para entender as revelações, que não lhe chegaram numa forma verbal clara. Sua mulher Aisha alegava que elas consistiam na sugestão indefinível de um significado contundente, mas transfigurador: "O primeiro sinal de profecia concedido ao apóstolo era a visão verdadeira, lembrando a claridade do amanhecer [*falaq as-subh*]".[235] A frase árabe expressa a súbita transformação do mundo num lugar onde não existe amanhecer gradual. O que Maomé teve foi uma espantosa visão de esperança, mais do que uma mensagem explícita. Colocá-la em palavras, explicava ele, era quase sempre angustiante: "Eu nunca recebi uma revelação sem achar que minha alma estava sendo arrancada".[236] Às vezes a "Voz" divina parecia relativamente clara, mas quase sempre era vaga e incoerente: "Por vezes ela me vem como a reverberação de um sino, e isso é o mais duro para mim; as reverberações diminuem quando tenho consciência de sua mensagem".[237] A voz divina não transmitia mandamentos claros a partir de um céu distante; Deus não era uma realidade claramente definível que estivesse "lá". Alá era para ser ouvido olhando-se para dentro. Mais tarde, como vimos, os sufistas teriam a experiência de uma presença divina que era parte deles, afirmando-lhes: "Só vós sois deus".

O estudioso argelino Mohammed Arkoun (m. 2010) sustentava que a revelação do divino estava inseparavelmente entrelaçada com a estrutura social, política e cultural da sociedade árabe no século VII: "Não há como encontrar o Absoluto fora da condição social e política dos seres humanos e sem a mediação da linguagem".[238] O texto do Alcorão está impregnado de uma potência teológica que é transcendente e, portanto, contém uma abundância de significados. Novas interpretações serão descobertas quando o texto interage com os sempre cambiantes acontecimentos da história.[239] A revelação só teve e tem um objetivo: mudar a realidade terrena. Para tanto, os exegetas modernos precisam primeiro se familiarizar com a situação histórica a que o Alcorão se dirigia, e então relacioná-la prática e inovadoramente com a sua própria. Seu trabalho é traduzir essa mensagem criativamente de tal maneira que ela possa mudar o mundo contemporâneo, para que sua estrutura social se adapte à compaixão (*al-Rahman*) e à misericórdia (*al-Rahim*) que os muçulmanos invocam antes de cada recitação do Alcorão.[240]

Recentes ataques terroristas, entretanto, parecem respaldar a visão tradicional do Ocidente de que o Alcorão é essencialmente uma escritura beligerante. Discuti as relações entre religião e violência numa obra recente.[241] Aqui nos limitaremos a avaliar até que ponto o Alcorão inspirou esses crimes. Como vimos, o Alcorão não tem qualquer ensinamento sistemático relativo à condução de uma guerra; os "versículos de jihad" estão espalhados aleatoriamente por toda a escritura, cada um deles em resposta a uma situação específica, de modo que, como notaram os primeiros exegetas, não têm aplicação universal, e, ainda que os muçulmanos tenham se sentido profundamente perturbados pelo colonialismo e suas consequências, não havia recurso instintivo à violência. Nem Hasan al-Banna (1906-49), fundador da Irmandade Muçulmana no Egito, nem Abul Ala Maududi (1903-79), que criou a Jamaat al-Islami na Índia, tinham nada a ver com a revolução violenta, ou com políticas que inspirassem ódio e conflito. Sua conduta na oposição, insistia Maududi, precisava ser "limpa e louvável".[242]

Sayyid Qutb (1906-66), porém, introduziu uma nova militância no discurso islâmico moderno. Foi um dos mil Irmãos Muçulmanos presos por Nasser em 1954 depois de uma tentativa de assassinato, quase sempre sem julgamento, e por nada mais do que distribuir folhetos incriminadores. Homem culto e sensível, Qutb foi radicalizado pela brutalidade da prisão egípcia onde escreveu *Ma'alim fil-Tariq* [Momentos decisivos], que tem sido chamado de Bíblia do extremismo muçulmano. Qutb era um notável erudito corânico, mas a ideologia de *Momentos decisivos* baseia-se na Suna, a prática do Profeta Maomé e dos "piedosos ancestrais" (*salaf*), a primeira geração de muçulmanos, e não no Alcorão. Nos "momentos decisivos" da vida do Profeta, Qutb acreditava que Deus tinha mostrado aos seres humanos como construir uma sociedade devidamente organizada.

Primeiro, Maomé tinha formado um grupo (*jamaah*) de indivíduos dedicados à tarefa de substituir Meca *jahili* por uma sociedade justa que reconhecesse a absoluta soberania de Deus. O segundo momento decisivo foi a *hijrah* do Profeta de Meca e Medina: com o tempo, teria que haver uma ruptura total entre os verdadeiros muçulmanos e a sociedade corrupta em que viviam. Durante a terceira fase, Maomé criou um Estado islâmico em Medina, uma época de afirmação e integração fraternas, na qual os muçulmanos se prepararam para a luta iminente. O quarto e último momento decisivo foi a jihad, uma campanha militar que terminou na conquista de Meca. Mas Qutb tinha distorcido a Suna. Ao converter a jihad violenta no clímax da carreira profética de Maomé, ele ignorou a iniciativa de paz não violenta de Maomé em Hudaybiyyah, que, segundo os primeiros biógrafos, tinha sido o verdadeiro momento decisivo do islã. Diferentemente dos primeiros exegetas muçulmanos, Qutb afirmava que a "jihad pela espada" era — e sempre seria — uma fase preliminar essencial para qualquer outra forma de "esforço para trilhar o caminho de Deus".[243]

Momentos decisivos inspirou boa parte da militância islâmica que depois explodiria no mundo muçulmano.[244] No passado, muçulmanos sunitas tinham ressaltado as triunfais realizações dos *salaf*, os primeiros muçulmanos. Mas agora que a *ummah* estava debilitada e em perigo, os salafistas concentraram a atenção em sua vulnerabilidade durante a assustadora guerra entre Meca e Medina. Como o sitiado mundo muçulmano de hoje, os *salaf* estavam cercados por inimigos poderosos empenhados em sua destruição. Durante o cerco de Medina, até se viram diante da perspectiva de aniquilação. Ao estudar o Alcorão, jihadistas modernos não eram inspirados pelos versículos de jihad. Sabiam que a maioria dos muçulmanos condenaria suas atividades militantes, mas consolavam-se com o fato de que os *salaf* também haviam enfrentado a oposição de companheiros muçulmanos, que relutavam em lutar contra parentes e colegas de clã em Meca. O Alcorão reservou palavras severas para os *yubattianna*, que "se atrasaram em relação" aos combatentes, acusando-os de apatia e covardia, comparando-os até com os *kufar*, os inimigos do islã.[245]

Mas os salafistas também eram inspirados pela antiga prática muçulmana de "voluntariado" (*tatawwa*), que não tem raízes no Alcorão. Durante o primeiro período imperial, alguns muçulmanos viam as fronteiras do império omíada, e, posteriormente, do império abássida, como símbolo de integridade islâmica que precisava ser defendido num mundo hostil.[246] No século VIII, ulemás, colecionadores de *hadith*, ascetas e recitadores corânicos costumavam se reunir nessas fronteiras, por vezes tomando parte em combates e atividades de guarnição, mas geralmente dando apoio espiritual ao exército com preces, jejuns e estudo. O estatuto da organização palestina Hamas não citava versículos de jihad do Alcorão, mas recomendava aos palestinos que se tornassem *murabitun*, "guardiães das fronteiras".[247] Já o Jihad Islâmica aplicara as ideias de Qutb à tragédia palestina, proclamando-se a vanguarda de uma luta global mais ampla "contra as forças da arrogância [*jahiliyyah*]".[248] Mais recentemente, o ideal *tatawwa* inspirou o chamado Estado Islâmico. Criado depois da guerra que se seguiu à invasão do Iraque em 2003, o Estado Islâmico atraiu "voluntários" do mundo inteiro, que estavam dispostos a restaurar o califado estabelecido pelos *salaf* e a destruir as fronteiras traçadas pelos colonizadores.

A motivação salafista dos terroristas que cometeram as atrocidades de 11 de setembro de 2001 é evidente no extraordinário documento encontrado na bagagem de Mohamed Atta, o líder dos sequestradores.[249] Dava "Instruções finais" aos terroristas, dizendo-lhes como deviam se comportar durante sua "última noite" na terra, quando dirigissem para o aeroporto, quando embarcassem nos aviões, e ao lutarem contra passageiros e tripulantes. Já no segundo parágrafo deparamos com os *salaf* em dificuldade: "Lembrem-se da batalha do profeta [...] contra os infiéis, quando construía o Estado islâmico".[250] Os sequestradores são instruídos a passar a última noite lendo duas suratas do Alcorão. A Surata 8 ("Espólios") descreve a extrema vulnerabilidade dos *salaf* na Batalha de Badr, quando "eram poucos, vitimizados na terra"[251] e tiveram de enfrentar o poderoso exército de Meca com recursos limitados — mais ou menos como os sequestradores estavam prestes a confrontar o imenso poderio militar e econômico dos Estados Unidos. A Surata 9 ("Arrependimento") contém o famoso "Versículo da Espada", mas o documento dá preferência à covardia dos "retardatários" e consola os terroristas em sua última noite: "Vocês preferem este mundo presente à vida futura? Como é pequeno o desfrute deste mundo em comparação com a vida futura".[252]

Nesse documento, o Alcorão funciona como um talismã mágico, mais do que como um livro de sabedoria. Os sequestradores tinham que sussurrar versos corânicos nas mãos e esfregar sua sacralidade na bagagem, nos estiletes, nas facas, nas carteiras de identidade e nos passaportes.[253] Quando passam pela segurança no aeroporto, devem recitar um versículo que certa vez salvara os *salaf* de grande perigo: "Deus nos basta; é o melhor protetor".[254] Mesmo as letras árabes desse versículo tinham eficácia mágica; elas "não têm pontos e esta é apenas uma de suas grandezas, pois palavras com pontos têm menos peso do que palavras sem ponto".[255] Durante a operação, os sequestradores tinham de tomar os *salaf* por modelo: as roupas tinham que ser confortáveis, como as vestimentas do Profeta e seus Companheiros. Quando lutassem com os passageiros, deviam "cerrar os dentes, como os *salaf* antes de entrar na batalha",[256] cantando canções para levantar o moral "como fez cada *salaf* na agonia da batalha, para trazer calma, tranquilidade e alegria ao coração de seus irmãos".[257]

Seis meses antes do ataque, dois sequestradores gravaram vídeos de despedida, que circularam amplamente no mundo muçulmano depois da atrocidade. Ambos eram membros da equipe de Ziad Jarrah no voo 93 da United Airlines, que se espatifou na Pensilvânia. Suas mensagens são ilustradas com filmes mostrando a destruição das Torres Gêmeas; *mujahidin* treinando no Afeganistão; montes de corpos de muçulmanos na Chechênia; tropas norte-americanas atacando mesquitas em Kandahar; casas palestinas destruídas por escavadeiras; crianças palestinas baleadas por soldados israelenses; palestinos presos e arrancados à força de casa, e deitados, horrivelmente feridos, no hospital; e tropas norte-americanas fazendo exercícios na Arábia Saudita. O argumento é inequívoco: a *ummah* está ainda mais perigosamente sitiada hoje do que no tempo do Profeta. Mais uma vez muçulmanos sofrem nas mãos de poderosos inimigos, e, embora a maioria dos muçulmanos tivesse "ficado em casa" como "retardatários", Bin Laden e seus discípulos, como os *salaf*, tinham heroicamente "aberto uma porta" e dado início a uma nova era.

Ahmed al-Hasnawi, jovem cidadão saudita, fala com calma e confiança. Seu discurso é inteiramente salafista e qutbiano e evoca fortemente a prática do "voluntariado". No passado, diz ele, jihad era uma obrigação exigida de todo muçulmano válido se o inimigo invadisse Dar al-Islam. Mas agora, quando muçulmanos são atacados por russos na Chechênia, hindus na Índia, judeus na Palestina, e quando norte-americanos até invadem a Arábia, reduto islâmico, nenhum erudito clama por uma jihad defensiva, por isso ele — Hasnawi — exorta "ulemás sinceros" que assumam o "esquecido dever" da jihad. Abdulaziz al-Omari era um culto erudito corânico, por isso sua "Última Vontade" é embelezada com citações corânicas — mas não com nenhum versículo de jihad. Na verdade, ele também cita passagens que descrevem a sitiada vulnerabilidade dos *salaf*. Detém-se no sofrimento dos seus companheiros muçulmanos. Os muçulmanos podem dizer que ficam abalados com os apuros dos seus irmãos e irmãs na Palestina, na Chechênia, no Sudão e no Líbano, mas nada fazem para ajudar. Omari volta sempre a um versículo da Surata 4: "Por que não lutaríeis pela causa de Deus, e pelos homens, mulheres e crianças oprimidos que gritam: 'Senhor, tira-nos desta cidade cujos habitantes são opressores. Por tua graça, dá-nos um protetor e um benfeitor!'".[258] Como é possível que um muçulmano finja não escutar esses gritos de socorro?

Há uma trágica ironia aqui. Vimos que o altruísmo e a compaixão pelos outros são uma das principais mensagens das escrituras; do começo ao fim, Omari nos lembra que a religião exige *kenosis*, um "esvaziamento" dos interesses pessoais. Não pode haver sacrifício como o do mártir, que dá a vida para acabar com o sofrimento alheio — mas o Onze de Setembro resultou na morte de quase 3 mil inocentes. Todas as escrituras repetem que não podemos confinar a bondade à nossa própria gente; precisamos estender a mão para o mundo inteiro, para o estrangeiro — e até para o inimigo. Durante os preparativos para a Guerra do Iraque de 2003, o primeiro-ministro britânico Tony Blair afirmava, com frequência, que o problema não era a política ocidental no Oriente Médio, mas uma crônica tendência para a violência dentro do Alcorão. No entanto, as últimas mensagens de Hasnawi e Omari, a despeito de sua visão trágica e criminosamente fechada, sugerem que as políticas ocidentais na verdade provocaram considerável horror no mundo muçulmano. Precisamos todos, talvez urgentemente, refletir sobre a última fala do Profeta à *ummah*, que termina com uma citação do Alcorão na qual Deus se dirige a toda a humanidade: "Ó humanos, nós vos criamos de um único macho e uma única fêmea, e vos dividimos em tribos e nações, para que pudésseis conhecer uns aos outros".[259]

Post-escritura

Em muitos sentidos, parecemos estar perdendo a arte da escritura no mundo moderno. Em vez de lê-la para nos transformarmos, nós a usamos para confirmar nossas opiniões — que nossa religião é certa e a dos nossos inimigos é errada, ou, no caso dos céticos, que religião não merece ser levada a sério. Muitos crentes e não crentes hoje leem esses textos sagrados de maneira teimosamente literal, bem diferente da abordagem inventiva e mística da espiritualidade pré-moderna. Como seus mitos de criação não coincidem com recentes descobertas científicas, ateístas militantes condenam a Bíblia como um monte de mentiras, enquanto fundamentalistas cristãos desenvolveram uma "ciência da criação" alegando que o livro do Gênesis é cientificamente sólido em todos os detalhes. Jihadistas citam passagem do Alcorão para respaldar seus atos de terrorismo criminoso. Sionistas religiosos citam "textos-provas" para reforçar sua reivindicação da terra santa e justificar sua inimizade com os palestinos. Sikhs foram assassinados por aplicarem métodos modernos de crítica textual à *Guru Granth Sahib*, enquanto outros citam suas escrituras para comprovar a singularidade sikh de uma forma que contradiz frontalmente a visão original do Guru Nanak. Como seria de esperar, tudo isso resultou em prejuízo para a reputação da escritura. Com nossa mentalidade baseada no logos, também fica difícil para as pessoas pensar em termos de mitos convencionais, o que torna a escritura altamente problemática. Muitos concordariam tacitamente com o personagem do romance *Robert Elsmere*, de Mrs. Humphry Ward: "Se os evangelhos não são verdadeiros factualmente como história, não vejo como poderiam ser verdadeiros de qualquer outra forma, ou que tenham qualquer valor".

A mentalidade literalista subverte a arte tradicional da escritura. Isso fica melancolicamente claro na tentativa de estabelecer uma ciência islâmica com base no Alcorão. Os muçulmanos estavam penosamente cientes de que as conquistas tecnológicas e científicas europeias é que lhes permitiram colonizar o mundo, militar e intelectualmente, e depararam pela primeira vez com a ciência ocidental moderna quando viviam sob domínio colonial, com seu cortejo de vergonhas e humilhações. Alguns reformistas muçulmanos agravavam esse senso de debilitante inferioridade atribuindo o "atraso" dos países muçulmanos à falta de conhecimento científico, mas outros afirmavam que uma descoberta científica, se não estivesse de acordo com a revelação corânica, não poderia ser verdadeira.[1] Os muçulmanos sabem que o racionalismo moderno, baseado no princípio da dúvida cartesiana, diverge agudamente da sua compreensão tradicional do Alcorão como a revelação completa e final de Deus.[2] Alguns, portanto, desenvolveram uma versão islâmica da "ciência da criação" cristã com base numa reinterpretação das descrições corânicas das maravilhas da criação.[3]

Essas são conhecidas como "versículos [*ayat*] sinalizadores" porque apontam para a existência da Realidade transcendente que perpassa todas as coisas. De um ponto de vista corânico, a alternância regular de noite e dia e os movimentos do Sol e da Lua não são apenas processos cósmicos, mas "sinais" que dirigem a nossa atenção para o poder compassivo e misericordioso que arranjou as leis cósmicas em benefício dos seres humanos.

> Diz: "Já pensastes se Deus lançasse uma noite perpétua sobre vós até o dia da Ressurreição, que outra divindade além Dele poderia vos trazer a claridade? Não ouvis?". Diz: "Já pensastes se Deus lançasse um dia perpétuo sobre vós até o dia da Ressurreição, que outra divindade além Dele poderia dar-vos noite e dia, para que pudésseis descansar? Não vedes? Em Sua misericórdia, Ele vos deu noite e dia, para que pudésseis descansar e buscar a Sua graça e agradecer".[4]

Esses versículos se destinam a provocar reflexão — "Já pensastes" — e, como em outras escrituras, criar uma atitude de reverência diante do cosmo. São também um chamado à ação. No parágrafo seguinte, os muçulmanos são exortados a "fazer o bem aos outros, como Deus fez o bem a vós".[5] Eles precisam ser tão atentos, generosos e solícitos com os outros seres humanos como Deus o foi em seu arranjo do universo. Mas, pelo fim do século XIX, alguns estudiosos muçulmanos tinham começado a reinterpretar esses e outros versículos para dizer que o Alcorão se havia adiantado às descobertas da ciência ocidental.

Badi al-Zaman al-Bursi (m. 1960), por exemplo, afirmava que o místico "Versículo da Luz" no Alcorão, que celebra a ubiquidade da iluminação divina que não pode ficar confinada a nenhuma tradição religiosa, predisse a invenção da eletricidade e da lâmpada elétrica:

> Deus é a Luz do céu e da terra. Sua Luz é assim: há um nicho, e nele um lampião, o lampião dentro de um vidro, como uma estrela brilhante, alimentado pelo azeite de uma oliveira bendita que não é oriental nem ocidental, cujo azeite dá luz mesmo sem que nenhum fogo o toque — luz sobre luz.[6]

É doloroso ler essa banalização da mensagem corânica. Mais recentemente, a alegação de outros exegetas "científicos" de que o Alcorão se antecipou à teoria do Big Bang causou imensa comoção no mundo muçulmano. Num dos versículos de "sinalização", Alá parece desafiar os céticos de hoje: "Os descrentes não sabem que o céu e a terra estavam juntos [*ratq*] e Nós os separamos [*fatq*]?".[7] Originalmente, afirma a exegese, a terra e o céu estavam juntos numa "densa matéria fundida" (*ratq*), mas Deus os separou numa explosão (*fatq*) que criou e ordenou o cosmo. Mas os verbos árabes simplesmente não dão suporte a essa interpretação.[8] Outros afirmam que o Alcorão antecipou a embriologia moderna. O embriologista canadense Keith Moore, por exemplo, ficou espantado com a "exatidão" da descrição corânica do desenvolvimento do feto humano:[9]

> Criamos o homem de uma essência de barro; então, o colocamos como uma gota de fluido num lugar seguro, convertemos essa gota numa forma pegajosa, fizemos dessa forma um nódulo de carne, convertemos esse nódulo em ossos, revestimos esses ossos de carne, e o convertemos em outras formas — glória a Deus, o melhor de todos os criadores.[10]

Mas, claro, os versículos de "sinalização" não estão oferecendo aos muçulmanos dados factuais; seu objetivo é provocar reflexão — "Já pensastes" —, recomendando-lhes que olhem através desses fenômenos naturais para ver uma presença inefável, transcendente.

Aqui temos uma confusão de gêneros. Escritura é uma forma de arte destinada a promover a transformação moral e espiritual do indivíduo e, se não inspirar um comportamento ético ou altruístico, estará incompleta. A "arte" da ciência é outra coisa, por ser moralmente neutra. Na verdade, essa é uma das razões do seu êxito. A ciência não tem nada a dizer sobre o que devemos fazer ou por que devemos fazê-lo. Não pode prescrever nem prescreve, nem sequer sugere, o jeito de aplicarmos suas descobertas. Ciência e escritura, portanto, são diferentes como água e azeite, e aplicar as disciplinas de uma na outra só pode gerar confusão.

Vamos recapitular o que aprendemos sobre a arte da escritura. Primeiro, vimos que a escritura sempre foi ouvida no contexto dos rituais, que a dramatizavam e possibilitavam aos participantes incorporá-la. A música, produto do hemisfério direito do cérebro, aplacava o pensamento analítico do lado esquerdo do cérebro e sugeria aos participantes a existência de uma dimensão mais misteriosa da realidade, que transcendia sua experiência mundana. Suscitava atitudes de admiração, respeito e reverência pelo cosmo e por outros seres humanos. Sem esse contexto litúrgico, uma dimensão essencial da escritura se perde. Contemplar a escritura fora do ambiente ritualizado é como ler a letra de uma ária. Na Índia e na China, elaborados rituais davam uma dimensão emocional e sensorial à árida ciência ritual dos Brâmanas e do *Clássico dos Ritos*. O ritual também provocava atitudes éticas de admiração, respeito e reverência pelo cosmo e por outros seres humanos. Esdras, quando introduziu sua torá ao povo de Judá, humanizou-a e tornou sua novidade menos perturbadora apresentando o povo ao ritual de Sucot. Sem os ritos domésticos cuidadosamente projetados pelos rabinos para substituir a magnífica liturgia do templo, a obscura espiritualidade da Mishná jamais teria criado raízes no povo.

Bem no começo, muito antes de terem qualquer escritura, os primeiros cristãos já comemoravam a horrível morte de Jesus numa refeição cerimonial. Mais tarde, o esplendor da liturgia bizantina transformaria nos participantes a percepção de Cristo e de si mesmos. Na Europa Ocidental, monges beneditinos cantavam todo o saltério, intercalando leituras escriturais, todas as semanas, num exercício que exigia controle respiratório, genuflexões ritualizadas e cumprimento respeitoso, disciplinas físicas que lhes ensinavam atitudes de reverência num nível mais profundo do que o cerebral. As cadências repetitivas, obsessivas, do canto gregoriano também restringiam e "delimitavam" a atividade racional, discursiva do lado esquerdo do cérebro, deixando os monges receptivos à visão intuitiva do lado direito. *Lectio divina* também era um rito tanto mental como físico, no qual o monge murmurava as palavras e, por assim dizer, mastigava-as ruminativamente.

O Alcorão, claro, é chamado de "A Recitação". Desde o início, o Profeta utilizou-se da tradição oriental do som sagrado, e o Alcorão registra o extraordinário efeito que teve sobre seus primeiros ouvintes. A recitação corânica é uma importante forma de arte no mundo islâmico. Provoca um estado conhecido como *huzn*, destinado especificamente a dar aos ouvintes o que os cristãos costumavam chamar de "o dom das lágrimas". A tradução mais comum é "tristeza", "pesar" ou "queixume". Como a poesia, a música é intrinsecamente triste e está associada à paixão por justiça e empatia que o Alcorão recomendava com insistência. Mas *huzn* representa também uma atitude bem mais complexa:

> *Huzn* é a consciência da condição humana em face do Criador. Com *huzn* conhecemos a verdadeira humildade, o temor reverencial do divino, a fragilidade e a mortalidade humanas. Essa consciência, e a emoção que ela provoca no recitador, é comunicada através da voz e da arte do recitador, intensificando a sensibilidade dos ouvintes e levando-os às lágrimas.[11]

Quando dizem ter "lido" o Alcorão, os povos ocidentais, é claro, não tiveram nada parecido com essa experiência.

As escrituras jamais transmitiram mensagens claras, inequívocas, ou doutrinas lúcidas, irrefutáveis. Pelo contrário, antes da era moderna a escritura era vista como uma "indicação" que poderia apontar para o inefável. A partir dos rishis, através do ritual dos Brâmanas, aos sábios upanixádicos, os explicadores das escrituras sabiam que estavam tentando expressar "alguma coisa" para além da capacidade da linguagem humana, e só podiam dizer "*Neti... neti*" [Nem isto, nem aquilo]. Só era possível apreender essas verdades mediante o cultivo cuidadoso de um modo diferente de consciência em exercícios físicos, rituais e complexas disciplinas mentais. Até mesmo as escrituras hebraicas, que personificavam o divino, apresentavam Jeová como opaco, desconcertante e inconsistente. É significativo que a imagem de Deus que se incrustou na consciência judaica tenha sido a intrigante visão do divino *kavod* por Ezequiel, que desafiava classificações. Foi isso que inspirou filósofos e místicos judeus a afirmarem que o ser essencial de Deus, que os cabalistas chamavam En Sof ("Sem Fim"), não era sequer mencionado na Bíblia ou no Talmude. No cristianismo, os capadócios, Dionísio e Tomás de Aquino — todos eles sustentaram que a escritura nada nos poderia dizer sobre o que Deus realmente era. No Alcorão, Alá recebe 99 nomes que os muçulmanos recitam como um mantra, mas esses nomes são contraditórios, uns anulando os outros, e, portanto, podem apenas apontar para uma realidade que está além do alcance do discurso.

Consequentemente, a escritura não traz uma mensagem clara e nada tem em comum com as ideias nítidas e distintas que caracterizam *sola ratio*. Às vezes ela até nos força a experimentar o choque da ignorância total. Isso fica claro no *Mahabharata*, que provoca uma vertigem espiritual e conceitual, mas que é, significativamente, uma das escrituras mais populares da Índia. Os budistas maaianas evitavam rigorosamente o essencialismo e produziram um cânone multifacetado demonstrando, com insistência, que os nossos pressupostos mais básicos sobre o mundo eram indefensáveis. Em suas escrituras, os taoistas atacavam violentamente o dogmatismo e a volúpia da certeza que leva as pessoas a se apaixonarem pelas próprias opiniões, porque "o tao que pode ser conhecido não é o Tao eterno". Os *Analectos* incutiram nos chineses uma profunda desconfiança de dogmas lúcidos e formulações rígidas. É impossível encontrar um conjunto de doutrinas arrumadinhas na Bíblia hebraica; e no Novo Testamento não há um evangelho único, mas quatro, cada qual apresentando uma imagem bem diferente de Jesus. Nem o Alcorão produz ensinamentos claros sobre assuntos como a condução da guerra, e os juristas tiveram de recorrer ao próprio "raciocínio independente" quando desenvolveram a jurisprudência (*fiqh*) islâmica. A descoberta dos reformistas protestantes de que não lhes era possível chegar a um acordo sobre o que a escritura dizia a respeito de questões fundamentais como a eucaristia rachou o movimento em seitas conflitantes. No entanto, isso não impediu que monoteístas posteriores fizessem declarações dogmáticas, com frequência agressivas, sobre o que escritura *realmente* quer dizer.

As escrituras puderam esquivar-se desses dogmatismos porque, até recentemente, nunca foram vistas como a Última Palavra; vimos que eram sempre uma obra por terminar. Já na época do Rig Veda, enxertavam-se em escrituras mais antigas textos posteriores com uma visão diferente, porque expressavam novas preocupações. A escritura sempre recorreu ao passado para dar sentido ao presente. Sua mensagem jamais foi esculpida na pedra. Na China, os confucionistas liam as próprias ideias nas palavras de Confúcio; ele era o solo onde plantavam opiniões e reflexões de sua autoria. Na Índia, os sábios upanixádicos reinterpretavam radicalmente a experiência mística dos antigos rishis, e novos escritos vedânticos deram continuidade a esse processo até os dias de hoje. Durante o exílio na Babilônia, um editor, ou grupo de editores, reformulou totalmente as tradições antigas de Israel e de Judá para que elas falassem diretamente à sua condição e deixaram sua marca em quase todos os livros da Bíblia hebraica. Mais tarde, depois da catastrófica destruição do templo, os rabinos desenvolveram a arte do *midrash*, que se afastava deliberadamente da Torá Escrita. Juntaram citações discrepantes para compor uma *horoz* que deu aos textos originais um sentido inteiramente diferente, e até alteraram as palavras da escritura para dotá-las de um significado mais compassivo. Os autores do Novo Testamento saquearam a Torá Escrita para criar sua própria exegese *pesher*, reinterpretando as leis e profecias antigas para que previssem a vida, a morte e a ressurreição de Jesus. Durante quase um milênio, cristãos orientais e ocidentais aplicaram os quatro "sentidos" da Bíblia a cada versículo da escritura, atribuindo-lhe um significado que jamais teria ocorrido aos autores originais. Embora alguns juristas muçulmanos, como Ibn Taymiyyah, tentassem interpretar o Alcorão literalmente, os xiitas desde o início impunham suas próprias crenças esotéricas a certos versículos, e místicos influentes, como o fabuloso erudito Ibn al-Arabi, afirmavam que toda vez que um muçulmano recitava um versículo do Alcorão esse versículo deveria ter para ele um significado diferente.

Diversamente da ciência, a escritura sempre teve uma dimensão moral e era, em essência, uma convocação à ação compassiva, altruística. Seu objetivo não era confirmar o leitor ou ouvinte em suas opiniões firmemente estabelecidas, mas transformá-lo por completo. Como disse Zhu Xi a seus estudantes, não era correto buscar nossas próprias ideias nos textos sagrados e não deveríamos esperar ensinamentos doutrinais atuais claramente enunciados na escritura. A arte da escritura também exigia que ela divulgasse ação positiva, prática; do contrário, seria como um verso com pausa no fim, cujo sentido não se concatena com o verso seguinte, sua dinâmica natural obstruída. Na Índia védica, a ação que a escritura inspirava era um ritual sacrifical destinado a apoiar a frágil ordem cósmica. Na China, o Mandato do Céu insistia com o governante para que ele lidasse compassivamente com a "arraia-miúda". Os confucionistas levaram essa ideia um pouco mais longe, dando ao Mandato significado global. Os rituais que incentivavam o *junzi* a comportar-se empaticamente com as pessoas de sua família deviam ampliar suas simpatias, de modo que sua preocupação se disseminasse em círculos concêntricos até abarcar o mundo inteiro. Os budistas conceberam uma forma de ioga na qual o praticante estendia sua simpatia amorosa a todos os cantos do mundo, até alcançar um estado de perfeita equanimidade e imparcialidade em relação a todas as criaturas. Além disso, o Buda despachou seus monges em viagens pelo mundo para ajudar pessoas sofredoras a lidarem com a dor. Os maaianas acabaram rompendo com os *arahants* que se recolhiam à própria paz interior e descuidavam dos deveres de ação compassiva. Os jainistas viam seus rituais, que expressavam atenção amorosa e reverência para com todas as criaturas, animadas ou inanimadas, como muito mais importantes para suas escrituras canônicas.

Desde o iniciozinho, as tradições monoteístas dedicavam-se ao ideal de justiça social. Os profetas de Israel denunciaram os governantes que desfrutavam de suas riquezas e privilégios, mas ignoravam as dificuldades dos pobres. Jesus fazia questão de que seus seguidores atendessem os necessitados e desprezados, alimentassem os famintos, cuidassem dos doentes e visitassem os presos. As sete epístolas autênticas de Paulo visavam à erradicação da desigualdade, uma vez que em Cristo não havia nem judeu nem gentio, nem escravo nem capataz, nem macho nem fêmea. A caridade, ou o amor, insistia ele, era a mais essencial de todas as virtudes:

> Se eu tivesse o dom da profecia, e conhecesse todos os mistérios que existem, e soubesse tudo, e se tivesse fé a ponto de mover montanhas, mas não tivesse amor, eu nada seria. Se eu distribuísse tudo que possuo, pedaço a pedaço, e se eu deixasse levarem meu corpo para queimar, mas não tivesse amor, nada disso me serviria de nada.[12]

Cristãos que depois escreveram em nome de Paulo tentaram refreá-lo, quando ficou claro que tão cedo Jesus não voltaria para estabelecer uma nova ordem mundial. Como vimos, eles deram as costas às opiniões radicais de Paulo sobre igualdade sexual e recomendaram a seus companheiros cristãos que seguissem os códigos de família greco-romanos, mas a mensagem radical à cristandade jamais foi esquecida e reapareceria na obra de Francisco de Assis e dos chamados "hereges", como os cátaros. A escritura, insistia Agostinho, nada ensina além de caridade; a rigor, ele acreditava que, se vivermos uma vida compassiva dedicada às boas ações, não precisaremos de escritura alguma.

Finalmente, o Alcorão deu aos muçulmanos a missão divina de criar uma sociedade justa e compassiva, na qual a riqueza fosse dividida justamente e os pobres e vulneráveis fossem tratados com respeito. Elemento essencial para a arte da escritura era, portanto, o que os monges da Europa medieval chamavam *intentio*, uma concentração ou "intensidade" de intelecto que os impelia a melhorar o mundo pela prática de ações altruísticas. Como Agostinho comentou, memoravelmente: "Chamo de caridade um movimento da alma para desfrutar Deus por si mesmo, e a mim e a meu próximo por Deus".[13] Talvez o ideal tenha sido expressado ainda mais memoravelmente por Zhang Zai na "Inscrição Ocidental": "Demonstrai afeição pelo órfão e pelo fraco [...]. Mesmo aqueles que estão cansados e enfermos, aleijados ou doentes, aqueles que não têm irmãos ou filhos, esposas ou maridos, são todos meus irmãos em dificuldade".

O "princípio da caridade" certamente sofreu desgaste nos últimos anos, não só no terrorismo salafista, mas também em movimentos como o pré-milenarismo cristão que, explorando o *Schadenfreude* do livro do Apocalipse, espera ansiosamente o Fim dos Tempos, quando cristãos convertidos assistirão com prazer aos tormentos dos seus inimigos a partir de uma posição estratégica no céu. A primeira tentativa moderna de retorno "às fontes" (*ad fontes*) da fé colocou sob suspeita a inventividade progressista da tradicional arte da escritura e inspirou um perverso literalismo bíblico. O Movimento Reconstrução, por exemplo, fundado nos anos 1980 pelo empresário texano Gary North, prega a aplicação de todas as leis bíblicas, com a volta à escravidão, à execução de homossexuais e ao apedrejamento de crianças desobedientes.[14] Esse servil retorno ao passado é também evidente na ideologia wahhabista da Arábia Saudita, que não só ressuscitou os castigos islâmicos do século VII, como também endossou a perseguição de xiitas e sufistas porque apareceram depois da morte do Profeta.[15] Essas práticas, como seria de esperar, estragaram a reputação da religião e da escritura.

Contudo, igualmente preocupante é a privatização da fé, que subverte por completo a *intentio* dinâmica do gênero escritural. A secularização — a separação entre religião e política — poderia ter beneficiado a religião libertando-a da injustiça inerente ao Estado, mas não inspirou uma crítica profética da sociedade. Reduzir a religião a uma "busca privada" parece tê-la subjetivado, ou mesmo banalizado. A arte da escritura destinava-se a ajudar seres humanos a alcançar uma transformação espiritual radical. As pessoas costumavam aspirar à condição de sábio, de Buda ou de divindade; agora, porém, nós nos limitamos a seguir uma dieta, mudar de aparência ou ir às compras. Na sociedade de consumo, observou um sociólogo, "nós nos criamos através de coisas. E nos transformamos mudando nossas coisas".[16] Em vez de extirpar o egoísmo da psique, a ioga tornou-se um exercício aeróbico, ou um meio de aliviar a tensão pessoal e aprimorar a flexibilidade física. A atenção plena, destinada a ensinar *anatta* ("não eu") — que o "eu" que tanto prezamos é ilusório e inexistente — aos budistas, agora é usada para ajudar as pessoas a se sentirem mais centradas e à vontade consigo mesmas. O velho ideal escritural da *kenosis* parece em desuso. Entrevistas em larga escala realizadas em 2002-3 revelaram que a fé predominante entre os adolescentes e muitos pais nos Estados Unidos é uma coisa que os sociólogos chamam de "deísmo terapêutico moralista". O objetivo da religião é fazer as pessoas "se sentirem bem e felizes consigo mesmas e com sua vida" e o trabalho de Deus "é resolver nossos problemas e fazer as pessoas se sentirem bem". Deus é uma espécie de "terapeuta cósmico": sempre de plantão, resolve quaisquer problemas, e ajuda as pessoas a se sentirem melhor consigo mesmas.[17] O Cristo austero dos evangelhos foi substituído por um Jesus que se tornou "meu salvador pessoal" — uma espécie de personal trainer, dedicado ao meu bem-estar individual.

Como mostrou o psiquiatra britânico Iain McGilchrist em seu influente livro *The Master and His Emissary: The Divided Brain and the Making of the Western World* [O mestre e seu mensageiro: O cérebro dividido e a formação do Mundo Ocidental] (2009), o Ocidente moderno cultivou as atividades racionais do hemisfério esquerdo do cérebro tão assiduamente que importantes insights do hemisfério direito foram marginalizados.[18] Consequentemente, a transcendência que era essencial para a arte da escritura já não é buscada nas disciplinas kenóticas tradicionais, mas por vezes é reduzida a um suave encorajamento ou a uma exaltação indisciplinada centrada, como a devoção histérica do Primeiro Grande Despertar, no *eu*. Essenciais para a abordagem tradicional da escritura eram os requisitos do altruísmo e da compaixão, enraizados no hemisfério direito. São qualidades extremamente necessitadas em nosso mundo hoje.

Na origem de muitos dos nossos problemas, globais e nacionais, está uma desigualdade que, apesar das nossas boas intenções, a sociedade moderna tem sido incapaz de amenizar. Isso é evidente no espetáculo horroroso de milhares de migrantes viajando em barcos frágeis, inadequados, da África e do Oriente Médio e morrendo em sua ânsia de chegar à Europa. Em Londres, em junho de 2017, 72 pessoas, entre elas muitos muçulmanos, morreram queimadas em Grenfell Tower, um edifício de apartamentos do governo local, porque o Conselho Administrativo de Kensington e Chelsea, o distrito mais rico da cidade, usou na construção do prédio um revestimento de qualidade inferior e inflamável, e não providenciou equipamento apropriado contra incêndio. Nos Estados Unidos, o país mais rico do mundo, um número perturbador de pessoas ainda não consegue ter assistência médica adequada. Na sociedade agrária, a aristocracia geralmente considerava os camponeses uma espécie inferior, mas pelo menos os via trabalhando nos campos. Mas no Ocidente moderno a maioria de nós jamais vê os operários que fabricam os produtos que somos pressionados a comprar, e que trabalham como escravos em condições precárias, em troca de baixos salários, em países distantes e pobres.[19] Tornamo-nos muito eficientes em bloquear essas verdades inconvenientes, e em não sentir nenhuma responsabilidade moral para com os outros. Essa atitude levou ao maior declínio em participação política e preocupação com igualdade social desde os anos 1960.[20] Apresentadores de TV agora parecem obrigados a avisar aos espectadores que espetáculos do noticiário noturno podem causar desconforto, dando-lhes a oportunidade de fechar os olhos ou mudar de canal para não verem mais imagens aflitivas da guerra da Síria ou do Iêmen. Especializamo-nos em impedir que o sofrimento do mundo afete nossa existência protegida.

A justiça social era essencial para as escrituras monoteístas, e, como quaisquer escrituras, elas insistiam em que a compaixão não ficasse confinada ao nosso próprio grupo. Era preciso ter o que Mozi chamou de *jian ai*, "preocupação por todos": era preciso amar o desconhecido, o estrangeiro, até mesmo o inimigo, e estender a mão para todas as tribos e nações. Criamos um mercado global que nos tornou mais interdependentes do que nunca, mas as pessoas se recolhem em guetos nacionais e fecham os olhos para os problemas do resto do mundo. Isso ficou evidente na votação do Brexit no Reino Unido; na primeira semana depois da votação de 2016, crimes de ódio contra estrangeiros aumentaram 48% em Londres. Também ficou evidente no discurso de posse do presidente Trump em 2017, quando ele prometeu colocar "os Estados Unidos em primeiro lugar". Quando o Muro de Berlim caiu em 1989, pessoas aplaudiram e dançaram na rua, mas durante a campanha eleitoral pessoas davam vivas à perspectiva de um novo muro separando o México dos Estados Unidos.

Parece que *sola ratio* não consegue resolver esses problemas: jamais encontramos uma justificativa puramente racional para os direitos humanos. Apesar de extraordinárias conquistas sociais e culturais, o século XX viu um massacre coletivo atrás de outro: do genocídio de armênios na Primeira Guerra Mundial ao Holocausto nazista, às chacinas na Bósnia. No Ocidente, nós nos orgulhamos de nossa humanidade, mas durante as guerras no Iraque e no Afeganistão, apesar de prantearmos devidamente nossos próprios soldados que morreram no conflito, não houve nenhum clamor sustentado contra o número inaceitavelmente alto de baixas civis — pessoas comuns que simplesmente estavam no lugar errado na hora errada. Demos, pois, a impressão de que consideramos algumas vidas mais valiosas do que outras. Diante da crescente onda de violência e terrorismo, que indica que o Estado perdeu o monopólio da violência, essa atitude já não se sustenta.

O fato de em todas as tradições examinadas, apesar de suas notáveis e interessantes diferenças, a arte da escritura ter sido tão parecida sugere que ela nos diz algo importante sobre a condição humana. Nenhuma das tradições escriturais que examinamos foi capaz de erradicar a violência sistêmica do Estado agrário, mas elas ofereceram um ideal alternativo, atuando como "lembrete" (*dhikr*) contínuo do que deveria ser feito. A ideia da compaixão faz parte da nossa neurologia, mas as escrituras que estudamos estavam cientes de que atitudes como reverência pelos demais e respeito até pelo desconhecido ou pelo inimigo não eram fáceis de adquirir; precisavam ser assiduamente cultivadas, pelos rituais e pelas práticas que examinamos neste livro. Todas elas insistiam, cada uma à sua maneira, no núcleo divino de cada ser humano e afirmavam que mesmo o homem da rua poderia alcançar a "deificação" ou tornar-se um sábio como Yao e Shun. Se uma ideologia secular não consegue oferecer base lógica para os direitos humanos, o ideal escritural precisa ser urgentemente reafirmado, de um jeito que faça sentido para o mundo moderno. No passado, a escritura não voltava servilmente às fontes, mas seguia em frente criativamente, para enfrentar novos desafios. A não ser que nossas tradições possam atender a essa urgente necessidade, estamos tornando nossas escrituras irrelevantes — incapazes de tratar das grandes questões do momento.

Distintos teólogos tentaram, é claro, resolver essas questões. O filósofo judeu Martin Buber (1878-1965) foi profundamente influenciado pela espiritualidade e pelos rituais do hassidismo, e seus escritos teológicos sempre ressaltaram o imediatismo da presença divina na escritura.[21] Ele afirmava que a Bíblia era realmente uma voz viva, mais do que um livro. É por isso que, durante séculos, os judeus chamaram escritura de *miqra* ("convocação"). O trabalho do exegeta, portanto, era penetrar no texto escrito da Bíblia e ouvir o que Buber chamava de "falação" (*Gesprochenheit*); afinal, a Bíblia consistia numa série de encontros humanos com o divino. Quando Deus chamava Abraão, Moisés ou qualquer outro profeta, eles geralmente respondiam "*Hinneni!*" ("Estou aqui!"), declarando que estavam totalmente presentes, prontos e atentos. Os leitores de hoje precisam estar igualmente focados, prestando atenção à recorrência de palavras e frases, e atentos aos ritmos do discurso divino. Dessa maneira, eles também ficarão cientes da presença que se revela a seres humanos em novas formas a cada momento. Buber rejeitava a ideia de que a revelação divina tivesse ocorrido de uma vez por todas no passado distante, ou estivesse apenas transmitindo doutrinas teóricas. Ao falar na Sarça Ardente, Deus revelou o nome divino: *ehyeh asher ehyeh*: Ele era o "que estaria lá quando estivesse lá". A revelação do Sinai também, insistia Buber, tinha sido uma exposição da presença divina, mais do que uma lei.

Depois do Holocausto, Buber recomendou aos judeus que ficassem persistentemente cientes do significado dessa Presença tal como estava registrado na Bíblia, de maneira que, depois daquele horror, pudessem mais uma vez reconhecer o Deus que era a fonte de tudo — tanto do bem como do mal. Esse Deus não poderia ser apreendido cognitivamente à maneira do hemisfério esquerdo do cérebro; essa percepção requer a visão holística do direito, na qual o bem e o mal podem estar fundidos de um jeito indescritível. Buber fazia distinção entre o que chamava de humanismo bíblico e o seu equivalente ocidental moderno: o bíblico não tentava "elevar o indivíduo acima dos problemas do momento". Em vez disso, procurava "treiná-lo para aguentar firmemente neles — para provar a si mesmo neles". Era preciso que os judeus, afirmava ele, não tentassem "fugir deles para um mundo de logos, de forma perfeita!".[22]

Buber ressaltava que, durante os anos no deserto, a tensão entre Moisés e seu povo, que ainda ansiava pelos esplendores do Egito, tinha suas raízes no desejo de um Deus mais controlável. Enquanto "Israel" servia ao Deus de um futuro aberto, o "Egito" era mais conservador, adorando ídolos criados à imagem e semelhança de seres humanos. A escritura não oferecia certeza dogmática, mas, durante um período de horrores tão trágicos, possibilitava aos leitores adquirir uma nova compreensão da presença de Deus na história e inspirar uma erudição mais comprometida com as tarefas e os desafios da época. Buber estava convencido de que a luta para descobrir o divino nos terrores da história levaria a uma transformação pessoal. Como todo grande *midrash*, sua exegese conduzia os leitores para além do texto, e para uma vida de sombrios enigmas. Como diz uma velha máxima rabínica: "O estudo abstrato de textos à la *midrash* não é o principal, mas sim a transformação desses textos, através do *midrash*, em fontes de poder para a renovação da vida pessoal e interpessoal".[23]

Hans Frei (1922-88), convertido do judaísmo que se tornou sacerdote episcopal e professor de teologia em Yale, dizia que no mundo pré-crítico, embora as escrituras fossem vistas — no sentido pré-moderno — como históricas, leitores sempre buscaram nelas algo além dos textos que lhes permitisse lidar com as questões do momento.[24] Orígenes, Agostinho e Tomás de Aquino tinham avaliado acontecimentos de sua época segundo refletissem negativa ou positivamente modelos estabelecidos na escritura. Mas, durante o Iluminismo, as narrativas bíblicas começaram a ser lidas como história no sentido moderno. As pessoas esqueceram que elas foram escritas como contos que apenas "pareciam história" e passaram a considerá-las relatos inteiramente factuais; consequentemente, para alguns elas se tornaram inverossímeis. Mas, argumentava Frei, a pessoa de Jesus deveria estabelecer a norma pela qual os cristãos julgam o mundo e os acontecimentos da sua época. Cristo certamente foi uma figura histórica, mas seu valor religioso não vinha apenas do fato de um dia ter existido; ele só se tornava factual quando encarnado em nossa vida diária.

Os cristãos, portanto, tinham uma missão dupla. Precisavam ler os evangelhos e seus contos que pareciam história com toda a argúcia crítica, literária e histórica de que pudessem dispor. Também deviam ler e interpretar sua própria época com toda a sensibilidade histórica, sociológica e cultural de que fossem capazes. Como Buber, Frei acreditava que a Bíblia deveria ser lida juntamente com uma interpretação crítica das últimas notícias. Isso não tinha que ser uma disciplina complicada, hermeneuticamente obscura. Significava apenas que a Bíblia e o jornal deveriam, por assim dizer, ser postos lado a lado.

A política e a Bíblia deveriam coexistir numa relação simbiótica, sustentava Frei, o que evitaria que as escrituras se tornassem um instrumento conveniente para as instituições clericais e políticas. Em vez de respaldar suas alegações, a escritura deveria exigir do establishment uma prestação de contas, porque os evangelhos eram essencialmente subversivos. Os ensinamentos de Jesus tinham inspirado esperanças e expectativas nas multidões que o seguiam, que foram esmagadas, mas reconstituídas por sua ressurreição. As ideias dissidentes dos evangelhos — sobre Deus, justiça, igualdade, compaixão e sofrimento — precisavam ser aplicadas a nossas circunstâncias mundanas. Isso, é claro, não seria possível conseguir numa leitura única e superficial; só poderia ser resultado de um processo contínuo no qual os leitores alterassem diariamente sua compreensão de si mesmos e do mundo em que viviam — e agissem da maneira adequada.

O teólogo norte-americano George Lindbeck (1923-2018) chegou a conclusão parecida.[25] Nas tradições monoteístas — as "religiões do Livro" — o texto sagrado é paradigmático, mas, afirmava ele, isso só é um problema se o distinguirmos radicalmente de outros clássicos literários. Desde a revolução da imprensa e a difusão da alfabetização, nosso mundo interno tem sido criado por fragmentos de textos diferentes, que coexistem em nossa mente, um fazendo ressalvas aos outros. Nosso universo moral é, portanto, moldado por *Rei Lear*, *Middlemarch* e *Guerra e paz*, bem como pela Bíblia. Esses clássicos também permeiam nossa imaginação e influem na nossa experiência do mundo, de modo que, seja qual for a nossa religião, temos uma perspectiva multitextual da realidade. Mas para aqueles que estimam de fato seus textos sagrados, a Bíblia ou o Alcorão fornecem uma estrutura interpretativa total e confiável. Agostinho, por exemplo, lutava (nem sempre com êxito) para abranger os escritos de Platão e desastres políticos como a Queda de Roma dentro de uma perspectiva bíblica. Tomás de Aquino tentou coisa parecida com o aristotelismo, afirmando que a tarefa do intérprete era ampliar o significado da escritura, para que pudesse abarcar toda a realidade.[26] Houve projetos parecidos no islã, no budismo e nas tradições hindus.

Devido à sua distinta tradição de tipologia bíblica, o cristianismo foi mais longe. Os cristãos não só tentaram incorporar as escrituras hebraicas ao Novo Testamento, como as ampliaram para cobrir acontecimentos do momento. O rei Davi, além de tornar-se uma espécie de Cristo, passou a ser visto como um protótipo de Carlos Magno que, por sua vez, serviu de modelo para futuros reis europeus, como Carlos v. Dessa maneira, em vez de traduzir ensinamentos escriturais em realidades extraescriturais, a teologia reinterpreta a realidade de acordo com categorias escriturais. Mas no Ocidente tem-se verificado um afastamento gradual da alegorização, e uma tendência crescente a valorizar o sentido literal da Bíblia, bem como uma ênfase na intertextualidade — uma passagem da escritura sendo interpretada por outras passagens bíblicas. Com o avanço da mentalidade iluminista, a velha exegese tipológica entrou em colapso sob a influência de métodos racionalistas, científicos, pietistas e histórico-críticos, e a escritura deixou de ser a lupa pela qual teólogos interpretavam seu mundo. Em vez de a Bíblia iluminar o mundo, o mundo é que explicava a Bíblia. A escritura tornara-se, ela própria, tópico de estudo e métodos tradicionais de interpretação foram substituídos pela exegese que priorizava a facticidade. Isso resultou não só no doentio literalismo do fundamentalismo, mas também no ceticismo generalizado.

Como alternativa, concluiu Lindbeck, a Bíblia deveria ser lida literariamente, com cada texto interpretado de maneira compatível com o gênero literário. O primeiro capítulo do Gênesis, por exemplo, não deveria ser lido como um relato científico das origens da vida; o Levítico, um texto jurídico, não deveria merecer uma interpretação inteiramente mística; e não se deveria atribuir ao Evangelho de João a pretensão de contar uma história verídica. Os cristãos não deveriam usar como modelo o Cristo reconstruído pelo método histórico-crítico, mas o Jesus apresentado no gênero distinto de cada evangelho. A Bíblia inteira é unificada pelo que chamamos de "Deus", mas ela jamais tenta uma descrição da essência de Deus, como certa teologia moderna tentou. A Bíblia, explicava Frei, pode ser lida "como se fosse história", apesar de não tentar ser "possivelmente história".

Nossa interpretação da escritura, afirmava Lindbeck, precisa ser inovadora. No passado, como vimos, as escrituras eram alteradas e interpretadas dramaticamente, para atender às novas condições. Lindbeck estava convencido de que deveríamos dar continuidade a essa tradição, mas isso requer habilidades intelectuais que vão de encontro à moderna reverência acadêmica à integridade do texto original. Mas, a não ser que usemos nossa criatividade para que a escritura nos ajude a enfrentar nossos problemas atuais, ela não resistirá ao teste da passagem do tempo. Perguntas difíceis precisam ser feitas. De que maneira a visão cristã tradicional do "Velho Testamento" como meramente subordinado ao Novo afeta as relações entre judeus e cristãos? De que maneira a alegação de que Cristo é a revelação definitiva de Deus impede que os cristãos compreendam o Alcorão? O que o Sinai ou o Calvário tem a dizer em face do Holocausto ou do massacre de armênios e bósnios? Como poderiam os escrituralistas trazer normas bíblicas para o mundo moderno, como o fizeram no passado? "Uma condição para a vitalidade dessas tradições", concluiu Lindbeck, "é que elas redescrevam, em seus próprios e distintos idiomas, os novos mundos social e intelectual em que seus partidários de fato vivem e para os quais a humanidade inteira agora se dirige."[27]

O romancista alemão Thomas Mann (1875-1955) também achava que a escritura precisava ser alterada para falar ao mundo contemporâneo. Sua resposta à ascensão de Hitler e à Segunda Guerra Mundial foi uma série de quatro romances baseados na história bíblica de José, o bisneto de Abraão, publicados entre 1934 e 1944. Escreveu *As histórias de Jacó* e boa parte de *O jovem José* na Alemanha, *José no Egito* na Suíça e *José, o Provedor* no exílio na Califórnia. Mann sabia que a religião é uma forma de arte e apresenta José como um artista profundamente religioso, mas também política e socialmente engajado. Numa palestra na Biblioteca do Congresso em Washington pouco antes do fim da guerra, Mann afirmou que, enquanto antes era possível separar as esferas "puramente estética", "puramente filosófica" e "puramente religiosa" da vida política, isso agora seria inviável, uma vez que, depois dos horrendos conflitos dos últimos cinquenta anos, a humanidade ansiava por "um mundo de totalidade, de unidade espiritual e de responsabilidade coletiva". Ele estava convencido de que o mundo "quer se tornar um só, sem reservas, na realidade prática, incluindo até mesmo questões econômicas".[28]

A história de José é uma das mais conhecidas da Bíblia, quanto mais não seja graças ao famoso musical. No livro do Gênesis, o jovem José, filho da amada Raquel, esposa de Jacó, era o favorito do pai e hostilizado pelos dez filhos ressentidos de Lea, esposa não tão amada de Jacó, e de suas concubinas. José agrava a situação gabando-se, pouco diplomaticamente, de seus sonhos de grandeza futura, e os irmãos resolvem se livrar dele. Enquanto cuidavam de seus rebanhos longe de casa, rasgam a famosa túnica multicolorida de José, jogam-no dentro de um poço e lá o abandonam, contando ao angustiado Jacó que seu filho amado tinha sido morto por uma fera.[29] Rúben, o primogênito de Jacó, volta para buscar José, mas o poço está vazio, porque ele tinha sido resgatado por mercadores árabes e levado para o Egito, onde foi vendido para Potifar, um dos funcionários do faraó. Graças a seu carisma, José alcança posição importante na casa e resiste às seduções da mulher de Potifar, que manda atirá-lo na prisão. Lá também ele ganha a confiança dos carcereiros e conquista sua liberdade graças à sua habilidade para interpretar os sonhos do faraó. Solto, torna-se grão-vizir do Egito por ter encontrado uma astuta solução para o problema de iminente epidemia de fome. Anos depois, volta a encontrar os irmãos, quando a fome os obriga a ir comprar grãos no Egito, e habilmente providencia uma reconciliação.

Enquanto teólogos e fundamentalistas liam a Bíblia com um literalismo inédito, Mann, o artista, compreendeu seu apelo místico. Em vários estágios da vida, acreditava ele, temos um foco diferente e, com a idade, "o humano, o eternamente recorrente, o atemporal — em suma, o mítico — avança para o primeiro plano".[30] Seu célebre romance *A montanha mágica* (1924), ambientado num sanatório suíço, era, dizia ele, uma versão moderna do mito arquetípico da missão heroica.[31] Hans Castorp, o herói do romance, na verdade está à procura do mítico Santo Graal, o símbolo de "conhecimento, sabedoria e devoção" que dá sentido à vida; e o sanatório era "um santuário de ritos de iniciação, um lugar de investigação aventurosa do mistério da vida". Mas enquanto o herói mítico tradicional sofre sua provação em benefício da sociedade, Castorp estava empenhado numa missão solipsista, parasítica e em última análise sem sentido.[32] Mann também via a história bíblica de José como um mito, que refletia preocupações contemporâneas. O Deus monoteístico sempre se manifestara em acontecimentos históricos; portanto, para Mann — como para Buber, Frei e Lindbeck, e igualmente para Fazlur Rahman ou Khaled Abou El Fadl —, "religiosidade" exige uma aguda atenção às mudanças que ocorrem na sociedade, porque "a preocupação com Deus" não é uma busca privada do divino, mas uma "escuta inteligente do que o espírito universal quer".[33]

Nessa época, porém, além de ser visto como meramente fictício, o mito também se tornara profundamente suspeito, desde que *O mito do século XX* (1930), de Alfred Rosenberg, apresentara as doutrinas nazistas radicais que mais tarde seriam postas em prática no leste da Europa. Enquanto Mann escrevia sua tetralogia, importantes teólogos cristãos tentavam limpar a escritura dos mitos: em seu *Novo Testamento e mitologia* (1941), Rudolf Bultmann tinha proposto a desmitologização da escritura, argumentando que era impossível para pessoas que usavam a luz elétrica e a medicina moderna acreditarem nos mitos de outras eras. Mann se sentira inspirado e intrigado pelo uso criativo da mitologia por Sigmund Freud na nova ciência da psicanálise, mas em 1939 Freud publicou *Moisés e o monoteísmo*, uma nova versão da história bíblica do Êxodo, que, como a tetralogia de Mann, também era ambientada parcialmente no Egito antigo. Freud tinha sugerido, polemicamente, que Moisés não era de ascendência hebraica, e tinha sido um seguidor egípcio do faraó Amenhotep IV, conhecido como Akenaton (*c.* 1352-1338 a.C.), que tentara impor o culto monoteísta do deus sol Aton-Re como única religião do Egito. Após a morte de Akenaton, segundo Freud, Moisés conduzira um pequeno grupo de seguidores para o deserto, mas eles se rebelaram e o mataram, transmitindo a culpa herdada do seu "pecado original" a futuros monoteístas.

O mito de Mann é mais positivo. No terceiro volume da sua tetralogia, José chega ao Egito durante o reinado de Akenaton, período de violento conflito religioso e político, pois havia forte resistência às reformas religiosas do faraó. Mann descreveu a oposição a Akenaton como uma réplica do movimento nazista. Como a Alemanha da sua época, o Egito é apresentado ao mesmo tempo como progressista e profundamente reacionário. A teologia de Bechnechous, o sumo sacerdote que lidera a oposição, é tão conservadora que beira o arcaico. Ele chega a usar trajes francos e uma pele de tigre, combinando sua fanática adulação de glórias passadas com um insaciável apetite pelo poder. Como os nazistas, ele se apega à visão romântica de um passado que já não seria viável, e sua ideologia nasce de um nacionalismo apaixonado imbuído de evidente racismo. Exige submissão incondicional aos rituais dos velhos cultos, mas ignora deliberadamente sua atmosfera moral. Bechnechous é a versão aristocrática desse nacionalismo pernicioso. Em vez de escutar o "espírito universal", seu objetivo é uma restauração compulsória do passado. O anão Duda representa a vertente populista do fascismo, dando voz às mesmas ideias; porém, com mais crueza — insistindo, por exemplo, para que José coma separadamente dos servos egípcios de Potifar. Pesquisa recente revelou que o romance de Mann corresponde estreitamente à reação nazista contra a República de Weimar.[34]

Contudo, embora Mann criticasse a política de sua época, o tema da transformação pessoal também é importantíssimo para os romances de José, que descrevem a transição de José de uma consciência arcaica para um senso moderno do eu. O narrador ficcional da tetralogia, que comenta a ação o tempo todo, explica que nas sociedades antigas governadas por mitos a individualidade era dominada pelo coletivo. Em vez de seguir uma nova trajetória por conta própria, as pessoas procuravam repetir histórias míticas e se definiam inteiramente pelo papel mítico que lhes era atribuído. Somos apresentados a essa mentalidade arcaica em Eliezer, o jovem professor de José, que, quando narra as façanhas de Abraão no passado distante, fala, inconscientemente, na primeira pessoa do singular, apresentando-se como ativo participante dessas histórias, para ele uma realidade presente, viva, e não uma série de acontecimentos históricos remotos. Enquanto escuta as histórias de Eliezer, José percebe que o velho carece de um senso definido de identidade:

> Em resumo, ele era uma instituição [...] e quando o jovem José se sentou na hora na aula [...] e o menino [...] mirou a face do seu velho professor que "era parecido com" Abraão e sabia dizer "eu" de um jeito tão amplo e majestoso, estranhos pensamentos e sentimentos devem ter passado por aquela jovem cabeça [...]. Seus belos e adoráveis olhos fixaram-se na figura do narrador; mas olhava através dele para uma perspectiva infinita de figuras de Eliezer, todas dizendo "eu" pela boca da manifestação presente [...] e a série de identidades se perdeu não em treva, mas em luz.[35]

Nessa fase inicial do desenvolvimento humano, ao que parece, homens e mulheres ainda não tinham desenvolvido plenamente as aptidões analíticas do hemisfério esquerdo, e desfrutavam de uma visão holística, mítica, na qual eventos do passado ainda sucediam o tempo todo. O romance exige que entremos nesses modos passados de pensamento e em *As histórias de Jacó*, o primeiro volume da tetralogia, Mann mostra como essa mentalidade arcaica operava na vida de Abraão, Isaac, Esaú, Jacó e seu tio Labão, nos quais o eu é relativizado pela identidade múltipla da consciência mítica.[36]

O jovem José certamente compartilha essa mentalidade, mas é também um artista em fase de desenvolvimento, como vemos pelas elaboradas histórias que conta aos irmãos. Mas, ao ser expulso do grupo, é brutalmente impelido para um despertar súbito e, pela primeira vez, quando se senta abandonado no poço, fala de si mesmo como "eu". E quando viaja com os árabes para o Egito, começa a sentir-se recém-nascido e nós o vemos ser tomado por uma preocupante presunção, comparando-se a deuses como Osíris/Adônis, o senhor egípcio do mundo dos mortos. Cada vez mais se orgulha do seu papel romântico, assumindo o papel de herói mítico dos acontecimentos. Apresenta-se a Potifar, com graciosa presunção, como uma figura salvadora — e nessa cena o narrador chega a compará-lo a Cristo. Esse narcisismo incipiente é perigoso e José claramente marcha para a própria ruína. Seu ego é lisonjeado pelas propostas amorosas de Mut-em-emenet, a mulher de Potifar, e arrogantemente ignora o conselho do sábio anão Gottlieb, que adverte que nem mesmo o grande Gilgámesh foi capaz de resistir às seduções da deusa Ishtar. Obstinadamente, José, ainda em sua atitude de salvador, faz o possível para se encontrar com Mut e trazê-la de volta ao bom caminho. Mas o corpo responde a ela sexualmente, e sua virtude só é salva no último minuto, quando

> Ele viu o rosto do pai [...]. Não uma imagem de feições firmes e pessoais vista em algum lugar da sala. Na verdade, ele o viu com os olhos da mente — a imagem do Pai num sentido amplo e geral.[37]

Ao contrário da figura paterna da psicologia freudiana, Jacó não é um tirano castrador, mas o compassivo redentor da identidade de José e parte essencial de sua autoimagem.[38] O ego em desenvolvimento não pode descartar o legado cultural de mitos, simbolizado por Jacó, que está profundamente enraizado na personalidade humana.

José tinha aprendido sua lição. Sofre uma segunda morte simbólica ao ser jogado numa prisão egípcia, mas já não se apresenta como o salvador invencível, nem assume papéis arquetípicos que o caracterizam como maior do que parece. Passou por uma *kenosis*. José ainda é o artista — como fica evidente na criativa interpretação dos sonhos do faraó que garante sua liberdade —, mas, como grão-vizir do Egito, combina mito e logos, tornando-se um competente economista e reconquistando seu equilíbrio na responsabilidade social. É capaz de assimilar a cultura egípcia, mantendo sua herança mítica hebraica. Casa com uma mulher egípcia e chega a ser um sacerdote de Aton-Re, enfatizando a natureza universal do monoteísmo judaico — seu Deus está presente em todos os deuses — e não sua exclusividade para se justificar a si mesmo.

Mann nos conta muitas histórias na tetralogia, mas não há histórias a respeito de Deus, porque, como o narrador deixa claro, Deus não é um ser.[39] Deus estava no fogo, mas não era o fogo; "Estava no espaço em que o mundo existia; mas o mundo não era o espaço em que existia".[40] Era imanente e transcendente, desafiando classificações humanas. Abraão, ficamos sabendo, tinha descoberto Deus tornando-se cada vez mais ciente das limitações das divindades tradicionais, e afirmou que só serviria ao mais alto. Dessa maneira, como explica o narrador, Abraão tinha inventado a ideia humana de Deus, que não poderia estar à altura da própria realidade:

> de certa forma, Abraão é pai de Deus. Ele o havia percebido e pensado para fazê-lo existir. As grandiosas propriedades que lhe atribuiu eram provavelmente propriedades originais de Deus. Abraão não foi seu criador, mas no fim das contas, em certo sentido, não o foi, quando as reconheceu, pregou, e, pensando nelas, tornou-as reais?[41]

Vimos que teólogos e filósofos sustentam de há muito que nossa ideia de Deus é inteiramente distinta da própria realidade incognoscível e tem pouca relação com ela. Conhecemos apenas o "Deus" que criamos para nós mesmos e deveríamos ter presente que o que chamamos "Deus" é sempre maior do que somos capazes de conceber. Mann descreve Deus como parte de uma profunda dimensão da personalidade humana.[42] "As poderosas propriedades eram de fato uma coisa fora de Abraão, mas ao mesmo tempo estavam nele e eram dele. O poder de sua própria alma era, em certos momentos, difícil de distinguir delas."[43] Nosso cérebro, como sabemos agora, só pode nos apresentar uma representação da realidade que nos cerca — não a própria realidade — e isso inclui o divino. Como diz Bede Griffiths, o ser humano é um microcosmo no qual o macrocosmo está presente como holograma. Mann, o romancista, compreendeu o que muitos teólogos contemporâneos seus aparentemente tinham esquecido. Abraão, explica o narrador para o leitor, tinha feito uma boa ação — para Deus, para si mesmo e para os que o escutavam. Tinha "preparado a maneira de percebê-lo na mente do homem [...]. Pensando Nele, ele O fizera existir na mente humana".[44]

Em 1944, Mann estava convencido de que, depois das tragédias que testemunhara, as pessoas ansiavam por totalidade — por uma unidade que ele descreve na reconciliação entre José e seus irmãos. Ali ele segue a história bíblica, bem de perto, mas cuidadosamente apresenta José como artista, que está conduzindo, conscientemente, um psicodrama de sua própria autoria, submetendo seus perplexos e aterrorizados irmãos, que não haviam reconhecido o irmãozinho na temível figura do grão-vizir, a uma série de provações. Eles foram jogados na prisão; alguns feitos reféns, obrigados a ficar viajando entre Canaã e o Egito, e acusados de roubo. Trata-se de um *musterion* ritualizado, como os mistérios de Elêusis que impeliam os iniciados, os *mustai*, a um modo diferente de pensamento e insight. José está criando um drama ritualizado, a fim de tornar os irmãos plenamente conscientes de seus crimes e, com isso, atingirem um novo estado mental, sendo seu objetivo uma transformação profunda e duradoura. José repetidamente se apresenta ao leitor como "poeta", projetando e coreografando cuidadosamente o drama nos mínimos detalhes, envolvendo servos no jogo sagrado, até o ato final, a "cena de transformação" quando revela sua identidade aos atônitos *mustai*.

Na história bíblica, os irmãos de José ficam perplexos quando finalmente descobrem quem ele é. Não há gritos de alegria, de reconhecimento, ou de alívio. O atônito silêncio dos irmãos, numa narrativa bíblica em que o diálogo assumiu inusitada importância, é significativo. Os autores do Gênesis nos deixam a clara impressão de que a reconciliação foi unilateral. A família está aparentemente reunida e Jacó é convencido a estabelecer-se no Egito, mas quando o pai morre, dezessete anos depois, os irmãos ainda sentem medo: "Será que José ainda guarda rancor contra nós e se vingará de todo o mal que lhe fizemos?".[45] O mesmo é verdade nos romances de José. Mann era um realista. O "espírito universal" talvez ansiasse pela paz quando a guerra terminava, mas ele sabia que, depois de décadas de terror, ódio e morte em grande escala, a reconciliação seria difícil.

Na tetralogia, Jacó, em seu leito de morte, abençoa cada um dos filhos. Aqui também, como no Gênesis, apesar do amor de Jacó por José, ele designa o filho Judá como herdeiro e líder do Povo Eleito: os leitores de Mann sabem que um dos descendentes de Judá seria o rei Davi, ancestral de Jesus. José, no entanto, continua sendo o favorito de Jacó, apesar de reconhecer que os talentos artísticos de José não são da mais alta qualidade: "É uma graciosa bênção, mas não a mais alta, a mais séria... Brincadeira, e brincadeira é o que era, familiar, amistosa, um charme, quase a salvação, mas apesar disso não uma vocação verdadeiramente séria, um dom". Mas as palavras de Jacó, quando abençoa José, evocam a unificação que Mann deseja para o mundo: "Sê abençoado, como és abençoado, com a bênção do céu lá no alto, bênçãos do abismo que está embaixo, com bênçãos que jorram do seio do céu e do útero da terra!".[46] Isso é uma referência deliberada ao início da tetralogia, quando, discutindo um antigo mito gnóstico da queda da humanidade, o narrador conclui que a redenção talvez esteja na penetração recíproca de céu e terra, na santificação de um pelo outro.[47] No fim da tetralogia, é José, o artista, que personifica essa bênção. José não é o favorito apenas de Jacó, mas de Mann também, porque Mann estava convencido de que só pelo veículo transmissor da arte a religião — definida por Mann como uma preocupação sensível e empática com a situação do mundo — poderia ser revelada e aceita como base da cultura.[48]

Como no Gênesis, depois da morte de Jacó os irmãos de José ainda desconfiam dele, mas José explica que todos — tanto ele como os irmãos — simplesmente tomaram parte na "peça de Deus", cada qual com o papel que lhe foi atribuído no desenrolar da narrativa. Eles agora precisam olhar para o futuro: "Assim lhes falou, e eles riram e choraram juntos, e estenderam as mãos para ele que estava no meio deles, e o tocaram, e ele também lhes fez carícias com as mãos".[49] A tetralogia termina com uma promissora imagem humana de reconciliação definitiva, mas, como infelizmente sabemos hoje, as esperanças de Mann sobre a unidade mundial não se materializaram.

Mais recentemente, o romancista israelense David Grossman fez uma escritura que, à primeira vista, é pouco promissora e fala de alguns dos conflitos aparentemente intratáveis da nossa época em sua novela *Mel de leão: O mito de Sansão* (2005). Ambientada nos primeiríssimos anos da história israelita, quando as tribos ainda viviam nos planaltos cananeus, a fábula de Sansão ocupa apenas três capítulos do livro dos Juízes. Ele é divina e milagrosamente concebido por uma mulher estéril para salvar os israelitas dos filisteus, que assolam impiedosamente os assentamentos com suas armas avançadas. Nazarita desde que nasceu — tendo jurado abster-se de vinho e de cortar o cabelo —, Sansão é homem de imensa força física e de fato inflige severas baixas entre os filisteus, ao mesmo tempo que se sentia misteriosamente atraído por eles. Chega a procurar mulheres filisteias em vez de estabelecer-se com uma boa moça israelita. Uma dessas mulheres é a famosa sedutora Dalila, que corta seu cabelo, fonte da sua força física, enquanto ele dorme. Os filisteus amarram o agora enfraquecido Sansão, furam-lhe os olhos e o obrigam a trabalhar num moinho em Gaza, mas, quando o cabelo volta a crescer, ele derruba o templo do deus Dagom, que estava repleto de líderes filisteus, empurrando as colunas: "'Que eu morra com os filisteus!' Então empurrou com toda a força e o edifício desabou sobre o povo que ali estava. Na morte, matou mais do que em toda a sua vida".[50]

Sansão é um herói pouco atraente e improvável. Suas ações parecem arbitrárias, nunca são explicadas, e ele próprio parece que é só força bruta, um homem sem cérebro, e quase autista. Mas, com habilidade consumada, Grossman o transforma num herói trágico de excepcional páthos — com muito mais êxito do que Milton em *Samson Agonistes*. Habilidoso midrashista, Grossman interroga cada versículo do conciso relato bíblico, lendo nas entrelinhas, exatamente como os rabinos. Explora em detalhes minuciosos e compreensivos o terror dos aturdidos pais de Sansão quando seu nascimento é anunciado por um "anjo do Senhor" um tanto repulsivo, concluindo, com lancinante intuição, que talvez o temor deles "seja também um temor da criança ainda não nascida, o filho pelo qual tinham esperado, e rezado, e que mesmo agora está cercado não apenas de líquido amniótico, mas de uma impenetrável membrana de enigma e ameaça".[51]

É a tragédia de um homem que — e aqui Grossman não deixa Deus se safar incólume — simplesmente não tinha estatura para cumprir a tarefa para a qual foi criado. Grossman observa que a Bíblia nada nos diz sobre a vida interior de Sansão, sobre sua educação, ou a "absoluta solidão"[52] de um homem que é afastado de seus pares pela corpulência e pela força e é visto pelos pais como um mistério assustador. Sansão cresce num vácuo de solidão, formando uma identidade "esquiva, difícil de definir, repleta de contradições, lendária, miraculosa". E é talvez por isso, sugere Grossman, que ele não se cansa de andar atrás de mulheres em Gaza, "para se esfregar em outro ser que lhe é totalmente desconhecido".[53]

Grossman cita outros que também ficaram intrigados com o enigma de Sansão, figura que fascina pintores (Rembrandt, Doré e Van Dyck), escritores

(Josefo, Jabotinsky e Rilke) e psiquiatras. Mas não se trata aqui de uma simples exploração do passado: Grossman mostra que essa escritura antiga ainda fala diretamente para o nosso próprio mundo. Ele nota, por exemplo, a ambivalente imagem de Sansão na tradição judaica, que às vezes o condena por sua agressão, seu comportamento rude e suas relações com mulheres *goyische*, mas também o cultua como herói nacional. Talvez seja assim, sugere Grossman, porque Sansão expressa prolepticamente qualidades que são judaicas por excelência, resultantes de anos de proscrição e perseguição: "solidão e isolamento, a forte necessidade de preservar sua alteridade e seu mistério, mas também o imenso desejo de misturar-se e integrar-se com gentios".[54] Durante séculos de fraqueza imposta, os judeus também se orgulhavam da força física de Sansão, de sua valentia e virilidade, bem como de "sua habilidade para aplicar a força sem restrições ou inibições morais".[55] Mas Grossman também se pergunta se não existiria "certa qualidade problemática na soberania israelense, que também está encarnada nas relações de Sansão com sua própria força", e sugere que "o considerável poderio militar israelense é uma vantagem que se torna obstáculo [...] que não foi interiorizada na consciência israelense".[56] Isso, sugere Grossman, pode levar não apenas à transformação do poder num fim em si mesmo, mas também "à tendência a recorrer quase automaticamente ao uso da força, em vez de refletir sobre outras maneiras de agir" — formas de comportamento muito "sansônicas".[57]

Quando contempla a morte heroica de Sansão, Grossman observa, finalmente, que "na câmara de eco do nosso tempo e lugar não há como evitar o pensamento de que Sansão foi, em certo sentido, o primeiro assassino/suicida". Apesar de suas circunstâncias parecerem diferentes das circunstâncias das pessoas inspiradas a cometerem atrocidades terroristas em nosso tempo, conclui Grossman, "pode ser que o próprio ato tenha estabelecido na consciência humana um jeito de matar e vingar-se envolvendo vítimas inocentes, que tem sido aperfeiçoado nos últimos anos".[58] Está claro também que a história pessoal de Sansão, de proscrição, de viver numa sociedade profundamente ameaçada, de humilhação, por assim dizer de castração, de desejo de vingança, tortura e escravização — tudo isso desembocando em matança coletiva — tem relação direta com uma das mais graves situações da nossa época.

Mas o *midrash* de Grossman é também especialmente relevante para a questão que nos preocupa ao longo deste livro — a arte da interpretação escritural. Há uma história estranhíssima, que para muitos leitores parece uma curiosa trivialidade. Sansão se apaixonou por sua primeira mulher filisteia e inicia, com os pais, os preparativos para o casamento. Mas quando chega aos vinhedos de Timna, um jovem leão se aproxima dele rugindo. Fortalecido pelo espírito de Jeová, Sansão simplesmente reduz o leão a frangalhos com as mãos desarmadas e segue viagem para cortejar a moça. Mais ou menos um ano depois,[59] retornando a Timna para o casamento, ele sai do caminho para investigar a carcaça do leão — e descobre que um enxame de abelhas tinha feito uma colmeia na carcaça, de onde escorria mel. Indiferente às abelhas, Sansão tira mel com as duas mãos e, em vez de seguir para Timna, volta à casa dos pais, comendo pelo caminho, e dá um pouco de mel para eles, antes de ir casar. Segundo Grossman, há um comovente contraste entre o físico musculoso de Sansão e sua alma infantil: "Ele anda e come, anda e lambe, até chegar à casa de mamãe e papai, e lhes dá mel, 'e eles comeram', aparentemente com as mãos". Mas, supõe Grossman, algo aconteceu quando Sansão encontrou aquele mel: o estranho espetáculo foi uma "revelação privada [...] uma intuição nova, quase profética". Ele "de repente descobre como é que um *artista* vê o mundo".[60]

Claramente, Sansão não corresponde à ideia convencional do artista sensível, mas Grossman sugere que, ao olhar para os restos mortais do leão e provar o mel, ligando aquelas sensações a seus sentimentos sobre a mulher com quem vai casar, algo talvez tenha nascido dentro dele: "Uma coisa relacionada de uma forma totalmente nova com percepção, com um jeito de olhar a realidade, na verdade uma coisa parecida com uma visão de mundo".[61] Sansão se dá conta de que, ao matar o leão, ele próprio tinha criado — se bem que inadvertidamente — este fenômeno extraordinário: os ossos alvejados e encardidos do leão, o mel escorrendo, e o contínuo zumbido das abelhas. Com sua força havia criado "um espetáculo poderoso, estranhamente belo, totalmente único, e que também produzia um senso de profundo, oculto e simbólico significado".[62] E ao voltar às pressas para a casa dos pais, com as mãos pingando mel, ele talvez estivesse dizendo: "Só uma vez, olhem fundo dentro de mim, e finalmente vão ver que 'do forte também sai doçura'".[63] Mais tarde, durante o casamento, Sansão desafia seus "companheiros" — possivelmente guarda-costas que tinham sido destacados pelos filisteus, compreensivelmente desconfiados — a decifrar este enigma:

Do comedor saiu comida
e do forte saiu doçura.[64]

A partir dessa época, tendo descoberto sua alma artística, assinala Grossman, quase tudo que Sansão diz é poético. Os "companheiros" pressionam sua nova esposa, obrigando-a a arrancar de Sansão a resposta, e, quando ela o faz, zombam do enigma — escarnecendo da visão transformadora de Sansão. Como vingança, o castigo que Sansão imagina para eles é uma intrincada obra de arte, que no mundo da arte de hoje seria chamada de "performance", também ela profundamente simbólica. Ele captura nada menos que trezentas raposas, amarra-as de duas em duas, e prende tochas nelas, antes de soltá-las nos campos dos filisteus.[65] Como Grossman explica, essa proeza extraordinariamente complexa mostra, da parte de Sansão, a nova "necessidade artística de utilizar alguma coisa privada e singular em tudo que faz"; expressa "sua duplicidade, o fogo que arde dentro dele, os poderosos impulsos que o reduzem a frangalhos, os pares de forças conflitantes que brigam sempre nele [...] a estrutura supermusculosa e o coração artístico-espiritual".[66]

Talvez só um artista fosse capaz de perceber a natureza artística da história de Sansão, e reconhecer essa angústia numa escritura à qual, numa primeira leitura, parece faltar qualquer senso de vida interior. Essa arte é o que se requer de todo exegeta, que precisa mergulhar abaixo da superfície do texto para descobrir o "mel de leão" lá dentro, encontrando algo novo e não descoberto pelos inúmeros intérpretes que haviam estudado um texto que fala não só das necessidades interiores do exegeta, mas também trata dos dilemas da sociedade. Ibn Arabi, convém lembrar, disse que a cada leitura o texto escritural deve trazer um significado diferente. É possível, talvez, entender a visão sansônica do mel de leão como produto do hemisfério direito do cérebro, sempre atento à unidade subjacente de todas as coisas, à *coincidentia oppositorum*. Talvez ele veja a coabitação de vida e morte na zumbidora vitalidade e na agitada produtividade das abelhas que habitam a carcaça do leão, bem como a convergência de violência e doçura. Sua resposta imediata é mergulhar profundamente na carcaça do leão para extrair essa delícia, torná-la parte de si mesmo e dividi-la com os outros. A exegese não pode se limitar à superfície do texto, contentando-se com seu sentido literal; os exegetas correm o risco de ser picados se suas interpretações forem de encontro à ortodoxia aceita, aos costumes estabelecidos ou aos interesses dos ricos e poderosos. Finalmente, intérpretes de escritura não podem afagar suas próprias descobertas para alimentar uma fé privatizada: eles precisam dividi-la com os outros e fazê-la dizer alguma coisa sobre as questões do momento.

Tanto Mann como Grossman fizeram histórias escriturais antigas dizerem algo sobre as questões políticas da sua época: deram ênfase à sociedade. Mas vimos que desde o iniciozinho outra importante preocupação escritural sempre foi a situação do cosmo. Em 2017, soubemos que os níveis de carbono atingiram o ponto mais alto desde que os registros começaram a ser feitos, e quando escrevo, no verão de 2018, a Europa sofre uma onda de calor com temperaturas inéditas, resultando em enchentes e em incêndios florestais na Noruega, no Círculo Polar Ártico. Exegetas certamente deveriam estar tratando desse problema.

O confucionismo sofreu imensamente com a violenta investida da modernidade secular.[67] O eminente sinólogo Joseph Levenson considerava-o moribundo, cronicamente feudal e irremediavelmente anacrônico. Mas esse julgamento foi prematuro. Desde os anos 1920, um grupo que se identifica como os "Novos Confucianos" está empenhado numa recuperação hermenêutica, uma reavaliação sistemática de seus textos. Esses eruditos são herdeiros do Iluminismo europeu e incorporaram os insights de Platão, Descartes, Leibniz, Kant, Hegel, Dewey e Derrida às suas exegeses, transformando a tradição para fazê-la falar ao mundo moderno. Compreenderam, por exemplo, que precisam levar em conta as críticas feminista e marxista do confucionismo. Durante os últimos trinta anos, três importantes pensadores — Qian Mu, Tang Junyi e Feng Yulan — decidiram que a contribuição mais significativa que o confucionismo pode dar ao mundo moderno é seu ideal de "unidade de Céu e humanidade" (*tianrenheyi*).[68] Rejeitando a insistência de Mao Tsé-tung na capacidade humana de controlar a natureza, Feng chama a atenção para a relevância da "Inscrição Ocidental" de Zhang Zai, enquanto Tang ressalta que o ideal confuciano de *ren* implica um coração bondoso bem como uma mente racional. Todos eles concordam que a obsessão moderna com o poder e o controle do meio ambiente tornou os seres humanos insensíveis às preocupações ecológicas.

Esse é exatamente o tipo da revisão criativa de textos sagrados que todas as pessoas religiosas podem e devem fazer nestes tempos de crise ecológica e social. Citando a *Doutrina do Meio*, os novos confucianos ressaltam que os seres humanos evoluíram a partir do "Céu" e estão imbuídos da mesma energia vital das pedras, das plantas e dos animais:

> O céu que temos diante de nós é apenas esta massa clara, resplandecente; mas quando visto em sua extensão ilimitada, o sol, a lua, as estrelas e constelações estão suspensos nele e todas as coisas são cobertas por ele. A terra que temos diante de nós é apenas um punhado de solo; mas, em sua largura e profundidade, sustenta montanhas como Hua e Yüeh sem sentir seu peso, contém os rios e os mares sem deixá-los vazar, e sustenta todas as coisas. A montanha que temos diante de nós é apenas uma porção de palha; mas na vastidão do seu tamanho, capins e árvores crescem nela, pássaros e feras moram nela, e reservas de coisas preciosas [minerais] nela são descobertas. A água que temos diante de nós é só uma colher de água, mas em sua insondável profundidade, os monstros, dragões, peixes e tartarugas nela são produzidos, e a riqueza se torna abundante por sua causa.[69]

Isso, porém, requer mais do que um consentimento nocional. Os novos confucianos afirmam que, para superar o nosso hábito moderno de ver a terra como mera mercadoria, precisaremos de autoconhecimento, introspecção e profunda reflexão. Todos concordam com a Carta da Terra, uma declaração de valores para o século XXI elaborada por um organismo internacional independente, que foi lançada em 29 de junho de 2000. Diz ela que só alcançaremos uma sociedade global justa, sustentável e pacífica se "cuidarmos da comunidade da vida com compreensão, compaixão e amor" — virtudes que implicam o intensivo aperfeiçoamento pessoal produzido em parte pela arte da escritura.

A sincronicidade do pensamento ambiental e do pensamento religioso também ficou clara na Conferência do Fórum Global em Moscou (1990), durante a qual cientistas desafiaram líderes religiosos a reconsiderarem as relações da humanidade com a terra:

> Como cientistas, muitos de nós tivemos profundas experiências de temor reverencial pelo universo. Entendemos que o que é visto como sagrado tem maior probabilidade de ser tratado com carinho e respeito. Nosso lar planetário deveria ser visto assim. Esforços para salvaguardar e estimar o meio ambiente precisam ser imbuídos de uma visão do sagrado.[70]

Em vez de usar os versículos de "sinalização" do Alcorão para provar que eles preveem as descobertas da ciência moderna, os exegetas muçulmanos poderiam mostrar que eles falam da sacralidade do mundo natural. Da mesma maneira, estudiosos hindus poderiam trazer para o primeiro plano a reverência e a preocupação védicas com o cosmo e pesquisar novas maneiras de recompor o partido mundo de Prajapati. E todos nós podemos aprender com a visão jainista de um mundo em sofrimento. No Gênesis, Elohim estabelece claros limites à liberdade humana de explorar o planeta. Quando Adão ultrapassa esse limite, e come o fruto proibido, a terra produtiva é infestada de espinhos e cardos, e Adão deixa de ser o senhor do Jardim e se torna escravo da terra.

A religião costuma ser vista como irrelevante para os interesses modernos. Mas, sejam quais forem nossas "crenças", é essencial para a sobrevivência humana que encontremos um jeito de redescobrir a sacralidade de cada ser humano, e ressacralizemos o nosso mundo. Talvez devêssemos terminar com um texto antigo que examina o que acontecerá quando o mundo "ficar velho" e a consciência de sua ubíqua santidade já não for observada, interpretada e animada pela linguagem ritualizada que ajuda a criar esse senso de sacralidade dentro de nós:

> Essa totalidade, tão boa que nunca houve, nem há, nem haverá nada melhor, correrá risco de perecer; homens a verão como um fardo e a desprezarão [...]. Ninguém erguerá os olhos para o céu. O piedoso será tido como louco, o ímpio como sábio e o perverso como bom. Os deuses dirão adeus aos homens — Ó doloroso adeus [...].
>
> Nesses dias, a terra já não será firme, o mar deixará de ser navegável, os céus não sustentarão mais as estrelas em seu curso; toda voz piedosa inevitavelmente se calará. O fruto da terra apodrecerá, o solo ficará estéril, e o próprio ar será viciado e denso. Assim será a velhice do mundo: a ausência de religião [*irreligio*], de ordem [*inordinatio*] e de compreensão [*inrationabilitas*].[71]

Agradecimentos

Como sempre, eu não teria escrito este livro sem a ajuda de muita gente. Em primeiro lugar, de meus agentes: Felicity Bryan (a quem este livro é dedicado), Peter Ginsberg e Andrew Nurnberg, que acreditaram em mim, com grande fé e coragem, no ponto mais baixo da minha carreira, e me deram apoio indispensável e afetuoso, agora por mais de trinta anos. Muitos agradecimentos também a Michele Topham e Carole Robinson, no escritório de Felicity Bryan, por sua bondade, sua amizade, sua ajuda prática e seus conselhos infalíveis.

Sou particularmente grata desta vez a meus editores: Stuart Williams e — muito especialmente — Jörg Hensgen, na Bodley Head, e Dan Frank, na Knopf, por seu entusiasmo, seu incentivo e suas sugestões verdadeiramente inspiradoras, que tornaram o processo de edição não só excitante, mas também quase tão revelador quanto a própria escritura. Essenciais também foram o trabalho meticuloso e os comentários encorajadores de David Milner, o copidesque; a cuidadosa revisão de Alison Rae; o excelente índice de Vicki Robinson; e a capa magnífica de Luke Bird, Julia Connolly e Lily Richards — este é o primeiro livro que vejo que é tão bonito sem a capa como com ela!

Finalmente, tenho muito a agradecer a meu assessor de imprensa Joe Pickering, por promover o livro com tanta assiduidade e atenção, e a Nancy Roberts, minha assistente, que tomou providências para que desta vez eu tivesse tempo para pesquisar e escrever, cuidando tão resolutamente de minha volumosa correspondência.

Notas

INTRODUÇÃO [pp. 11-24]

1. Jean-Paul Sartre, *The Imaginary: A Phenomenological Psychology of the Imagination*. Londres: Routledge, 2012.

2. Michael R. Trimble, *The Soul in the Brain: The Cerebral Basis of Language, Art, and Belief*. Baltimore: Johns Hopkins University Press, 2007, pp. 204-5; B. Spilka et al., *The Psychology of Religion*. Nova York: The Guilford Press, 2003, pp. 150 e 209.

3. Bede Griffiths, *A New Vision of Reality: Western Science, Eastern Mysticism and Christian Faith*. Londres: Fount, 1992, p. 31 (ênfase de Griffiths).

4. Diana Van Lancker, "Personal Relevance and the Human Right Hemisphere". *Brain and Cognition*, n. 17, 1991; Iain McGilchrist, *The Master and His Emissary: The Divided Brain and the Making of the Western World*. New Haven e Londres: Yale University Press, 2009, pp. 40-54; Robert E. Ornstein, "Two Sides of the Brain". In: Richard Woods (Org.), *Understanding Mysticism*. Garden City (NY): Image Books, 1980.

5. Iain McGilchrist, op. cit., pp. 78-93.

6. William James, *The Varieties of Religious Experience: A Study in Human Nature*. Londres: Penguin, 1982.

7. George Steiner, *Real Presences: Is There Anything in What We Say?*. Londres: Faber and Faber, 2004, p. 217.

8. Frederick J. Streng, *Understanding Religious Life*. 3. ed. Belmont: Wadsworth, 1985, p. 2; ênfase de Streng.

9. Ibid., p. 3.

10. William Wordsworth, "Lines Composed a Few Miles Above Tintern Abbey, on

Revisiting the Banks of the Wye During a Tour, July 13, 1798", versos 39-42. No original: "[...] *a sense sublime/ Of something far more deeply interfused/ Whose dwelling is the light of setting suns/ And the round ocean and the living air,/ And the blue sky and in the mind of man*".

11. Ibid., versos 88-9.

12. John H. Kautsky, *The Politics of Aristocratic Empires*. 2. ed. New Brunswick: Transaction Publishers, 1997.

13. Mark Johnson, *The Body in the Mind: The Bodily Basis of Meaning, Imagination, and Reason*. Chicago: University of Chicago Press, 1987.

14. Johannes Sloek, *Devotional Language*. Trad. Henrik Mossin. Berlim: De Gruyter, 1996, pp. 53-96.

PARTE UM: COSMO E SOCIEDADE

1. ISRAEL: LEMBRAR PARA PERTENCER [pp. 27-57]

1. Gênesis 2:9. A não ser quando explicitamente declarado, todas as citações da Bíblia hebraica e do Novo Testamento são tiradas de *The Jerusalem Bible* (Londres, 1966).

2. Gênesis 2:17.

3. David M. Carr, *Writing on the Tablet of the Heart: Origins of Scripture and Literature*. Oxford: Oxford University Press, 2005, pp. 60-1.

4. Gerhard E. Lenski, *Power and Privilege: A Theory of Social Stratification*. Chapel Hill: University of North Carolina Press, 1966, pp. 227-8; A. L. Oppenheim, *Ancient Mesopotamia: Portrait of a Dead Civilization*. Chicago: University of Chicago Press, 1977, pp. 88-9.

5. Samuel N. Kramer, *Sumerian Mythology: A Study of Spiritual and Literary Achievement in the Third Millennium b.C.* Filadélfia: University of Pennsylvania Press, 1944, p. 118.

6. Norman K. Gottwald, *The Politics of Ancient Israel*. Louisville: Westminster John Knox Press, 2001, pp. 118-9.

7. Gênesis 3:1-7.

8. Citado em David M. Carr, op. cit., p. 17.

9. Gênesis 3:21.

10. Gênesis 3:1.

11. Moshe Weinfeld, *Deuteronomy and the Deuteronomic School*. Oxford: Clarendon Press, 1972, pp. 59-157.

12. F. Charles Fensham, "Widow, Orphan and the Poor in Ancient Near Eastern Literature", em Frederick E. Greenspahn (Org.), *Essential Papers on Israel and the Ancient Near East*. Nova York: NYU Press, 1991, pp. 176-82.

13. W. G. Lambert, *Babylonian Wisdom Literature*. Oxford: Clarendon Press, 1960, pp. 134-5.

14. Jan Assmann, *Cultural Memory and Early Civilization: Writing, Remembrance and Political Imagination*. Cambridge: Cambridge University Press, 2011, pp. 208-12 e 231.

15. Id., "Remembering in Order to Belong: Writing, Memory, and Identity", em *Religion and Cultural Memory*. Stanford: Stanford University Press, 2006, pp. 86-95.

16. David M. Carr, op. cit., pp. 11-2.

17. Ibid., pp. 4-6; Rosalind Thomas, *Literacy and Orality in Ancient Greece*. Cambridge: Cambridge University Press, 1992, pp. 91-2.

18. William A. Graham, *Beyond the Written Word: Oral Aspects of Scripture in the History of Religion*. Cambridge: Cambridge University Press, 1987, p. 60.

19. David M. Carr, op. cit., pp. 8, 6-11.

20. Ibid., p. 31.

21. William Harris, *Ancient Literacy*. Cambridge (MA): Harvard University Press, 1989, pp. 12-20.

22. David M. Carr, op. cit., p. 11.

23. Ibid., p. 32.

24. Ibid., pp. 32-6.

25. Provérbios, 22:17-9, 22-4.

26. Israel Finkelstein e Neil Asher Silberman, *The Bible Unearthed: Archaeology's New Vision of Ancient Israel and the Origins of Its Sacred Texts*. Nova York: Free Press, 2001, pp. 89-92.

27. D. C. Hopkins, *The Highlands of Canaan*. Sheffield: Almond, 1985.

28. John H. Kautsky, *The Politics of Aristocratic Empires*. 2. ed. New Brunswick: Transaction Publishers, 1997, p. 275.

29. Josué 9:15; 1 Samuel 27:10, 30:23; 2 Samuel 21; Juízes 1:16, 4:11.

30. Frank Moore Cross, *Canaanite Myth and Hebrew Epic: Essays in the History of the Religion of Israel*. Cambridge (MA): Harvard University Press, 1973, p. 52.

31. Gênesis 4.

32. Israel Finkelstein e Neil Asher Silberman, op. cit., pp. 103-7; William G. Dever, *What Did the Biblical Writers Know and When Did They Know It? What Archaeology Can Tell Us about the Reality of Ancient Israel*. Grand Rapids: Eerdmans, 2001, pp. 110-8.

33. Deuteronômio 32:8-9.

34. Mark S. Smith, *The Origins of Biblical Monotheism: Israel's Polytheistic Background and the Ugaritic Texts*. Oxford: Oxford University Press, 2001, pp. 93-6.

35. Salmos 82:2-5.

36. Levítico 25:23-8, 35-55; Deuteronômio 24:19-22; Norman K. Gottwald, *The Hebrew Bible in Its Social World and Ours*. Atlanta: Society of Biblical Literature, 1993, p. 162.

37. Salmos 89:10-3; 93:1-4; Jó 7:12; 9:8; 26:12; 40:15-24.

38. Deuteronômio 33:2; cf. Êxodo 15:1-8; Habacuc 3:3-15.

39. Frank Moore Cross, *From Epic to Canon History and Literature in Ancient Israel*. Baltimore: Johns Hopkins University Press, 1998, pp. 24-40.

40. Êxodo 15:8, 10.

41. Êxodo 15:17-8.

42. Êxodo 15:14-5.

43. Frank Moore Cross, op. cit., p. 47.

44. Gênesis 28:10-9.

45. Gênesis 32:23-32.

46. Norman K. Gottwald, *Politics of Ancient Israel*, op. cit., pp. 177-9.

47. 1 Reis 7:15-26.

48. William G. Dever, op. cit., pp. 267-9.

49. 2 Samuel 8:17; 20:25; 1 Reis 4:3.

50. 1 Reis 4:3.

51. Provérbios 22:17-9; adaptado de David M. Carr, op. cit., p. 126.

52. Provérbios 2:2; Salmos 788:1; 1 Reis 3:9; Provérbios 3:3, cf. 6:21.

53. Provérbios 13:24; 22:15; 26:3; 29:17.

54. Provérbios 5:12-4.

55. David M. Carr, op. cit., pp. 127-31.

56. Salmos 110:1.

57. Salmos 2:7.

58. Deuteronômio 31:19-22; 32:1.

59. Êxodo 31:18; 32:16.

60. Susan Niditch, *Oral World and Written Word: Ancient Israelite Literature*. Louisville: Westminster John Knox Press, 1996, pp. 79-80.

61. Isaías 4:3; Deuteronômio 12:1; Êxodo 32:32; Salmos 69:28; 139:6.

62. 2 Samuel 7:9-10.

63. Richard R. Clifford, *The Cosmic Mountain in Canaan and the Old Testament*. Cambridge (MA): Harvard University Press, 1972, pp. 57-68; cf. Salmo 47.

64. Ibid., 68.

65. Ibid., pass.; R. E. Clements, *God and Temple*. Oxford: Basil Blackwell, 1965, p. 47; Hans-Joachim Kraus, *Worship in Israel: A Cultic History of the Old Testament*. Louisville: Westminster John Knox Press, 1966, pp. 201-4.

66. Salmos 72:7.

67. Salmos 46:5-9; 48:12-3.

68. Dar as-Sharrukun Cylinder, em William M. Schniedewind, *How the Bible Became a Book*. Cambridge: Cambridge University Press, 2004, p. 65.

69. Ibid., pp. 65-6.

70. Susan Niditch, op. cit., pp. 339-77.

71. Deuteronômio 17:9-12; 31:2-13; Números 5:23; Oseias 4:6.

72. 1 Crônicas 25:2-6; 2 Crônicas 5:12.

73. Salmos 1:2; David M. Carr, op. cit., pp. 152-3.

74. 2 Reis 2:1-18; 4:38.

75. Isaías 29:13-4.

76. Isaías 8:16; 30:8; Jeremias 36:1-3; Habacuc 2:2-3.

77. David M. Carr, op. cit., pp. 143-4.

78. Amós 7:14.

79. Israel Finkelstein e Neil Asher Silberman, op. cit., pp. 206-12.

80. Amós 2:6-7.

81. Amós 5:21-4.

82. Amós 1:3; 2:3; 6:14; 2:4-16.

83. Amós 7:17.

84. A. Kirk Grayson, "Assyrian Rule of Conquered Territory in Ancient Western Asia", em Jack Sasson (Org.), *Civilizations of the Near East*. Nova York: Charles Scribner's Sons, 1995, pp. 959-68.

85. Amós 3:8.

86. Amós 7:15.

87. Amós 9:1.

88. Jeremias 1:9.

89. Jeremias 29:7, 9.

90. Oseias 1:2; Abraham Heschel, *The Prophets*, Nova York: Harper & Row, 1962, v. I, pp. 52-7.

91. Oseias 3:1-5.

92. Oseias 14:1.

93. David M. Carr, *Holy Resilience: The Bible's Traumatic Origins*. New Haven: Yale University Press, 2014, p. 25.

94. Oseias 6:6; emenda minha.

95. David M. Carr, *Holy Resilience*, op. cit., pp. 25, 35-6.

96. Oseias 12:3-5.

97. Oseias 12:13.

98. Oseias 11:4.

99. Oseias 11:5.

100. Isaías 6.

101. Isaías 2:2-3.

102. Isaías 7:14; a Septuaginta, a versão grega da Bíblia hebraica, traduzia "alma" como "parthenos" ("virgem").

103. Isaías 9:1.

104. Isaías 9:5.

105. Isaías 9:6.

106. 2 Reis 21:1-18; 2 Crônicas 33:1-10.

107. Gösta W. Ahlström, *The History of Ancient Palestine*. Mineápolis: Fortress, 1993, p. 734.

108. Richard Eliot Friedman, *Who Wrote the Bible?*. Nova York: Harper & Row, 1987, pp. 87-8.

109. 2 Reis 22.

110. Deuteronômio 27.

111. Deuteronômio 17:14-20.

112. 2 Reis 22:11.

113. 2 Reis 23:4-20.

114. Jan Assmann, "What is 'Cultural Memory'?", em *Religion and Cultural Memory*. Stanford: Stanford University Press, 2006, p. 3.

115. Bernard M. Levinson, *Deuteronomy and the Hermeneutics of Legal Innovation*. Oxford: Oxford University Press, 1997, pp. 148-9.

116. Deuteronômio 11:21; 12:5.

117. Deuteronômio 17:18-20.

118. Jeremias 44:15-9; Ezequiel 8.

119. Deuteronômio 7:22-6.

120. David M. Carr, *Tablet of the Heart*, op. cit., pp. 134-46.

121. Deuteronômio 4:4-9, 44.

122. Susan Niditch, op. cit., p. 100.

123. Deuteronômio 6:4-9.

124. Josué 1:8.

125. Jan Assmann, "What is 'Cultural Memory'?", op. cit., pp. 19-20.

126. Deuteronômio 8:3.

127. Deuteronômio 6:10-2.

128. Jan Assmann, *Cultural Memory*, op. cit., pp. 191-3.

129. Jeremias 36:29.

130. Susan Niditch, op. cit., pp. 104-5.

2. ÍNDIA: SOM E SILÊNCIO [pp. 58-78]

1. Edwin Bryant, *The Quest for the Origins of Vedic Culture: The Indo-Aryan Debate*. Oxford: Oxford University Press, 2001; S. C. Kak, "On the Chronology of Ancient India", *Indian Journal of History and Science*, v. 3, n. 22, 1987; Colin Renfrew, *Archaeology and Language: The Puzzle of Indo-European Origins*. Londres: Jonathan Cape, 1987.

2. Barbara A. Holdrege, *Veda and Torah: Transcending the Textuality of Scripture*. Albany (NY): SUNY Press, 1996, pp. 229-30.

3. Klaus K. Klostermaier, *A Survey of Hinduism*. 2. ed. Albany (NY): SUNY Press, 1994, p. 68.

4. Aitereya Aranyaka, 5.5.3, tradução de J. G. Staal, em "The Concept of Scripture in Indian Tradition", em Mark Juergensmeyer e N. Gerald Barrier (Orgs.), *Sikh Studies: Comparative Perspectives on a Changing Tradition*. Berkeley: Graduate Theological Union, 1979, pp. 122-3; Thomas B. Coburn, "Scripture in India: Towards a Typology of the Word in Hindu Life", em Miriam Levering (Org.), *Rethinking Scripture: Essays from a Comparative Perspective*. Albany (NY): SUNY Press, 1989, p. 104.

5. Wilfred Cantwell Smith, *What Is Scripture? A Comparative Approach*. Londres: SCM Press, 1993, p. 139.

6. David Carpenter, "The Mastery of Speech, Canonicity and Control in the Vedas", em Laurie L. Patton (Org.), *Authority, Anxiety and Canon: Essays in Vedic Interpretation*. Albany (NY): SUNY Press, 1994, p. 20.

7. Brian K. Smith, *Reflections on Resemblance, Ritual and Religion*. Oxford: Oxford University Press, 1992, pp. 20-6.

8. John H. Kautsky, *The Politics of Aristocratic Empires*. 2. ed. New Brunswick: Transaction Publishers, 1997.

9. Wendy Doniger, *The Hindus: An Alternative History*. Oxford: Oxford University Press, 2009, p. 114.

10. Jarrod L. Whitaker, *Strong Arms and Drinking Strength: Masculinity, Violence and the Body in Ancient India*. Oxford: Oxford University Press, 2011, pp. 24-8.

11. Rig Veda (RV) 4.22.9; 8.100.1.

12. RV 4.1.15.

13. RV 1.166.7; 6.66.10.

14. RV 9.111.3; 8.66.9; 2.25.24.

15. Louis Renou, *Religions of Ancient India*. Londres: Athlone Press, 1953, pp. 65-6.

16. Ibid., 19.

17. RV 10.4.3-5.

18. RV 3.7.2; 8.18.10; 8.91.5-6.

19. William K. Mahony, *The Artful Universe: An Introduction to the Vedic Religious Imagination*. Albany (NY): SUNY Press, 1998, pp. 11-3.

20. RV 10.90; 1.164.41.

21. J. C. Heesterman, "Ritual, Revelation and the Axial Age", em S. N. Eisenstadt (Org.), *The Origins and Diversity of Axial Age Civilizations*. Albany (NY): SUNY Press, 1986, p. 403.

22. Id., *The Broken World of Sacrifice: An Essay in Ancient Indian Ritual*. Chicago: University of Chicago Press, 1993, p. 126.

23. Klaus K. Klostermaier, *A Survey of Hinduism*, op. cit., p. 130.

24. Bede Griffiths, *A New Vision of Reality: Western Science, Eastern Mysticism and Christian Faith*. Felicity Edwards (Org.). Londres: HarperCollins, 1992, pp. 58-9.

25. Tatyana J. Elizarenkova, *Language and Style of the Vedic Rsis*. Albany (NY): SUNY Press, 1995, p. 19.

26. RV 8.48.3, 11; trad. Doniger.

27. RV 3.59.1.

28. RV 8.48.9; 3.5.3; 1.26.2-4; trad. Doniger.

29. RV 1.164.46; trad. Doniger.

30. RV 1.11.9; 5.41.17; 6.74.2; William K. Mahony, op. cit., pp. 102-4.

31. RV 10.125.1, 7-8; trad. Doniger. Os Ashvins eram gêmeos divinos, os guardiões sagrados da fertilidade.

32. João 1:1-2.

33. Johannes Sloek, *Devotional Language*. Trad. Henrik Mossin. Berlim: De Gruyter, 1996, pp. 63-7.

34. Wilfred Cantwell Smith, *What Is Scripture?*, op. cit., p. 234.

35. Johannes Ruysbroek, *De Spiegel dar Ensige Sulichpichest*, citado em Louis Dupré, "The Mystical Experience of the Self and Its Philosophical Significance", em Richard Woods (Org.), *Understanding Mysticism*. Garden City (NY): Image Books, 1980, p. 454; ênfase minha.

36. William Johnston, *Silent Music: The Science of Meditation*. Londres: Fontana, 1977, pp. 33, 55-7.

37. RV 6.9.6; trad. Doniger.

38. RV 1.139.2; trad. Jan Gonda, *The Vision of the Vedic Poets*. Nova Delhi: Munshiram Manoharlal, 1984, p. 69; cf. RV 1.18.5; 1.139.2; 1.22.

39. Tatyana J. Elizarenkova, op. cit., pp. 16-7.

40. Jan Gonda, "The Indian Mantra". *Oriens*, v. 16, n. 1, 1963.

41. Michael Witzel, "Vedas and Upanisads", em Gavin Flood (Org.), *The Blackwell Companion to Hinduism*, Oxford: Blackwell, 2003, pp. 69, 71; Barbara A. Holdrege, op. cit., p. 278; Jan Gonda, *The Vision of the Vedic Poets*, op. cit., pp. 39, 42-50.

42. RV 5.29.15; trad. Griffith.

43. William K. Mahony, op. cit., pp. 216-8.

44. Tatyana J. Elizarenkova, op. cit., pp. 15-6.

45. Jan Gonda, *The Vision of the Vedic Poets*, op. cit., pp. 27-34 e 56-7.

46. Wilfred Cantwell Smith, *What Is Scripture?*, op. cit., p. 138.

47. RV 4.13.2-3.

48. RV 6.70.1.

49. Tatyana J. Elizarenkova, op. cit., pp. 17-8.

50. RV 10.54.2.

51. Louis Renou, *Religions of Ancient India*, op. cit., pp. 5 e 11.

52. Tatyana J. Elizarenkova, op. cit., pp. 26-8.

53. RV 7.23.

54. Ellison Banks Findly, "Mantra Kavisasta: Speech as Performative in the RgVeda", em Harvey P. Alper (Org.), *Understanding Mantras*. Delhi: Motilal Banarsidass, 2012, pp. 32-44.

55. RV 6.9.1; trad. E. B. Findly, op. cit.

56. RV 6.9.3; ibid.; grifo meu.

57. Ibid.

58. RV 3.53.15-16.

59. RV 10.71.1-2; trad. Doniger.

60. Ibid., v. 4.

61. Ibid., v. 5.

62. Ibid., v. 6.

63. Jan Gonda, *Change and Continuity in Indian Religion*. Haia: Mouton, 1985, p. 200.

64. Louis Renou, "Sur la notion de *brahman*". *Journal Asiatique*, n. 237, 1949.

65. J. C. Heesterman, *The Inner Conflict of Tradition: Essays in Indian Ritual, Kinship and Society*. Chicago: University of Chicago Press, 1985, pp. 70-3.

66. RV 10.129.6-7; trad. Doniger.

67. Gavin Flood, *An Introduction to Hinduism*. Cambridge: Cambridge University Press, 1996, p. 39; Klaus K. Klostermaier, *A Survey of Hinduism*, op. cit., p. 68; Jan Gonda, *Vedic Literature: Samhitas and Brahmanas*. Wiesbaden: Harrassowitz, 1974.

68. Klaus K. Klostermaier, *A Survey of Hinduism*, op. cit., p. 68.

69. Gavin Flood, *An Introduction to Hinduism*, op. cit., p. 37.

70. William K. Mahony, op. cit., p. 121.

71. Kaushitiki Brahmana (KB) 6.11; J. C. Heesterman, *The Broken World of Sacrifice: An Essay in Ancient Indian Ritual*. Chicago: University of Chicago Press, 1993, p. 150.

72. André Padoux, "Mantras – What Are They?", em Harvey P. Alper (Org.), *Understanding Mantras*, op. cit., pp. 297-8.

73. O patrono geralmente era acompanhado pela mulher, apesar de o texto concentrar-se na atividade do marido.

74. Thomas J. Hopkins, *The Hindu Religious Tradition*. Belmont (CA): Dickenson, 1971, pp. 31-2.

75. Brian K. Smith, *Reflections on Resemblance, Ritual and Religion*. Oxford: Oxford University Press, 1992, pp. 30-4, 72-82; Louis Renou, *Religions of Ancient India*, op. cit., p. 18.

76. Shatapatha Brahmana (SB) 1.8.1.4; trad. Heesterman, *Broken World*, op. cit., p. 57.

77. SB 11.2.2.5; trad. Brian K. Smith, op. cit., p. 103.

78. Taittiriya Brahmana (TB) 1.5.9.4; trad. Brian K. Smith, op. cit., p. 103.

79. Aitereya Brahmana (AB) 4.21.

80. Thomas J. Hopkins, op. cit., p. 34.

81. RV 121; trad. Doniger.

82. Albert Einstein, "Strange Is Our Situation Here on Earth", em J. Pelikan (Org.), *The World Treasury of Modern Religious Thought*. Boston (MA): Little Brown, 1990, p. 225.

83. Citado em Huston Smith, *Beyond the Post-Modern Mind*. Ed. rev. Wheaton: Theosophical Publishing House, 1989, p. 8.

84. RV 10.9.12-14; trad. Doniger.

85. Ibid., 9; trad. Doniger.

86. Colossenses 1:15-20.

87. AB 5.32; trad. Brian K. Smith, op. cit., p. 57.

88. TB 1.23.8; trad. Brian K. Smith, op. cit., p. 58.

89. Jaminiya Brahmana (JB) 1.111; TB 1.1.3.5; q.7.1.4.

90. Pancavimsa Brahmana (PB) 24.11.2.

91. SB 6.1.2.17; trad. Brian K. Smith, op. cit., p. 65.

92. SB 11.1.6.3.

93. PB 7.5.1; JB 1.116, 117, 128.

94. AB 5.32; KB 7.10.

95. Barbara A. Holdrege, op. cit., pp. 46-60.

96. Jan Gonda, "The Indian Mantra", op. cit.; Ellison Banks Findly, op. cit., pp. 15-44; Barbara A. Holdrege, op. cit., pp. 237-8.

97. Jan Gonda, *The Vision of the Vedic Poets*, op. cit., pp. 63-4.

98. Harvey P. Alper, "Introduction", em H. P. Alper (Org.), op. cit., pp. 3-4.

99. Frits Staal, "Vedic Mantras", em H. P. Alper (Org.), op. cit., pp. 73-81.

100. Id., "Oriental Ideas". *Journal of the American Oriental Society*, n. 99, 1979.

101. Thomas B. Coburn, op. cit.

102. Jâmblico, *De Mysteriis* 6.6, 7.4; Jan Assmann, "Text and Ritual: The Meaning of the Media for the History of Religions", em J. Assmann, *Religion and Cultural Memory*. Stanford: Stanford University Press, 2006, pp. 131-3.

103. William Johnston, op. cit., pp. 56-69.

104. Jan Gonda, *The Vision of the Vedic Poets*, op. cit., pp. 63-4.

105. Ibid., pp. 318-48.

106. Jan Assmann, "Cultural Texts Suspended between Writing and Speech", em J. Assmann, *Religion and Cultural Memory*, op. cit., p. 109.

107. SB 5.1.3.11; trad. W. K. Mahony, op. cit., p. 132.

108. SB 7.1.2.9-11, ibid., p. 135.

109. SB 1.2.5.14, ibid., p. 135.

110. Apostramba Shantra Sutra 15.1.16.10.

111. SB 7.1.2.11; trad. W. K. Mahony, op. cit., p. 135.

112. Brian K. Smith, op. cit., p. 65.

113. SB 7.1.2.7-8; trad. W. K. Mahony, op. cit., p. 134.

3. CHINA: A PRIMAZIA DO RITUAL [pp. 79-102]

1. Jacques Gernet, *Ancient China: From the Beginnings to the Empire*. Trad. Raymond Rudorff. Londres: Faber & Faber, 1968, pp. 37-65; id., *A History of Chinese Civilization*. Trad. J. R. Foster e Charles Hartman. 2. ed. Cambridge: Cambridge University Press, 1996, pp. 39-40; Wm. T. de Bary e Irene Bloom (Orgs.), *Sources of Chinese Tradition: From Earliest Times to 1600*. 2. ed. Nova York: Columbia University Press, 1999, pp. 3-25.

2. John K. Fairbank e Merle Goldman, *China: A New History*. 2. ed. Cambridge (MA): Belknap, 2006, p. 45.

3. K. C. Chang, *Art, Myth and Ritual: The Path to Political Authority in Ancient China*. Cambridge (MA): Harvard University Press, 1985, pp. 42-4.

4. *Jiaguwen heiji* (HJ) 24146 e 24140, em Wm. T. de Bary e Irene Bloom (Orgs.), op. cit., p. 6.

5. HJ 13636, em Wm. T. de Bary e Irene Bloom (Orgs.), op. cit., p. 8.

6. Jacques Gernet, *A History of Chinese Civilization*, op. cit., pp. 45-7.

7. HJ 6047, em Wm. T. de Bary e Irene Bloom (Orgs.), op. cit., p. 18.

8. Mark Edward Lewis, *Writing and Authority in Early China*. Albany (NY): SUNY Press, 1999, pp. 14-5.

9. David H. Keightley, "The Religious Commitment: Shang Theology and the Genesis of Chinese Political Culture". *History of Religions*, v. 17, n. 3/4, fev./maio 1978.

10. Michael J. Puett, *To Become a God: Cosmology, Sacrifice, and Self-Divinization in Early China*. Cambridge (MA): Harvard University Press, 2002, p. 44.

11. HJ 10124; Wm. T. de Bary e Irene Bloom (Orgs.), op. cit., p. 12.

12. HJ 39912; Wm. T. de Bary e Irene Bloom (Orgs.), op. cit., p. 12.

13. Jacques Gernet, *A History of Chinese Civilization*, op. cit., pp. 51-2.

14. Ibid., p. 85; Wm. T. de Bary e Irene Bloom (Orgs.), op. cit., pp. 24-5.

15. Wilfred Cantwell Smith, *What Is Scripture? A Comparative Approach*. Londres: SCM Press, 1993, pp. 176-80.

16. Citações do *Yijing* tiradas de *I Ching* (*Yijing*): *The Book of Change*. Trad. John Minford. Londres: Penguin, 2004; interpretação em Martin Palmer, Jay Ramsay e Victoria Finlay, *The Most Venerable Book* [Shang Shu]. Londres: Penguin, 2014, pp. xl-xlv.

17. Xinzhong Yao, *An Introduction to Confucianism*. Cambridge: Cambridge University Press, 2000, p. 49.

18. "The Shao Announcement" [Shujing], trad. Wm. T. de Bary e Irene Bloom (Orgs.), op. cit., pp. 37-8. Alguns estudiosos afirmam que esse discurso foi feito pelo duque de Shao, mas, como muitos outros, De Bary e Bloom atribuem-no ao duque de Zhou.

19. "The Counsel of Gaoyao" [Shujing], 4; trad. Martin Palmer, Jay Ramsay e Victoria Finlay, op. cit., p. 21.

20. Por exemplo, as duas obras (pass.) editadas e traduzidas para o inglês por Wing-tsit Chan: *A Source Book in Chinese Philosophy* (Princeton: Princeton University Press, 1969) e *Reflections on Things at Hand: The Neo-Confucian Anthology Compiled by Chu Hsi and Lu Tsu-chien* (Nova York: Columbia University Press, 1967).

21. Benjamin I. Schwartz, *The World of Thought in Ancient China*. Cambridge (MA): Belknap, 1985, p. 53.

22. C. Lévi-Strauss, *The Savage Mind*. Londres: Weidenfeld and Nicolson, 1966, pp. 233-4.

23. Jan Assmann, *Cultural Memory and Early Civilization: Writing, Remembrance and Political Imagination*. Cambridge: Cambridge University Press, 2011, pp. 2-61.

24. Id., "Text and Ritual: The Meaning of the Media for the History of Religion", em *Religion and Cultural Memory*. Stanford: Stanford University Press, 2006, p. 125.

25. Na China antiga, era comum os músicos serem cegos.

26. Ode 271 na edição Mao padrão. Todas as traduções das *Odes*, a não ser quando especificamente indicado, são tiradas de *The Book of Songs* (trad. Arthur Waley. Londres: Arthur Waley, 1937).

27. Mao 267.

28. *Liji Zhengshu*, 11.21.a-b; Henri Maspero, *China in Antiquity*. Trad. Frank A. Kierman Jr. 2. ed. Folkestone: Dawson Publishing, 1978, pp. 149-57; Edward L. Shaughnessy, "From Liturgy to Literature: The Ritual Contexts of the Earliest Poems in the Book of Poetry", em *Before Confucius: Studies in the Creation of the Chinese Classics*. Albany (NY): SUNY Press, 1997, pp. 166-9.

29. Ode 295: "Marcial".

30. *Zuozhuan*, 12; tradução de Edward L. Shaughnessy, "From Liturgy to Literature", op. cit., p. 167. Ênfase minha.

31. Chow Tse-tung, "The Early History of the Chinese Word Shih (Poetry)", em Wen-lin (Org.), *Studies in the Chinese Humanities*. Madison (WI): University of Wisconsin Press, 1968, pp. 151-209.

32. Steven Mithen, *The Singing Neanderthals: The Origin of Music, Language, Mind and Body*. Cambridge (MA): Harvard University Press, 2007.

33. Anthony Storr, *Music and the Mind*. Londres: HarperCollins, 1992, p. 24.

34. I. A. Richards, *Principles of Literary Criticism*. Londres: Routledge, 1976, pp. 103, 112.

35. *Documentos* 50-1; Edward L. Shaughnessy, "From Liturgy to Literature", op. cit., pp. 169-74.

36. Ibid.

37. Mao 286.

38. Mao 288.

39. Ibid.

40. Mark Johnson, *The Meaning of the Body: Aesthetics of Human Understanding*. Chicago: University of Chicago Press, 2007, p. 19.

41. Gavin Flood, *The Ascetic Self: Subjectivity, Memory and Tradition*. Cambridge: Cambridge University Press, 2004, pp. 218-25.

42. Mao 209.

43. Ibid.

44. Benjamin I. Schwartz, op. cit., pp. 48-9.

45. Jessica Rawson, "Statesmen or Barbarians? The Western Zhou as Seen through Their Bronzes", *Proceedings of the British Academy*, n. 75, 1989; Edward L. Shaughnessy, "From Liturgy to Literature", op. cit., pp. 183-7; id., "Western Zhou History", em Michael Loewe e Edward L. Shaughnessy (Orgs.), *The Cambridge History of Ancient China: From the Origins of Civilization to 221 BCE*. Cambridge: Cambridge University Press, 1999, pp. 332-3.

46. Mao 280.

47. Mao 282.

48. Ibid.

49. Mao 214, em *The Book of Odes* (trad. Bernhard Karlgren. Estocolmo: The Museum of Far Eastern Antiquities, 1950).

50. Jacques Gernet, *A History of Chinese Civilization*, op. cit., p. 53.

51. Ibid., p. 84.

52. Mark Elvin, "Was There a Transcendental Breakthrough in China?", em S. N. Eisenstadt (Org.), *The Origins and Diversity of Axial Age Civilizations*. Albany (NY): SUNY Press, 1986, pp. 229-331.

53. Huston Smith, *The World's Religions: Our Great Wisdom Traditions*. San Francisco: HarperSanFrancisco, 1991, pp. 161-2.

54. Jacques Gernet, *A History of Chinese Civilization*, op. cit., pp. 58-64; Marcel Granet, *The Religion of the Chinese People*. Org. e trad. Maurice Freedman. Oxford: Basil Blackwell, 1975.

55. Jacques Gernet, *Ancient China*, op. cit., pp. 71-5; comentários de Gernet, relatados em Jean-Pierre Vernant, *Myth and Society in Ancient Greece* (trad. Janet Lloyd. 3. ed. Nova York: Zone Books, 1996, pp. 80-2).

56. Marcel Granet, *Chinese Civilization*. Trad. Kathleen Innes e Mabel Brailsford. Londres e Nova York: Meridian Books, 1951, pp. 258-60, 284-357; id., *The Religion of the Chinese People*, pp. 97-100.

57. *Liji* 1.96. Citações de *Liji*, a não ser quando especificamente indicado, são de *Li Ji/The Book of Rites* (Org. de Dai Sheng, trad. James Legge. Beijing: CreateSpace, 2013).

58. Ibid., 1.104.

59. Ibid., 1.704.

60. Ibid., 1.685.

61. Ibid., 1.715, 719.

62. Ibid., 1.720.

63. Yu-lan Fung, *A Short History of Chinese Philosophy*. Org. de Derk Bodde. Nova York: Free Press, 1976, pp. 32-7.

64. Cânone de Yao, *Shujing*, trad. Wm. T. de Bary e Irene Bloom, em *Sources of Chinese Tradition*, op. cit., p. 29.

65. Cânone de Yao, trad. Martin Palmer, Jay Ramsay e Victoria Finlay, op. cit., p. 5.

66. Cânone de Shun; trad. Martin Palmer, Jay Ramsay e Victoria Finlay, op. cit.

67. Cânone de Shun, 9-10; trad. Martin Palmer, Jay Ramsay e Victoria Finlay, op. cit.

68. *Liji* 2.636.

69. Ibid., 2.359.

70. Gavin Flood, *The Ascetic Self*, op. cit., pp. 226-7.

71. D. McNeill, *Hand and Mind: What Gestures Reveal about Thought*. Chicago: University of Chicago Press, 1992, p. 245.

72. Shaun Gallagher, *How the Body Shapes the Mind*. Oxford: Oxford University Press, 2005; Mark Johnson, *The Body in the Mind: The Bodily Basis of Meaning, Imagination and*

Reason. Chicago: University of Chicago Press, 1987; Maxine Sheets-Johnstone, *The Primacy of Movement*. Amsterdam: John Benjamins, 1999.

73. Marcel Granet, *Chinese Civilization*, op. cit., pp. 328-43.

74. Iain McGilchrist, *The Master and His Emissary: The Divided Brain and the Making of the Western World*. New Haven e Londres: Yale University Press, 2009, p. 363.

75. Jacques Gernet, *Ancient China*, op. cit., p. 75.

76. Marcel Granet, *Chinese Civilization*, op. cit., pp. 261-79; cf. Karen Armstrong, *Fields of Blood: Religion and the History of Violence*. Londres: Vintage, 2014, pp. 86-7.

77. Kidder Smith.

78. Mark Edward Lewis, op. cit., pp. 155-6; cf. *Zuozhuan*, Xiang, 29.

79. Mark Edward Lewis, op. cit., p. 163.

80. Ibid., pp. 148, 158.

81. Ibid., pp. 159-63.

82. Mao 181; *Zuozhuan*, Xiang, 16.

83. *Zuozhuan*, Wen, 4.

84. *Zuozhuan*, Xiang, 9; trad. Mark Edward Lewis, op. cit., pp. 246-8; Kidder Smith.

85. *Zuozhuan*, Xi, 15; trad. Mark Edward Lewis, op. cit.

PARTE DOIS: MITO

4. NOVA HISTÓRIA; NOVO EU [pp. 105-32]

1. Ezequiel 1:4-23.

2. Ezequiel 2:10-5.

3. Rudolf Otto, *The Idea of the Holy: An Inquiry into the Non-Rational Factor in the Idea of the Divine and Its Relation to the Rational*. Trad. John W. Harvey. Oxford, Londres e Nova York: Oxford University Press, 1958, p. 31.

4. 2 Reis 25:27-30.

5. Jonathan Z. Smith, “Earth and Gods”, em *Map Is Not Territory: Studies in the History of Religions*. Chicago: University of Chicago Press, 1978, p. 119.

6. Carole Beebe Tarantelli, “Life Within Death: Toward a Metapsychology of Catastrophic Psychic Trauma”, *International Journal of Psychoanalysis*, n. 84, 2003.

7. Cathy Caruth, *Trauma: Explorations in Memory*. Baltimore: Johns Hopkins University Press, 1995, p. 153.

8. David M. Carr, *Holy Resilience: The Bible’s Traumatic Origins*. New Haven: Yale University Press, 2014, p. 5.

9. Aeschylus, *Agamemnon*, 176-82, em *The Oresteia*. Trad. Robert Fagles. Londres: Penguin, 1966.

10. David M. Carr, op. cit., p. 76.

11. Ezequiel 4:1-11.

12. Ezequiel 24:15-24.

13. Hazony, 39-40.

14. Salmo 137.

15. Donald Harman Akenson, *Surpassing Wonder: The Invention of the Bible and the Talmuds*. Nova York: Harcourt Brace & Co., 1998, pp. 25-9; Gerhad von Rad, "The Form--Critical Problem of the Hexateuch", em *The Problem of the Hexateuch and Other Essays*. Trad. E. W. Trueman. Edimburgo: Oliver & Boyd, 1966; Martin Noth, *The Deuteronomistic History*. Sheffield: Journal for the Study of the Old Testament, 1981.

16. D. H. Akenson, op. cit., pp. 47-58; Yoram Hazony, *The Philosophy of Hebrew Scripture*. Cambridge: Cambridge University Press, 2012, pp. 43-5.

17. Yoram Hazony, op. cit., pp. 43-5.

18. David M. Carr, op. cit., pp. 91-120.

19. Ezequiel 33:24.

20. Moshe Halbertal, *People of the Book: Canon, Meaning and Authority*. Cambridge (MA): Harvard University Press, 1997, p. 42.

21. Gênesis 12:1-2.

22. Jeremias 24:8.

23. Gênesis 12:3.

24. Gênesis 15:18.

25. Gênesis 12:10-20; 15:2; 17:17.

26. Gênesis 22:2.

27. Gênesis 22:17-8.

28. David M. Carr, op. cit., pp. 107-16.

29. Êxodo 4:24.

30. Gênesis 32:21, em Everett Fox (Trad.), *The Five Books of Moses*. Nova York: Schocken, 1990.

31. Gênesis 25:20-8.

32. Gênesis 32:30-1.

33. Êxodo 3:14.

34. Êxodo 4:10, em Everett Fox (Trad.), op. cit.

35. Êxodo 4:14.

36. Êxodo 32:1-10.

37. Jeremias 28.

38. Êxodo 23:14-7.

39. Êxodo 12:25-7.

40. Êxodo 14:11; 16:3; 17:3; 32:9; 38:3.

41. Longa descrição do Tabernáculo em Êxodo 25-40.

42. Levítico 26:11-2, trad. Frank Moore Cross, em *Canaanite Myth and Hebrew Epic: Essays in the History of the Religion of Israel*. Cambridge (MA): Harvard University Press, 1973, p. 298.

43. Frank Moore Cross, op. cit., pp. 298-300.

44. David Damrosch, "Leviticus", em Robert Alter e Frank Kermode (Orgs.), *The Literary Guide to the Bible*. Londres: Collins, 1987.

45. Levítico 25.

46. Levítico 19:33-4.

47. É chamado de "Segundo Isaías" porque seus oráculos estavam incluídos no mesmo pergaminho dos oráculos de Isaías de Jerusalém.

48. Isaías 45:1.

49. Isaías 53:2-3.

50. Isaías 52:13-5; 53:4-5.

51. Isaías 40:5.

52. É muito difícil precisar quando se inicia e quando se encerra esse período, e estudiosos datam diferentemente as missões de Esdras e de Neemias. Gösta W. Ahlström, *The History of Ancient Palestine*. Mineápolis: Fortress, 1993, pp. 880-3; Elias J. Bickerman, *The Jews in the Greek Age*. Cambridge (MA): Harvard University Press, 1990, pp. 29-32.

53. Esdras 7:6; trad. Michael Fishbane, em "From Scribalism to Rabbinism: Perspectives on the Emergence of Classical Judaism", em *The Garments of Torah: Essays in Biblical Hermeneutics*. Bloomington: Indiana University Press, 1989, p. 65.

54. 1 Reis 22:8.

55. Esdras 7:6-9; trad. Michael Fishbane, op. cit., p. 65; cf. Ezequiel 1:3.

56. Neemias 8:8.

57. Neemias 8:7.

58. Neemias 8:9-12.

59. Neemias 8:17.

60. Neemias 8:16-7.

61. Gerald L. Bruns, "Midrash and Allegory: The Beginnings of Scriptural Interpretation", em Robert Alter; Frank Kermode (Orgs.), *The Literary Guide to the Bible*. Londres, 1987, pp. 626-7.

62. T. Bab Metziah 5:8; 4 Esdras 14:37-48.

63. Mark Edward Lewis, *Writing and Authority in Early China*. Albany (NY): SUNY Press, 1999, pp. 53-6.

64. Cf., por exemplo, *Analectos* 3.8; 4.15.

65. *Analectos* 2.5-8.

66. Mark Edward Lewis, op. cit., pp. 54-9, 83.

67. *Analectos* 1.1, em Edward Slingerland (Trad.), *Confucius: Analects, with Selections from Traditional Commentaries*. Indianapolis: Hackett, 2003.

68. *Analectos* 6.3.

69. *Analectos* 2.18.

70. *Analectos* 5.27.

71. *Analectos* 1.4.

72. O último texto, *Música*, não sobreviveu, mas estava estreitamente ligado às *Odes*, que eram, claro, cantadas.

73. *Analectos* 6.30, trad. Tu Wei-Ming, em *Confucian Thought: Selfhood as Creative Transformation*. Albany (NY): SUNY Press, 1985, p. 68.

74. Tu Wei-Ming, op. cit., pp. 113-6.

75. *Analectos* 12.3.

76. *Analectos* 12.1; trad. Benjamin I. Schwartz, em *The World of Thought in Ancient China*. Cambridge (MA): Harvard University Press, 1985, p. 77.

77. *Analectos* 12.2; em D. C. Lau (Org. e trad.), *Confucius: The Analects* (*Lun yu*). Londres: Penguin, 1979.

78. Ibid.

79. *Analectos* 15.24, trad. Edward Slingerland, op. cit.

80. *Analectos* 4.15, em D. C. Lau (Org. e trad.), op. cit.

81. *Analectos* 15.23, em Arthur Waley (Trad.), *The Analects of Confucius*. Nova York: History Book Club, 1992.

82. *Analectos* 9.11, trad. Edward Slingerland, op. cit.

83. *Analectos* 2.4.

84. *Analectos* 7.1, trad. Edward Slingerland, op. cit.

85. *Analectos* 3.8.

86. Benjamin I. Schwartz, op. cit., pp. 62-6.

87. Lewis, 85-7.

88. *Analectos* 12.3, trad. Edward Slingerland, op. cit. Sentimentos semelhantes a respeito da fala podem ser encontrados nos *Analectos* 1.3; 5.5; 2.5, 25; 15.11; 16.4.

89. *Analectos* 1.12-14.

90. *Analectos* 2.5-8.

91. *Analectos* 17.19, em D. C. Lau (Org. e trad.), op. cit. Este é um capítulo posterior, mas contém material prévio, portanto pode ser de Confúcio, *ipsissima verba*. Robert Eno, *The Confucian Creation of Heaven: Philosophy and the Defence of Ritual Mastery*. Albany (NY): SUNY Press, 1990, v. 2, p. 242, 6n.

92. *Analectos* 8.19.

93. Tu Wei-Ming, op. cit., pp. 115-6.

94. *Chandogya Upanishad* (CU) 3.5.4; todas as traduções dos Upanixades, a não ser quando especificamente indicado, são de Patrick Olivelle (Org. e trad.), *Upanisads*. Oxford: Oxford University Press, 1996.

95. M. Witzel, "Vedas and Upanisads", em Gavin Flood (Org.), *The Blackwell Companion to Hinduism*. Oxford: Blackwell, 2003, pp. 85-6.

96. Patrick Olivelle, op. cit., pp. xxxiv-xxxvi.

97. Ibid., p. lii.

98. *Brhadaranyaka Upanishad* (BU) 1.1.1.

99. CU 1.1.2.

100. William K. Mahony, *The Artful Universe: An Introduction to the Vedic Religious Imagination*. Albany (NY): SUNY Press, 1998, pp. 152-3; Harold Coward, *Sacred Word and Sacred Text: Scripture in World Religions*. Delhi: Sri Satguru, 1988, pp. 123-4; Gavin Flood, *An Introduction to Hinduism*. Cambridge: Cambridge University Press, 1996, pp. 83-4.

101. Aurobindo Ghose, *The Secret of the Veda*. Pondicherry: Sri Aurobindo Ashram, 1971, p. 12.

102. RV 10.168.4, trad. Ralph T. H. Griffiths, *The Rig Veda*. Nova York: Quality Paperback Book Club, 1992.

103. RV 3.54.8, trad. Ralph T. H. Griffiths, op. cit.

104. BU 1.5.3.

105. Klaus K. Klostermaier, *A Survey of Hinduism*. 2. ed. Albany (NY): SUNY Press, pp. 200-1. Alguns dos primeiros místicos upanixádicos eram mulheres.

106. BU 2.5.19.

107. BU 3.4.

108. BU 4.5.15.

109. Louis Dupré, "The Mystical Experience of the Self and Its Philosophical Significance", em Richard Woods (Org.), *Understanding Mysticism*. Garden City (NY): Image Books, pp. 459-62.

110. Meister Eckhart, "Sermon: 'Qui audit me, non confundetur'", em *The Essential Writings*. Org. e trad. Raymond Bernard Blakney. Nova York: HarperCollins, 1957, p. 205.

111. BU 4.4.5-7.

112. Klaus K. Klostermaier, op. cit., pp. 200-3.

113. J. C. Heesterman, *The Broken World of Sacrifice: An Essay in Ancient Indian Ritual*. Chicago: University of Chicago Press, 1993, pp. 164-74; Jan Gonda, *Change and Continuity in Indian Religion*. Haia: Mouton, 1985, pp. 228-35, 285-94.

114. Harold Coward, op. cit., p. 126.

115. CU 8.1.1-6; 8.3.3-5.

116. BU 4.4.23-25.

117. CU 6.7.

118. CU 6.8.7. Ênfase minha.

119. CU 6.10. Ênfase minha.

120. Barbara A. Holdrege, *Veda and Torah: Transcending the Textuality of Scripture*. Albany (NY): SUNY Press, 1996, pp. 346-52.

121. BU 6.2.15.

122. BU 2.5.19.

123. *Aitereya Upanishad* 3.1.13.

124. *Mandukya Upanishad* 3.1.7.

125. BU 2.4.4-5.

5. EMPATIA [pp. 133-67]

1. A. C. Graham, *Disputers of the Tao: Philosophical Argument in Ancient China*. La Salle: Open Court, 1989, pp. 54-62; Benjamin I. Schwartz, *The World of Thought in Ancient China*. Cambridge (MA): Belknap, 1985, pp. 137-57; Yu-lan Fung, *A Short History of Chinese Philosophy*. Org. de Derk Bodde. Nova York: Free Press, 1976, pp. 50-2; Mark Edward Lewis, *Writing and Authority in Early China*. Albany (NY): SUNY Press, 1999, pp. 59-60.

2. A. C. Graham, *Divisions in Early Mohism Reflected in the Core Chapters of Mo-tzu*. Cingapura: Institute of East Asian Philosophies, 1985.

3. *Mozi* 26.4.

4. *Mozi* 3.25.

5. *Mozi* 24, em Burton Watson (Org. e trad.), *Mozi: Basic Writings*. Nova York: Columbia University Press, 2003.

6. *Mozi* 3.31, em Burton Watson (Org. e trad.), op. cit., p. 101.

7. Mark Edward Lewis, op. cit., pp. 112-3.

8. *Mozi* 1.26, em Burton Watson (Org. e trad.), op. cit., p. 92.

9. A. C. Graham, *Disputers of the Tao*, op. cit., p. 41.

10. *Mozi* 3.16, em Yu-lan Fung, op. cit., p. 55.

11. *Mozi* 3.16, em Burton Watson (Org. e trad.), op. cit., p. 46.

12. Ibid.

13. Burton Watson (Org. e trad.), op. cit., p. 48. Esses versos não se encontram nas *Odes* existentes, mas aparecem na seção "Hongfang" de *Documentos*.

14. Jacques Gernet, *Ancient China: From the Beginnings to the Empire*. Trad. Raymond Rudorff. Londres: Faber & Faber, 1968, pp. 67-81; id., *A History of Chinese Civilization*. Trad. J. R. Foster e Charles Hartman. 2. ed. Cambridge: Cambridge University Press, 1996, pp. 89-114.

15. A. C. Graham, *Disputers of the Tao*, op. cit., pp. 299-399.

16. Ibid., pp. 64-74.

17. *Analectos* 14.37, 39.

18. *Mencius* 3B.9. Todas as citações de *Mencius*, a não ser quando especificamente indicado, são de D. C. Lau (Org. e trad.), *Mencius*. Londres: Penguin, 1970.

19. Ibid., 7A.26.

20. *Lu-shi Chunqiu*, 17.7; Hanfeizi, 50; Huainanzi, 13; Yu-lan Fung, op. cit., pp. 60-2.

21. Laozi, 13; Zhuangzi, 3.

22. A. C. Graham, *Disputers*, 300.

23. Shangiunshu, 20, em Benjamin I. Schwartz, op. cit., p. 328.

24. A. C. Graham, *Disputers of the Tao*, op. cit., pp. 111-32; Benjamin I. Schwartz, op. cit., pp. 255-90; Yu-lan Fung, op. cit., pp. 68-9; Tu Weiming, *Confucian Thought: Selfhood as Creative Transformation*. Albany (NY): SUNY Press, 1985, pp. 61-109.

25. *Mencius* 2A.1.

26. Benjamin I. Schwartz, op. cit., p. 255.

27. *Mencius* 3A.4.

28. *Mencius* 3B.9.

29. *Mencius* 2A.6.

30. Ibid.

31. *Mencius* 7A.13.

32. *Mencius* 6B.2. Ênfase minha.

33. *Mencius* 7A.4; modificado por Tu Weiming, op. cit., p. 61.

34. *Mencius* 6A.11.

35. Tu Weiming, op. cit., p. 96.

36. *Mencius* 7A.16.

37. *Mencius* 7A.21.

38. *Mencius* 7A.40; cf. 4B.22.

39. *Mencius* 7B.26.

40. *Mencius* 3B.9.

41. Sarah A. Queen, *From Chronicle to Canon: The Hermeneutics of the Spring and Autumn According to Tung Chung-shu*. Cambridge: Cambridge University Press, 1996, pp. 16-21.

42. *Mencius* 3B.9.

43. Thomas J. Hopkins, *The Hindu Religious Tradition*. Belmont (CA): Dickenson, 1971, pp. 50-1.

44. Jan Gonda, *Change and Continuity in Indian Religion*. Haia: Mouton, 1985, pp. 380-4.

45. Ibid., pp. 381-2; Patrick Olivelle, "The Renouncer Tradition", em Gavin Flood (Org.), *The Blackwell Companion to Hinduism*. Oxford: Blackwell, 2003, pp. 281-2.

46. Paul Dundas, *The Jains*. 2. ed. Londres: Routledge, 2001; Steven Collins, *Selfless Persons: Imagery and Thought in Theravada Buddhism*. Cambridge: Cambridge University Press, 1992, pp. 48-9, 64; Gavin Flood, *An Introduction to Hinduism*. Cambridge: Cambridge University Press, 1996, pp. 87-8; J. C. Heesterman, *The Inner Conflict of Tradition: Essays in Indian Ritual, Kinship and Society*. Chicago: University of Chicago Press, 1985.

47. Paul Dundas, op. cit., pp. 22-44; Margaret Sinclair Stevenson, *The Heart of Jainism*. Londres: Oxford University Press, 1915, pp. 8-55.

48. Paul Dundas, op. cit., p. 27; Thomas J. Hopkins, op. cit., pp. 54-5.

49. Acaranga Sutra (AS) 1.4.1.1-2, em Paul Dundas, op. cit., pp. 41-2.

50. Paul Dundas, op. cit., pp. 43-4.

51. AS 1.5.6.3-4, em Paul Dundas, op. cit., p. 43.

52. M. S. Stevenson, op. cit., pp. 5-6.

53. Paul Dundas, op. cit., pp. 234-5.

54. AS 1.2.3.

55. Paul Dundas, op. cit., pp. 171-2.

56. Ibid., pp. 60-2; id., "Somnolent Sutras: Scriptural Commentary in Svetambara Jainism", *Journal of Indian Philosophy*, v. 224, n. 1, mar. 1996.

57. M. S. Stevenson, op. cit., p. 16.

58. AvNiry 92; em Paul Dundas, *Jains*, op. cit., p. 61.

59. Paul Dundas, "Somnolent Scriptures", op. cit.

60. Id., *Jains*, op. cit., p. 167.

61. Id., "Somnolent Scriptures", op. cit.

62. Kendall W. Folkert, "The 'Canons' of 'Scripture'", em Miriam Levering (Org.), *Rethinking Scripture: Essays from a Comparative Perspective*. Albany: SUNY Press, 1989, pp. 175-6.

63. Mircea Eliade, *Yoga, Immortality and Freedom*. Trad. Willard J. Trask. Londres: Routledge, 1958, pp. 53-84.

64. Joseph Campbell, *Oriental Mythology: The Masks of God*. Nova York: Penguin, 1982, p. 263.

65. Vinaya Mahavagga 1.4. Consultei muitas traduções das escrituras budistas, mas as parafraseei, produzindo minha própria versão, para torná-las mais acessíveis ao leitor ocidental.

66. Ibid., 1.11.

67. Samyutta Nikaya (SN) 3.120.

68. Wilfred Cantwell Smith, *What Is Scripture? A Comparative Approach*. Londres: SCM, 1993, p. 166.

69. Louis R. Lancaster, "Buddhist Literature: Its Canons, Scribes and Editors", em Wendy O'Flaherty (Org.), *The Critical Study of Sacred Texts*. Berkeley: Graduate Theological Union, 1979, p. 217; Harold Coward, *Sacred Word and Sacred Text: Scripture in World Religions*. Delhi: Sri Satguru, 1988, pp. 141-2.

70. W. C. Smith, op. cit., pp. 169-71.

71. Digha Nikaya (DN) 16; Anguttara Nikaya (AN) 76.

72. AN 7.9.2.

73. Howard Coward, op. cit., p. 151.

74. Vinaya Mahavagga 1.21; SN 35.28.

75. AN 6.63.

76. Richard F. Gombrich, *Theravada Buddhism: A Social History from Ancient Benares to Modern Colombo*. 2. ed. Londres: Routledge, 2008, pp. 14-7.

77. Majjima Nikaya (MN)1; SN 22.59.

78. Vinaya Mahavagga 1.6.

79. Richard F. Gombrich, op. cit., pp. 59-61.

80. DN 9.

81. Richard F. Gombrich, op. cit., pp. 17-20; T. W. Rhys Davids, "Introduction to the Kassapa-Sihananda Sutta", em *Dialogues of the Buddha*. Londres: Oxford University Press, 1899, v. II, pp. 206-7.

82. Rupert Gethin, *The Foundations of Buddhism*. Oxford: Oxford University Press, 1996, p. 44.

83. Gavin Flood, *The Ascetic Self: Subjectivity, Memory and Tradition*. Cambridge: Cambridge University Press, 2004, pp. 119-38.

84. John Powers, *A Bull of a Man: Images of Masculinity, Sex and the Body in Indian Buddhism*. Cambridge (MA): Harvard University Press, 2009, pp. 120-4.

85. SN 4.211-13; MN 1.181; DN 1.70-71, trad. John Powers, op. cit., p. 121.

86. Walter Burkert, *Greek Religion*. Trad. John Raffan. Cambrige (MA): Harvard University Press, 1985, pp. 114, 152; Seth L. Schein, *The Mortal Hero: An Introduction to Homer's Iliad*. Berkeley: University of California Press, 1984, pp. 57-8.

87. Charles Segal, "Catharsis, Audience and Closure in Greek Tragedy", em M. S. Silk (Org.), *Tragedy and the Tragic: Greek Theatre and Beyond*. Oxford: Oxford University Press, 1996, pp. 149-66.

88. Aeschylus, *Agamemnon*, 176-84, em *The Oresteia*. Trad. Robert Fagles. Londres: Penguin, 1966.

89. Id., *The Persians*, 179-184, em *Prometheus Bound and Other Plays*. Trad. Philip Vellacott. Londres: Penguin, 1991.

90. Walter Burkert, op. cit., pp. 65-7; Roland Parker, *Athenian Religion: A History*. Oxford: Oxford University Press, 1996, pp. 34-41.

91. Jean-Pierre Vernant, "The Historical Moment of Tragedy", em Jean-Pierre Vernant e Pierre Vidal-Naquet, *Myth and Tragedy in Ancient Greece*. Trad. Janet Lloyd. Nova York: Zone Books, 1990, pp. 7-26.

92. Id., "Tensions and Ambiguities in Greek Tragedy", em Jean-Pierre Vernant e Pierre Vidal-Naquet, op. cit., pp. 34-5.

93. Id., "Oedipus without the Complex", em Jean-Pierre Vernant e Pierre Vidal-Naquet, op. cit., pp. 88-9.

94. Id., "Intimations of the Will in Greek Tragedy", em Jean-Pierre Vernant e Pierre Vidal--Naquet, op. cit., pp. 49-84.

95. Louis Gernet, *Récherches sur le développement de la pensée juridique et morale en Grèce*. Paris: Ernest Leroux, 1917, p. 305.

96. André Rivier, "Remarques sur le 'nécessaire' et la 'nécessité' chez Eschyle", *Revue des Études Grecques*, n. 81, 1968.

97. Jean-Pierre Vernant, "Tensions and Ambiguities", op. cit., pp. 29-48.

98. Id., "Historical Moment", op. cit., pp. 27-8.

99. Sophocles, *King Oedipus* (KO) 1082. Todas as citações, a não ser quando especificamente indicado, são tiradas de *The Three Theban Plays: Antigone, Oedipus the King, Oedipus at Colonus* (trad. Robert Fagles. Nova York: Penguin, 1982).

100. Homero, *Odisseia*, XI, 275-6.

101. KO 135.

102. KO 112, 362, 450, 688, 659.

103. KO 1293, 1387-8, 1395.

104. KO 33, 1433.

105. KO 58-9, 84, 105, 397.

106. Jean-Pierre Vernant, "Ambiguity and Reversal: On the Enigmatic Structure of Oedipus Rex", em Jean-Pierre Vernant e Pierre Vidal-Naquet, op. cit., p. 124.

107. KO 469, 479.

108. KO 1255, 1265.

109. KO 1451.

110. KO 131-41.

111. KO 551.

112. Jean-Pierre Vernant, "Ambiguity and Reversal", op. cit., p. 117.

113. KO 816, 818.

114. KO 1230-1.

115. KO 1298-302.

116. KO 1311.

117. KO 1329-32.

118. KO 125-96.

119. KO 1320-3.

120. Charles Segal, op. cit., pp. 166-8; Claude Calame, "Vision, Blindness and Mask: The Radicalization of the Emotions", em M. S. Silk (Org.), op. cit., pp. 19-31; Richard Buxton, "What Can You Rely On in Oedipus Rex?", em M. S. Silk (Org.), op. cit., pp. 38-49.

121. KO 127, 1312, 1299, 1321.

122. Plato, "Apology", trad. G. M. A. Grube, em John M. Cooper (Org.), *Plato: Complete Works*. Indianapolis: Hackett, 1997, pp. 40-1.

6. DESCONHECER [pp. 168-94]

1. Romila Thapar, *Early India: From the Origins to ad 1300*. Berkeley: University of California Press, 2002, pp. 174-8.

2. Id., "Genealogical Patterns as Perceptions of the Past", *Studies in History*, v. 7, n. 1, 1991.

3. H. H. Wilson (Trad.), *The Vishnu Purana*. Calcutá: Punthi Pustak, 1972, p. 374.

4. Major Rock Edict, em Romila Thapar, *Aśoka and the Decline of the Mauryas*. Oxford: Oxford University Press, 1961, p. 254.

5. B. B. Lai, "*Mahabharata* and Archaeology", em S. P. Gupta e K. S. Ramachandran (Org.), *Mahabharata: Myth and Reality*. Nova Delhi: Agam Prakashan, 1976, pp. 57-9; John Keay, *India: A History*. Nova York: HarperCollins, 2000, p. 42.

6. Wendy Doniger, *The Hindus: An Alternative History*. Oxford: Oxford University Press, 2009, p. 254.

7. Barbara Stoler Miller, "The *Mahabharata* as Theatre", em Wm. T. de Bary e Irene Bloom (Orgs.), *Eastern Canons: Approaches to the Asian Classics*. Nova York: Columbia University Press, 1990, pp. 136-7.

8. John D. Smith, "The Two Sanskrit Epics", em A. T. Hatto (Org.), *Traditions of Heroic and Epic Poetry*. Londres: Modern Humanities Research Association, 1981, p. 48.

9. John L. Brockington, *The Sanskrit Epics*. Leiden: Brill, 1998, pp. 246-45; Thomas J. Hopkins, *The Hindu Religious Tradition*. Belmont: Dickenson, 1971, pp. 88-9.

10. Alf Hiltebeitel, *Rethinking the Mahabharata: A Reader's Guide to the Education of the Dharma King*. Chicago: University of Chicago Press, 2001, pp. 18-29; John L. Brockington, op. cit., pp. 20-1.

11. James W. Earl, *Beginning the Mahabharata: A Reader's Guide to the Frame Stories*. Woodland Hills (CA): South Asian Studies Association, 2011, pp. 13-20.

12. *Mahabharata* 1.1.1-26.

13. Alf Hiltebeitel, op. cit., pp. 112-5; James W. Earl, op. cit., p. 11.

14. Alf Hiltebeitel, op. cit., pp. 114-5; James W. Earl, op. cit., pp. 26-35.

15. J. A. B. Van Buitenen (Org. e trad.), *The Mahabharata*. Chicago: University of Chicago Press, 1973-81, v. II, p. 29; cf. Emily T. Hudson, *Disorienting Dharma: Ethics and the Aesthetics of Suffering in the Mahabharata*. Oxford: Oxford University Press, 2013, pp. 22-3.

16. Alf Hiltebeitel, op. cit., p. 316.

17. Ibid., p. 72; David Shulman, "Toward a Historical Poetics of the Sanskrit Epics", *International Folklore Review*, n. 8, 1991.

18. David Shulman, op. cit.

19. Emily T. Hudson, op. cit., pp. 30-1.

20. Alf Hiltebeitel, op. cit., pp. 177-214.

21. *Mahabharata* 6.44.34-38, trad. Emily T. Hudson, op. cit., p. 172.

22. *Mahabharata* 19.3.33, em John D. Smith (Org. e trad.), *The Mahabharata: An Abridged Translation*. Londres: Penguin, 2009.

23. *Mahabharata* 5.36.42-5, em J. A. B. van Buitenen (Org. e trad.), op. cit., v. III.

24. Emily T. Hudson, op. cit., pp. 95-6.

25. *Mahabharata* 5.46-66; 5.70.46-66; 7.70.74, em J. A. B. van Buitenen (Org. e trad.), op. cit.

26. Emily T. Hudson, op. cit., pp. 74-105.

27. *Mahabharata* 2.60.5, em J. A. B. van Buitenen (Org. e trad.), op. cit.

28. *Mahabharata* 2.27.9, em J. A. B. van Buitenen (Org. e trad.), op. cit. (trad. modificada).

29. *Mahabharata* 7.164.100, em John D. Smith (Org. e trad.), op. cit.

30. *Mahabharata* 7.164.

31. *Mahabharata* 11.26.

32. Emily T. Hudson, op. cit., pp. 206-16.

33. *Mahabharata* 17.3.20, em John D. Smith (Org. e trad.), op. cit.

34. *Mahabharata* 18.1.6, em John D. Smith (Org. e trad.), op. cit.

35. *Mahabharata* 18.3.10, em John D. Smith (Org. e trad.), op. cit.

36. Michael La Fargue, *Tao and Method: A Reasoned Approach to the Tao Te Jing*. Albany (NY): SUNY Press, 1994.

37. Mark Edward Lewis, *Writing and Authority in Early China*. Albany (NY): SUNY Press, 1994, pp. 297-300.

38. *Daodejing* 1. Todas as citações do *Daodejing*, a não ser quando especificamente indicado, são tiradas de D. C. Lau (Org. e trad.), *Lao-tzu: Tao Te Ching*. Londres: Penguin, 1963.

39. *Daodejing* 25.

40. Fung Yu-lan, *A Short History of Chinese Philosophy*. Org. de Derk Bodde. Nova York: Free Press, 1976, pp. 95-6.

41. *Daodejing* 3.

42. A. C. Graham, *Disputers of the Tao: Philosophical Argument in Ancient China*. La Salle: Open Court, 1989, pp. 220-30.

43. Fung Yu-lan, op. cit., p. 97.

44. *Daodejing* 40.

45. *Daodejing* 23.

46. *Daodejing* 9.

47. *Daodejing* 29.

48. *Daodejing* 7.

49. *Daodejing* 22.

50. *Daodejing* 13, em Wm. T. de Bary e Irene Bloom (Orgs.), *Sources of Chinese Tradition: From Earliest Times to 1600*. 2. ed. Nova York: Columbia University Press. 1999, pp. 83-4.

51. A. C. Graham, op. cit., pp. 172-203; Benjamin I. Schwartz, *The World of Thought in Ancient China*. Cambridge (MA): Belknap, 1985, pp. 213-36; Fung Yu-lan, op. cit., pp. 104-17.

52. *The Book of Zhuangzi*, 20.61-8. Todas as citações do *Zhuangzi*, a não ser quando especificamente indicado, são de Martin Palmer e Elizabeth Breuilly (Trad.), *The Book of Chuang Tzu*. Londres: Penguin, 1996.

53. *Zhuangzi* 18.15-9.

54. *Zhuangzi* 2.78-80.

55. *Zhuangzi* 6.93, em David Hinton (Org. e trad.), *Chuang Tzu: The Inner Chapters*. Berkeley: Counterpoint, 1998 (trad. modificada).

56. *Zhuangzi* 2.50-53.

57. *Zhuangzi* 6.31.

58. *Zhuangzi* 1.21.

59. *Zhuangzi* 6.11.

60. Havia originariamente seis Clássicos, mas no tumulto do fim do período dos Estados Combatentes, e de logo depois, o "Clássico da Música" se perdeu.

61. Xunzi, "Encouraging Learning"; trad. Burton Watson, *Hsun Tzu: Basic Writings*. Nova York: Columbia University Press, 1963, p. 19.

62. Xunzi, "Man's Nature is Evil", em Burton Watson, op. cit., p. 166.

63. Xunzi, "A Discussion of Rites", em Burton Watson, op. cit., p. 93.

64. Xunzi, "Encouraging Learning", em Burton Watson, op. cit., pp. 19-20. Note-se que o *Yijing* ("Mutações"') ainda não se tornara uma das escrituras clássicas.

65. Ibid., p. 21.

66. Ibid., p. 20.

67. Ibid.

68. Ibid., pp. 21, 28-30.

69. Xunzi, "A Discussion of Rites", em Burton Watson, op. cit., p. 100.

70. Xunzi, "Encouraging Learning", em Burton Watson, op. cit., p. 21.

71. Ibid., pp. 20-1.

72. Xunzi, "Dispelling Obsession", em Burton Watson, op. cit., pp. 127-8.

73. Ibid., p. 129.

74. Ibid.

75. Wing-tsit Chan (Org. e trad.), *A Source Book in Chinese Philosophy*. Princeton: Princeton University Press, 1969, pp. 262-5.

76. Ibid., p. 265.

77. Ibid.

78. Grande Apêndice 1.5, em Z. N. Sung (Org. e trad.), *The Text of the Yi King*. Nova York: Paragon, 1969, p. 279.

79. *Zhou yi Zheng yi* ("A Grande Tradição"), 8, trad. Mark Edward Lewis, op. cit., p. 197.

80. Ibid., p. 198.

81. Mark Edward Lewis, op. cit., pp. 195-8.

82. Sarah A. Queen, *From Chronicle to Canon: The Hermeneutics of the Spring and Autumn According to Tung Chung-shu*. Cambridge: Cambridge University Press, 1996, p. 115. Queen menciona ainda outras duas tradições: Zou e Jia, que entraram em declínio por falta de quem as transmitisse, ou por perda de textos.

83. John B. Henderson, *Scripture, Canon and Commentary: A Comparison of Confucian and Western Exegesis*. Princeton: Princeton University Press, 1991, p. 64.

84. David Keightley, "Late Shang Divination: The Magico-Religious Legacy", em Henry Rosemont (Org.), *Explorations in Early Chinese Cosmology*. Chico (CA): Scholars Press, 1984, p. 23.

85. John B. Henderson, op. cit., p. 75; Michael Loewe, *Faith, Myth and Reason in Han China*. Indianapolis: Hackett, 2005, p. 186.

86. John B. Henderson, op. cit., p. 88.

87. Comentário do Duque Ai, 41, em Sarah A. Queen, op. cit., p. 122.

88. Sarah A. Queen, op. cit., pp. 119-22; Mark Edward Lewis, op. cit., pp. 130-2.

89. Zhang 4, em Mark Edward Lewis, op. cit.

90. Wing-tsit Chan (Org. e trad.), op. cit., pp. 262-70; Sarah A. Queen, op. cit., pp. 125, 230-2; Mark Edward Lewis, op. cit., pp. 139-44.

91. David M. Carr, *Writing on the Tablet of the Heart: Origins of Scripture and Literature*. Oxford: Oxford University Press, 2005, pp. 178-86.

92. Ibid., pp. 199-200.

93. Ibid., pp. 207-12; Richard A. Horsley, "The Origins of Hebrew Scripture Under Imperial Rule: Oral-Written Scribal Cultivation of Torah — Not 'Re-Written Bible'" e "Oral Composition-and Performance of the Instructional Speeches of Ben Sirah", em *Text and Tradition in Performance and Writing*. Eugene: Cascade, 2013.

94. Ben Sira 24.33-4. Na Bíblia, o livro costuma ser intitulado "Eclesiástico" ou "Sirácida".

95. Barbara A. Holdrege, *Veda and Torah: Transcending the Textuality of Scripture*. Albany (NY): SUNY Press, 1996, p. 136.

96. Ben Sira 24.33.

97. Ibid., 24.3, 8, 28-30.

98. Barbara A. Holdrege, op. cit., p. 133.

99. Provérbios 8.22, 30-1.

7. CÂNONE [pp. 195-217]

1. Mark Edward Lewis, *Writing and Authority in Early China*. Albany (NY): SUNY Press, 1999, pp. 61-2.

2. Sima Qian, *Shiji*, 6.239, em Burton Watson (Org. e trad.). *Records of the Grand Historian*. Nova York: Columbia University Press, 1961; John King Fairbank e Merle Goldman, *China: A New History*. 2. ed. Cambridge (MA): Harvard University Press, 2006, p. 56.

3. Mark Edward Lewis, op. cit., pp. 339-40; John B. Henderson, *Scripture, Canon and Commentary: A Comparison of Confucian and Western Exegesis*. Princeton: Princeton University Press, 1991, p. 40.

4. Benjamin I. Schwartz, *The World of Thought in Ancient China*. Cambridge (MA): Belknap, 1985, pp. 237-53.

5. Liu Xin, *Hanshu* ("History of the Former Han"), 130, em A. C. Graham, *Disputers of the Tao: Philosophical Argument in Ancient China*. La Salle: Open Court, 1989, pp. 379-80.

6. *Hanfeizi* 5, em Burton Watson (Org. e trad.), *Han Fei Tzu: Basic Writings*. Nova York: Columbia University Press, 1964.

7. Michael Loewe, *Faith, Myth and Reason in Han China*. Indianapolis: Hackett, 2005, pp. 6-7.

8. Herbert Fingarette, *Confucius: The Secular as Sacred*. Nova York: Harper and Row, 1972.

9. Sima Qian, *Shiji*, 8.1, citado por Yu-lan Fung, *A Short History of Chinese Philosophy*. Org. de Derk Bodde. Nova York: Free Press, 1976, p. 215.

10. A. C. Graham, *Disputers*, op. cit., pp. 313-77; Benjamin I. Schwartz, op. cit., pp. 383-406.

11. John B. Henderson, op. cit., pp. 40-3.

12. Sarah A. Queen, *From Chronicle to Canon: The Hermeneutics of the Spring and Autumn According to Tung Chung-shu*. Cambridge: Cambridge University Press, 1996, pp. 4-10, 20-36, 111-2, 227-40.

13. Sarah A. Queen e John A. Major (Trad.), *Luxuriant Gems of the Spring and Autumn*. Nova York: Columbia University Press, 2016, 8/12a/1/19-12a.3.15.

14. Ibid., 11/66/3/1-1b.7.1.

15. *Shiji*, 121; Mark Edward Lewis, op. cit., p. 348.

16. Mark Edward Lewis, op. cit., pp. 349-50.

17. Michael Loewe, op. cit., pp. 182-3.

18. Ibid., pp. 12-5.

19. Mark Edward Lewis, op. cit., pp. 218-35.

20. *Shiji*, 47, em Mark Edward Lewis, op. cit., p. 234.

21. Ibid., p. 237.

22. Benjamin I. Schwartz, op. cit., pp. 383-404.

23. Etienne LaMotte, "La Critique d'interprétation dans le bouddhisme", *Annuaire de l'Institut de Philologie et Histoire Orientales et Slaves*, Bruxelas, n. 9, 1949. Ênfase minha.

24. A. L. Basham, "Ashoka and Buddhism: A Re-examination", *Journal of the International Association of Buddhist Studies*, v. 5, n. 1, 1982.

25. Étienne LaMotte, *Histoire du Bouddhisme indien*. Louvain: Publications Universitaires, L'Institut Orientaliste, 1958, p. 300.

26. Paul Williams, *Mahayana Buddhism: The Doctrinal Foundations*. Londres: Routledge, 1989, p. 4.

27. Majjima Nikaya, 143.

28. Paul Williams, op. cit., p. 9.

29. Ibid., pp. 19-20, 25-8, 168-70.

30. Donald S. Lopez (Org.), *Buddhist Hermeneutics*. Honolulu: University of Hawaii Press, 1992, p. 47.

31. Paul Williams, op. cit., p. 3.

32. Harold Coward, *Sacred Word and Sacred Text: Scripture in World Religions*. Delhi: Sri Satguru, 1988, p. 160.

33. Ibid., pp. 219-20.

34. Ibid., pp. 217-22.

35. Sutta Nipata, 1147, em Paul Williams, op. cit.

36. Buddhaghosa, *The Path of Purification* (*Visuddhimagga*). Trad. Bhikkhu Nanamoli. Kandy (Sri Lanka): Buddhist Publication Society, 1975, p. 230.

37. *Satashakti Prajnaparamiter*, trad. do chinês em Garma C. C. Chang (Org.), *A Treasury of Mahayana Sutras*. University Park: Penn State University Press, 1983, p. 110; ênfase minha.

38. Paul Williams, op. cit., p. 29.

39. Ibid., pp. 40-74.

40. Stephen Beyer, *The Buddhist Experience: Sources and Interpretations*. Belmont (CA): Wadsworth, 1974, p. 340.

41. Edward Conzeb (Trad.), *The Perfection of Wisdom in Eight Thousand Lines and its Verse Summary*. Bolinas (CA): Four Seasons Foundation, 1973, p. 300.

42. Ibid., pp. 9-10.

43. Ibid., pp. 9, 84.

44. Ibid., p. 99.

45. Ibid., pp. 238-9.

46. Ibid., p. 25.

47. Paul Williams, op. cit., pp. 141-52; Wing-tsit Chan, "The Lotus Sutra", em Wm. T. de Bary e Irene Bloom (Orgs.), *Eastern Canons: Approaches to the Asian Classics*. Nova York: Columbia University Press, 1990; trad. *Lotus Sutra* em Garma C. C. Chang (Org.), op. cit.

48. *Lotus Sutra*, capítulo 5.

49. Ibid., capítulo 7.

50. Ibid., capítulo 16.

51. Trad. Garma C. C. Chang (Org.), op. cit., p. 174.

52. *Lotus Sutra*, capítulo 14.

53. Paul Williams, op. cit., p. 152.

54. Robert A. F. Thurman (Trad.), *The Holy Teaching of Vimalakirti*. University Park: Penn State University Press, 1976; id., "The Teaching of Vimilakirti", em Wm. T. de Bary e Irene Bloom (Orgs.), op. cit.

55. *Ekakshariprajnaparamita* ("A perfeição da sabedoria em uma única letra").

56. Donald S. Lopez (Org.), op. cit., pp. 47-8.

57. Nagarjuna, *Mulamadhhyamaka-kavita*, 23-4, trad. em Donald S. Lopez (Org.), op. cit., p. 48.

58. Ibid.

59. Prefácio a Ben Sira ("Eclesiastes"); ênfase minha.

60. Ben Sira 24:32-4.

61. David M. Carr, *Holy Resilience: The Bible's Traumatic Origins*. New Haven: Yale University Press, 2014, pp. 142-3.

62. Martin Hengel, *Judaism and Hellenism: Studies in Their Encounter in Palestine During the Early Hellenistic Period*. Trad. John Bowden. Londres: SCM, 1974, v. I, pp. 294-300; Elias J. Bickerman, *From Ezra to the Last of the Maccabees*. Nova York: Schocken, 1962, pp. 286-9; id., *The Jews in the Greek Age*. Cambridge (MA): Harvard University Press, 1990, pp. 294-6.

63. David M. Carr, *Writing on the Tablet of the Heart: Origins of Scripture and Literature*. Oxford: Oxford University Press, 2005, p. 200; Shaye Cohen, *The Beginnings of Jewishness: Boundaries, Varieties, Uncertainties*. Berkeley: University of California Press, 1999, pp. 132-5.

64. M. H. Segal, "The Promulgation of the Authoritative Text of the Hebrew Bible", *Journal of Biblical Literature*, n. 72, 1963; Moshe Greenberg, "The Stabilization of the Text of the Hebrew Bible", *Journal of the American Oriental Society*, n. 76, 1971; David M. Carr, *Holy Resilience*, op. cit., pp. 146-55.

65. James L. Kugel, *The Bible as It Was*. Cambridge (MA): Harvard University Press, 1997, p. 3.

66. Gênesis 5:21-4.

67. Enoque, capítulos 12-6.

68. 1 Enoque 15:1, trad. E. Isaac, em James H. Charlesworth (Org.), *The Old Testament Pseudepigrapha*. Peabody: Hendrickson, 1983.

69. Moshe Weinfeld, *Deuteronomy and the Deuteronomic School*. Oxford: Clarendon Press, 1972, pp. 200-1.

70. Daniel 7:9-10.

71. Daniel 7:13-4.

72. Fílon 6.476.

73. 1 Macabeus 3:46-66.

74. 2 Macabeus 15:9.

75. 1 Macabeus 9:27; cf. 4:44-6, 14:41.

76. Richard A. Horsley, "The Origins of the Hebrew Scripture under Imperial Rule" e "Contesting Authority: Popular vs. Scribal Tradition in Continuing Performance", em *Text and Tradition in Performance and Writing*. Eugene (OR): Cascade Books, 2013; David M. Carr, *Writing on the Tablet of the Heart*, op. cit., pp. 215-39; Martin S. Jaffee, *Torah in the Mouth: Writing and Oral Tradition in Palestinian Judaism 200 BCE–400 CE*. Oxford: Oxford University Press, 2001, pp. 31-7.

77. Alex P. Jassen, "The Dead Sea Scrolls and Violence: Sectarian Formation and Eschatological Imagination", em Ra'anan S. Boustan et al. (Orgs.). *Violence, Scripture and Textual Practice in Early Judaism and Christianity*. Leiden: Brill, 2010.

78. Qumran Community Rule (1QS.6.45), em Geza Vermes (Org. e trad.), *The Complete Dead Sea Scrolls in English*. Londres: Penguin, 1997.

79. Martin S. Jaffee, op. cit., p. 37.

80. Seth Schwartz, *Imperialism and Jewish Society, 200 BCE to 640 CE*. Princeton: Princeton University Press, 2001, pp. 40-7.

81. Flávio Josefo [Flavius Josephus], *Antiguidades judaicas*, 13.288-98, 408-10.

82. Martin S. Jaffee, op. cit., pp. 38-61.

83. Flávio Josefo, *Contra Apion*, 1.38, trad. H. St. J. Thackeray, em Flavius Josephus, *Against Apion*. Londres: Heinemann, 1926.

84. Flávio Josefo, *A guerra dos judeus*, 2.260-62.

8. *MIDRASH* [pp. 218-42]

1. Reuven Firestone, *Holy War in Judaism: The Fall and Rise of a Controversial Idea*. Oxford: Oxford University Press, 1999, pp. 46-7.

2. Donald Harman Akenson, *Surpassing Wonder: The Invention of the Bible and the Talmuds*. Nova York: Harcourt Brace & Company, 1998, pp. 319-25.

3. Martin S. Jaffee, *Torah in the Mouth: Writing and Oral Tradition in Palestinian Judaism 200 BCE–400 CE*. Oxford: Oxford University Press, 2001, pp. 1-10.

4. Ibid., p. 83.

5. Salmos 22:14.

6. M. Yadayin 4.3, em Martin S. Jaffee, op. cit., p. 80.

7. Ibid., pp. 80-1; D. H. Akenson, op. cit., pp. 315-7; Jacob Neusner, "The Use of the Mishnah for the History of Judaism Prior to the Time of the Mishnah", *Journal for the Study of Judaism*, n. 11, dez. 1980.

8. *Pesikta Rabbati* 3.2, em William G. Braude (Org. e trad.), *Pesikta Rabbati Discourses for Feasts, Fasts and Special Sabbaths*. New Haven: Yale University Press, 1988.

9. Moshe Halbertal, *People of the Book: Canon, Meaning and Authority*. Cambridge (MA): Harvard University Press, 1997, pp. 45-6, 50-4.

10. *B. Gittin* 66; *B. Baba Metzia* 36a.

11. *Pesikta Rabbati* 21; *M. Tehilim* 12.4; trad. Moshe Halbertal, op. cit., pp. 53-4.

12. D. H. Akenson, op. cit., pp. 319-21; Jacob Neusner, *Judaism: The Evidence of the Mishnah*. Atlanta: Scholars Press, 1988, pp. 48-121.

13. *M. Middoth* 5.4; 2.5.

14. *M. Tamid* 1.2.

15. *B. Menahoth* 29b.

16. *Sifre* sobre Levítico 13:47.

17. Martin S. Jaffee, op. cit., pp. 100-2.

18. Gerald L. Bruns, "Midrash and Allegory: The Beginnings of Scriptural Interpretation", em Robert Alter e Frank Kermode (Orgs.), *The Literary Guide to the Bible*. Londres, 1987, p. 634.

19. Jacob Neusner, *Medium and Message in Judaism*. Atlanta: Scholars Press, 1989, p. 3; id., "The Mishnah in Philosophical Context and Out of Canonical Bounds", *Journal of Biblical Literature*, n. 11, verão 1993; D. H. Akenson, op. cit., pp. 305-20.

20. Jacob Neusner, *Judaism: The Evidence of the Mishnah*, op. cit., p. 229.

21. *M. Pirke Avot* 3.3.7, em Joseph I. Gorfinkle (Trad.), *Pirke Avot: Traditional Text; Sayings of the Jewish Fathers*. Nova York: Digireads.com, 2013.

22. *M. Pirke Avot* 6.1; trad. Michael Fishbane, *The Garments of Torah: Essays in Biblical Hermeneutics*. Bloomington: Indiana University Press, 1989, p. 77.

23. *M. Song of Songs Rabbah* 1.102; trad. Geral L. Bruns, "Midrash and Allegory", op. cit., p. 627.

24. Michael Fishbane, op. cit., p. 22.

25. Deuteronômio 21.23.

26. *M. Sanhedrin* 6.4-5, trad. Michael Fishbane, op. cit., p. 30.

27. *M. Pirke Avot*; trad. Joseph Gorfinkle, op. cit.

28. Salmos 89.2; *Avot de R. Nathan*, trad. C. G. Montefiore e H. Loewe (Orgs.), *A Rabbinic Anthology*. Nova York: Schocken Books, 1974.

29. *Sifre* sobre Deuteronômio, 306, trad. Martin S. Jaffee, op. cit., p. 90.

30. *Sifre* sobre Deuteronômio, 351, trad. Martin S. Jaffee, op. cit., p. 90.

31. *Pesikta Rabbati* 2.2, em William G. Braude (Org. e trad.), op. cit.

32. Richard A. Horsley, "Contesting Authority: Popular vs. Scribal Tradition in Continuing Performance", em *Text and Tradition in Performance and Writing*. Eugene (OR): Cascade Books, 2013, pp. 102-5, 113-6.

33. Flávio Josefo [Flavius Josephus], *Antiguidades judaicas*, 18.36-8; A. N. Sherman White, *Roman Laws and Roman Society in the New Testament*. Oxford: Clarendon, 1963, p. 139.

34. Marcos 1:15.

35. Lucas 6:20-38; Mateus 20:16; Richard A. Horsley, *Jesus and the Spiral of Violence: Popular Jewish Resistance in Roman Palestine*. Mineápolis: Fortress, 1993, pp. 167-8.

36. Mateus 25:34-40.

37. Marcos 12:13-7.

38. Richard A. Horsley, *Jesus and the Spiral of Violence*, op. cit., pp. 306-16; F. F. Bruce, "Render to Caesar", em F. Bammel e C. F. D. Moule (Orgs.), *Jesus and the Politics of His Day*. Cambridge: Cambridge University Press, 1981, p. 258.

39. Mateus 21:12-3.

40. Richard A. Horsley, *Jesus and the Spiral of Violence*, op. cit., pp. 286-9; Sean Frayne, *Galilee: From Alexander the Great to Hadrian, 323 BCE to 135 CE: A Study of Second Temple Judaism*. Notre Dame: University of Notre Dame Press, 1980, pp. 283-6.

41. Flávio Josefo, *A guerra dos judeus*, 2.75; Martin Hengel, *Crucifixion in the Ancient World and the Folly of the Message of the Cross*. Trad. John Bowden. Londres: Fortress, 1977, p. 76.

42. John Dominic Crossan, *Jesus: A Revolutionary Biography*. San Francisco: HarperSanFrancisco, 1987, p. 163.

43. Coríntios 15:3-4; ênfase minha.

44. Salmos 110:1.

45. Salmos 2:7.

46. Salmos 8:5-6.

47. Daniel 7:13-4.

48. Martin Hengel, "Christology and New Testament Chronology" e "'Christos' in Paul", em *Between Jesus and Paul: Studies in the Earliest History of Christianity*. Trad. John Bowden. Londres: Fortress, 1983.

49. Joel 2:28-9.

50. 1 Coríntios 11:23-6.

51. Gálatas 3:27-8.

52. Arthur J. Dewey, *Inventing the Passion: How the Death of Jesus Was Remembered*. Salem: Polebridge, 2017, pp. 49-61.

53. Joanna Dewey, "Our Text of Marcos: How Similar to First Century Versions?", em Joanna Dewey, 176-8; Pieter J. J. Botha, "Marcos's Story as Oral Traditional Literature", em Botha, 166-8.

54. Marcos 8:31-3; 9:30-2; 10:32-4.

55. Flávio Josefo, *A guerra dos judeus*, 5.449-51.

56. Arthur J. Dewey, op. cit., pp. 79-81.

57. Salmos 22:6-8.

58. Marcos 15:31.

59. Marcos 15:2-4; Salmos 22:18.

60. Salmos 22:1.

61. Marcos 14:18; Salmos 41:9.

62. Marcos 14:34; Salmos 42:6, 11; 43:5.

63. Marcos 15:36; Salmos 69:21.

64. Marcos 15:37.

65. Marcos 8:34-6; Mateus 16:24-5; Lucas 9:23-34.

66. Marcos 13:9-10; 13.

67. Marcos 13:24-7.

68. Mateus 1:23.

69. Miqueias 5:1; Mateus 2:6.

70. Mateus 5:33.

71. Êxodo 20:7; Mateus 5:38-9.

72. Levítico 19:18; Mateus 5:44.

73. Mateus 5:20.

74. Lucas 1:46-56; passagens citadas da Bíblia hebraica são: 1 Samuel 1:1; Salmos 103:17; Salmos 111:9; Jó 5:11; 12:19; Salmos 98:3; Salmos 107:9; Isaías 41:8-9.

75. Lucas 24:15-27.

76. Lucas 24:32.

77. Mateus 17:2.

78. Mateus 17:5.

79. Larry W. Hurtado, *How on Earth Did Jesus Become a God? Historical Questions about Earliest Devotion to Jesus*. Grand Rapids: Wm. B. Eerdmans, 2005, p. 200.

80. Id., *Lord Jesus Christ: Devotion to Jesus in Earliest Christianity*. Grand Rapids: Wm. B. Eerdmans, 2003, pp. 383-9.

81. João 1:1-3.

82. João 1:14.

83. David E. Aune, *The Cultic Setting of Realized Eschatology in Early Christianity*. Leiden: Brill, 1972.

84. 1 Coríntios 12:4-11.

85. Isaías 53:3; 49:13.

86. Filipenses 2:6-7.

87. Filipenses 2:9-11.

88. Filipenses 2:3-5.

89. Romanos 13:1-2, 4.

90. Richard A. Horsley e Neil Asher Silberman, *The Message and the Kingdom*. Mineápolis: Grossett/Putnam, 1997, p. 191; Neil Elliott, "Romans 13:1-7 in the Context of Imperial Propaganda", em Richard A. Horsley (Org.), *Paul and Empire: Religion and Power in Roman Imperial Society*. Harrisburg: Trinity, 1997; Neil Elliott, "Paul and the Politics of Empire", em Richard A. Horsley (Org.), *Paul and Politics: Ekklesia, Israel, Imperium, Interpretation*. Harrisburg: Trinity, 2000. A mesma política provavelmente explica a aparente aceitação por Paulo da instituição da escravidão na Epístola a Filêmon.

91. Romanos 13:9-10.

92. Estudiosos concordam que as epístolas autênticas de Paulo são 1 e 2 Coríntios; Romanos; Filipenses; Gálatas; 1 Tessalonicenses; e Filêmon.

93. Efésios 1:11, 21; Colossenses 3:18-25; cf. 1 Pedro 2:18-3:7; James D. G. Dunn, "The Household Rules in the New Testament", em Stephen C. Barton (Org.), *The Family in Theological Perspective*. Edimburgo: T&T Clark, 1996.

94. Timóteo 2:9-15; cf. Tito 2:3-5; Arland J. Hultgren, "The Pastoral Epistles", em James D. G. Dunn (Org.), *The Cambridge Companion to St Paul*. Cambridge: Cambridge University Press, 1969; Calvin J. Retzel, "Paul in the Second Century", em James D. G. Dunn (Org.), op. cit.; James D. G. Dunn, "Household Rules", em James D. G. Dunn (Org.), op. cit.; Ernst Käsemann, "Paul and Early Catholicism", em Ernst Käsemann, *New Testament Questions of Today*. Filadélfia: Fortress, 1969, p. 249.

95. Leo D. Lefebure, "Violence in the New Testament and the History of Interpretation", em John Renard (Org.), *Fighting Words: Religion, Violence and the Interpretation of Sacred Texts*. Berkeley: University of California Press, 2012, pp. 75-100.

96. Mateus 12:33; 15:3-9; 16:5-12; 23:16; Marcos 7:1-8.

97. Mateus 27:25.

98. Leo D. Lefebure, op. cit., pp. 77-81.

99. Luke Timothy Johnson, "The New Testament's Anti-Jewish Slander and the Conventions of Ancient Polemic", *Journal of Biblical Literature*, n. 108, 1989.

100. Amy-Jill Levine, "Matthews, Mark and Luke; Good News or Bad?", em Paula Fredriksen e Adele Reinhartz (Orgs.), *Jesus, Judaism, and Christian Anti-Judaism: Reading the New Testament after the Holocaust*. Louisville: Westminster John Knox, 2002, p. 78.

101. João 10:30; 5:30; 8:16, 33-58; 5:18; 6:38; 8:26; 10:18.

102. João 8:33-58.

103. Larry W. Hurtado, *Lord Jesus Christ*, op. cit., pp. 402-7.

104. João 3:10-24; 4.7; cf. Evangelho de João 15:12-3, 18-27.

105. Evangelho de João 6:60-6; cf. 1 João 4:5-6.

106. Kimberly B. Stratton, "The Eschatological Arena: Reinscribing Roman Violence in Fantasies of the End Times", em Boustan et al. (Orgs.). *Violence, Scripture and Textual Practice in Early Judaism and Christianity*. Leiden: Brill, 2010, pp. 45-76; David Barr, *The Reality of Apocalypse: Rhetoric and Politics in the Book of Revelation*. Atlanta: Society of Biblical Lit, 2006, p. 208; Alison Futrell, *Blood in the Arena: The Spectacle of Roman Power*. Austin: University of Texas Press, 1997.

107. *Pesikta de R. Kahane*, 283, trad. Kimberly B. Stratton, op. cit., p. 58.

108. Apocalipse 14:10-1.

109. João 1:30.

110. Apocalipse 19:11-6.

111. Jonathan Sacks, *The Dignity of Difference: How to Avoid the Clash of Civilizations*. Ed. rev. Londres: Bloomsbury, 2003, pp. 207-8.

112. *Bhagavad Gita* 1.25. Todas as citações são tiradas de Barbara Stoler Miller.

113. Ibid., 1.39.

114. Ibid., 7.1, 5.

115. Ibid., 7.6-7.

116. Ibid., 10.34-5.

117. Ibid., 11.6.

118. Ibid., 11.14.

119. Ibid., 4.6-7.

120. Ibid., 11.55.

121. Ibid., 9.32.

122. Ibid., 13.7.

123. Ibid., 13.6-9.

9. ENCARNAÇÃO [pp. 243-66]

1. Orígenes, *Tratado sobre os princípios*, 1.3.8.

2. Origen [Orígenes], *Dialogue with Heraclides*, 150, em H. E. Chadwick (Org. e trad.), *Alexandrian Christianity*. Londres: SCM, 1954, p. 446.

3. Orígenes, *Tratado sobre os princípios*, 4.2.7.

4. Ibid., 4.1.6.

5. Orígenes, "Comentário ao Cântico dos Cânticos", em *Homilias e comentário ao Cântico dos Cânticos*, p. 61.

6. Origen [Orígenes], "Commentary on John", trad. R. R. Reno, "Origen", em Justin S. Holcomb (Org.), Christian Theologies of Scripture: A Comparative Introduction. Nova York: NYU Press, 2006, p. 28.

7. Pierre Hadot, *Philosophy as a Way of Life*. Org. Arnold I. Davidson, trad. Michael Chase. Oxford: Blackwell, 1995.

8. James B. Rives, *Religion in the Roman Empire*. Oxford: Blackwell, 2007, pp. 207-8.

9. Jaroslav Pelikan, *The Christian Tradition: A History of the Development of Doctrine*. Chicago: University of Chicago Press, 1971-89, v. 1, pp. 194-210; Robert C. Gregg e Dennis E. Groh, *Early Arianism – A View of Salvation*. Londres: SCM, 1981, pp. 146-56; Rowan Williams, *Arius: Heresy and Tradition*. Londres: Darton, Longman and Todd, 1987; Andrew Louth, *The Origins of the Christian Mystical Tradition: From Plato to Denys*. Oxford: Clarendon, 1981, pp. 76-7.

10. Provérbios 8:22.

11. Ário [Arius], *Epístola a Alexandre*, 2; Jaroslav Pelikan, op. cit., v. 1, p. 194.

12. Rowan Williams, op. cit., p. 96.

13. Salmos 45:7.

14. Filipenses 2:9-10.

15. Ário, op. cit.; Jaroslav Pelikan, op. cit., v. 1, p. 194.

16. Rowan Williams, op. cit., pp. 111-2.

17. Mateus 19:21.

18. Atos dos Apóstolos 4:32, 34-5.

19. Rowan Williams, op. cit., pp. 85-91.

20. O "Credo Niceno" em uso atualmente foi, na verdade, criado no Concílio de Constantinopla em 380.

21. Atanásio [Athanasius], *Contra os arianos*, 2.23-34.

22. Jaroslav Pelikan, op. cit., v. 1, pp. 203-5.

23. Athanasius, *On the Incarnation*, 54, trad. Andrew Louth, op. cit., p. 78.

24. Susan Ashbrook Harvey, *Scenting Salvation: Ancient Christianity and the Olfactory Imagination*. Berkeley: University of California Press, 2006, pp. 58-9.

25. Philip Schaff e Henry Ware (Org. e trad.), *Life of St Anthony of Egypt by St Athanasius of Alexandria*. s. d., s. l., parágrafo 18.

26. Peter Brown, *The Body and Society: Men, Women and Sexual Renunciation in Early Christianity*. Londres: Faber & Faber, 1988, p. 236.

27. Hino 35.2 em Kathleen McVey, *Ephrem the Syrian: Hymns 259-468*. Mahwah (NJ): Paulist Press, 1989.

28. Ephrem, *De Nativitate*, 4.144-5, trad. Susan Ashbrook Harvey, "Locating the Sensing Body: Perception and Religious Identity in Late Antiquity", em David Brakke et al. (Orgs.), *Religion and the Self in Antiquity*. Bloomington: Indiana University Press, 2005, p. 157.

29. Susan Ashbrook Harvey, "Locating the Sensing Body", op. cit., p. 146.

30. Vladimir Lossky, "Theology and Mysticism in the Traditions of the Eastern Church", em Richard Woods (Org.), *Understanding Mysticism*. Garden City (NY): Doubleday, 1980, p. 170.

31. Máximo [Maximus], *Ambigua*, 42, trad. John Meyendorff, *Byzantine Theology: Historical Trends and Doctrinal Themes*. Nova York: Fordham University Press, 1974, p. 164. (Trad. modificada pela autora, pois Meyendorff traduz *anthropos* como "homem" [*man*].)

32. Máximo, *Ambigua*, 5.

33. Gregory of Nyssa [Gregório de Nissa], *That There Are Not Three Gods*, 42-3, trad. Jaroslav Pelikan, op. cit., v. I, p. 222.

34. Definição do *Oxford Dictionary*.

35. Basílio de Cesareia, *De Spiritu Sancto*, 28.66.

36. Walter Burkert, *Ancient Mystery Cults*. Cambridge (MA): Harvard University Press, 1986, pp. 7-9.

37. Gregório de Nissa, op. cit.

38. Gregório de Nazianzo, *Oratio*, 40, 41, trad. Vladimir Lossky, *The Mystical Theology of the Eastern Church*. Londres: Clarke, 1957, pp. 45-6.

39. Rowan Williams, op. cit., p. 236.

40. Salmos 118:22.

41. Aubrey Stewart (Trad.), *The Breviary or Short Description of Jerusalem*. Notas de C. W. Wilson. Londres: Palestine Pilgrims' Text Society, 1890, pp. 14-5.

42. Mary J. Carruthers, *The Craft of Thought: Meditation, Rhetoric, and the Making of Images, 400-1200*. Cambridge: Cambridge University Press, 1998, pp. 42-4.

43. Jerônimo, Epístola 46:5; Jean-Paul Migne (Org.), *Patrologia Latina*. Paris: Migne, 1841-55, 22.486; cf. João 20:5-12.

44. John H. Barnard (Org. e trad.), *The Pilgrimage of St Sylvia of Aquitania to the Holy Places*. Londres: Palestine Pilgrims' Text Society, 1971.

45. Beryl Smalley, *The Study of the Bible in the Middle Ages*. Oxford: Clarendon, 1941, pp. 8-9.

46. Ibid., p. 11.

47. Augustine [Agostinho], *On Christian Doctrine*. Trad. D.W. Robertson Jr. Indianapolis: Bobb-Merrill, 1958, p. 30.

48. Gerald L. Bruns, "Midrash and Allegory: The Beginnings of Scriptural Interpretation", em Robert Alter; Frank Kermode (Org.), *The Literary Guide to the Bible*. Londres, 1987, pp. 635-6.

49. Mateus 13:38.

50. Alexander Roberts e W. H. Rambaut (Org. e trad.), *The Writings of Irenaeus*. Edimburgo: T&T Clark, 1884, p. 461. (Trad. modificada pela autora.)

51. Augustine [Agostinho], "On Psalm 98.1", em Michael Cameron, "Enerrationes in Psalmos", em Allen D. Fitzgerald (Org.), *Augustine Through the Ages: An Encyclopedia*. Grand Rapids: Eerdmans, 1999, p. 292.

52. Augustine, *On Christian Doctrine*, op. cit., p. 30.

53. Ibid., p. 88.

54. Pamela Bright, "Augustine", em Justin S. Holcomb (Org.), *Christian Theologies of Scripture: A Comparative Introduction*. Nova York: NYU Press, 2006, pp. 42-50.

55. Agostinho, *Confissões*, 13.15.18.

56. Id., *Comentário aos Salmos*, 103.4.1.

57. Ibid., 12.35.33.

58. Ibid., 12.25.34.

59. Ibid.

60. Ibid., 13.15.18.

61. Salmos 103:2.

62. Agostinho, *Comentário ao Gênesis*, 1.18, 19, 21.

63. Agostinho, *A cidade de Deus*, 12.14, ênfase minha.

64. Ibid.

65. Máximo [Maximus], *On the Ascetical Life*, em Jean-Paul Migne (Org.), *Patrologia Graeca*, op. cit., 90.905A; 953B.

66. Romanos 5:12.

67. Teodoreto, em Jean-Paul Migne (Org.), *Patrologia Graeca*, op. cit., 83.512; John Meyendorff, *Byzantine Theology: Historical Trends and Doctrinal Themes*. Nova York: Fordham University Press, 1974, pp. 143-9.

68. Gênesis 6:1, 5-16.

69. Gênesis 1:31; ênfase minha.

70. Genesis Rabbah, Bereshit 9:7.

71. Michael Avi-Yonah, *The Jews of Palestine: A Political History from the Bar Kokhbah War to the Arab Conquest*. Oxford: Blackwell, 1976, pp. 160-76.

72. *Y. Peah* 2.6, 17ª; trad. Martin S. Jaffee, *Torah in the Mouth: Writing and Oral Tradition in Palestinian Judaism 200 BCE–400 CE*. Oxford: Oxford University Press, 2001, p. 143.

73. Ibid., 2:6.

74. Deuteronômio 9:10; trad. Martin S. Jaffee, op. cit., p. 149.

75. *Y. Peah* 2.6, 17a; trad. Martin S. Jaffee, op. cit., p. 143.

76. Cf. Cântico dos Cânticos, 7:10.

77. Salmos 39:7; *Y. Sheqalim* 2.7; 47a.6-8; trad. Martin S. Jaffee, op. cit.

78. Martin S. Jaffee, op. cit., pp. 150-2.

79. *B. Baba Batria* 12a.

80. *B. Baba Metzia* 49b; Deuteronômio 39:12; Cohen, 40-1.

81. Donald Harman Akenson, *Surpassing Wonder: The Invention of the Bible and the Talmuds*. Nova York: Harcourt Brace & Co., 1998, p. 379.

82. Paul Williams, *Mahayana Buddhism: The Doctrinal Foundations*. Londres: Routledge, 1989, pp. 118-9.

83. David W. Chappell, "Hermeneutic Phases in Chinese Buddhism", em Donald S. Lopez (Org.), *Buddhist Hermeneutics*, Honolulu: University of Hawaii Press, 1992, pp. 175-84.

84. Yu-lan Fung, *A Short History of Chinese Philosophy*. Org. de Derk Bodde. Nova York: Free Press, 1976, pp. 246-54.

85. Sengzhou, "The Treasure House", 3, em Yu-lan Fung, op. cit., p. 252. Há dúvidas sobre a autenticidade desse ensaio.

86. Alcorão 50:15.

10. RECITAÇÃO E *INTENTIO* [pp. 267-310]

1. Gênesis 21:8-21.

2. Alcorão 10:22-4; 2:61; 39:38.

3. Mohammed A. Bamyeh, *The Social Origins of Islam: Mind, Economy, Discourse*. Mineápolis: University of Minnesota Press, 1999, p. 38.

4. Ibid., pp. 25-7.

5. Ibid., pp. 79-80.

6. Por exemplo, Alcorão 56:78; 43:1-4.

7. Helmut Gätje, *The Qur'an and Its Exegesis: Selected Texts with Classical and Modern Muslim Interpretations*. Org. e trad. Alford T. Welch. Oxford: Oneworld, 2008, p. 2.

8. Frederick M. Denny, "Islam: Qur'an and Hadith", em Frederick M. Denny e Rodney L. Taylor (Orgs.), *The Holy Book in Comparative Perspective*. Columbia (SC): University of South Carolina Press, 1993, pp. 87-8.

9. É inexato, portanto, traduzir *jahiliyyah* simplesmente como "ignorância"; Toshihiko Izutsu, *Ethico-Religious Concepts in the Qur'an*. Montreal: McGill-Queen's Press, 2002, pp. 28-45.

10. Michael Sells (Org. e trad.), *Approaching the Qur'an: The Earliest Revelations*. Ashland (OR): White Cloud, 1999, p. xvi.

11. Toshihiko Izutsu, *God and Man in the Koran: Semantics of the Koranic Weltanschauung*. Tóquio: Keio Institute of Cultural and Linguistics Studies, 1964, p. 148.

12. Surata 96:1, 6-8, trad. Michael Sells, op. cit.

13. Ibid., p. 21.

14. William A. Graham, *Beyond the Written Word: Oral Aspects of Scripture in the History of Religion*. Cambridge: Cambridge University Press, 1987; Kristina Nelson, *The Art of Reciting the Qur'an*. Cairo: American University in Cairo Press, 2001, p. 3; Wilfred Cantwell Smith, *What Is Scripture? A Comparative Approach*. Londres: SCM Press, 1993, p. 52.

15. Alcorão 3:84-5, trad. M. A. S. Abdel-Haleem, *The Qur'an: A New Translation*. Oxford: Oxford University Press, 2004.

16. Ibid., 5:48.

17. Ibid., 5:35.

18. Alcorão 113:1, trad. Michael Sells, op. cit.; Mohammed A. Bamyeh, op. cit., pp. 123-9.

19. Michael Sells, op. cit., p. xliii.

20. Alcorão 99:6-9, trad. Michael Sells, op. cit.

21. Ibid., 90:13-6.

22. Ibid., 81:36.

23. Ibid., 88:20.

24. Toshihiko Izutsu, *Ethico-Religious Concepts*, op. cit., p. 66.

25. Alcorão 15:94-6; 21:36; 18:106; 40:4-5; 68:56; 22:8-9.

26. Alcorão 107:1-3, 6-7, trad. Michael Sells, op. cit.

27. Toshihiko Izutsu, *Ethico-Religious Concepts*, op. cit., p. 28.

28. Alcorão 2:144.

29. Ibid., 6:35.

30. Ibid., 5:73.

31. Ibid., 2:116; 19:88-92; 10:68; 5:73-7, 116-8.

32. W. Montgomery Watt, *Muhammad's Mecca: History and the Qur'na*. Edimburgo: Edinburgh University Press, 1988, pp. 101-6.

33. Alcorão 33:10-1, trad. M. A. S. Abdel-Haleem, op. cit.

34. Marshall G. S. Hodgson, *The Venture of Islam: Conscience and History in a World Civilization*. Chicago: University of Chicago Press, 1974, v. I, p. 367.

35. Alcorão 75:16-8; trad. Abdel-Haleem.

36. Alcorão 7:205.

37. Alcorão 19:58; 39:23; 5:83, trad. M. A. S. Abdel-Haleem, op. cit.

38. Ibn Ishaq, *Muhammad, The Life of Muhammad: A Translation of Ibn Ishaq's Sirat Rasul Allah*. Trad. Alfred Guillaume. Oxford: Oxford University Press, 1955, p. 158.

39. Gorgias, *Encomium*, 9, em Iain McGilchrist, *The Master and His Emissary: The Divided Brain and the Making of the Western World*. New Haven e Londres: Yale University Press, 2009, p. 73.

40. Suzanne Langer, *Philosophy in a New Key: A Study in the Symbolism of Reason, Rite and Art*. Cambridge (MA): Harvard University Press, 1942, p. 222.

41. Iain McGilchrist, op. cit., pp. 73-4.

42. William A. Graham, op. cit., pp. 85-8, 110-4; Kristina Nelson, op. cit., pp. 3-13; Wilfred Cantwell Smith, op. cit., pp. 69-74.

43. Frederick M. Denny, op. cit., pp. 90-1.

44. Harold Coward, *Sacred Word and Sacred Text: Scripture in World Religions*. Delhi: Sri Satguru, 1988, p. 81.

45. Michael Sells (Org. e trad.), *Early Islamic Mysticism: Sufi, Qur'an, Mi'raj, Poetic and Theological Writings*. Nova York: Paulist Press, 1996, pp. 11-7.

46. A forma grega do nome de Zaratustra era Zoroastro.

47. Frederick M. Denny, op. cit., pp. 92-3; Harold Coward, op. cit., pp. 53; Helmut Gätje, op. cit., pp. 24-5.

48. Helmut Gätje, op. cit., pp. 28-30; Harold Coward, op. cit., pp. 93-4; Frederick M. Donner, *Narratives of Islamic Origins: The Beginnings of Islamic Historical Writing*. Princeton: Darwin, 1998, pp. 32, 47.

49. William A. Graham e David Kermani, "Recitation and Aesthetic Reception", em Jane Dammen McAuliffe (Org.), *The Cambridge Companion to the Qur'an*. Cambridge: Cambridge University Press, 2006, pp. 117-8.

50. Michael Bonner, *Jihad in Islamic History*. Princeton: Princeton University Press, 2006, pp. 119-20.

51. Alcorão 5:32-4, trad. M. A. S. Abdel-Haleem, op. cit.

52. Ibid., 5:39.

53. Ibid., 8:61-2.

54. Em inglês, é costume usar o termo singular *hadith* como substantivo coletivo, referindo-se tanto a "relatos", no plural, como a "relato", no singular.

55. Frederick M. Denny, op. cit., pp. 97-103; Harold Coward, op. cit., pp. 94-5; Abdullah Saeed, *Reading the Qur'an in the Twenty-First Century: A Contextualist Approach*. Londres: Routledge, 2014, pp. 76-8; Marshall G. S. Hodgson, op. cit., v. I, pp. 63-5.

56. Peter Awn, "Classical Sufi Approaches to Scripture", em Steven T. Katz (Org.), *Mysticism and Sacred Scripture*. Oxford: Oxford University Press, 2000, p. 143.

57. Wilfred Cantwell Smith, op. cit., p. 46.

58. Michael Bonner, op. cit., pp. 21-2; Paul L. Heck, "'Jihad' Revisited", *Journal of Religious Ethics*, v. 32, n. 1, 2004.

59. Alcorão 2:279.

60. Asma Afsaruddin, *Striving in the Path of God: Jihad and Martyrdom in Islamic Thought*. Oxford: Oxford University Press, 2013, pp. 1-3, 269-71.

61. Alcorão 3:200, trad. M. A. S. Abdel-Haleem, op. cit.

62. Asma Afsaruddin, op. cit., p. 271.

63. Alcorão 22:39-40, trad. M. A. S. Abdel-Haleem, op. cit.

64. Ibid., 22:46.

65. Asma Afsaruddin, op. cit., pp. 43-4.

66. Alcorão 2:190, trad. Asma Afsaruddin. Abdel-Haleem traduz: "Não ultrapasses os limites", e explica que a frase *la ta'tadu* é tão genérica que comentaristas concordaram que nela está incluída a proibição de iniciar combates, de lutar contra não combatentes, de responder desproporcionalmente a uma agressão.

67. Alcorão 2:191-3, trad. M. A. S. Abdel-Haleem, op. cit.

68. Ibid., 2:216.

69. Ibid., 9:5.

70. Asma Afsaruddin, op. cit., p. 276.

71. Alcorão 9.5, trad. M. A. S. Abdel-Haleem, op. cit.

72. Asma Afsaruddin, op. cit., pp. 25-9.

73. Michael Bonner, op. cit., pp. 46-54; David Cook, *Understanding Jihad*. Berkeley: University of California Press, 2005, pp. 13-9; Reuven Firestone, *Jihad: The Origin of Holy War in Islam*. Nova York: Oxford University Press, 1999, pp. 93-9.

74. Muhammad ibn Isa al-Tirmidhi, *Al-jami al-sahih*, citado em David Cook, "Jihad and Martyrdom in Islamic History", em Andrew R. Murphy (Org.), *The Blackwell Companion to Religion and Violence*. Oxford: Wiley-Blackwell, 2011, pp. 283-4.

75. Michael Bonner, op. cit., pp. 92-3.

76. Asma Afsaruddin, op. cit., p. 270.

77. Klaus K. Klostermaier, *A Survey of Hinduism*. 2. ed. Albany (NY): SUNY Press, 1994, pp. 221-2.

78. Ibid., pp. 94-6; id., *Hinduism: A Short History*. Oxford: Oneworld, pp. 57-63.

79. *Bhagavata Purana* (BP) 2.92.32; trad. C. Mackenzie Brown, "The Origin and Transmission of the Two Bhagavata Puranas: A Canonical and Theological Dilemma", *Journal of the American Academy of Religion*, n. 51, 1983.

80. *Devi Bhagavata Purana* (DBP) 1.14.52, trad. C. Mackenzie Brown, op. cit.

81. Freda Matchett, *Krsna: Lord or Avatara? The Relationship between Krsna and Visnu*. Richmond: Curzon, 2001, p. 3.

82. David Shulman, "Remaking a Purana: The Rescue of Gajendra in Potena's Telegu Mahabhagavatamu", em Wendy Doniger (Org.), *Purana Perennis: Reciprocity and Transformation in Hindu and Jaina Texts*. Albany (NY): SUNY Press, 1993, p. 124.

83. Klaus K. Klostermaier, *A Survey of Hinduism*, op. cit., p. 57.

84. C. Mackenzie Brown, op. cit., p. 51.

85. Friedhelm Hardy, "Information and Transformation: The Two Faces of Puranas", em Wendy Doniger (Org.), op. cit., pp. 159-61, 182.

86. C. Mackenzie Brown, "Purana as Scripture: From Sound to Image of the Holy Word", *History of Religions*, v. 26, n. 1, ago. 1986.

87. DBP 12.14.15.

88. C. Mackenzie Brown, "Purana as Scripture...", op. cit.

89. BP 195.56-65, trad. G. V. Tagore, *The Bhagavata Purana*. Delhi: Motilal Banarsidass, 1979.

90. David Shulman, "Remaking a Purana", op. cit., p. 123.

91. Versão telinga do BG, citada por Velcheru Narayana Roy, "Purana as Brahminic Ideology", em Wendy Doniger (Org.), op. cit., pp. 98-9.

92. J. A. B. van Buitenen, "On the Archaism of the Bhagavata Purana", em Milton Singer (Org.), *Krishna: Myths, Rites and Attitudes*. Honolulu: University of Hawaii Press, 1966, p. 31.

93. BP 9.14.48; em Wilhelm Halbfass, *Tradition and Reflection: Explorations in Indian Thought*. Albany (NY): SUNY Press, 1991, p. 4.

94. BP 1.4.14-1.5.49; 1.7.3-8.

95. Frederick M. Smith, "Puraveda", em Lorie L. Patton (Org.), *Authority, Anxiety, and Canon: Essays in Vedic Interpretation*. Albany (NY): SUNY Press, 1994, pp. 115-21.

96. BP 6.4.46.

97. BP 10.3.9-16.

98. BP 10.3.19, 24.

99. BP 10.1-23; 7.4-5, 15.

100. BP 10.8.29-36.

101. BP 10.42.22.

102. BP 10.41.24-31.

103. BP 10.22.

104. BP 10.29.1.

105. Kinsley, 13-65.

106. Daxue, "Great Learning", trad. Wm. T. de Bary, em Wm. T. de Bary e Irene Bloom (Orgs.), *Sources of Chinese Tradition: From Earliest Times to 1600*. 2. ed. Nova York: Columbia University Press. 1999, p. 330.

107. Yu-lan Fung, *A Short History of Chinese Philosophy*. Org. de Derk Bodde. Nova York: Free Press, 1976, p. 181.

108. Thomas Berry, "Individualism and Holism in Chinese Tradition: The Religious--Cultural Context", em Tu Weiming e Mary Evelyn Tucker (Orgs.), *Confucian Spirituality*. Nova York: Crossroad, 2003, v. I, p. 47.

109. Daxue, "Great Learning", op. cit., p. 330.

110. Ibid., p. 331.

111. Wing-tsit Chan (Orgs. e trad.), *A Source Book in Chinese Philosophy*. Princeton: Princeton University Press, 1969, pp. 95-114; Yu-lan Fung, op. cit., pp. 166-77; Benjamin I. Schwartz, *The World of Thought in Ancient China*. Cambridge (MA): Belknap, 1985, pp. 405-6;

Daniel K. Gardner (Org. e trad.), *The Four Books: The Basic Teachings of the Later Confucian Tradition*. Indianapolis: Hackett, 2001, pp. 107-29.

112. *Doctrine of the Mean*, 1, trad. Wing-tsit Chan, op. cit., p. 98.

113. *Doctrine of the Mean*, 1, 30, ibid., p. 112.

114. *Doctrine of the Mean*, 1, 12, ibid., pp. 98, 100.

115. *Doctrine of the Mean*, 1, 20, ibid., p. 106.

116. *Doctrine of the Mean*, 1, 20, ibid., p. 107.

117. Ibid.

118. *Doctrine of the Mean*, 1, 25, trad. Wing-tsit Chan, op. cit., p. 108.

119. Ibid.

120. Zhou Dunyi, "Penetrating the Book of Changes", 30, trad. Wing-tsit Chan, op. cit., p. 477.

121. Zhou Dunyi, "Penetrating the Book of Changes", 39.2, ibid., p. 479.

122. Zhang Zai, "Ximing" ("Inscrição Ocidental"); trad. Wing-tsit Chan, em Wm. T. de Bary e Irene Bloom (Orgs.), op. cit., pp. 683-4.

123. Wing-tsit Chan (Org. e trad.), *Reflections on Things at Hand: The Neo-Confucian Anthology Compiled by Chu His and Lu Tsu-chien*. Nova York: Columbia University Press, 1967, 14.6a.

124. *Yi chuan wenji* ("Coleção de obras de Cheng Yi"), 7.6a.

125. Xi Zhu, *Literary Remains of the Two Chengs*, 2a, trad. Wm. Theodore de Bary, em *Learning for One's Self: Essays on the Individual in Neo-Confucian Thought*. Nova York: Columbia University Press, 1991, p. 283.

126. Cheng Yi, *Er-Cheng chuanshu*, 7.6b, em Wm. Theodore de Bary, *Neo-Confucian Orthodoxy and the Learning of the Mind and Heart*. Nova York: Columbia University Press, 1981, p. 4.

127. Zhu Xi, *Reflections*, 2.16, trad. Wm. Theodore de Bary, em "Neo-Confucian Cultivation and the Seventeenth Century Enlightenment", em De Bary (Org.), *The Unfolding of Neo-Confucianism*. Nova York: Columbia University Press, 1975.

128. Memorial de Zhu Zang ao imperador Gaozong, da dinastia Song (r. 1127-62) em 1136 D.C., em Thomas W. Seloran, "Forming One Body: The Cheng Brothers and Their Circle", em Tu Weiming e Mary Evelyn Tucker (Orgs.), *Confucian Spirituality*. Nova York: Crossroad, 2004, v. II, p. 56.

129. *Documentos*, 4.8b, trad. Daniel K. Gardner, em "Attentiveness and Meditative Reading in Cheng–Zhu Confucianism", em Tu Weiming e Mary Evelyn Tucker (Orgs.), op. cit., v. II, p. 99.

130. *Doctrine of the Mean*, 1, trad. Wing-tsit Chan, *A Source Book in Chinese Philosophy*, op. cit., p. 98.

131. Cheng Yi, *Er-Cheng Yishu*, 223.9, em Daniel K. Gardner, "Attentiveness and Meditative Reading in Cheng–Zhu Confucianism", op. cit., p. 103.

132. Ibid., 188.31.

133. Ibid.

134. Cheng Hao, *Shi ren pian*, em Wing-tsit Chan (Org. e trad.), *A Source Book in Chinese Philosophy*, op. cit., pp. 523-4.

135. Trad. A. C. Graham, em *Two Chinese Philosophers: The Metaphysics of the Brothers Ch'eng*. La Salle: Open Court, 1992, p. 98.

136. Zhu Xi, *Reflections*, 2.2a, trad. Wing-tsit Chan, *Reflections on Things at Hand*, op. cit., p. 40.

137. Wm. Theodore de Bary, em "Neo-Confucian Cultivation and the Seventeenth Century Enlightenment", op. cit., pp. 165-6.

138. Cheng Yi, *Er-Cheng Yishu*, 209.7, trad. A. C. Graham, *Two Chinese Philosophers*, op. cit., p. 76.

139. Zhu Xi, *Reflections*, 3.31, trad. Wing-tsit Chan, *Reflections on Things at Hand*, op. cit., p. 93.

140. Thomas W. Seloran, op. cit., pp. 59-68.

141. Zhu Xi, *Reflections*, 3.44, trad. Wing-tsit Chan, *Reflections on Things at Hand*, op. cit., p. 105.

142. Cheng Yi, *Er-Cheng Yishu*, 22a, 279, trad. Wing-tsit Chan, em *Reflections on Things at Hand*, op. cit., p. 103.

143. Cheng Yi, *Er-Cheng Yishu*, 3.30, ibid., p. 100.

144. Cheng Yi, *Er-Cheng Yishu*, 3.2, ibid., p. 92.

145. Wm. Theodore de Bary, em "Neo-Confucian Cultivation and the Seventeenth Century Enlightenment", op. cit., pp. 171-4.

146. Zhu Xi, *Reflections* 14.21, trad. Wing-tsit Chan, *Reflections on Things at Hand*, op. cit., p. 304.

147. Zhu Xi, *Reflections* 14.2b, ibid., p. 299.

148. Zhu Xi, *Reflections* 14.5a, ibid., pp. 305-6.

149. Mary J. Carruthers, *The Book of Memory: A Study of Memory in Medieval Culture*. Cambridge: Cambridge University Press, 1990; id., *The Craft of Thought: Meditation, Rhetoric, and the Making of Images, 400-1200*. Cambridge: Cambridge University Press, 1998.

150. 1 Coríntios 3:10-3.

151. 1 Coríntios 3:16; ênfase minha.

152. Gregory, *Moralia in Job*, "Prologue", trad. Mary J. Carruthers, *The Craft of Thought*, op. cit., p. 18.

153. Gregory, *Moralia in Job*, "Prologue", 1.33, ibid., p. 19.

154. Gregory, *Moralia in Job*, "Prologue", 2.1-5; Augustine, *On the Psalms*, 103, trad. Mary J. Carruthers, *The Craft of Thought*, op. cit., p. 210.

155. Peter Chrysologus, Sermon 98.22-23; cf. Lucas 13:18-9; em Mary J. Carruthers, *The Craft of Thought*, op. cit., p. 64.

156. Talal Asad, "On Discipline and Humility in Medieval Christian Monasticism", em *Genealogies of Religion: Discipline and Reasons of Power in Christianity and Islam*. Baltimore (MD): Johns Hopkins University Press, 1993, p. 148.

157. Laura Light, "The Bible and the Individual: The Thirteenth-Century Paris Bible", em Susan Boynton e Diane J. Reilly (Orgs.), *The Practice of the Bible in the Middle Ages: Production, Reception, and Performance in Western Christianity*. Nova York: Columbia University Press, 2011, pp. 228-30.

158. Richard Gyug, "Early Medieval Bibles, Biblical Books, and the Monastic Liturgy in the Beneventan Region", em Susan Boynton e Diane J. Reilly (Orgs.), op. cit., pp. 36-7.

159. Christopher A. Jones (Org. e trad.), *Aelfric's Letter to the Monks of Eynsham*. Cambridge: Cambridge University Press, 1998.

160. Benedict, *Rule*, 19.1-7.

161. Ibid., 43.

162. Isabelle Cochelin, "When Monks Were the Book: The Bible and Monasticism (6th--11th Centuries)", em Susan Boynton e Diane J. Reilly (Orgs.), op. cit., pp. 61-73.

163. William Johnston, *Silent Music: The Science of Meditation*. Londres: Fontana, 1977, p. 59.

164. Thomas Symons (Trad.), *The Monastic Agreement of the Monks and Nuns of the English Nation*. Londres: Nelson, 1953, p. 37.

165. Isabelle Cochelin, op. cit., p. 67.

166. *Rule* 53.12-15.

167. Gavin Flood, *The Ascetic Self: Subjectivity, Memory and Tradition*. Cambridge: Cambridge University Press, 2004, pp. 164-72.

168. Ewart Cousins, "The Humanity and Passion of Christ", em Jill Raitt et al. (Orgs.), *Christian Spirituality, vol. II: High Middle Ages and Reformation*. Nova York: Alban, 1988, pp. 377-83.

169. Mary J. Carruthers, *The Book of Memory*, op. cit., pp. 183-4, 285.

170. Gregory, *Regula Pastoralis*, 3.12.

171. Hugo de Fouilloy, *De claustro animi*, 4.33; Jean-Paul Migne (Org.), *Patrologia Latina*. Paris: Migne, 1841-55, 176.1171D.

172. Cântico dos Cânticos 2:10; 1 Reis 19:12.

173. Mary J. Carruthers, *The Book of Memory*, op. cit., pp. 215-6.

174. Augustine [Agostinho], *The Confessions*, 6.3.3, trad. Mary J. Carruthers, *The Book of Memory*, op. cit., p. 215.

175. Agostinho, *De Doctrina Christiana*, 3.10.37, em R. P. H. Green (Trad.), *Saint Augustine: On Christian Teaching*. Oxford: Oxford University Press, 2008; Mary J. Carruthers, *The Book of Memory*, op. cit., pp. 15-6.

176. Hugo, *De modo dicendi* 8; Jean-Paul Migne, op. cit., 176.879; Mary J. Carruthers, *The Craft of Thought*, op. cit., p. 99.

177. Hugo, "The Three Best Memory-Aids for Learning History", em Mary J. Carruthers, *The Book of Memory*, op. cit., Appendix A, pp. 339-44; ibid., 89-90.

178. Beryl Smalley, *The Study of the Bible in the Middle Ages*. Oxford: Clarendon, 1941, pp. 121-7; Jaroslav Pelikan, *Whose Bible Is It? A History of the Scriptures Through the Ages*. Nova York: Penguin, 2005, p. 106.

179. Beryl Smalley, op. cit., pp. 86-154; Frans Van Liere, *An Introduction to the Medieval Bible*. Cambridge: Cambridge University Press, 2014, pp. 133-4.

180. *Proslogion* 2.161, tradução minha.

181. G. R. Evans, *The Language and Logic of the Bible: The Earlier Middle Ages*. Cambridge: Cambridge University Press, 1984, pp. 17-23.

182. *Proslogion* 1:86-89; 91-95, em Benedicta Ward (Org. e trad.), *The Prayers and Meditations of St Anselm and the Proslogion*. Londres: Penguin, 1973.

11. INEFABILIDADE [pp. 311-40]

1. Norman Cohn, *The Pursuit of the Millennium: Revolutionary Millenarians and Mystical Anarchists in the Middle Ages*. Londres: Paladin, 1984, pp. 87-8.

2. Georges Duby, *The Chivalrous Society*. Londres: Arnold, 1977, pp. 9-11.

3. R. I. Moore, *The Formation of a Persecuting Society: Power and Deviance in Western Europe 950-1250*. Oxford: Blackwell, 1987, pp. 105-6.

4. Citado e traduzido em Mary J. Carruthers, *The Book of Memory: A Study of Memory in Medieval Culture*. Cambridge: Cambridge University Press, 1990, p. 217.

5. 2 Coríntios 13; Marcos 13:21.

6. Brad S. Gregory, *The Unintended Reformation: How a Religious Revolution Secularized Society*. Cambridge (MA): Harvard University Press, 2012, pp. 312-4.

7. Frans Van Liere, *An Introduction to the Medieval Bible*. Cambridge: Cambridge University Press, 2014, pp. 98-103.

8. Brad S. Gregory, op. cit., pp. 315-6.

9. Tomás de Aquino, *Summa theologiae*, 8.46.2, em St Thomas Aquinas, *Summa Theologiae: A Concise Translation*, org. e trad. Timothy McDermott. Londres: Eyre and Spottiswoode, 1989.

10. Tomás de Aquino, *Summa contra gentiles*, 1.5.3, em St Thomas Aquinas, *Selected Writings*, org. e trad. R. McInerny. Harmondsworth: Penguin, 1998.

11. Efésios 1:21; St Thomas Aquinas, *Commentary on St Paul's Epistle to the Ephesians*, trad. M. L. Lamb. Albany (NY): Magi Books, 1966, pp. 73-9.

12. Denys Turner, *Faith, Reason and the Existence of God*. Cambridge: Cambridge University Press, 2004; id., "Apophatism, Idolatry and the Claims of Reason", em Denys Turner e Oliver Davies (Orgs.), *Silence and the Word*. Cambridge: Cambridge University Press, 2002, pp. 23-34; Jaroslav Pelikan, *The Christian Tradition: A History of the Development of Doctrine*. Chicago: University of Chicago Press, 1971-89, v. 3, pp. 78-9.

13. Mary J. Carruthers, *The Craft of Thought: Meditation, Rhetoric, and the Making of Images, 400-1200*. Cambridge: Cambridge University Press, 1998, pp. 99-100; id., *The Book of Memory*, op. cit., p. 216.

14. Atos 17:34.

15. Pseudo-Dionysius [Pseudo-Dionísio], *The Divine Names* [Dos nomes divinos] (DN), 596A.

16. Id., Epistle 9, 1104D-1105B, em Colm Luibheid e Paul Rorem (Org. e trad.), *Pseudo-Dionysius: The Complete Works*. Nova York: Paulist Press, 1967.

17. Id., *Mystical Theology*, 1033B.

18. Ibid., 1048A.

19. DN 872, trad. Colm Luibheid e Paul Rorem (Org. e trad.), op. cit.; ênfase minha.

20. Bonaventure [Boaventura], *Journey of the Mind to God* [Itinerário da mente para Deus], 6.3; todas as citações são tiradas de Philotheus Boehner e M. Frances Laughlin (Org. e trad.), *The Works of Saint Bonaventure*. Nova York: Franciscan Institute, 1958, 2 v.

21. Ibid., 6.7.

22. João 13:1.

23. Bonaventure, *Journey of the Mind to God*, 7.6.

24. Edward Grant, "Science and Theology in the Middle Ages", em David C. Lindberg e Ronald L. Numbers (Orgs.), *God and Nature: Historical Essays on the Encounter between Christianity and Science*. Berkeley: University of California Press, 1986, p. 61.

25. Herbert McCabe, Apêndice 3, em Brian Davies, *The Thought of Thomas Aquinas*. Oxford: Clarendon, 1992, v. III, p. 41.

26. Brad S. Gregory, op. cit., p. 317.

27. Roy Porter, "The Scientific Revolution and Universities", em Hilde de Ridder-Symoens (Org.), *Universities in Early Modern Europe (1500-1800)*. Cambridge: Cambridge University Press, 1986, pp. 531-62.

28. Henry Corbin, *Spiritual Body and Celestial Earth: From Mazdean Iran to Shi'ite Iran*. Trad. Nancy Pearson. Princeton: Princeton University Press, 1977, p. 51.

29. Mahmoud Ayoub, "The Speaking Qur'ān and the Silent Qur'ān: A Study of the Principles and Development of Imami Shi'is Tafsir", em Andrew Rippin (Org.), *Approaches to the History of the Interpretation of the Qur'ān*. Oxford: Clarendon, 1988, p. 181.

30. Henry Corbin, *History of Islamic Philosophy*. Trad. Liadain Sherrard e Philip Sherrard. Londres: Kegan Paul International, 1993, p. 45.

31. Diana Steigerwald, "Twelver Shi'i Ta'wil", em Andrew Rippin (Org.), *The Blackwell Companion to the Qur'ān*. Oxford: Wiley, 2006, pp. 374-6. Ver Alcorão 11:73; 21:73.

32. Alcorão 24:35-6, trad. M. A. S. Abdel-Haleem, *The Qur'ān: A New Translation*. Oxford: Oxford University Press, 2004.

33. S. H. Nasr, *Ideals and Realities of Islam*. Londres: Allen & Unwin, 1971, p. 59.

34. Alcorão 17:1.

35. Marshall G. S. Hodgson, *The Venture of Islam: Conscience and History in a World Civilization*. Chicago: University of Chicago Press, 1974, v. I, pp. 404-5.

36. Alcorão 3:7, trad. M. A. S. Abdel-Haleem, op. cit.

37. Marshall G. S. Hodgson, op. cit., v. I, pp. 402-3; Kristin Zahra Sands, *Sufi Commentaries on the Qur'ān in Classical Islam*. Londres: Routledge, 2006, pp. 7-8.

38. Abu Talib al-Makki, *Qut al-qulab*, em Kristin Zahra Sands, op. cit., p. 31.

39. Ibid., p. 32.

40. Abu Jafar Muhammad ibn Jarir al-Tabari, *The Commentary on the Qur'ān*. Trad. e org. J. Cooper. Oxford: Oxford University Press, 1987; *Jami al-bayan*, 3.175.

41. Ar-Razi, *Al-Tafsir al-Kabir*, 2.88; 4.155.

42. *Masnawi* significa apenas "poema em dísticos rimados".

43. Jawid Mojaddedi, "Rumi", em Andrew Rippin (Org.), *The Blackwell Companion to the Qur'ān*, op. cit., pp. 364-7.

44. Atribuído ao poeta e místico do século XV Abd al-Rahman Jami; Jawid Mojaddedi, op. cit., pp. 362, 371.

45. *Masnawi*, 3.4248-50; todas as traduções do *Masnawi* são tiradas de Jalal ad-Din Rumi, *The Masnawi*. Trad. Jawid Mojaddedi. Oxford: Oxford University Press, 2004, 2007, 2013. 3 v.

46. Ibn al-Arabi, *Al Futuhat al-Makkiya* [As revelações de Meca], 4.367.3.

47. Ibid., 3.128-9.

48. Ibid, 3.93-4, trad. Michel Chodkiewicz, *An Ocean Without Shore: Ibn al-'Arabi, the Book and the Law*. Albany (NY): SUNY Press, 1993, pp. 25-6.

49. Alcorão 20:133; 53:36; 87:18.

50. *Al-Futuhat*, 4.367, 3, em William C. Chittick (Org. e trad.), *The Sufi Path of Knowledge: Ibn al-'Arabi's Metaphysics of Imagination*. Albany (NY): SUNY Press, 1994.

51. Ibid., 2.119.24.

52. Alcorão 10:24, trad. M. A. S. Abdel-Haleem, op. cit.

53. *Al Futuhat*, 3.71.4.

54. Ibid., 2.581.11, trad. Chittick, *Sufi Path*.

55. Michel Chodkiewicz, op. cit., pp. 19-31.

56. Ibid., p. 193.

57. Alcorão 107, trad. M. A. S. Abdel-Haleem, op. cit.

58. William C. Chittick, "Hermeneutics of Mercy", em *The Sufi Path of Knowledge*, op. cit., pp. 153-67.

59. Reynold A. Nicholson (Org. e trad.), *Eastern Poetry and Prose*. Cambridge: Cambridge University Press, 1922, p. 148.

60. Robertus Monachus, *Historia Iherosolimitana*, em *Recueil des historiens des croisades. Historiens occidentaux*. Paris: Académie des Inscriptions et Belles-Lettres; Imprimerie Royale, 1841-1900, v. III, p. 741.

61. Foucher de Chartres [Fulquério de Chartres], *A History of the Expedition to Jerusalem, 1098-1127*. Trad. Frances Rita Ryan; Org. Harold S. Fink. Knoxville: University of Tennessee Press, 1969, pp. 60-7; Jonathan Riley-Smith, *The First Crusade and the Idea of Crusading*. Londres: Athlone Press, 1986, p. 143.

62. Carole Hillenbrand, *The Crusades: Islamic Perspectives*. Edimburgo: Edinburgh University Press, 1999, pp. 75-81; Michael Bonner, *Jihad in Islamic History*. Princeton: Princeton University Press, 2006, pp. 137-40.

63. Alcorão 2:190-94.

64. Asma Afsaruddin, *Striving in the Path of God: Jihad and Martyrdom in Islamic Thought*. Oxford: Oxford University Press, 2013, pp. 42-99.

65. B. Sukkot 28a.

66. *M. Avot* 3.2; *Pesikta de R. Kahana* 15.9.

67. Barbara A. Holdrege, *Veda and Torah: Transcending the Textuality of Scripture*. Albany (NY): SUNY Press, 1996, pp. 179-95, 254-60, 359-74.

68. Gênesis 1:26, trad. Barbara A. Holdrege, op. cit.

69. *Pirke de R. Eliezer* 99, 44a; *M. Avot* 5.6. Esse discurso foi atribuído ao sábio de Yavne rabino Eliezer ben Hyrcanus.

70. B. Eruvim 13a.

71. Henry Malter, *Saadia Gaon: His Life and Work*. Filadélfia: The Jewish Publication Society of America, 1942.

72. Abraham Cohen, *The Teachings of Maimonides*. Londres: Routledge, 1927; David Yellin e Israel Abraham, *Maimonides*. Londres: The Jewish Historical Society of England, 1927; Moshe Halbertal, *People of the Book: Canon, Meaning and Authority*. Cambridge (MA): Harvard University Press, 1997, pp. 34-40; 54-62.

73. Maimonides, *The Guide of the Perplexed* [Guia dos perplexos]. Trad. S. Pines. Chicago: University of Chicago Press, 1974, pp. 6-7.

74. Ibid., p. 8.

75. J. Abelson, *The Immanence of God in Rabbinic Literature*. Londres: Macmillan, 1912, p. 257.

76. Julius Güttmann, *Philosophies of Judaism: The History of Jewish Philosophy from Biblical Times to Franz Rosensweig*. Trad. David W. Silverman. Londres: Routledge, 1964, p. 179.

77. I. Twersky, *Introduction to the Code of Maimonides* (*Mishneh Torah*). New Haven: Yale University Press, 1980, pp. 62-74.

78. Moshe Idel, "PaRDeS: Some Reflections on Kabbalistic Hermeneutics", em John J. Collin e Michael Fishbane (Orgs.), *Death, Ecstasy and Other Worldly Journeys*. Albany (NY): SUNY Press, 1995, pp. 251-6; Michael Fishbane, *The Garments of Torah: Essays in Biblical Hermeneutics*. Bloomington: Indiana University Press, 1989, pp. 113-20.

79. Gershom Scholem, *Major Trends in Jewish Mysticism*. Nova York: Schocken, 1955, pp. 1-79, 119-243; Michael Fishbane, *The Exegetical Imagination: On Jewish Thought and Theology*. Cambridge (MA): Harvard University Press, 1998; id., *The Garments of Torah*, op. cit., pp. 34-63.

80. Gershom Scholem (Org.), *Zohar: The Book of Splendor: Basic Readings from the Kabbalah*. Nova York: Schocken, 1959, pp. 87-91, 211-2.

81. Id., "The Meaning of the Torah in Jewish Mysticism", em Gershom Scholem, *On the Kabbalah and Its Symbolism*. Trad. Ralph Manheim. Nova York: Schocken, 1965, p. 44.

82. Id., "On the Ritual of the Kabbalists", em *On the Kabbalah*, op. cit., p. 126.

83. Id., "General Characteristics of Jewish Mysticism", em Richard Woods (Org.), *Understanding Mysticism*. Garden City (NY): Doubleday, 1980, pp. 158-9.

84. Michaeld Fishbane, *The Exegetical Imagination*, op. cit., pp. 100-1.

85. *Zohar* II.94B, em Gershom Scholem (Org.), *Zohar: The Book of Splendor*, op. cit., p. 90.

86. Ibid.

87. Ibid., 22.

88. *Zohar* II.182a.

89. Zhu Xi, *Preface to the Zhongyong zhangju*, em Wm. Theodore de Bary, *Neo-Confucian Orthodoxy and the Learning of the Mind and Heart*. Nova York: Columbia University Press, 1981, pp. 5-6.

90. Rodney L. Taylor, *The Religious Dimensions of Confucianism*. Albany (NY): SUNY Press, 1990, pp. 79-80.

91. Wm. Theodore de Bary, "Zhu Xi's Neo-Confucian Spirituality", em Tu Weiming e Mary Evelyn Tucker (Orgs.), *Confucian Spirituality*. Nova York: Crossroad, 2003, v. II, pp. 72-95.

92. Zhu Zi, *Ren Shu*, adaptado por Wm. Theodore de Bary (em "Zhu Xi's Neo-Confucian Spirituality", em Tu Weiming e Mary Evelyn Tucker (Orgs.), op. cit., v. II, p. 93) a partir de Wing--tsit Chan (Org. e trad.), *A Source Book in Chinese Philosophy*. Princeton: Princeton University Press, 1969, p. 596.

93. Ibid.

94. Zhu Xi, *Yenping dawen*, 3.

95. De Bary, "Zhu Xi's Neo-Confucian Spirituality", em Tu Weiming e Mary Evelyn Tucker (Orgs.), op. cit., v. II, pp. 86-7.

96. John B. Henderson, *Scripture, Canon and Commentary: A Comparison of Confucian and Western Exegesis*. Princeton: Princeton University Press, 1991, pp. 50-2.

97. Wing-tsit Chan (Org. e trad.), *Reflections on Things at Hand: The Neo-Confucian Anthology Compiled by Chu His and Lu Tsu-chien*. Nova York: Columbia University Press, 1967, p. 102.

98. Wm. Theodore de Bary, "Introduction", em *The Unfolding of Neo-Confucianism*. Nova York: Columbia University Press, 1975, p. 10.

99. Daniel K. Gardner (Org. e trad.), *Learning to Be a Sage: Selections from the Conversations of Master Chu, Arranged Topically*. Berkeley, Los Angeles e Oxford: University of California Press, 1990, pp. 10-22.

100. Denis Twitchett, *Printing and Publishing in Medieval China*. Nova York: Frederic C. Beil, 1983, pp. 23-81; L. C. Goodrich, "The Development of Printing in China", *Journal of the Hong Kong Branch of the Royal Asiatic Society*, n. 3, 1963.

101. John W. Chaffee, "Chu Hsi and the Revival of the White Deer Grotto Academy", 1179-81, *T'oung Pao*, 71 (1985).

102. Zhu Xi, *Huian xiansheng yu lei* (YL), 197.10, em Daniel K. Gardner, "Attentiveness and Meditative Reading in Cheng–Zhu Confucianism", em Tu Weiming e Mary Evelyn Tucker (Orgs.), op. cit., v. II, p. 109.

103. Zhu Xi, YL 4.33, trad. Daniel K. Gardner, em *Learning to Be a Sage*, op. cit., p. 42.

104. YL 4.32, ibid., p. 42.

105. YL 16.46.45.

106. YL 169.14.

107. YL 162.9, trad. Daniel K. Gardner, em "Attentiveness...", op. cit., p. 112.

108. YL 5.31, trad. Daniel K. Gardner, em *Learning to Be a Sage*, op. cit., p. 46.

109. YL 5.36, ibid., p. 46.

110. YL 5.34, ibid., p. 48.

111. YL 6.46.

112. YL 4.31, trad. Daniel K. Gardner, em *Learning to Be a Sage*, op. cit., p. 54.

113. YL 3.28, trad. Daniel K. Gardner, em "Attentiveness...", op. cit., p. 114.

114. W. Owen Cole, *The Guru in Sikhism*. Londres: Darton, Longman & Todd, 1982, p. 15.

115. *Adi Granth* (AG) 150, trad. Pashaura Singh, em "An Overview of Sikh History", em Pashaura Singh e Louis E. Fenech (Orgs.), *The Oxford Handbook of Sikh Studies*. Oxford: Oxford University Press, 2014, p. 21.

116. AG 722.

PARTE TRÊS: LOGOS

12. *SOLA SCRIPTURA* [pp. 343-88]

1. Citado em Marvin B. Becker, *Florence in Transition: Studies in the Rise of the Territorial State*. Baltimore: Johns Hopkins University Press, 1968, p. 6.

2. Citado em Charles Trinkhaus, *The Poet as Philosopher: Petrarch and the Formation of Renaissance Consciousness*. New Haven: Yale University Press, 1979, p. 126.

3. Carta ao irmão Gherado, 2 de dezembro de 1348, em David Thompson (Org.), *Petrarch: A Humanist among Princes. An Anthology of Petrarch's Letters and Translations from His Works*. Nova York: Harper & Row, 1971, p. 90.

4. Alister E. McGrath, *Reformation Thought: An Introduction*. 4. ed. Oxford: Wiley Blackwell, 2012, pp. 32-4.

5. Ibid., pp. 37-9.

6. Marshall G. S. Hodgson, *The Venture of Islam: Conscience and History in a World Civilization*. Chicago: University of Chicago Press, 1974, v. III, pp. 179-95.

7. Discuti isso minuciosamente em *Em nome de Deus: O fundamentalismo no judaísmo, no cristianismo e no islamismo*. São Paulo: Companhia das Letras, 2000, pass.

8. Brad S. Gregory, *The Unintended Reformation: How a Religious Revolution Secularized Society*. Cambridge (MA): Harvard University Press, 2012, pp. 84-7.

9. Richard Marius, *Martin Luther: The Christian between God and Death*. Cambridge (MA): Harvard University Press, 1999, pp. 73-4, 213-5, 486-7.

10. Salmos 71:2.

11. Marc Lienhard, "Luther and the Beginnings of the Reformation", em Jill Raitt, Bernard McGinn e John Meyendorff (Orgs.), *Christian Spirituality II: High Middle Ages and Reformation*. Nova York: Crossroad, 1988, p. 22.

12. Romanos 1:16-7; Habacuc 2:4; ênfase minha.

13. Alister E. McGrath, op. cit., p. 74.

14. Lutero, *Luther's Works* (LW). Org. Jaroslav Pelikan e Helmut T. Lehmann. Filadélfia: Fortress, 1955-86, v. 25, pp. 188-9.

15. LW 10.239.

16. Scott H. Hendrix, *Luther and the Papacy: Stages in a Reformation Conflict*. Filadélfia: Fortress, 1981, p. 83; Roland H. Bainton, *Here I Stand: A Life of Martin Luther*. Nova York: New American Library, 1950, p. 90.

17. Norman Cohn, *The Pursuit of the Millennium: Revolutionary Millenarians and Mystical Anarchists in the Middle Ages*. Londres: Paladin, 1984, pp. 107-16.

18. Euan Cameron, *The European Reformation*. 2. ed. Oxford: Oxford University Press, 2012, pp. 169-70.

19. Zwingli [Zuínglio], *On the Clarity and Certainty of the Word of God* (1522), em Alister E. McGrath, op. cit., p. 107.

20. Zwingli, *On the Clarity and Certainty of the Word of God*, em Brad S. Gregory, op. cit., p. 87.

21. Durante a Segunda Disputa de Zurique (1523). *Corpus Reformatum* (CR), v. 88, pp. 24-5, apud Brad S. Gregory, op. cit., p. 87.

22. Mateus 26:26.

23. Alister E. McGrath, op. cit., pp. 105-7; ênfase minha.

24. Iain McGilchrist, *The Master and His Emissary: The Divided Brain and the Making of the Western World*. New Haven e Londres: Yale University Press, 2009, pp. 314-23.

25. Ibid., pp. 117-8.

26. Ibid., p. 180.

27. Brad S. Gregory, op. cit., pp. 88-9.

28. Ibid., p. 98.

29. Philip S. Watson, *Let God Be God! An Interpretation of the Theology of Martin Luther*. Filadélfia: Fortress, 1947, p. 149.

30. Tiago 2:14-6.

31. Alister E. McGrath, op. cit., p. 110.

32. Martinho Lutero, "Admonition to Peace: A Reply to the Twelve Articles of the Peasants in Swabia", trad. J. J. Schindel, rev. de Walther I. Brandt, em J. M. Porter (Org.), *Luther: Selected Political Writings*. Eugene: Wipf and Stock, 2003, p. 78.

33. Martinho Lutero, "Against the Robbing and Murdering Hordes of the Peasants", em ibid., p. 86.

34. Martinho Lutero, "Temporal Authority: To What Extent It Should Be Obeyed", em ibid., p. 54.

35. Alister E. McGrath, op. cit., pp. 107-11.

36. Calvin [Calvino], Preface, trad. Alister E. McGrath, op. cit., p. 108.

37. Alister E. McGrath, *A Life of John Calvin: A Study in the Shaping of Western Culture*. Oxford: Blackwell, 1990, p. 131.

38. Emil G. Kraeling, *The Old Testament Since the Reformation*. Londres: Lutterworth, 1955, pp. 21-2; Randall C. Zachman, "John Calvin", em Justin S. Holcomb (Org.), *Christian Theologies of Scripture: A Comparative Introduction*. Nova York: NYU Press, 2006, pp. 117-29.

39. John Bossy, "The Counter-Reformation and the People of Catholic Europe", *Past and Present*, n. 47, maio 1970.

40. James Turner, *Without God, Without Creed: The Origins of Unbelief in America*. Baltimore (MD): Johns Hopkins University Press, 1985, pp. 10-1, 19-20.

41. Richard Tarnas, *The Passion of the Western Mind: Understanding the Ideas That Have Shaped Our World View*. Londres: Pimlico, 1991, p. 242.

42. John of the Cross [João da Cruz], *The Dark Night of the Soul*, 1.9.7, em *The Complete Works of John of the Cross*. Trad. E. Allison Peers. Londres: Burns Oates & Washbourne, 1953; ênfase minha.

43. Teresa, *Relations*, 5, em *The Complete Works of St Teresa of Jesus*. Org. e trad. E. Allison Peers. Nova York: Sheed & Ward, 1957, v. I, p. 328.

44. Teresa, *The Interior Castle*, 4. Trad. E. Allison Peers. Garden City (NY): Image Books, 1964.

45. Citado em Louis Dupré, "The Mystical Experience of the Self and Its Philosophical Significance", em Richard Woods (Org.), *Understanding Mysticism*. Garden City (NY): Image Books, 1980, p. 458.

46. William T. Cavanaugh, *The Myth of Religious Violence* (Oxford, 2009), pp. 142-55; e meu próprio *Fields of Blood: Religion and the History of Violence* (Londres, 2014), pp. 225-32.

47. Geoffrey Parker, *The Thirty Years War*. Londres: Routledge, 1984.

48. Michael J. Buckley, *At the Origins of Modern Atheism*. New Haven: Yale University Press, 1987, pp. 85-7.

49. Descartes, *Discourse on Method* [*Discurso sobre o método*], 4.32. As citações das obras

de Descartes, a não ser quando especificamente indicado, são tiradas de *Descartes: Key Philosophical Writings*. Trad. Elizabeth S. Haldane e G. R. T. Ross, org. Enrique Chávez-Arvizo. Ware (Reino Unido): Wordsworth, 1997).

50. Id., *Meditations* [Meditações], 5.67.

51. Id., *Discourse on Method*, 3.37.

52. Ibid., 3.11-9.

53. Iain McGilchrist, op. cit., pp. 332-3; Louis Sass, *Madness and Modernism: Insanity in the Light of Modern Art, Literature and Thought*. Cambridge (MA): Harvard University Press, 1992.

54. Descartes, *Meditations*, 2.32.

55. Ibid., 6.76.

56. Ibid., 2.81.

57. 1 Coríntios 1:24.

58. Milton, *De Doctrina Christiana* (DDC), 6.213. As citações dos escritos em prosa de Milton, a não ser quando especificamente indicado, são tiradas de *Complete Prose Works of John Milton*. Org. Don M. Wolfe. New Haven: Yale University Press, 1953-82.

59. Id., *Areopagitica*, 2.549, 516.

60. Id., *The Ready and Easy Way to Establish a Free Commonwealth*, 7.443.

61. Id., *Paradise Lost* (PL), em *The Poetical Works of John Milton*. Org. Helen Darbishire. Oxford: Oxford University Press, 1952, v. I, 1.1-4.

62. Ibid.

63. R. C. Lovelace, "Puritan Spirituality: The Search for a Rightly Reformed Church", em Louis Dupré e Don E. Saliers (Orgs.), *Christian Spirituality, v. III: Post Reformation and Modern*. Nova York: Crossroad, 1989, p. 313.

64. DDC 955.

65. Jó 41:1; Isaías 14:12; Ezequiel 28.

66. John Carey, "Milton's Satan", em Dennis Danielson (Org.)., *The Cambridge Companion to Milton*. 2. ed. Cambridge: Cambridge University Press, 1999, pp. 161-71.

67. PL 9.473.

68. PL 2.125-6.

69. PL 4.75-8.

70. PL 5.785-6, 794-7.

71. Milton, *Areopagitica*, 2.524.

72. PL 4.433-5.

73. PL 5.860.

74. William Shullenberger, "Imagining Eden", em Louis Schwartz (Org.), *The Cambridge Companion to Paradise Lost*. Cambridge: Cambridge University Press, 2014, pp. 134-6.

75. PL 9.782-84.

76. PL 12.586-87.

77. Gregory Chaplin, "Beyond Sacrifice: Milton and the Atonement", *PMLA*, v. 125, n. 2, 2010.

78. PL 11.496.

79. Kathleen Swain, *Before and After the Fall: Contrasting Modes in "Paradise Lost"*. Amherst: University of Massachusetts Press, 1992, p. 236.

80. PL 12.561-4.

81. Shullenberger, "Imagining Eden", 136; Mary C. Fenton, "Regeneration in Books 11 and 12", em Louis Schwartz (Org.), *The Cambridge Companion to Paradise Lost*. Cambridge: Cambridge University Press, 2014, p. 190.

82. PL 12.582-83.

83. PL 3.95-99.

84. PL 3.117-23.

85. PL 2.558-9, 565.

86. Paul Johnson, *A History of the Jews*. Londres: Weidenfeld & Nicolson, 1987, p. 229; Yirmiyahu Yovel, *Spinoza and Other Heretics, v. I: The Marrano of Reason*. Princeton: Princeton University Press, 1989, pp. 17-8.

87. Introduction, *Shulkhan Arukh*, trad. Moshe Halbertal, em *People of the Book*, op. cit., p. 76.

88. Introduction, *Torat Hatat* (Cracóvia, 1569), trad. Moshe Halbertal, em *People of the Book*, op. cit., nota 52.

89. Citado em *Responsa Roma* (Jerusalém, 1971), trad. Moshe Halbertal, em *People of the Book*, op. cit., p. 78.

90. Moshe Halbertal, op. cit., pp. 78-9.

91. Ibid., pp. 80-1.

92. J. Elboim, *Petichut ve-Histagrut* (Jerusalém, 1990), trad. Moshe Halbertal, em *People of the Book*, op. cit., p. 99.

93. R. Shlomo b. Mordechai, *Mizbach ha-Zehav* 12a (Basileia, 1604), trad. Moshe Halbertal, em *People of the Book*, op. cit.

94. Karo, *Magid Mesharim* 40a-b, trad. Moshe Halbertal, em *People of the Book*, op. cit., p. 123.

95. Gershom Scholem, *Major Trends in Jewish Mysticism*. Nova York: Schocken, 1955, pp. 246-9.

96. Id., *The Messianic Idea in Judaism and Other Essays on Jewish Spirituality*. Nova York: Schocken, 1971, pp. 43-8.

97. Gershom Scholem, *Sabbatai Sevi: The Mystical Messiah*. Londres: Routledge, 1973, pp. 37-42.

98. Ibid., pp. 23-35.

99. R. J. Werblowsky, "The Safed Revival and Its Aftermath", em Arthur Green (Org.), *Jewish Spirituality*. Nova York: Crossroad, 1988, v. 2, pp. 15-9, 21-4; Lawrence Fine, "The Contemplative Practice of Yehudin in Lurianic Kabbalah", em Arthur Green (Org.), op. cit., v. 1, pp. 73-8, 89-90; Louis Jacobs, "The Uplifting of the Sparks in Later Jewish Mysticism", em Arthur Green (Org.), op. cit., v. 2, pp. 108-11; Gershom Scholem, *On the Kabbalah and Its Symbolism*. Trad. Ralph Manheim. Nova York: Schocken, 1965, p. 150.

100. John Voll, "Renewal and Reform in Islamic History", in John L. Esposito (Org.), *Voices of Resurgent Islam*. Nova York: Oxford University Press, 1983.

101. Moojan Momen, *An Introduction to Shi'i Islam: The History and Doctrines of Twelver Shi'ism*. Oxford: G. Ronald, 1985, pp. 114-6.

102. Magel Baklash, "Taziyeh and Its Philosophy", em Peter J. Chelkowski (Org.), *Ta'ziyeh: Ritual and Drama in Iran*. Nova York: New York University Press, 1979, p. 105.

103. Mary Hegland, "Two Images of Husain: Accommodations and Revolution in an Iranian Village", em Nikki R. Keddie (Org.), *Religion and Politics in Iran: Shi'ism from Quietism to Revolution*. New Haven: Yale University Press, 1974, pp. 221-5.

104. Moojan Momen, op. cit., pp. 117-8.

105. Nikki R. Keddie, "Ulema's Power in Modern Iran", em Nikki R. Keddie (Org.), *Scholars, Saints and Sufis: Muslim Religious Institutions in the Middle East Since 1500*. Berkeley: University of California Press, 1972, p. 223.

106. Marshall Hodgson, op. cit., v. III, pp. 42-6; Mangol Bayat, *Mysticism and Dissent: Socio-Religious Thought in Qajar Iran*. Syracuse : Syracuse University Press, 1982, pp. 28-47.

107. Fazlur Rahman, *The Philosophy of Mulla Sadra*. Albany (NY): SUNY Press, 1973, pp. 12, 36-7, 115, 117, 206.

108. Michael Fischer, *Iran: From Religious Dispute to Revolution*. Cambridge (MA) e Londres: Harvard University Press, 1980, pp. 239-42.

109. Natana J. Delong-Bas, *Wahhabi Islam: From Revival and Reform to Global Jihad*. Cairo: AUC Press, 2005, pp. 8-14.

110. Ibid., pp. 14-40.

111. Ibid., pp. 194-200.

112. Ibid., pp. 212-34.

113. W. H. McLeod, *The Evolution of the Sikh Community: Five Essays*. Oxford: Oxford University Press, 1976, p. 60.

114. Nesse relato, devo muito ao ensaio de Arvind-pal Singh Mandair, "Sikh Philosophy", em Pashaura Singh e Louis E. Fenech (Orgs.), *The Oxford Handbook of Sikh Studies*. Oxford: Oxford University Press, 2014, pp. 298-316.

115. *Adi Granth* (AG) 4.3. As citações das escrituras sikhs, a não ser quando especificamente indicado, são tiradas de Christopher Shackle e Arvind-Pal Singh Mandair (Org. e trad.), *Teachings of the Sikh Gurus: Selections from the Sikh Scriptures*. Oxford e Nova York: Routledge, 2005.

116. AG 1.1.

117. AG 4.6.

118. AG 8.9.

119. Entrevista com Harold Coward em Calgary, 1985.

120. W. Owen Cole, *The Guru in Sikhism*. Londres: Darton, Longman & Todd, 1982, p. 89.

121. AG 683.3, citado em W. Owen Cole e Piara Singh Samdhi, *The Sikhs: Their Religious Beliefs and Practices*. Nova Delhi: Vikas, 1978, p. 55.

122. Harold Coward, *Sacred Word and Sacred Text: Scripture in World Religions*. Delhi: Sri Satguru, 1988, pp. 131-3.

123. Harjot Oberoi, "Sikhism", em Harold Coward (Org.), *Experiencing Scripture in World Religions*. Eugene: WIPF & Stock Publishers, 2000, p. 135.

124. Wm. Theodore de Bary, "Introduction"; "Neo-Confucian Cultivation", ambos em *The*

Unfolding of Neo-Confucianism. Nova York: Columbia University Press, 1975, pp. 4-5, 141-4, 153-90.

125. *Doctrine of the Mean*, 1, 20, em Wing-tsit Chan (Org. e trad.), *A Source Book in Chinese Philosophy*. Princeton: Princeton University Press, 1969, p. 107.

126. Zhu Xi, *Zhongyong huowen*, 20, 105b-196a, em Wing-tsit Chan (Org. e trad.), *Reflections on Things at Hand: The Neo-Confucian Anthology Compiled by Chu His and Lu Tsu--chien*. Nova York: Columbia University Press, 1967, p. 69.

127. Edward T. Ch'ien, "Chiao Hung and the Revolt against Ch'eng-Chu Orthodoxy", em Wm. Theodore de Bary (Org.), *The Unfolding of Neo-Confucianism*, op. cit., pp. 276-96. Todas as citações dos escritos de Jiao são tiradas desse artigo.

128. Jiao Hong, *Danyuan*, 22.36.

129. Jiao Hong, *Jinling Congshu*, Prefácio, 1a.

130. *Danyuan*, 12.18a.

131. Jiao Hong, *Bizheng xi*, 2.169.

132. *Danyuan ji*, 22.3b.

133. *Bizheng xi*, 1.27.

134. Ibid.

135. Jiao Hong, *Jingli zhi*, 2.20.

136. Willard J. Peterson, "Fang-chih: Western Learning and the 'Investigation of Things'", em Wm. Theodore de Bary (Org.), *The Unfolding of Neo-Confucianism*, op. cit., pp. 370-401. Todas as citações da obra de Fang são tiradas desse artigo.

137. *Great Learning* 3, trad. A. C. Graham, em *Two Chinese Philosophers: The Metaphysics of the Brothers Ch'eng*. La Salle: Open Court, 1992, p. 74; ênfase minha.

138. Ibid., p. 79.

139. Fang Yizhen, *Wu li xiao*, 1a.

140. Ibid.

141. Ibid.

142. Ibid., 7b.

143. Fang Yizhen, *Xiyu xin bi*, 24b-25a.

144. Fang Yizhen, *Wu li xiao*, 1.25a.

145. Ibid., 1.6.

146. Ibid., 12a.

147. Ibid., 1.22b.

13. SOLA RATIO [pp. 389-459]

1. Yirmiyahu Yovel, *Spinoza and Other Heretics, v. I: The Marrano of Reason*. Princeton: Princeton University Press, 1989, pp. 19-24.

2. Ibid., pp. 75-6.

3. José Faur, "Sanchez' Critique of *Authoritas*: Converso Scepticism and the Emergence of Radical Hermeneutics", em Peter Ochs (Org.), *The Return to Scripture in Judaism and Christianity: Essays in Postcritical Scriptural Interpretation*. Eugene: Wipf & Stock, 1993.

4. Sanchez, "Quod Nihil Scitur", em ibid., pp. 263-4.

5. Yirmiyahu Yovel, op. cit., pp. 42-51, 57-63.

6. Ibid., pp. 4-13, 172-4.

7. José Faur, op. cit., p. 268.

8. Benedict de Spinoza, *Tractatus Theologico-Politicus*. Trad. R. H. M. Elwes. Londres: Routledge, 1895, p. 119.

9. Ibid., p. 91.

10. Ibid., p. 99.

11. Isaac Newton, *Sir Isaac Newton's Mathematical Principles of Natural Philosophy and His System of the World*. Trad. Andrew Motte, rev. Florian Cajori. Berkeley: University of California Press, 1962, p. 544.

12. Ibid., p. 546.

13. Isaac Newton, Yehuda MS. 41, fol. 7, Jewish National University Library, Jerusalém; Richard S. Westfall, "The Rise of Science and the Decline of Orthodox Christianity: A Study of Kepler, Descartes and Newton", em David C. Lindberg e Ronald L. Numbers (Orgs.), *God and Nature: Historical Essays on the Encounter between Christianity and Science*. Berkeley: University of California Press, 1986, pp. 232-3. O manuscrito original mostra que Newton, após refletir melhor, resolveu inserir "sem revelação" entre as linhas, depois de "conhecimento de uma divindade".

14. Isaac Newton, MS William Andreas Clark Memorial Library, UCLA, Los Angeles; Westfall, "Rise of Science", 231.

15. Newton, Yehuda MS. 41, fol. 6; Richard S. Westfall, op. cit., p. 230.

16. Newton, Yehuda MSS. 1.4, folha 50, e 2, folha 7; Richard S. Westfall, op. cit., pp. 231-2.

17. Wilfred Cantwell Smith, *Belief and History*. Charlottesville: University Press of Virginia, 1985; id., *Faith and Belief: The Difference Between Them*. Princeton: Princeton University Press, 1987; e o meu próprio *Em defesa de Deus*. São Paulo: Companhia das Letras, 2009.

18. Newton a Bentley, 1691, em Isaac Newton, *The Correspondence of Isaac Newton*. Org. H. W. Turnbull, J. F. Scott, A. R. Hill e L. Tilling. Cambridge: Cambridge University Press, 1954-77, v. 3, p. 233.

19. Ibid., v. 3, pp. 324, 326.

20. Amos Funkenstein, *Theology and the Scientific Imagination: From the Middle Ages to the Seventeenth Century*. Princeton: Princeton University Press, 1986, pp. 357-60.

21. John Locke, *An Essay Concerning Human Understanding*. Oxford: Oxford University Press; Clarendon, 1975, 4.18.3.

22. Id., *A Letter Concerning Toleration*. Indianapolis: Liberty Fund, 1955, pp. 31, 27.

23. Hans Frei, *The Eclipse of Biblical Narrative: A Study in Eighteenth and Nineteenth Century Hermeneutics*. New Haven: Yale University Press, 1974, p. 109.

24. Ibid., p. 115.

25. Ibid., pp. 85-92.

26. Ibid., pp. 161-2.

27. David Hume, "Of the Study of History", em *Of the Standard of Taste and Other Essays*. Org. John W. Lenz. Indianapolis: Bobbs-Merrill, 1961, p. 96.

28. James William Johnson, *The Formation of English Neo-Classical Thought*. Princeton: Princeton University Press, 1970, pp. 43-5.

29. Hans Frei, op. cit., pp. 157-60; Jonathan Sheehan, *The Enlightenment Bible: Translation, Scholarship, Culture*. Princeton: Princeton University Press, 2005, pp. 54-84, 95-136.

30. Jonathan Sheehan, op. cit., pp. 28-44.

31. Hans Frei, op. cit., pp. 136-56.

32. Johann Gottfried Herder, *Briefe, das Studium der Theologie betreffend*; Carta n. 2, trad. Hans Frei, op. cit., p. 185.

33. Brad S. Gregory, *The Unintended Reformation: How a Religious Revolution Secularized Society*. Cambridge (MA): Harvard University Press, 2012, pp. 377-80.

34. John Locke, *Two Treatises of Government*. Org. Peter Laslett. Cambridge: Cambridge University Press, 1988, 1.2.4.

35. Thomas Hobbes, *Leviathan*. Org. Richard Tuck. Cambridge: Cambridge University Press, 1991, 1.13.61-63.

36. Jean-Jacques Rousseau, *Discourse on the Origin of Inequality*. Org. Greg Boroson. Minneola: Dover, 2004, Seção 1.

37. Nathan Hatch, *The Democratization of American Christianity*. New Haven: Yale University Press, 1989, p. 22.

38. Immanuel Kant, *On History*. Org. Lewis White Beck. Indianapolis: Bobbs-Merrill, 1963, p. 3.

39. Zygmunt Bauman, *Does Ethics Have a Chance in a World of Consumers?*. Cambridge (MA): Harvard University Press, 2008, p. 111.

40. Thomas Jefferson a Peter Carr, 10 de agosto de 1787, em Thomas Jefferson, *The Life and Selected Writings of Thomas Jefferson*. Org. Adrienne Koch e William Peden. Nova York: Modern Library, 1998, p. 400.

41. Ibid.; Denise A. Spellberg, *Thomas Jefferson's Qur'ān: Islam and the Founders*. Nova York: Alfred A. Knopf, 2013, pp. 231-2.

42. Denise A. Spellberg, op. cit., p. 235.

43. John Locke, *A Letter Concerning Toleration*, op. cit., p. 17.

44. Jefferson, *Writings of Thomas Jefferson*, XI.428.

45. John Locke, *A Letter Concerning Toleration*, op. cit., p. 15.

46. Id., *Two Treatises of Government*, "Second Treatise", op. cit., 5.24; 5.120-21; 5.3.

47. Nathan Hatch, op. cit., p. 9.

48. Discuti isso em *Em nome de Deus: O fundamentalismo no judaísmo, no cristianismo e no islamismo*. São Paulo: Companhia das Letras, 2000.

49. Alan Heimert, *Religion and the American Mind: From the Great Awakening to the Revolution*. Cambridge (MA): Harvard University Press, 1968, p. 43.

50. Ruth H. Bloch, *Visionary Republic: Millennial Themes in American Thought, 1756-1800*. Cambridge: Cambridge University Press, 1985, pp. 14-5.

51. Jonathan Edwards, "A Faithful Narrative of the Surprizing Work of God in Northampton", em Sherwood Elio Wirt (Org.), *Spiritual Awakening: Classic Writings of the Eighteenth Century to Inspire and Help the Twentieth Century Reader*. Tring: A Lion Paperback, 1988, pp. 110-3.

52. Nathan Hatch, op. cit., pp. 68-157.

53. Daniel Walker Howe, "Religion and Politics in the Antebellum North", em Mark A. Noll (Org.), *Religion and American Politics: From the Colonial Period to the 1980s*. Oxford: Oxford University Press, 1990, pp. 132-3; George Marsden, "Afterword", em ibid., pp. 382-3.

54. Mark A. Noll, "The Rise and Long Life of the Protestant Enlightenment in America", em William M. Shea e Peter A. Huff (Orgs.), *Knowledge and Belief in America: Enlightenment Traditions and Modern Religious Thought*. Nova York: Cambridge University Press, 1995.

55. Paul Boyer, *When Time Shall Be No More: Prophecy and Belief in Modern American Culture*. Cambridge (MA): Harvard University Press, 1992, pp. 87-90; George M. Marsden, *Fundamentalism and American Culture: The Shaping of Twentieth Century Evangelicalism, 1870--1925*. Nova York: Oxford University Press, 1980, pp. 50-5; Charles B. Strozier, *Apocalypse: On the Psychology of Fundamentalism*. Boston (MA): Beacon Press, 1994, pp. 183-5.

56. 2 Tessalonicenses 2:3-8. Não foi escrita por Paulo, mas é uma epístola deuteropaulina.

57. Paul Boyer, op. cit., pp. 83-5.

58. 1 Tessalonicenses 4:16.

59. George M. Marsden, op. cit., pp. 57-63.

60. Ibid., pp. 14-7; Nancy Ammerman, "North American Protestant Fundamentalism", em Martin E. Marty e R. Scott Appleby (Orgs.), *Fundamentalisms Observed*. Chicago: University of Chicago Press, 1991, pp. 8-12.

61. Pierson, *Many Infallible Proofs* (1895), citado em George M. Marsden, op. cit., p. 55.

62. Johannes Sloek, *Devotional Language*. Trad. Henrik Mossin. Berlim: De Gruyter, 1996, p. 83.

63. Charles Hodge, *What Is Darwinism?*. Princeton: Scribner, Armstrong & Co., 1874, p. 142.

64. James R. Moore, "Geologists and Interpreters of Genesis in the Nineteenth Century", em David C. Lindberg e Ronald L. Numbers (Orgs.), op. cit., pp. 329-34.

65. Mrs. Humphry Ward, *Robert Elsmere*. Lincoln (NB): University of Nebraska Press, 1969, p. 414.

66. George M. Marsden, op. cit., pp. 110-5.

67. Archibald Hodge e Benjamin Warfield, "Inspiration", *Princeton Review*, n. 2, 11 abr. 1881.

68. *New York Times*, 5 abr. 1894.

69. *New York Times*, 5 abr. 1899.

70. *Union Seminary Magazine*, n. 19, 1907-8.

71. Karen Armstrong, *Em nome de Deus*, op. cit.

72. Martin E. Marty e R. Scott Appleby, "Conclusion: An Interim Report on a Hypothetical Family", em *Fundamentalisms Observed*, op. cit., pp. 814-42.

73. Karen Armstrong, *Battle for God* [*Em nome de Deus*]. Londres: HarperCollins, 2004, pp. 176-8; id., *The Case for God* [*Em defesa de Deus*]. Londres: Vintage, 2010, pp. 272-4.

74. Karen Armstrong, *The Case for God*, op. cit., pp. 217-315.

75. Matthew Arnold, "Dover Beach", versos 25, 14, em *Arnold: Poetical Works*. Org. de C. B. Tinker e H. F. Lowry. Oxford: Oxford University Press, 1945.

76. Friedrich Nietzsche, *The Gay Science* (GS). Trad. Walter Kaufmann. Nova York: Vintage, 1974, p. 181.

77. Ibid., p. 279.

78. Ibid., p. 181.

79. Id., *Ecce Homo: How One Becomes What One Is* (EH). Trad. R. J. Hollingdale. Londres: Penguin, 1979, pp. 102-3.

80. Id., *Kritische Studienausgabe in 15 Einzelbänden*. Org. G. Colli e M. Montinari. Berlim: Deutscher Taschenbuch, 1988, v. 15, p. 88.

81. Jörg Salaquarda, "Nietzsche and the Judaeo-Christian Tradition", em Bernd Magnus e Kathleen M. Higgins (Orgs.), *The Cambridge Companion to Nietzsche*. Cambridge: Cambridge University Press, 1996, p. 94.

82. EH, p. 128.

83. Michael R. Trimble, *The Soul in the Brain: The Cerebral Basis of Language, Art, and Belief*. Baltimore: Johns Hopkins University Press, 2007, pp. 194-6.

84. Gudrun von Tevenar, "Zarathustra: 'That Malicious Dionysian'", em Ken Gemes e John Richardson (Orgs.), *The Oxford Handbook of Nietzsche*. Oxford: Oxford University Press, 2013, pp. 272-95.

85. GS, Preface, p. 1.

86. R. J. Hollingdale, "Introduction", em Nietzsche, *Thus Spoke Zarathustra: A Book for Everyone and No One* (TSZ). Londres: Penguin, 1961, p. 16. Todas as citações, a não ser quando especificamente indicado, são tiradas dessa tradução.

87. Jörg Salaquarda, op. cit., pp. 90-104.

88. TSZ, pp. 98-9.

89. Christopher Janaway, "The Gay Science", em Ken Gemes e John Richardson (Orgs.), op. cit., pp. 258-60.

90. Ibid., p. 338.

91. Friedrich Nietzsche, *On the Genealogy of Morals*, 2.25.

92. GS, p. 342.

93. TSZ, p. 167.

94. Ibid., pp. 331-2.

95. Ibid., p. 332; ênfase do tradutor do alemão para o inglês.

96. Ibid., p. 43.

97. Ibid., p. 121.

98. Ibid.

99. Ibid., p. 336; ênfase do tradutor do alemão para o inglês.

100. EH, p. 99.

101. William Blake, "The Tyger", versos 4-5.

102. Id., *Jerusalem*, 33: versos 1-24; 96: versos 23-8.

103. Id., "Introduction", *Songs of Experience*, versos 6-10.

104. Id., "The Divine Image".

105. William Wordsworth, "Expostulation and Reply" e "The Tables Turned", em *Wordsworth: Poetical Works*. Org. Thomas Hutchinson, rev. Ernest de Selincourt. Oxford: Oxford University Press, 1904.

106. Id., "Lines Composed a Few Miles Above Tintern Abbey on Revisiting the Banks of the Wye During a Tour, July 13, 1798", versos 37-49.

107. Tomás de Aquino, *Summa Theologiae*, 1a.q.3.1-5, 14-5.

108. William Wordsworth, "Tintern Abbey", versos 37-49.

109. John Keats a George e Georgiana Keats, 21 de dezembro de 1817, *Letters of John Keats*.

110. John Keats a George e Georgiana Keats, 19 de março de 1819, *Letters of John Keats*.

111. Keats a Richard Woodhouse, 27 de outubro de 1818, *The Letters of John Keats*. Org. H. E. Rollins. Cambridge, (MA): Harvard University Press, 1958.

112. Benzion Dinur, "The Origins of Hasidism and Its Social and Messianic Foundations", em Gershon David Hundert (Org.), *Essential Papers on Hasidism: Origins to Present*. Nova York: New York University Press, 1991, pp. 86-161; Simon Dubnow, "The Maggid of Miedzyryrzecz, His Associates and the Center in Volhynia", em Hundert (Org.), op. cit., p. 58.

113. Benjamin Dinur, "The Messianic Prophetic Role of the Baal Shem Tov", em Marc Saperstein (Org.), *Essential Papers on Messianic Movements and Personalities in Jewish History*. Nova York: New York University Press, 1992, pp. 378-80.

114. Shmuel Ettinger, "The Hasidic Movement: Reality and Ideals", em Gershon David Hundert (Org.), op. cit., p. 257.

115. Gershom Scholem, "The Neutralization of Messianism in Early Hasidism", em *The Messianic Idea in Judaism and Other Essays on Jewish Spirituality*. Nova York: Schocken, 1971, pp. 189-200; "'Devekut' or Communion with God", em ibid., pp. 203-37; Louis Jacobs, "The Uplifting of the Sparks in Later Jewish Mysticism", em Arthur Green (Org.), *Jewish Spirituality*. Nova York: Crossroad, 1988, v. 2, pp. 116-25; Louis Jacobs, "Hasidic Prayer", em Hundert (Org.), op. cit., pp. 330-48.

116. Gershom Scholem, "The Neutralization of Messianism in Early Hasidism", op. cit., pp. 196-8.

117. Id., *Major Trends in Jewish Mysticism*. Nova York: Schocken, 1955, p. 334.

118. Simon Dubnow, "The Maggid of Miedzyrzecz, His Associates and the Center in Volhynia (1760-1772)", em Hundert (Org.), op. cit., p. 61.

119. Ibid., p. 62.

120. Ibid., p. 65.

121. 2 Reis 3:25.

122. Simon Dubnow, op. cit., p. 65; ênfase minha.

123. Rachel Eliot, "HaBaD: The Contemplative Ascent to God", em Arthur Green (Org.), op. cit., v. 2, pp. 158-203.

124. Louis Jacobs, "Hasidic Prayer", op. cit., p. 340.

125. David Rudavsky, *Modern Jewish Religious Movements: A History of Emancipation and Adjustment*. Ed. rev. Nova York: Behrman House, 1967, pp. 157-64, 286-87.

126. Ibid., p. 290.

127. Julius Güttmann, *Philosophies of Judaism: The History of Jewish Philosophy from Biblical Times to Franz Rosensweig*. Trad. David W. Silverman. Londres: Routledge, 1964, pp. 308-51.

128. David Rudavsky, op. cit., pp. 188, 194-5, 201-4.

129. Samuel C. Heilman e Menachem Friedman, "Religious Fundamentalism and Religious Jews", em Martin E. Marty e R. Scott Appleby (Orgs.), *Fundamentalisms Observed*, op. cit., pp. 211-5; Charles Selengut, "By Torah Alone: Yeshiva Fundamentalism in Jewish Life", em Marty e Appleby (Orgs.), *Accounting for Fundamentalisms: The Dynamic Character of Movements*. Chicago: University of Chicago Press, 1994, pp. 239-41; Menachem Friedman, "Habad as Messianic Fundamentalism", em ibid., p. 201.

130. David Rudavsky, op. cit., pp. 219-43.

131. Wm. Theodore de Bary, "Introduction", em *The Unfolding of Neo-Confucianism*. Nova York: Columbia University Press, 1975, p. 32.

132. Rodney L. Taylor, *The Religious Dimensions of Confucianism*. Albany (NY): SUNY Press, 1990, p. 58.

133. Heinrich Bosch, "The Tung-Lin Academy and Its Political and Philosophical Significance", MS. XIV (1949-55), pp. 119-29.

134. Wm. Theodore de Bary, "Neo-Confucian Cultivation", em *The Unfolding of Neo--Confucianism*, op. cit., pp. 182-3.

135. Ibid., pp. 191-4.

136. Ibid., pp. 193-4.

137. Ibid., pp. 203-4.

138. Ibid., pp. 197-8.

139. Rodney L. Taylor, "Confucian Spirituality and Qing Thought", em Tu Weiming e Mary Evelyn Tucker (Orgs.), *Confucian Spirituality*. Nova York: Crossroad, 2004, v. II, pp. 163-209.

140. Benjamin A. Elman, *From Philosophy to Philology: Intellectual and Social Aspects of Change in Late Imperial China*. Cambridge (MA): Harvard University Press, 1984, p. 28.

141. Citado em Cynthia Brokaw, "Tai Chen and Learning in the Confucian Tradition", em Benjamin A. Elman e Alexander Woodside (Orgs.), *Education and Society in Late Imperial China, 1600-1900*. Berkeley: University of California Press, 1994, p. 290.

142. Ibid., p. 271.

143. Tu Weiming, "Perceptions of Learning (Hsüeh) in Early Ch'ing Thought", em *Way, Learning and Politics: Essays on the Confucian Intellectual*. Albany (NY): SUNY Press, 1993, p. 120.

144. Cynthia Brokaw, "Tai Chen and Learning in the Confucian Tradition", em Benjamin A. Elman e Alexander Woodside (Orgs.), op. cit., pp. 279-80.

145. Thomas Metzger, *Escape from Predicament: Neo-Confucianism and China's Evolving Political Culture*. Nova York: Columbia University Press, 1977, p. 163.

146. Wm. Theodore de Bary, "Introduction", op. cit., p. 32.

147. John H. Kautsky, *The Political Consequences of Modernization*. Nova York: Wiley, 1972, pp. 60-1.

148. Wilfred Cantwell Smith, *The Meaning and End of Religion: A New Approach to the Religious Traditions of Mankind*. Nova York: Macmillan, 1962, pp. 61-2.

149. Romila Thapar, "Historical Realities", em Ramji Lal (Org.), *Communal Problems in India – A Symposium*. Gwalior: Jiwaji University, 1988.

150. Ibid., p. 83.

151. Daniel Gold, "Organized Hinduisms: From Vedic Truth to Hindu Nation", em Marty e Appleby (Orgs.), *Fundamentalisms Observed*, op. cit., pp. 533-77.

152. Kenneth W. Jones, "The Arya Samaj in British India, 1874-1947", em Robert D. Baird (Org.), *Religion in Modern India*. Nova Delhi: Manohar, 1981, pp. 36-9.

153. Daniel Gold, op. cit., pp. 575-83.

154. Robert E. Frykenberg, "Hindu Fundamentalism and the Structural Stability of India", em Martin E. Marty e R. Scott Appleby (Orgs.), *Fundamentalisms and the State: Remaking Polities, Economies, and Militance*. Chicago: University of Chicago Press, 1993, p. 239.

155. David Kopf, *The Brahmo Samaj and the Shaping of the Modern Indian Mind*. Princeton: Princeton University Press, 1979.

156. Lala Lajpat Rai, *The Arya Samaj: An Account of Its Origin, Doctrines and Activities, with a Biographical Sketch of the Founder*. Londres: Longmans, Green and Co., 1915, pp. 103-5.

157. Brian K. Smith, *Reflections on Resemblance, Ritual and Religion*. Oxford: Oxford University Press, 1992, p. 20.

158. J. T. F. Jordens, *Dayananda Sarasvati: His Life and Ideas*. Delhi: Oxford University Press, 1978, pp. 35-9.

159. Daniel Gold, op. cit., pp. 544-6.

160. Ibid., p. 585, nota 46.

161. J. T. F. Jordens, op. cit., p. 271.

162. Swami Dayananda Saraswati, *Light of Truth, or an English Translation of the Satyarthi Prakas*. Trad. dr. Chiranjiva Bhara Awaja. Nova Delhi: Sarvadeshik Arya Pratinidhi Sabha, 1975, p. 332.

163. Ibid., p. 733.

164. J. T. F. Jordens, op. cit., p. 271.

165. N. Gould Barrier, "Sikhs and Punjab Politics", em Joseph T. O'Connell (Org.), *Sikh History and Religion in the Twentieth Century*. Toronto: University of Toronto, 1988.

166. T. N. Madan, "The Double-Edged Sword: Fundamentalism and the Sikh Religious Tradition", em Marty e Appleby (Orgs.), *Fundamentalisms Observed*, op. cit., p. 617.

167. Karen Armstrong, *Battle for God*, op. cit.

168. Harjot Oberoi, "From Ritual to Counter-Ritual: Rethinking the Hindu-Sikh Question, 1884-1915", em Joseph T. O'Connell (Org.), op. cit., p. 149.

169. Id., "Sikh Fundamentalism: Translating History into Theory", em Marty e Appleby (Orgs.), *Fundamentalisms Observed*, op. cit., pp. 258, 280.

170. Malise Ruthven, *A Satanic Affair: Salman Rushdie and the Rage of Islam*. Londres: Chatto & Windus, 1990, p. 29.

171. Fay Weldon, *Sacred Cows*. Londres: Chatto & Windus, 1989, pp. 6, 12; Conor Cruise O'Brien, *The Times*, 11 maio 1989.

172. Ernest Gellner, *Postmodernism, Reason and Religion*. Londres: Routledge, 1992, p. 81.

173. Shruti Kapila e Faisal Devji, "Introduction", em Shruti Kapila e Faisal Devji (Orgs.), *Political Thought in Action: The Bhagavad Gita and Modern India*. Cambridge: Cambridge University Press, 2013, pp. xii-xiv.

174. C. A. Bayly, "India, the *Bhagavad Gita* and the World", em Shruti Kapila e Faisal Devji (Orgs.), op. cit., pp. 1-7.

175. Immanuel Kant, *Grounding for the Metaphysics of Morals*. Trad. Christine M. Korsgaard. Cambridge: Cambridge University Press, 1998, p. 34.

176. Laurie E. Patton, "The Failure of Allegory: Notes on Textual Violence in the *Bhagavad Gita*", em John Renard (Org.), *Fighting Words: Religion, Violence and the Interpretation of Sacred Texts*. Berkeley: University of California Press, 2012, pp. 184-6.

177. Ibid., pp. 186-8; Robert Minor, *Modern Indian Interpreters of the Bhagavad Gita*. Nova York: SUNY Press, 1986, pp. 11-34; Annie Besant, *Hints on the Study of the Bhagavad Gita*. Benares: Theosophical Pub. Society, 1906.

178. Aurobindo Ghose, *Essays on the Gita*. Pondicherry: Sri Aurobindo Ashram, 1972, p. 39; Jeffrey D. Long, "Religion and Violence in Hindu Traditions", em Andrew R. Murphy (Org.), *The Blackwell Companion to Religion and Violence*. Oxford: Wiley-Blackwell, 2011, pp. 204-8.

179. *Bhagavad Gita* 2.37 (Barbara Stoler Miller [Trad.], *The Bhagavad-Gita: Krishna's Counsel in Time of War*. Nova York: Columbia University Press, 1986).

180. Ibid., 2.64.

181. Lorie L. Patton, "The Failure of Allegory: Notes on Textual Violence in the *Bhagavad Gita*", em John Renard (Org.), op. cit., pp. 191-4.

182. Ibid., pp. 195-6.

183. Para um relato minucioso disso, ver, de minha autoria, *Muhammad: A Biography of the Prophet*. San Francisco: HarperSanFrancisco, 1992, pp. 22-44. [Ed. br.: *Maomé: uma biografia do profeta*. São Paulo: Companhia das Letras, 2002.]

184. Stefan Wild, "Political Interpretation of the Qur'ān", em Jane Dammen McAuliffe (Org.), *Cambridge Companion to the Qur'ān*. Cambridge: Cambridge University Press, 2006, pp. 276-9; Abdullah Saeed, *Reading the Qur'ān in the Twenty-First Century: A Contextualist Approach*. Londres: Routledge, 2014, pp. 180-2.

185. Wilfred Cantwell Smith, *Islam in Modern History*. Princeton: Princeton University Press, 1957, p. 95.

186. Daniel Crecelius, "Non-Ideological Responses of the Ulema to Modernisation", em Nikki R. Keddie (Org.), *Scholars, Saints and Sufis: Muslim Religious Institutions in the Middle East Since 1500*. Berkeley: University of California Press, 1972, pp. 54-8.

187. Asma Afsaruddin, *Contemporary Issues in Islam*. Edimburgo: Edinburgh University Press, 2015, p. 57.

188. Fazlur Rahman, "The Living Sunnah and the al-Sunnah wa'l Jama'ah", em P. K. Koya (Org.), *Hadith and Sunnah: Ideals and Realities — Selected Essays*. Kuala Lumpur: Islamic Book Trust, 1996, p. 136.

189. Id., *Islam and Modernity: Transformation of an Intellectual Tradition*. Chicago: University of Chicago Press, 1982, p. 147.

190. Ibid., pp. 6-7.

191. Al-Shafii, *Al Risala fi usul al-fiqh*. Cairo: [s.n.], 1940, p. 110.

192. Abdullah Saeed, op. cit., p. 78.

193. Fazlur Rahman, *Islam*. Chicago: University of Chicago Press, 1979, p. 66.

194. Asma Afsaruddin, op. cit., pp. 47-50.

195. Por exemplo, Robert Piggott, "Turkey in Radical Revision of Islamic Texts", *BBC News*, 26 fev. 2008.

196. Alcorão 4.2-3, trad. M. A. S. Abdel-Haleem, *The Qur'ān: A New Translation*. Oxford: Oxford University Press, 2004.

197. Fazlur Rahman, *Major Themes of the Qur'ān*. 2. ed. Chicago: University of Chicago Press, 2009, p. 95.

198. Alcorão 4:127, trad. M. A. S. Abdel-Haleem, op. cit.

199. Fazlur Rahman, *Major Themes of the Qur'ān*, op. cit., pp. 47-8.

200. Ibid., p. 47.

201. Alcorão 2:256, trad. Muhammad Asad, *The Message of the Qur'ān*. Gibraltar: Dar Al-Andalus, 1980.

202. Alcorão 2:108, 217; 47:25; 16:109. Só é punível com pena de morte se combinado com outros crimes, como traição ou sedição.

203. Jamal al-Banna, *Al-Awda ila l-Qur'ān* [Retorno ao Alcorão]. Cairo: Organisation of Islamic Cooperation, 1984; Asma Afsaruddin, op. cit., pp. 43-53.

204. Alcorão 6:102, trad. M. A. S. Abdel-Haleem, op. cit.

205. Abdulaziz Sachedina, *The Islamic Roots of Democratic Pluralism*. Oxford: Oxford University Press, 2001; id., "The Qur'ān and Other Religions", em Jane Dammen McAuliffe (Org.), op. cit.

206. Alcorão 5:48, trad. Muhammad Asad, op. cit.

207. Alcorão 2:62, trad. M. A. S. Abdel-Haleem, op. cit. Os sabeus eram um grupo monoteísta na Arábia pré-islâmica.

208. Alcorão 33:35, ibid.

209. Fatima Mernissi, *Women and Islam: An Historical and Theological Enquiry*. Trad. Mary Jo Lakeland. Oxford: Basil Blackwell, 1991, pp. 115-31; Asma Barlas, *"Believing Women" in Islam: Unreading Patriarchal Interpretations of the Qur'ān*. Austin (TX): University of Texas Press, 2002, p. 20.

210. L. Marlow, *Hierarchy and Egalitarianism in Islamic Thought*. Cambridge: Cambridge University Press, 1977, pp. 93, 66; Leila Ahmed, *Women and Gender in Islam*. New Haven: Yale University Press, 1992, pp. 102-23.

211. Alcorão 7:10-4, trad. M. A. S. Abdel-Haleem, op. cit.; Aziza al-Hibri, "An Introduction to Women's Rights", em G. Webb (Org.), *Windows of Faith: Muslim Women Scholar-Activists in North America*. Syracuse (NY): Syracuse University Press, 2000, pp. 52-4.

212. Amina Wadud, *Qur'ān and Women: Rereading the Sacred Text from a Woman's Perspective*. Oxford: Oxford University Press, 1999.

213. Alcorão 16:74, trad. M. A. S. Abdel-Haleem, op. cit.; Asma Barlas, op. cit., p. 11.

214. Alcorão 4:37, trad. M. A. S. Abdel-Haleem, op. cit.

215. Alcorão 4:23, ibid.

216. Alcorão 2:225-40; 65:1-70, ibid.

217. Alcorão 4:19, ibid.; Tabari, *Tafsir*, 9.235; Fatima Mernissi, op. cit., pp. 131-2; Leila Ahmed, op. cit., p. 53.

218. Alcorão 2:282, trad. M. A. S. Abdel-Haleem, op. cit.

219. No Alcorão, *hijab* não significa "véu", é mais uma "cortina" que funciona como uma divisória de quarto (Alcorão 33:53).

220. Alcorão 24:30-1, trad. M. A. S. Abdel-Haleem, op. cit.

221. Alcorão 33:59, ibid.

222. Asma Barlas, op. cit., p. 57; ênfase do autor.

223. Alcorão 4:34, trad. M. A. S. Abdel-Haleem, op. cit.

224. Alcorão 4:128, ibid.; Asma Afsaruddin, op. cit., p. 103.

225. Muhammad ibn Sad, *Kitab at-Tabaqat al Kabir*, 8.205, em Fatima Mernissi, op. cit., pp. 156-7.

226. Asma Afsaruddin, op. cit., p. 104.

227. Alcorão 33:28-9, trad. M. A. S. Abdel-Haleem, op. cit.

228. Khaled Abou El Fadl, *Speaking in God's Name: Islamic Law, Authority and Women*. Oxford: Oneworld, 2001, p. 264.

229. Khaled Abou El Fadl, *The Great Theft: Wrestling Islam from the Extremists*. Nova York: HarperCollins, 2007, p. 95.

230. Ibid., p. 97.

231. Fazlur Rahman, *Major Themes of the Qur'ān*, op. cit., p. 31.

232. Ibid., p. 100.

233. Abdulkarim Soroush, *The Expansion of Prophetic Experience: Essays on Historicity, Contingency and Plurality in Religion*. Trad. Nilou Mobasser. Leiden: Brill, 2009, p. XXXVII.

234. Ibid.

235. Ibn Ishaq, *Sirah Rasul Allah*, 151, em A. Guillaume (Org. e trad.), *The Life of Muhammad from the Earliest Sources*. Londres: Oxford University Press, 1955, p. 105.

236. Jalal al-Din Suyuti, *al-itqan fi'ulum al-aqran*, em Maxime Rodinson, *Mohammed*. Trad. Anne Carter. Londres: Penguin, 1971, p. 74.

237. Bukhari 1.3, em Martin Lings, *Muhammad: His Life Based on the Earliest Sources*. Londres: Allen & Unwin; Islamic Texts Society, 1983, pp. 44-5.

238. Mohammed Arkoun, "The Notion of Revelation: From Ahl al-Kitab to the Societies of the Book", *Die Welt des Islams*, n. 28, 1988.

239. Ibid.

240. Abdullah Saeed, op. cit., pp. 53-61.

241. Karen Armstrong, *Fields of Blood: Religion and the History of Violence*. Londres: The Bodley Head, 2014.

242. Khurshid Ahmad e Zafar Ushaq Ansari, *Islamic Perspectives*. Leicester: Islamic Foundation, 1979, pp. 378-81.

243. Said Qutb, *Milestones*. Nova Delhi: Islamic Book Service, 1998, p. 81.

244. Jason Burke, *The New Threat from Islamic Militancy*. Londres: The Bodley Head, 2015, pp. 32-5.

245. Alcorão 9:73-4, 63.1-3, trad. M. A. S. Abdel-Haleem, op. cit.; Reuven Firestone, *Jihad: The Origin of Holy War in Islam*. Nova York: Oxford University Press, 1999, pp. 42-5.

246. Michael Bonner, *Jihad in Islamic History*. Princeton: Princeton University Press, 2006, pp. 99-106.

247. "The Covenant of the Islamic Resistance Movement, Section 1", em John L. Esposito, *Unholy War: Terror in the Name of Islam*. Oxford: Oxford University Press, 2002, p. 96; David Cook, *Understanding Jihad*. Berkeley: University of California Press, 2005, p. 116.

248. Beverly Milton-Edwards, *Islamic Politics in Palestine*. Londres: Tauris Academic Studies, 1996, pp. 73-116, 118.

249. "Final Instructions to the Hijackers of September 11", Appendix A, em Bruce Lincoln,

Holy Terrors: Thinking about Religion after September 11. 2. ed. Chicago: University of Chicago Press, 2006, pp. 97-102.

250. Ibid., parágrafo 2, p. 97.

251. Alcorão 8:26, trad. M. A. S. Abdel-Haleem, op. cit.

252. Alcorão 9:38, ibid.

253. "Final Instructions", Section 14, em Bruce Lincoln, op. cit.

254. Alcorão 3:173, trad. M. A. S. Abdel-Haleem, op. cit.

255. "Final Instructions", Section 23, em Bruce Lincoln, op. cit., p. 100.

256. "Final Instructions", Sections 16, 29, ibid., p. 101.

257. "Final Instructions", Section 34, ibid., p. 102.

258. Alcorão 4:74-6, trad. M. A. S. Abdel-Haleem, op. cit.

259. Alcorão 49:13, ibid.

POST-ESCRITURA [pp. 461-91]

1. Sayyed Muhammad Naquib al-Attas, *Islam, Secularism and the Philosophy of the Future*. Londres: Mansell, 1985, p. 138.

2. Bassam Tibi, "The Worldview of Sunni Arab Fundamentalists: Attitudes toward Modern Science and Technology", em Martin E. Marty e R. Scott Appleby (Orgs.), *Fundamentalisms and Society: Reclaiming the Sciences, the Family, and Education*. Chicago: University of Chicago Press, 1993, pp. 73-8.

3. Muzaffar Iqbal, "Scientific Commentary on the Qur'ān", em S. H. Nasr (Org.), *The Study Qur'ān: A New Translation and Commentary*. Nova York: HarperOne, 2015, p. 1682.

4. Alcorão 28:71-3, trad. M. A. S. Abdel-Haleem, *The Qur'ān: A New Translation*. Oxford: Oxford University Press, 2004.

5. Alcorão 28:77, ibid.

6. Alcorão 24:35, ibid.

7. Alcorão 21:30, ibid.

8. Muzaffar Iqbal, op. cit., pp. 1689, 1691.

9. Keith Moore, *The Developing Human: Clinically Oriented Embryology, with Islamic Additions*. 3. ed. Gidá: Dar Al-Qiblah for Islamic Literature, 1983.

10. Alcorão 23:12-4, trad. M. A. S. Abdel-Haleem, op. cit.

11. Kristina Nelson, *The Art of Reciting the Qur'ān*. Cairo: AUC Press, 2001, p. 99.

12. 1 Coríntios 13:2-3.

13. Augustine [Agostinho], *On Christian Teaching* [*A doutrina cristã*], 3.10. 16, trad. Mary J. Carruthers, *The Craft of Thought: Meditation, Rhetoric, and the Making of Images, 400-1200*. Cambridge: Cambridge University Press, 1998, p. 16.

14. Gary North, *In the Shadow of Plenty: The Biblical Blueprint for Welfare*. Fort Worth: Dominion, 1986, p. xiii; id., *The Sinai Strategy: Economics and the Ten Commandments*. Tyler: Institute for Christian Economics, 1986, pp. 213-4.

15. Na época em que escrevo, há sinais de incipiente reforma na Arábia Saudita.

16. James Twitchell, "Two Cheers for Materialism", em Juliet B. Schor e Douglas B. Holt (Orgs.), *The Consumer Society Reader*. Nova York: New Press, 2000, p. 282.

17. Christian Smith e Melinda Lundquist Denton, *Soul Searching: The Religious and Spiritual Lives of American Teenagers*. Nova York: Oxford University Press, 2005, pp. 164-5.

18. Alister E. McGrath, *A Life of John Calvin: A Study in the Shaping of Western Culture*. Oxford: Blackwell, 1990.

19. Brad S. Gregory, *The Unintended Reformation: How a Religious Revolution Secularized Society*. Cambridge (MA): Harvard University Press, 2012, pp. 235-9.

20. Amanda Ford, *Retail Therapy: Life Lessons Learned While Shopping*. York Beach: Conari, 2002.

21. Martin Buber, *On Judaism*, org. Nahum Glatzer. Nova York: Schocken, 1967; id., *On the Bible: Eighteen Studies*. Syracuse (NY): Syracuse University Press, 2000.

22. Id., *Biblical Humanism*. Londres: Macdonald & Co, 1968, p. 214.

23. Aforismo reformulado por Michael Fishbane, em "Martin Buber's Moses", em *The Garments of Torah: Essays in Biblical Hermeneutics*. Bloomington: Indiana University Press, 1989, pp. 97-8.

24. Hans Frei, *The Eclipse of Biblical Narrative: A Study in Eighteenth and Nineteenth Century Hermeneutics*. New Haven: Yale University Press, 1974, p. 8.

25. George Lindbeck, "Toward a PostLiberal Theology", em Peter Ochs (Org.), *The Return to Scripture in Judaism and Christianity: Essays in Postcritical Scriptural Interpretation*. Eugene: Wipf & Stock, 1993, pp. 83-100.

26. Aquinas [Aquino], *Summa Theologiae*, 1.1.10.

27. George Lindbeck, op. cit., p. 100.

28. Thomas Mann, "The Joseph Novels", em Charles Neider (Org.), *The Stature of Thomas Mann*. Nova York: New Directions, 1947, pp. 218-9; ênfase de Mann.

29. A narrativa bíblica desse incidente é confusa; parece tratar-se de um amálgama de duas tradições separadas, e a sequência dos acontecimentos não é clara.

30. Thomas Mann, op. cit., p. 221.

31. Campbell. *The Hero with a Thousand Faces*.

32. Thomas Mann, "The Making of The Magic Mountain", em *The Magic Mountain*. Trad. H. T. Lowe-Porter. Londres: Vintage, 1999, pp. 719-29.

33. Id., "The Joseph Novels", op. cit., p. 229.

34. Maven Niehoff, *The Figure of Joseph in Post-Biblical Jewish Literature*. Leiden: Brill, 1992, pp. 78-80; Charlotte Nolte, *Being and Meaning in Thomas Mann's Joseph Novels*. Londres: W. S. Maney and Son, 1996, pp. 95-7.

35. Thomas Mann, *Joseph and His Brothers*. Trad. H. T. Lowe-Porter. Londres: Penguin, 1978, p. 281.

36. Wof-Daniel Hartwich, "Religion and Culture: Joseph and his Brothers", trad. Ritchie Robertson, em Ritchie Robertson (Org.), *The Cambridge Companion to Thomas Mann*. Cambridge: Cambridge University Press, 2002, p. 154.

37. Ibid., p. 161; Charlotte Nolte, op. cit., pp. 116-9.

38. Wolf-Daniel Hartwich, op. cit., pp. 160-1.

39. Charlotte Nolte, op. cit., pp. 68-9.

40. Thomas Mann, *Joseph and His Brothers*, op. cit., p. 287.

41. Ibid., p. 285.

42. Wolf-Daniel Hartwich, op. cit., p. 153.

43. Thomas Mann, *Joseph and His Brothers*, op. cit., p. 285.

44. Ibid., p. 284.

45. Gênesis 50:15.

46. Thomas Mann, *Joseph and His Brothers*, op. cit., p. 1195.

47. Ibid., p. 29.

48. Wolf-Daniel Hartwich, op. cit., p. 166.

49. Thomas Mann, *Joseph and His Brothers*, op. cit., p. 1207.

50. Juízes 15:30.

51. David Grossman, *Lion's Honey: The Myth of Samson*. Trad. Stuart Schoffman. Edimburgo: Canongate, 2006, p. 31.

52. Ibid., p. 113.

53. Ibid., p. 101.

54. Ibid., p. 87.

55. Ibid.

56. Ibid., p. 88.

57. Ibid., p. 89.

58. Ibid., pp. 142-3.

59. O hebraico é ambíguo nesse ponto; tem sido traduzido como "poucos dias depois", mas pode significar "após certo período": e comentaristas lembram que o leão precisaria de pelo menos um ano para se decompor completamente.

60. David Grossman, op. cit., pp. 54-5; ênfase do autor.

61. Ibid., p. 55.

62. Ibid.

63. Ibid., p. 60.

64. Juízes 14:14.

65. Juízes 15:3-5.

66. David Grossman, op. cit., pp. 84-5.

67. Mark Elvin, *Another History: Essays on China from a European Perspective*. Canberra: Wild Peony, 1996.

68. Tu Weiming, "The Ecological Turn in New Confucian Humanism: Implications for China and the World", em Tu Weiming e Mary Evelyn Tucker (Orgs.), *Confucian Spirituality*. Nova York: 2004, v. II.

69. *Doctrine of the Mean*, 26.9, trad. Wing-tsit Chan, *A Source Book in Chinese Philosophy*. Princeton: Princeton University Press, 1969.

70. Citado em Tu Weiming, op. cit., p. 497.

71. Hermès Trismégiste [Hermes Trismegisto], *Corpus Hermeticum*. Org. A. D. Nock e A. J. Festugière. Paris: Belles Lettres, 1954, 4 v.; ibid., v. 2: *Asclepius*, trad. Jan Assmann citada em Assman, "Officium Memoriae: Ritual as the Medium of Thought", em *Religion and Cultural Memory*. Stanford: Stanford University Press, 2006, p. 153.

Bibliografia selecionada

ABDEL-HALEEM, M. A. S. (Trad.). *The Qur'ān: A New Translation*. Oxford: Oxford University Press, 2004.

ABOU EL FADL, Khaled. *And God Knows the Soldiers: The Authoritative and Authoritarian in Islamic Discourses*. Lanham: University Press of America, 2001.

______. *The Great Theft: Wrestling Islam from the Extremists*. Nova York: HarperCollins, 2007.

AESCHYLUS. *The Oresteia*. Trad. Robert Fagles. Londres: Penguin, 1966.

______. *Prometheus Bound and Other Plays*. Trad. Philip Vellacott. Londres: Penguin, 1991.

AFSARUDDIN, Asma. *Striving in the Path of God: Jihad and Martyrdom in Islamic Thought*. Oxford: Oxford University Press, 2013.

______. *Contemporary Issues in Islam*. Edimburgo: Edinburgh University Press, 2015.

AHLSTRÖM, Gösta W. *The History of Ancient Palestine*. Mineápolis: Fortress, 1993.

AITKEN, Ellen. *Jesus' Death in Early Christian Memory: The Poetics of the Passion*. Fribourg: Vandenhoeck & Ruprecht, 2004.

AKENSON, Donald Harman. *Surpassing Wonder: The Invention of the Bible and the Talmuds*. Nova York: Harcourt Brace & Co., 1998.

ALON, Gedaliah. *The Jews in their Land in the Talmudic Age (70-640 CE)*. Trad. Gershon Levi. Cambridge (MA): Harvard University Press, 1989.

ALPER, Harvey P. (Org.). *Understanding Mantras*. Delhi: Motilal Banarsidass, 2012.

ALTER, Robert; KERMODE, Frank (Orgs.). *The Literary Guide to the Bible*. Londres: Fontana, 1987.

AQUINAS, Thomas. *Summa Theologiae: A Concise Translation*. Org. e trad. Timothy McDermott. Londres: Eyre and Spottiswoode, 1989.

______. *Thomas Aquinas: Selected Writings*. Org. e trad. R. McInerny. Harmondsworth: Penguin, 1998.

ASAD, Talal. *Genealogies of Religion: Discipline and Reasons of Power in Christianity and Islam.* Baltimore (MD): Johns Hopkins University Press, 1993.

ASLAN, Reza. *No God but God: The Origins, Evolution and Future of Islam.* Londres: Arrow, 2005.

ASSMANN, Jan. *Religion and Cultural Memory.* Trad. Rodney Livingstone. Stanford: Stanford University Press, 2006.

______. *Cultural Memory and Early Civilization: Writing, Remembrance and Political Imagination.* Cambridge: Cambridge University Press, 2011.

ATHANASIUS. *Life of St Anthony of Egypt.* Org. e trad. Philip Schaff e Henry Wace. [s.l.]: [s.n.], [s.d.].

AUERBACH, Erich. *Mimesis: The Representation of Reality in Western Literature.* Trad. Willard Trask. Princeton: Princeton University Press, 1953.

AUGUSTINE. *The Confessions.* Trad. Philip Burton. Londres: Everyman, 2001.

______. *On Christian Doctrine.* Trad. D. R. Robinson. Indianapolis: Bobb-Merrill, 1958.

______. *City of God.* Trad. Henry Bettenson. Londres: Penguin, 1972.

AUNE, David E. *The Cultic Setting of Realized Eschatology in Early Christianity.* Leiden: Brill, 1972.

AWN, Peter. "Classical Sufi Approaches to Scripture". In: KATZ, Steven T. (Org.). *Mysticism and Sacred Scripture.* Oxford: Oxford University Press, 2000.

AYOUB, Mahmoud. *The Qur'ān and Its Interpreters.* Albany (NY): SUNY Press, 1984.

______. "The Speaking Qur'ān and the Silent Qur'ān: A Study of the Principles and Development of Imāmi Shī'ī tafsīr". In: RIPPIN, Andrew (Org.). *Approaches to the History of the Interpretation of the Qur'ān.* Oxford: Clarendon, 1988.

BAINTON, Roland H. *Here I Stand: A Life of Martin Luther.* Nova York: New American Library, 1950.

BAMMEL, F.; MOULE, C. F. D. (Orgs.). *Jesus and the Politics of His Day.* Cambridge: Cambridge University Press, 1981.

BAMYEH, Mohammed A. *The Social Origins of Islam: Mind, Economy, Discourse.* Mineápolis: University of Minnesota Press, 1999.

BARNARD, John H. (Org. e trad.). *The Pilgrimage of St Sylvia of Aquitania to the Holy Places.* Londres: Palestine Pilgrims' Text Society, 1971.

BARR, David. *The Reality of Apocalypse: Rhetoric and Politics in the Book of Revelation.* Atlanta: Society of Biblical Lit, 2006.

BAUMAN, Zygmunt. *Does Ethics Have a Chance in a World of Consumers?* Cambridge (MA): Harvard University Press, 2008.

BAYLY, C. A. "India, the *Bhagavad Gita* and the World". In: SHRUTI, Kapila; DEVJI, Faisal (Orgs.). *Political Thought in Action: The Bhagavad Gita and Modern India.* Cambridge: Cambridge University Press, 2013.

BECKMAN, Gary; LEWIS, Theodore J. (Orgs.). *Texts, Artifact, and Image: Revealing Ancient Israelite Religion.* Providence: Brown Judaic Studies, 2006.

BELL, Catherine. *Ritual Theory, Ritual Practice.* Oxford: Oxford University Press, 1992, 2009.

BERLINERBLAU, Jacques. *The Secular Bible: Why Nonbelievers Must Take Religion Seriously.* Cambridge: Cambridge University Press, 2005.

BERRY, Thomas. "Individualism and Holism in Chinese Tradition: The Religious-Cultural Context". In: TU, Weiming; TUCKER, Mary Evelyn (Orgs.). *Confucian Spirituality*. Nova York: Crossroad, 2003, v. I.

BEYER, Stephan. *The Buddhist Experience: Sources and Interpretations*. Belmont (CA): Wadsworth, 1974.

BIARDEAU, Madeleine. "The Salvation of the King in the *Mahabharata*". *Contributions to Indian Sociology, New Series*, v. 15, n. 1/2, 1981.

BICKERMAN, Elias J. *From Ezra to the Last of the Maccabees*. Nova York: Schocken, 1962.

______. *The Jews in the Greek Age*. Cambridge (MA): Harvard University Press, 1990.

BLAKE, William. *A Selection of Poems and Letters*. Org. J. Bronowski. Londres: Penguin, 1958.

BLOCH, Ruth H. *Visionary Republic: Millennial Themes in American Thought, 1756-1800*. Cambridge: Cambridge University Press, 1985.

BONAVENTURE. *The Works of Saint Bonaventure*. Org. e trad. Philotheus Boehner e M. Frances Laughlin. Nova York: Franciscan Institute, 1958. 2 v.

BONNER, Michael. *Jihad in Islamic History*. Princeton: Princeton University Press, 2006.

BOODBERG, Peter. "The Semasiology of Some Primary Confucian Concepts". *Philosophy East and West*, v. 2, n. 4, out. 1953.

BOSSY, John. "The Counter-Reformation and the People of Catholic Europe". *Past and Present*, n. 47, maio 1970.

______. *Christianity in the West, 1400 to 1700*. Oxford: Oxford University Press, 1985.

BOTHA, Pieter J. J. *Orality and Literacy in Early Christianity*. Eugene: Cascade, 2012.

BOURDIEU, Pierre. *Outline of a Theory of Practice*. Trad. de Richard Nice. Cambridge: Cambridge University Press, 1977.

BOUSTAN, Ra'anan S.; JASSEN, Alex P.; ROETZEL, Calvin J. (Orgs.). *Violence, Scripture and Textual Practice in Early Judaism and Christianity*. Leiden: Brill, 2010.

BOYER, Paul. *When Time Shall Be No More: Prophecy and Belief in Modern American Culture*. Cambridge (MA): Harvard University Press, 1992.

BOYNTON, Susan; REILLY, Diane J. (Orgs.). *The Practice of the Bible in the Middle Ages: Production, Reception, and Performance in Western Christianity*. Nova York: Columbia University Press, 2011.

BRAKKE, David. *Athanasius and Asceticism*. Baltimore: Johns Hopkins University Press, 1995.

BRAKKE, David; SATLOW, Michael L.; WEITZMAN, Steven (Orgs.). *Religion and the Self in Antiquity*. Bloomington: Indiana University Press, 2005.

BROCKINGTON, John L. *The Sanskrit Epics*. Leiden: Brill, 1998.

BROKAW, Cynthia. "Tai Chen and Learning in the Confucian Tradition". In: ELMAN, Benjamin A.; WOODSIDE, Alexander (Orgs.). *Education and Society in Late Imperial China, 1600-1900*. Berkeley: University of California Press, 1994.

BROWN, C. Mackenzie. "The Origin and Transmission of the Two Bhagavata Puranas: A Canonical and Theological Dilemma". *Journal of the American Academy of Religion*, n. 51, 1983.

______. "Purana as Scripture: From Sound to Image of the Holy Word". *History of Religions*, ago. 1986.

BROWN, Daniel. *Rethinking Tradition in Modern Islamic Thought*. Cambridge: Cambridge University Press, 1996.

BROWN, Peter. *Society and the Holy in Late Antiquity*. Berkeley: University of California Press, 1982.

______. *The Body and Society: Men, Women and Sexual Renunciation in Early Christianity*. Londres: Faber & Faber, 1988.

______. *The Rise of Western Christendom: Triumph and Diversity, AD 200-1000*. Oxford: Wiley, 1996.

BRUNS, Gerald L. "Midrash and Allegory: The Beginnings of Scriptural Interpretation". In: ALTER, Robert; KERMODE, Frank. (Orgs.). *The Literary Guide to the Bible*. Londres: Fontana, 1987.

BUBER, Martin. *On Judaism*. Org. Nahum Glatzer. Nova York: Schocken, 1967.

______. *Moses, the Revelation and the Covenant*. Intr. de Michael Fishbane. Nova York: Humanity, 1988.

______. *On the Bible: Eighteen Studies*. Syracuse (NY): Syracuse University Press, 2000.

BUCKLEY, Michael J. *At the Origins of Modern Atheism*. New Haven: Yale University Press, 1987.

BUDDHAGHOSA. *The Path of Purification* (*Visuddhimagga*). Trad. Bhikku Nanamoli. Kandy (Sri Lanka): Buddhist Publication Society, 1975.

BULTMANN, Rudolf. *Kerygma and Myth*. Org. H. W. Bartsch. Londres: S. P. C. K., 1957.

______. *Jesus Christ and Mythology*. Nova York: Scribner, 1958.

BURKE, Jason. *The New Threat from Islamic Militancy*. Londres: The Bodley Head, 2015.

BURTON, John. *The Collection of the Qur'ān*. Cambridge: Cambridge University Press, 1977.

BUTTERWORTH, G. W. (Trad.). *Origen: On First Principles*. Gloucester (MA): Peter Smith, 1973.

CALVIN, John. *Institutes of the Christian Religion*, edição de 1536. Trad. Ford Lewis. Grand Rapids: Eerdmans, 1975.

CAMERON, Euan. *The European Reformation*. 2. ed. Oxford: Oxford University Press, 2012.

CAMPBELL, Joseph. *The Hero with a Thousand Faces*. Princeton: Princeton University Press, 1949.

______. *Oriental Mythology: The Masks of God*. Nova York: Penguin, 1982.

CARPENTER, David. "The Mastery of Speech, Canonicity and Control in the Vedas". In: PATTON, Lorie L. (Org.). *Authority, Anxiety and Canon: Essays in Vedic Interpretation*. Albany (NY): SUNY Press, 1994.

CARR, David M. *Writing on the Tablet of the Heart: Origins of Scripture and Literature*. Oxford: Oxford University Press, 2005.

______. *Holy Resilience: The Bible's Traumatic Origins*. New Haven: Yale University Press, 2014.

CARRUTHERS, Mary J. *The Book of Memory: A Study of Memory in Medieval Culture*. Cambridge: Cambridge University Press, 1990.

______. *The Craft of Thought: Meditation, Rhetoric, and the Making of Images, 400-1200*. Cambridge: Cambridge University Press, 1998.

CHAN, Wing-tsit (Org. e trad.). *Reflections on Things at Hand: The Neo-Confucian Anthology Compiled by Chu Hsi and Lu Tsu-chien*. Nova York: Columbia University Press, 1967.

______ (Org. e trad.). *A Source Book in Chinese Philosophy*. Princeton: Princeton University Press, 1969.

______. "Chu Hsi's Completion of Neo-Confucianism". In: AUBIN, Françoise (Org.). *Song Studies: In Memoriam Etienne Balazs*, 11.1, 1973.

CHANG, Garma C. C. (Org.). *A Treasury of Mahayana Sutras*. University Park: Penn State University Press, 1983.

CHANG, Kwang-chih. *Shang Civilization*. New Haven: Yale University Press, 1980.

CHARLESWORTH, James H. (Org.). *The Old Testament Pseudepigrapha*. Peabody: Hendrickson, 1983. 2v.

CHELKOWSKI, Peter J. (Org.). *Ta'ziyeh: Ritual and Drama in Iran*. Nova York: New York University Press, 1979.

CH'IEN, Edward T. "Chiao Hung and the Revolt against Ch'eng-Chu Orthodoxy". In: DE BARY, Wm. Theodore (Org.). *The Unfolding of Neo-Confucianism*. Nova York: Columbia University Press, 1975.

CHITTICK, William C. (Org. e trad.). *The Sufi Path of Knowledge: Ibn al-'Arabi's Metaphysics of Imagination*. Albany (NY): SUNY Press, 1994.

______. *Imaginal Worlds: Ibn al-'Arabi and the Problem of Religious Diversity*. Albany (NY): SUNY Press, 1994.

CHODKIEWICZ, Michel. *An Ocean Without Shore: Ibn al-'Arabi, the Book and the Law*. Albany (NY): SUNY Press, 1993.

CLIFFORD, Richard R. *The Cosmic Mountain in Canaan and the Old Testament*. Cambridge (MA): Harvard University Press, 1972.

COBURN, Thomas B. "Scripture in India: Towards a Typology of the Word in Hindu Life". In: LEVERING, Miriam (Org.). *Rethinking Scripture: Essays from a Comparative Perspective*. Albany (NY): SUNY Press, 1989.

COCHELIN, Isabelle. "When Monks Were the Book: The Bible and Monasticism (6th-11th Centuries)". In: BOYNTON, Susan; REILLY, Diane J. (Orgs.). *The Practice of the Bible in the Middle Ages: Production, Reception, and Performance in Western Christianity*. Nova York: Columbia University Press, 2011.

COHEN, Abraham. *The Teachings of Maimonides*. Londres: Routledge, 1927.

COHEN, Boaz (Org.). *Everyman's Talmud*. Nova York: Schocken, 1975.

COHN, Norman. *The Pursuit of the Millennium: Revolutionary Millenarians and Mystical Anarchists in the Middle Ages*. Londres: Paladin, 1984.

COLE, W. Owen. *The Guru in Sikhism*. Londres: Darton, Longman & Todd, 1982.

COLLINS, John J.; FISHBANE, Michael (Org.). *Death, Ecstasy and Other Worldly Journeys*. Albany (NY): SUNY Press, 1995.

COLLINS, Steven. "On the Very Idea of the Pali Canon". *Journal of the Pali Text Society*, n. 15, 1960.

______. Selfless Persons: *Imagery and Thought in Theravada Buddhism*. Cambridge: Cambridge University Press, 1992.

CONZE, Edward. *Buddhist Scriptures*. Londres: Penguin, 1959.

______. *The Prajnaparamita Literature*. Gravenhage: Mouton, 1960.

______ (Trad.). *Selected Sayings from the Perfection of Wisdom*. Londres, 1968.

______ (Trad.). *The Perfection of Wisdom in Eight Thousand Lines and Its Verse Summary*. Bolinas (CA): Four Seasons Foundation, 1973.

CONZE, Edward et al. (Orgs.). *Buddhist Texts Through the Ages*. Nova York: Harper & Row, 1964.

CORBIN, Henry. *Spiritual Body and Celestial Earth: From Mazdean Iran to Shīʿite Iran*. Trad. Nancy Pearson. Princeton: Princeton University Press, 1977.

______. *History of Islamic Philosophy*. Trad. Liadain Sherrard e Philip Sherrard. Londres: Kegan Paul International, 1993.

COWARD, Harold. *Sacred Word and Sacred Text: Scripture in World Religions*. Delhi: Sri Satguru, 1988.

______ (Org.). *Experiencing Scripture in World Religions*. Eugene: Wipf & Stock, 2000.

COWARD, Harold; SIVARAMAN, Krishna (Orgs.). *Revelation in Indian Thought: A Festschrift in Honour of Professor T. R. V. Murti*. Emeryville: Dharma, 1977.

CRECELIUS, Daniel. "Non-Ideological Response of the Ulema to Modernization". In: KEDDIE, Nikki R. (Org.). *Scholars, Saints and Sufis: Muslim Religious Institutions in the Middle East since 1500*. Berkeley: University of California Press, 1972.

CROOKE, Alastair. *Resistance: The Essence of the Islamist Revolution*. Londres: Pluto, 2009.

CROSS, Frank Moore. *Canaanite Myth and Hebrew Epic: Essays in the History of the Religion of Israel*. Cambridge (MA): Harvard University Press, 1973.

______. *From Epic to Canon: History and Literature in Ancient Israel*. Baltimore: Johns Hopkins University Press, 1998.

CROSSAN, John Dominic. *Jesus: A Revolutionary Biography*. San Francisco, 1987.

DAMROSCH, David. *The Narrative Covenant: Transformations of Genre in the Growth of Biblical Literature*. San Francisco, 1987.

______. "Leviticus". In: ALTER, Robert; KERMODE, Frank (Orgs.). *The Literary Guide to the Bible*. Londres: Fontana, 1987.

DANIELSON, Dennis (Org.). *The Cambridge Companion to Milton*. 2. ed. Cambridge: Cambridge University Press, 1999.

DE BARY, Wm. Theodore. (Org.). *The Buddhist Tradition in India, China and Japan*. Nova York: Modern Library, 1969.

______ *Self and Society in Ming Though*t. Nova York: Columbia University Press, 1970.

______ (Org.). *The Unfolding of Neo-Confucianism*. Nova York: Columbia University Press, 1975.

______. *Learning for One's Self: Essays on the Individual in Neo-Confucian Thought*. Nova York: Columbia University Press, 1991.

______. "Zhu Xi's Neo-Confucian Spirituality". In: TU, Weiming; TUCKER, Mary Evelyn (Orgs.). *Confucian Spirituality*. Nova York: Crossroad, 2004. v. II.

DE BARY, Wm. Theodore; BLOOM, Irene (Orgs.). *Eastern Canons: Approaches to the Asian Classics*. Nova York: Columbia University Press, 1990.

______ (Orgs.). *Sources of Chinese Tradition: From Earliest Times to 1600*. 2. ed. Nova York: Columbia University Press, 1999.

DE BARY, Wm. Theodore; CHAN, Wing-tsit; WATSON, Burton (Orgs.). *Sources of Chinese Tradition*. Nova York: Columbia University Press, 1960.

DELONG-BAS, Natana J. *Wahhabi Islam: From Revival and Reform to Global Jihad*. Cairo: AUC Press, 2005.

DENNY, Frederick M.; TAYLOR, Rodney L. (Org.). *The Holy Book in Comparative Perspective*. Columbia (SC): University of South Carolina Press, 1993.

DEOL, Jeevan. "Text and Lineage in Early Sikh History: Issues in the Study of the *Adi Granth*". *Bulletin of the School of Oriental and African Studies*, v. 64, n. 1, 2001.

DESCARTES, René. *Discourse on Method, Optics, Geometry, and Meteorology.* Trad. Paul J. Olscamp. Indianapolis: Bobbs-Merrill, 1965.

______. *Descartes: Key Philosophical Writings.* Trad. Elizabeth S. Haldane e G. R. T. Ross, org. Enrique Chávez-Arvizo. Ware (Reino Unido): Wordsworth, 1997.

DEVER, William G. *What Did the Biblical Writers Know and When Did They Know It? What Archaeology Can Tell Us About the Reality of Ancient Israel.* Grand Rapids: Eerdmans, 2001.

DEWEY, Arthur J. *Inventing the Passion: How the Death of Jesus Was Remembered.* Salem: Polebridge, 2017.

DEWEY, Joanna. *The Oral Ethos of the Early Church: Speaking, Writing, and the Gospel of Mark.* Eugene: Cascade, 2013.

DINUR, Benzion. "The Origins of Hasidism and Its Social and Messianic Foundations". In: HUNDERT, Gershon David (Org.). *Essential Papers on Hasidism: Origins to Present.* Nova York: New York University Press, 1991.

______. "The Messianic-Prophetic Role of the Baal Shem Tov (Besht)". In: SAPERSTEIN, Marc (Org.). *Essential Papers on Messianic Movements and Personalities in Jewish History.* Nova York: New York University Press, 1992.

DIONÍSIO, o Areopagita. *Pseudo-Dionysius: The Complete Works.* Org. e trad. Colm Luibheid e Paul Rorem. Mahwah, 1967.

DONIGER, Wendy (Org.). *Hindu Myths: A Sourcebook Translated from the Sanskrit.* Londres: Penguin, 1979.

______ (Org.). *The Critical Study of Sacred Texts.* Berkeley: University of California Press, 1979.

______ (Org. e trad.). *The Rig Veda: An Anthology.* Londres: Penguin, 1981.

______ (Trad.). *The Rig Veda.* Londres: Penguin, 1982.

______ (Org.). *Purana Perennis: Reciprocity and Transformation in Hindu and Jaina Texts.* Albany (NY): SUNY Press, 1993.

______. *The Hindus: An Alternative History.* Oxford: Oxford University Press, 2009.

DONNER, Frederick M. *Narratives of Islamic Origins: The Beginnings of Islamic Historical Writing.* Princeton: Princeton University Press, 1998.

DUBNOW, Simon. "The Maggid of Miedzyrzecz, His Associates and the Center in Volhynia (1760-1772)". In: HUNDERT, Gershom David (Org.). *Essential Papers on Hasidism: Origins to Present.* Nova York: New York University Press, 1991.

DUDERIJA, Adis. "Evolution in the Concept of Sunnah During the First Four Generations of Muslims in Relation to the Development of the Concept of an Authentic Hadith as Based on Recent Western Scholarship". *Arab Law Quarterly*, n. 26, 2012.

DUNDAS, Paul. "Somnolent Sutras: Scriptural Commentary in Svetambara Jainism". *Journal of Indian Philosophy,* v. 224, n. 1, mar. 1996.

______. *The Jains.* 2. ed. Londres: Routledge, 2001.

DUNN, James D. G. *The Cambridge Companion to St Paul.* Cambridge: Cambridge University Press, 1969.

DUPRÉ, Louis. "The Mystical Experience of the Self and Its Philosophical Significance". In: WOODS, Richard (Org.). *Understanding Mysticism.* Garden City: Image, 1980.

DUPRÉ, Louis; SALIERS, Don E. (Orgs.). *Christian Spirituality, v. III: Post Reformation and Modern*. Nova York: Crossroad, 1989.

DUSENBERY, Verne A. "The Word as Guru: Sikh Scripture and the Translation Controversy". *History of Religions*, v. 31, n. 4, maio 1992.

EARL, James W. *Beginning the Mahabharata: A Reader's Guide to the Frame Stories*. Woodland Hills (CA): South Asian Studies Association, 2011.

ECK, Diana L. *Darsan: Seeing the Divine Image in India*. Nova York: Columbia University Press, 1998.

EISENSTADT, S. N. (Org.). *The Origins and Diversity of Axial Age Civilizations*. Albany (NY): SUNY Press, 1986.

ELIADE, Mircea. *Yoga, Immortality and Freedom*. Trad. Willard J. Trask. Londres: Routledge, 1958.

ELIOR, Rachel. "HaBaD: The Contemplative Ascent to God". In: GREEN, Arthur (Org.). *Jewish Spirituality*. Londres: Crossroad, 1988. v. II.

ELIZARENKOVA, Tatyana J. *Language and Style of the Vedic Rsis*. Albany (NY): SUNY Press, 1995.

ELMAN, Benjamin A. *From Philosophy to Philology: Intellectual and Social Aspects of Change in Late Imperial China*. Cambridge (MA): Harvard University Press, 1984.

ELMAN, Benjamin A.; WOODSIDE, Alexander (Orgs.). *Education and Society in Late Imperial China, 1600-1900*. Berkeley: University of California Press, 1994.

ELVIN, Mark. "Was There a Transcendental Breakthrough in China?". In: EISENSTADT, S. N. (Org.). *The Origins and Diversity of Axial Age Civilizations*. Albany (NY): SUNY Press, 1986.

______. *Another History: Essays on China from a European Perspective*. Canberra: Wild Peony, 1996.

EMBREE, Ainslie T. (Org.). *Sources of Indian Tradition, Volume One: From the Beginning to 1800*. 2. ed. Nova York: Columbia University Press, 1998.

ESPOSITO, John L. (Org.). *Voices of Resurgent Islam*. Nova York: Oxford University Press, 1983.

______. *Unholy War: Terror in the Name of Islam*. Oxford: Oxford University Press, 2002.

ESPOSITO, John L.; MOGAHED, Dalia. *Who Speaks for Islam? What a Billion Muslims Really Think*. Nova York: Gallup, 2007.

ETTINGER, Shmuel. "The Hasidic Movement — Reality and Ideals". In: HUNDERT, Gershom David (Org.). *Essential Papers on Hasidism: Origins to Present*. Nova York: New York University Press, 1991.

EVANS, G. R. *The Language and Logic of the Bible: The Earlier Middle Ages*. Cambridge: Cambridge University Press, 1984.

FAIRBANK, John King; GOLDMAN, Merle. *China: A New History*. 2. ed. Cambridge (MA): Harvard University Press, 2006.

FENSHAM, F. Charles. "Widow, Orphan and the Poor in Ancient Near Eastern Literature". In: GREENSPAHN, Frederick E. (Org.). *Essential Papers on Israel and the Ancient Near East*. Nova York: New York University Press, 1991.

FINDLY, Ellison Banks. "Mantra Kavisasta: Speech as Performative in the RgVeda". In: ALPER, Harvey P. (Org.). *Understanding Mantras*. Delhi: Motilal Banarsidass, 2012.

FINGARETTE, Herbert. *Confucius: The Secular as Sacred*. Nova York: Harper and Row, 1972.

FINKELSTEIN, Israel; SILBERMAN, Neil Asher. *The Bible Unearthed: Archaeology's New Vision of Ancient Israel and the Origins of Its Sacred Texts*. Nova York: Free Press, 2001.

FIRESTONE, Reuven. *Jihad: The Origin of Holy War in Islam*. Nova York: Oxford University Press, 1999.

______. *Holy War in Judaism: The Fall and Rise of a Controversial Idea*. Oxford: Oxford University Press, 1999.

FISCHER, Michael. *Iran: From Religious Dispute to Revolution*. Cambridge (MA): Harvard University Press, 1980.

FISHBANE, Michael. *Text and Texture: Close Readings of Selected Biblical Texts*. Nova York: Schocken, 1979.

______. *Biblical Interpretation in Ancient Israel*. Oxford: Oxford University Press, 1985.

______. *The Garments of Torah: Essays in Biblical Hermeneutics*. Bloomington: Indiana University Press, 1989.

______. *The Exegetical Imagination: On Jewish Thought and Theology*. Cambridge (MA): Harvard University Press, 1998.

FISHBANE, Michael; COLLINS, John J. (Orgs.). *Death, Ecstasy, and Other Worldly Journeys*. Albany (NY): SUNY Press, 1995.

FITZGERALD, Allen D. (Org.). *Augustine Through the Ages: An Encyclopedia*. Grand Rapids: Eerdmans, 1999.

FLOOD, Gavin. *An Introduction to Hinduism*. Cambridge: Cambridge University Press, 1996.

______ (Org.). *The Blackwell Companion to Hinduism*. Oxford: Wiley-Blackwell, 2003.

______. *The Ascetic Self: Subjectivity, Memory and Tradition*. Cambridge: Cambridge University Press, 2004.

FOLEY, John Miles. *How to Read an Oral Poem*. Urbana: University of Illinois Press, 2002.

FOLKERT, Kendall W. "The 'Canons' of 'Scripture'". In: LEVERING, Miriam (Org.). *Rethinking Scripture: Essays from a Comparative Perspective*. Albany (NY): SUNY Press, 1989.

FORD, Amanda. *Retail Therapy: Life Lessons Learned While Shopping*. York Beach: Conari, 2002.

FOX, Everett (Trad.). *The Five Books of Moses*. Nova York: Schocken, 1990.

______. *The Early Prophets: Joshua, Judges, Samuel, and Kings*. Nova York: Schocken, 2014.

FREDRIKSEN, Paula; REINHARTZ, Adele (Orgs.). *Jesus, Judaism, and Christian Anti-Judaism: Reading the New Testament after the Holocaust*. Louisville: Westminster John Knox, 2002.

FREI, Hans. *The Eclipse of Biblical Narrative: A Study in Eighteenth and Nineteenth Century Hermeneutics*. New Haven: Yale University Press, 1974.

FRIEDMAN, Menachem. "Habad as Messianic Fundamentalism: From Local Particularism to Universal Jewish Mission". In: MARTY, Martin E.; APPLEBY, R. Scott (Orgs.). *Accounting for Fundamentalisms: The Dynamic Character of Movements*. Chicago: University of Chicago Press, 1994.

FRIEDMAN, Richard Elliott. *Who Wrote the Bible?* San Francisco: HarperSanFrancisco, 1987.

FRYKENBERG, Robert E. "Hindu Fundamentalism and the Structural Stability of India". In: MARTY, Martin E.; APPLEBY, R. Scott (Orgs.). *Fundamentalisms and the State*. Chicago: University of Chicago Press, 1993.

FULLER, Robert C. *Naming the Antichrist: The History of an American Obsession*. Oxford: Oxford University Press, 1995.

FUNG Yu-lan. *A Short History of Chinese Philosophy*. Org. Derk Bodde. Nova York: Free Press, 1976.

FUNKENSTEIN, Amos. *Theology and the Scientific Imagination: From the Middle Ages to the Seventeenth Century*. Princeton: Princeton University Press, 1986.

FUTRELL, Alison. *Blood in the Arena: The Spectacle of Roman Power*. Austin: University of Texas Press, 1997.

GALLAGHER, Shaun. *How the Body Shapes the Mind*. Oxford: Oxford University Press, 2005.

GARDNER, Daniel K. (Org. e trad.). *Learning to Be a Sage: Selections from the Conversations of Master Chu, Arranged Topically*. Berkeley: University of California Press, 1990.

______ (Org. e trad.). *The Four Books: The Basic Teachings of the Later Confucian Tradition*. Indianapolis: Hackett, 2001.

______. "Attentiveness and Meditative Reading in Cheng-Zhu Confucianism". In: TU, Weiming; TUCKER, Mary Evelyn (Orgs.). *Confucian Spirituality*. Nova York: Crossroad, 2004. v. II.

GÄTJE, Helmut. *The Qur'ān and Its Exegesis: Selected Texts with Classical and Modern Muslim Interpretations*. Org. e trad. Alford T. Welch. Oxford: Oneworld, 2008.

GAUKROGER, S. *The Emergence of a Scientific Culture: Science and the Shaping of Modernity, 1210-1685*. Oxford: Clarendon, 2006.

GELLNER, Ernest. *Postmodernism, Reason and Religion*. Londres: Routledge, 1992.

GEMES, Ken; RICHARDSON, John (Orgs.). *The Oxford Handbook of Nietzsche*. Oxford: Oxford University Press, 2013.

GERNET, Jacques. *Ancient China: From the Beginnings to the Empire*. Trad. Raymond Rudorff. Londres: Faber & Faber, 1968.

______. *A History of Chinese Civilization*. Trad. J. R. Foster e Charles Hartman. 2. ed. Cambridge: Cambridge University Press, 1996.

GETHIN, Rupert. *The Foundations of Buddhism*. Oxford: Oxford University Press, 1996.

GHOSE, Aurobindo. *The Secret of the Veda*. Pondicherry: Sri Aurobindo Ashram, 1971.

______. *Essays on the Gita*. Pondicherry: Sri Aurobindo Ashram, 1972.

GIMELLO, Robert M. "The Civil Status of Li in Classical Confucianism". *Philosophy East and West*, n. 22, 1972.

GOLD, Daniel. "Organized Hinduisms: From Vedic Truth to Hindu Nation". In: MARTY, Martin E.; APPLEBY, R. Scott (Orgs.). *Fundamentalisms Observed*. Chicago: University of Chicago Press, 1991.

GOMBRICH, Richard F. *How Buddhism Began: The Conditioned Genesis of the Early Teachings*. Londres: Routledge, 1996.

______. *Theravada Buddhism: A Social History from Ancient Benares to Modern Colombo*. 2. ed. Londres: Routledge, 2008.

GONDA, Jan. *Notes on Brahman*. Utrecht, 1950.

______. "The Vedic Concept of Amhas". *Indo-Iranian Journal*, n. 1, 1957.

______. "The Indian Mantra". *Oriens*, n. 16, 1964.

______. *Vedic Literature*. Wiesbaden: Harrassowitz, 1975.

______. *The Vision of the Vedic Poets*. Nova Delhi: Munshiram Manoharlal, 1984.

______. *Change and Continuity in Indian Religion*. Haia: Mouton, 1985.

GOODY, Jack. *The Interface Between the Written and the Oral*. Oxford: Oxford University Press, 1979.

GORFINKLE, Joseph I. (Trad.). *Pirke Avot: Traditional Text; Sayings of the Jewish Fathers*. Nova York: Digireads.com, 2013.

GOTTWALD, Norman K. *The Hebrew Bible in Its Social World and Ours*. Atlanta: Society of Biblical Literature, 1993.

______. *The Politics of Ancient Israel*. Louisville: Westminster John Knox Press, 2001.

GRAHAM, A. C. *Divisions in Early Mohism Reflected in the Core Chapters of Mo-tzu*. Cingapura: Institute of East Asian Philosophies, 1985.

______. *Disputers of the Tao: Philosophical Argument in Ancient China*. La Salle: Open Court, 1989.

______. *Two Chinese Philosophers: The Metaphysics of the Brothers Ch'eng*. La Salle: Open Court, 1992.

GRAHAM, William A. *Divine Word and Prophetic Word in Early Islam: A Reconsideration of the Sources, with Special Reference to the Divine Saying or Hadith Qudsi*. Haia: Mouton, 1977.

______. *Beyond the Written Word: Oral Aspects of Scripture in the History of Religion*. Cambridge: Cambridge University Press, 1987.

GRANET, Marcel. *Chinese Civilization*. Trad. Kathleen Innes e Mabel Brailsford. Londres e Nova York: Meridian, 1951.

______. *The Religion of the Chinese People*. Org. e trad. Maurice Freedman. Oxford: Basil Blackwell, 1975.

GREEN, Arthur (Org.). *Jewish Spirituality*. Nova York: Crossroad, 1986, 1988. 2 v.

GREENBERG, Moshe. "The Stabilization of the Text of the Hebrew Bible". *Journal of the American Oriental Society*, n. 76, 1971.

GREENSPAHN, Frederick E. *Essential Papers on Israel and the Ancient Near East*. Nova York: New York University Press, 1991.

GREGORY, Brad S. *The Unintended Reformation: How a Religious Revolution Secularized Society*. Cambridge (MA): Harvard University Press, 2012.

GRIFFITH, Ralph T. H. (Trad.). *The Rig Veda*. Nova York: Quality Paperback Book Club, 1992.

GRIFFITHS, Bede. *A New Vision of Reality: Western Science, Eastern Mysticism and Christian Faith*. Org. Felicity Edwards. Londres: HarperCollins, 1992.

GROSSMAN, David. *Lion's Honey: The Myth of Samson*. Trad. Stuart Schoffman. Edimburgo: Canongate, 2006.

GÜTTMANN, Julius. *Philosophies of Judaism: The History of Jewish Philosophy from Biblical Times to Franz Rosenzweig*. Londres: Routledge, 1964.

HADOT, Pierre. *Philosophy as a Way of Life*. Org. Arnold I. Davidson, trad. Michael Chase. Oxford: Blackwell, 1995.

HALBERTAL, Moshe. *People of the Book: Canon, Meaning and Authority*. Cambridge (MA): Harvard University Press, 1997.

HALBFASS, Wilhelm. *Tradition and Reflection: Explorations in Indian Thought*. Albany (NY): SUNY Press, 1991.

HALBWACHS, Maurice. *On Collective Memory*. Chicago: University of Chicago Press, 1992.

HARDY, Friedhelm. "Information and Transformation: The Two Faces of Puranas". In: DONIGER,

Wendy (Org.). *Purana Perennis: Reciprocity and Transformation in Hindu and Jaina Texts.* Albany (NY): SUNY Press, 1993.

HARRIS, William. *Ancient Literacy*. Cambridge (MA): Harvard University Press, 1989.

HARRISON, Paul M. "Buddhanusmrti in the Pratyutpanna-buddha-sammukhavasthita-samadhi--sutra". *Journal of Indian Philosophy*, n. 9, 1978.

HARTWICH, Wolf-Daniel. "Religion and Culture: Joseph and His Brothers", trad. Ritchie Robertson. In: ROBERTSON, Ritchie (Org.). *The Cambridge Companion to Thomas Mann*. Cambridge: Cambridge University Press, 2002.

HARVEY, Susan Ashbrook. "Locating the Sensing Body: Perception and Religious Identity in Late Antiquity". In: BRAKKE, David; SATLOW, Michael L.; WEITZMAN, Steven (Orgs.). *Religion and the Self in Antiquity.* Bloomington: Indiana University Press, 2005.

______. *Scenting Salvation: Ancient Christianity and the Olfactory Imagination.* Berkeley: University of California Press, 2006.

HATCH, Nathan. *The Democratization of American Christianity*. New Haven: Yale University Press, 1989.

HAVELOCK, Eric A. *Preface to Plato*. Cambridge: Cambridge University Press, 1963.

HAZONY, Yoram. *The Philosophy of Hebrew Scripture*. Cambridge: Cambridge University Press, 2012.

HECK, Paul L. "'Jihad' Revisited". *Journal of Religious Ethics*, v. 32, n. 1, 2004.

HEESTERMAN, J. C. *The Inner Conflict of Tradition: Essays in Indian Ritual, Kinship and Society.* Chicago: University of Chicago Press, 1985.

______. "Ritual, Revelation and the Axial Age". In: EISENSTADT, S. N. (Org.). *The Origins and Diversity of Axial Age Civilizations*. Albany (NY): SUNY Press, 1986.

______. *The Broken World of Sacrifice: An Essay in Ancient Indian Ritual.* Chicago: University of Chicago Press, 1993.

HEILMAN, Samuel C.; FRIEDMAN, Menachem. "Religious Fundamentalism and Religious Jews: The Case of the Haredim". In: MARTY, Martin E.; APPLEBY, R. Scott (Orgs.). *Fundamentalisms Observed.* Chicago: University of Chicago Press, 1991.

HEIMERT, Alan. *Religion and the American Mind: From the Great Awakening to the Revolution.* Cambridge (MA): Harvard University Press, 1968.

HENDERSON, John B. *Scripture, Canon and Commentary: A Comparison of Confucian and Western Exegesis*. Princeton: Princeton University Press, 1991.

HENGEL, Martin. *Judaism and Hellenism: Studies in Their Encounter in Palestine During the Early Hellenistic Period.* Trad. John Bowden. Londres: SCM, 1974. 2 v.

______. *Crucifixion in the Ancient World and the Folly of the Message of the Cross*. Trad. John Bowden. Londres: Fortress, 1977.

______. *Between Jesus and Paul: Studies in the Earliest History of Christianity*. Trad. John Bowden. Filadélfia: Fortress, 1983.

______. *The Pre-Christian Paul*. Trad. John Bowden. Filadélfia: Trinity, 1991.

______. *The Charismatic Leader and His Followers*. Trad. James Greig. 2. ed. Eugene: Wipf & Stock, 2005.

HERVIEU-LÉGER, Danièle. *Religion as a Chain of Memory*. Trad. Simon Lee. New Brunswick: Rutgers University Press, 1993.

HEZSER, Catherine. *Jewish Literacy in Roman Palestine*. Tübingen: Mohr Siebeck, 2001.

HILLENBRAND, Carole. *The Crusades: Islamic Perspectives*. Edimburgo: Edinburgh University Press, 1999.

HILTEBEITEL, Alf. *The Ritual of Battle: Krishna in the Mahabharata*. Ithaca: Cornell University Press, 1976.

______. *Rethinking the Mahabharata: A Reader's Guide to the Education of the Dharma King*. Chicago: University of Chicago Press, 2001.

______. *Dharma*. Honolulu: University of Hawaii Press, 2010.

HOBBES, Thomas. *Leviathan*. Org. Richard Tuck. Cambridge: Cambridge University Press, 1991.

HODGE, Charles. *What Is Darwinism?* Princeton: Princeton University Press, 1974.

HODGSON, Marshall G. S. *The Venture of Islam: Conscience and History in a World Civilization*. Chicago: University of Chicago Press, 1974. 3 v.

HOLCOMB, Justin S. (Org.). *Christian Theologies of Scripture: A Comparative Introduction*. Nova York: New York University Press, 2006.

HOLDREGE, Barbara A. *Veda and Torah: Transcending the Textuality of Scripture*. Albany (NY): SUNY Press, 1996.

HOPKINS, D. H. *The Highlands of Canaan*. Sheffield: Almond, 1985.

HOPKINS, Thomas J. *The Hindu Religious Tradition*. Belmont (CA): Dickenson, 1971.

HORSLEY, Richard A. *Jesus and the Spiral of Violence: Popular Jewish Resistance in Roman Palestine*. Mineápolis: Fortress, 1993.

______ (Org.). *Oral Performance, Popular Tradition, and Hidden Transcript in Q*. Atlanta: Society of Biblical Literature, 2006.

______. *Text and Tradition in Performance and Writing*. Eugene: Cascade, 2013.

HUDSON. Emily T. *Disorienting Dharma: Ethics and the Aesthetics of Suffering in the Mahabharata*. Oxford: Oxford University Press, 2013.

HUME, David. *Of the Standard of Taste and Other Essays*. Org. John W. Lenz. Indianapolis: Bobbs-Merrill, 1961.

______. *A Treatise on Human Nature*. Orgs. L. A. Selby-Bigge e P. H. Nidditch. Oxford: Oxford University Press, 1978.

HUNDERT, Gershon David (Org.). *Essential Papers on Hasidism: Origins to Present*. Nova York: New York University Press, 1991.

HURTADO, Larry W. *One God, One Lord: Early Christian Devotion and Ancient Jewish Monotheism*. 2. ed. Londres: T&T Clark, 1998.

______. *Lord Jesus Christ: Devotion to Jesus in Earliest Christianity*. Grand Rapids: Eerdmans, 2003.

______. *How on Earth Did Jesus Become a God? Historical Questions about Earliest Devotion to Jesus*. Grand Rapids: Eerdmans, 2005.

IBN ISHAQ, Muhammad. *The Life of Muhammad: A Translation of Ibn Ishaq's Sirat Rasul Allah*. Trad. Alfred Guillaume. Oxford: Oxford University Press, 1955.

IQBAL, Muzaffar. "Scientific Commentary on the Qur'ān". In: NASR, S. H. (Org.). *The Study Qur'ān: A New Translation and Commentary*. Nova York: HarperOne, 2015.

IRENAEUS. *The Works of Irenaeus*. Org. e trad. Alexander Roberts e W. H. Rambant. Edimburgo: T&T Clark, 1884.

IZUTSU, Toshihiko. *God and Man in the Koran: Semantics of the Koranic Weltanschauung*. Tóquio: Keio Institute of Cultural and Linguistics Studies, 1964.

______. *Ethico-Religious Concepts in the Qur'ān*. Montreal: McGill-Queen's University Press, 2002.

JAFFEE, Martin S. *Torah in the Mouth: Writing and Oral Tradition in Palestinian Judaism 200 BCE-400 CE*. Oxford: Oxford University Press, 2001.

JAMES, William. *The Varieties of Religious Experience: A Study in Human Nature*. Londres: Penguin, 1982.

JEFFERSON, Thomas. *The Writings of Thomas Jefferson*. Org. A. A. Lipscomb e E. E. Burgh. Washington DC: Thomas Jefferson Memorial Association, 1911, v. XI.

______. *The Life and Selected Writings of Thomas Jefferson*. Org. Adrienne Koch e William Peden. Nova York: Modern Library, 1998.

JOHN of the Cross. *The Complete Works of John of the Cross*. Trad. E. Allison Peers. Londres: Burns Oates & Washbourne, 1953.

JOHNSON, James William. *The Formation of English Neo-Classical Thought*. Princeton: Princeton University Press, 1970.

JOHNSON, Luke Timothy. "The New Testament's Anti-Jewish Slander and the Conventions of Ancient Polemic". *Journal of Biblical Literature*, n. 108, 1989.

JOHNSON, Mark. *The Meaning of the Body: Aesthetics of Human Understanding*. Chicago: University of Chicago Press, 2007.

JOHNSON, Paul. *A History of the Jews*. Londres: Weidenfeld & Nicolson, 1987.

JOHNSTON, William. *Silent Music: The Science of Meditation*. Londres: Fontana, 1977.

JORDENS, J. T. F. *Dayananda Sarasvati: His Life and Ideas*. Delhi: Oxford University Press, 1978.

JOSEPHUS, Flavius. *The Antiquities of the Jews*. Trad. William Whiston. Londres: Longman, 1811.

______. *Against Apion*. Trad. H. St J. Thackeray. Londres: Heinemann, 1926. Loeb Classical Library. v. 186.

______. *The Jewish War*. Trad. G. A. Williamson. Harmondsworth: Penguin, 1967.

JUERGENSMEYER, Mark; BARRIER, N. Gerald (Org.). *Sikh Studies: Comparative Perspectives on a Changing Tradition*. Berkeley: University of California Press, 1979.

KAISER, Christopher Barina. *Seeing the Lord's Glory: Kyriocentric Visions and the Dilemma of Early Christology*. Mineápolis: Fortress, 2014.

KANT, Immanuel. *On History*. Org. Lewis White Beck. Indianapolis: Bobbs-Merrill, 1963.

KAPILA, Shruti; DEVJI, Faisal. *Political Thought in Action: The Bhagavad Gita and Modern India*. Cambridge: Cambridge University Press, 2013.

KARLGREN, Bernhard (Trad.). *The Book of Odes*. Estocolmo: The Museum of Far Eastern Antiquities, 1950.

KATZ, Steven T. (Org.). *Mysticism and Sacred Scripture*. Oxford: Oxford University Press, 2000.

KAUTSKY, John H. *The Political Consequences of Modernization*. Nova York: Wiley, 1972.

______. *The Politics of Aristocratic Empires*. 2. ed. New Brunswick: Transaction, 1997.

KEATS, John. *The Letters of John Keats*. Org. H. E. Rollins. Cambridge (MA): Harvard University Press, 1958.

KEDDIE, Nikki R. (Org.). *Scholars, Saints and Sufis: Muslim Religious Institutions in the Middle East Since 1500*. Berkeley: University of California Press, 1972.

______ (Org.). *Religion and Politics in Iran: Shi'ism from Quietism to Revolution*. New Haven: Yale University Press, 1974.

KEIGHTLEY, David N. "The Religious Commitment: Shang Theology and the Genesis of Chinese Political Culture". *History of Religions*, v. 17, n. 3/4, fev./maio 1978.

______. "Late Shang Divination: The Magico-Religious Legacy". In: ROSEMONT, Henry (Org.). *Explorations in Early Chinese Cosmology*. Chico (CA): Scholars Press, 1984.

______. "Shamanism, Death and the Ancestors: Religious Mediation in Neolithic and Shang China (*c.* 5000-1000 B.C.)". *Asiatische Studien*, v. 52, n. 3, 1998.

KEPEL, Gilles. *The Prophet and Pharaoh: Muslim Extremism in Egypt*. Trad. Jon Rothschild. Londres: Al Saqi, 1985.

______. *Jihad: The Trail of Political Islam*. Trad. Antony F. Roberts. 4. ed. Londres: Bloomsbury, 2009.

KINSLEY, David R. *The Sword and the Flute: Kali and Krsna: Dark Visions of the Terrible and the Sublime in Hindu Mythology*. 2. ed. Berkeley: University of California Press, 2000.

KLOSTERMAIER, Klaus K. *A Survey of Hinduism*. 2. ed. Albany (NY): SUNY Press, 1994.

______. *Hinduism: A Short History*. Oxford: Oneworld, 2000.

KOPF, David. *The Brahmo Samaj and the Shaping of the Modern Indian Mind*. Princeton: Princeton University Press, 1979.

KRAELING, Emil G. *The Old Testament Since the Reformation*. Londres: Lutterworth, 1955.

KRAEMER, David. *The Mind of the Talmud: An Intellectual History of the Bavli*. Nova York: Oxford University Press, 1990.

KRAMER, Samuel N. *Sumerian Mythology: A Study of Spiritual and Literary Achievement in the Third Millennium BC*. Filadélfia: American Philosophical Society, 1944.

KRAUSS, Hans-Joachim. *Worship in Israel: A Cultic History of the Old Testament*. Oxford: Blackwell, 1966.

KUGEL, James L. *The Bible as It Was*. Cambridge (MA): Harvard University Press, 1997.

LAJPAT RAI, Lala. *The Arya Samaj: An Account of Its Origin, Doctrines and Activities, with a Biographical Sketch of the Founder*. Londres: Longmans, Green and Co., 1915.

LAKOFF, George; JOHNSON, Mark. *Philosophy in the Flesh: The Embodied Mind and Its Challenge to Western Thought*. Nova York: Basic Books, 1999.

LAL, Ramji (Org.). *Communal Problems in India — A Symposium*. Gwalior, 1988.

LAMBERT, W. G. *Babylonian Wisdom Literature*. Londres: Clarendon, 1960.

LAMOTTE, Étienne. "La Critique d'interprétation dans le bouddhisme". *Annuaire de l'Institut de Philologie et Histoire Orientales et Slaves*, Bruxelas, n. 9, 1949.

______. *Histoire du Bouddhisme indien*. Louvain: Publications Universitaires, L'Institut Orientaliste, 1958.

LANG, Jeffrey D. "Religion and Violence in Hindu Traditions". In: MURPHY, Richard (Org.). *The Blackwell Companion to Religion and Violence*. Oxford: Wiley-Blackwell, 2011.

LAU, D. C. (Org. e trad.). *Lao-tzu: Tao Te Ching*. Londres: Penguin, 1963.

______ (Org. e trad.). *Mencius*. Londres: Penguin, 1970.

______ (Org. e trad.). *Confucius: The Analects* (Lun yu). Londres: Penguin, 1979.

LEGGE, James (Trad.). *The Shih King, or The Book of Poetry*. Oxford: Clarendon, 1893.

______ (Trad.). *Li Ji: The Book of Rites*. Org. Dai Sheng. Beijing: CreateSpace, 2013.

LIENHARD, Marc. "Luther and the Beginnings of the Reformation". In: RAITT, Jill; MCGINN, Bernard; MEYENDORFF, John (Orgs.). *Christian Spirituality, v. II: High Middle Ages and Reformation*. Nova York: Crossroad, 1988.

LENSKI, Gerhard E. *Power and Privilege: A Theory of Social Stratification*. Chapel Hill: University of North Carolina Press, 1966.

LEVERING, Miriam (Org.). *Rethinking Scripture: Essays from a Comparative Perspective*. Albany (NY): SUNY Press, 1989.

LEWIS, Mark Edward. *Writing and Authority in Early China*. Albany (NY): SUNY Press, 1999.

LIGHT, Laura. "The Bible and the Individual: The Thirteenth-Century Paris Bible". In: BOYNTON, Susan; REILLY, Diane J. (Orgs). *The Practice of the Bible in the Middle Ages: Production, Reception, and Performance in Western Christianity*. Nova York: Columbia University Press, 2011.

LINCOLN, Bruce. *Holy Terrors: Thinking about Religion after September 11*. 2. ed. Chicago: University of Chicago Press, 2006.

LINDBERG, David C.; NUMBERS, Ronald L. (Org.). *God and Nature: Historical Essays on the Encounter between Christianity and Science*. Berkeley: University of California Press, 1986.

LOCKE, John. *A Letter Concerning Toleration*. Indianapolis: Bobbs-Merrill, 1955.

______. *An Essay Concerning Human Understanding*. Oxford: Oxford University Press; Clarendon, 1975.

______. *Two Treatises of Government*. Org. Peter Laslett. Cambridge: Cambridge University Press, 1988.

LOEWE, Michael. *Faith, Myth and Reason in Han China*. Indianapolis: Hackett, 2005.

LOEWE, Michael; SHAUGHNESSY, Edward L. (Orgs.). *The Cambridge History of Ancient China: From the Origins of Civilization to 221 BC*. Cambridge: Cambridge University Press, 1999.

LOPEZ, Donald S. (Org.). *Buddhist Hermeneutics*. Honolulu: University of Hawaii Press, 1992.

______ (Org.). *Buddhist Scriptures*. Londres: Penguin, 2004.

LORD, A. B. *The Singer of Tales*. Cambridge (MA): Harvard University Press, 1960.

LOSSKY, Vladimir. *The Mystical Theology of the Eastern Church*. Londres: Clarke, 1957.

______. "Theology and Mysticism in the Traditions of the Eastern Church". In: WOODS, Richard (Org.). *Understanding Mysticism*. Garden City: Doubleday, 1980.

LOUTH, Andrew. *Discerning the Mystery: An Essay on the Nature of Theology*. Oxford: Clarendon, 1983.

______. *The Origins of the Christian Mystical Tradition: From Plato to Denys*. Oxford: Clarendon, 1981.

______. *Maximus the Confessor*. Londres: Routledge, 1996.

LOVELACE, R. C. "Puritan Spirituality: The Search for a Rightly Reformed Church". In: DUPRÉ, Louis; SALIER, Don E. (Orgs.). *Christian Spirituality, v. III: Post Reformation and Modern*. Nova York: Crossroad, 1989.

LUTHER, Martin. *Luther's Works*. Orgs. Jaroslav Pelikan e Helmut T. Lehmann. Filadélfia: Fortress, 1955-86. 55 v.

MADAN, T. N. "The Double-Edged Sword: Fundamentalism and the Sikh Religious Tradition". In: MARTY, Martin E.; APPLEBY, R. Scott (Orgs.). *Fundamentalisms Observed*. Chicago: University of Chicago Press, 1991.

MAGNUS, Bernd; HIGGINS, Kathleen M. (Orgs.). *The Cambridge Companion to Nietzsche*. Cambridge: Cambridge University Press, 1996.

MAHONY, William K. *The Artful Universe: An Introduction to the Vedic Religious Imagination*. Albany (NY): SUNY Press, 1998.

MANDAIR, Arvind-Pal Singh. "Sikh Philosophy". In: SINGH, Pashaura; FENECH, Louis E. (Orgs.). *The Oxford Handbook of Sikh Studies*. Oxford, 2014.

MANGUEL, Alberto. *A History of Reading*. Londres: HarperCollins, 1996.

MANN, Gurinder Singh. *The Making of Sikh Scriptures*. Oxford: Oxford University Press, 2001.

______. "The Joseph Novels". In: NEIDER, Charles (Org.). *The Stature of Thomas Mann*. Nova York: New Directions, 1947.

MANN, Thomas. *Joseph and His Brothers*. Trad. H. T. Lowe-Porter. Londres: Penguin, 1978.

______. *The Magic Mountain*. Trad. H. T. Lowe-Porter. Londres: Vintage, 1999.

______. "The Making of *The Magic Mountain*". In: *The Magic Mountain*. Trad. H. T. Lowe-Porter. Londres: Vintage, 1999.

MARSDEN, George M. *Fundamentalism and American Culture: The Shaping of Twentieth Century Evangelicalism, 1870-1925*. Nova York: Oxford University Press, 1980.

MARTY, Martin E.; APPLEBY, R. Scott (Orgs.). *Fundamentalisms Observed*. Chicago: University of Chicago Press, 1991.

______. *Fundamentalisms and Society: Reclaiming the Sciences, the Family, and Education*. Chicago: University of Chicago Press, 1993.

______. *Fundamentalisms and the State: Remaking Polities, Economies, and Militance*. Chicago: University of Chicago Press, 1993.

______. *Accounting for Fundamentalisms: The Dynamic Character of Movements*. Chicago: University of Chicago Press, 1994.

______. *Fundamentalisms Comprehended*. Chicago: University of Chicago Press, 1995.

MASPERO, Henri. *China in Antiquity*. Trad. Frank A. Kierman Jr. 2. ed. Folkestone: Dawson, 1978.

MATCHETT, Freda. *Krsna: Lord or Avatara? The Relationship between Krsna and Visu*. Richmond: Curzon, 2001.

MCAULIFFE, jane dammen (Org.). *The Cambridge Companion to the Qur'ān*. Cambridge: Cambridge University Press, 2006.

______ (Org.). *Encyclopaedia of the Qur'ān*. Leiden: Brill, 2001-6. 5v.

MCGILCHRIST, Iain. The Master and his Emissary: *The Divided Brain and the Making of the Western World*. New Haven e Londres: Yale University Press, 2009.

MCGRATH, Alister E. *Reformation Thought: An Introduction*. 4. ed. Oxford: Wiley-Blackwell, 2012.

______. *A Life of John Calvin: A Study in the Shaping of Western Culture*. Oxford: Blackwell, 1990.

MCLEOD, W. H. *The Evolution of the Sikh Community: Five Essays*. Oxford: Oxford University Presss, 1976.

MCNEILL, D. *Hand e mind: What Gestures Reveal About Thought*. Chicago: University of Chicago Press, 1992.

MCVEY, Kathleen. *Ephrem the Syrian: Hymns 259-468*. Mahwah (nj): Paulist Press, 1989.

METZGER, Thomas. *Escape from Predicament: Neo-Confucianism and China's Evolving Political Culture*. Nova York: Columbia University Press, 1977.

MEYENDORFF, John. *Byzantine Theology: Historical Trends and Doctrinal Themes*. Nova York: Fordham University Press, 1974.

______. *Christ in Eastern Christian Thought*. Trad. Fr Yves Dubois. Baltimore: Johns Hopkins University Press, 1975.

MIGNE, Jean-Paul (Org.). *Patrologia Latina*. Paris: Migne, 1841-55. 217 v.

______ (Org.). *Patrologia Graeca*. Paris: Migne, 1857-66. 161 v.

MILLER, Barbara Stoler (Trad.). *The Bhagavad-Gita: Krishna's Counsel in Time of War*. Nova York: Columbia University Press, 1986.

MILLER, Robert D. II, SFO. *Oral Tradition in Ancient Israel*. Eugene: Cascade, 2011.

MILTON, John. *The Poetical Works of John Milton, v. I, Paradise Lost*. Org. Helen Darbishire. Oxford: Oxford University Press, 1952.

______. *Complete Prose Works of John Milton*. Org. Don M. Wolfe. New Haven: Yale University Press, 1953-82. 8 v.

______. *The Complete Poetry and Essential Prose of John Milton*. Org. William Kerrigan, John Rumrich e Stephen M. Fallon. Nova York: Modern Library, 2007.

MINFORD, John (Trad.). *I Ching (Yijing): The Book of Change*. Londres: Penguin, 2004.

MITCHELL, Richard P. *The Society of the Muslim Brothers*. Nova York: Oxford University Press, 1969.

MOMEN, Moojan. *An Introduction to Shi'i Islam: The History and Doctrines of Twelver Shi'ism*. Oxford: G. Ronald, 1985.

MONTEFIORE, C. G.; LOEWE, H. (Orgs.). *A Rabbinic Anthology*. Nova York: Schocken, 1974.

MOORE, Charles A. (Org.). *The Chinese Mind*. Honolulu: University of Hawaii Press, 1967.

MURPHY, Andrew R. (Org.). *The Blackwell Companion to Religion and Violence*. Oxford: Wiley--Blackwell, 2011.

NANAMOLI, Bhikku (Org. e trad.). *The Life of the Buddha, According to the Pali Canon*. Kandy (Sri Lanka): Buddhist Publication Society, 1992.

NASR, Sayyed Hossein. *Ideas and Realities of Islam*. Londres: Allen and Unwin, 1971.

______ (Org.). *Islamic Spirituality: Foundations*. Nova York: Crossroad, 1987.

NASR, Sayyed Hossein et al. *The Study Quran: A New Translation and Commentary*. Nova York: HarperOne, 2015.

NEIDER, Charles (Org.). *The Stature of Thomas Mann*. Nova York: New Directions, 1947.

NELSON, Kristina. *The Art of Reciting the Qur'ān*. Cairo: American University in Cairo Press, 2001.

NEUSNER, Jacob. "The Use of the Mishnah for the History of Judaism Prior to the Time of the Mishnah". *Journal for the Study of Judaism*, n. 11, dez. 1980.

______. *Medium and Message in Judaism*. Atlanta: Scholars Press, 1989.

______. *Judaism: The Evidence of the Mishnah*. Atlanta: Scholars Press, 1998.

NEUSNER, Jacob. "The Mishnah in Philosophical Context and Out of Canonical Bounds". *Journal of Biblical Literature*, n. 11, verão 1993.

NEWTON, Sir Isaac. *Sir Isaac Newton's Mathematical Principles of Natural Philosophy and His System of the World*. Trad. Andrew Motte; rev. Florian Cajori. Berkeley: University of California Press, 1962.

______. *The Correspondence of Isaac Newton*. Org. H. W. Turnbull et al. Cambridge: Cambridge University Press, 1954-77. 7 v.

NIDITCH, Susan. *Oral World and Written Word: Ancient Israelite Literature*. Louisville: Westminster John Knox Press, 1996.

NIETZSCHE, Friedrich. *Thus Spoke Zarathustra*. Trad. R. J. Hollingdale. Londres: Penguin, 1961.

______. *On the Genealogy of Morals*. Trad. Walter Kaufman e R. J. Hollingdale. Nova York: Knopf Doubleday, 1967.

______. *Ecce Homo: How One Becomes What One Is*. Trad. R. J. Hollingdale. Londres: Penguin, 1979.

______. *The Birth of Tragedy*. Trad. Shaun Whiteside, org. Michael Tanner. Londres: Penguin, 1993.

______. *The Genealogy of Memory*. Trad. C. Diethe. Cambridge: Cambridge University Press, 1994.

NOLL, Mark A. (Org.). *Religion and American Politics: From the Colonial Period to the 1980s*. Oxford: Oxford University Press, 1990.

NOLTE, Charlotte. *Being and Meaning in Thomas Mann's Joseph Novels*. Londres: W. S. Maney and Son, 1996.

NORTH, Gary. *In the Shadow of Plenty: The Biblical Blueprint for Welfare*. Fort Worth: Dominion, 1986.

______. *The Sinai Strategy: Economics and the Ten Commandments*. Tyler: Institute for Christian Economics, 1986.

NOTH, Martin. *The Laws of the Pentateuch and Other Studies*. Edimburgo: Oliver and Boyd, 1966.

______. *The Deuteronomistic History*. Sheffield: Sheffield Academic Press, 1981.

OBEROI, Harjot. "From Ritual to Counter-Ritual: Rethinking the Hindu — Sikh Question, 1884--1915". In: O'CONNELL, Joseph T. (Org.). *Sikh History and Religion in the Twentieth Century*. Toronto: University of Toronto, 1988.

______. "Sikh Fundamentalism: Translating History into Theory". In: MARTY, Martin E.; APPLEBY, R. Scott (Orgs.). *Fundamentalisms and the State: Remaking Polities, Economies, and Militance*. Chicago: University of Chicago Press, 1993.

OCHS, Peter (Org.). *The Return to Scripture in Judaism and Christianity: Essays in Postcritical Scriptural Interpretation*. Eugene: Wipf & Stock, 1993.

O'FLAHERTY, Wendy (ver também Wendy DONIGER) (Org.). *The Critical Study of Sacred Texts*. Berkeley: University of California Press, 1979.

OLIVELLE, Patrick (Org. e trad.). *Samnyasa Upanisads: Hindu Scriptures on Asceticism and Renunciation*. Oxford: Oxford University Press, 1992.

______. (Org. e trad.). *Upanisads*. Oxford: Oxford University Press, 1996.

OLIVELLE, Patrick (Org. e trad.). "The Renouncer Tradition". In: FLOOD, Gavin (Org.). *The Blackwell Companion to Hinduism*. Oxford: Blackwell, 2003.

OLLENBURGER, Ben C. *Zion: The City of the Great King: A Theological Symbol of the Jerusalem Cult*. Sheffield: Sheffield Academic Press, 1987.

ONG, Walter J. *Orality and Literacy: The Technologizing of the Word*. Londres: Routledge, 1982.

ORIGEN. *Origen: The Song of Songs: Commentary and Homilies*. Trad. de J. P. Lawson. Nova York: Newman, 1956.

______. *Origen: Contra Celsum*. Org. e trad. Henry Chadwick. Cambridge: Cambridge University Press, 1965.

______. *Origen: On First Principles*. Trad. G. W. Butterworth. Nova York: Harper & Row, 1966.

ORNSTEIN, Robert E. "Two Sides of the Brain". In: WOODS, Richard (Org.). *Understanding Mysticism*. Garden City: Image, 1980.

OTTO, Rudolf. *The Idea of the Holy: An Inquiry into the Non-Rational Factor in the Idea of the Divine and Its Relation to the Rational*. Trad. John W. Harvey. Oxford, Londres e Nova York: Oxford University Press, 1958.

PADOUX, André. "Mantras — What Are They?". In: ALPER, Harvey P. (Org.). *Understanding Mantras*. Delhi: Motilal Banarsidass, 2012.

PALMER, Martin (Trad.) com RAMSAY, Jay e FINLAY, Victoria. *The Most Venerable Book* [Shang Shu]. Londres: Penguin, 2014.

PALMER, Martin; BREUILLY, Elizabeth (Trad.). *The Book of Chuang Tzu*. Londres: Penguin, 1996.

PANKSEPP, J. *Affective Neuroscience: The Foundations of Human and Animal Emotions*. Oxford: Oxford University Press, 1998.

PATTON, Lorie L. (Org.). *Authority, Anxiety and Canon: Essays in Vedic Interpretation*. Albany (NY): SUNY Press, 1994.

______. "The Failure of Allegory: Notes on Textual Violence in the *Bhagavad Gita*". In: RENARD, John (Org.). *Fighting Words: Religion, Violence and the Interpretation of Sacred Texts*. Berkeley: University of California Press, 2012.

PELIKAN, Jaroslav. *The Christian Tradition: A History of the Development of Doctrine*. Chicago: University of Chicago Press, 1971-89. 5 v.

______ (Org.). *The World Treasury of Modern Religious Thought*. Boston, MA, 1990.

______. *Whose Bible Is It? A History of the Scriptures Through the Ages*. Nova York: Penguin, 2005.

PETERSON, Willard J. "Fang-chih: Western Learning and the 'Investigation of Things'". In: DE BARY, Wm. Theodore (Org.). *The Unfolding of Neo-Confucianism*. Nova York: Columbia University Press, 1975.

PHILO. *Philo in Ten Volumes*. Org. e trad. F. H. Colson e G. H. Whitaker. Cambridge (MA): Harvard University Press, 1950.

PLATO. *Complete Works*. Org. John M. Cooper. Indianapolis: Hackett, 1997.

PORTER, J. M. (Org.). *Luther: Selected Political Writings*. Eugene: Wipf and Stock, 2003.

PORTER, Roy. "The Scientific Revolution and Universities". In: RIDDER-SYMOENS, Hilde de (Org.). *Universities in Early Modern Europe (1500-1800)*. Cambridge: Cambridge University Press, 1986.

POWERS, John. *A Bull of a Man: Images of Masculinity, Sex and the Body in Indian Buddhism.* Cambridge: Cambridge University Press, 2009.

PUETT, Michael J. *To Become a God: Cosmology, Sacrifice and Self-Divinization in Early China.* Cambridge (MA): Harvard University Press, 2002.

QUEEN, Sarah A. *From Chronicle to Canon: The Hermeneutics of the Spring and Autumn According to Tung Chung-shu.* Cambridge: Cambridge University Press, 1996.

QUEEN, Sarah A.; MAJOR, John A. (Trad.). *Luxuriant Gems of the Spring and Autumn.* Nova York: Wipf and Stock, 2016.

QUTB, Said. *This Religion of Islam.* Gary: International Islamic Federation of Student Organizations, [s.d.].

______. *Milestones.* Delhi: Islamic Book Service, 1998.

RAHMAN, Fazlur. "Sunnah and Hadith". *Islamic Studies,* v. I, 1962.

______. *The Philosophy of Mulla Sadra.* Albany (NY): SUNY Press, 1973.

______. *Islam.* Chicago: University of Chicago Press, 1979.

______. *Major Themes of the Qur'ān.* 2. ed. Chicago: University of Chicago Press, 2009.

RAITT, Jill; MCGINN, Bernard; MEYENDORFF, John (Orgs.). *Christian Spirituality, v. II: High Middle Ages and Reformation.* Nova York: Alban, 1988.

RENARD, John (Org.). *Fighting Words: Religion, Violence and the Interpretation of Sacred Texts.* Berkeley: University of California Press, 2012.

RENOU, Louis. "Sur La Notion de brahman". *Journal Asiatique,* n. 237, 1949.

______. *Religions of Ancient India.* Londres: Athlone, 1953.

RHYS DAVIDS, T. W. *Dialogues of the Buddha.* Londres: Oxford University Press, 1899. 2 v.

RIPPIN, Andrew (Org.). *Approaches to the History of the Interpretation of the Qur'ān.* Oxford: Clarendon, 1988.

______ (Org.). *The Blackwell Companion to the Qur'ān.* Oxford: Blackwell, 2006.

ROBERTSON, Ritchie (Org.). *The Cambridge Companion to Thomas Mann.* Cambridge: Cambridge University Press, 2002.

ROUSSEAU, Jean-Jacques. *Discourse on the Origin of Inequality.* Org. Greg Boroson. Minneola: Dover, 2004.

RUDAVSKY, David. *Modern Jewish Religious Movements: A History of Emancipation and Adjustment.* Ed. rev. Nova York: Behrman House, 1967.

RUMI, Jalal ad-Din. *The Masnavi.* Trad. Jawid Mojaddedi. Oxford: Oxford University Press, 2004, 2007, 2013. 3 v.

RUTHVEN, Malise. *A Satanic Affair: Salman Rushdie and the Rage of Islam.* Londres: Chatto & Windus, 1990.

SACHEDINA, Abdulaziz Abdulhussein. *Islamic Messianism: The Idea of the Mahdi in Twelver Shi'ism.* Albany (NY): SUNY Press, 1981.

SACKS, Jonathan. *The Dignity of Difference: How to Avoid the Clash of Civilizations.* Ed. rev. Londres: Bloomsbury, 2003.

SAEED, Abdullah. *Reading the Qur'ān in the Twenty-First Century: A Contextualist Approach.* Londres: Routledge, 2014.

SAID, Labib as-. *The Recited Koran: A History of the First Recorded Version.* Princeton: Princeton University Press, 1975.

SÁNCHEZ, Francisco. *Opera Philosophica*. Org. Joachim de Carvalho. Coimbra: Universidade de Coimbra, 1955.

SANDS, Kristin Zahra. *Sufi Commentaries on the Qur'ān in Classical Islam*. Londres: Routledge, 2006.

SAPERSTEIN, Marc (Org.). *Essential Papers on Messianic Movements and Personalities in Jewish History*. Nova York: New York University Press, 1992.

SARASWATI, Swami Dayananda. *Light of Truth, or, An English Translation of the Stayarth Prakas*. Trad. Dr. Chiranjiva Bharaddvaja. Nova Delhi: Sarvadeshik Arya Pratinidhi Sabha, 1975.

SARTRE, Jean-Paul. *The Imaginary: A Phenomenological Psychology of the Imagination*. Trad. Kenneth Williford e David Rudrauf. Londres: Routledge, 2012.

SCHIMMEL, Annemarie. *Deciphering the Signs of God: A Phenomenological Approach to Islam*. Edimburgo: Edinburgh University Press, 1994.

SCHNIEDEWIND, William M. *How the Bible Became a Book*. Cambridge: Cambridge University Press, 2004.

SCHOLEM, Gershom. *Major Trends in Jewish Mysticism*. Nova York: Schocken, 1955.

______ (Org.). *Zohar: The Book of Splendor: Basic Readings from the Kabbalah*. Nova York: Schocken, 1959.

______. *On the Kabbalah and Its Symbolism*. Trad. Ralph Manheim. Nova York: Schocken, 1965.

______. *The Messianic Idea in Judaism and Other Essays on Jewish Spirituality*. Nova York: Schocken, 1971.

SCHWARTZ, Benjamin I. *The World of Thought in Ancient China*. Cambridge (MA): Harvard University Press, 1985.

SCHWARTZ, Louis (Org.). *The Cambridge Companion to Paradise Lost*. Cambridge: Cambridge University Press, 2014.

SCHWARTZ, Seth. "Language, Power and Identity in Ancient Palestine". *Past and Present*, n. 148, 1995.

______. *Imperialism and Jewish Society, 200 BCE to 640 CE*. Princeton: Princeton University Press, 2001.

SEGAL, Charles. "Catharsis, Audience and Closure in Greek Tragedy". In: SILK, M. S. (Org.). *Tragedy and the Tragic: Greek Theatre and Beyond*. Oxford: Oxford University Press, 1996.

SEGAL, M. H. "The Promulgation of the Authoritative Text of the Hebrew Bible". *Journal of Biblical Literature*, n. 72, 1963.

SELENGUT, Charles. "By Torah Alone: Yeshiva Fundamentalism in Jewish Life". In: MARTY, Martin E.; APPLEBY, R. Scott (Orgs.). *Accounting for Fundamentalisms: The Dynamic Character of Movements*. Chicago: University of Chicago Press, 1994.

SELLS, Michael. "Sound, Spirit and Gender in Surāt al-Qadra". *Journal of the American Oriental Society*, v. 3, n. 2, abr./maio 1991.

______"Sound and Meaning in Surāt al-Qari`a". *Arabica*, v. 40, n. 3, 1993.

______. (Org. e trad.). *Early Islamic Mysticism: Sufi, Qur'ān, Mi`rāj, Poetic and Theological Writings*. Nova York: Paulist Press, 1996.

SELLS, Michael. (Org. e trad.). *Approaching the Qur'ān: The Earliest Revelations*. Ashland (OR): White Cloud, 1999.

SELORAN, Thomas W. "Forming One Body: The Cheng Brothers and Their Circle". In: TU, Weiming; TUCKER, Mary Evelyn (Orgs.). *Confucian Spirituality*. Nova York: Crossroad, 2004. v. II.

SHACKLE, Christopher. "Repackaging the Ineffable: Changing Styles of Sikh Scriptural Commentary". *Bulletin of the School of Oriental and African Studies*, v. 71, n. 2, 2008.

SHACKLE, Christopher; MANDAIR, Arvind-Pal Singh (Org. e trad.). *Teachings of the Sikh Gurus: Selections from the Sikh Scriptures*. Oxford e Nova York: Routledge, 2005.

SHAUGHNESSY, Edward L. *Before Confucius: Studies in the Creation of the Chinese Classics*. Albany (NY): SUNY Press, 1997.

______. "Western Zhou History". In: LOEWE, Michael; SHAUGHNESSY, Edward L. (Org.). *The Cambridge History of Ancient China: From the Origins of Civilization to 221 BCE*. Cambridge: Cambridge University Press, 1999.

SHEA, William M.; HUFF, Peter A. (Orgs.). *Knowledge and Belief in America: Enlightenment Traditions and Modern Religious Thought*. Nova York: Cambridge University Press, 1995.

SHEEHAN, Jonathan. *The Enlightenment Bible: Translation, Scholarship, Culture*. Princeton: Princeton University Press, 2005.

SHULMAN, David. "Toward a Historical Poetics of the Sanskrit Epics". *International Folklore Review*, n. 8, 1991.

SILK, M. S. (Org.). *Tragedy and the Tragic: Greek Theatre and Beyond*. Oxford: Oxford University Press, 1996.

SINGER, Milton (Org.). *Krishna: Myths, Rites and Attitudes*. Honolulu: University of Hawaii Press, 1966.

SINGH, Pashaura. *The Guru Granth Sahib: Canon, Meaning and Authority*. Nova Delhi: Oxford University Press, 2000.

______. "Competing Views of Canon Formation in the Sikh Tradition: A Focus on Recent Controversy". *Religious Studies Review*, v. 28, n. 1, 2002.

______. *Life and Work of Guru Arjan: History, Memory and Biography in the Sikh Tradition*. Nova Delhi: Oxford University Press, 2006.

______. "Scripture as Guru in the Sikh Tradition". *Religion Compass*, v. 2, n. 4, 2008.

______. "An Overview of Sikh History". In: SINGH, Pashaura; FENECH, Louis E. (Orgs.). *The Oxford Handbook of Sikh Studies*. Oxford: Oxford University Press, 2014.

SINGH, Pashaura; FENECH, Louis E. (Orgs.). *The Oxford Handbook of Sikh Studies*. Oxford: Oxford University Press, 2014.

SLINGERLAND, Edward (Trad.). *Confucius: Analects, with Selections from Traditional Commentaries*. Indianapolis: Hackett, 2003.

SLOEK, Johannes. *Devotional Language*. Trad. Henrik Mossin. Berlim: De Gruyter, 1996.

SMALLEY, Beryl. *The Study of the Bible in the Middle Ages*. Oxford: Clarendon, 1941.

______. *Studies in Medieval Thought and Learning*. Oxford: Oxford University Press, 1979.

SMITH, Brian K. *Reflections on Resemblance, Ritual and Religion*. Oxford: Oxford University Press, 1992.

SMITH, Christian; DENTON, Melinda Lundquist. *Soul Searching: The Religious and Spiritual Lives of American Teenagers*. Nova York: Oxford University Press, 2005.

SMITH, Frederick M. "Puraveda". In: PATTON, Lorie L. (Org.). *Authority, Anxiety, and Canon: Essays in Vedic Interpretation*. Albany (NY): SUNY Press, 1994.

SMITH, John D. (Org. e trad.). "The Two Sanskrit Epics". In: HATTO, A. T. (Org.). *Traditions of Heroic and Epic Poetry.* Londres: Modern Humanities Research Association, 1981.

______. *The Mahabharata: An Abridged Translation*. Londres: Penguin, 2009.

SMITH, Jonathan Z. *Map Is Not Territory: Studies in the History of Religions*. Chicago: University of Chicago Press, 1978.

______. *Imagining Religion: From Babylon to Jonestown*. Chicago: University of Chicago Press, 1982.

SMITH, Kidder. "Zhou yi Interpretation from Accounts in the Zuozhuan". *Harvard Journal of Asiatic Studies*, n. 48, 1989.

______. "The Difficulty of the Yijing". *Chinese Literature: Essays, Articles, Reviews* (*CLEAR*), n. 15, dez. 1993.

SMITH, Mark S. *The Early History of God: Yahweh and the Other Deities in Ancient Israel*. San Francisco: HarperSanFrancisco, 1987.

______. *The Origins of Biblical Monotheism: Israel's Polytheistic Background and the Ugaritic Texts*. Nova York: Oxford University Press, 2001.

SMITH, Wilfred Cantwell. *Islam in Modern History*. Princeton: Princeton University Press, 1957.

______. *The Meaning and End of Religion: A New Approach to the Religious Traditions of Mankind*. Nova York: Macmillan, 1962.

______. *Belief and History*. Charlottesville: University Press of Virginia, 1985.

______. *Faith and Belief: The Difference Between Them*. Princeton: Princeton University Press, 1987.

______. *What Is Scripture? A Comparative Approach*. Londres: SCM, 1993.

SPELLBERG, Denise A. *Thomas Jefferson's Qur'ān: Islam and the Founders*. Nova York: Alfred A. Knopf, 2013.

SPERLING, David S. *The Original Torah: The Political Intent of the Bible's Writers*. Nova York: New York University Press, 1998.

SPILKA, B. et al. *The Psychology of Religion*. 3. ed. Nova York: The Guilford Press, 2003.

SPINOZA, Benedict de. *Tractatus Thelogico-Politicus*. Trad. R. H. M. Elwes. Londres: Routledge, 1895.

STAAL, Frits. "Oriental Ideas on the Origin of Language". *Journal of the American Oriental Society*, n. 99, 1979.

______. "Vedic Mantras". In: ALPER, Harvey P. (Org.). *Understanding Mantras*. Delhi: Motilal Banarsidass, 2012.

STEINER, George. *Real Presences: Is There Anything in What We Say?* Cambridge: Cambridge University Press, 2004.

STEVENSON, Margaret Sinclair. *The Heart of Jainism*. Londres: Oxford University Press, 1915.

STORR, Anthony. *Music and the Mind*. Londres: HarperCollins, 1992.

STRENG, Frederick J. *Understanding Religious Life*. 3. ed. Belmont: Wadsworth, 1985.

TABARI, Abu Jafar Muhammad ibn Jarir al-. *The Commentary on the Qur'ān*. Trad. e org. J. Cooper. Oxford: Oxford University Press, 1987.

TAGORE, G. V. *The Bhagavata Purana*. Delhi, 1979.

TAYLOR, Rodney L. *The Confucian Way of Contemplation: Okada Takehiko and the Tradition of Quiet-Sitting*. Columbia: University of South Carolina Press, 1988.

TAYLOR, Rodney L. *The Religious Dimensions of Confucianism*. Albany (NY): SUNY Press, 1990.

______. "Confucian Spirituality and Qing Thought". In: TU, Weiming; TUCKER, Mary Evelyn (Org.). *Confucian Spirituality*. Nova York: Crossroad, 2004. v. II.

TERESA of Avila. *The Interior Castle*. Trad. E. Allison Peers. Garden City (NY): Image Books, 1964.

THAPAR, Romila. *Asoka and the Decline of the Mauryas*. Oxford: Oxford University Press, 1961.

______. "Historical Realities". In: LAL, Ramji (Org.). *Communal Problems in India — A Symposium*. Gwalior: Jiwaji University, 1988.

______. "Genealogical Patterns as Perceptions of the Past". *Studies in History*, v. 7, n. 1, 1991.

______. *Early India: From the Origins to AD 1300*. Berkeley: University of California Press, 2002.

THOMAS, Rosalind. *Literacy and Orality in Ancient Greece*. Cambridge: Cambridge University Press, 1992.

THURMAN, Robert A. F. (Trad.). *The Holy Teaching of Vimalakirti*. University Park: Penn State University Press, 1976.

______. "Buddhist Hermeneutics". *Journal of the American Academy of Religion*, v. 46, n. 1, jan. 1978.

______. "The Teaching of Vimalakirti". In: DE BARY, Wm. Theodore; BLOOM, Irene (Orgs.). *Eastern Canons: Approaches to the Asian Classics*. Nova York: Columbia University Press, 1990.

TIBI, Bassam. "The Worldview of Sunni Arab Fundamentalists: Attitudes toward Modern Science and Technology". In: MARTY, Martin E.; APPLEBY, R. Scott (Orgs.). *Fundamentalisms and Society: Reclaiming the Sciences, the Family, and Education*. Chicago: University of Chicago Press, 1993.

TOULMIN, Stephen. *Cosmopolis: The Hidden Agenda of Modernity*. Chicago: University of Chicago Press, 1990.

TRIMBLE, Michael R. *The Soul in the Brain: The Cerebral Basis of Language, Art, and Belief*. Baltimore: Johns Hopkins University Press, 2007.

TSUKAMOTO, Z. *A History of Early Chinese Buddhism*. Trad. L. Hurvitz. Tóquio: Kodansha International, 1985.

TU, Weiming. *Confucian Thought: Selfhood as Creative Transformation*. Albany (NY): SUNY Press, 1985.

______. "Toward a Third Epoch of Confucianism: A Background Understanding". In: EBER, Irene (Org.). *Confucianism: The Dynamics of Tradition*. Nova York: Macmillan, 1986.

______. "The Confucian Sage: Exemplar of Personal Knowledge". In: HAWLEY, John Stratton (Org.). *Saints and Virtues*. Berkeley: University of California Press, 1987.

______. "The Search for Roots in Industrial East Asia: The Case of Confucian Revival". In: MARTY, Martin E.; APPLEBY, R. Scott (Orgs.). *Fundamentalisms Observed*. Chicago: University of Chicago Press, 1991.

______. "Perceptions of Learning (*Hsüeh*) in Early Ch'ing Thought". In: ______ (Org.). *Way, Learning and Politics: Essays on the Confucian Intellectual*. Albany (NY): SUNY Press, 1993.

______. *Way, Learning and Politics: Essays on the Confucian Intellectual*. Albany (NY): SUNY Press, 1993.

______. "The Ecological Turn in New Confucian Humanism: Implications for China and the World". In: TU, Weiming; TUCKER, Mary Evelyn (Orgs.). *Confucian Spirituality*. Nova York: Crossroad, 2004. v. II.

TU, Weiming; TUCKER, Mary Evelyn (Orgs.). *Confucian Spirituality*. Nova York: Crossroad, 2003, 2004. 2 v.

TURNER, Denys. *The Darkness of God: Negativity in Christian Mysticism*. Cambridge: Cambridge University Press, 1995.

_____. *Faith, Reason and the Existence of God*. Cambridge: Cambridge University Press, 2004.

TURNER, Denys; DAVIES, Oliver (Orgs.). *Silence and the Word: Negative Theology and Incarnation*. Cambridge: Cambridge University Press, 2002.

TURNER, James. *Without God, Without Creed: The Origins of Unbelief in America*. Baltimore: Johns Hopkins University Press, MD, 1985.

TWITCHELL, James. "Two Cheers for Materialism". In: SCHOR, Juliet B.; HOLT, Douglas B. (Orgs.). *The Consumer Society Reader*. Nova York: New Press, 2000.

ULRICH, Eugene. *The Dead Sea Scrolls and the Origins of the Bible*. Grand Rapids: Eerdmans, 1999.

VAN BUITENEN, J. A. B. (Org. e trad.). *The Mahabharata*. Chicago: University of Chicago Press, 1973-81. 5 v.

VAN LANCKER, Diana. "Personal Relevance and the Human Right Hemisphere". *Brain and Cognition*, n. 17, 1991.

VAN LIERE, Frans. *An Introduction to the Medieval Bible*. Cambridge: Cambridge University Press, 2014.

VAN NORDEN, Bryan W. (Org.). *Confucius and the Analects: New Essays*. Oxford: Oxford University Press, 2002.

VAN SETERS, John. *In Search of History: Historiography in the Ancient World and the Origins of Biblical History*. New Haven: Yale University Press, 1983.

VERMES, Geza (Org. e trad.). *The Complete Dead Sea Scrolls in English*. Londres: Penguin, 1997.

VON RAD, Gerard. *The Problem of the Hexateuch and Other Essays*. Trad. E. W. Trueman. Edimburgo: Oliver & Boyd, 1966.

VON TEVENAR, Gudrun. "Zarathustra: 'That Malicious Dionysian'". In: GEMES, Ken; RICHARDSON, John (Orgs.). *The Oxford Handbook of Nietzsche*. Oxford: Oxford University Press, 2013.

WALEY, Arthur (Trad.). *The Book of Songs*. Londres: Arthur Waley, 1937.

_____ (Trad.). *The Analects of Confucius*. Nova York: History Book Club, 1992.

WARD, Benedicta (Org. e trad.). *The Prayers and Meditations of St Anselm and the Proslogion*. Londres: Penguin, 1973.

WARD, Mrs Humphrey. *Robert Elsmere*. Lincoln (NB): University of Nebraska Press, 1969.

WARFIELD, B. B. *The Inspiration and Authority of the Bible*. Filadélfia: P&R, 1948.

WATSON, Burton (Org. e trad.). *Records of the Grand Historian*. Nova York: Columbia University Press, 1961.

_____ (Org. e trad.). *Han Fei Tzu: Basic Writings*. Nova York: Columbia University Press, 1964.

_____ (Org. e trad.). *Xunzi: Basic Writings*. Nova York: Columbia University Press, 2003.

_____ (Org. e trad.). *Mozi: Basic Writings*. Nova York: Columbia University Press, 2003.

WATT, W. Montgomery. *Muhammad's Mecca: History and the Qur'ān*. Edimburgo: Edinburgh University Press, 1988.

WEBER, Max. *The Religion of China*. Trad. H. Gerth. Nova York: Free Press, 1951.

______. *The Protestant Ethic and the Spirit of Capitalism and Other Writings*. Org. e trad. Peter Baehr e Gordon C. Wells. Londres: Routledge, 2005.

WEINFELD, Moshe. *Deuteronomy and the Deuteronomic School*. Oxford: Clarendon, 1972.

WHITAKER, Jarrod L. *Strong Arms and Drinking Strength: Masculinity, Violence and the Body in Ancient India*. Oxford: Oxford University Press, 2011.

WHYBRAY, R. N. *The Making of the Pentateuch: A Methodological Study*. Sheffield: Sheffield Academic Press, 1987.

WILLIAMS, Paul. *Mahayana Buddhism: The Doctrinal Foundations*. Londres: Routledge, 1989.

WILLIAMS, Rowan. *Arius: Heresy and Tradition*. Londres: Darton, Longman & Todd, 1987.

WILSON, Stephen G. *Related Strangers: Jews and Christians, 70-170 CE*. Mineápolis: Fortress, 1995.

WIRT, Sherwood Eliot (Org.). *Spiritual Awakening: Classic Writings of the Eighteenth Century to Inspire and Help the Twentieth Century Reader*. Tring: A Lion Paperback, 1988.

WOODS, Richard (Org.). *Understanding Mysticism*. Garden City: Image, 1980.

YAO Xinzhong. *An Introduction to Confucianism*. Cambridge: Cambridge University Press, 2000.

YATES, Frances A. *The Art of Memory*. Londres: Routledge, 1966.

YOVEL, Yirmiyahu. *Spinoza and Other Heretics, v. I: The Marrano of Reason*. Princeton: Princeton University Press, 1989.

ZHU Xi. *Chu-tsu yü-lei*. Org. Li Cheng-to. Beijing: Harvard University, 1986.

______. *Learning to Be a Sage: Selections from the "Conversations of Master Chu", Arranged Topically*. Trad. e comentários Daniel K. Gardner. Berkeley: University of California Press, 1990.

ZÜRCHER, E. *The Buddhist Conquest of China: The Spread and Adaptation of Buddhism in Early Medieval China*. Leiden: Brill, 1959.

Glossário

Nota sobre termos chineses: a língua chinesa não tem por base um alfabeto, que consiste em letras sem significado intrínseco. O caractere chinês dá uma indicação de som, mas também fornece uma indicação de sentido. Por essa razão, os leitores verão que algumas palavras, como *shi* ou *wu*, parecem ter significados divergentes quando transliteradas.

Abidharma (sânscrito): a terceira e última seção do cânone budista, que trata basicamente de questões filosóficas e psicológicas; adquiriu sua forma final durante o século I a.C., mas é tida pelos budistas teravadas como os ensinamentos que o Buda transmitiu ao discípulo Sariputta durante o retiro anual dos monges nos meses de monção.

Ad fontes (latim): um retorno "às fontes" da fé para recuperar seu espírito original e iniciar uma reforma. Lutero, por exemplo, atacou os teólogos escolásticos medievais para restaurar o "cristianismo puro" da Bíblia e os primeiros Pais da Igreja.

Adharma (sânscrito): negligência catastrófica de *dharma*, os deveres morais e espirituais pertencentes a cada uma das quatro classes da sociedade védica, e que eram essenciais ao bem-estar da comunidade.

Aggada, plural *aggadot* (hebraico): contos e lendas que iluminam os ensinamentos e as decisões dos rabinos.

Ahimsa (sânscrito): literalmente, "sem danos" ou "inofensividade"; não violência.

Ahlal-Beit (árabe): "o Povo da Casa", ou seja, a família do profeta Maomé.

Ahlal-kitab (árabe): "o povo do livro" ou "o povo da escritura", termo corânico para os judeus e cristãos que tinham recebido revelações de Deus. Após a morte do Profeta, zoroastristas, budistas e hindus passaram a ser incluídos nessa categoria.

Akusala (páli): atividades "prejudiciais", como a violência, o furto, a mentira, a embriaguez e o sexo, que eram proibidas aos renunciantes indianos que buscavam a iluminação. O Buda levaria isso um pouco mais longe, cultivando as atitudes positivas e "úteis" (*kusala*) que eram o oposto desses freios. *Ahimsa*, por exemplo, não bastava para alcançar a iluminação; era preciso demonstrar gentileza e bondade com tudo e com todos.

Alam al-mithal (árabe): "o mundo de imagens puras", termo cunhado por místicos muçulmanos iranianos para se referirem ao estado psicológico que fica entre a esfera da percepção sensorial e a esfera da abstração racional — o mundo da imaginação ou do subconsciente, que era visto como parte essencial da nossa humanidade.

Alcorão (árabe): "recitação". A palavra pode ter derivado do termo sírio *qeryana*, "estudo da escritura", mas no Alcorão a palavra *quran* significa basicamente a atividade de recitar que era essencial na experiência escritural islâmica e evoluiria para uma refinada forma de arte. Supõe-se que o Alcorão foi tirado da *Umm al-Kitab*, a escritura preexistente que existe eternamente no céu. Em sua forma final, o Alcorão consiste em 114 suratas ou capítulos, arranjadas mais ou menos por ordem decrescente de tamanho. Em geral, as suratas mais antigas são as mais curtas e, portanto, estão no fim da escritura.

Allegoria (grego): narrativa que expressa ideias abstratas mediante acontecimentos concretos ou imagens. Teóricos gregos alegorizavam as epopeias homéricas para lhes dar um significado diferente, e exegetas judeus e cristãos aplicavam essa prática, cada qual à sua maneira, à Bíblia. É o mais elevado dos três *Sentidos de escritura* desenvolvidos por Orígenes.

Anais de Primavera e Outono (em chinês, *Chungiu*): nos tempos antigos, essa crônica sucinta havia funcionado como os Anais do Templo do principado de Lu; ritualistas registravam acontecimentos importantes — batalhas, epidemias de fome, desastres naturais — e os relatavam diariamente aos ancestrais. Esses anais são nossa principal fonte sobre o período 722-481 a.C., conhecido, portanto, como "Primaveras e Outonos" (as estações relacionadas no cabeçalho de cada seção). Graças aos comentários transmitidos no século IV a.C. (*Gongyang*, *Guliang* e *Zhouzhuan*), essa crônica se tornou um dos Clássicos chineses.

Anatta (páli): literalmente "não eu". A doutrina do Buda que nega a existência de uma personalidade constante, estável e distinta.

Apocalupsis (grego): literalmente "desvelar", traduzido para o latim como *revelatio*, "revelação" que desvela uma verdade eterna até então despercebida, e que de repente se tornou clara.

Apophatic (derivação do grego): "atônico", "mudo", "sem palavras"; uma teologia que enfatiza a inefabilidade do divino.

Arahant (sânscrito): "talentoso", "notável". Monge budista que alcançou o nirvana.

Asura (sânscrito): demônio; *asuras* eram divindades primordiais que se haviam tornado demoníacas e travavam um conflito incessante com os devas.

Atman (sânscrito): o Eu real ou verdadeiro, definido nos Upanixades como a força vital presente e ativa no núcleo mais profundo de cada forma de vida e idêntica ao Brâman.

AUM (sânscrito): s sílaba mais sagrada da tradição hindu, tida como a essência de todas as coisas, sacras e profanas, e como a "semente" de todos os mantras. É vivenciada na "reverberação" do canto e no silêncio que vem em seguida e expressa a conquista do Brâman/*atman* inefável.

Ayah, plural *ayat* (árabe): "sinal" da presença e do poder de Deus no mundo natural e em acontecimentos milagrosos. O maior "sinal" da presença divina é o Alcorão; consequentemente, cada um dos seus versículos é conhecido como um *ayah*.

Bandhu (sânscrito): a "conexão" ou "correspondência" entre realidades do céu e da terra. Na ciência ritual dos Brâmanas, os participantes se conscientizavam de que cada ação, cada implemento ou cada mantra de liturgia no rito sacrificial estava ligado a uma realidade cósmica, de tal maneira que os deuses estavam jungidos a humanos, animais, plantas e utensílios rituais.

Baqa (árabe): "renascimento", a experiência final do misticismo sufista; a percepção de que Deus é tudo.

Batin (árabe): a sabedoria "oculta" que está presente em cada versículo do Alcorão e é descoberta na exegese espiritual de sufistas e xiitas.

Bavli (hebraico): o Talmude babilônico, completado por volta do ano 500 d.C.

Bhakti (sânscrito): "devoção". Uma espiritualidade hindu que se concentra no amor e na adoração de uma divindade — Vishnu, Shiva ou Devi — escolhida pelo *bakhta* ("devoto") como sua manifestação preferida de todo o divino transcendente.

Bhugu, plural *bhgavas* (sânscrito): Brâmane "defeituoso", que não observa o *dharma* de sua classe e se casava com mulheres xátrias, envolvia-se em magia negra e especializava-se nas artes marciais, em vez de observar *ahimsa*. Quase todos os Brâmanes no *Mahabharata* são *bhgavas*.

Bin (chinês): o ritual de "hospedagem" no qual as famílias reais Shang e Zhou recebiam cerimonialmente os deuses, os espíritos e os ancestrais falecidos num banquete aparatoso. Acreditava-se que os membros mais jovens da família real, representando parentes mortos, eram possuídos por seus espíritos durante o rito.

Bodhisattva (sânscrito): "ser iluminado". No budismo teravada, esse título se referia apenas aos Budas históricos que ainda não tinham atingido o nirvana em suas vidas anteriores; no budismo maaiana, o título é aplicado a qualquer ser compassivo que jurou alcançar a iluminação e se tornou um Buda com o objetivo de ajudar outros a se libertarem da dor e da tristeza da vida.

Brahman (sânscrito): a palavra deriva do radical *BRMH* (crescer, aumentar). Foi usada pela primeira ver numa "forma verbal" que o rishi sentia intumescer nas profundezas do seu ser e que tinha poder sagrado e era usada no ritual védico. Mais tarde, foi aplicada aos Brâmanes, que controlavam o ritual. Finalmente, passou a significar a fonte impessoal de poder, "o Tudo", a essência da existência, o alicerce de tudo que existe, e a força que sustenta o cosmo e permite que seus elementos cresçam e prosperem.

Brahmana (sânscrito): "explicação do poder sagrado" (Brâman) contida nos mantras cantados durante o ritual de sacrifício. Mais especificamente, passou a referir-se a um gênero de textos, produzidos entre 1000 e 800 a.C., que definiam e explicavam a ciência ritual védica e os mitos e especulações filosóficas que lhe serviam de base.

Brahmin (sânscrito): membro da classe sacerdotal, a mais alta classe da sociedade védica.

Brahmodya (sânscrito): disputa ritualizada desenvolvida na Índia no século x a.C.; os participantes tentavam encontrar uma fórmula verbal que definisse a realidade inefável do Brâman propondo uma pergunta irrespondível depois de outra, até ficarem reduzidos a um temor reverencial sem fala — e nesse silêncio o Brâman estava presente.

Buddha (sânscrito): um "iluminado" que "despertara" para a verdade do nirvana. No budismo teravada, o termo costuma ser aplicado a Gotama Buddha (m. c. 300 a.C.). No budismo maaiana, a ideia da condição de Buda tornou-se princípio universal, uma vez que todos os seres têm uma "natureza de Buda" e, portanto, o potencial de alcançarem a iluminação.

Buddhanasmrti (sânscrito): "recordação do Buda", prática meditativa do budismo teravada e do budismo maaiana na qual os praticantes trazem à mente as qualidades e as características físicas do Buda, tão minuciosamente que entram num diferente estado de consciência, sentindo que estão na sua presença e que alcançaram o plano da condição de Buda. Muitas escrituras maaianas resultam dessas experiências meditativas.

Buddhavacana (sânscrito): a "Palavra do Buda", termo usado nas escrituras budistas, ainda que grandes trechos do Abidharma no Cânone de Páli e as múltiplas escrituras maaianas tenham sido compostos muito antes da época de Gotama Budda. Mas, como a palavra "Buda" significa apenas o "Iluminado", Buddhavacana pode significar simplesmente "ensinamentos iluminados" transmitidos por *arahants* e bodhisattvas.

Caaba (árabe): "cubo"; o santuário em forma de cubo de grande antiguidade no coração do Haram de Meca. A tradição local dizia que a Caaba tinha sido construída por Adão para indicar o centro do mundo e reconstruída posteriormente por Abraão durante sua visita ao filho Ismael no deserto. Na época de Maomé, ela já se tornara objeto de peregrinação para todos os árabes, pagãos e também cristãos. Em 630, Maomé dedicou a Caaba a Alá (Alcorão 2:125; 22:126). Ela marca o lugar mais sagrado do mundo muçulmano.

Cânone (derivada do grego *kanon*, "regra"): coleção de escrituras que têm autoridade numa tradição religiosa. No judaísmo, no cristianismo e no islamismo, textos adquirem status canônico porque se acredita que tenham sido inspirados ou revelados — em certo sentido — por Deus. O termo "cânone" costuma ser aplicado a coleções de textos sagrados importantes e confiáveis em outras tradições, embora não se acredite que tenham sido revelados dessa maneira. As escrituras védicas são eternas (ver Veda; Shruti; Smrti), e as escrituras budistas registram os ensinamentos do Buda (mas ver Buddhavacana), que alcançou o nirvana por esforço próprio; portanto, os ensinamentos dele não são divinamente inspirados.

Cânone em Páli: as primeiras escrituras budistas, compostas em páli, o dialeto do norte da Índia, provavelmente falado por Buda; sua transmissão começou logo depois da morte do Buda, mas o cânone continuou a desenvolver-se até o século I d.C. (ver *Abidharma; Buddhavacana*). O cânone costuma ser chamado de Tripitaka ("Três Cestos"), porque os manuscritos originais eram guardados em três vasilhas diferentes: Vinaya ("Disciplina Monástica"); Sutta ("Discursos do Buda"); e Parivara, que evoluiu e mais tarde se transformou no Abidharma ("Novos Ensinamentos").

Ceder: ver *rang*.

Céu: ver *Tian*.

Chan (versão chinesa do sânscrito *dhyana*, "meditação" — *chan* foi traduzido para o japonês como *zenno* e, consequentemente, zen): essa tradição budista, desenvolvida na China, não recorre a escrituras, mas a uma transmissão direta "não fundamentada em palavras ou cartas" de uma pessoa já iluminada. Diferentemente do budismo indiano, a iluminação não exige um esforço consciente, porque o nirvana é inerente à nossa natureza humana.

Cheng (chinês): "autenticidade", "sinceridade"; o processo de nos tornarmos inteiramente nós mesmos; força ativa que nos permite não só o aperfeiçoamento pessoal, mas também, ao mesmo tempo, o aperfeiçoamento de outros e a transformação do mundo.

Christos (grego): pessoa ungida para uma tarefa especial; no Novo Testamento, quando aplicada a Jesus de Nazaré, era uma tradução do *messhiah* hebraico.

Converso (espanhol): "convertido"; judeu convertido ao cristianismo pela Inquisição.

Coraixita: a tribo de Maomé que tinha feito de Meca um centro de comércio e peregrinação. Depois da hégira, os coraixitas que ficaram em Meca decidiram eliminar a *ummah*, mas após a cessação dos combates a maioria aceitou o islã.

Cuius regio, eius religio (latim): "quem controla a região controla a religião". Resultado prático das Guerras de Religião da Europa dos séculos XVI e XVII, que permitia ao governante escolher a religião oficial do seu país.

Dar al-Islam (árabe): "a Casa do Islã". Termo importantíssimo na ideologia imperial do império abássida, formulado por Muhammad Idris al-Shafii (m. 820), que dividia a humanidade em Dar al-Islam e Dar al-Harb ("a Casa da Guerra"). Não poderia haver paz duradoura entre as duas, uma vez que a *ummah* muçulmana, que era apenas uma das muitas comunidades divinamente guiadas, tinha a missão dada por Deus de estender seu domínio político pela força, para libertar os seres humanos da tirania do estado ateísta. Tornou-se a doutrina clássica da jihad, mas não tem qualquer base no Alcorão. Na verdade, era uma típica ideologia imperial pré-moderna.

Dasas (sânscrito): "bárbaros". O termo védico para os povos nativos da Índia.

De (chinês): "poder", "virtude". Eficácia que era intelectual, moral e até mesmo física, derivada do alinhamento do comportamento humano com o Tao do Céu. Um rei ou príncipe que governasse com *Daode* ("o poder do Caminho") tinha uma potência moral de eficácia quase mágica. Dizia-se que os antigos Reis Sábios Yao e Shun tinham trazido ordem e paz ao mundo não com políticas vigorosas, mas "não fazendo nada" (*wu-wei*), por estarem alinhados com o Caminho celestial como as coisas deveriam estar.

Deva (sânscrito): "o que brilha". Traduzir como "deus" é um equívoco, uma vez que qualquer coisa — montanha, rio, a planta alucinógena soma ou um professor humano — que refletisse o mistério luminoso de Brâman era, e ainda é, reverenciada como deva na Índia. Os arianos expressavam seu senso de afinidade com essas forças naturais dando-lhes características humanas.

Devekut (hebraico): "concentração"; união com Deus alcançada com técnicas meditativas.

Devi (sânscrito): a Deusa-Mãe na Índia.

Dharma (sânscrito): palavra complexa que se referia à condição natural das coisas, sua essência e a lei fundamental de sua existência. Mas tarde foi usada para definir as leis e os deveres de cada classe da sociedade védica. No fim, referia-se à verdade religiosa, descrevendo os ensinamentos sagrados de uma tradição.

Dhi (sânscrito): a "visão interior" alcançada pelos rishis.

Dhikr (árabe): "memento", "lembrete". Um dos conceitos centrais do Alcorão, que se apresenta como um lembrete dos deveres e responsabilidade dos seres humanos, que costumam se esquecer de questões de suma importância. No sufismo, a recitação ritual do nome de Deus num *dhikr* comunal, acompanhada de respiração, repetição de certas frases e movimentos estilizados, é uma recordação profundamente vivida de Alá e desses deveres sagrados.

Dhimmi (árabe): "súdito protegido" no império islâmico, onde o islã era a religião da classe dominante muçulmana, mas, como costumava ocorrer em impérios pré-modernos, os *dhimmis* — judeus, cristãos, zoroastristas, hindus etc. — tinham permissão para exercer sua fé, desfrutando de certo grau de autonomia, mas pagavam um imposto em troca de proteção militar.

Din (árabe): "modo de viver", "prática e dever consuetudinários". Costuma ser traduzido como "religião", mas, como a maioria das tradições pré-modernas, o Alcorão não vê "religião" como uma atividade separada, distinta da esfera mundana. *Din* é, na verdade, todo um modo de vida. O Dia do Juízo final é chamado de *yawm al-din* no Alcorão, um "momento da verdade" que pode ocorrer sempre que o indivíduo percebe, plenamente, o que é de fato importante.

Disciplina (latim): os rituais diários da Regra Beneditina, cuidadosamente programados para reestruturar a vida emocional dos monges; os movimentos físicos habituais exigidos pela Regra lhes permitiam cultivar atitudes interiores de reverência e humildade.

Dogma (grego e latim): cristãos de fala grega distinguiam entre o dogma e o *kerygma* da Igreja. O dogma representava o sentido mais profundo da verdade religiosa, impossível de expressar-se verbalmente, apenas intuído pelos gestos simbólicos da liturgia e em silenciosa, apofática contemplação. O dogma do cristianismo só era compreensível depois de anos de prática espiritual e litúrgica. No Ocidente, dogma passou a significar um conjunto de opiniões categórica e autoritariamente declaradas.

Dukkha (sânscrito): geralmente traduzido como "sofrimento", deveria também ser traduzido como "enviesado", "insatisfatório". No budismo, a primeira verdade nobre é o conhecimento de que a vida é essencialmente defeituosa e o objetivo é nos libertarmos da dor alcançando o nirvana.

Ekstasis (grego): "êxtase". Literalmente, significa "dar uma saída", ir além do eu e transcender a experiência normal.

Elohim (hebraico): geralmente traduzido como "Deus", na verdade seria mais exato dizer que resume tudo que o divino significa para os seres humanos.

Energeiai (grego): as "atividades" de Deus inteiramente distintas da essência (*ousia*) de Deus, que, como En Sof, é eternamente incognoscível para os seres humanos. Só podemos vislumbrar o divino, de outra forma inacessível, através das "manifestações" de Deus no mundo.

En Sof (Hebraico): "Sem Fim". Na cabala, En Sof representa a essência eternamente oculta de Deus, que é incognoscível, inconcebível e impessoal. En Sof não é sequer mencionado na Bíblia ou no Talmude, uma vez que não pode ser assunto de revelação para a humanidade.

Estados ghazi: depois das invasões mongóis do século XIII, estados nas fronteiras de território sob controle mongol eram governados por chefes muçulmanos que tendiam a interpretações *ghuluww* ("exageradas") da ideologia xiita.

Ex nihilo (latim): "a partir de nada". A doutrina de que Deus criou o mundo "a partir de nada" foi afirmada pela primeira vez no Concílio de Niceia em 325 a.C. Achava-se até então que o mundo emanava eternamente de Deus.

Falsafah (árabe): "filosofia"; tentativa de *faylasufs* ("filósofos") muçulmanos de interpretar o Alcorão segundo a ciência aristotélica, era também todo um modo de vida ou *din*, porque esses muçulmanos tentavam ordenar a vida de acordo com as leis racionais que governavam o cosmo.

Fana (árabe): "aniquilação". O estado de perfeição alcançado pelos místicos sufistas quando se davam conta de que Deus é "tudo em tudo" e de que eles próprios não eram nada, que não possuíam nada, e não eram possuídos por nada que não fosse Deus. É "morrer antes que se morra" e entre no estado de *baqa*.

Fariseu: as origens dessa seita judaica são obscuras. Parece que os fariseus eram originariamente escribas, especialistas nas "tradições dos anciãos" (Josefo). Nos evangelhos, parece que atuavam como servos da aristocracia sacerdotal judaica que governava a província da Judeia no tempo dos romanos.

Fatwa (árabe): parecer legal dado por uma autoridade muçulmana competente a respeito de uma questão de direito islâmico que inspire certa dúvida ou sobre a qual não haja um entendimento claro. Uma *fatwa* pode ser contestada por recursos a precedentes existentes, uma vez que não é tida como um pronunciamento infalível ou permanente.

Filosofia (grego): "amor da Sabedoria". Na Grécia antiga, a filosofia não era apenas uma disciplina cerebral abstrata, mas também uma iniciação (*myesis*) numa nova visão da vida que tinha que ser expressa na vida diária.

Fiqh (árabe): "inteligência", "conhecimento" da lei de Deus; termo da jurisprudência islâmica.

Gemara (hebraico): a "conclusão"; as discussões rabínicas da Mishná registradas nos Talmudes de Jerusalém e babilônico.

Gewu (chinês): a "investigação das coisas" recomendada no *Grande Aprendizado* como essencial para a iluminação do indivíduo e para a retificação do mundo. Alguns filósofos chineses faziam dela uma busca interior de *li*, o "princípio" divino na mente humana, enquanto outros se concentravam na investigação dos fenômenos físicos e empíricos.

Ghazu (árabe): o "saque de aquisição" rotineiramente praticado na Arábia pré-islâmica como meio de redistribuir recursos cronicamente escassos e conduzido quase como um esporte nacional. Tribos atacavam outras tribos, levando camelos, gado e alimento, mas tomando cuidado para não matar seres humanos e provocar uma vendeta. O profeta Maomé recorreu a essa prática depois da *Hijrah* [Hégira] para evitar que os emigrantes de Meca drenassem economicamente a comunidade de Medina.

Ghuluww (árabe): "extremo"; a ideologia radical desenvolvida nos estados Ghazi pelos teóricos xiitas conhecidos retrospectivamente como *ghulat*, os "exagerados". Influenciados pela mitologia cristã, judaica e zoroastrista, eles reverenciavam Ali como encarnação do divino, e acreditavam que seus líderes não tinham morrido, mas estavam escondidos ("em ocultação") e voltariam para conduzir seus seguidores à vitória. Outros eram fascinados pela ideia de um Espírito Santo baixando sobre um ser humano e transmitindo-lhe sabedoria divina.

Glossa Ordinaria (latim): síntese das exegeses patrística e carolíngia sobre a Bíblia inteira, compilada inicialmente por eruditos franceses durante o século XII, que rapidamente se tornou ferramenta-padrão nas universidades. Uma "glosa", ou breve esclarecimento, era inserida entre as linhas do texto bíblico e uma explicação mais longa inscrita nas margens.

Golá (hebraico): a comunidade de exilados hebraicos que foram deportados para a Babilônia no começo do século VI a.C.

Gongyang (chinês): comentário sobre os *Anais de Primavera e Outono* composto e transmitido oralmente a partir do século IV a.C.

Goyi (chinês): "interpretação por analogia". Método exegético desenvolvido enquanto textos budistas eram traduzidos para o chinês nos séculos IV e III a.C. que elucidava ideias identificando-as com categorias filosóficas taoistas.

Guliang (chinês): comentário sobre os *Anais de Primavera e Outono*, composto e transmitido oralmente a partir do século IV a.C.

Guru (sânscrito): professor hindu que é visto como um canal para a sabedoria divina e que transmite a realidade da verdade sagrada pelo exemplo, bem como pela instrução discursiva. No siquismo, o termo foi usado pela primeira vez para o Guru Nanak e seus nove sucessores e mais tarde aplicado ao Espírito que tinha inspirado os Dez Gurus, que haviam manifestado a mesma luz divina. Agora está consagrado em *Adi Granth*, a escritura sikh, no Templo Dourado em Amritsar.

Gymnasium (grego): instituição educativa para aculturação da juventude grega e de membros da elite das comunidades nativas nas colônias gregas. Os alunos decoravam as epopeias homéricas, mas a ênfase principal era na educação física, que lhes permitiria dominar e desenvolver o corpo.

Hadith (árabe): "narrativas" ou "relatos"; tradições que preservavam as palavras, as máximas e os relatos dos feitos e das práticas do profeta Maomé e seus Companheiros. Em inglês o termo *hadith* é usado como substantivo coletivo, tanto para "narrativas" como para uma única tradição. O *hadith* tem duas partes: o *matn* (texto) e a *isnad*, a corrente de transmissores que determina sua confiabilidade. As antologias de maior prestígio são as coletadas por Muhammad ibn Ismail al-Bukhari e Muslim ibn al-Hajjaj no século IX.

Halakha (hebraico): derivado do hebraico *halak*, "ele foi", o termo diz respeito a uma lei singular ou a todo o sistema jurídico judaico, que segundo a tradição remonta a Moisés. É composto da Lei Escrita (a Bíblia hebraica) e da Lei Oral desenvolvida pelos rabinos e preservada na Mishná e nos Talmudes.

Hanifiyyah (árabe): a fé monoteísta praticada por alguns árabes no período pré-islâmico. No Alcorão, o termo é usado para a "pura religião" de Abraão, que tinha vivido muito antes da Torá e do Evangelho e, portanto, quando a religião ainda não estava dividida em seitas rivais.

Haram (árabe): coisas que são "proibidas" ou "interditadas" no Alcorão; também se aplica a enclaves sagrados, como Meca, cuja santidade proíbe certas atividades (no caso de Meca, a violência) e são destacados para culto e peregrinação.

Harb (árabe): "luta", "guerra", palavra que só aparece quatro vezes no Alcorão.

Hesed (hebraico): geralmente traduzida como "amor", seu significado básico é "lealdade".

Hexagrama (em chinês, *gua*): no *Yijing*, o hexagrama consiste em seis linhas horizontais, que são contínuas (*yang*) ou intermitentes (*yin*); são formadas pela combinação dos oito trigramas originais em 64 combinações diferentes. O simbolismo do *Yijing* vem de uma forma antiga de adivinhação que era praticada com talos de milefólio. O hexagrama pode ter surgido dos desenhos formados quando as varetas eram jogadas. Com o tempo, cada hexagrama passou a ser acompanhado de uma linha-declaração críptica (hoje praticamente indecifrável), e cada linha do hexagrama traz uma descrição semelhante.

Hégira (em árabe, *Hijrah*): a migração da primeira comunidade muçulmana de Meca para Medina em 622 d.C.

Hilm (árabe): "misericórdia", "tolerância"; termo fundamental nas primeiras suratas do Alcorão.

Homoousios (grego): "de uma substância". O termo do Credo Niceno (325) que expressava a relação da divindade compartilhada pelo Pai e pelo Filho e se opunha à crença árabe de que o Filho tinha sido criado pelo Pai. Foi usado novamente no Concílio de Calcedônia (451) para expressar a relação de Cristo com sua natureza humana e, durante o século IV, estendeu-se à relação do Espírito Santo com o Pai e o Filho.

Horoz (hebraico): "corrente" criada por exegetas rabínicos e pelos primeiros exegetas cristãos para juntar versículos escriturais díspares, dando-lhes, com isso, um significado inteiramente novo.

Hudaybiyyah (árabe): refere-se ao tratado firmado entre o profeta Maomé e os coraixitas no Poço de Hudaybiyyah em Meca em 628. Acompanhado por mil peregrinos muçulmanos, Maomé arriscou a vida entrando no Haram praticamente desarmado no auge da guerra entre Meca e Medina. Ele surpreendeu os companheiros ao aceitar as demandas dos coraixitas, abrindo mão tranquilamente de todas as vantagens obtidas pelos muçulmanos durante a guerra. Mas o Alcorão declarou que Hudaybiyyah foi uma "vitória evidente" (48:1-13) e dois anos depois os moradores de Meca abriram voluntariamente as portas de sua cidade para o exército muçulmano.

Hypostasis, plural *hypostases* (grego): "realidade individual", "pessoa"; termo usado na formulação da doutrina cristã da Trindade como "três *hypostases* e uma *ousia*".

Ijtihad (árabe): o "raciocínio independente" de um especialista devidamente treinado que encabeça um julgamento de questão legal ou teológica envolvendo uma nova interpretação do Alcorão e da Suna (em vez de simplesmente seguir a norma estabelecida) para resolver um novo problema enfrentado pela comunidade.

Ilm (árabe): o conhecimento "esotérico" do Alcorão que, segundo o xiismo, Maomé transmitiu a Ali, único parente do sexo masculino que lhe restava, o qual, por sua vez, o repassou aos próprios filhos Hasan e Husain, respectivamente o Segundo e o Terceiro Imãs xiitas; depois disso, foi transmitido aos descendentes de Husain.

Existe, porém, uma disputa entre os xiitas sobre se a linha de sucessão termina com o Sétimo ou com o Décimo Segundo Imã (ver Ismailis e Xiismo dos Doze).

Imã (em árabe, *Imam*): o "líder" da prece muçulmana da congregação, que pode ser qualquer homem bem-conceituado, mas que costuma ser teologicamente instruído. No xiismo, porém, o imã acabou sendo uma alternativa para o califa sunita, que era visto pela maioria dos muçulmanos como o líder legítimo de toda a *ummah*. Os xiitas argumentavam que só um descendente do profeta Maomé pela linhagem de Ali ibn Abi Talib, seu primo e genro, tinha o conhecimento esotérico (*ilm*) do Alcorão que o capacitava a interpretar a escritura criativa e infalivelmente para enfrentar novos desafios.

Inclinação para o mal (em hebraico, *yetzer hara*): os rabinos ensinavam que *yetzer hara* era essencial para nossa humanidade. Deus a proclamara "muito boa" quando a criou, porque estava inextricavelmente misturada a algumas das conquistas mais criativas.

Intentio (latim): a "concentração" da *Lectio divina* na qual o exegeta aplica toda sua energia mental a cada palavra da escritura em busca de novos significados. *Intentio* requer ainda dar as costas ao eu e voltar-se para os outros, além da firme resolução de trabalhar vigorosamente por um mundo mais compassivo.

Ioga (sânscrito): a "sujeição" dos poderes da mente a uma disciplina meditativa destinada a eliminar o egoísmo que nos impede de alcançar a *moksha* e o nirvana.

Islã (árabe): a "submissão" do ego a serviço de Deus e dos outros que é exigida pelo Alcorão e está exemplificada nas prostrações da prece muçulmana.

Ismailis: o Sexto Imã, Jafar al-Sadiq (m. 765), transmitiu o *ilm* esotérico do Alcorão para o primogênito, Ismail, que morreu antes do pai. Os ismaelitas acreditam que a linha termina com ele. Desenvolveram suas próprias tradições místicas e metafísicas. Xiitas dos Doze, porém, acham que depois da morte de Ismail a sucessão passou para o segundo filho de Jafar, Musa al-Kazim.

Istighna (árabe): "orgulho"; autoconfiança arrogante, independência e autossuficiência agressivas.

Jahiliyyah (árabe): costuma ser traduzido equivocadamente como "o Tempo de Ignorância" e aplicado ao período pré-islâmico da Arábia. Mas nas fontes muçulmanas está claro que o significado básico de *jahiliyyah* é irascibilidade violenta e explosiva, arrogância e chauvinismo tribais.

Jatarka (páli): "histórias de nascimento". Uma história das vidas anteriores do Buda, todas elas exemplificando uma qualidade positiva do Buda em suas numerosas existências como bodhisattva.

Jian ai (chinês): a principal virtude da escola moísta, geralmente traduzida como "amor universal", ainda que, mais exatamente, expresse uma "preocupação com todo mundo", uma imparcialidade por princípio.

Jihad (árabe): "luta", "esforço", "empenho". Não quer dizer "guerra santa". A palavra só aparece 41 vezes no Alcorão e apenas em dez casos se refere inequivocamente a guerra. Um ato de caridade, quando temos pouco para nós mesmos, também é jihad. A palavra jihad ocorre frequentemente com a frase *fi sabil Allah* ("no caminho de Deus"), quando exige uma resposta não retaliatória e não violenta à perseguição dos coraixitas na primeira fase da carreira do Profeta.

Jina (sânscrito): "conquistador" espiritual que alcançou a iluminação cultivando incansavelmente *ahimsa*.

Jing (chinês): (1) um "clássico"; uma obra de importância espiritual inigualável que oferece ao leitor vislumbres do transcendente e expressa uma verdade universal. Originalmente, *jing* era um termo usado em tecelagem: era a urdidura que fortalece a estrutura do tecido mais ou menos como um clássico literário pode sustentar a sociedade. (2) atitude espiritual cultivada assiduamente pelos neoconfucianos: um senso de profunda admiração e reverência que resulta da prática de *gewu* e *jingzuo*.

Jingzuo (chinês): "sentar quieto", adaptação chinesa de ioga que envolvia sentar-se sossegadamente, num estado de relaxamento, e cultivar a atenção interior de *jing*.

Jiva (sânscrito): "alma"; entidade viva que era luminosa e inteligente. Os jainistas acreditavam que toda criatura, sem exceção — seres humanos, plantas, animais, árvores e até pedras —, tem uma *jiva* capaz de sentir dor e medo e que precisa, portanto, ser protegida e respeitada.

Junzi (chinês): originariamente "aristocrata" ou "cavalheiro"; Confúcio democratizou o termo de tal maneira que ele passou a ser aplicado a qualquer pessoa que cultivasse assiduamente *ren* e se tornasse um ser humano profundo ou superior.

Kabbalah (hebraico): [cabala] "tradição herdada"; espiritualidade mística judaica imensamente influente, desenvolvida na Espanha durante o período medieval e praticada por *faylasufs* e por místicos judeus. Na cabala, o místico mergulha cada vez mais fundo no texto escritural, desvendando camada após camada de significados místicos, e descobre que essa descida é, na verdade, uma subida para as fontes inefáveis do ser.

Kafir (árabe): costuma ser traduzido como "infiel", mas se refere, com mais exatidão, à pessoa que rechaça rudemente qualquer coisa oferecida com bondade, rejeitando agressivamente Alá e recusando-se a reconhecer que é dependente do Criador.

Karbala: planície nos arredores de Kufah no Iraque, onde Husain, neto do profeta Maomé, sua família e seguidores foram massacrados por tropas omíadas em 680.

Todos os muçulmanos lamentam essa tragédia, mas para os xiitas ela simboliza a injustiça crônica da vida e a aparente incompatibilidade do imperativo religioso com o duro mundo da política.

Karma (sânscrito): "ações"; o termo diz respeito à lei de consequência que inspirou a doutrina de reencarnação e renascimento na religião indiana. De início, supunha-se que uma acumulação de ações rituais resultaria depois da morte em renascimento no mundo dos deuses; mais tarde, o termo generalizou-se, passando a abranger todas as ações, sagradas e seculares, físicas e mentais. Toda ação tem consequência: as boas ações resultarão num renascimento positivo; as más ações, numa reencarnação negativa. O objetivo é nos libertarmos inteiramente do *samsara*, o ciclo implacável de renascimento e re-morte.

Kavod (hebraico): a "glória" de Yahweh [Jeová]; um resplendor crepuscular ou reflexo do divino que pode ser traumático e desconcertante, tanto quanto afirmativo. Uma vez que Deus, ele próprio, é inacessível à humanidade, a "glória" é o mais perto que podemos chegar.

Kenosis (grego): o "esvaziamento" da mente e do coração para que eles deixem de ocupar-se de si mesmos; a transcendência do egoísmo que é essencial ao progresso espiritual em todas as tradições.

Kerygma (grego): a mensagem pública, facilmente explicável e evidente do Evangelho — não confundir com *dogma*, que não pode ser expresso verbalmente ou com clareza.

Kevala (sânscrito): "onisciência". No jainismo, a iluminação alcançada por *ahimsa* permite ao santo galgar o topo do universo, onde, tendo se livrado de todo apego ao ego e ao eu, ele é separado de todos os demais seres, ilimitado e completo.

Krishna: figura múltipla das tradições hindus; aparece primeiro como personagem do *Mahabharata*, mas no *Bhagavad Gita* é apresentado como o avatar de Vishnu e objeto de *bhakti*. Sua transformação parece expressar o desejo de um foco pessoal e emocional de devoção religiosa, e não um foco austeramente filosófico.

Kusala (sânscrito): "proveitoso", "salutar". As atitudes positivas e as ações propícias à iluminação; cf. *akusala*.

Lakshanas (sânscrito): os cinco "tópicos" dos Puranas, que estabelecem a visão de mundo da história: criação, a genealogia de deuses e rishis; os reinados dos Manus (os patriarcas semidivinos que governaram o mundo nos tempos antigos); a destruição e recriação dos mundos; e a história.

Lectio divina (latim): "estudo divino". Prática essencial da Ordem Beneditina, na qual os monges "ruminavam" as escrituras; diferentemente da exegese, que determinava o significado do texto sagrado, era programada para cultivar uma atitude de prece e apreensão da presença divina.

Legalismo (em chinês, Fajia): costuma ser traduzido como "Escola de Direito". O termo *fa* era usado para descrever uma ferramenta, como o esquadro do carpinteiro, que remodelava matérias-primas adaptando-as a um modelo fixo. Os legalistas queriam impor um regime pragmático, respaldado por castigos draconianos e por um código penal rigoroso, funcionando automática e imparcialmente. Enquanto os confucionistas acreditavam que só um Rei Sábio era capaz de reformar a sociedade, os legalistas consideravam irrelevante a moralidade do governante.

Li (chinês): (1) o ritual de "comportamento apropriado" que regulava a vida do *junzi*; os ritos físicos destinados a cultivar atitudes interiores de *kenosis* (desprendimento) e *rang* ("submissão"). (2) "princípio": os neoconfucianos empenhavam-se em descobrir a realidade definitiva que estava no coração de todas as coisas e era inerente à mente humana.

Liqi fenshu (chinês): "a unidade e a diversidade de sua particularização". Embora o princípio divino (*li*) fosse essencialmente idêntico, sua descoberta na mente seria vivida diferentemente em cada caso, uma vez que era filtrada pelas circunstâncias, pelas responsabilidades e pelos deveres exclusivos do indivíduo.

Logos (grego): (1) "razão". A atividade racional, pragmática e analítica do hemisfério esquerdo do cérebro que permite aos seres humanos funcionarem praticamente no mundo. Para ser eficaz, o logos deve relacionar-se aos fatos com exatidão, e corresponder a realidades externas; recorremos a logos quando queremos fazer algo, ou convencer pessoas a adotarem uma política ou uma linha de ação. Diferentemente de *mythos*, logos está voltado para o futuro, empenhado em adquirir maior controle sobre o nosso ambiente e em inventar coisas novas. (2) "verbo". No início do cristianismo, Logos se tornou um título de Cristo, baseado na popular ideia estoica do logos ou da "razão universal" que permeava a ordem mundial, e na concepção hebraica do Verbo ou da Sabedoria de Deus. O Prólogo do Evangelho de João descreve Jesus como o Logos encarnado de Deus.

Maaiana (sânscrito): considerado pela maioria dos budistas o "Veículo Maior" dos ensinamentos budistas, em oposição ao hinaiana ("Veículo Inferior") do teravada. A diferença é que, enquanto o objetivo final dos *teravadin* é alcançar o nirvana e a saída do samsara, o maaiana dá ênfase à compaixão. Em vez de deixar o mundo depois da iluminação, o *bodhisattva*, praticante ideal do maaiana, permanece à disposição para ajudar seres sencientes a encontrarem alívio para o *dukkha* da vida.

Mantra (sânscrito): "instrumento de pensar". Um versículo, uma sílaba ou uma série de sílabas que se considera de origem divina e é usado em ritual ou meditação.

Como o som era sagrado na Índia antiga, um mantra era em si um deva; tirava seu poder do som primordial que era a fonte da criação (cf. Vac). Quando cantado repetidamente, as vibrações sonoras dentro do praticante têm poder transformador: um *bhakta*, por exemplo, se une ao seu deva e ao guru, que o compartilhou com ele. Pode-se dizer que a monotonia do exercício embota as atividades analíticas do hemisfério esquerdo e intensifica a percepção, pelo cérebro direito, da unidade essencial de todas as coisas.

Marranos (espanhol): "suínos". Termo aplicado pejorativamente aos judeus espanhóis convertidos à força ao cristianismo, e a seus descendentes; os conversos adotavam-no desafiadoramente como motivo de orgulho.

Memoria (latim): "memória", mas, na Europa medieval, não era apenas uma atividade mental retrospectiva; envolvia também criatividade e invenção na busca do aperfeiçoamento pessoal.

Messias (hebraico): alguém que é ritualmente "ungido" para uma missão especial. Ver *Christos*. De início, o termo servia para qualquer um que recebesse um mandato divino, como o rei que era ungido na coroação e se tornava "filho de Deus". No século I d.C., alguns judeus aguardavam a chegada de um messias divinamente indicado para libertar Israel da opressão imperial. Os cristãos acreditavam que Jesus era esse messias.

Metáfora: oriunda das palavras gregas *meta* ("sobre") e *pherein* ("transportar"), a metáfora transporta quem fala e quem ouve sobre uma lacuna implícita, unindo coisas que parecem diferentes. É a linguagem do hemisfério direito do cérebro, apontando para a subjacente unidade da realidade, sendo, portanto, a linguagem da poesia e da religião.

Midrash (hebraico): derivado do verbo *darash*, "investigar", "procurar". Depois da perda do templo, foi o nome dado à exegese desenvolvida pelos rabinos, dando a entender que o significado do texto escritural não era evidente à primeira vista. *Midrash* era a procura por alguma coisa nova, uma vez que velhos ritos e significados já não serviam no destroçado mundo judaico.

Min (chinês): "a arraia-miúda", ou seja, a classe camponesa na sociedade agrária pré-moderna que estava reduzida à servidão e quase não era vista como humana.

Mishnah (hebraico): "aprender pela repetição". De início, o termo aplicava-se à legislação oral desenvolvida no fim dos séculos I e II d.C. pelos primeiros rabinos, que eram conhecidos como *tannaim*, "repetidores". Com o tempo, esse material oral foi editado para publicação e compilado em forma escrita por Judah ha-Nasi, que o arranjou em seis *sedarim* ("ordens"). Esse texto escrito serviu de base para os dois Talmudes, o Bavli e o Yerushalmi [babilônico e de Jerusalém].

Misticismo (em inglês *mysticism*, mas também derivado de *muein* e *myein* — ver *musterion*): a busca da transcendência que está fora do alcance da fala, da visão ou das categorias comuns de pensamento por meio de exercícios físicos, mentais e espirituais e de disciplinas. Todas as tradições religiosas, teístas e não teístas, desenvolveram uma tradição mística que apreende uma realidade para além da esfera espaço-temporal, mas também dentro do eu.

Mitzvah (hebraico): um mandamento, um dever ritual ou uma boa ação.

Moísmo: a escola filosófica chinesa fundada por Mestre Mo (*c.* 480-390 a.C.), cuja mentalidade era ferozmente igualitária e hostil à filosofia aristocrática de Confúcio. Ver *jian ai*. Membros intervinham para acabar com guerras e defender cidades nos estados mais vulneráveis durante o período dos Estados Combatentes.

Moksha (sânscrito): "libertação" do incessante ciclo de re-morte e renascimento do samsara e o consequente despertar do nosso verdadeiro eu.

Muçulmano (árabe): homem ou mulher que executa o ato de submissão existencial (*islam*) a Deus, como recomendado pelo Alcorão.

Mustai (grego): "iniciados"; pessoas que passam pelo intenso psicodrama de um *musterion* grego, que lhes oferece uma intensa, pessoal e quase sempre indelével experiência do divino.

Musterion (grego): "mistério"; derivado do verbo *muein* ("fechar os olhos ou a boca"), referindo-se a uma experiência obscura, fora do que se costuma ver e que está além do mundo do logos e de qualquer definição. *Musterion* também estava ligado ao verbo correspondente *myein* ("iniciar") e a *myesis* ("iniciação"). Vêm daí os cultos de Mistério que se desenvolveram no mundo grego durante o século VI a.C., especialmente em Elêusis, e que proporcionavam aos participantes uma experiência avassaladora do sagrado. Depois os cristãos passaram a usar a palavra para as iniciações do batismo e da eucaristia. Orígenes via a exegese como um *musterion*, um processo transformador, iniciático.

Mythos (grego): "mito". Uma história que não pretendia ser factual ou histórica, mas que em vez disso expressava o significado de um acontecimento ou narrativa, e exprimia sua dimensão intemporal, eterna. Era uma ocorrência que em certo sentido tinha acontecido uma vez, mas que acontece o tempo todo. O mito pode também ser visto como uma forma inicial de psicologia, descrevendo o mundo labiríntico e obscuro da psique: *mythos* também está ligado aos verbos *muein* e *myein* (ver *musterion*), referindo-se a experiências e convicções que não podem ser descritas verbalmente com facilidade, que escapam à clareza do logos, e são diferentes do discurso e dos hábitos mentais da realidade prática, diária.

Nirvana (sânscrito): "extinção"; a extinção do ego no budismo que traz a iluminação e a libertação da dor e do sofrimento. É sentido como um refúgio sagrado de paz nas profundezas do eu, uma realidade indefinível, porque não corresponde a conceito algum e é incompreensível para aqueles que ainda estão atolados no egoísmo e no interesse pessoal.

Ocultação (em árabe, *ghaybah*): pelo século IX, a dinastia abássida estava em declínio e os califas perceberam que naqueles tempos de incerteza não podiam permitir que os imãs xiitas, que tacitamente punham em dúvida a legitimidade do califado, continuassem soltos. O Décimo Primeiro Imã morreu (provavelmente envenenado) na cadeia e dizia-se que o Décimo Segundo se escondera para salvar a vida; em 934, quando já não poderia plausivelmente estar vivo, a comunidade xiita recebeu uma mensagem: o imã tinha sido milagrosamente escondido por Deus. Ainda era o guia infalível do xiismo e voltaria pouco antes do Juízo Final para iniciar um reinado de justiça. O *mythos* de sua ocultação expressava o senso do sagrado como algo esquivo, mas cativantemente desaparecido, presente no mundo, mas não como parte dele.

Ousia (grego): "essência", "aquilo que faz uma coisa ser o que é"; uma pessoa ou objeto visto de dentro para fora. Os Pais Gregos da Igreja sustentavam que, quando aplicado ao que chamamos "Deus", o termo denota a essência, a natureza ou a substância divina que sempre escapará à compreensão ou à experiência humana. Só podemos vislumbrar o divino parcialmente, através da hipóstase de Deus.

Pardes (persa): "jardim", "pomar", talvez subjacente ao grego *paradeisos*. Durante o século XIII, os místicos judeus espanhóis que desenvolveram a cabala interpretavam o mundo como um acrônimo dos quatro grandes métodos de interpretação bíblica: *peshat* (literal), *remez* (alegórico), *darash* (moral) e *sod* (esotérico ou místico).

Pentateuco (derivação do grego): os cinco primeiros livros da Bíblia hebraica: Gênesis, Êxodo, Levítico, Números e Deuteronômio.

Pesher (hebraico): "decifração"; uma forma de exegese usada pelos sectários de Qumran e pelos primeiros cristãos, que liam a Bíblia hebraica como um código e alegavam que as antigas histórias e profecias bíblicas tinham previsto as atividades de suas comunidades nos Últimos Dias.

Pilares do islã (em árabe, *Arkan al-Din*): as cinco práticas compulsórias do islã — a *Shahada* (profissão de fé), *Salat* (prece formal), *Zakat* (dízimo para os pobres), *Hajj* (peregrinação a Meca) e *Sawm* (o jejum do Ramadã), todos radicados no Alcorão.

Pirke Avot (hebraico): "os Provérbios dos Pais"; um texto muito amado, composto aproximadamente no ano 220 d.C., que retraça o movimento rabínico até Hillel e Shammai e preserva máximas que descrevem os benefícios espirituais do estudo da Torá.

Pólis, plural *poleis* (grego): cidade-Estado grega democrática.

Postillae (latim): comentários linha por linha compostos pelos franciscanos durante o século XIII, que desenvolveram a *Glossa Ordinaria*, elevando a exegese cristã medieval a um nível mais filosófico.

Prajapati (sânscrito): "o Tudo"; um deva que personifica Brâman nos últimos hinos do Rig Veda. Mais tarde, nos Brâmanas, aparece como o Deus Criador e fundido com Purusha.

Princípio da acomodação: esse princípio exegético foi desenvolvido por Agostinho, confirmado por Calvino e seguido no Ocidente até o primeiro período moderno. Agostinho afirmava que a cosmologia bíblica fora suplantada havia muito tempo. Deus adaptara a revelação à visão de mundo de Israel antigo para que ele pudesse compreender. Deus estava instruindo os israelitas em moralidade e teologia, não em ciência, por isso era essencial que os últimos avanços científicos fossem respeitados, ou a escritura cairia em descrédito.

Profeta (derivação do grego, *pro* = "por", *fetes* = "que fala"): "o que fala por outro" (isto é, por uma divindade), não, como se diz hoje, o que prevê o futuro. Em todo o Oriente Próximo antigo, profetas eram funcionários de cultos que traziam à tona o incognoscível; os profetas hebraicos eram provavelmente de figuras de culto em sua maioria: alguns tinham visões de Deus num ambiente de templo. Posteriormente, Maomé alegaria que sua revelação era substancialmente a mesma dos profetas anteriores, mas que a mensagem fora corrompida com o passar do tempo. Ele era, portanto, o "Selo dos Profetas" que tinha restaurado a mensagem divina original.

Psique (grego): na psicologia grega, psique representa os poderes naturais da mente e do coração e era vista como distinta de *pneuma*, a alma.

Purana (sânscrito): "conto antigo". Os Puranas são consideradas *smrti*, embora alguns Puranas alegassem que o gênero precedia os Vedas. Provavelmente foram compilados entre 500 e 1500 d.C., apesar de incluírem material bem anterior. Podem ter surgido dos textos que transmitiam a verdade védica para mulheres e para os sudras, que eram excluídos dos Vedas, mas depois se associaram aos cultos *bhakti* de Vishnu/Krishna e Shiva. Cada Purana supostamente explicava os *lakshanas*; eram apresentados como revelações e arranjados em forma de diálogo, ressaltando a importância da devoção amorosa (*bhakti*); reformistas hindus atacam a teologia purânica, mas ela continua sendo a forma dominante de espiritualidade indiana.

Purusha (sânscrito): "homem"/"pessoa", apresentado no famoso Hino Purusha (RV 10.90) como a Pessoa primordial que voluntariamente permitiu que os deuses a sacrificassem; todo o cosmo foi formado a partir do seu corpo desmembrado. Seu sacrifício tornou-se modelo de todo sacrifício védico, gerando os hinos e ritmos poéticos védicos, e as classes socioeconômicas da sociedade ariana. Nos Brâmanas, Purusha se funde com a figura de Prajapati.

"*Q*" (do alemão *Quelle*, "fonte"): símbolo usado por estudiosos para representar um documento hipotético que não sobreviveu, mas que parece ter sido uma antologia de dizeres de Jesus, compilada, talvez, durante os anos 50 d.C., e usada como fonte pelos evangelistas conhecidos como Mateus e Lucas.

Qaddosh (hebraico): geralmente traduzido como "santo", mas cujo sentido mais literal é "separado", "outro"; expressa a transcendência absoluta do divino.

Qibla (árabe): a "direção" da prece. Depois da hégira migratória, Maomé recebeu uma revelação mandando os muçulmanos orarem voltados para a Caaba em Meca, e não para Jerusalém, como era costume. Esse gesto simbolizava seu desejo de retornar à *hanifiyyah*, a religião pura de Abraão, que tinha reconstruído a Caaba bem antes da fé monoteísta original que se dividiu nas seitas rivais do judaísmo e do cristianismo. Os muçulmanos, portanto, se voltam para Meca quando realizam suas preces canônicas (*salat*) e na mesquita a *qibla* é marcada pelo *mihrab*.

Quatro Mestres: grupo de textos que formavam o currículo da reforma de Zhu Xi dos estudos confucianos durante o período Song e que devia ser lido em determinada ordem: o *Grande Aprendizado*, os *Analectos*, o *Mêncius* e a *Doutrina do Meio*.

Rang (chinês): "ceder". Atitude cultivada para o *li*, os ritos: em vez de competirem agressivamente por status, os *junzi* deveriam ceder a vez a outros no espírito de *kenosis*.

Regra de Ouro: uma máxima desenvolvida em quase todas as tradições religiosas como epítome de toda ação ética, expressada negativamente, como em "Nunca trates os outros como não gostarias de ser tratado", ou positivamente, como em "Trata sempre os outros como gostarias de ser tratado".

Religio (latim): "vínculo", "reverência". No mundo pré-moderno, a palavra religião não designava um sistema de crenças e práticas obrigatórias separadas de todas as atividades "seculares". Palavras que agora traduzimos como "religião" em outras línguas, tais como a árabe *din*, invariavelmente se referem a alguma coisa mais vaga e mais abrangente — a todo um modo de vida. Nossa noção ocidental moderna de "religião" data apenas dos séculos XVII e XVIII. A palavra latina *religio* tinha conotações imprecisas de obrigação, que podiam ser legais ou profissionais, bem como um dever para com os deuses. Para os teólogos cristãos, *religio* passou a significar uma atitude de reverência diante de Deus e do universo; para Agostinho, significava o vínculo que nos une ao divino e uns aos outros; na Europa medieval, *religio* se referia à vida monástica e distinguia o monge do sacerdote "secular" que vivia e trabalhava no "mundo" (*saeculum*).

Ren (chinês): originariamente, "ser humano". Confúcio deu à palavra novo sentido, mas se recusou a defini-la, porque transcendia qualquer das categorias intelectuais de sua época, mas retinha conotações de "humanidade", implicando bondade, compaixão, amor ou altruísmo, e era um produto de *li*, os ritos de cortesia e consideração. *Ren* dotava o indivíduo de equanimidade, equilíbrio e serenidade. Mêncio reduziu a palavra a "benevolência" e fez dela uma de suas virtudes cardeais.

Rishi (sânscrito): "vidente"; os rishis eram os autores visionários dos hinos védicos, por eles "ouvidos" ou "vistos", de uma forma não muito clara, nas profundezas do ser. Os primeiros rishis foram os ancestrais de sete grandes famílias antigas da comunidade ariana e eram tidos como dotados de poderes sobrenaturais.

Ritual (do latim *ritus*, "estrutura", "cerimônia"): inseparável do mito e, no mundo pré-moderno, da encenação das escrituras. Tem sido definido como uma modalidade de peça; como um meio de expressar e endossar a consciência coletiva ou de aliviar tensão. A definição do professor Jonathan Smith é particularmente útil: "Ritual é um jeito de apresentar as coisas como elas deveriam ser, em tensão consciente com as coisas como elas de fato são, de tal maneira que essa perfeição ritualizada seja lembrada no decurso ordinário e descontrolado das coisas".

Rta (sânscrito): "ordem fixa", "regra". A ordem e o equilíbrio fundamentais que os arianos antigos viam no universo, e que precisavam ser sustentados através de sacrifício ritual. Devas como Varuna ou Mitra eram "guardiães" da *rta*, e não seus controladores ou criadores. Mais fundamental do que os deuses, *rta* pressagiou outras forças impessoais na religião hindu, como *karma*, *dharma* e *Brahman*.

Ru (chinês): "ritualistas" ou "literatos". O termo se referia basicamente a seguidores da tradição conhecida no Ocidente como "confucionismo".

Sabedoria (em hebraico, *hokhmah*, "discriminação"): indicadora da qualidade ética de vida, produziu uma forma distinta de literatura no Oriente Próximo antigo, tornando-se, consequentemente, uma tradição cultural à parte dentro do judaísmo. A sabedoria era tida como um dom divino, personalizada como colega de trabalho de Yahweh [Jeová] na criação do mundo (Provérbios 8); era o mesmo que o Verbo ou o Logos que deu existência ao mundo (Gênesis 1). Os primeiros cristãos viam Jesus como a encarnação desse Logos criador (João 1).

Sabr (árabe): "paciência", "tolerância", "fortaleza".

Sacramento (do latim, *sacramentum*, "juramento"): usado para traduzir o grego *musterion* no Novo Testamento em latim. Agostinho definiu o entendimento da palavra no cristianismo ocidental: "a forma visível da graça invisível"; no século XII, o termo era usado para sacramentos como batismo ou eucaristia, nos quais o significado é expresso por símbolos físicos, como água, crisma, pão e vinho. Nesse sentido, é aplicado a ritos similares em religiões não cristãs.

Sama (árabe): "escutar". Prática sufista de fazer ou ouvir música que produz um intenso estado emocional e pode levar ao transe, gerando um sentimento da presença divina.

Samsara (sânscrito): "sempre em movimento". O ciclo inexorável de morte e renascimento, que impulsionava os seres de uma vida para a próxima, de acordo com o *karma* que acumularam. A palavra também era aplicada à inquietação e transitoriedade da condição humana.

Sangha (sânscrito): de início, a assembleia tribal dos clãs arianos. Por extensão, passou a designar as ordens religiosas de renunciantes como os budistas.

Santo: ver *Qaddosh*.

Sefer (hebraico): "rolo", particularmente a Sefer Torá, descoberta no templo de Jerusalém em 622, durante o reinado de Josias.

Sefirah (hebraico): "numeração". Termo aplicado na cabala às dez emanações que emergem de En Sof. Cada *sefirah* aponta para um aspecto diferente da natureza criativa de Deus tal como manifestado na Cadeia de Ser. Juntas, elas formam uma unidade dinâmica, às vezes apresentada como uma árvore, na qual a atividade de Deus é revelada. Era uma tentativa de explicar como o Deus absolutamente inefável e transcendente pode interagir com o frágil mundo físico.

Sentidos da escritura: forma cristã de interpretação bíblica apresentada pela primeira vez por Orígenes, na qual exegetas executam uma ascensão até o divino. Em primeiro lugar, estudavam o sentido literal do texto; em seguida, aplicavam esse sentido à própria vida e situação no sentido moral, mais tarde chamado de sentido topológico. Por último, os exegetas mais avançados entregavam-se a intensa meditação para alcançar o sentido espiritual por meio da alegoria. Orígenes estava convencido de que a Bíblia, sem o sentido alegórico, não significava nada. A exegese de Orígenes foi trazida para o Ocidente, onde a ela se acrescentou um quarto sentido: o analógico ou místico, que revelava o significado escatológico do texto. Na Europa Ocidental, essa ficou sendo a principal maneira de interpretar a Bíblia até a Reforma.

Servos: no Estado agrário pré-moderno, uma pequena aristocracia era servida por uma classe de servos que funcionavam como oficiais militares, empregados domésticos, escribas, advogados, sacerdotes etc., apoiando a classe dominante e transmitindo sua ideologia para o povo.

Shahada (árabe): "testemunho", o primeiro Pilar do islã; profissão de fé: "Sou testemunha de que só Alá é Deus e Maomé o seu profeta". Proclama a singularidade de Alá e a centralidade da profecia de Maomé.

Shang: historicamente, a primeira dinastia chinesa (*c.* 1600-1045 a.C.).

Shekhinah (hebraico): [Shechiná] "morada"; do hebraico *shakan*, "armar tenda". A "Presença" divina que morava no "Santo dos Santos" no templo de Jerusalém; identificada com a glória (*kavod*) de Deus vislumbrada pelos profetas; depois da destruição do templo, os rabinos ensinavam os judeus a vivenciarem a Shechiná quando se reuniam para o *midrash*. Cristãos judeus também vivenciavam a Shechiná, por eles identificada com a pessoa de Jesus, ao estudarem juntos as escrituras hebraicas ou ao celebrarem juntos a eucaristia. Os cabalistas afirmavam que a Shechiná, a décima e última *sefirah*, representava o princípio feminino na divindade.

Shen (chinês): o potencial divino que existe em todo ser humano.

Shi (chinês): ver Servos.

Shiah (árabe): "partido"; os Shiah i-Ali, "os partidários de Ali", estavam convencidos de que Ali era o legítimo sucessor (*khalifa*) de Maomé; portanto, não aceitavam o califado dos três primeiros califas *rashidun* ("corretamente guiados") aceitos pela maioria dos muçulmanos: Abu Bakr, Umar e Uthman. Acreditavam, ainda, que os filhos de Ali, Hasan e Husain, foram privados dos seus direitos de sucessão. Ver *imã, ilm, islailis, ocultação, Xiismo dos Doze.*

Shiva (sânscrito): "auspicioso"; é um deva mencionado apenas de passagem nos Vedas, mas seu culto talvez tivesse raízes no período pré-védico, sua influência desenvolvendo-se muito lentamente. Grande iogue e asceta, está associado à geração e à destruição e é um dos devas reverenciados em *bhakti*.

Shruti (sânscrito): "o que é ouvido"; a verdade sagrada e eterna "ouvida" e "vista" pelos rishis no passado mítico e no tempo histórico transmitida pelos Brâmanes. Significa, portanto, a coleção revelada da escritura hindu. Sinônimo do Veda, *shruti* termina com os Upanixades.

Shu (chinês): "reciprocidade", a atitude resumida na Regra de Ouro; virtude confuciana e importante componente de *ren*.

Sudra (sânscrito): "servos"; a mais baixa das quatro classes da sociedade védica.

Shun: o segundo Rei Sábio virtuoso da dinastia Xia. Filho de um homem pobre, que o maltratava, sucedeu a Yao, que o escolheu como herdeiro porque o próprio filho era cruel e de pavio curto.

Smrti (sânscrito): "recordação", "o que é recordado"; escritura hindu pós-védica, tida como secundária e subserviente a *shruti*, que ela "recorda" e desenvolve oralmente. É sagrada e de origem divina, mas uma forma indireta de revelação. *Smrti* consiste nos sutras, dos códigos jurídicos, do *Mahabharata*, do *Ramayana* e dos Puranas.

Sola ratio (latim): "só a razão"; convicção iluminista de que o raciocínio ou o logos é o único caminho para a verdade.

Sola scriptura (latim): "só a escritura"; crença protestante de que as verdades da fé e da prática cristãs só podem e devem ser estabelecidas pela escritura, sem acréscimos da tradição sacra (equivalente ocidental da *smrti* indiana).

Sufista, Sufismo: derivação árabe, *tasawwuf*, a singela vestimenta de lã usada pelo profeta Maomé e adotada pelos primeiros sufistas para não serem confundidos com o luxo da corte imperial; tornou-se o termo para descrever a tradição mística do islã.

Sukkoth (hebraico): "barracas". O festival de outono celebrado depois da colheita que foi iniciado por Esdras, adaptado de um ritual mais antigo do templo. No novo rito, os israelitas foram instruídos a construírem abrigos de "ramos de palmeira, galhos de árvores frondosas e salgueiros da beira do rio" e viver neles durante sete dias, em memória da existência nômade dos antepassados, depois do Êxodo do Egito (Levítico 23:39-43).

Suna (árabe): "costume", "prática costumeira" baseada no jeito de viver e no comportamento do profeta Maomé e seus Companheiros (*sahaba*), tal como registrado no Alcorão e nos *hadith*. Imitando suas práticas externas, os muçulmanos esperavam adquirir sua atitude interior. A Suna é, portanto, uma das fontes importantes de *fiqh*. Os muçulmanos que seguem o Alcorão e a Suna são conhecidos como sunitas. Os xiitas também observam a maior parte da Suna, mas ressaltam o papel e a prática dos imãs xiitas.

Sutra (sânscrito): "fio". No hinduísmo, a literatura sutra, escrita em prosa elíptica, condensada, trata da realização de sacrifícios, ritos domésticos, ou rituais e mantras praticados na casa de um guru ou numa *ashram*. No budismo, sutras (páli: *sutta*) são coleções dos ensinamentos do Buda (ver *Cânone em Páli*). No maaiana, sutras adicionais (por exemplo, *Lotus Sutra*) têm sido preservados; escritos originalmente em sânscrito, alguns sobrevivem apenas em tradução chinesa ou tibetana.

Tanakh (hebraico): a Bíblia hebraica. É um acrônimo — Torá (Pentateuco), Neviim (Profetas) e Ketuvim (Escritos).

Tanna, plural *tannaim* (hebraico): "recitador". Os primeiros rabinos que compuseram a Mishná em Yavne, que transmitiam e desenvolviam seus ensinamentos oralmente.

Tao (chinês): "o Caminho"; o caminho ou curso correto. O objetivo de boa parte do ritual e da moralidade chineses era garantir que os assuntos humanos fossem compatíveis com o Caminho do Céu (ver Tian), a Maneira como as coisas tinham de ser. No confucionismo, o pictograma sugere "ensinamento". No taoismo, o Tao se torna a realidade última, inefável, a misteriosa fonte do ser, o produtor não produzido de tudo que existe, e que garante a segurança e a ordem do nosso mundo.

Tapas (sânscrito): "calor". Na religião indiana, considera-se que o ascetismo — exercício espiritual e físico disciplinado — emite uma força de calor criativo que permite ao praticante adquirir poder espiritual e conquistar *moksha*. *Prajapati* deu existência ao cosmo aquecendo-se asceticamente; o sacrifício do fogo também criava *tapas*, e o patrono sentava-se, suando, perto de Agni, o fogo sagrado, no começo do ritual.

Tariqa (árabe): "caminho". Termo usado pelos sufistas para classificar as diversas ordens sufistas que oferecem aos seguidores o caminho da santidade, além dos sistemas, regras e rituais que permitem ao praticante alcançar *fana* e *baqa*.

Tathagata (páli): o título que, segundo consta, o Buda escolheu para si mesmo: "Assim ido"; tendo alcançado o nirvana, seu ego — sua individualidade — se extinguira.

Tawil (árabe): comentário sobre o Alcorão que empregava a exegese alegórica.

Teologia (latim): "discurso sobre Deus". Uma abordagem mais filosófica do divino do que a abordagem tradicional das esculturas; foi inaugurada no Ocidente pelo filósofo francês Pedro Abelardo (1079-1142).

Teoria (grego): "contemplação"; no Ocidente moderno, "teoria" passou a ser um constructo ou hipótese.

Theosis (grego): "deificação"; a participação no divino que, para cristãos orientais, é o objetivo da existência humana. Seres humanos são chamados a tomar parte na humanidade deificada de Cristo, tornando-se, como ele, "homens completos, alma e corpo, pela natureza, e tornando-se Deus completo, alma e corpo, pela graça" (Máximo, o Confessor, *c*. 580-662).

Theravada (páli): o ensinamento dos "Anciãos" da Ordem Budista (*Sangha*). Forma inicial de budismo baseada no *Cânone em Páli*, em contraste com a maaiana, que desenvolveu seu próprio cânone escritural.

Tian (chinês): "Céu". Originariamente, o deus altíssimo da dinastia Zhou. Apesar de o Céu ter características humanas, o título se referia a uma realidade que tudo abrangia, e não a um deus personalizado; Tian também pode ser traduzido como "Natureza", a fonte suprema de poder e ordem, e desde o começo esteve associado à moralidade humana. Viver de acordo com o Caminho (Tao) do Céu, portanto, era o objetivo da vida. Enquanto Tian era a personificação de yang, a Terra era a personificação de yin. A humanidade formava uma tríade sagrada com Céu-e-Terra.

Tianli (chinês): termo neoconfuciano para o "princípio" (*li*) do Céu, que está presente na mente humana.

Tikkun (hebraico): na cabala de Isaac Luria, *tikkun* é a "restauração" da Shechiná da divindade, que os devotos podem produzir com seus rituais e sua prática ética, os quais consertarão o cosmo fraturado.

Torá (hebraico): de início, apenas "ensinar"; no Tanakh, o termo Torá veio a ser sinônimo do Pentateuco; e no judaísmo rabínico uma distinção era feita entre a Torá Escrita (a Bíblia hebraica) e a Torá Oral. A especulação judaica mais tarde deu à Torá uma dimensão cósmica, de modo que ela foi equiparada à figura da Sabedoria no livro dos Provérbios, o "mestre artesão de Deus" durante a criação.

Torá Oral: no século III, os rabinos concluíram que as tradições orais que vinham se desenvolvendo desde a destruição do templo (ver *midrah; mishnah*) eram a continuação do processo revelatório iniciado no Sinai: "Duas torás foram dadas a Israel. Uma de boca, outra por escrito" (*Sifre* sobre Deuteronômio, 351). A revelação não estava confinada ao passado distante; era um processo que seguia adiante sempre que um judeu estudava os textos sagrados do passado com seu professor.

Trigrama (em chinês, *gua*): o trigrama é um símbolo de três linhas, formado por três paralelas, que são contínuas (*yang*) ou intermitentes (*yin*), ou combinações; funcionavam numa antiga forma de adivinhação, cujas origens nos são obscuras (ver hexagrama). Com o tempo, a descoberta dos trigramas foi atribuída ao antigo Rei Sábio Fu Xi, que viu essas imagens no céu e as ligou a padrões que observava na terra. Durante os séculos III e II a.C., o *Yijing* foi transformado por dez comentários eruditos num texto de sabedoria, que esboçava a relação entre a tríade sagrada de Céu, Terra e Humanidade. Cada trigrama refletia a interação dinâmica dessas forças.

Ummah (árabe): a "comunidade" de muçulmanos. O Alcorão pediu a Maomé que criasse uma *ummah* unida, refletindo a unidade de Deus, a partir das tribos desunidas, e em guerra, da Arábia.

Upanixade (sânscrito): "ensinamento esotérico", derivado de *upa-ni-shad*: "sentar-se perto", aludindo à proximidade necessária à transmissão desse conhecimento; uma tradução e uma etimologia alternativa seria "conexão"; essas novas escrituras desenvolviam a ciência ritual de *bandhus*. Esses textos místicos completam a coleção védica, por isso que se chamam *Vedanta*: "o fim do Veda".

Upaya (sânscrito): "habilidade em meios"; a adaptação de ensinamento budista às circunstâncias, às necessidades e ao alcance espiritual dos ouvintes. Isso é especialmente importante no budismo maaiana. Baseia-se na ideia de que os ensinamentos do Buda são provisórios e podem variar: o que é apropriado para um momento ou um grupo pode não ser apropriado ou proveitoso (*kusala*) para outro.

Vac (sânscrito): "Fala", o deva hindu que expressava a fala adquiriu destaque especial nos primeiros tempos védicos, devido à ênfase no som eternamente sagrado ouvido pelos rishis. Vac não é diferente do *Verbo/Sabedoria/Logos* das tradições hebraica e cristã como fonte de criação. Como som sagrado, Vac é também a "mãe" do Veda e de todos os mantras sagrados.

Vaixá (sânscrito): "membro de clã"; a terceira classe da sociedade védica, cuja função era criar a riqueza da comunidade, primeiro pela pecuária e pela agricultura, e depois pelo intercâmbio e pelo comércio.

Vazio (em sânscrito, *sunyata*): conceito central no budismo maaiana que leva o ensinamento do *anatta* (não eu) do Buda à sua conclusão lógica, negando que alguma coisa tenha existência substantiva. Tudo — mesmo o nirvana ao qual os budistas aspiravam — era essencialmente ilusório, o que exigia a renúncia definitiva, uma vez que a busca da iluminação poderia degenerar num desejo de afirmação e glorificação do eu.

Veda (sânscrito): "conhecimento". As quatro coleções (*samhitas*) que formam o núcleo da escritura hindu: Rig Veda, Sama Veda, Yajur Veda e Atharva Veda, que, juntos, compõem a base de escritura revelada (*shruti*). Os Brâmanas oferecem explicações em prosa dos mantras nos textos principais, e os Upanixades completam a coleção védica.

Vinaya (páli): "aquilo que separa"; as regras que governam a Ordem monástica budista.

Vulgata (derivação latina): "vernácula". A tradução latina feita por São Jerônimo das escrituras hebraicas e do Novo Testamento grego.

Xiismo dos Doze: o maior grupo do xiismo, que aceita a legitimidade de todos os doze imãs descendentes de Ali.

Wen (chinês): a ordem civil rotineira do governo imperial na China, mantida pelos funcionários confucianos, idealmente baseada na benevolência (*ren*), na cultura e na persuasão racional.

Wu (chinês): a ordem militar do governo imperial chinês.

Wu-wei (chinês): "não fazer nada". O modo de ação do taoismo, que não significava inatividade total; na verdade, restringia a atividade ao necessário, e evitava extremos. Essa restrição permitia que o Tao seguisse o seu curso natural, sem interferência humana: "Na busca do Caminho faz-se cada vez menos, a cada dia [...]. É sempre pela inação que o império é conquistado" (*Tao Te Ching*, 48; tradução de Lao).

Xátria (sânscrito): "o que tem poder". Membro da classe guerreira na sociedade védica responsável pela defesa militar, pela expansão política e pelo enriquecimento da comunidade.

Xie (chinês): "estudo" que, no confucionismo, era uma atividade comunitária, inseparável do aperfeiçoamento moral.

Yanguistas: seguidores de Mestre Yang (datas incertas) que renunciou à sociedade no perigoso período dos Estados Combatentes para preservar a vida, para ele a mercadoria mais sagrada.

Yao: o primeiro Rei Sábio da dinastia Xia, que, segundo consta, trouxe a paz ao mundo simplesmente cultivando sua humanidade (*ren*).

Yerushalmi (hebraico): o Talmude de Jerusalém.

Yi (chinês): "retidão", "conduta ética" que é justa, correta e está de acordo com princípios morais consuetudinários. Radicada no pensamento confuciano inicial, *yi* inclui a intenção que inspira o comportamento correto, tanto quanto as boas ações.

Yijing (chinês): o "Clássico das Mutações", desenvolvido a partir de um sistema antigo de adivinhação que consistia em jogar varetas de milefólio. Não há como tirar claras conclusões filosóficas das "linhas-declarações" que tradicionalmente acompanhavam os 64 hexagramas. Mas, durante os séculos III e II a.C., comentários sobre essas declarações (atribuídos a Confúcio e conhecidos como "Asas") criaram um relato positivo, racionalizado, de um universo bem-ordenado, no qual há mudança constante e que produz apenas o que é bom (ver yin e yang).

Yin e *yang* (chinês): os dois extremos polares do Tao infinito, de cuja flutuação e interação o universo sempre em mutação surgiu em todas as suas múltiplas formas. Na cosmologia chinesa, os cinco elementos derivam de sua mistura, bem como os processos de história e tempo. Consequentemente, a oposição yin/yang está no âmago da adivinhação chinesa antiga (ver hexagramas e trigramas), que era uma tentativa de criar uma protociência capaz de explicar o processo de mudança. Ainda que sejam a fonte de toda oposição, cada um contém a semente do outro, e os dois são interdependentes. Yin representa o aspecto feminino da realidade; é submisso, reflexivo, dando origem à lua, à água, às nuvens e até aos números. Sua estação é o inverno; sua atividade é interior e conduzida na escuridão, em lugares fechados. O yang é a fonte do masculino; é duro, está associado ao sol e aos números ímpares, e é ativo no verão e durante o dia; um poder externo, extrovertido, com produção abundante.

Yu: herói do mítico período Xia, que projetou uma tecnologia para controlar as águas de inundação que arrasaram a Grande Planície.

Yu-wei (chinês): ação disciplinada, intencional.

Zhou: a dinastia que governou a China de 1044 a.C., após derrotar os Shang, até que o Primeiro Imperador Qin unificou a China no fim do período dos Estados Combatentes, em 221 a.C.

Zimzum (hebraico): na cabala luriânica, a "retirada" kenótica (ver *kenosis*) de En Sof para dentro de si mesmo a fim de abrir espaço para o mundo.

Zuozhuan (chinês): comentário do século IV sobre os *Anais de Primavera e Outono* que originariamente talvez fosse um relato histórico do período de Primavera e Outono, mas que, posteriormente, quando a hermenêutica ganhou prestígio, foi adaptado para se encaixar nos acontecimentos registrados nos *Anais*.

Índice remissivo

Aarão, 112, 213
Abadia de São Vítor (Paris), 308
abássidas, 287-8, 320, 371, 457
Abbas I, xá, 372
Abdallah ibn Masud, 281
Abd-Shishak, coronel, 443
Abdu, Muhammad, 445-6
Abel, 363
Abelardo, Pedro, 313
Abias de Siló, 422
Abidharma ("Outros Pronunciamentos"), *ver Cânone em Páli* (escrituras budistas)
Abou El Fadl, Khaled, 452-3, 478
Abraão, 35, 40, 109-10, 237, 255, 262, 267-9, 272-4, 332, 473, 477, 480, 482; e Jeová, 35, 44, 56, 109-10
Abu Bakr, califa, 279, 281
Acádia, 33
acadiano, idioma, 45
Acaz, rei de Judá, 51
Adams, John, 400-1
Adams, Samuel, 400
Adão de Eva, 214
Adão e Eva, 21, 27-30, 35, 108, 113, 257-9, 268, 309-10, 332, 358, 360-1, 363-4, 397, 450, 491; e Jeová, 27, 30, 113; *ver também* Gênesis
adharma, 168, 241
Adi Granth (escritura sikh), 378-81
adivinhação chinesa, 81, 83, 102, 116, 191; gravetos de milefólio dos Zhou, 83, 101; ossos oraculares dos Shang, 81
Adriano, imperador romano, 222
advaryu (sacerdote védico), 72, 76, 126
adventistas do sétimo dia, 406
Afeganistão, 58, 192, 458, 472
África, 256, 371, 471
África do Sul, 444
Afrodite (deusa grega), 157
agama ("vinda"), 147
Agar, 111, 267
Agni (deva ariano), 62-5, 68-9, 75, 157, 441
Agostinho, santo, 250, 256-60, 307, 309, 350, 352, 360, 405, 469, 474-5
agricultura, 18, 28, 35, 48, 71, 96, 126, 137, 190, 195, 275; Estados agrários/socieda-

des agrárias, 19, 27-30, 41, 46, 71, 85, 201, 212, 226, 280, 282, 329, 372, 472; opressão agrária, 46
Aha, R., 238-9
ahimsa ("não violência"), 61, 129, 145-8, 168-9, 172-3, 240, 441-2
Ahl al-Hadith ("Povo Hadith"), 284
ahl al-kitab ("povo da escritura"), 267
Ahmed ibn Taymiyyah, 323
Ahmed, Leila, 449
Ain Jalut, Batalha de (1250), 326
Aisha, 324, 454
Ajatashastra, rei indiano, 126
Ajatashattu, rei indiano, 168
Akbar, imperador mogul, 377-8, 380
Akbaris, 374
Akenaton (Amenhotep IV), faraó, 479
Akiva, rabino, 219, 221-2, 224, 327, 330
akon ("aquilo que não é desejado"), 160
Akshobhya Buda, 210
akusala ("contraproducente"), 151, 155, 260, 404
Alá, 267-8, 270-1, 275, 283, 313, 321, 376-7, 448, 450, 454, 463, 466; 99 nomes de, 466
alam al-mithal ("mundo de imagens puras"), 374-5
al-Banna, Hasan, 455
al-Banna, Jamal, 448
al-Bistami, Abu Yazid, 321
al-Bukhari, Muhammad ibn Ismail, 284, 448
al-Bursi, Badi al-Zaman Said, 463
Alcorão, 269-81, 283-5, 287-8, 319-27, 340, 371, 374-7, 438-9, 443-51, 453-7, 459, 461-3, 465-7, 469, 475, 477, 491; "A Recitação", 465; abordagens modernas do, 444; caracteres cúficos, 281; e a ciência aristotélica, 313-4; e a pena de morte, 283, 448; e a prática exegética de *naskh* ("revogação"), 448; e a teoria do Big Bang, 463; e apostasia, 448; e as mulheres, 450; e *jihad* ("luta"), 284-5; e o terrorismo jihadista, 461; e os coraixitas, 326-7; e os cristãos, 448; e os judeus, 448; e punição de roubo, 283; e regras de conduta na batalha, 283; *kafir/kafirun* (infiel/infiéis), 274, 377; *mushrikin* ("idólatras") e, 286; pluralismo religioso do, 448; suratas, 271, 275-7, 281, 450-1, 457; *Umm al-Kitab* ("Fonte da Escritura"), 272; "Versículo da Luz", 463; versículos de "sinalização", 463-4, 491; *ver também* islã/islamismo; Maomé, profeta; muçulmanos
alegorias/linguagem alegórica, 192, 244, 256, 309, 321, 328, 332, 349, 395, 440-1
Alemanha, 11, 58, 347, 351, 354, 396-7, 426, 477, 479; caverna de Stadel, 11, 15, 24; queda do Muro de Berlim (1989), 472; Revolta dos Camponeses (1524-5), 351-2
Alexandre, bispo, 247
Alexandre, o Grande, 192, 213
al-Ghazzali, Abu Hamid, 322
al-Hajjaj, Muslim ibn, 284
al-Hasnawi, Ahmed, 458
al-Hibri, Aziza, 449
Allat (deusa árabe), 268
allegoria ("sentido espiritual"), 308
al-Nasser, Gamal Abd, 443
al-Omari, Abdulaziz, 458
al-Qurtubi, Muhammad, 326
al-Shafii, Muhammad Idris, 287
al-Sijistani, Abu Taqub, 320
al-Sunani, Abd al-Razzaq, 285
al-Tabari, Abu Jarar, 288
Al-Uzza (deusa árabe), 268
al-Wahhab, Muhammad ibn Abd, 376-7; wahhabistas, 376-7, 469
Amã, reino de, 192
Amar Das, Guru, 378
Amarelo, rio (China), 82, 84, 141
Ambrósio, bispo de Milão, 307, 311, 349
amhas ("cativeiro"), 60
Amom, rei de Judá, 53
Amom, reino de, 37, 47
Amós, profeta, 46-8, 213

Amritsar (Índia), 378, 438; Templo Dourado, 378, 381, 437
Amsterdam (Holanda), 390-1
anabatistas, 349, 352
Anais de Primavera e Outono (textos confucianos), 94, 142, 186-7, 190, 197, 293
Analectos (textos confucianos), 119-20, 123-4, 134, 137, 139, 198, 200, 265, 301-2, 336, 466
Ananda, 152-3
Anat (deusa canaanita), 48
Anathapindika, 202
Anatólia, 34, 371
anatta ("não eu"), 154, 205, 300, 422, 470
André de São Vítor (monge), 309, 313
anglicanos (Igreja anglicana), 402, 408; *Essays and Reviews* (artigos de clérigos anglicanos), 408
Anselmo de Bec (monge), 309, 313; *Por que Deus se tornou Homem?*, 309
Anselmo de Laon (monge), 307
Anselmo, santo, 307, 309-10, 313, 316, 318, 360
Antão, santo (monge), 247, 249
Anticristo, 0, 405
Antióquio IV, imperador selêucida, 211-2
Antipas, Herodes, 226
Antonino Pio, imperador romano, 222
Apocalipse, livro do, 237-9, 361, 394, 405, 407, 469
apocalupsis ("revelação"), 213, 230, 238
Apolo (deus grego), 163-4, 414
aporia ("dúvida"), 159, 166
Appleby, R. Scott: *Projeto Fundamentalista*, 410
aql ("razão"), 324
árabe, idioma, 270, 281, 313-4, 448
Arábia/árabes, 24, 267-70, 273-6, 279-80, 286, 319, 371-2, 376-7, 444, 446-7, 449, 458, 463, 469, 478, 481; *ver também* Meca (Arábia); Medina (Arábia), 267
Arábia Saudita, 458, 469
arahants ("os respeitáveis"), 201-10, 351, 468
Aram, reino de, 37
aramaico, 45
Ares (deus grego), 157
arianos, 58-64, 67-71, 76, 78, 80, 85, 102, 125-6, 159, 248, 435-6
Ário/arianismo, 246-8, 251-2, 254
Aristóteles/aristotelismo, 161, 166, 313-5, 318-9, 328, 349, 374, 390, 475
Arjan, Guru, 377-8, 381
Arjuna, 169, 178-9, 240-2, 440-2
Arkoun, Mohammed, 454
armênios, 472, 477
Arnold, Matthew: "A praia de Dover", 412
Arnold, Sir Edward: "A Canção Celestial" (tradução do *Bhagavad Gita*), 440
ar-Razi, Fakhr al-Din, 322, 326
Artaxerxes I, rei da Pérsia, 216
Arya Samaj ("Sociedade de Arianos"), 434-6
Arya Varta ("Terra dos Árias"), 62, 436
Arya Vir Dal ("Tropa de Cavalos Arianos"), 436
asana ver ioga/iogues
Ascalão (Israel), 40
ascetismo/ascetas, 144, 147, 149, 203, 242, 249, 252, 282, 292, 415-6, 418, 457
Asdode (Israel), 40
Aserá (deusa), 53-4
Ashoka Maurya, imperador indiano, 169, 202
Ashvins, 65, 169
Ashwattaman, 174-5, 178, 291, 436
asquenazes, judeus, 367, 369
Assíria/assírios, 34, 44-7, 49-53, 55, 57, 109, 114
Assmann, Jan, 76
Assur (deus assírio), 45
astronomia, 352, 355, 386, 391, 393, 425
Astruc, Jean, 399
asuras (demônios), 61, 435
Atanásio, santo, 247-9, 251, 254-5, 394
Atena (deusa grega), 157

Atenas/atenienses, 137, 157-9, 164, 166, 316, 416; Conselho dos Anciãos, 157; Dionisíacas Urbanas (festival ateniense), 158, 161
atenção plena, 156, 470
atmã ("essência individual"), 63, 75, 127-31, 154, 157, 292
Aton-Re (deus sol), 479, 482
Atos dos Apóstolos, 247
Atta, Mohamed, 457
auctoritas ("autoridade"), 390
AUM (mantra sagrado) *ver* Upanixades
Aurobindo, Sri, 441
Austen, Jane, 398
Avalokishvara (bodhisattva), 208
Averróis (Abu al-Walid ibn Ahmad ibn Rushd), 329
Avesta (escritura zoroastriana), 272
Avicena (Abu Ali ibn Sina), 313-4, 356
ayatanas ("estados meditativos"), 150

Baal (deus canaanita), 38, 41, 44, 48-9, 51, 53-4
baal shem tov ("mestre de reputação excepcional"), 422
Babel, Torre de, 108, 259
Babilônia/babilônios, 29, 33-4, 57, 102, 105, 107-10, 112-5, 117, 218-23, 260-1, 328, 361, 467; zigurates babilônicos, 108-9
Bach, Johann Sebastian, 358
Bacon, Francis, 407
Báctria, 263
Badawi, Zaki, 438
Badr, Batalha de (624), 275, 457
Bagdá, 287, 339
bandhus ("conexões"), 72, 126, 132
Bar Kochba, revolta por (132-5), 222
Barlas, Asma, 449-50
Barnabé, são, 398
Baruque (escriba), 57, 213
Basílio, bispo de Cesareia, 253
Basra (Síria), 280-1
batismo, 254-5, 259, 349, 360, 366
Baumgarten, Siegmund Jakob, 397
Bavli *ver* Talmude
Bechnechous (sacerdote egípcio), 479
beduínos, 34, 276
Beecher, Henry Ward, 408
Belém (Israel), 232; mosteiro em, 256
Ben Azzai, 224
Ben Eliezer, Israel *ver* Besht
Ben Jehiel, Solomon *ver* Maharshal
Ben Levi, Jehoshua, 261
Ben Sira, 192-3, 211, 213, 215
Ben Solomon, Elijah, 425
Ben Yohai, Simeon, 332
Ben Zakkai, Yohanan, 218-9, 225, 260, 327
beneditinos, monges, 12, 305-7, 312, 338, 350, 421, 464-5
Bentley, Richard, 394, 398
Bento, são, 305; regra monástica de, 305
bereshit ("no princípio") *ver* Gênesis, hebraico
Berlim, 426; queda do Muro de Berlim (1989), 472
Besht (Israel ben Eliezer), 422-5
Betel (Israel), 40, 50, 54
Beyer, Stephen, 206
Beza, Teodoro de, 360
Bezalel, Chaim, 368
Bhagavad Gita, 239-40, 242, 291, 439-42
Bhagavata Purana, 290-3
bhakta ("devoto"), 290
bhakti ("devoção"), 239-40, 288, 291, 382, 435
Bhima, 169, 179
Bhindranwale, Singh, 438
Bhishma (Brâmane), 178
bhugu/bhgavas (sacerdotes indianos), 172, 174, 178
Bíblia, 21, 24, 27, 29-30, 33, 35-9, 41-2, 46, 55, 57, 65, 107-8, 112, 117, 214-5, 220-3, 229, 236, 244, 248, 255-7, 259-62, 269-70, 276, 304-9, 313-7, 328, 330-2, 339, 344, 347-8, 350, 352-3, 358-9, 361, 369-70, 390, 392, 396-400, 402, 404-9, 412, 414, 416, 422, 455, 461, 466-7, 473, 475-

8, 485; Bíblia de Referência Scofield, 407; Criticismo Superior da, 399, 408-411, 415, 430, 438; de Gutenberg, 339, 347; do rei Jaime (tradução inglesa), 358; e o fundamentalismo protestante, 409-10; e o Movimento Reconstrução (fundamentalismo evangélico), 469; edição da Bíblia hebraica feita por Orígenes, 244; erudição bíblica medieval, 307-8; escritura "E" (elohista) e escritura "J" (yahwista) da Bíblia hebraica, 53, 399-400; escritura "P" da Bíblia hebraica, 113-4; hasmoneana, 215; hebraica (Tanakh), 24, 27, 30, 33, 35-7, 39, 41-2, 46, 55, 57, 65, 107-8, 112, 117, 214-5, 220, 222, 229, 236, 244, 256, 260-1, 269-70, 466-7; histórias/narrativas bíblicas, 213, 306, 331, 392, 396, 398-9, 422, 474; humanismo bíblico, 473; literalismo bíblico, 255, 309, 409, 412, 428, 461-2, 469, 476, 478; Novo Testamento, 19, 65, 228, 236, 239, 267, 269-70, 344, 349, 393, 398, 402, 404, 415-6, 419, 466-7, 476, 479; *Pentapla*, 397; Pentateuco, 35, 57, 111, 215, 391, 399; "sentidos" da, 304, 330, 467; Septuaginta (tradução grega da Bíblia hebraica), 117, 256; Velho Testamento, 256; Vulgata (tradução latina da Bíblia), 256, 313, 353

Big Bang, teoria do, 463

Bimbisara, rei de Magadha, 168

Bin Laden, Osama, 458

Bizâncio/império bizantino, 245, 259, 269-70, 280, 282, 287, 343

Blair, Tony, 459

Blake, William, 7, 420; "Imagem Divina", 420; "Augúrios da inocência", 7; *Não existe religião natural*, 7; "O Tigre", 420

Boaventura, são, 314, 318, 366, 388

Bodhidharma (patriarca budista), 265

bodhisattvas, 203-5, 207-8, 210

Bósnia, 472

Brahe, Tycho, 387

brahman ("fórmula verbal"), 67, 70

Brahmo Samaj ("Sociedade de Brama"), 434-5

brahmodya (competição ritualizada), 70, 73-4, 128, 166, 210, 318

Brâman (realidade última), 17-8, 68-70, 72-3, 77, 125, 127-32, 144, 152, 154-5, 157, 254, 289-90, 292, 354, 421, 441

Brâmanas (escrituras), 71-2, 75, 78, 125-7, 144, 146, 464-5

Brâmanes (sacerdotes), 21, 59, 71, 75, 126, 154-5, 171-3, 178, 240, 290, 292

Bridgman, Percy, 74

britânicos na Índia, 433-4, 437, 439, 441

Brown, C. Mackenzie, 289

Brown, Peter, 250

Bryan, William Jennings, 411

Buber, Martin, 473-5, 478

Buda (Siddatta Gotama), 21, 149-55, 168, 173-4, 201-11, 260, 263, 265, 350, 404, 468; nirvana, 150; Nobre Caminho Óctuplo, 151; Quatro Verdades Nobres, 151-2, 155; "Sermão do Fogo", 154; sermões, 153

Budas, 149, 203, 205; Akshobhya Buda, 210; Buda Sugardhakuta, 210; Buddha Prabhutaratna, 209

Buddhaghosa (exegeta teravadin), 205

Buddhanasmrti ("recordações do Buda"), 204-6, 208, 261

Buddhavacana ("Palavra do Buda"/"ensinamentos iluminados"), 152, 154, 205

budismo, 20, 83, 149, 151-2, 155-7, 169, 173, 201-5, 208-9, 251, 256, 263-6, 294, 296, 298, 334-5, 375, 382, 384, 410, 421, 433, 466, 468, 470, 476; Chan (Zen), 20, 264-6, 302, 334-5, 337; *dharma*, 152, 173; *icchantika* (oponente do budismo), 265; *Lotus Sutra* (*Saddharmapudarika*), 208-9; maaiana, 201-5, 207-10, 263-4, 350, 466, 468; teravada, 201-5; tibetanos, 208

Buitenen, J. A. B. van, 173

Bultman, Rudolf: *Novo Testamento e mitologia*, 479
Burnouf, Eugene, 440

Caaba (Meca), 268, 278-9, 287, 325
cabala, 330-1, 333, 369, 403; cabalistas, 330-3, 366, 369-70, 421, 424, 466; Deus como En Sof ("Sem Fim"), 331, 366, 370, 393, 421, 466; luriânica, 370-1, 403, 423; *sefiroth* ("numerações"), 331-3; *Zohar* ("Livro do Esplendor"), 332-3
caçadores, sociedades de, 15-6, 79
Cadija, 267, 270
Caim, 35, 111, 363
Calcedônia, Concílio de (451), 251, 269
calvinismo/calvinistas, 354, 360-1, 364, 390, 397, 404; doutrina da predestinação, 360
Calvino, João, 352, 360; *Institutas da Religião Cristã*, 352
Cambridge, Universidade de, 314
Canaã/canaanitas, 34-6, 38-40, 46, 55, 109, 112, 483; símbolos canaanitas, 54; *ver também* Israel; Palestina
Cânone em Páli (escrituras budistas), 153, 201, 203-4, 206; Abidharma ("Outros Pronunciamentos"), seção, 154, 203, 206; Cesto de Disciplinas (*Vinaya Pitaka*), 153; Cesto de Discursos (*Sutta Pitaka*), 153; Parivara (regras restritivas budistas), 153; *ver também* budismo
Cântico do Mar (israelitas do Êxodo), 39, 43, 107
Cântico dos Cânticos, 244, 307, 332
canto gregoriano, 306, 465
capadócios, cristãos, 253, 388, 466
capitalismo, 311, 345, 380, 413
Carbala (Iraque), 282, 373
caridade, 236, 256-7, 287, 290, 307, 312, 350, 405, 468-9
Carlos Magno, rei franco, 305, 476
Carlos V, imperador romano-germânico, 355, 476
carmelitas, 353-4
Carr, David, 107
Carr, Peter, 402
Carruthers, Mary, 303
Carta da Terra (2000), 490
cartesianismo, 358, 393, 421, 462; *ver também* Descartes, René
Cassian, John, 303
cassitas, tribos, 34
cátaros ("puros", heresia medieval), 312, 469
catolicismo/católicos *ver* Igreja católica romana
cérebro humano, 13; hemisfério direito, 13-6, 18-20, 22, 37, 63, 66-7, 72, 77, 89, 123, 127, 152, 183, 249, 299-300, 321, 330, 336, 349, 358, 413-4, 420, 423, 464, 470-1, 488; hemisfério direito do, 151, 299; hemisfério esquerdo do, 13-5, 17, 19, 21, 65, 77, 151, 181, 184, 299, 306, 309, 317-8, 348-9, 353-4, 375, 388, 402, 413, 470, 473, 480; hemisférios do, 21, 72, 151, 299, 374
cetto-vimutti ("libertação da mente"), 155
chassidismo/judeus chassídicos, 422-6
Chandragupta Maurya, imperador indiano, 168
Charles I, rei da Inglaterra, 359
Chechênia, 458-9
cheng ("autenticidade"/"sinceridade"), 296
Cheng Hao, 298, 300-3, 334; *Da compreensão de Ren*, 300
Cheng Yi, 298-302, 334, 336
Cheng, rei chinês, 85, 88
China, 22-3, 79-81, 83, 87, 93, 95, 102, 119, 122-4, 133, 136-8, 157, 180, 191, 196, 201, 208, 221, 263, 265, 293, 337, 339-40, 354, 382-4, 431-3, 464, 467-8; adivinhação na, 81, 83, 101-2, 116, 191; budismo na, 264-5, 302, 334-5, 337; Chu (estado), 100, 118, 133; "Clássico das Mutações" (*Yijing/I Ching*), 83-4, 102, 188-90, 197, 201, 297; dinastia Han, 182, 196, 198, 200-1, 263, 298, 385, 430; dinastia manchu Qing, 385, 430-2; dinastia Ming, 382, 384-5, 431; dinastia Qin, 195; dinas-

tia Shang, 79-86, 88, 91, 95, 200; dinastia Song, 293; dinastia Xia, 79, 97, 200; dinastia Zhou, 82-6, 91-2, 95, 138, 295; Grande Planície, 79, 82, 91, 93-5, 97, 99-100, 118, 123, 133, 139, 293; Han (principado), 133; Iluminismo chinês, 429; império chinês, 138, 195, 198-9; Jin (estado), 100-2, 118, 133; legalistas na, 138, 196; literatos (*ru*), 95, 100, 118, 134-5, 196-7, 199; Mandato do Céu, 85-6, 142, 351, 468; missionários jesuítas na, 83, 386; período dinástico, 195, 197, 199-200, 263, 293, 298, 382-5, 430-2; período dos Estados Combatentes, 133-6, 138, 180, 185-6, 191, 195; Primeiro Imperador, 195-7, 199; Qi (estado), 100-1, 118, 133, 138; Qin (estado), 133, 138, 186; "Reis Sábios", 86, 118, 121, 134-5, 137-9, 142, 189-90, 197, 295, 386, 431; Song (principado), 82, 93, 118; Wei (principado), 82, 93, 133, 136; Zai (principado), 93; *ver também* "Clássicos" chineses (coleção de textos antigos); confucionismo; taoismo
christos ("ungido"), 229
Chu, estado de (China), 100, 118, 133
"ciência da criação" (literalismo bíblico), 412, 461-2
Ciência do Judaísmo (escola), 427-8
"Cinco Pilares" do islã *ver* islã/islamismo
Ciro II, rei da Pérsia, 114, 219
"Clássicos" chineses (coleção de textos antigos), 83, 94, 100, 121, 134, 138, 185, 431-2; "Clássico da Música" (*Yuejing*), 186-7, 197, 200; "Clássico das Odes" (*Shijing*), 88-9, 91, 93, 95, 99-102, 123, 135-6, 139, 186-7, 191, 200-1, 301, 385; "Clássico de Documentos" (*Shujing—Shangshu*), 84-7, 89, 93, 95, 97, 99, 101, 123, 136, 139, 186-7, 197, 200-1, 299; "Clássico dos Ritos" (*Liji*), 91, 95, 100, 123, 136, 186, 191, 200-1, 294-5, 464; *Daodejing* ("O Clássico do Caminho e sua Potência", Laozi), 180-1, 197; *Documentos, Odes, Ritos e Música*, 121, 123
Collins, Anthony: *Discurso sobre os fundamentos e razão da tradição cristã*, 396
colonialismo, 433, 445, 455
Colossenses, Epístola de Paulo aos, 236
compaixão, 22, 47, 86-7, 98, 121, 123-4, 134, 139-41, 145, 149, 151-2, 165, 173, 180, 202-3, 208-10, 225, 227, 239, 250, 271, 287, 292, 310, 325, 335, 340, 347, 351, 371, 415-6, 418, 455, 459, 471-2, 475, 490; *ver também* empatia
Companhia de Jesus, 354; *ver também* jesuítas
Concílio de Niceia (325), 247
Concílio de Trento (1545-63), 353; Padres Tridentinos, 368
Conferência do Fórum Global (Moscou, 1990), 490
Confúcio (Kong Qiu), 118-24, 133, 137-40, 142, 183, 185, 187, 190-1, 196-201, 295-8, 301, 334-5, 384, 430, 432, 467; origem do nome ocidental ("Kong fuzi" — "nosso Mestre Kong"), 119; *ver também Analectos*; *Anais de Primavera e Outono*
confucionismo/ confucionistas, 29-30, 34, 95, 97-8, 119-20, 122-3, 133-5, 137-40, 142, 184, 190, 195, 198-201, 256, 265, 280, 293-4, 334-6, 372, 382-4, 410, 421, 430, 435, 444, 467-8, 478, 489; neoconfucionismo, 333, 383; neoconfucionistas, 299, 302, 351, 429-30; "Novos Confucianos", 489; "unidade de Céu e humanidade" (*tianrenheyi*), 489; *ver também Analectos* (textos confucianos); Confúcio; Mêncio; Xunzi
consciência racional, 15, 306
Conselho dos Anciãos (Atenas), 157
Constantino, imperador romano, 245, 247, 249, 260
Constantinopla (antiga Bizâncio), 245, 255
Copérnico, Nicolau, 387
coraixitas, 268-9, 271, 275-6, 286, 326-7
Corbin, Henry, 319

Coreia, 208
coro grego, 419
cosmo ("mundo ordenado"), 64-6, 68, 70, 72, 74-5, 78-9, 83, 97-8, 118, 125-8, 146, 188-90, 193, 205, 248, 294, 313, 328, 340, 343, 370, 393-4, 421, 432-3, 463-4, 489, 491; "vitalismo" do, 432
cosmogonia, 289
cosmologia, 146, 283, 314, 330
Crisólogo, Pedro (bispo de Ravena), 304
cristianismo, 22-3, 29, 243, 245, 247, 251, 253, 259-60, 269, 273, 310, 344-5, 350, 358, 364, 366, 389, 396, 405, 411, 414-6, 418, 426, 440, 443, 466; e o islã, 272-5, 279, 284; e os judeus, 217, 226; "evangélico", 405; Fim dos Tempos, 215, 257, 273, 345, 406, 413, 469; fundamentalista, 409-10, 443, 461; Grande Cisma (1378-1417), 343; Monges do Deserto, 249, 303; Nietzsche sobre o, 414-5; ocidental, 254, 256, 258-60, 303, 310, 314, 352, 364-5, 370, 376-7, 409, 443; oriental/ortodoxo, 243, 248, 251, 256, 349, 360, 467; Páscoa cristã, 306; pré-milenarismo cristão, 405-7, 469; tipologia bíblica do, 476; Trindade, 253-4, 275, 316, 364-5, 394, 398; unitarismo cristão, 434; *ver também* Igreja católica romana; protestantes
Cristo *ver* Jesus Cristo
Cromwell, Oliver, 359
Crônicas, livros das (Bíblia hebraica), 117
Cruzadas/cruzados, 325-7, 443
cuchana (império iraniano), 263
cúficos, caracteres, 281
cuneiforme, escrita, 31-2, 45

Dai Zhen, 432
daimon ("força selvagem"), 164, 166-7
Dalai Lama, 208
Dalila, 485
Damasco (Síria), 47, 51, 215, 280-2
Dan *ver* Zhou, duque chinês de (Dan)
Daniel, livro de, 214, 223, 229
Daosheng (monge), 264-5
Daoxue ("aprendizado do Tao"), 299, 334
Dar al-Harb ("a Casa da Guerra"), 287
Dar al-Islam ("a Casa do Islã"), 287
darash ("sentido moral"), 330
Darby, John Nelson, 405-7
Dario III, rei da Pérsia, 192
darma, 68, 152-4, 156, 168-70, 172-8, 204, 208, 292, 440
Darrow, Clarence, 411
Darwin, Charles, 407-8, 413, 443; *A origem das espécies*, 408; teoria da evolução, 408
dasas ("bárbaros"), 60-1, 71
Davi, rei de Israel, 40-1, 44, 50-2, 256, 272, 476, 483
Daxue (*Grande Aprendizado*, no "Clássico dos Ritos"), 294, 336, 338, 386
Dayananda, Swami, 434-7; *Luz da verdade*, 436
de ("virtude"), 136
De Bary, William Theodore, 383, 432
Declaração de Independência dos Estados Unidos (1776), 400, 403
deísmo/deístas, 394, 398, 400, 402; "deísmo terapêutico moralista", 470
Derrida, Jacques, 489
Descartes, René, 160, 355-8, 374-5, 378-80, 383, 387, 400, 489; cartesianismo, 358, 393, 421, 462; *Meditações sobre filosofia primeira*, 356
Deus: antropomorfizado, 313, 320, 366, 369; como "Motor Primário", 328, 388, 390; como "Primeiro Autor", 314; como En Sof ("Sem Fim") para os cabalistas, 331, 366, 370, 393, 421, 466; como Ser, 112, 248, 317; de Israel, 53; essência de, 328, 331, 476; existência de, 317, 356, 393; morte de, 413; natureza de, 251-2; no catecismo católico, 17; nomes na Bíblia, 316; Tetragrammaton (quatro letras do Nome de Deus), 331; *ver também* Alá; Elohim; Jeová
Deuteronômio, 54, 56, 108, 225, 261-2, 399

deuteronomistas, 55-7, 107
devas ("os que brilham"), 61-8, 70-1, 73-4, 77, 155, 169, 177, 203, 435
Devi (deusa indiana), 288
Dewey, Arthur J., 230, 489
dharma, 152, 173, 177, 241
Dharma (deus indiano), 169, 175, 179
dhi ("visão interior"/"insight"), 66
dhikr ("lembrete"), 274, 279, 321, 323, 340, 373, 472
dhimmis ("súditos protegidos"), 280
Dhrtarashtra, rei indiano, 169-70, 175-7
Di Shang Di ("Deus Altíssimo" chinês), 79
Diabo *ver* Satã
Dihlawi, Shah Wali Allah, 444-6
Dilúvio, 29, 111, 259, 363, 405
Dimad, Mir, 374
Dinamarca, 426
Dionísio (deus grego), 158, 414, 416
Dionísio, o Areopagita, 316-8, 356, 366, 388, 466
direitos humanos, 23, 400-1, 405, 472-3
divindade, 16, 23, 28, 64, 67, 69, 71, 110, 114, 126, 135, 146, 164-5, 252-4, 268, 290, 293, 297, 331-3, 348-9, 366, 375, 378, 380, 388, 393, 398, 402, 414, 439, 453, 462, 470
dogma(s), 67, 155, 251, 253, 257, 269, 329, 347, 357, 371, 407, 466
Domingos de Gusmão, são, 312
dominicanos, monges, 312
Dong Zhongshu, 198; *Chunqiu fanlu* ("As joias opulentas da Primavera e do Outono"), 198-9
Doniger, Wendy, 170
Doré, Gustave, 485
Doutrina do Meio (*Zhongyong*, no "Clássico dos Ritos"), 295, 334, 383, 490
Dov Ber (erudito cabalista), 424-5
Draupadi, 176-7, 179
Drona (Brâmane), 174, 178
dukkha ("insatisfatória"), 143-4, 146, 151, 173, 180, 209
Duryodhana, 176, 179
Eck, Johann, 347
Eckhart, Meister, 128
Ecron (Israel), 40
Édipo (personagem mitológica), 161-6
Edom, reino de, 37, 39
Edwards, Jonathan, 404
Efésios, Epístola de Paulo aos, 236
Éfeso (Grécia), 192
Efraim (teólogo sírio), 250
Egéria (peregrina espanhola), 255
Egito/egípcios, 29-31, 33-7, 39, 42-4, 47, 50-1, 53, 56-7, 109, 112-4, 192, 231, 280, 443, 445, 455, 474, 478-9, 481, 483; Dez Pragas, 113; dinastia dos Ptolomeus, 192-3, 211-2; escravização dos israelitas no, 112; "Instruções de Amenemope", 33; Irmandade Muçulmana, 455; tradições de sabedoria, 37
Eichhorn, Johann Gottfried, 399
Einstein, Albert, 74
ekagrata ("concentração num único ponto"), 150
ekstasis ("um passo para fora"), 90, 121, 151, 157, 165-6, 185, 229, 293, 316, 318, 333, 375, 404, 414, 416, 428
El (Deus Altíssimo), 36-7, 40, 43-4, 51, 309
eleusinos, mistérios, 419
Elfrico, 305
Elias, profeta, 226, 231, 234, 255, 307, 422
Eliezer, rabino, 219-20, 262, 328
Elman, Benjamin, 431
Elohim (Deus), 17, 37, 43, 53, 56, 193, 225, 399, 491
Emerson, Ralph Waldo, 440
empatia, 14, 22, 124, 134-5, 140, 146, 151, 155, 165, 184, 239, 278, 300, 393, 399, 416, 465; *ver também* compaixão
En Sof ("Sem Fim") *ver* cabala; Deus
Enkídu (homem primitivo mesopotâmico), 29
Enoque, 213-4, 217, 229
Epopeia de Gilgámesh (épico mesopotâmico), 29-31, 33, 481

Erasmo, Desidério, 344
Esaú, 50, 111-2, 480
Escandinávia/escandinavos, 58, 303, 354
Escócia, 354
escolástica medieval, 318-9, 390
Escoto, João Duns, 318-9, 388
escrita: alfabética, 45; árabe, 281; caracteres cúficos, 281; chinesa, 80-1, 135, 190; cuneiforme, 31-2, 45; hebraica, 281
Esdras, 115-7, 211, 215, 219, 464; livro de, 215
Espanha, 312-3, 328, 330, 353-4, 366-7, 369, 389; marranos (judeus espanhóis), 389-92, 413; reis católicos, 366, 389
espiritualidade, 81, 129, 156, 175, 197, 200-1, 223-5, 239, 242, 249, 251, 291, 293, 298, 303, 309, 311-2, 319, 323, 329-30, 354, 360, 373, 382, 403, 405, 423-5, 429, 431-2, 439, 461, 464, 473
Ésquilo, 107, 158, 162; *Agamêmnon*, 158; *Édipo*, 162; *Os persas*, 158
esquizofrenia, 357
Estado Islâmico, 456-7
Estados agrários/sociedades agrárias *ver* agricultura
Estados Combatentes, período dos (China), 133-6, 138, 180, 185-6, 191, 195
Estados Unidos, 422, 444, 472; "cristianismo evangélico" nos, 405; Declaração de Independência (1776), 400, 403; Institutos Bíblicos norte-americanos, 410, 428; Pais Fundadores dos, 401; Primeiro Grande Despertar, 404, 471; Segundo Grande Despertar, 404, 424; União Americana pelas Liberdades Civis (Aclu), 411
Etz Hayyim (yeshivá), 427
Eucaristia, 250, 317, 348-9, 466
Eurípides, 161
Europa, 23, 83, 160, 256, 258, 303, 305, 309, 311, 313, 319, 325, 339-40, 343-5, 348, 355, 366-7, 369-70, 374, 382, 384-5, 389-91, 412-3, 415, 423, 426-8, 431, 464, 469, 471, 479, 489; Central, 305, 355; Guerra dos Trinta Anos (1618-48), 355, 397; Guerras Religiosas (1562-98), 354-5, 395; Peste Negra, 343; reforma educacional carolíngia, 305; Renascimento, 23, 343-4, 372; Setentrional, 23
Eusébio, bispo de Cesareia, 246-7
Evangelhos, 228, 230, 232, 234-5, 237-8, 253, 284, 311, 344, 346, 361, 390, 397-8, 409, 415, 462, 470, 474-5; de João, 234-5, 237, 246, 307, 476; de Lucas, 230, 232-4, 236; de Marcos, 230-2, 234; de Mateus, 230, 232-4, 237, 307; texto "Q", 230
evangélicos *ver* protestantes
Êxodo, livro do, 39, 43-4, 50-1, 54-5, 108, 110, 226, 231, 315, 479
Ezequias, rei de Judá, 52, 232
Ezequiel, profeta, 105-7, 109, 112, 121, 214, 234, 309, 327, 466

fabricantes de vaus" (Tirthankara), 146, 148
falsafah ("filosofia"), 313, 328-30, 369, 371, 373-4
Falwell, Jerry, 410
Fan Zhongyan, 294
Fang Yizhan, 393
Fang Yizhi, 385, 423, 430
fariseus, 216-8, 233, 237, 262
faylasufs ("filósofos"), 313-5, 330, 331
Feng Yulan, 489
Fenícia, 30
Fernando, rei de Aragão, 366, 389
Fielding, Henry, 398; *A história de Tom Jones*, 398
Filisteia/filisteus, 39-40, 47, 484-5, 487-8
Fílon de Alexandria, 192, 214
filosofia: ocidental, 387; *philosophes*, 400, 420, 426, 429; védica, 440
Finney, Charles, 405
França, 11, 303, 308, 312, 354-5, 369, 390, 398; cavernas de Lascaux, 11-2; Guerras Religiosas (1562-98), 354-5, 395
franciscanos, 312

Francisco de Assis, são, 312, 469
Frankel, Zechariah, 427
Franklin, Benjamin, 394, 400
Frei, Hans, 474
Freud, Sigmund, 479; *Moisés e o monoteísmo*, 479
Fu Xi (primeiro Rei Sábio), 189-90, 200
fundamentalismo, 410-1, 428, 437, 476, 478; cristão, 23, 409-12, 434, 438, 443, 461, 469; evangélico, 410; judaico, 411, 428; literalismo fundamentalista, 428, 476, 478; Movimento Reconstrução (fundamentalismo evangélico), 469; protestante, 409-12, 434, 443, 461, 469; "racionalista iluminista", 439; sikh, 437-8, 461
Fúrias (personagens mitológicas), 160
Fustat (Egito), 280

Gabriel (anjo), 322, 453
Galeno, 390
Galileia/galileus, 212-3, 216, 222, 226, 230-1, 260, 326, 370
Galileu Galilei, 393
gana ("tropa"), 149
Gandhi, Mohandas (Mahatma), 86, 441-2
Ganesha (deus indiano), 173, 290
Ganges, rio, 62, 71, 102, 125, 143, 152, 169, 263, 291
Gao Paulong, 429; *Kanxue Ji* ("Recordações das labutas da aprendizagem"), 429
Gath (Israel), 40
Gaza (Palestina), 40, 192, 485
Geiger, Abraham, 427
Gellner, Ernest, 439
Genebra (Suíça), 347
Gênesis, 108, 110, 117, 308, 360, 370, 397, 399, 412, 461, 476-7, 483-4, 491; *bereshit* ("no princípio"), 308; *ver também* Adão e Eva
genocídios, 472-3, 477
gewu ("investigação das coisas"), 294, 300-1, 386
Gezer (Israel), 46
Ghose, Aurobindo, 441
ghuluww ("extremista"), 372
Gikatilla, Joseph, 330
Gilbert d'Auxerre (monge), 307
Gilgámesh *ver Epopeia de Gilgámesh* (épico mesopotâmico)
Glossa Ordinaria ("a Glosa Ordinária"), 308, 313
Gobind Singh, Guru, 381
golá (comunidade de israelitas exilados) *ver* israelitas
Golias, 40
Gomer, 49
Gonda, Jan, 76-7
Gongsan Hong, 199
Gongyang (comentários chineses), 191, 198
gopis (pastoras de vacas na Índia), 292-3
Gorendhara, monte, 292
Górgias, 278
gospel, canções, 404-5
Graf, Karl Heinrich, 400
Grande Cisma (1378-1417), 343
Grande Planície (China), 79, 82, 91, 93-5, 97, 99-100, 118, 123, 133, 139, 293
gravetos de milefólio dos Zhou (adivinhação chinesa), 83, 101
Grebel, Konrad, 349
Grécia, 58, 157-9, 191, 278, 313, 344, 414-5; coro grego, 419; culto dos heróis na religião grega, 159; epopeias homéricas, 157, 169; filósofos greco-romanos, 236; helenismo (período helenístico), 192-3, 213; historiadores gregos, 397; mistérios eleusinos, 419; *pólis*, 159-61, 164, 166, 192, 212, 414; *politeia*, 213; religião grega, 159, 166; tragédias gregas, 158-60, 414, 416; *ver também* Atenas/atenienses
grego, idioma, 54, 161, 215-6, 229, 347, 414
Gregório Magno, papa, 304
Gregório, bispo de Nazianzo, 253-4
Gregório, bispo de Nissa, 252, 254
Grenfell Tower (Londres), 471
Griffith, Ralph T., 440

Griffiths, Bede, 12, 482
Grossman, David, 484-9; *Mel de leão: O mito de Sansão*, 484
Guanyin (bodhisattva), 208
Guerra Civil Inglesa (1642-9) *ver* Inglaterra
Guerra do Iraque (2003) *ver* Iraque
Guerra dos Trinta Anos (1618-48) *ver* Europa
Guerras Religiosas (1562-98) *ver* Europa, França
Guliang (comentários chineses), 191
Gupta, dinastia (Índia), 169
Gurdwara (Templo Dourado, Índia), 381
Guru Granth Sahib ("O Guru dos Sikhs", escritura), 381, 437-8, 461
gurus, 130, 175, 177-8, 240, 381, 437-8
Gutenberg, Johannes, 339, 347

Habacuque, profeta, 346
Habsburgo, dinastia dos, 354-5
hadith (relatos islâmicos), 283-4, 287, 323, 325, 376, 445-6, 448-9, 452, 457
Hafsa, 281
Hajj, peregrinação do, 268, 276, 279
Halle, Universidade de, 396-7, 399
hamartia ("mácula"), 160, 162, 166
Hamas (organização palestina) *ver* Palestina/palestinos
Hamurabi, rei da Babilônia, 29, 33
Han (principado chinês), 133
Han Yu (confucionista), 294-5
Han, dinastia (China), 182, 196, 198, 200-1, 263, 298, 385, 430
Handel, George Frederick, 358
hanifiyyah ("religião pura"), 267, 269
Hanxue ("aprendizagem Han"), 430-2
Haram (Meca), 268, 276, 286, 326
Hargobind, Guru, 381
Harivamsha, 292
hasidim (pregadores judeus), 422
Haskalá *ver* Iluminismo judaico (Haskalá)
hasmoneanos, judeus, 212-3, 215-6; Bíblia hasmoneana, 214-5
hassidismo/judeus hassídicos, 422-6, 428, 473
Hazor (Israel), 34, 46
hebraico, 37, 256, 281, 329, 347, 352, 426; *bereshit* ("no princípio"), 308; *Hebraica veritas* ("a verdade em hebraico"), 256; *torah* ("ensinamento"), 43; *ver também* Bíblia hebraica
Hebron (Israel), 40
Hedgewar, Keshar B., 436
Hefesto (deus grego), 157
Hegel, Georg Wilhelm, 407, 427, 489
Heidegger, Martin, 17
hekon ("vontade"), 160
helenismo (período helenístico), 192-3, 213
Herder, Johann Gottfried, 399, 440
Herodes, 216, 226, 228, 232
hexagramas, 83-4, 188, 190, 297; *ver também* *Yijing* (*I Ching*, "Clássico das Mutações")
hicsos, 34
Hillel (rabino), 220, 224
Hilquias (sumo sacerdote), 53
Hiltebeitel, Alf, 171
hin (ritual chinês), 90
hindus/hinduísmo, 339, 381-2, 410, 433-9, 443, 458, 476, 491; e os britânicos, 433; *ver também* Índia
Hipona (norte da África), 256
Hira, monte, 267, 269-70
Hirsch, Samuel Raphael, 428
hititas, 34, 40, 44
Hitler, Adolf, 477
Hobbes, Thomas, 401
Hodge, Archibald, 409
Hodge, Charles, 408-9, 412; *Teologia sistemática*, 409
Hodgson, Marshall G. S., 277-8
Holanda, 354-5, 390-1
Holocausto, 472-3, 477
Homem-Leão (estatueta de marfim), 11-3, 15-6, 18, 24

Homero, 358; *Ilíada* 31, 157, 169, 192; *Odisseia*, 157, 169
Homo sapiens, 11, 15
homoousios ("da mesma natureza"), 248, 251
horoz ("cadeia"), 224-5, 231, 233, 255, 467
hotr (sacerdote védico), 71, 76
Huang Lo (Imperador Amarelo), 197, 200, 384
Huang Zongzi, 430; *Ming xuean*, 431
Hubmaier, Balthazar, 348
Hudaybiyyah, Tratado de (628), 276, 286, 326-7, 456
Hugo de São Vítor (monge), 308
Hui, duque chinês de Jin, 102, 121
Hulda (profetisa), 54
humanismo/humanistas, 23, 344, 347; humanismo bíblico, 473
Humboldt, Wilhelm von, 440
Hume, David, 397-8
Hupfeld, Hermann, 399
Huraya, Abu, 446
Hussein, imã 282, 373
Hut, Hans, 350
Huxley, Thomas H., 412
huzn ("tristeza", "pesar" ou "queixume"), 465
hypostases ("qualidades externas"), 253

I Ching ver *Yijing* (*I Ching*, "Clássico das Mutações")
Ibéria (Península Ibérica), 390; Reconquista cristã da, 326
Ibn Abbas, Ikrima, 448
Ibn Abbas, Muhammad: *Tanwir al-Miqbas*, 285-6
Ibn al-Arabi, Muid ad-Din, 324-5, 421, 467
Ibn Aslam, Zayd, 287
Ibn Jabr, Mujahid, 285
Ibn Masud, Abdallah, 281
Ibn Rushd, Abu al-Walid ibn Ahmad (Averróis), 329
Ibn Sad, Muhammad (biógrafo de Maomé), 376-7, 452
Ibn Sina, Abu Ali (Avicena), 313-4, 356
Ibn Sulayman, Muqatil, 285
Ibn Taymiyyah, Ahmed, 323
Ibn Thabit, Zayd, 281
icchantika (oponente do budismo), 265
Idade da Razão, 357, 393, 420
Idumeia/idumeus, 212-3, 216
Iêmen, 268-9, 471
Igreja católica romana, 248, 345, 347, 353-5, 358, 360, 366, 374, 384, 391-2, 397, 400, 403, 425; catecismo católico, 17
ijtihad ("raciocínio independente"), 284, 348, 371, 374, 376, 445
Ikrima ibn Abbas, 448
iluminação, 69, 86, 97, 130, 144-7, 149, 151-5, 174, 185, 187-8, 202-5, 207-10, 242, 245, 264-5, 273, 294, 296, 302, 335, 337, 339, 351, 354, 364, 404, 429, 463
Iluminismo, 356, 358, 396, 400-1, 403, 415, 420, 422-3, 426, 428-9, 431, 474, 489; *philosophes*, 400, 420, 426, 429
Iluminismo judaico (Haskalá), 426, 428
imãs, 320, 372, 374-5; Imã Oculto, 372-4
Imperador Amarelo (Huang Lo), 197, 200, 384
Império Romano, 228, 236, 238, 245, 250, 258, 260, 303; *ver também* Roma
Inácio de Loyola, santo: *Exercícios Espirituais*, 354
Índia, 22-3, 58-60, 66-7, 76-7, 79, 102, 126, 129-30, 143-4, 153, 157, 159, 168-71, 187, 192, 202, 204, 208, 221, 239, 241, 263, 268, 288-91, 306, 371, 377, 420, 424, 433-4, 439-41, 444, 447, 455, 458, 464, 466-8; dinastia Gupta, 169; domínio britânico na, 433-4, 437, 439, 441; Jamaat al-Islami, 455; sutras, 130; *ver também* hindus/hinduísmo; Veda(s)/textos védicos
indo-europeu, idioma, 58, 60, 379
Indra (deus ariano), 60-2, 64-5, 68, 75, 169, 179-80, 240, 292

Inglaterra, 23, 306, 318, 354-5, 359, 396-8, 408-9, 433, 438-9; Bíblia do rei Jaime (tradução inglesa), 358; britânicos na Índia, 433-4, 437, 439, 441; Guerra Civil Inglesa (1642-9), 359; *Regularis Concordia* ("Acordo Monástico"), 306; romancistas ingleses, 398; *ver também* anglicanos (Igreja anglicana)
Inocêncio III, papa, 312
Inquisição, 389
Institutas da Religião Cristã (Calvino), 352
Institutos Bíblicos (EUA) *ver* Estados Unidos
intentio ("concentração"), 307-8, 310, 312, 469-70
ioga/iogues, 60, 65-6, 130, 146, 150-2, 155-6, 185, 240, 291, 293, 302, 404, 421, 468, 470; *asana*, 150; *pranayama*, 150
Irã/iranianos, 27, 29, 79, 280, 370-4, 443; *ver também* Pérsia
Iraque, 29, 47, 280-1, 457, 472; Guerra do Iraque (2003), 459
Irineu, bispo de Lyons, 256
Irmandade Muçulmana, 455
Isaac (filho de Abraão), 36, 56, 109-10, 255, 272, 332, 480
Isaac de Latif (cabalista), 330
Isabel, rainha de Castela, 366, 389
Isaías, profeta, 46, 51-2, 114, 232, 238, 309, 396; "Segundo Isaías", 114-5, 235
Isfahan (Irã), 372-5
Ishmael (rabino), 219, 221, 328
Ishtar (deusa mesopotâmica), 481
islã/islamismo, 22, 29, 270-2, 276, 278-80, 282, 284, 286-7, 325, 333, 371, 374, 376-7, 403, 411, 439, 443-4, 446, 448-50, 456, 476; "Cinco Pilares" do, 279, 376; Conferência Islâmica, 438; Dar al-Islam ("a Casa do Islã"), 287; e a ciência aristotélica, 313-4; *fiqh* (jurisprudência islâmica), 283, 466; *islah* ("reforma"), 371; *jihad* ("luta"), 284-5, 287-8, 325-6, 376-7, 444, 455-9; *kafir*/*kafirun* (infiel/infiéis), 274, 377; mesquitas, 286, 326, 372, 458; misticismo islâmico, 319-21; peregrinação do Hajj, 268, 276, 279; Ramadã, jejum do, 279, 287, 327; reforma islâmica (séc. XVIII), 376; *salat* (preces islâmicas), 279, 377; sufismo/sufistas, 283, 321-3, 325, 333, 371-4, 376, 421, 449, 454, 469; sunitas, 282, 372-3, 444, 456; *tajdid* ("renovação"), 371; wahhabistas, 376-7, 469; xaria (lei islâmica), 371; xiitas, 283, 319-20, 371-5, 467, 469; *ver também* Alcorão; *hadith* (relatos islâmicos); Maomé, profeta; muçulmanos
islah ("reforma"), 371
Ismael (filho de Abraão), 111, 267-9, 272
Ismael (filho de Jafar), 320; ismaelitas, 320, 329
Ismail, xá, 371-2
Israel, 29, 34-56, 102, 105, 108-9, 114, 116-7, 157, 193, 211, 217, 226-7, 233, 237, 245, 258, 304, 309, 327, 366, 370, 396, 400, 411, 467-8; Deus de, 53; escrituras de, 19; povo de, 102, 193, 245, 258, 309, 327, 370; textos de Sabedoria, 193; tribos de, 36, 231
israelitas, 36, 38-41, 43, 47-8, 52, 54-5, 102, 105-7, 109, 112-5, 117, 192, 212, 231, 484; Cântico do Mar, 39, 43, 107; exílio na Babilônia, 57, 102, 219, 467; Êxodo dos, 36, 39, 43-4, 50, 110, 114, 226, 231, 315, 479; fusão de tradições gregas e hebraicas, 192; *golá* (comunidade de israelitas exilados), 108-10, 114-5; Sukot (festival israelita dos tabernáculos), 116-7; *ver também* judeus
Isserles, Moshe (Rasa), 367-8
istighna ("autossuficiência"), 269, 271
Itália, 58, 305, 312, 343

Jabotinsky, Ze'ev, 486
Jacó, 36-7, 40, 50, 56, 109-12, 157, 231, 272, 477-8, 480-1, 483-4; e as doze tribos de Israel, 36, 231
Jacobson, Israel, 426

Jafar al-Sadiq, 319-20, 322, 372
Jahangir, xá, 380-1
Jaime, rei da Inglaterra, 358
jainismo, 145-50, 152, 169, 256, 348, 433, 468; festival de Pargushan ("Permanência"), 148-9; *Kalpa Sutra* (escritura jainista), 148-9; *vacana* (concílios jainistas), 148
Jamaat al-Islami (Índia), 455
Jâmblico, 76
James, William, 15
Janemajaya, rei indiano, 171-2
Japão, 208, 264
Jarrah, Ziad, 458
Jasão, 212
Jatarka, 203
jebuseus, 40
Jefferson, Thomas, 394, 400-2, 405
Jeová (Javé/Yahweh), 7, 27-30, 33-57, 105-7, 109-17, 157, 193, 214-5, 219, 227, 229, 231, 234, 246, 261, 399, 425, 466, 487; culto em Jerusalém, 41, 44-5; e a Torá, 36, 43, 53; e Abraão, 35, 44, 56, 109-10; e Adão e Eva, 27, 30, 113; e Ciro II, rei da Pérsia, 114, 219; e Davi, 44, 50, 52; e Esdras, 116-7, 219; e Ezequiel, 107; e Jeremias, 48, 57; e Moisés, 43, 111-2, 117, 261; e o Êxodo, 36, 39, 43-4, 50, 110, 114, 226, 231, 315; e os qumranitas, 215; El (Deus Altíssimo), 36-7, 40, 43-4, 51, 309; *kavod* ("glória") de, 214, 234, 327, 466; "Presença" (Shechiná) de, 55, 113, 212, 223-5, 233, 327, 332, 370; Tetragrammaton (quatro letras do Nome de Deus), 331
Jeremias, profeta, 48, 55, 57, 117, 307; Lamentações de, 307
Jeroboão II, rei de Israel, 44, 46
Jerônimo, são, 250, 255-6, 259, 313, 344; tradução latina da Bíblia (Vulgata), 256, 313, 353
Jerusalém, 40-1, 44-5, 48, 51-2, 57, 107, 109, 114-5, 117, 194, 211-2, 216-8, 220, 222-3, 225, 227-8, 232-3, 238, 249, 255, 260, 269, 321, 390, 406-7, 427; cerco romano de, 217, 231; cruzados em, 325; culto de Jeová em, 41, 44-5; destruída pelos babilônios, 102; domínio romano em, 217, 228, 236-7; entrada de Jesus em, 306; judeus, cristãos e muçulmanos em, 325; morte de Jesus, 230-2, 318, 464; peregrinações a, 226; templos de, 44, 53-5, 57, 213, 249; Tobíades em, 211-2
jesuítas, 83, 354, 386, 388, 423; na China, 83, 386
Jesus Cristo, 19-20, 75, 208, 217-8, 226-38, 243, 246-9, 252, 254-5, 257, 269, 272-5, 279, 284, 303, 306, 309, 312, 316, 348, 361, 394, 396, 398, 402, 404-7, 415, 420, 466-8, 470, 474, 476, 483; batismo de, 255; como Logos, 234, 247-8; como Messias, 230-3, 235-7; criado em Nazaré, 226; crucificação de, 228-31, 255, 309, 318, 325, 405; discípulos de, 19, 226, 228, 235, 404; duas naturezas de, 251; e a Eucaristia, 250, 317, 348-9, 466; e o arianismo, 246-8, 251-2, 254; e o Credo Niceno, 248; encarnação, 243, 250-1, 309, 394, 398, 418; ensinamentos de, 230, 236, 402, 475; entrada em Jesuralém, 306; morte de, 228, 230-2, 318, 464; nascimento de, 232; parábolas de, 227, 256; Segunda Vinda, 406; Sermão da Montanha, 233
jhana ("estado de transe"), 150
jian ai ("amor universal"/"preocupação por todos"), 135, 196, 471
Jiao Hong, 384, 430-1
jihad ("luta") *ver* Alcorão, islã/islamismo
Jihad Islâmica, 457
Jin (estado) *ver* China
jina ("conquistador" espiritual), 145
jing ("atenção reverente"), 83, 180, 185-6, 197, 299-300, 302, 334, 339, 429
jinn (duendes árabes), 270
jiva ("alma"), 145-6

Jixia, Academia (China), 138
João da Cruz, são, 353
João de Patmos, 238
João II, rei de Portugal, 389
João, são, 234
Joaquim, rei de Judá, 57
Joel, profeta, 229
Jones, Bob, 410
José (filho de Jacó), 111, 308, 332, 477-81, 483-4
José (pai de Jesus), 226
Josefo, Flávio, 216-7, 231, 486
Joshua, rabino, 219, 225, 262
Josias, rei de Judá, 53-4, 56-7, 59
Josué, 36, 55, 117, 402; livro de, 36, 55, 108, 402
Jowett, Benjamin, 408
Judá (filho de Jacó), 483
Judá, reino de, 44-8, 50-7, 108, 115-6, 192, 211-2, 217, 464, 467; judaítas, 46, 53-4, 57, 112-3, 115, 192, 211-4, 216, 218, 309; religião de, 212
judaísmo, 22, 29, 212-3, 216, 218, 237, 260-1, 269, 273, 327-9, 333, 389-91, 411, 423-4, 426-8, 474; Ciência do Judaísmo (escola), 427-8; Dez Mandamentos, 54-5; hassidismo, 422-5, 428, 473; Messias, o, 114, 217, 219, 222, 230-3, 235-7, 329; misticismo judaico, 329-30; Páscoa judaica, 113, 217, 223, 226; rabínico, 218, 261, 327; Reforma do, 426-8; yeshivás (escolas judaicas), 427-8; Yom Kippur, 427; *ver também* Bíblia hebraica; Iluminismo judaico (Haskalá); Mishná; Talmude; Torá
judeus, 29, 102, 107, 113, 216-8, 220, 222-4, 231-2, 234, 237, 239, 256, 260-1, 267, 269, 272-4, 280, 325, 327-30, 333, 346, 366-71, 389-94, 407, 409, 413, 423, 425-9, 448, 458, 466, 473-4, 477, 486; asquenazes, 367, 369; cabalistas, 330-3, 366, 369-70, 421, 424, 466; em Portugal, 389; fariseus, 216-8, 233, 237, 262; hasmoneanos, 212-3, 215-6; hassídicos, 422-6; Holocausto, 472-3, 477; marranos (judeus espanhóis), 389-92, 413; *misnagdim* ("Oponentes"), 425-6, 428; na Holanda, 390-1; na Lituânia, 422, 425, 427; na Polônia, 367, 369-70, 422; ortodoxos, 426; sefarditas, 369, 403; sionistas, 461; *ver também* israelitas
Juízes, livro dos, 7, 55, 484
Jung, Carl, 419
junzi (aristocratas chineses), 94, 96, 98, 100-2, 121, 124, 140-1, 186, 201, 294, 383, 430, 468

kafir/kafirun (infiel/infiéis) *ver* Alcorão
Kali Yuga ("idade das trevas"), 170, 241, 435
Kaliya (monstro mitológico indiano), 292-3
Kalpa Sutra (escritura jainista), 148-9
Kandahar (Afeganistão), 458
Kannon (bodhisattva), 208
Kant, Immanuel, 401, 427, 440, 489; *Crítica da razão pura*, 401
kaozhengxue ("pesquisa comprobatória"/ "empirismo"), 430
Karauvas, 169
Karlstadt, Andreas, 350
karma ("ações"), 73, 78, 125, 129, 143, 241
Karo, Joseph: *Magid Mesharim*, 308
Karo, Yosef, 308, 367, 369; *Shulkhan Arukh*, 367
Kartarpur (atual Paquistão), 340
Kashan (Irã), 372
Kashi, reino de (Índia), 143, 168
Kauravas, 172-3, 176, 241, 440-1
Kautalya (Brâmane), 169
kavi ("poeta"), 67
kavod ("glória" de Jeová) *ver* Jeová (Javé/ Yahweh),
kaya ("atenção plena ao corpo"), 156, 204
Keats, John, 421, 425
Kemal Atatürk, Mustafá, 443
kenosis ("esvaziamento"), 22, 74, 91, 118, 121,

123, 131, 145, 151, 163, 235, 346, 356, 370, 404, 418, 420, 423, 459, 470, 481
Kepler, Johannes, 393
kevala ("onisciência"), 145
Khurasan (Irã), 372
King, Martin Luther, 86
Koliya ("república" indiana), 143
Kong Qiu *ver* Confúcio
Koshala, reino de (Índia), 143, 168
Krishna, 171, 177-8, 240-2, 290-3, 439-42; *ver também* Vishnu (deus indiano)
Krochmal, Nachman, 427
Kufa (Iraque), 280-2
Kumarajiva, 264
Kung, rei chinês, 89-90
kurus (clã ariano), 71
kusala ("proveitoso"), 151

La Peyrene, Isaac, 392
Labão, 480
lakshanas ("tópicos"), 289-90
Lambdin, M. B., 410
Land, Aharon, 369
Langer, Suzanne, 278
Laozi, 180-2, 185, 187, 193, 197, 201, 263-4, 384; *Daodejing* ("O Clássico do Caminho e sua Potência", 180-1, 197
Lascaux, cavernas de (França), 11-2
latim, 256, 314, 316, 344, 352, 426
Leão I, papa, 251
lectio divina ("estudo divino"), 306-7, 312-3, 465
legalismo/legalistas, 138, 195-6
Leibniz, Gottfried Wilhelm, 489
Lessing, Gotthold, 396
Levante, região do, 53, 325-6
Levenson, Joseph, 489
Levine, Amy-Jill, 237
Lévi-Strauss, Claude, 87
levitas (sacerdotes), 45, 116
Levítico, 108, 113, 476
li ("princípio celestial"), 299
Li Si, 195
Li Tong, 334-5
Líbano, 29, 372, 459
Licchavi ("república" indiana), 143
Liji ("Clássico dos Ritos", escritura chinesa), 91, 95, 100, 123, 136, 186, 191, 200-1, 294-5, 464
lila ("brincar"), 293
Lindbeck, George, 475-8
língua indo-europeia, 58, 60, 379
littera ("sentido literal"), 308
Lituânia, 422, 425, 427
Liu Bang, imperador chinês, 196-7
Liu Xin (historiador), 196
Ló, mulher de, 308
Locke, John, 395-6, 400-3, 440; *Carta sobre a tolerância*, 403
logos: "razão"/"palavra", 21, 62, 64, 81, 161, 166-7, 250, 255, 320, 341, 415, 419, 425, 474, 481;
Lossky, Vladimir, 251
Lu, principado de (China), 82, 94-5, 101, 118; ritualistas de, 97-8
Luria, Isaac, 369-70, 393; cabala luriânica, 369-71, 403, 423
luteranos, 354, 397, 414
Lutero, Martinho, 345-8, 350-2, 354, 358, 373, 375, 395; *Catecismo Menor*, 352
Lyttelton, George, 398

maaiana, budismo, 201-5, 207-10, 263-4, 350, 466, 468
"Maat" (conceito egípcio de "verdade, equidade, justiça"), 30, 33
Macabeu, Judas, 212, 215
macabeus, 213
Madison, James, 400
madraças, 372, 444
Magadha, reino de (Índia), 143, 168
Magedo (Israel), 34, 46
Magêncio, imperador romano, 245
magiares, 303
Mahabharata (épico indiano), 169, 172-4,

193, 204, 239-40, 288, 290-2, 435, 439-40, 466
Mahadeva (monge budista), 201-2
Maharshal (Solomon ben Jehiel), 368-9
Mahavira, 144-9; *ver também* jainismo
Maimônides (Moses ben Maimon), 328-9, 356-7, 369; *Mishneh Torah* ("Segunda Lei"), 367
Majlisi, Muhammad Baqir, 373-4
Malásia, 444
Malla: "república" indiana, 143; tribo iraniana, 126
Manassés, rei de Judá, 52-5
Manat (deusa árabe), 268
Mandato do Céu (China), 85-6, 142, 351, 468
Mandela, Nelson, 86
Manetti, Gianozzo, 343
manisa ("palavra perceptiva"), 76
Manjushri (bodhisattva), 209
Mann, Thomas, 477-80, 482-4, 489; *A montanha mágica*, 478; *As histórias de Jacó*, 477, 480; *José no Egito*, 477; *José, o Provedor*, 477; *O jovem José*, 477
mantras, 76-7, 127, 129, 131-2, 146, 278, 288-90, 292, 306, 321, 340, 382, 434, 466
Manuel I, de Portugal, 389
Manz, Felix, 349-50
Mao Tsé-tung, 489
Maomé, profeta, 267-70, 272-8, 280-3, 285-6, 319-22, 325-7, 437-8, 444-5, 449, 451-6; e o tratado de paz de Hudaybiyyah (628), 276, 286, 326-7, 456; *hijrah* (Hégira) migratória de Meca para Medina, 285, 456; *Layla al-Qadr* ("Noite do Destino"), 267; mulheres de, 267, 270, 281, 324, 449, 454; recebe a revelação de Deus, 267; "Viagem Noturna" de, 321; *ver também* Alcorão; islã/islamismo; muçulmanos
mar dos Juncos, 36, 38, 112
"Marcial" (ode chinesa), 88
Marcião, 236-7
Maressa (Israel), 192
marranos (judeus espanhóis), 389-92, 413
Marty, Martin E.: *Projeto Fundamentalista*, 410
marutas (entourage de Indra), 61
Marx, Karl, 407, 413; *Das Kapital*, 413
Mathura (Índia), 292
Matusalém, 214
Maududi, Abul Ala, 455
máurias/império máuria, 168-9, 172, 204, 240
Máximo, o Confessor, 252
McAlister, Alexander, 410
McGilchrist, Iain: *The Master and His Emissary*, 470
Meca (Arábia), 267-8, 270-1, 275-7, 279, 281, 283-7, 321-2, 326, 339, 447, 456-7; Caaba, 268, 278-9, 287, 325; Haram, 268, 276, 286, 326
Medina (Arábia), 275-6, 281-2, 285, 287, 322, 447, 450-1, 456
meditação, 126-7, 144, 146, 150-1, 158, 180-1, 202-3, 205, 208, 245, 254, 263, 302, 307-8, 312, 316, 319, 334, 339, 353, 369, 371, 379, 394
Meditações sobre filosofia primeira (Descartes), 356
Meir (rabino), 224-5, 328
"memória cultural", 30
Mêncio, 137-42, 197, 200-1, 265, 294-6, 298, 301, 334, 384, 429, 432-3; *Mencius* (escrituras), 302, 336
Mendelssohn, Moses, 426; *Jerusalém*, 426
Menelau, 212
Mernissi, Fatima, 449-50
Meru, monte, 179, 240
Mesopotâmia, 29-31, 33-4, 36-7, 42, 109, 211, 269, 280-1, 326; tradições de Sabedoria, 37
mesquitas, 286, 326, 372, 458
Messias, o *ver* Jesus Cristo; judaísmo
metodistas, 409-10
Metzger, Thomas, 432

México, 472
midrash ("exegese"), 116-7, 219, 221, 228-9, 232-4, 244, 308, 359, 392, 467, 474, 485-6
Miller, William, 406
Milton, John, 21, 358-66, 388, 485; *Areopagítica*, 359, 362; *Da doutrina cristã*, 358; *Paraíso perdido*, 21, 358-9, 361, 366; *Samson Agonistes*, 485
min ("arraia-miúda"), 80, 85, 87, 135, 142, 296
Ming, dinastia (China), 382, 384-5, 431
miqra ("convocação"), 219, 473
Miqueias, profeta, 51, 232
Mishná, 218, 220-25, 237, 260-2, 267, 369, 464; Seis Ordens, 223; Tosefta ("Suplemento"), 260, 369
mishnah ("tradição repetida"), 219, 348
Mishneh Torah ("Segunda Lei") *ver* Maimônides (Moses ben Maimon)
misnagdim ("oponentes") *ver* judeus
misticismo, 12, 15-7, 66, 128, 272, 324, 330, 356, 421, 426, 430, 466-7; cristão, 353; islâmico, 319-21, 324, 374; judaico, 328-30; origem da palavra, 65
mitanianos (tribo ariana), 34
Mitchell, Leander W., 410
mitos, 11, 17, 20, 61-2, 64, 68, 73, 158, 171, 200, 333, 397, 461-2, 479-81
Mitra (deus ariano), 61, 64-5, 67
mitzvoth ("mandamentos"), 221, 391
Moab, reino de, 37, 39, 47
mogul, império, 339, 371, 377, 380, 433-4, 444
Moisés, 29, 36, 43, 53-4, 56, 107, 109, 111-5, 117, 214-6, 220-2, 226, 233-4, 261-2, 273, 352, 392, 473-4, 479; e a Mishná, 220, 222; e a Torá, 115, 221, 226, 260-1, 272; e Jeová, 43, 111-2, 117, 261; e o Pentateuco, 399; no Egito, 29, 112, 479; no monte Sinai, 43, 53, 221, 226, 231, 260, 306; tira os israelitas do Egito, 36, 39, 109, 113-4, 226
Moisés de León (cabalista), 330, 332
moksha ("libertação"), 60, 144-5, 242
monasticismo/mosteiros, 202, 247, 286, 303, 305-7, 326
monges: beneditinos, 12, 305-7, 312, 338, 350, 421, 464-5; budistas, 152-3, 155-6, 201-3, 208, 210, 263, 385, 468; dominicanos, 312; franciscanos, 312; Monges do Deserto (cristãos), 249, 303; Ordem dos Frades Menores, 312
mongóis, 326, 371-2
monoteísmo, 22-3, 29, 36-7, 48-9, 55, 128, 237, 267, 293, 377, 466, 468, 471, 475, 479, 482
Montaigne, Michel de: "Apologia de Raymond Sebond", 355
Moody Bible Institute (Chicago), 409
Moody, Dwight Lyman, 409
Moore, Keith, 463
Mot (deus canaanita), 38, 44, 49
Motor Primário, 314-5, 328, 388, 390
Mozi, 134-6, 139, 197, 384, 471; moísmo/moístas, 134, 141, 184, 196
Mu Shu, 101
Muawiyyah, 282
muçulmanos, 24, 272, 274-6, 278-86, 288, 313, 320, 322-7, 339, 348, 367, 371-2, 374, 376, 380, 410, 433-4, 436, 438, 443-8, 451-6, 458-9, 462-4, 466-7, 469, 471, 491; Cruzadas contra os, 325-7, 443; e a ciência aristotélica, 313-4; e a Grenfell Tower (Londres), 471; e o terrorismo jihadista, 461, 469; na Chechênia, 458-9; reformistas, 371, 462; salaf/salafistas, 455-9; sunitas, 282, 372-3, 444, 456; xiitas, 283, 319-20, 371-5, 467, 469; *ver também* Alcorão; islã/islamismo; Maomé, profeta
muezim, 279
Mujahid ibn Jabr, 285
mujtahid ("capaz de raciocínio independente"), 374
Muller, Max, 440
muo ("fechar"), 65

Muqatil ibn Sulayman, 285
mushrikin ("idólatras"), 286
música, 13, 19, 42, 89-90, 92, 97, 100, 209, 247, 278, 306-7, 321, 355, 358, 387, 419, 464-5; *Yuejing* ("Clássico da Música", escritura chinesa), 186-7, 197, 200
Mut-em-emenet (mulher de Potifar), 478, 481

nabateus, 213
Nabucodonosor II, rei da Babilônia, 57, 102, 112
Nagarjuna, 211
Nakhlah (Arábia), 268
Nakula, 169, 179
nam simerum ("recordação do Nome"), 379
Nanak, Guru, 339-40, 378-9, 381, 404, 437-8, 461
Nanda, Mahapadma, 168-9
Nandas, governantes, 168-9, 172
não violência, 61, 129, 131, 134, 145, 168, 176, 238, 242, 312, 441, 443
Narada (rishi), 291
naskh ("revogação"), 448
Nazaré (Israel), 226
nazismo/nazistas, 472, 479-80
Neco, faraó, 57
Neemias, 115
Newton, Isaac, 393-4, 398, 420; *As origens filosóficas da teologia pagã*, 393; ciência newtoniana, 74, 394, 413
Ni Yuanlu, 384
Nietzsche, Friedrich, 412-20; *A gaia ciência*, 412-3, 415; *Assim falou Zaratustra*, 414, 419; *O nascimento da tragédia*, 414
nikayas ("sermões"), 153
nirvana, 21, 149-56, 202-3, 206-8, 210, 251, 264-6, 296, 335
Nobre Caminho Óctuplo (Buda), 151
Noé, 363, 393-4
North, Gary, 469
Novo Testamento, 19, 65, 228, 236, 239, 267, 269-70, 344, 349, 393, 398, 402, 404, 415-6, 419, 466-7, 476, 479; *ver também* Evangelhos
Núbia, 34
Números, livro dos, 108, 113
Nur ad-Din, 326

Oberoi, Harjot S., 437
Ockham, Guilherme de, 319, 388
OM (mantra sagrado), 127
omíadas/império omíada, 282-3, 287, 457
Onze de Setembro, atentados de (2001), 458-9
Orestes (personagem mitológica), 160
Orígenes, 243-9, 259-60, 303-4, 308, 474; *Comentário ao Cântico dos Cânticos*, 244
Oseias, profeta, 48-50, 54-5, 113-4, 213, 225
ossos oraculares dos Shang (adivinhação chinesa), 81
otomanos/império otomano, 343, 355, 366, 369, 371, 373, 376
Otto, Rudolf, 106
ousia ("essência"), 247, 253-4, 365
Oxford, Universidade de, 314, 408

paganismo, 268-9, 273
Palestina/palestinos, 216, 220, 222, 226-7, 238-9, 244, 249, 260-1, 267, 280, 327, 332, 367, 369, 457-9, 461; Hamas (organização palestina), 457
panchalas (clã ariano), 71
Pandavas, 171-8, 241, 439
Pandu, rei indiano, 169-70
Panth (comunidade sikh) *ver* sikhs
papado, 343, 350
Paquistão, 58, 438, 444-5
paralipômenos ("coisas omitidas"), 117
Pargushan ("Permanência", festival jainista), 148-9
Parikshit, rei indiano, 291
Paris, 314, 318, 356; abadia de São Vítor, 308
Parivara (regras restritivas budistas), 153
Partos (dinastia iraniana), 261
Pashyamistra (Brâmane), 169

Pataliputra (Índia), 148, 202
Patton, Laurie, 441-2
Paulo, são, 228, 230, 234-6, 246-8, 257, 259, 274, 303-4, 316, 344, 346, 358, 405-6, 415, 468-9; epístolas de, 236, 259, 307
paxue ("aprendizagem desadornada"), 431
Paz de Augsburgo (1555), 355
"pecado original", 30, 258-9, 309-60, 479
Pedro, são, 234
Peniel (Israel), 40, 111
Pentapla (Biblia editada em Halle), 397
Pentateuco, 35, 57, 111, 215, 391, 399; *ver também* Torá
Pérsia, 114, 158, 192, 216, 269-70, 280; reis magos, 232; *ver também* Irã/iranianos
peshat ("sentido literal"), 330
pesher ("interpretação"), 215, 235, 256, 467
Pesikta Rabbati, 327, 330
Peste Negra, 343
Petrarca, Francesco, 344
phalashruti ("frutos da audição"), 288
philosophes ver filosofia, Iluminismo
Pierson, Arthur, 407
pietismo/pietistas *ver* protestantes
Pilatos, Pôncio, 217, 228, 237
Ping, rei chinês, 93
Pingiya (monge), 204
piratas, 303
Pirke Avot ("Provérbios dos Pais"), 224-5, 233
Pirke de Rabbi Eliezer, 328
Platão, 161, 166, 319, 414, 475, 489; *A República*, 166; platonismo, 248-9
Polak, Jacob, 367
Polônia, 367, 369-70, 422
pólvora, 371
Portugal, 366, 389
postillae (comentários bíblicos), 313
Potifar, 478, 480-1
Prajapati ("o Tudo"), 73-8, 127, 289, 491
Prajnaparamita ("Perfeição da Sabedoria", escritura budista), 205-6
prana ("sabedoria"), 151
pranayama ver ioga/iogues
predestinação, doutrina calvinista da, 360
pré-milenarismo cristão, 405-7, 469
presbiterianos, 402, 410
Primeira Guerra Mundial, 440, 472
profetas bíblicos, 46-7, 50, 108, 157, 211, 213, 215-7, 221, 224, 226, 230, 233, 237, 245, 257, 262, 272, 274, 276, 307, 328, 394, 396, 400, 404-5, 407, 409, 468
protestantes, 405; anglicanos, 402, 408; batistas, 407; congregacionalistas, 402; "cristianismo evangélico", 405; fundamentalistas, 409-12, 434, 443, 461, 469; luteranos, 354, 397, 414; metodistas, 409-10; pietistas, 397, 476; presbiterianos, 402, 410; Primeiro Grande Despertar, 404, 471; "protestantismo iluminado", 405; puritanos, 362, 402; Reforma Protestante, 316, 347-9, 351-2, 354, 358, 366, 376, 382, 393-4, 397, 400, 409, 411; Segundo Grande Despertar, 404, 424
Provérbios (Bíblia hebraica), 42, 244, 246
Ptolomeu I Sóter, 192
Punjab (Paquistão), 58, 339, 377, 380, 437-8
Puranas, 289-91; *Bhagavata Purana*, 290-3; Grandes Puranas, 289; *lakshanas* ("tópicos"), 289-90; *ver também* Veda(s)/textos védicos
puranas ("contos antigos"), 288
Purusha ("Pessoa" arquetípica), 74-5, 291, 292

qaddosh ("sagrado"/"separado"), 113, 212
qi ("substância do universo"), 432
Qi, estado de (China), 100-1, 118, 133, 138
Qian Mu, 489
qibla ("direção"), 279
Qin, dinastia (China), 195; Primeiro Imperador, 195-7, 199
Qin, estado de (China), 133, 138, 186
Qing, dinastia manchu (China), 385, 430-2
Qong Rang (bárbaros chineses), 93
quântica, física, 74

Quatro Verdades Nobres (Buda), 151-2, 155
Qudayd (Arábia), 268
Qum (Irã), 280, 372, 375
Qumran (Mar Morto), escribas de, 213, 215, 229; *Pergaminho da Guerra*, 215; *Pergaminho do Templo*, 215; Regra da Comunidade, 215; Regra de Damasco, 215
Qur'an *ver* Alcorão
Qutb, Sayyid, 455-7; *Ma'alim fil-Tariq* [*Momentos decisivos*], 455-6

Rá (deus egípcio), 30
racionalismo, 166, 311, 374, 393, 410, 412-3, 416, 462; consciência racional, 15, 306
Rahman, Fazlur, 271, 445-7, 452-3, 455, 478
rajanya ("guerreiros"), 71
Ralph (monge), 307
Rama (irmão de Krishna), 292
Ramadã, jejum do, 279, 287, 327
rang ("submissão"), 99, 118
Rasa (Moshe Isserles), 367-8
Rashi (Shlomo Yitzhak), 308-9, 311, 313, 330
Rashtriya Svayamsevak Singh (RSS, "Associação Nacional de Voluntários"), 436, 440
Rawdat ash-Shuhada, 373
Rayy (Irã), 372
Reforma Protestante *ver* protestantes
Regra de Ouro (tratar os outros como gostaríamos de ser tratados), 30, 122, 140, 227
Reis, livro dos (Bíblia hebraica), 54-5, 108, 117; segundo, 425
"Reis Sábios" (China), 86, 118, 121, 134-5, 137-9, 142, 189-90, 197, 295, 386, 431
religião, 13; Marx e, 413; secular, 412
Rembrandt van Rijn, 485
remez ("alegoria"), 330
ren ("humanismo"/"benevolência"), 121-4, 139-41, 157, 185, 195-6, 265, 294-6, 298, 300, 302, 335-6, 489
Renânia, 354
Renascimento (Europa), 23, 343-4, 372
renascimento (reencarnação), 149, 202, 263, 340
Revolução Industrial, 345
Reza Khan, 443
Richards, I. A., 89
Richardson, Samuel, 398; *Clarissa*, 398
Rida, Rashid, 445
Rig Veda *ver* Veda(s)/textos védicos
Riley, William B., 409-10
Rilke, Rainer Maria, 486
rishis ("videntes"), 58-9, 61-2, 64-9, 72, 74, 77, 81, 85, 125, 127-8, 157, 175, 241, 340, 420-1, 435, 465, 467
rituais: arianos, 166; católicos, 349; chineses, 90; védicos, 68, 76-7, 129, 154, 171, 437
Rivier, André, 160
Robertus Monachus, 325
Roma, 218, 222, 227-8, 232, 245, 251, 258, 344, 347, 475; cerco de Jerusalém, 217, 231; filósofos greco-romanos, 236; historiadores romanos, 397; pena de crucificação em, 216, 228, 231; *ver também* Império Romano
Romanos, Epístola de são Paulo aos, 259
romantismo (movimento romântico), 420; romances/romancistas, 398, 477, 480, 483
Romênia, 422
Rosenberg, Alfred: *O mito do século XX*, 479
Rousseau, Jean-Jacques, 401
Roy, Rammohan, 434
rta ("ritmo do universo"), 17, 64, 66-8, 70, 76, 87, 125, 157, 421
ru (literatos chineses), 95, 100, 118, 134-5, 196-7, 199
Rumi, Jalal al-Din, 323; *Masnawi*, 323
Rushdie, Salman: *Os versos satânicos*, 438
Rússia, 422
Ruysbroek, Johannes, 65-6

Saadia ben Joseph, 328
Sabedoria de Salomão, 216
Sabedoria, textos de (Israel), 193

Sachedina, Abdulaziz, 448
Sacks, Jonathan, 239
sacralidade/o sagrado, 18, 24, 44, 67, 75, 78, 83, 106, 113-4, 121, 147, 197, 241, 269, 380-1, 413, 457, 491
Sacrifício do Cavalo (rito indiano de fertilidade), 126
Sadra, Mulla, 374-5; *Quatro jornadas da alma*, 375
safávidas, 371-2
Safed (Palestina), 369
Sahadeva, 169, 179
sakya (tribo iraniana), 126
salaf/salafistas, 455-9
Salah ad-Din, 326
Salamah, Umm, 449-50
Salamina, Batalha de (480 a.C.), 158
salat (preces islâmicas), 279, 377
Salmanaser v, rei da Assíria, 52
Salmos, 45, 107, 212, 225, 257, 272, 305, 307, 324, 346
Salomão, rei de Israel, 40-4, 51, 53-4, 57, 107, 216, 244, 249
sama ("escutar"), 320
samadhi ("meditação"), 151
samakiya ("serenidade"), 147
Samaria, 46-7, 49, 52, 54, 212
Samas (deus sumério), 29
samsara ("sempre em movimento"), 144, 151, 340
Samuel, livro de, 55, 117
Sanchez, Francisco, 390, 392
sangha ("assembleia"), 143, 146, 149
Sansão, 7, 484-8
sânscrito, 58-9, 154, 204, 211, 291, 435, 440; *ver também* Veda(s)/textos védicos
sargan (conceito sikh), 380
Sargão, rei da Acádia, 29, 33, 45
Sartre, Jean-Paul, 12
Satã, 231, 237-8, 351, 359-64, 405, 407, 450
sati ("atenção plena"), 156
Sattler, Michael, 350
satyagraha ("força de alma"), 441
Scopes, John, 411-2; Julgamento Scopes (1925), 411
sefarditas, judeus, 369, 403
sefirah/sefiroth ("numerações" da cabala), 331-3
selêucidas, 211-2
Sem (personagem bíblica), 213
Semler, Johann Salomo, 396-7
Senaqueribe, rei da Assíria, 52
Sengzhao, 264-5
"sentidos" da escritura *ver* Bíblia
Septuaginta (tradução grega da Bíblia hebraica) *ver* Bíblia
"Sermão do Fogo" (Buda), 154
Shachne, Shalom, 367
Shakya ("república" indiana), 143
shalom ("paz"), 45
Shammai (rabino), 220, 224
Shang, dinastia (China), 79-86, 88, 91, 95, 200
Shang, Senhor, 138, 195
Shaunaka (Brâmane), 171-2
Shechiná ("Presença" de Jeová) *ver* Jeová (Javé/Yahweh),
shem ("nome"), 422
Shen Dao, 138
Shen Nong, 137, 190
shi ("especialistas em ritual"), 84, 89, 92-5, 101
Shiah i-Ali ("os partidários de Ali"), 282, 320; *ver também* xiitas/xiismo
Shijing ("Clássico das Odes", escritura chinesa) *ver* "Clássicos" chineses (coleção de textos antigos)
Shiva (deus indiano), 171, 240, 381
Shor, Joseph Bekhar, 308
shruti ("o que se ouve"), 125
shu ("reciprocidade"), 122-3
Shujing—Shangshu ("Clássico dos Documentos", escritura chinesa) *ver* "Clássicos" chineses (coleção de textos antigos)
Shuka, 291
Shun, rei chinês, 97-100, 118, 121, 123-4, 134,

137, 139-41, 185-6, 190, 196, 200, 266, 294, 299, 334, 337, 472
Shvetaketu, 131
Sião, monte, 45, 51, 107, 193, 238, 264
Sifre, 225
sikhs, 340, 378-82, 433-4, 437-8; *Adi Granth* (escritura), 378-81; fundamentalistas, 437-8, 461; *Guru Granth Sahib* ("O Guru dos Sikhs", escritura), 381, 437-8, 461; Panth (comunidade sikh), 381-2; Sikh Sabha (movimento), 437; Templo Dourado (Amritsar, Índia), 378, 381, 437
sila ("moralidade"), 151
Sima Niu, 124
Sima Qian, 195, 200, 334, 337
Simão, o Justo, 225
Sinai, monte, 36, 38, 43, 53, 112, 215, 218, 221, 224, 226, 260-2, 306, 333, 367, 426-7, 473, 477
Sinédrio, 218, 228
Singh, Sumeet, 438
sionistas, judeus, 461
Siquém (Israel), 40, 192
Síria, 29, 211, 230, 247, 268-9, 280-1, 371, 443, 471
Smith, Brian K., 59, 435
Smith, Wilfred Cantwell, 443
smrti ("recordação"), 125, 291
sociedades agrárias/Estados agrários *ver* agricultura
Sócrates, 166-7, 414
Sodoma e Gomorra, 308
Sófocles, 161-3, 166; Édipo, 162; *Édipo em Colono*, 166; *Oedipus Turannos*, 161
sola ratio ("só a razão"), 355, 357-8, 374, 380, 390, 394, 399-402, 404, 413, 422-3, 425, 466, 472
sola scriptura ("só a escritura"), 347, 353, 355, 358, 361, 394, 401-2, 411, 422, 424, 446
Sólon, 157, 161
Soma (deva), 63-4, 66
soma (planta alucinógena), 62-3, 65, 68-9, 72, 441
Song (principado chinês), 82, 93, 118
Song, dinastia (China), 293
Soroush, Abdulkarim, 453-4
Sozemon, 267
Spinoza, Baruch, 390-2, 395
Staal, Fritz, 76
Stewart, Lyman, 409-10
Streng, Frederick, 17, 22
Su Jiming, 299
Subhuti, 206
sudras ("servos"), 71, 143, 168-9, 242, 290
sufismo/sufistas, 283, 321-3, 325, 333, 371-4, 376, 421, 449, 454, 469; "Dervixes Rodopiantes" (Ordem Sufista), 323; *tariqas* (ordens sufistas), 323, 372
Suíça, 347, 477
Suméria/sumérios, 27-9, 41; começo da civilização na, 27; *Enuma Elis* (hino sumério), 33
Suna ("prática rotineira" do Profeta Maomé), 282
Sunga, dinastia (Índia), 169
sunitas, 282, 372-3, 444, 456
sutras, 130, 177, 207
sutta ("texto sagrado"), 147-8, 153
swaraj ("autogoverno"), 441

Taif (Arábia), 268
tajdid ("renovação"), 371
Talmude, 218, 260-1, 328, 330-1, 367-9, 427-8, 466; Bavli (Talmude babilônico), 260-2, 368-9; Yerushalmi (Talmude de Jerusalém), 260-1
Tanakh (escrituras hebraicas originais), 222, 260-1; *ver também* Bíblia hebraica
Tang Junyi, 489
Tanqat (tribo chinesa), 293
Tanwir al-Miqbas (Ibn Abbas), 285
Tao ("Caminho"/"Caminho do Céu"), 17-8, 140, 181, 183-5, 300, 335, 387-8, 421, 429, 466; *Daoxue* ("aprendizado do Tao"), 299, 334
taoismo, 83, 137, 180, 182, 185, 187, 196-7, 199, 263-4, 296, 298, 334, 382, 384, 421,

466; *Daodejing* ("O Clássico do Caminho e sua Potência"), 180-1, 197
tapas ("calor"), 72
taqlid ("imitação de prática antiga"), 445
Tasmânia, 444
tatawwa ("voluntariado"), 456-7
tawhid ("unidade"), 450
tawil ("levar de volta"), 319, 321
tecnologia, 12, 61, 134, 190, 337, 347, 357, 371
Tegh Bahadan, Guru, 381
Teodoreto de Ciro, 259
teofania, 91, 293, 327
teologia, 55, 112, 219, 247, 251, 254, 262, 283, 309, 314, 318, 324, 344, 347, 350, 354-6, 358, 366, 372-3, 393-4, 396-7, 407-8, 412, 436, 443, 450, 474, 476, 479
Teresa de Ávila, santa, 353-4
Tertuliano, 250
Tetragrammaton (quatro letras do Nome de Deus) *ver* Deus; Jeová (Javé/Yahweh)
tetrateuco (Gênesis, Êxodo, Levítico e Números), 108
Teudas, 217
Thapur, Romila, 434
theosis ("deificação"), 248, 251, 360
Tiago, são, 234; Epístola de, 350
Tian ("Céu/Natureza"), 83, 85, 87, 94, 189-90
Tiglate-Pileser III, rei da Assíria, 51
Timna (Israel), 7, 487
Tindal, Matthew, 394
tipografia, 337, 344, 440
Tiro, reino de, 47, 361
Tirthankara ("fabricantes de vaus"), 146, 148
Tito, imperador romano, 217, 236, 238
Tobíades *ver* Jerusalém
Tobias, 216
Toland, John, 394, 398
Tomás de Aquino, santo, 314, 318, 344, 356, 366, 421, 466, 474-5; *Da ciência da Escritura Sagrada*, 314; *Summa Theologiae*, 315
Tomás de Celano, 312
Torá, 36, 43, 215-6, 219-26, 233, 260-2, 272, 274, 308, 324-5, 327-8, 330-3, 367-70, 390-1, 422-8, 467; e Esdras, 116-7, 219, 464; Escrita, 260-1, 427, 467; Oral, 225, 260-1, 367, 369; *Sefer Torah* ("pergaminho da torá"), 53; *torah* ("ensinamento"), 43
Torres Gêmeas (Nova York), 458
Tosefta ("Suplemento" da Mishná), 260, 369
tragédias gregas, 158-60, 414, 416
transcendência/o transcendente, 13, 16, 22-3, 69, 72, 76-7, 83, 97, 123, 150, 183, 247, 252, 266, 279, 316, 320-1, 323, 329, 332, 339-40, 358, 379, 383, 398, 406, 413, 420, 422, 439, 470
transubstanciação, 349
Trigramas, 188, 190
Trindade, 253-4, 275, 316, 364-5, 394, 398
Tripitaka ("Três Cestos") *ver Cânone em Páli* (escrituras budistas)
Trois Frères, labirinto de (Ariège, França), 12, 16
Trump, Donald, 472
tuan ("impulso"), 140
Turquia, 443-4, 447; *ver também* otomanos/império otomano

Ucrânia, 422
Uddalaka Aruni, 126
Uddhava, 290
udgatr (sacerdote védico), 71, 76, 127
Ugarite, reino de, 34, 41, 44
Ugrashravas, 171-2
Ukaz (Arábia), 268
ulemás (eruditos muçulmanos), 372-6, 444-5, 457-8
Umar ibn al-Khattab, califa, 278-9
Umm al-Kitab ("Fonte da Escritura"), 272
ummah ("sociedade"), 272, 275-6, 282-3, 287, 319-20, 374, 411, 451, 456, 458-9
União Soviética, 23
United Airlines, voo 93 da, 458
Upanixades, 125-8, 130-1, 171, 354, 434; Brhadaranyaka, 125-6; Chandogya, 125-6; mantra sagrado AUM (OM), 127; sábios

upanixádicos, 127-8, 157, 421, 465, 467; *ver também* Veda(s)/textos védicos
upaya ("habilidade em meios"), 155, 207-8, 264
Usulis, 374
Uthman, califa, 280-2

Vac (som/discurso sagrado), 65-6, 69, 126-7
vacana (concílios jainistas) *ver* jainismo
Vaishampayana, 171-2
vaixás, 71, 143, 242
Vajji: "república" indiana, 143; tribo iraniana, 126
Vala (demônio indiano), 61, 64
Valdo de Lyon, 312
Valla, Lorenzo, 344
Van Dyck, Anthony, 485
Van Leeuwenhoek, Antony, 345
vândalos, 258
Varuna (deus ariano), 61-2, 64-5, 67
Vater, Johann Severin, 399
Vayu (deus indiano), 169
veda ("conhecimento"), 58, 66
Veda(s)/textos védicos, 63, 71, 75-6, 125, 127, 131, 146, 149, 171, 241, 289-91, 324, 340, 434-6, 440; Atharva Veda, 71; filosofia védica, 440; e o *Bhagavad Gita*, 440; mitologia védica, 62; ortodoxia védica, 171, 291, 434; Rig Veda, 58-60, 62-3, 65-6, 70-1, 73-4, 87, 171, 289, 291, 434, 441, 467; rituais védicos, 68, 76-7, 129, 154, 171, 437; sacerdotes védicos, 127; sacrifícios védicos, 21; Sama Veda, 71-2; *shruti* védica, 125; Vac (som/discurso sagrado), 65-6, 69, 126-7; Yajur Veda, 71-2; *ver também Bhagavad Gita*; Puranas; Upanixades
Vedanta (escrituras), 125
Velho Testamento, 256, 308, 315, 477
Verbo divino, 62, 65-6, 69, 81, 128, 193, 234, 238, 244-7, 249-50, 252, 257, 279, 284, 314, 316, 318, 339, 347, 352, 365, 379, 393, 453
Vernant, Jean-Pierre, 161, 163
"Versículo da Luz" (Alcorão), 463
Vespasiano, imperador romano, 217-8
Videha ("república" indiana), 125, 143
Vidura, 175, 177
Vimalakirti Sutra (escritura budista), 209
vinaya ("regra monástica"), 263
Virgem Maria, 233, 273, 396
Virgílio, 358
Virjananda, Swami, 435
Vishnu (deus indiano), 171, 177, 240-1, 288, 290-2, 381, 440; *ver também* Krishna
Volozhin (Lituânia), 427-8
Volozhiner, Hayyim, 427-8
Voltaire, 394
vrata ("juramento"), 67
Vritra (dragão indiano), 60-2, 64, 68, 292
Vulgata (tradução latina da Bíblia) ver Bíblia; Jerônimo, são
Vyasa (rishi), 171, 173, 178, 289-91

Wadud, Amina, 449-51
wahhabistas, 376-7, 469
Wang Anshi, 293
Wang Yangming, 384, 386; "Escola da Mente", 384
Ward, Humphry: *Robert Elsmere*, 408, 462
Warfield, Benjamin, 409
Washington, George, 400
Wei (principado chinês), 82, 93, 133, 136
Wellhausen, Julius, 400
Wen, duque de, 133
Wen, rei chinês, 82, 84, 88, 118, 135-6
Wette, Wilhelm de, 399
Whiston, William, 397
Williams, Rowan, 254
Wordsworth, William, 18, 420-1, 423, 425
wu ("não ser"), 180, 264
Wu, imperador chinês, 199
Wu, rei chinês, 82, 88, 118, 196
Wugeng, 82
wu-wei ("ação restrita"), 137, 182, 264

xaria (lei islâmica), 371
xátrias (guerreiros indianos), 71, 74, 126, 144, 149, 169-70, 172, 178, 436
Xerxes, rei da Pérsia, 115, 216
Xhongyong, 124
Xia, dinastia (China), 79, 97, 200
xie ("aprendizagem"), 141, 185
xie shen ("cultivo de si mesmo"), 141
xiitas/xiismo, 283, 319-20, 371-5, 467, 469; ortodoxia dos Doze, 320, 372
Xunzi, 185-9, 195-6, 265, 296, 350

yadavas (clã ariano), 71
Yajnavalkya, 126, 128-30
Yale, Universidade, 424, 474
Yam-Nahar (deus canaanita), 38, 44
Yamuna, rio, 62, 71
Yan Hui, 120, 122-4, 157, 183, 334
Yangtze, rio (China), 79, 100, 141
Yangzi ("Mestre Yang")/yanguistas, 137-8, 141, 180, 182, 185, 384
Yao, rei chinês, 97-8, 100, 118, 121, 123-4, 134, 136-7, 139-41, 185-6, 190, 196, 200, 266, 294, 299, 334, 337, 472
Yathrib (Arábia), 275
Yavne (Israel), 218-9, 222, 233
Yazid, califa, 282, 287, 321, 373
yen ("palavras"), 184
Yerushalmi *ver* Talmude
yeshivás (escolas judaicas), 427-8
yi ("retidão"), 101, 185, 188, 196
Yijing (*I Ching*, "Clássico das Mutações"), 83-4, 102, 188-90, 197, 201, 297; hexagramas, 83-4, 188, 190, 297
yin e yang, 188
Yitzhak, Shlomo *ver* Rashi
Yom Kippur, 427
Yon, rei chinês, 93
yong ("ordinário"/"que é universal"), 296-7
yu ("ser"), 180, 264
Yu (ministro de Shun), 134, 139, 185-6
Yudhishthira, 169, 175-9
yu-wei ("ação intencional"), 264-5

Zacarias, profeta, 255
Zafon, monte (Ugarite), 44
Zai (principado chinês), 93
zakat ("dar esmolas"), 377
Zaratustra/Zoroastro, 280, 414-9
Zayd ibn Aslam, 287
Zayd ibn Thabit, 281
Zen (budismo Chan) *ver* budismo
Zeng Can, 334
Zengzi, 120, 122
Zhang Zai, 297-8, 300, 335-7, 469, 489; "Inscrição Ocidental", 297-9, 469, 489
Zhao, estado de (China), 133, 186
zhong ("moderação"), 295, 297
Zhongyong ver Doutrina do Meio (*Zhongyong*, no "Clássico dos Ritos")
Zhou: dinastia (China), 82-6, 91-2, 95, 138, 295; duque chinês de (Dan), 82-5, 95, 118, 134, 142, 294, 337, 351; "Proclamação de Shao", 85; Dunyi, 297, 337
Zhouyi ("Mutações de Zhou"), 83-4, 101, 188; "Dez Asas" ("Apêndices"), 83, 188-9
Zhu Xi, 333, 350, 382, 386-7, 431, 467; *Educação inferior* (*Xiaoyixue*), 337; *Esboço e Compilação do "Espelho geral"* (*Tongjian Gang mu*), 337; *Quatro Mestres* (*Sizi*), 336-7, 430-1; *Reflexões sobre coisas próximas*, 337, 431
Zhuangzi, 182-5, 187, 193, 197, 201, 263-4, 350
Zigong, 120, 122, 124
Zisi (neto de Confúcio), 295, 334
Zixia (discípulo de Confúcio), 133
Zohar ("Livro do Esplendor"), 332-3
zoroastrismo/zoroastrianos, 280, 414; Avesta (escritura zoroastriana), 272
Zuínglio, Ulrico, 347-8, 350, 352
Zunz, Leopold, 427
Zuozhuan (comentários chineses), 191

ESTA OBRA FOI COMPOSTA PELO ESTÚDIO O.L.M./ FLAVIO PERALTA EM MINION
E IMPRESSA EM OFSETE PELA LIS GRÁFICA SOBRE PAPEL PÓLEN NATURAL
DA SUZANO S.A. PARA A EDITORA SCHWARCZ EM JANEIRO DE 2024

A marca FSC® é a garantia de que a madeira utilizada na fabricação do papel deste livro provém de florestas que foram gerenciadas de maneira ambientalmente correta, socialmente justa e economicamente viável, além de outras fontes de origem controlada.